5th Edition
Internal Medicine Manual

서울아산병원
내과매뉴얼

Department of Internal Medicine
Asan Medical Center
University of Ulsan College of Medicine

서울아산병원 내과매뉴얼 5판

첫째판 1쇄 인쇄	|	2020년 8월 28일
첫째판 1쇄 발행	|	2020년 9월 08일
첫째판 2쇄 발행	|	2021년 1월 28일
첫째판 3쇄 발행	|	2022년 3월 18일
첫째판 4쇄 발행	|	2024년 2월 2일

지 은 이　서울아산병원 내과학교실
발 행 인　장주연
출 판 기 획　김도성
책 임 편 집　안경희
편집디자인　양은정
표지디자인　김재욱
일 러 스 트　김경열
발 행 처　군자출판사(주)
　　　　　등록 제4-139호(1991. 6. 24)
　　　　　본사 (10881) 파주출판단지 경기도 파주시 회동길 338(서패동 474-1)
　　　　　전화 (031) 943-1888　　　팩스 (031) 955-9545
　　　　　홈페이지 | www.koonja.co.kr

ISBN 979-11-5955-602-9

정가 40,000원

  울산대학교 의과대학 서울아산병원 내과매뉴얼의 개정 5판을 발간하게 된 것을 전체 내과 의국원과 함께 축하합니다.

  서울아산병원 내과매뉴얼은 2004년 초판을 시작으로 2013년 개정 4판에 이르기까지 서울 아산병원 내과에 몸담은 모든 의국원들의 진료에 대한 지식과 경험을 담은 소중한 자산입니다. 2013년 개정 4판 발간 이후 의학적인 측면에서는 내과학 각 분야에서 의미 있는 발전을 거듭 해왔고, 병원 내적으로도 내과 전공의 수련 기간 단축, 새로운 전산의무기록 및 처방 시스템의 개발, 입원전담전문의 병동 신설 등 많은 변화가 있었습니다. 내과매뉴얼은 이런 변화 속에서 도 최신 임상 의학 지식을 공유하고 표준화된 진료를 제공하기 위한 수단이 되어야 합니다.

  이번 개정 5판에서는 내과 각 분야의 최신 임상 지식을 반영하는 한편, 진료 중 쉽게 참고 할 수 있도록 병원 실무와 관련된 부분을 담고자 노력하였습니다. 부디 이번 개정판이 우리 병 원 내과 전공의들과 진료전담교수님들의 진료에 도움이 되는 유용한 지침서로 활용되기를 희 망합니다.

  끝으로 이 책의 집필을 맡아 주신 내과 여러 교수님들과 임상강사 선생님들께 감사드리며, 특히 매뉴얼 개정작업 전반에 걸쳐 마지막까지 수고해 주신 내과 진료위원회 교수님들께 감사 드립니다.

2020년 8월
울산의대 서울아산병원
내과장 **이 제 환**

5장 신장내과	김효상, 백충희
6장 심장내과	강도윤, 김대희, 엄상용, 오진경, 이사민, 이상언, 이승아, 이필형, 조민수
7장 알레르기내과	권혁수, 김태범
8장 종양내과	김선영, 김정은, 류민희, 서세영, 유창훈, 안진희, 윤덕현, 윤신교, 이재련, 정재호, 조형우
9장 호흡기내과	강지은, 김수한, 김연주, 김옥화, 김호철, 문도식, 송진우, 심태선, 오연목, 우아라, 이세원, 이세희, 이재승, 이호영, 지원준, 최창민
10장 혈액내과	박한승, 이규형, 이제환, 이정희, 최은지
11장 노년내과	장일영
12장 내과계중환자실	고윤석, 임채만, 오동규, 허진원, 홍상범
13장 연명의료	서세영

04 소화기내과

05 신장내과

06 심장내과

07 알레르기내과

08 종양내과

09 호흡기내과

10 혈액내과

11 노년내과

01

감염내과

감염내과
Infectious Diseases

I 항균제 사용에 대한 이해

1. 그람양성 알균에 대한 항균제

1) Penicillin계 항균제

1941년에 처음 사용되기 시작한 penicillin G는 점차 내성이 생겨 현재는 *Streptococci*와 일부 *Enterococci*에만 항균력이 있다. 특히 *Staphylococci*의 경우 현재는 대부분의 *Staphylococcus aureus*가 penicillinase를 생성하고 있다. 이에 따라 *S. aureus*를 겨냥하는 methicillin이 개발되었으나 부작용이 많아, 대신 oxacillin, nafcillin, cloxacillin 등이 이용되고 있다. 그람 음성균에 대한 항균 범위를 넓힌 ampicillin, amoxicillin, ticarcillin, piperacillin들 역시 *S. aureus*가 분비하는 penicillinase에 약하므로 β-lactamase inhibitor를 병합하지 않는 한 methicillin-susceptible *S. aureus* (MSSA)에도 듣지 않는다. *Enterococci*는 친화력이 떨어지는 penicillin binding protein (PBP)을 선천적으로 가지고 있어 penicillin계와 cephalosporin계와 같은 β-lactam계 항균제에 내인성(intrinsic) 내성을 갖는다. 이 중 ampicillin이 penicillin보다 희석을 약 한 단계 더한 정도로 MIC가 낮아 감수성이 있는 경우 치료에 우선 이용된다.

2) Cephalosporin계 항균제

1세대 cephalosporin (cefazolin 등)은 *Streptococci*와 MSSA와 같은 그람 양성균에 대한 항균력이 우수하다. 2세대(cefuroxime, cephamandole, cephymycin)와 3세대(cefotaxime, ceftriaxone, ceftizoxime)는 1세대에 비해 그람 음성균에 대한 항균 범위를 넓힌 것이다. 그러나 그람 양성균에는 1세대에 비해 *Streptococci*에 대한 항균력은 유지되지만 MSSA에 대해서는 다소 약해진다. 3세대 중에서 *Pseudomonas*에까지 감수성이 있는 ceftazidime으로 가면 *Streptococci*에 대한 항균성은 유지되지만 MSSA에 대한 항균력은 거의 상실하게 된다. 이에 따라 ceftazidime과 같은 항균 범위를 유지하면서 그람 양성 알균에 대한 항균력을 강화한 cefepime, cefpirome 등의 항균제가 개발되었다. 그람 양성균을 겨냥할 때에는 *S. aureus*에 대한 항균력이 가장 중요하다. MSSA의 경우에는 nafcillin이 가장 표준적인 항균제이다. 그 외에도 cefazolin과 ampicillin-sulbactam이 *S. aureus*의 penicillinase에 견딜 수 있어 대체 사용이 가능하다. 그러나 *S. aureus* 감염은 전신의 어디에나 전이 감염을 일으킬 수 있어서 중추신경계를 침범한 경우에는 cefazolin과 sulbactam이 혈관-뇌장벽(Blood-brain barrier, BBB)을 통과하지 못하여 치료 실패를 가져올 수 있다.

3) Glycopeptide계 항균제

Methicillin-resistant *S. aureus* (MRSA)는 penicillin계와 cephalosporin계 항균제들은 듣지 않으므로 glycopeptide계(vancomycin, teicoplanin)를 사용한다. 그러나 살균 효과가 β-lactam계 항균제보다 서서히 나타나므로 MSSA 감염에서 nafcillin, ampicillin-sulbactam 또는 cefazolin 대신 사용하는 것은 적절하지 못하다. *Enterococci*에서는 ampicillin에 감수성이 있다면 이를 우선 선택하고, 내성이 있는 경우에 glycopeptide계 항균제를 사용한다.

4) Quinupristin-dalfopristin과 linezolid

이들은 주로 그람 양성균에 대한 항균제로 methicillin 내성에 관계없이 *S. aureus*에, penicillin 내성 여부에 관계없이 *Streptococcus pneumoniae*를 포함한 *Streptococci*에, 그리고 vancomycin 내성 여부에 관계없이 *enteorococci*에 감수성이 있다. 단, quinupristin-dalfopristin은 *Enterococcus faecium*에는 감수성이 있지만 *E. faecalis*에는 내인성 내성이 있다.

2. 그람음성 막대균에 대한 항균제

1) Penicillin계 항균제

Penicillin은 그람 음성 막대균의 β-lactamase에 약하다. 이를 보완한 것이 aminopenicillin (ampicillin, amoxicillin)으로 애초에는 *Haemophilus influenzae*, *Salmonella* spp., *Shigella* spp., *Escherichia coli*와 *Proteus mirabilis*에 감수성이 있었지만, 지금은 내성으로 인해 감수성이 확인된 경우가 아니라면 β-lactamase inhibitor를 병합하지 않은 채 단독으로 사용하기는 어렵다.

이후 대부분의 장내세균과(*Enterobacteriaceae*)를 포함하면서 *P. aeruginosa*까지 듣
는 ticarcillin과 piperacillin 등이 개발되었다. 또한 β-lactamase inhibitor를 병합한
ampicillin-sulbactam, amoxicillin-clavulanate와 piperacillin-tazobactam 등이 있다.
Klebsiella spp.는 ampicillin, amoxicillin과 ticarcillin를 분해하는 β-lactamase에 대한
유전자가 염색체 내에 있어 이들에게 내인성 내성이 있다.

2) Cephalosporin계 항균제

1세대 cephalosporin은 그람 음성 막대균에서 *H. influenzae, E. coli, Klebsiella* spp.와
*P. mirabilis*에 감수성이 있다. 2세대는 1세대에 비해 그람 음성균에 대한 항균력이 우수하
고 3세대에 비해서는 그람 양성균에 대해 우수하다. 3세대는 *Enterobacter, Citrobacter,
Serratia, Proteus, Providencia, Morganella* spp. 등을 포함하여 대부분의 장내세균과에
감수성이 있다. 3세대 중 cefoperazone, ceftazidime, cefepime은 *P. aeruginosa*까지
듣는다.

3) Monobactam계와 carbapenem계 항균제

Monobactam계인 aztreonam은 모든 호기성 그람 음성 막대균에 항균력이 있지만 그
람 양성 알균과 혐기성 세균에는 듣지 않는다. Carbapenem계(imipenem-cilastatin,
meropenem, ertapenem)는 그람 양성과 음성균뿐 아니라 혐기성 세균에도 모두 항균력
을 갖는 가장 광범위한 항균제이다.

그람 음성 막대균에는 장내세균과 이외에 *P. aeruginosa, Burkholderia cepacia, Ste-
notrophomonas maltophilia, Acinetobacter baumannii* 등이 있다. 이들은 장내세균과
와는 달리 비발효성(nonfermentative)이어서 통칭하여 '비발효성 그람 음성 막대균'이라
부른다. 병원 감염의 원인균이며 많은 항균제에 내인성 내성을 가지고 있어 항균제 선택이
어렵다. 특히 *B. cepacia*와 *S. maltophilia*는 carbapenem계에도 내인성 내성이 있다. 따
라서 비발효성 그람 음성 막대균을 겨냥하여 carbapenem을 선택한다면 *P. aeruginosa*
와 *A. baumannii*가 주된 목표가 될 것이다. 그런데 ertapenem은 imipenem-cilastatin,
meropenem과는 달리 *P. aeruginosa*와 *A. baumannii*에 대한 항균력이 제한적이다.

4) Aminoglycoside계와 fluoroquinolone계 항균제

Aminoglycoside계는 그람 양성균에 대한 항균력이 제한적이다. *Streptococci*에는 항균
력이 없고, *S. aureus*에 대해서도 시험관 내(in-vitro)에서는 항균력이 있으나 임상적 효
능은 증명되지 않아 단독 요법으로는 잘 사용하지 않는다. *Enterococci*도 ampicillin이나
vancomycin 등과 병합해야만 항균력을 갖는다. Ciprofloxacin도 이와 비슷하여 그람 양성

균에 대해서는 항균력을 믿을 수 없다. Ciprofloxacin의 그람 양성균에 대한 항균력을 보강한 levofloxacin과 moxifloxacin 등의 새로운 fluoroquinolone계 항균제들이 많이 개발되어 있다. 그람 음성 막대균에 대해서 aminoglycoside계와 fluoroquinolone계는 거의 대부분의 장내세균과와 *P. aeruginosa*까지 들을 수 있다. Aminoglycoside계는 비교적 높은 nephrotoxicity와 ototoxicity로 인해 단독으로는 잘 이용되지 않고, 일부 제한된 경우에 세포벽 작용 항균제와의 병합요법에 이용된다.

3. 항혐기성 항균제

무산소 조건에서만 증식이 가능한 세균들을 보통 혐기성 세균이라고 한다. 혐기성 그람 양성 알균은 *Peptostreptococcus* spp.가 대표적이다. 그람 양성 막대균에는 *Clostridium*, *Propionibacterium*, *Lactobacillus* spp. 등이 있다. 그람 음성 막대균으로는 *Bacteroides*, *Prevotella*, *Fusobacterium* spp. 등을 들 수 있다. 혐기성 세균 중 많은 종류는 구강, 위장관(특히 대장), 여성 생식기에 있는 정상 상재균이다. *Peptostreptococcus*와 *Propionibacterium*은 피부에 상재한다.

혐기성 세균은 많은 항균제에 잘 듣지만, 그람 음성 막대균에서 β-lactamase에 의한 내성이 증가하고 있다. 이에 따라 항혐기성 항균제는 그람 음성 막대균에 대한 내성률을 기초로 분류한다. 가장 대표적인 항혐기성 항균제인 metronidazole은 내성률이 1% 미만인 group 1에 속한다. Group 1에는 이 외에도 Carbapenem계와 ampicillin-sulbactam, amoxicillin-clavulanate, piperacillin-tazobactam 등이 있다. 따라서 이들을 쓸 때에는 metronidazole이나 clindamycin을 같이 사용할 필요가 없다.

Clindamycin은 내성률이 15% 미만인 group 2에 속한다. Group 2에는 이외에도 cephamycin계 항균제가 들어간다. 호기성균에 대한 항균 범위는 2세대 cephalosporin과 유사하나 혐기성균에도 작용하는 것들을 따로 분류하여 cephamycin이라고 부르며, cefoxitin, cefotetan, cefmetazole 등이 있다.

4. Tigecycline과 Colistin

1) Tigecycline

Tetracycline 계열의 내성을 극복하기 위해 새롭게 개발된 glycylcycline 계열의 항균제로 2005년에 FDA 승인된 정균 항균제이다. 호기성 그람 양성, 그람 음성 세균 및 혐기성에 광범위한 항균 범위를 가진다. 그람 양성 세균에서는 MRSA, vancomycin-resistant *Enterococcus* (VRE)에 항균력을 가지고, 그람 음성 세균에서는 ESBL 생성 *Entero-*

bacteriaceae, 다제내성 *A. baumannii*, *S. maltophilia*에도 항균력을 가진다. 그러나 *P. aeruginosa*에 대한 항균력은 없다. FDA에 승인된 적응증은 피부 연조직 감염, 합병된 복강 내 감염 및 지역사회 획득 폐렴이다. 신기능 저하에 따른 투여 용량 조절은 필요 없고, cytochrome P450 효소에 영향을 미치지 않아서 약물 상호 작용이 흔하지 않다. 오심, 구토가 흔한 부작용이다. 임신 중 투여 금기 약물이다(Pregnancy category class D).

2) Colistin

(1) 항균 범위

Polymyxin계(polymyxin E)에 속하는 polypeptide 항균제이다. 그람 음성 세균에 효과적인 약제로 신독성으로 거의 사용하지 않다가 다제내성균에 의한 감염이 증가하면서 유용한 항생제로 다시 주목을 받게 되었다. 그람 음성 세균 세포외막의 lipopolysaccharide와 phospholipid에 결합하여 세포외막을 파괴하는 살균 항균제이다.

주로 호기성 그람 음성 막대균에 항균력을 보이고 *P. aeruginosa*, *A. baumanmii* 감염에 사용된다. 이 외에도 *Klebsiella* spp., *E. coli*, *Enterobacter* spp., *Salmonella* spp., *Shigella* spp., *Citrobacter* spp., *Haemophlus influenzae*에 대해 항균력이 우수하다. 그리고 *S. maltophilia*, *Mycobacteria* spp.에도 항균력이 있다. *Proteus* spp., *Serratia* spp. 등은 항균력이 좋지 않다. 그람 양성 세균과 그람 음성 알균, 혐기성 세균에 대해서는 항균력이 없다.

(2) 적응증

P. aeruginosa 또는 *A. baumannii*와 같은 원내 다제내성 그람 음성 세균에 의한 폐렴, 균혈증, 요로 감염, 수술부위 감염, 복강 내 감염 등에 사용될 수 있다. 흡입 치료는 Cystic fibrosis 환자에서 *P. aeruginosa* 폐렴에서 주로 이용하였다. 최근 다제내성 그람 음성 세균에 의한 폐렴의 치료에 이용되고 있고 효과적으로 치료된 보고들이 있다. 그러나 아직 이에 대한 연구가 부족하고 기관지 수축과 같은 부작용이 발생할 수 있어서 신중하게 사용하여야 한다.

(3) 투여방법 및 용량: [Colistin 투약지침] 참고

(4) 부작용: [Colistin 투약지침] 참고

5. 항균제 내성 기전

1) 항균제 작용부위의 변이

항균제가 작용하는 부위에 변이가 생겨 내성이 나타나는 대표적인 예로는 methicillin-resistant *S. aureus* (MRSA), penicillin-resistant *S. pneumoniae* (PRSP)와 vancomycin-resistant *enterococci* (VRE) 등이 있다.

2) Broad-spectrum β-lactamase

항균제를 불활성화시키는 효소인 β-lactamase는 Bush-Jacoby-Medeiros 분류법에 따라 기능적으로 분류한다. Group 2는 β-lactamase의 유전자가 주로 plasmid에 있다. Group 2a는 그람 양성균이 분비하는 penicillinase이다. Group 2b는 그람 음성균에서 볼 수 있는데, ampicillin과 1세대 cephalosporin을 분해할 수 있는 broad-spectrum β-lactamase로 TEM-1, TEM-2와 SHV-1 plasmid가 대표적이다. β-lactamase inhibitor를 병합하면 억제될 수 있다.

3) Extended-spectrum β-lactamase

Group 2be는 β-lactamase에 매우 안정적인 oxyimino- β-lactam 항균제인 cefotaxime, ceftazidime, aztreonam 등을 주로 분해하여 extended-spectrum β-lactamase (ESBL)라고 불린다. ESBL은 *Klebsiella* spp.와 *E. coli*에서 주로 발견된다. 실험실의 감수성 검사에서 cephamycin과 imipenem은 분해하지 못하며 clavulanate에 의해 억제된다. 그러나 임상에서는 cephamycin이나 β-lactamase inhibitor를 붙인 항균제로 치료하면 실패율이 높으므로 carbapenem계를 선택하여야 한다. Fluoroquinolone계에 감수성이 있다면 사용할 수 있지만 내성을 보이는 경우가 많다.

4) 염색체에 있는 유도성 β-lactamase

Group 1은 ampC 유전자가 염색체에 있어 β-lactam계 항균제에 노출되면 β-lactamase 생성이 유도되면서 ampicillin, 1세대와 2세대 cephalosporin에 내성을 나타낸다. 이런 세균들로는 *Proteus vulgaris*와 *Enterobacter*, *Citrobacter*, *Serratia*, *Providencia*, *Morganella*, *Pseudomonas* spp.가 있다. 이들에서 ampC에 대한 조절 유전자인 ampD에 돌연변이가 생기면 oxyimino- β-lactam 항균제에도 모두 내성을 보이게 된다. β-lactamase inhibitor에 의해 억제되지 않으므로 이런 경우 치료 항균제로 carbapenem을 선택하게 된다.

5) 항균제 투과성 감소

그람 음성 막대균 중 비발효성 그람 음성 막대균들은 외막의 투과성 장애가 주된 내성기전이다. 이외에 부가적으로 염색체에 있는 유도성 β-lactamase 또는 항균제를 바깥으로 퍼내는 efflux pump의 도움을 받는다.

II 항생제 특수용법

1. β-lactam prolonged Infusion

1) 적응증

① 환자가 매우 중증인 경우(예: APACHE score≥15)

② 항균제에 대해 감수성이 있으나 MIC (Minimal inhibitory Concentration)가 높은 경우

2) 적용 가능 약제와 용법

표 1-1. β-lactam Prolonged Infusion 적용 가능 약제와 용법

Piperacillin/tazobactam	NS, D5W mix 가능
Loading dose **Maintenance dose** CrCL (mL/min) > 40 CrCL (mL/min) 20 to 40 CrCL (mL/min) < 20 IHD CRRT	4.5 g + D5W 50 mL 30 min infusion Loading 투여 완료 직후부터 유지 용량 투여 18 g (4 vial) + D5W 240 mL/24 hrs, 10 cc/hr 13.5 g (3 vial) + D5W 240 mL/24 hrs, 10 cc/hr 9 g (2 vial) + D5W 240 mL/24 hrs, 10 cc/hr 9 g (2 vial) + D5W 240 mL/24 hrs, 10 cc/hr 13.5 g (3 vial) + D5W 240 mL/24 hrs, 10 cc/hr
Ceftazidime(차광)	NS, D5W mix 가능
Loading dose **Maintenance dose** CrCL (mL/min) ≥50 CrCL (mL/min) 30 to 49 CrCL (mL/min) 10 to 29 CrCL (mL/min) <10 IHD CRRT	1 g + NS (D5W) 100 mL 30 min infusion Loading 투여 완료 직후부터 유지 용량 투여 6 g + D5W 240 mL/24 hrs, 10 cc/hr 4 g + D5W 240 mL/24 hrs, 10 cc/hr 2 g + D5W 240 mL/24 hrs, 10 cc/hr 1 g + D5W 240 mL/24 hrs, 10 cc/hr 1 g + D5W 240 mL/24 hrs, 10 cc/hr 4 g + D5W 240 mL/24 hrs, 10 cc/hr
Cefepime(차광)	NS, D5W mix 가능
Loading dose **Maintenance dose** CrCL (mL/min) ≥60 CrCL (mL/min) 30 to 59 CrCL (mL/min) 10 to 29 CrCL (mL/min) <10 IHD CRRT	1 g + NS (D5W) 100 mL 30 min infusion Loading 투여 완료 직후부터 유지 용량 투여 6 g + D5W 240 mL/24 hrs, 10 cc/hr 4 g + D5W 240 mL/24 hrs, 10 cc/hr 2 g + D5W 240 mL/24 hrs, 10 cc/hr 1 g + D5W 240 mL/24 hrs, 10 cc/hr 1 g + D5W 240 mL/24 hrs, 10 cc/hr 4 g + D5W 240 mL/24 hrs, 10 cc/hr
Meropenem	NS mix(*NS 믹스 시 25℃에서 4시간 안정 → 지속투여가 불가함)
Loading dose **Maintenance dose (3 hr infusion)** CrCL (mL/min) ≥ 50 CrCL (mL/min) 25 to 49 CrCL (mL/min) 10 to 24 CrCL (mL/min) <10 IHD(투석날은 투석 직후 투여) CRRT	1 g + NS 100 mL 30 min infusion Loading 투여 완료 직후부터 유지 용량 투여 (예외: IHD) Loading 투여 완료 후 투석하는 날부터 유지 용량 시작 1 g + NS 100 mL q 8 hrs (3 hrs infusion) 1 g + NS 100 mL q 12 hrs (3 hrs infusion) 500 mg + NS 100 mL q 12 hrs (3 hrs infusion) 500 mg + NS 100 mL qd (3 hrs infusion) 500 mg + NS 100 mL qd (3 hrs infusion) 1 g + NS 100 mL q 8 hrs (3 hrs infusion)

2. Central line locking therapy

1) Central line locking therapy에 사용되는 항생제 종류, 농도 및 준비 방법

표 1-2. Central line locking therapy에 사용되는 항생제 종류, 농도 및 준비 방법

항생제 종류 및 최종 농도	약물 준비 방법(*NS; normal saline)
Cefazolin 5.0 mg/mL	1) Cefazolin 1 g을 NS 9.7 mL로 희석한다(총 10 mL). = Solution A 2) "Solution A" 0.5 mL를 뽑아서 NS 4.5 mL로 희석한다(총 5 mL). = Solution B 3-1) Hickman/삽입형포트 잠금: 1:1000 unit heparin 0.3 mL, 　　　"Solution B" 1.5 mL, NS 1.2 mL 3가지를 혼합한다(총 3 mL). 3-2) 투석용 Perm 잠금: 1:5000 unit heparin 0.4 mL, 　　　"Solution B" 1 mL, NS 0.6 mL 3가지를 혼합한다(총 2 mL).
Vancomycin 5.0 mg/mL	1) Vancomycin 500 mg을 주사용수 10 mL로 희석한다(총 10 mL). = Solution A 2) "Solution A" 1 mL를 뽑아서 NS 4 mL로 희석한다(총 5 mL). = Solution B 3-1) Hickman/삽입형포트 잠금: 1:1000 unit heparin 0.3 mL, 　　　"Solution B" 1.5 mL와 NS 1.2 mL 3가지를 혼합한다(총 3 mL). 3-2) 투석용 perm 잠금: 1:5000 unit heparin 0.4 mL, 　　　"Solution B" 1 mL와 NS 0.6 mL 3가지를 혼합한다(총 2 mL).
Ampicillin 10 mg/mL	1) Ampicillin 500 mg을 NS 25 mL로 희석한다(총 25 mL). = Solution A 2-1) Hickman/삽입형포트 잠금: 1:1000 unit heparin 0.3 mL, 　　　"Solution A" 1.5 mL, NS 1.2 mL 3가지를 혼합한다(총 3 mL). 2-2) 투석용 perm 잠금: 1:5000 unit heparin 0.4 mL, 　　　"Solution A" 1 mL, NS 0.6 mL 3가지를 혼합한다(총 2 mL).
Gentamicin 1 mg/mL	1) Gentamicin 40 mg (1 mL)을 NS 19 mL로 희석한다(총 20 mL). = Solution A 2-1) Hickman/삽입형포트 잠금: 1:1000 unit heparin 0.3 mL, 　　　"Solution A" 1.5 mL, NS 1.2 mL 3가지를 혼합한다(총 3 mL). 2-2) 투석용 perm 잠금: 1:5000 unit heparin 0.4 mL, 　　　"Solution B" 1 mL, NS 0.6 mL 3가지를 혼합한다(총 2 mL).
Ceftazidime 0.5 mg/mL	1) Ceftazidime 1 g을 NS 199.3 mL로 희석한다(총 200 mL). = Solution A 2) "Solution A" 1 mL를 뽑아서 NS 4 mL로 희석한다(총 5 mL). = Solution B 3-1) Hickman/삽입형포트 잠금: 1:1000 unit heparin 0.3 mL, 　　　"Solution B" 1.5 mL, NS 1.2 mL 3가지를 혼합한다(총 3 mL). 3-2) 투석용 perm 잠금: 1:5000 unit heparin 0.4 mL, 　　　"Solution B" 1 mL, NS 0.6 mL 3가지를 혼합한다(총 2 mL).
Caspofungin 3.3 mg/mL	1) Caspofungin 50 mg을 NS 10 mL로 희석한다. = Solution A 2) 1:1000 unit heparin [XV-PINE5KU] 1 mL을 NS 4 mL로 희석한다. = Solution B 3) Hickman/삽입형포트 잠금: 　　"Solution A" 2 mL, "Solution B" 1 mL 2가지를 혼합한다(총 3 mL). *Hickman 또는 삽입형 포트에 lumen 별로 3 mL씩 사용, 12시간마다 교체
Liposomal amphotericin B 2.7 mg/mL	1) Liposomal amphotericin 50 mg을 정제수 12.5 mL로 희석한다. = Solution A 2) 1:1000 unit heparin 1 mL을 NS 4 mL로 희석한다. = Solution B 3) Hickman/삽입형포트 잠금: 　　"Solution A" 2 mL, "Solution B" 1 mL 2가지를 혼합한다(총 3 mL). *Hickman 또는 삽입형 포트에 lumen 별로 3 mL씩 사용, 8시간마다 교체
Amphotericin B 2.5 mg/mL	1) Amphotericin B 50 mg을 주사용수 10 mL로 희석한다. 2) 1)의 용액에 D5W 10 mL를 추가로 섞어 희석한다(총 20 mL). 3) Hickman/삽입형포트 잠금: 2)의 약액을 lumen 별로 5 mL씩 사용

2) 투여 방법

① 카테터 내강 내의 내용물을 모두 제거한다.

② NS 5 mL로 중심정맥관의 혈액역류를 확인 후 관류하고 잠금장치를 잠근다.

③ 위의 표에 따라 제조한 항생제 잠금용액을 천천히 주입하고 중심정맥관의 잠금장치를 잠근 후 주사기를 제거한다.

④ 카테터에 "사용금지 - 항생제 잠금중" 표시를 해둔다.

⑤ 의사의 지시에 따라 정해진 시간 동안 항생제 잠금 요법을 시행한다(12시간 간격으로 교체).

⑥ 체류시간이 끝나면 카테터 내강에서 항생제 잠금 용액을 빼낸다.

3. CNS intraventricular therapy

1) 적응증

중추신경계 감염이 전신 항균 요법으로 잘 치료되지 않는 뇌수막염 및 뇌실염 환자에서 고려할 수 있으며, 감염내과 consultation 후 사용을 권장한다.

2) 적용가능 약제와 용법

① Vancomycin, Gentamicin, Amikacin: 매 dose 투여 전 CSF 내 약물 농도 확인이 필요함.

② CSF trough TDM/MIC 10-20 이상 유지할 것을 추천함.

표 1-3. CNS intraventricular therapy 적용가능 약제와 용법

약물	용법

Vancomycin	1) 뇌실의 부피에 따른 용량
	  – Slit ventricles: 5 mg vancomycin
	  – Normal size: 10 mg vancomycin
	  – Enlarged ventricles: 15-20 mg vancomycin
	2) Vancomycin 500 mg in NS 100 mL (5 mg/mL)
	3) EVD 양을 기준으로 한 투여 빈도
	  – <50 mL/day: 3일에 1회
	  – 50-100 mL/day: 2일에 1회
	  – 100-150 mL/day: 하루 1회
	4) 부작용: 감각신경성 난청

Gentamicin	1) 0.4-1.6 mg/mL의 농도로 normal saline에 희석하여 투약
	2) 뇌실의 부피에 따른 용량
	  – Slit ventricles: 2 mg gentamicin
	  – Normal size: 3 mg gentamicin
	  – Enlarged ventricles: 4-5 mg gentamicin
	3) Gentamicin 80 mg in NS 50 mL (1.6 mg/mL)
	4) EVD 양을 기준으로 한 투여 빈도
	  – <50 mL/day: 3일에 1회
	  – 50-100 mL/day: 2일에 1회
	  – 100-150 mL/day: 하루 1회
	5) 부작용: 일시적 난청, seizure, CSF eosinophilic granulocytosis

Amikacin	1) 30 mg을 0.25-5 mg/mL의 농도로 normal saline에 희석하여 하루 1회 투여 2) Amikacin 250 mg in NS 50 mL (5 mg/mL) 3) 부작용: 경미한 난청
Colistin	1) 4.2 mg을 약 1.5 mg/mL의 농도로 normal saline에 희석하여 하루 1회 투여 2) Colistin 150 mg in NS 100 mL (1.5 mg/mL) 3) 부작용: 뇌수막 자극 징후, seizure, irritability, eosinophilia, leg pain, CSF xanthochromia
Amphotericin B	1) 0.01-0.5 mg을 0.1 mg/mL 미만의 농도로 하루 1회 투여 2) Amphotericin B 50 mg in D5W 500 mL (0.1 mg/mL) 3) 부작용: 이명, 발열, 오한, Parkinsonism

3) EVD를 통해 투약 시 주의사항

① 처음 CSF 2 mL를 제거한 후 해당 항생제를 투여한다. 이후에 생리식염수 2 mL를 투여한다.

② CSF에서 항생제가 농도평형을 이루도록 15-60분간 clamping한다.

4. 특수약제

1) Amphotericin B deoxycholate 투약지침

① 원내 코드: Fungizone inj-50 mg/vial

② 투여 적응증

신기능 악화 및 전해질 이상 등의 부작용을 고려하여 진균 감염이 확진되거나 가능성이 매우 높은 경우에만 투여를 권장한다.

③ 용법

- AmB deoxycholate 1 mg(부작용 시험용량) + DSW 50 mL mix하여 1시간 동안 투여한다.
- 1시간 이상 관찰하여 큰 부작용 없으면 이후 감염증에 따라 AmB deoxycholate 0.5-1 mg/kg q 24 hrs 투여한다(6시간 동안 천천히 투여).

④ 전처치

- 흔하게 환자들에게서 투여 시 오한, 발열 등을 일으킬 수 있어 전처치로 항히스타민제 (Peniramine 2 mg)와 acetaminophen 650 mg을 AmB deoxycholate 투여 30분 전에 정주로 투여하여 반응을 줄일 수 있다.
- 이러한 부작용은 주입을 반복하다 보면 그 정도가 감소한다. 따라서 전처치의 필요성을 3-7일마다 재평가한다.

⑤ 투여 부작용 발생시 대처

심한 오한이 발생 시 치료적으로 Meperidine 25 mg 정주로 투여한다(단, 신부전 환자에서는 meperidine 감량을 고려해야 함).

2) Colistin 투약지침

(1) 정주요법

① 원내 코드: Colistimethate-150 mg/vial

② 사용 적응증

- 기존의 모든 항생제에 내성을 보이는 *A. baumannii* 또는 *P. aeruginosa*에 의한 감염증
- Carbapenem 내성 *Enterobacteriaceae* (CRE)에 의한 감염증

③ 용량/용법

- 용량기준: Colistin base activity (CBA)/체중 기준: 실체중(비만: 이상체중)
- Loading dose: 4 mg/kg(최대용량 300 mg)
- Maintenance dose: Loading dose 투여하고 12시간 후부터 투여 시작함.
- 표 1-4와 같이 CrCl (mL/min) (eGFR)에 따라 투여

표 1-4. 신기능에 따른 Colistin 용량

eGFR	Maintenance dose	처방
≥80	340 mg/day	170 mg q12 hours
70 to <80	300 mg /day	150 mg q12 hours
60 to <70	275 mg /day	137.5 mg q12 hours
50 to <60	245 mg/day	122.5 mg q12 hours
40 to <50	220 mg/day	110 mg q12 hours
30 to <40	195 mg/day	97.5 mg q12 hours
20 to <30	175 mg/day	87.5 mg q12 hours
10 to <20	160 mg/day	80 mg q12 hours
5 to <10	145 mg/day	72.5 mg q12 hours
<5	130 mg/day	65 mg q12 hours
HD	투석하지 않는 날은 65 mg q 12 hs로 투여 투석하는 날은 65 mg q 12 hsr로 투여 + 투석 후에 40–50 mg 추가 투여 (3시간 투석 시 40 mg, 4시간 투석 시 50 mg 투여 추천)	
CRRT	150 mg q8 hours	

④ 부작용

- 용량의존적 신독성
- 신경계 이상(어지러움, 저림, 마비, 전신 가려움증, 느려진 말투, 따끔거림, 현기증)

(2) 흡입요법(Inhalation, AER)

① 사용 적응증

- Off-labeled use: 원내에서는 colistin 정주 투여에 의한 신독성 발생 환자만 인정 비급 여로 사용.
- 기존의 모든 항생제에 내성을 보이는 *A. baumannii* 또는 *P. aeruginosa*에 의한 폐렴.
- Carbapenem 내성 *Enterobacteriaceae* (CRE)에 의한 폐렴으로 intubation 되어 있거 나 tracheostomy 되어 있는 환자에서 사용 권장함.

② 용량/용법

- Colistimethate 75 mg + NS 8 mL q 12 – q 8 hours AER
- 최대 150 mg over 60 min q 8 hrs까지 투여 가능
- 신기능에 따라 용량 조정이 필요가 없음

③ 부작용

- Bronchospasm(→ colistin 흡입요법 15분 전에 기관지확장제 투여 추천)
- 폐독성 우려(→ 가능한 흡입요법 직접에 약을 희석하고, 24시간 이내에 사용 추천)

3) Intraventricular administration: [CNS intraventricular therapy] 참고

III 각종 감염증에 대한 항생제 치료

1. 지역사회 획득 폐렴

1) 입원을 요하지 않는 외래 환자의 경험적 항생제
① β-lactam 또는 respiratory fluoroquinolone 단독 투여를 권장한다.
② β-lactam + macrolide는 비정형 폐렴이 의심되는 경우에 한해 권고한다.
③ 결핵을 배제할 수 없는 경우에는 respiratory fluoroquinolone의 경험적 사용을 피한다.
④ Macrolide나 tetracycline 단독요법은 S. pneumoniae의 높은 내성률 때문에 권장되지 않는다.

2) 일반병동 입원환자의 경험적 항생제
① 경증 또는 중등도 폐렴의 경험적 치료에는 β-lactam 또는 respiratory fluoroquinolone 단독 투여를 권장한다.
② β-lactam과 macrolide의 병용투여는 비정형 세균(Mycoplasma spp., Chlamydia spp., Legionella spp.) 감염 또는 중증 폐렴 환자들에서 제한적으로 권장한다.

3) 중환자실 입원환자의 경험적 항생제
① β-lactam 단독요법이나 respiratory fluoroquinolone 단독요법보다는 β-lactam + azithromycin/fluoroquinolone의 병용요법을 권장한다.
② Pseudomonas에 의한 폐렴이 의심되는 경우에는 부적절한 치료를 예방하기 위해 antipseudomonal 효과를 가지는 두 가지 항생제의 병용요법을 시행한다.
③ Pseudomonas 감염의 위험 요인으로는 음주, 기관지확장증과 같은 폐의 구조적 질환, 반복되는 만성폐쇄성폐질환의 급성 악화로 인해 스테로이드를 자주 투여해 온 병력, 최근 3개월 이내의 항생제 사용력 등이 있다.
④ 지역사회획득 methicillin-resistant S. aureus 폐렴이 의심되는 경우는 vancomycin 이나 teicoplanin, linezolid을 사용할 수 있고, clindamycin이나 rifampin 추가를 고려해 볼 수 있다.
⑤ Legionella가 비정형균에 의한 중증 폐렴에서 중요하기 때문에, 초기 경험적 치료에는 이 균에 항균력을 가진 항생제가 반드시 포함되어야 한다.

4) 항생제 투여 기간

① 항생제는 적어도 5일 이상 투여하며, 원인 미생물, 환자 상태, 항생제의 종류, 치료에 대한 반응, 동반 질환 및 폐렴 합병증 유무에 따라 항생제 적정 투여 기간이 달라질 수 있다.

② 균혈증을 동반한 *S. aureus* 폐렴, 그람음성 장내세균 폐렴, 폐외 장기의 감염이 동반된 폐렴, 초기 치료에 효과적이지 않았을 경우 등에서는 단기 치료로 불충분할 수 있다.

③ *Legionella* 폐렴은 적어도 14일 이상 치료한다.

표 1-5. Recommended empirical antibiotics for antimicrobial therapy of community acquired pneumonia

OPD	*β*-lactam[a]	
	Respiratory fluoroquinolone[b]	
	β-lactama + macrolide[c], if atypical pneumonia is suspected	
General ward	*β*-lactam[d]	
	Respiratory fluoroquinolone[b]	
	β-lactamd + macrolide[c], if atypical pneumonia is suspected or the patient is seriously ill	
ICU	If *Pseudomonas* is not a consideration	*β*-lactam + azithromycin/fluoroquinolone
	If *Pseudomonas* is a consideration	Antipneumococcal, antipseudomonal b-lactam + ciprofloxacin or levofloxacin
		Antipneumococcal, antipseudomonal *β*-lactam + aminoglycoside + azithromycin
		Antipneumococcal, antipseudomonal *β*-lactam + aminoglycoside + antipneumococcal fluoroquinolone

a: amoxicillin, amoxicillin-clavulanate, cefditoren, cefpodoxime
b: levofloxacin, moxifloxacin, gemifloxacin
c: azithromycin, clarithromycin, roxithromycin
d: amoxicillin-clavulanate, ampicillin-sulbactam, cefotaxime, ceftriaxone, cefepime, piperacillin/tazobactam, imipenem, meropenem

2. 요로감염

1) 무증상 세균뇨

① 의미 있는 세균뇨: 여성에서 청결채취 중간뇨 1 ㎖당 10^5개 이상 2회 연속 같은 세균이 배양되는 것으로 정의한다. 남성에서는 청결채취 중간뇨 1 ㎖당 10^5개 이상 한번이라도 배양되어야 하고, 남녀 모두 도뇨검체에서는 1 ㎖당 10^2개 이상 배양되면 진단한다.

② 무증상 세균뇨는 장기적인 예후(고혈압, 만성 신질환, 비뇨생식기계 암, 생존기간 감소)에 영향을 미치지 않는다.

③ 임신 초기 여성에서는 세균뇨를 선별하여 치료해야 한다.

④ 점막출혈이 예상되는 비뇨기과 시술을 받을 경우 시술 전에 무증상 세균뇨를 선별하여 치료하기를 권한다. 항생제 투여는 시술 전날 저녁 혹은 직전에 시작하고 시술 직후 투여를 종료한다.

2) 단순 방광염
① 단순 방광염의 주요 원인균은 *E. coli*로 전체 원인균의 70-83%를 차지한다.
② 신우신염이 의심되는 경우, 비전형적인 증상이 있는 경우, 임신부인 경우, 남성의 요로감염이 의심되는 경우, 치료 종료 후 2-4주 이내에 증상이 호전되지 않거나 재발한 경우에는 소변배양 검사가 필요하다.
③ 국내의 경우, 요로감염 원인균의 항생제 내성률 증가로 인해 소변배양 검사를 시행하는 것이 적절하다.

표 1-6. Suggested regimens for antimicrobial therapy of cystitis

Empiricial	Fosfomycin trometamol 3 g, single dose
	Ciprofloxacin 500 mg bid or 250 mg bid, ≥3 days
	Cefpodoxime proxetil 100 mg bid, ≥5 days
	Cefdinir 100 mg tid, ≥5 days
	Cefcapene pivoxil 100 mg tid, ≥5 days
	Cefditoren pivoxil 100 mg tid, ≥3 days
	Cefixime 400 mg qd or 200 mg bid ≥3 days
Definite	Amoxicillin/clavulanate 500/125 mg bid, ≥7 days
	Trimethoprim/sulfamethoxazole 160/800 mg bid, ≥3 days

3) 단순 급성 신우신염
① 국내에서 가장 흔한 원인균은 대장균이고, 그 외에 *K. pneumonia*, *P. mirabilis*, *Enterococcus* spp., *Staphylococcus saprophyticus* 등이 분리된다.
② 급성 신우신염이 의심되는 모든 경우에 요의 그람염색과 배양검사가 실시되어야 한다. 혈액배양검사는 꼭 실시해야 되는 것은 아니지만 도움이 된다.
③ 초기 경험적 항생제는 원인미생물의 항생제 감수성 결과에 따라 조절이 필요하다.
④ 항생제 치료 72시간 이후에도 치료에 반응이 없는 경우에는 영상학적 검사가 필요하며, 이때는 복부 컴퓨터단층촬영검사가 유용하다.
⑤ 중환자실 입원 치료가 필요한 중증 패혈증이나 패혈 쇼크를 동반한 급성 신우신염 환자를 치료할 때, 요로감염의 원인균에서 ESBL 생성균주의 빈도가 높은 곳에서는 감수성결과를 확인할 때까지 carbapenem계 항생제를 초기 경험적 치료로 고려할 수 있다.

표 1-7. Suggested regimens for antimicrobial therapy of acute pyelonephritis

OPD	Empirical	Ceftriaxone iv 1–2 g or amikacin 1–day dose → fluoroquinolone (po)
		Ciprofloxacin iv 400 mg → ciprofloxacin po 500 mg bid
	Definite	Ciprofloxacin po 500 mg bid 7 days or ciprofloxacin ER po qd for 7–14 days
		Levofloxacin 500 mg qd for 7 days or 750 mg qd for 5 days
		TMP/SMX 160/800 mg bid for 14 days
		β-lactam (po)a for 10–14 days
General Wardb		Ciprofloxacin 400 mg iv q 12 hrs
		Levofloxacin 500–750 mg iv q 24 hrs
		Cefuroxime 750 mg iv q 8 hours
		Ceftriaxone 1–2 g iv q 24 hrs
		Cefepime 1 g iv q 12 hrs
		Amikacin 15 mg/kg iv q 24 hrs ± ampicillin 1–2 g iv q 6 hrs
		Piperacillin–tazobactam 3.375 g iv q 6 hrs or 4.5 g q 8 hrs
		Meropenem 500–1,000 mg iv q 8 hrs
		Imipenem–cilastatin 500 mg iv q 6 to 8 hrs
		Doripenem 500 mg q 8 hours
		Ertapenem 1 g iv q 24 hrs
ICUb		Piperacillin–tazobactam 3.375 g q 6 hrs or 4.5 g q 8 hrs
		Meropenem 500–1,000 mg iv q 8 hrs
		Doripenem 500 mg q 8 hours
		Ertapenem 1 g iv q 24 hrs

a: Ceftibuten, cefpodoxime proxetil
b: 감수성 결과에 따라서 내성이 있는 원인균이 분리되면 적절한 다른 항생제로 교체한다.

4) 요로 폐쇄 관련 복잡성 신우신염

① 요로 폐쇄에 의한 요로감염은 세균감염에 대한 항생제 치료 외에 요로 폐쇄의 감압이 신속히 이루어져야 하고 원인 질환에 따라서 개별화된 접근이 필요하다.

② 치료 전 소변과 혈액 배양 검사를 반드시 시행한다.

③ 경험적 항생제 선택은 단순 신우신염 치료에 준해서 시행하나, 임상 증상이 심한 경우에는 패혈증을 동반한 중증 요로감염의 경우에 준해서 시행한다.

5) 급성 세균성 전립선염

① 급성 중증질환이므로 입원치료와 즉각적인 경험적 항생제 투여가 필요하며, 소변 및 혈액배양 검사를 위한 검체를 수집한 후 즉시 비경구적 항생제를 투여한다.

② 경험적 항생제는 3세대 cephalosporin 제제, 광범위 β-lactam/β-lactamase inhibitor 또는 carbapenem 등을 권장한다. 항생제 감수성 결과가 나올 때까지 경험적 항생제 투여를 지속하며, 결과에 따라 항생제를 변경한다.

3. 골관절 감염

표 1-8. Suggested regimens for antimicrobial therapy of osteomyelitis

	Organism	Antibiotics
Empirical	Community onset	1.0 g vancomycin every 12 hours + 3rd or 4th general cephalosporin
	Hold empiric antimicrobial therapy until a microbiologic diagnosis is established in patients with normal and stable neurologic examination and stable hemodynamics.	
Selective	MSSA or MSCoNS	2.0 g nafcillin q 4 hrs or 2.0 g cefazolin q 8 hours or 2.0 g ceftriaxone q 24 hrs
	MRSA or MRCoNS	1.0 g vancomycin every 12 hours or 400 mg teicoplanin q 24 hrs (1st day q 12 hrs)
	Penicillin-sensitive *Streptococcus* spp.	20-24 million units penicillin G q 24 hrs continuously or in 6 divided doses or 2.0 g ceftriaxone q 24 hrs
	Enterobacteriaceae	1.0g cefepime q 12 hours or 1.0 g ertapenem q 24 hours or 400mg ciprofloxacin q 12 hours
	Pseudomonas aeruginosa	2.0 g cefepime q 8-12 hour or 1.0 g meropenem q 8 hr (Double coverage may be considered eg. beta-lactam + ciprofloxacin or beta-lactam + aminoglycoside)
	Penicillin susceptible *Enterococcus* spp.	20-24 million units penicillin G q 24 hours continuously or in 6 divided doses 12.0 g ampiciilin sodium q 24 hour continuously or in 6 divided dosese
	Penicillin resistant *Enterococcus* spp.	15-20 mg/kg vancomycin q 12 hour

표 1-9. Selection of empirical antimicrobial agents for the treatment of septic arthritis according to risk factors

Risk factor	Antibiotics
No risk factor	2.0 g cefazolin q 8 hrs or 1.0-2.0 g nafcillin q 4 hrs or 3.0 g ampicillin/sulbactam q 6 hrs * with/without gentamicin (5 mg/kg) * If anaphylactic history with penicillin: 1.0 g vancomycin q 12 hrs or 400 mg teicoplanin q 24 hrs (first day 400 mg; q 12-hours loading)
High-risk of gram-negative bacteria infection (elderly, recurrent urinary tract infection, recent abdominal surgery, immunocompromised)	2.0 g ceftriaxone q 24 hrs * If allergic to ceftriaxone: 750 mg levofloxacin q 24 hrs or 400 mg ciprofloxacin q 12 hours
High risk of MRSA (recent admission into a long-term care facility, foot ulcer)	1.0 g vancomycin q 12 hrs or 400 mg teicoplanin q 24 hrs (first day 400 mg; q 12-hours loading)
Possible Neisseria gonorrhoeae (young adult, recurrent sexually transmitted infections, recent gonococcal infection)	1.0 g ceftriaxone q 24 hours (intravenous or intramuscular route)

표 1-10. Selection of antimicrobial agents for the treatment of septic arthritis based on the results of bacterial culture and antibiotic susceptibility testing

Major pathogen	Antibiotics
MSSA	1.0-2.0 g nafcillin q 4 hrs or 2.0 g cefazolin q 8 hrs
MRSA	1.0 g vancomycin q 12 hrs or 400 mg teicoplanin q 24 hrs (first day 400 mg; q 12-hours loading)
Streptococcus spp.	3-4 million units penicillin G q 4-6 hrs or 20 million units 24-hours continuous infusion or 2.0 g cefazolin q 8 hrs
Enterobacteriaceae, quinolone-susceptible	400 mg ciprofloxacin q 12 hrs or 750 mg levofloxacin q 24 hrs
Enterobacteriaceae, quinolone-resistant	Ceftriaxone 2.0 g q 12 hrs
Enterobacteriaceae, ESBL producer	1.0 g ertapenem q 24 hrs or 500 mg imipenem q 6 hrs or 1.0 g meropenem q 8 hrs
Neisseria gonorrhoeae	1.0 g ceftriaxone q 24 hrs
Pseudomonas aeruginosa	2.0 g ceftazidime q 8 hrs
Mixed anaerobes	3.0 g ampicillin-sulbactam q 6 hrs

4. 연부조직 감염

1) 농가진(Impetigo) 및 대농포진(Ecthyma)
(1) *Streptococci*와 *S. aureus*를 cover 할 수 있는 항생제를 사용한다.
① Amoxicillin/clavulanate
② First-generation cephalosporin
③ MRSA가 의심될 경우 doxycycline, clindamycin, TMP/SMX
(2) Ointment를 사용할 수 있다.
① Mupirocin
② Retapamulin

2) Purulent SSTI (cutaneous abscess, furuncle, carbuncle, inflamed epidermoid cyst)
(1) Incision & Drainage를 시행하는 것이 추천된다.
(2) 항생제는 광범위한 병변이 있거나 전신적 증상(발열 등)이 있는 환자, 혹은 면역저하자에게서 사용할 수 있다.
① First-generation cephalosporin
② Amoxicillin/clavulanate
③ Clindamycin

3) 단독(Erysipelas) 및 연조직염(Cellulitis)
(1) 단독의 경우에는 penicillin과 amoxicillin 등이 추천된다.
(2) 연조직염의 경우에는 first-generation cephalosporin, nafcillin, ampicillin/sulbactam, amoxicillin/clavulanate, clindamycin 등을 사용할 수 있다.
(3) 이전에 MRSA infection이 있었던 환자에게서는 MRSA를 cover 할 수 있는 항생제를 사용하는 것이 추천된다.
(4) 면역저하자에서의 중증의 연조직염에 대한 empirical therapy로는 vancomycin + piperacillin/tazobactam이나, vancomycin + imipenem or meropenem을 사용할 수 있다.
(5) 투여 기간은 5일이 적당하며, 호전이 없거나 합병증이 생긴 경우에는 더 늘어날 수 있다.
(6) Lesion을 높이 들어올리거나, edema나 피부병이 동반되어 있으면 치료하는 것도 도움이 된다.

(7) 1년에 3-4회 재발하는 연조직염의 경우에는 예방적으로 oral amoxicillin이나 IM benzathine penicillin G를 사용할 수 있다.

4) 괴사성 근막염(Necrotizing fasciitis)
(1) 진단되면 지체 없이 수술적 치료를 시행해야 한다.
(2) G(+), G(-), anaerobe, MRSA를 cover할 수 있는 broad spectrum의 항생제를 사용하는 것이 추천된다(vancomycin + piperacillin/tazobactam).
(3) 간경화가 있거나 최근 해물을 섭취한 기왕력, 혹은 해수에 접촉했던 기왕력이 있으면 *Vibrio vulnificus* infection을 고려하여 third-generation cephalosporin과 doxycycline or tetracycline의 조합을 사용한다.
(4) Group A *streptococcal* necrotizing fasciitis 로 확인된 경우에는 penicillin + clindamycin으로 투약한다.

5) 화농성 근염(Pyomyositis)
(1) 수술적 debridement를 시행해야 한다.
(2) Empirical therapy: Ampicillin/sulbactam이나 cefepime, piperacillin/tazobactam이나 ertapenem 등을 사용한다.
(3) 원인균이 동정되면 해당 균주에 적합한 항생제로 바꾼다.
  ① *Streptococci*: penicillin + clindamycin
  ② MSSA: nafcillin or cefazolin
  ③ MRSA: vancomycin or teicoplanin or linezolid

6) 동물 및 사람 교상(Animal or Human bite)
(1) 경미한 교상의 경우에는 항생제 사용이 불필요하다.
(2) 면역저하자, 비장 절제술을 받은 사람이나 심한 간질환, 교상부위 edema가 있거나 periosteum이나 joint capsule까지 드러날 정도의 심한 교상일 경우에는 3-5일 정도의 항생제 사용이 추천된다.
   호기성과 혐기성 균을 모두 cover 가능한 Amoxicillin/clavulanate 같은 항생제가 추천된다.
(3) 상처의 상태에 따라, 5-10년 사이 tetanus 백신 접종력이 없는 사람에게는 tetanus 백신을 접종해야 한다.

5. 감염성 심내막염

1) 자연판막 감염성 심내막염(Native valve endocarditis)

(1) 배양검사 확인 전 초기 경험적 치료 약제: 사슬알균, 포도알균, 장알균, 그람음성 균까지 cover하도록 사용

① Ampicillin/sulbactam + Gentamicin

② Nafcillin + ampicillin (or penicillin G) + gentamicin

③ 베타락탐계 항생제 사용 불가능한 경우: vancomycin + gentamicin + ciprofloxacin

(2) 페니실린 감수성 사슬알균(MIC<0.125 mg/L)의 치료

① 베타락탐 항생제 단독요법으로 4주 치료를 권장함: penicillin G or ampicillin or ceftriaxone

② Aminoglycoside 병용하는 경우, 농양이나 뇌신경장애 같은 다른 합병증이 없다면 2주 치료를 권장함: penicillin G (or ampicillin or ceftriaxone) + gentamicin

③ 베타락탐계 알러지가 있는 경우: vancomycin 단독 4주 치료

(3) 페니실린 중간내성 사슬알균 (MIC 0.12-0.5 mg/L)의 치료

① 4주간의 베타락탐계 항생제와 함께 첫 2주간 aminoglycoside 병용요법 권장: penicillin G (or ampicillin or ceftriaxone) 4주 + gentamicin 2주

② 베타락탐계 알러지인 경우: vancomycin 4주 + gentamicin 2주

(4) 페니실린 내성 사슬알균(MIC≥0.5 mg/L)의 치료

① 장알균의 치료와 동일하게 4-6주간의 베타락탐계 항생제와 aminoglycoside 병용요법을 권장: penicillin G (or ampicillin or ceftriaxone) + gentamicin 4-6주

② 베타락탐계 알러지인 경우: vancomycin + gentamicin 6주

(5) *S. aureus*에 의한 자연판막 심내막염

① MSSA: nafcillin이나 1세대 세팔로스포린 6주간 사용한다.

② MRSA나 베타락탐계 항생제를 사용할 수 없는 경우에는 vancomycin을 6주간 사용할 것을 권장한다.

(6) 장알균에 의한 자연판막 심내막염

① 베타락탐계 항생제와 gentamicin에 감수성인 경우: penicillin G (or ampicillin) + gentamicin 4-6주

② Gentamicin에 내성이거나 처음 GFR<50 ml/min이거나 gentamicin 치료 중 50 mL/min으로 악화되는 경우: ampicillin + ceftriaxone 4-6주

③ 베타락탐을 사용할 수 없는 경우: vancomycin + gentamicin 6주

(7) 그람음성균에 의한 자연판막 심내막염

① HACEK에 의한 경우: ceftriaxone (or ampicillin or ciprofloxacin)을 4주간 사용

② HACEK 이외의 그람음성균: 조기 수술을 고려, 6주 이상 베타락탐계 항생제와 amino-glycoside 병용을 고려할 수 있다.

(8) 진균에 의한 자연판막 심내막염

① 조기에 수술을 고려한다.

② Amphotericin B를 주요 치료제로 하여 항진균제의 병합 사용을 고려할 수 있다.

③ 항진균제는 적어도 수술 후 6주까지 유지하는 것을 권장한다.

④ 재발의 가능성에 대해 2차 예방으로 candida의 경우 fluconazole을, aspergillus의 경우 itraconazole을 수 개월 또는 장기간 사용하도록 권고하고 있다.

(9) 혈액 배양 음성인 경우의 치료제

① *S. aureus*, *Streptococcus*, *Enterococcus*, HACEK을 검토하여 경험적 항생제를 선택, 4-6주간 사용할 것을 권한다.

(10) 수술을 고려해야 하는 경우

① 약물치료에도 불구하고 판막 폐쇄부전 및 심부전에 의한 혈역학적 불안정이 발생하는 경우 응급수술을 권한다.

② 근부농양이나 방실전도차단이 동반되는 등 주변조직을 침범하는 경우 수 일 이내 수술을 권한다.

③ 7-10일 간의 항생제 사용에도 지속되는 발열과 균음전이 되지 않는 경우 수 일 이내 수술을 권한다.

④ 진균 혹은 다제내성 균주에 의한 감염인 경우 수술을 권한다.

⑤ 10 mm 이상의 vegetation이 있으면서 뇌색전이나 반복적인 전신성 색전증이 발생하는 경우 수 일 이내 수술을 권한다.

(11) 수술 후 항생제 유지 기간

① 전체 권장 치료기간은 혈액 배양 음성일을 첫 날로 하여 계산

② 권장 치료기간을 유지하되, 적어도 수술 후 7일-2주 이상은 유지한다.

③ 수술 중 염증반응이 심하거나 떼어낸 조직에서 균이 동정되는 경우: 인공판막 심내막염에 준하여 4-6주간 항생제 유지

2) 인공판막 심내막염(Prosthetic valve endocarditis, PVE)

(1) 혈액배양 음성인 경우의 치료

① 초기 발병 PVE인 경우: vancomycin, cefepime(수술 후 2개월 이내 발병한 경우), rifampin을 6주간 병합하여 투여하고 초기 2주 동안 gentamicin을 병합한다.

② 후기 발병 PVE인 경우: ampicillin/sulbactam, gentamicin, rifampin을 6주간 투여한다. 베타락탐 알러지가 있는 경우 vancomycin, gentamicin, ciprofloxacin, rifampin을 6주간 투여한다.

(2) *Staphylococci*에 의한 PVE

① MSSA의 경우는 nafcillin, rifampin을 6주 이상 투여하고 초기 2주간 gentamicin을 병합한다.

② MRSA의 경우는 vancomycin, rifampin을 6주 이상 투여하고 초기 2주간 gentamicin을 병합한다.

(3) *Streptococci*에 의한 PVE

① Penicillin 감수성이 있으면 penicillin-G 또는 ceftriaxone을 6주간 투여하고 초기 2주간 gentamicin을 병합한다.

② Penicillin 내성 균주는 penicillin-G 또는 ceftriaxone에 gentamicin을 병합하여 6주간 투여한다.

③ 베타락탐을 투여할 수 없는 경우에는 vancomycin을 투여한다.

(4) *Enterococci*에 의한 PVE

① Penicillin, gentamicin, vancomycin에 감수성인 경우 penicillin-G나 ampicillin에 gentamicin을 병합하여 6주간 투여한다.

② 베타락탐을 투여할 수 없는 경우에는 vancomycin에 gentamicin을 병합하여 6주 이상 투여한다.

③ Gentamicin 내성일 경우에 streptomycin을 투여한다.

④ Penicillin에 내성일 경우에 ampicillin/sulbactam과 gentamicin을 병합하여 6주 이상 투여한다.

⑤ Penicillin, aminoglycoside, vancomycin에 모두 내성일 경우 *E. faecium*은 linezolid 나 quinupristin/dalfopristin을 8주 이상 투여하고, *E. faecalis*는 imipenem/cilastatin 또는 ceftriaxone에 ampicillin을 병합하여 8주 이상 투여한다.

(5) HACEK에 의한 PVE

① Ceftriaxone 또는 ampicillin/sulbactam을 6주 이상 투여한다.

② 베타락탐을 투여하지 못하는 경우에는 ciprofloxacin을 6주 이상 투여한다.

(6) 수술을 고려해야 하는 경우

① 내과적 치료에도 불구하고 혈역학적 불안정 상태, 감염증이 조절되지 않거나 재발이 생긴 경우

② 내과적 치료에도 불구하고 반복적으로 전신 색전증이 발생

③ 고름집이나 방실전도차단 등 주변조직을 침범

④ 진균에 의한 심내막염

⑤ TEE에서 10 mm 이상의 vegetation

⑥ 인공판막의 이탈소견이 심초음파에서 확인

⑦ 인공판막 협착 및 역류 등의 기능부전이 동반

6. Meningitis (Bacterial & Tuberculosis)

1) Acute Bacterial Meningitis

(1) CSF 그람 염색 도말 결과를 통한 원인균 추정에 따른 권고 항균제 (표 1-11)

(2) 환자의 나이와 기저질환에 따른 경험적 항균제 지침 (표 1-12)

(3) 세균성 수막염 치료시 항생제 투여 용량(정상 신기능시) (표 1-13)

(4) 균 배양 결과 *S. pneumoniae*인 경우 MIC 결과에 따라 항균제를 조정한다 (표 1-14).

(5) 항균제 투여 기간

① *Neisseria meningitidis*: 7일

② *Haemophilus influenzae*: 7-14일

③ *Streptococcus pneumoniae*: 10-14일

④ Aerobic gram-negative bacilli (including *P. aeruginosa*): 21-28일

⑤ *Listeria monocytogenes*: ≥21일

⑥ Unspecified acute bacterial meningitis: 10-14일

(6) 예방 및 격리

① *N. meningitidis* 또는 *H. influenzae* type b로 확인되거나 의심되는 경우, close contact 을 한 보호자 및 의료인(mouth to mouth contact, direct exposure to droplets from a patient)은 chemoprophylaxis를 받도록 권고한다.

② Rifampicin 600 mg po. q12 hr for 2 days [10 mg/kg for children]; or ciprofloxacin a single 500 mg oral dose[소아에게는 처방 안 함]; ceftriaxone 1 g IV or IM [임산부])

③ *N. meningitidis* (meningococcus)에 감염된 환자의 가족으로서 15세 미만의 소아에 게는 상기 chemoprophylaxis에 더하여 amoxicillin 7일 요법의 치료를 고려한다.

④ *N. meningitidis*로 확인되면 항생제 치료 후 24시간 동안 격리 조치한다.

⑤ 감염 관리실에 연락하여 문의하고 약물 처방도 받도록 한다.

표 1-11. CSF 그람 염색 도말 결과에 따른 추정 원인균 및 권고 항균제

Microorganism:Gram stain feature	Recommended therapy
Streptococcus pneumoniae: Gram(+) diplococci or cocci in pairs	Vancomcyin + 3rd-cephalosporin
Neisseria meningitidis: Gram(−) diplococci or cocci in pairs	3rd-cephalosporin
Listeria monocytogenes: Gram(+) bacilli (rods)	Ampicillin or Penicillin G ± Aminoglycoside
Streptococcus agalactiae: Gram(+) cocci, chains	Ampicillin or Penicillin G ± Aminoglycoside
Haemophilus influenzae: Gram(−) coccobacilli	3rd-cephalosporin
Escherichia coli or K. pneumoniae: Gram(−) bacilli	3rd-cephalosporin

표 1-12. 환자의 나이와 기저질환에 따른 경험적 항균제

Predisposing factor	Common bacterial pathogens	Antimicrobial therapy
2-50 years	*N. meningitidis, S. pneumoniae*	Vancomycin + 3rd-generation cephalosporin
> 50 years	*S. pneumoniae, N. meningitidis, L. monocytogenes,* Aerobic gram-negative bacilli	Vancomycin + Ampicillin + 3rd-generation cephalosporin
Immunocompromised state	*S. pneumoniae, N. meningitidis, L. monocytogenes, S. aureus, Salmonella* spp, Aerobic G(−) bacilli (including *P. aeruginosa*)	Vancomycin + Ampicillin + 3rd-generation cephalosporin
Recurrent	*S. pneumoniae, N. meningitidis, H. influenzae*	Vancomycin + 3rd-generation cephalosporin
Head trauma: Basal skull fracture	*S. pneumoniae, H. influenzae,* group A β-hemolytic *streptococci*	Vancomycin + 3rd-generation cephalosporin
Head trauma: Penetrating trauma	*S. aureus,* CoNS (esp. *S. epidermidis*), aerobic gram-negative bacilli (including *P. aeruginosa*)	Vancomycin + Cefepime Vancomycin + Ceftazidime Vancomycin + Meropenem
Post-neurosurgery	Aerobic gram-negative bacilli (including *P. aeruginosa*), *S. aureus,* CoNS (esp. *S. epidermidis*)	Vancomycin + Cefepime Vancomycin + Ceftazidime Vancomycin + Meropenem
CSF shunt	CoNS (esp. *S. epidermidis*), *S. aureus,* aerobic gram-negative bacilli (including *P. aeruginosa*), *Propionibacterium acnes*	Vancomycin + Cefepime Vancomycin + Ceftazidime Vancomycin + Meropenem

표 1-13. 세균성 수막염 치료시 항생제 투여 용량

Antimicrobial agent	Dose & dosing interval
Ampicillin	2 g iv q 4 h
Cefepime	2 g iv q 8 h
Cefotaxime	2–3 g iv q 6 h
Ceftriaxone	2 g iv q 12 h
Ceftazidime	2 g iv q 8 h
Gentamicin	2.5 mg/kg iv q 8 h
Meropenem	2 g iv q 8 h
Metronidazole	500 mg iv q 6 h
Nafcillin	2 g iv q 4 h
Penicillin	4 million U iv q 4 hr
Vancomycin : ARF 시 moxifloxacin 등으로 변경 고려 (감염내과와 상의), MRSA에 대한 치료가 필요한 상태라면 vancomycin 사용해야 함	15–30 mg/kg every 12 hr (serum trough concentration of 15–20 μg/mL) – 초기 일률적으로 25 mg/kg q 12 hr로 유지. 4번째 dose 투여 전에 TDM (trough) 시행 후 결과에 따라 용량 재조정

표 1-14. S. pneumoniae로 인한 수막염에서 MIC에 따른 항균제 조정

Susceptibility	Standard therapy	Alternative therapies
Penicillin MIC ≤0.06 μg/mL	Penicillin G or Ampicillin	3rd– cephalosporin Chloramphenicol
Penicillin MIC ≥0.12 μg/mL		
Cefotaxime/Ceftriaxone MIC <1.0 μg/mL	3rd-cephalosporin	Cefepime, meropenem
Cefotaxime/Ceftriaxone MIC ≥1.0 μg/mL	Vancomcyin + 3rd-cephalosporin	Vancomycin + Moxifloxacin

* Ceftriaonxe MIC >2.0 μg/mL이면 rifampin 추가 고려

2) Tuberculous Meningitis

(1) 약제는 폐결핵과 동일한 용량의 4제요법(INH, RFP, EMB, PZA)이 원칙이며 9–12개월간 치료하며 스테로이드를 함께 사용해야 한다.

① 항균제 Isoniazid 300 mg/day + rifampin 10 mg/kg/day (or 600 mg/day) + pyrazinamide 20–30 mg/kg/day (maximum dose 2 g) + ethambutol 15–25 mg/kg/day (또는 streptomycin or amikacin 15 mg/kg/day)

② 스테로이드

• 의식수준, 신경학적 증상에 관계없이 투여

• Dexamethasone 12 mg/day or 0.4 mg/kg 또는 prednisone 20–60 mg/day로

투여 작하여 수 주에 걸쳐서 감량, 총 6-8주간 스테로이드 투여(스테로이드 용량은 다양
한 의견이 있어 의식수준, 환자 기저 상태에 따라 다르게 투여할 수 있음)

③ Vitamin B6 (pyridoxine) 50 mg po qd

④ 입원 후 감염내과 협진 요청한다.

7. Hepato-biliary infection

1) 급성 담관염/담낭염의 항균제 치료

(1) 국내 흔한 원인균

① 장내 정상 세균: *E. coli, K. pneumoniae, Enterobacter*같은 그람 음성균

② 병원감염이나 ERCP나 수술력이 있는 경우: *P. aeruginosa*

③ 그람양성균: 장알균, 사슬알균

④ 혐기균: *Bacteroides, Fusobacterium, Clostridia*

(2) 급성 담관염/담낭염의 경험적 항생제

① 경증 또는 중등증: cefuroxime, ceftriaxone, levofloxacin, ciprofloxacin

② 중증 또는 중증도에 관계없이 담관-장 문합을 환자, 의료관련 감염 환자

　ceftazidime 또는 cefepime과 metronidazole 병합, cefoperazone/sulbactam,

　piperacillin/tazobactam, meropenem, imipenem/cilastatin

(3) 항생제 투약 기간

① 항생제는 5-10일간 사용을 권장한다.

② 폐색 등의 원인 조절(source control)이 적절한 경우에는 5일 이내 항생제 중단을 권장한다.

③ 임상경과에 따라 항생제 사용 기간 연장을 고려한다.

2) 급성 췌장염

(1) 항생제를 투여하는 경우

① 중증 급성 췌장염(severe acute pancreatitis)

② 급성 췌장염의 괴사 면적이 30% 이상이면 세침흡인을 시행하여 그람염색과 배양을
실시하고 예방적 항생제를 투여한다.

(2) 흔한 원인균

　E. coli, K. pneumoniae, 장알균, 포도알균, 녹농균, 혐기균

(3) 경험적 항생제

　Ceftazidime 또는 cefepime과 metronidazole 병합, cefoperazone/sulbactam,

　piperacillin/tazobactam, meropenem, imipenem/cilastatin

(4) 항생제 사용 기간

① 7-10일간 사용을 권장하며 감염이 지속되는 근거가 없는 한 14일 이상 투약하는 것은 권장하지 않는다.

3) 간농양

(1) 흔한 원인균

K. pneumoniae, E. coli, viridans streptococci, Enterobacter, 혐기균

(2) 경험적 항생제

3세대 또는 4세대 cephalosporin (cefotaxime, ceftriaxone, ceftizoxime, ceftazidime, cefepime) + metronidazole, cefoperazone/sulbactam, fluoroquinolone (cipro-floxacin, levofloxacin) + metronidazole, piperacillin/tazobactam, meropenem, imipenem/cilastatin, ertapenem, doripenem

(3) 항생제 투약 기간

① 주사용 항생제 2-3주를 포함하여 총 4-6주 투여한다.

② 아메바성 간농양에 대한 metronidazole 투약 기간은 7-10일이다.

8. 카테터 감염

1) 카테터 감염이 의심되는 경우의 경험적 항생제 치료

① Central venous catheter (CVC)를 가진 환자에서 발열이 있지만, 혈역학적으로 안정되고 기관부전이 없는 경증 또는 중간정도의 감염의 경우 catheter를 제거하지 않고 혈액배양 시행 후 경험적 항생제 투여를 고려할 수 있겠다.

② 혈역학적으로 불안정하거나, 기관부전이 동반된 중증의 상태를 보인다면 혈액배양 및 catheter를 제거(tip 배양 포함)하고 항생제 치료를 시작해야 한다.

③ Catheter 제거 후 다른 부위로 새로이 catheter 삽입이 어렵다고 판단되면 guidewire exchange를 시행할 수 있다. 이 경우 후에 제거한 catheter tip에서 균이 배양되는 경우, 새로이 삽입한 catheter에도 같은 균이 집락되어 있는 경우가 종종 있으므로 다시 catheter를 제거해야 한다.

④ 항생제는 CRBSI의 가장 흔한 균주인 CoNS와 *S. aureus*을 목표로 하여 vancomycin을 경험적으로 투여한다. 그러나 femoral catheter와 같은 경우는 Gram-negative rod와 *Candida* species 감염증의 빈도가 높아서, 임상적으로 급격히 악화되는 환자가 femoral catheter을 가지고 있으면 이러한 균주들에 대한 경험적 항생제 투여를 고려하여야 한다.

⑤ *P. aeruginosa*나 *A. baumannii*와 같은 다제내성 그람음성균에 대한 경험적 치료는 호중구 감소증, 심한 패혈증을 보이는 환자, 이전에 다제내성 그람음성균이 집락되어 있었던 환자에서 시행되어야 한다.

⑥ *Candida* species에 대한 경험적 항생제 치료는 다음의 위험요인을 가진 패혈증 양상을 보이는 환자에서 시행되어야 한다. TPN, femoral catheter, 광범위 항생제의 장기간 사용, 혈액암, 장기이식환자, 여러 부위에서 *Candida* species가 집락화되어 있던 환자.

2) Persistent infection이 있는 경우의 w/u 및 치료

CRBSI로 진단된 환자가 항균제 사용 후 72시간 이상 발열이 있거나 72시간 이후 시행한 추적 혈액배양 양성인 경우는 다음과 같은 사항을 고려해야한다.

① Catheter을 제거하지 않은 경우는 제거한다.
② Complication 발생 여부를 확인하다.
• Infective endocarditis에 대하여 echocardiography(가능하면 TEE) 시행한다.
• Catheter site의 suppurative thrombophlebitis 가능성에 대하여 이전에 CVC가 삽입되어 있던 혈관 부위에 doppler US나 enhanced CT를 시행한다.

3) Isolated CVC tip culture 양성의 치료

① 정의: CVC을 뽑았고, tip culture만 양성이고, 혈액배양은 음성인 경우.
② CVC tip culture에서만 *S. aureus*가 배양된 경우에도 이후 25% 정도에서 균혈증 발생할 수 있으므로, 5-7일 정도의 단기간 항생제 치료을 시행하는 것이 좋다. 다른 균에 대하여는 치료가 필요한지 여부가 확실치 않다.

4) Antibiotic lock therapy (ALT)

Uncomplicated CRBSI에서 경우에 따라 카테터를 제거할 수 없는 경우에는 정맥 항생제 치료와 ALT를 동시에 시행하여 catheter salvage를 시도해볼 수 있다. ALT는 항균제 용량과 heparin 용량(또는 normal saline) 및 채워야 하는 lumen의 결정 등 고려할 요인이 많아서 systemic antibiotic therapy 없이 단독 사용하지 않는다. ALT가 필요한 경우는 감염내과 의뢰가 필요하겠다.

그림 1-1. Approach to the management of patients with short-term central venous catheter-related or arterial catheter-related bloodstream infection.

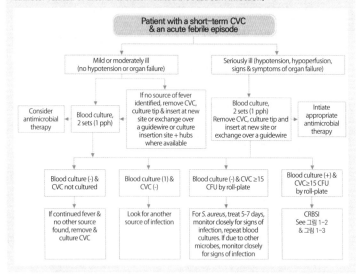

그림 1-2. Management of catheter-related bloodstream infections (caused by CoNS, S. aureus).

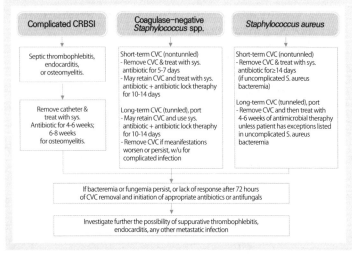

그림 1-3. Management of catheter-related bloodstream infections (caused by *Enterococcus*, *Candida* spp. gram-negative bacilli)

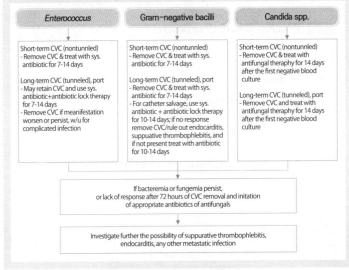

| Enterococcus | Gram−negative bacilli | Candida spp. |

Short-term CVC (nontunnled)
- Remove CVC & treat with sys. antibiotic for 7-14 days

Long-term CVC (tunneled), port
- May retain CVC and use sys. antibiotic+antibiotic lock therapy for 7-14 days
- Remove CVC if meanifestation worsen or persist, w/u for complicated infection

Short-term CVC (nontunnled)
- Remove CVC & treat with sys. antibiotic for 7-14 days

Long-term CVC (tunneled), port
- Remove CVC & treat with sys. antibiotic for 7-14 days
- For catheter salvage, use sys. antibiotic + antibiotic lock therapy for 10-14 days; if no response remove CVC/rule out endocarditis, suppuative thrombophlebitis, and if not present treat with antibiotic for 10-14 days

Short-term CVC (nontunnled)
- Remove CVC & treat with antifungal therapy for 14 days after the first negative blood culture

Long-term CVC (tunneled), port
- Remove CVC and treat with antifungal therapy for 14 days after the first negative blood culture

If bacteremia or fungemia persist, or lack of response after 72 hours of CVC removal and initation of appropriate antibiotics of antifungals

Investigate further the possibility of suppurative thrombophlebitis, endocarditis, any other metastatic infection

Ⅳ 말라리아

1. 삼일열 말라리아(*Plasmodium vivax*)

1) 진단

① 말라리아 유행지역 거주자나 여행자 중 발열 환자는 감염내과 Fellow에게 연락

② Malaria, Peripheral blood smear, 신속진단키트

③ 국내 말라리아 유행지역

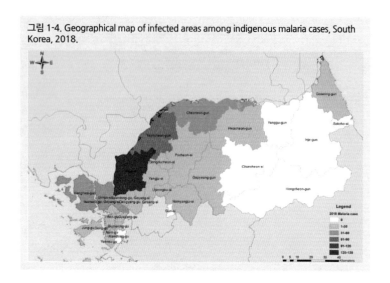

그림 1-4. Geographical map of infected areas among indigenous malaria cases, South Korea, 2018.

2) 치료

(1) Chloroquine 3일 투여, 이후 Primaquine으로 변경하여 14일간 투여한다.

① Chloroquine: WHO 기준에 맞추어서 체중당 치료

Chloroquine base 총 25 mg/kg을 3일에 나누어 경구 투여

• 1, 2일째 10 mg/kg 투여, 3일째 5 mg/kg 투여

※ 현재 원내에서 쓰고 있는 약제는 hydroxychloroquine sulfate이므로 위 필요 용량×4/3을 해야 함(다음 표와 같이 투여할 것).

표 1-15. 체중에 따른 Hydroxychloroquine 추천 용량

체중	Hydroxychloroquine sulfate Day1–Day2–Day3
60 kg 이하	800–800–400 (mg)
60.1–67.0 kg	900–900–450 (mg)
67.1–75.0 kg	1000–1000–500 (mg)
75.1–82.0 kg	1100–1100–550 (mg)
82.1–90.0 kg	1200–1200–600 (mg)
90.1–97.0 kg	1300–1300–650 (mg)

(Chloroquine 300 mg base = hydroxychloroquine sulfate 400 mg)

② Primaquine: Chloroquine 치료가 종료된 이후에 시작

표 1-16.

체중	용량
60 kg 이하	15 mg for 14 days
60.1 kg 이상	30 mg for 14 days

3) 추적 관찰

매일 하루에 한 번씩 말초혈액 도말을 시행하여 parasitemia가 없어지는지 확인한다.

2. 열대열 말라리아(*Plasmodium falciparum*)

1) 진단

① 유행지역: 사하라 이남 아프리카 지역, 동남아시아, 중남미 지역

② 해외 여행력을 확인한다.

- 해외 말라리아 유행 국가 및 지역을 확인한다.
- 해외여행자는 여행 시기 및 체류 기간을 확인한다.
- 열대열 말라리아의 경우에는 발열과 함께 설사를 동반하기도 하므로 해외 여행력이 있으면서 발열과 설사가 있으면 반드시 말라리아 검사를 감별진단에 포함한다.

③ 해외여행 후 발열 환자는 반드시 감염내과 Fellow에게 연락

　　Malaria, Peripheral blood smear, 신속진단키트 시행

④ 임상적으로 의심되거나 초기 음성인 경우 12시간 간격으로 추적

2) 치료: Artesunate IV 치료 후 경구 제제로 변경

(1) Artesunate IV

① 약품 수령 절차

국립중앙의료원 약제부 홈페이지에서 "약품요청서" 다운로드 후 작성(약품명, 용량 및 용법, 투여일수 기록)

- 의료진이 약품요청서에 "의료기관의 장 직인" 수령

  (주간에는 서관 입퇴원창구, 야간에는 응급실내 수납창구 이용)

- 보호자가 국립중앙의료원 약제과에 약품요청서를 제출 후 약품 수령

- 주간: 국립중앙의료원 약제부(T.02-2260-7388)

- 주말 및 야간: 병동 약국(T.02-2260-7385)

② 투여 용량

③ 추적 검사

- IV artesunate 투여 12, 24시간 후 peripheral blood smear (parasitemia % 확인 요함) 추적 → 이후 매일 한 번씩 말초혈액도말 시행

- Plasmodium intraerythrocytic stage parasitemia의 percentage가 1% 이하로 감소하고 경구 복용 가능하면 경구제제로 변경

(2) 경구 제제

① Mefloquine (1,250 mg single dose)

② Atovaquone/proguanil (1,000 mg/400 mg once daily for 3 days)

Ⅴ 인플루엔자

1. 진단

1) 검사 적응증

인플루엔자 의심환자, 인플루엔자 유행기간 동안 급성호흡기질환으로 입원한 환자, 만성심폐질환의 급성악화가 있는 환자, 급성 호흡기증상이 있는 면역저하자에서는 인플루엔자 검사를 시행한다.

2) 검사방법

(1) 검체종류: Nasopharyngeal swab

기계호흡을 하는 ICU 환자에서는 endotracheal aspirate, BAL fluid specimen

(2) 검사방법

① 입원환자

RT-PCR 검사(Respiratory virus RNA [real-time PCR], nasopharyngeal swab

※ Rapid influenza diagnostic test (RIDT) (Influenza A&B virus Ag, Nasopharyngeal swab) 는 시행하지 않으며, 만약 시행하여 음성이라도 RT-PCR 검사를 시행하여 확인하여야 한다.

② 외래환자

민감도가 높은 RT-PCR 시행이 권장되나, 빠른 검사결과 확인을 위해 RIDT도 시행해 볼 수 있다.

2. 치료

1) 치료 적응증
(1) 확진/의심 시 치료해야 하는 경우
 ① 인플루엔자로 입원한 사람
 ② 2세 이하, 65세 이상, 임산부
 ③ 외래: 중증질환, 인플루엔자 합병증 발생 고위험군

2) 치료를 고려해볼 수 있는 경우
 ① 인플루엔자 합병증이 발생할 고위험군은 아니지만 증상 생긴지 2일 이내인 외래 환자
 ② 증상 있는 외래환자면서 환자의 가족이 인플루엔자 합병증이 발생할 고위험이 있는 환자
 ③ 증상 있는 healthcare worker이면서 인플루엔자 합병증이 발생할 고위험 환자를 돌보는 경우

3) 인플루엔자 합병증 발생 고위험군
 ① 5세 이하 소아
 ② 65세 이상 성인
 ③ 만성질환(만성호흡기/심폐/신장/간질환), 혈액질환, 당뇨, 신경학적 문제(뇌/척수/말초신경/근육질환, 발작성질환, 뇌졸중, 정신지체, 성장지연, 근이영양증 등)
 ④ 면역저하자
 ⑤ 임산부, 출산 후 2주 이내
 ⑥ Aspirin이나 salicylate 포함 약물 복용 중인 18세 이하 소아
 ⑦ 비만(BMI ≥40 kg/m^2)
 ⑧ 요양병원거주자

4) 치료약제 및 치료기간

① Uncomplicated influenza: 경구 Oseltamivir 5일, Inhaled zanamivir 5일, IV peramivir 1일

표 1-17. GFR에 따른 항바이러스제 용량

Oseltamivir	
GFR >60	75 mg twice daily
30-60	30 mg twice daily
10-30	30 mg once daily
<10	No data
혈액투석	투석날에만 투석 후 30 mg
CVVHDF	75 mg twice daily
Zanamivir	10 mg (2 inhalations) twice daily for 5 days
Peramivir	
GFR ≥50	600 mg IV q 24 hours
GFR 31-49	200 mg IV q 24 hours
GFR 10-30	100 mg IV q 24 hours
GFR <10	100 mg once then 15 mg/day
혈액투석	100 mg once, 투석날에만 투석 2시간 후 100 mg
CVVHDF	600 mg IV q 24 hours

② 면역저하자에서의 폐렴이나 중증 폐렴(ARDS 등)일 때는 약 2주 정도 치료를 고려하며 환자상태와 검사결과에 따라 결정한다.

5) 항균제를 처음부터 함께 병용하거나 추가해야 하는 경우

① Extensive pneumonia, respiratory failure, hypotension 등 중증의 경우
② 항바이러스제 사용하면서 호전되다가 다시 악화되는 경우
③ 항바이러스제 치료 3-5일 후에도 호전이 없는 경우
→ Ampicillin/sulbactam, amoxicillin/clavulanate, third-generation cephalosporins, and respiratory quinolone 사용을 고려

Ⅵ 예방접종

1. 비장절제술 전후 예방접종

① 비장절제술을 시행받을 예정인 환자, 혹은 시행받은 환자는 폐렴구균, B형 헤모필루스 인플루엔자균, 수막알균, 인플루엔자에 대한 예방접종이 추천된다.

② 가능하면 비장절제술 10주 전에 예방접종을 시작하는 것을 권고한다. 수술 시기에 따른 예방접종 스케쥴은 다음과 같다.

• 비장절제술이 10주 이상 남은 경우

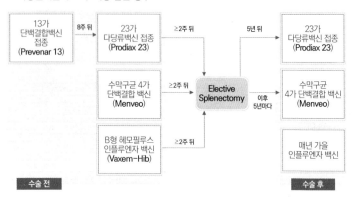

• 비장절제술이 2주 이상-10주 이내로 남은 경우

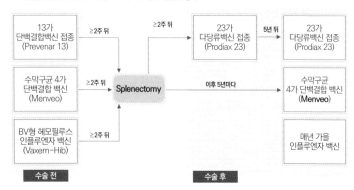

• 비장절제술까지 2주 이내로 남았거나 비장절제술 이후

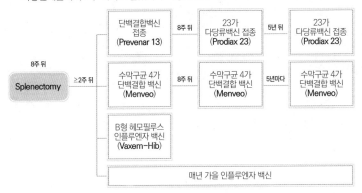

③ 이전 폐렴구균 23가 다당류백신 접종력이 있는 경우 1년 이상의 간격을 두고 13가 단백
　 결합백신을 접종해야하며, 이런 경우 감염내과에 타과의뢰한다.

2. 항암치료 받는 환자에서의 예방접종

1) 폐렴구균 예방접종

(1) 시기

　가능하면 진단을 위한 work-up 시기에 13가 단백결합백신을 접종하는 것이 바람직함
　(항암제 투여 10주 전).

　이 시기에 접종받지 못한 경우 가능하면 항암 시작 전 접종을 권고하며, 항암 시작 후라면
　항암 스케쥴 초기에 접종을 권고한다.

(2) 스케쥴

① 이전 예방접종 과거력이 없는 경우

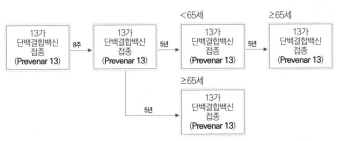

② 이전 23가 다당류백신을 접종한 경우

③ 이전 13가 단백결합백신을 접종한 경우

2) 인플루엔자 예방접종

① 시기

- 매년 가을(10월 중순-11월 초)에 접종하는 것이 바람직하며 이 시기에 접종하지 못하였으면 인플루엔자 유행시기 내에 접종한다.
- 항암치료 중인 경우 항암 투여일에 접종하거나, 가능하면 항암 스케줄 초기에 접종하는 것을 권고한다. 이 때 접종받지 못한 환자들은 유행 시기에는 항암 스케줄 시기와 상관없이 접종을 할 수 있다.

② 가족도 함께 접종하도록 권유

3) Tdap 접종

10년 이내 Td 접종력 없는 경우 Adacel or Boostrix을 접종한다.

[참고자료]

1. 항암치료 대상 종양 환자에서의 예방접종

1) 인플루엔자 백신

① 종양 환자는 인플루엔자에 대한 위험과 연관 합병증의 발생 및 사망의 위험이 일반인에 비해 높다.

② 인플루엔자 백신은 안전하고, 경제적인 독감예방대책으로, 인플루엔자의 유행시기 (10월-3월)에 항암치료를 받는 중이거나 받기로 예정된 환자에게는 매년마다 백신의 접종이 권고된다.

③ 전신적 항암치료 시작 전이며 투약예정일이 독감 유행시기인 경우 시작일이 현재 시점에서 최소 2주 이후라면 인플루엔자 백신 접종을 시행하며, 효과적인 면역 반응을 기대할 수 있다. 만약 항암제 투약 예정일이 현재 시점에서 2주 이내이거나 이미 항암치료가 시작된 상태이더라도 인플루엔자 백신 접종을 미루지 않는 것이 권고된다. 항암치료 주기인 경우에서도 백신 접종은 유의한 면역반응과 예방효과가 보고되었다. 항암치료가 이미 시작된 경우 적합한 백신 접종의 시기에 대한 초기 연구에서는 스케줄 초기(day 1-4)에서의 접종에서 더 높은 면역원성이 보고되었다.

④ 반면에 최근에는 접종 시기에 따른 면역원성의 차이가 유의미하지 않다는 보고도 있다.

⑤ 하지만 항암치료 1-2주 후 호중구 감소가 예상되는 시기(nadir)에 백신을 접종하게 되면 백신접종 후 발열이 호중구 감소성 발열과 혼동될 수 있고 혈소판감소에 따른 근육내혈종과 같은 부작용 발생의 우려도 있어서 가능한 항암치료 스케줄 초기의 접종이 추천된다.

2) 폐렴구균 백신

폐렴구균 백신은 이전에 폐렴구균에 대한 백신 접종력이 없는 항암제 투여 환자에서 권장된다. 현재 시점에서 향후 3개월 이내의 항암제 투약 계획이 없다면 먼저 13가 단백결합백신(Prevenar 13)을 항암제 투여 최소 10주 전에 접종한다. 이후 23가 다당류백신(Prodiax 23)를 13가 단백결합백신 접종 8주 후, 그리고 항암제 투여 최소 2주 전에 투약한다. 항암제 투약이 향후 3개월 이내에 계획되어 있다면 13가 폐렴구균 백신을 우선 접종하며, 항암 스케줄 중의 적절한 접종 시기는 위의 인플루엔자 백신과 같이 고려한다.

3) 환자교육

① 인플루엔자 및 폐렴구균 백신과 같은 불활성화 백신(inactivated vaccine)은 항암치료 대상자나 면역저하 환자에서의 안정성이 확립되었다. 면역력이 정상인 일반인과의 백신 접종 후의 부작용의 빈도 및 심각도를 비교 시 유의한 차이가 없었다.

② 불활성화된 바이러스 및 세균은 체내에서 감염을 일으키지 못한다.

③ 항암치료 대상자 및 면역저하 환자에서의 불활성화 백신의 접종 후 접종 전과 비교 시에 유의한 면역 반응의 유도가 확인하였다. 그러나 종양의 종류 및 투약 중인 항암제의 종류에 따라서 정상인에 비해서는 낮은 면역반응이 유도될 수도 있다.

④ 가족과 긴밀 접촉자도 동시에 백신 접종을 시행하여 추후 면역이 저하된 환자로의 전파 가능성을 예방한다.

2-1. 고형장기 이식 전 예방접종

1) 폐렴구균 예방접종

(1) 시기

가능한 이식 work up 기간동안 접종을 시작하여 이식 전 13가 단백결합백신 및 23가 다당류백신 접종을 완료하는 것이 바람직하다.

(2) 스케줄

① 이전 예방접종 과거력이 없는 경우

② 이전 23가 다당류백신을 접종한 경우

③ 이전 13가 단백결합백신을 접종한 경우

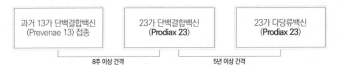

2) 인플루엔자 예방 접종

(1) 시기

매년 가을(10월 중순-11월 초)에 접종하는 것이 바람직하며 이 시기에 접종하지 못하였으면 인플루엔자 유행 시기 내에 접종한다.

3) B형 간염 접종

(1) 투석 환자(신이식 대기자)

① Anti-HBs 항체 음성인 경우 0,1,6개월에 Euvax B 고용량(40 μg)을 접종한다.

② 최종 접종 1개월 이후 항체가를 검사하여 10 mIU/mL미만일 경우 추가 1차 접종을 한다.

③ 추가 1차 접종 1개월 후 항체가 측정하여 10 mIU/mL 미만일 경우 추가 2, 3차를 모두 실시한 후 마지막 접종 1-2개월 후 항체가를 재측정한다.

④ 마지막 재측정에도 <10 mIU/mL인 완전 무반응자는 더 이상 접종을 권고하지 않는다.

⑤ B형 간염 백신 반응 환자들은 매년 anti-HBs 검사를 실시한 후 항체가가 10 mIU/mL 미만으로 떨어진 경우 booster dose를 1회 시행하며, 추가접종 후 항체가 검사는 필요하지 않다.

(2) 비투석환자

Anti-HBs 항체 음성인 경우 0, 1, 6개월에 Euvax B (20 μg) 접종한다.

4) A형 간염 접종

항체 검사(Anti-HAV IgG) 음성인 경우 0,6개월에 접종

5) Tdap 접종

10년 이내 Td 접종력 없는 경우 Adacel or Boostrix을 접종한다.

2-2. 고형장기 이식 후 예방접종

1) 폐렴구균 예방접종
(1) 시기

추가 접종 등이 필요한 경우 이식 2-6개월 후부터 접종

(2) 스케쥴

① 이식 전 예방접종 과거력이 없는 경우

② 이식 전 23가 다당류백신을 접종한 경우

③ 이식 전 13가 단백결합백신을 접종한 경우

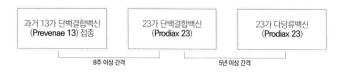

2) 인플루엔자 예방접종
(1) 시기

매년 가을(10월 중순-11월 초)에 접종하는 것이 바람직하며 이 시기에 접종하지 못하였으면 인플루엔자 유행시기 내에 접종한다.

(2) 가족도 함께 접종하도록 권유

3) 기타

(1) 이식 전 접종을 완료하지 못한 경우 이식 6개월 후 Tdap, B형 간염, A형 간염 백신 접종 고려

(2) 생백신(MMR vaccine, varicella vaccine 등)은 접종하지 않는다.

3. 장기이식 대기자 및 이식 후 환자에서의 예방접종

장기 이식 대기자 및 이식 후 환자들은 감염병의 위험이 증가한다. 이식 대기자는 이식 전 기간동안 필수 백신 접종의 과거력과 B형 간염, A형 간염, 홍역/볼거리/풍진에 대한 항체가 확인이 권장된다. 대기자들의 원인 장기의 기능저하에 의해서 백신 접종 후 기대 면역 반응이 정상인에 비해 낮다 하더라도 가능한 이식 전 모든 접종을 완료하는 것이 권장된다. 이는 이식 후 면역억제제 사용에 따른 면역 반응 저하로 인한 면역원성 부족에 대한 우려가 더 크기 때문이다. 대부분 적절한 면역 반응의 생성에 최소 2주 이상의 시간이 소요되므로, 접종은 최소 이식 4주 전에 시행하는 것이 권장된다. 이식 후라도 추가 접종 등이 필요한 경우 최소한의 적절한 면역반응 유도를 위해 이식 2-6개월 후의 접종이 권장된다.

1) 폐렴구균 백신

이식 대기자 및 이식 이후의 침습성 폐구균성 감염의 위험이 증가된 상태이므로 폐렴구균 백신 접종이 권장된다. 과거의 백신 접종력이 없는 경우 먼저 13가 단백결합 백신을 접종한 최소 8주 이후에 23가 다당류 백신을 접종한다. 과거 23가 다당류 백신을 접종한 경우 마지막 접종일에서 최소 1년이 지난 후 13가 단백결합백신을 접종한다.

2) 인플루엔자 백신

이식 대기자 및 이식 환자에서 매년마다 인플루엔자 유행시기 이전의 백신 접종이 권고된다. 가능한 이식을 받기 전에 접종이 권장되나, 이식 이후라도 유행시기라면 접종이 시행되어야 한다. 이식 후 접종은 면역 반응 미생성에 대한 우려로 최소 이식 2-6개월 후의 접종을 고려하였지만 신장과 간, 심장 이식환자 800여 명을 대상으로 시행된 연구에 따르면 이식 6개월 이내의 접종자들과 6개월 이후 접종자들 간의 유의한 면역 반응의 차이가 관찰되지 않았으며 6개월 이내 기간의 조기 인플루엔자 백신 접종의 안정성과 효용성이 보고된 바 있다. 따라서 폐이식 환자와 같은 고위험 환자에서 독감 유행시기인 경우 이식 후 1개월 이후라도 접종을 고려해 볼 수 있다.

3) 파상풍, 디프테리아, 백일해 접종

최근 10년 내 파상풍 관련 백신을 접종받은 적이 없는 경우 Tdap을 1회 접종한다. 단 1967년 이전 출생자의 소아기 및 최근 파상풍 백신 접종력이 없는 경우 소아접종과 동일한 3회 접종을 시행한다.

4) B형 간염 접종

이식 전 Anti-HBs 항체검사를 시행하고 음성인 경우 0, 1, 6개월에 HepB vaccine 접종한다. 장기 투석 환자에서는 3회 접종 1-2개월 이후 항체가가 10 mIU/mL가 미만이면 추가 3회 접종을 고려한다. 이식 후에는 추가접종의 면역원성 형성이 감소할 소지가 크며, 따라서 이식 전 및 이식 후 6-12개월 간격으로 항체가를 확인하는 것이 권장되며 10 mIU/mL 미만으로 확인 시 추가접종을 권장한다. 신장 이식 대기자로 혈액 투석을 받는 경우에는 고용량(40 μg)의 백신을 접종한다.

4. 인공와우 이식 후 예방접종

1) 폐렴구균 예방접종

(1) 시기

인공 와우 이식 수술 2주 전까지 23가 다당류백신 접종까지 완료를 권장. 즉 수술 10주 전 13가 단백결합백신 접종 시작을 권장함. 수술 전 완료되지 않았을 경우 수술 후라도 가능한 빨리 접종한다.

(2) 스케줄

① 이전 예방접종 과거력이 없는 경우

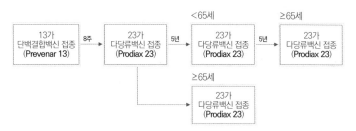

② 이전 23가 다당류백신을 접종한 경우

③ 이전 13가 단백결합백신을 접종한 경우

2) 인플루엔자 예방접종

(1) 시기

매년 가을(10월 중순-11월 초)에 접종하는 것이 바람직하며 이 시기에 접종하지 못하였으면 인플루엔자 유행시기 내에 접종한다.

3) 기타 예방접종

기타 예방접종은 모두 성인예방 접종의 일반 권고사항에 따른다.

5. 인공 와우 이식수술 환자에서의 예방접종

인공 와우 이식수술 환자에서는 세균성 뇌수막염의 위험도가 증가한다. 뇌수막염의 발생시기는 수술 직후부터 수년 후까지 다양하게 나타나며 대체로 수술 후 2개월까지에서 가장 높다. 원인균으로는 빈도상으로 *Streptococcus pneumoniae*가 가장 많고 *Haemophilus influenzae*는 그보다는 덜 빈번하다. 이외에도 중이염이나 유양돌기염(mastoiditis)의 사례도 보고된 바 있으나 가장 위험한 세균성 뇌수막염의 위험을 고려하여 성인 환자에서의 폐렴구균백신의 접종이 권고된다.

접종 방법은 과거 폐렴구균 백신 접종력과 시기에 따라 달라진다. 과거 접종력이 없는 경우 먼저 13가 단백결합백신을 접종한 후 최소 8주 후에 23가 다당류백신을 접종한다. 과거 23가 다당류백신을 접종한 경우 접종한 지 최소 1년이 지난 후 13가 단백결합백신을 접종한다. 이후 가장 최근의 23가 백신 접종일의 5년 이후에 새로운 23가 백신 접종을 추가한다. 접종 시기는 백신 접종 이후 면역원성의 형성에 최소 2주 이상의 시간이 소요되므로, 가능하다면 수술 예정일 최소 2주 이전에 접종을 추천한다. 하지만 수술 예정일이 2주 이내이거나 수술 이후라면 시기에 상관없이 최대한 빠르게 백신을 접종한다. 인공 와우 수술 이후로의 접종 시기에 따른 면역원성의 차이에 대한 연구는 부재하지만 유의하지 않을 것으로 예상된다. 추가적으로 매년 인플루엔자 유행시기 전에 인플루엔자 백신 접종이 권고되며 가족 및 밀접 접촉자들도 환자의 중이염 발생율 감소를 위해 접종이 권고된다.

02

내분비내과

내분비내과
Endocrinology

I 당뇨병

1. 당뇨병의 정의

당뇨병은 인슐린 분비 혹은 인슐린 작용의 결함으로 인한 고혈당으로 특징지어지는 대사질환군이며 우리나라 성인 인구의 약 14%를 차지함. 이 중 90-95%는 제2형 당뇨병이며 제1형 당뇨병과 기타 원인에 의한 당뇨병이 5-10%를 차지함. 당뇨병의 만성 혈관합병증으로 망막병증, 신증, 신경병증 등의 미세혈관합병증과 뇌졸중, 심근경색증, 말초질환 등의 대혈관합병증이 있음.

2. 당뇨병의 진단

표 2-1. 당뇨병의 진단기준

HbA1c ≥6.5% or
8시간 이상 금식한 후 혈장 혈당 ≥126 mg/dl or
75 g 경구 당부하 2시간 후 혈장 혈당 ≥200 mg/dl or
당뇨병의 전형적인 증상(다음, 다뇨, 원인을 알 수 없는 체중감소)과 임의 혈장 혈당 ≥200 mg/dl

고혈당에 의한 전형적인 증상이 없는 경우는 서로 다른 날 검사를 반복해서 확진해야 하지만 같은 날 동시에 두 가지 이상 기준을 만족한다면 바로 확진할 수 있음

※ 당뇨병의 진단은 혈장 포도당 농도가 기준임. 혈당 측정기(전혈)의 경우 일반적으로 혈장에서 보다 10-15% 정도 낮게 측정된다는 점을 감안하여 평가하여야 함(이는 일반적인 사실이고, 기기, 채취부위, 채취방법, 또는 채취자에 따라 영향을 받을 수 있음).

※ 정상 혈당은 공복 혈장 포도당 농도가 100 mg/dL 미만이며, 100-125 mg/dL인 경우에는 공복 혈당장애(impaired fasting glucose, IFG)라고 정의함. 또한 경구 당부하검사에서 2시간 혈당이 140-199 mg/dL일 때는 내당능장애(impaired glucose tolerance, IGT)라 함. IFG와 IGT에 HbA1c 5.7-6.4%인 경우를 포함하여 "Pre-diabetes"로 명명하고 있으며 당뇨병 발생뿐 아니라 심혈관 질환의 위험인자라는 점에서 중요한 의미를 가짐.

3. 당뇨병의 분류

1) **제1형 당뇨병**: 췌장 베타세포 파괴에 의한 인슐린 결핍으로 발생한 당뇨병
   • 원인: 면역매개성(autoimmune) 또는 특발성(idiopathic)
   • 일반적으로 절대적 인슐린 부족을 특징으로 하는 인슐린 의존형 당뇨병을 의미하나 드물게 인슐린 비의존형으로 임상양상이 나타날 수도 있음.
   • 주로 자가면역 기전에 의한 췌장 베타 세포의 파괴로 인슐린이 절대적으로 결핍하여 생기며, 소아에서 잘 생기고 당뇨병성 케톤산혈증의 형태로 발현되는 경우가 많음.

2) **제2형 당뇨병**: 인슐린저항성과 점진적인 인슐린 분비 결함을 특징으로 함. 당뇨병의 가장 흔한 형태

3) **임신성 당뇨병**: 임신 중 처음 발생하였거나 발견된 당뇨병

4) **기타 당뇨병**: 베타세포기능의 유전적 결함, 인슐린 작용의 유전적 결함, 췌장의 외분비성 질환, 약물 또는 화학물질에 의해 유도된 당뇨병

※ 지진형 제1형 당뇨병(slowly progressive insulin-dependent diabetes, 혹은 latent autoimmune diabetes in adult, LADA): 초기에 인슐린 사용 없이 치료할 수 있으나 시간이 경과하면서 인슐린 의존기로 진행하는 특징, GAD-Ab 등 자가면역질환의 표지자가 흔히 검출됨.

※ C-peptide와 GAD-Ab의 측정이 환자의 인슐린 분비능과 췌장 베타세포의 자가면역기전에 의한 파괴를 알아보기 위한 검사로 도움이 됨. C-peptide의 경우 기저상태에서 0.6 ng/mL 미만이면 인슐린 분비능이 감소된 것으로 생각하고, 1.0 ng/mL 이상인 경우에는 인슐린 분비능이 유지되고 있는 것으로 판단. 0.6-1.0 ng/mL 사이의 측정치를 보일 때는 글루카곤 1 mg 정맥주사 6분 후에 C-peptide가 1.0 ng/mL 미만인 경우 인슐린 분비가 감소된 것으로 생각.

4. 환자 상태의 평가

1) 병력 청취

① 증상: 다음, 다뇨, 다갈, 야뇨증, 체중 감소, 시력 장애, 족부 이상 감각, 흉통

② 당뇨병 유병기간 및 체중변화(진단 전, 진단 당시, 진단 후, 현재를 모두 병력 청취해야
함)

③ 가족력

④ 임신성 당뇨병의 과거력

⑤ 동반질환(심혈관질환 위험인자): 비만(특히 복부비만), 고혈압, 고지혈증, 흡연력, 감정
상태

⑥ 식사습관(간식, 음주력) 및 운동습관

⑦ 약물(경구혈당강하제, 인슐린) 사용력

⑧ 평소 혈당 추이

⑨ 저혈당 여부, 빈도, 발생시간, 대처법 인지 여부

2) 진찰(기본적인 진찰 외)

체위에 따른 혈압 변화, 발 검진, 말초 박동 촉진, 망막 검사, 진동감각역치 검사, 경동맥 잡
음(bruit) 청진, monofilament 감각 검사

3) 검사

① 일반적으로 시행하는 초기 검사는 일반화학검사와 식후 2시간 혈당, HbA1c, C-peptide,
GAD-Ab, 지질검사, TSH, 현미경 검사를 포함한 소변 검사, 심전도, 흉부방사선 검사 및
미세혈관 합병증 검사임.

② 미세혈관 합병증: 첫 진단 시 이전 검사에서 합병증이 발견되지 않았을 경우 1년 간격
실시

• 안저검사: 안저사진 또는 안과 검진

• 신장합병증 검사: 일회뇨 알부민/크레아티닌 비, 8시간 소변 미세단백뇨, 필요시 사구체
여과율(GFR)과 신장 초음파

※ 당뇨병성 신증의 선별검사로 일회뇨 알부민/크레아티닌 비가 가장 쉽게 시행할 수 있으면서 저렴
하고 비교적 정확하기 때문에 최근에는 가장 많이 사용됨(정상: <30, 미세 알부민뇨: 30-299,
현성 단백뇨 ≥300).

• 말초신경합병증 검사: 진동감각역치 검사, 신경감각검사, 필요시 신경전도검사

③ 대혈관 합병증: 임상적으로 의심이 되는 경우 시행
- 관상동맥 질환: 운동부하검사, 심장 SPECT, 관상동맥 혈관조영술
- 말초혈관 질환: Ankle-brachial Index (ABI) 및 Segmental limb pressure, CT angiography, 혈관조영술
- 뇌혈관 질환: 경동맥 도플러 및 IMT (intima-media thickness) 측정, MRI ± Angiography

5. 당뇨병 치료의 원칙

1) 혈당 조절
(1) 일반적인 원칙
① 당뇨병 환자의 혈당은 가능한 정상인의 혈당에 가깝게 유지하도록 함.
② 혈당 조절을 통해 얻고자 하는 것이 무엇인가에 대한 고려가 필요함.
③ 엄격한 혈당 조절을 하면서 나타날 수 있는 저혈당이 개개인의 환자에 어느 정도 위험을 주는지에 대한 고려가 필요함.
④ 제2형 당뇨병, 특히 비만한 환자의 경우에는 약물 투여 후 체중이 증가하지 않도록 주의해야 함.
⑤ 중등도 이상의 망막병증이 동반된 경우, 엄격한 혈당 조절은 단기간의 망막병증 악화 위험을 오히려 증가시킬 수 있음.
(2) 인슐린 혹은 경구약을 선택하는 일반적인 원칙
① 공복 시 혈당이 180 mg/dL 미만이거나 무작위 혈당이 250 mg/dL 미만인 경우 먼저 3개월 이상 철저한 식사요법과 운동으로 혈당 조절을 하여야 하며 보조적 수단으로 경구 혈당강하제를 보조적 수단으로 사용함.
② 공복 혈당이 180-250 mg/dL 혹은 무작위 혈당이 250-350 mg/dL인 경우는 경구 혈당강하제 투여를, 공복 혈당이 >250 mg/dL 혹은 무작위 혈당이 >350 mg/dL인 경우 인슐린을 사용할 것을 권고하고 있음. 하지만 이는 절대적인 기준이 아니므로 개개인의 환자 상태에 따라 어떤 치료를 시작해야 할 지를 결정해야 함. 어떤 치료를 하든 식사요법 및 운동요법에 대한 교육을 지속적으로 시행하여야 함.
(3) 혈당 조절의 목표
① 당화혈색소 <7%
② 식전 모세혈관 혈장 포도당 농도 80-130 mg/dL
③ 식후 최고 모세혈관 혈장 포도당 농도 <180 mg/dL

※ 혈당 조절의 목표는 당뇨병의 유형, 유병 기간, 나이, 여명, 동반질환, 심혈관 질환이나 진행된 미세혈
  관합병증, 저혈당 무감지증 등에 따라 개별화하여야 함. 공복 혈당은 목표에 근접하나 당화혈색소가
  목표에 도달하지 못한 경우 식후 혈당 조절에 더 신경을 써야 함.

(4) 혈당 조절의 평가

① 당화혈색소(HbA1c) 측정

  당화혈색소는 지난 2-3개월간의 평균적인 혈당을 반영함. 보통 2-3개월마다 측정하나,
  환자 상태에 따라 시행주기를 조절할 수 있음.

※ 혈색소병증이나 혈색소대사이상, 수혈, 심한 빈혈, 용혈, 출혈이 있는 경우에는 측정치의 신뢰도가
  떨어질 수 있어 해석에 주의를 요함.

표 2-2. 당화혈색소와 평균 혈당의 관계

HbA1c (%)	eAG (mg/dL)	eAG (mmol/L)
5	97	5.4
6	126	7.0
7	154	8.6
8	183	10.2
9	212	11.8
10	240	13.4
11	269	14.9
12	298	16.5

eAG, estimated average glucose.

② 자가혈당측정

  제1형 당뇨병 또는 인슐린을 사용 중인 제2형 당뇨병환자는 자가혈당 측정이 권고되며 비
  인슐린치료 중인 제2형 당뇨병환자도 혈당 조절에 도움을 받기 위해 자가혈당측정을 시행
  할 수 있음.

③ 지속혈당감시장치(Continuous glucose monitoring system, CGM)

  지속혈당감시장치는 조직의 간질액의 포도당 농도를 측정하게 되며 그 값은 혈장 포도당
  농도와 상관성이 높음. 다회인슐린요법이나 인슐린 펌프 치료를 하는 제1형 당뇨병환자
  나, 인슐린 치료를 하는 제2형 당뇨병환자의 혈당변동폭이 크거나 저혈당이 빈번한 경우
  고려함.

2) 혈압 조절

① 수축기혈압 < 140 mmHg, 이완기혈압 < 85 mmHg

② 알부민뇨를 동반할 경우 안지오텐신전환효소억제제(ACE inhibitor)나 안지오텐신수용체
차단제(ARB)를 권고함.

3) 혈중 지질 농도 조절

① LDL 콜레스테롤 < 100 mg/dL, 심혈관질환이 있는 당뇨병 환자는 < 70 mg/dL

② 혈중 중성지방 < 150 mg/dL

③ HDL 콜레스테롤 남자 > 40 mg/dL, 여자 > 50 mg/dL

6. 당뇨병 환자의 식사처방

1) 하루에 섭취해야 할 음식의 양(총 열량)과 내용을 결정함. 입원한 환자를 대상으
로 처음 식사처방을 할 경우 일반적으로 아래와 같은 방법을 이용하나, 환자의 평
소 식사량, 식사습관, 병발질환 등을 고려함.

(1) 표준체중

① 남자: 표준체중(kg) = 키(m)의 제곱 × 22

② 여자: 표준체중(kg) = 키(m)의 제곱 × 21

(2) 활동량을 고려하여 필요한 하루 총 열량(칼로리/일)

① 육체적 활동이 거의 없는 환자: 표준체중 × 25~30

② 보통의 활동을 하는 환자: 표준체중 × 30~35

③ 심한 육체활동을 하고 있는 환자: 표준체중 × 35~40

※ 일반적으로 위의 방법처럼 표준체중(kg)에 따라 열량을 계산하는 것을 많이 보는데 사람마다 필요한
에너지 양(energy expenditure)이 다르기 때문에 현실적이지 못한 측면이 있음을 주지해야 함.

2) 환자의 최대 허용체중은 표준체중의 115-120% 정도이며 최대 허용체중보다 많
을 경우 비만으로 볼 수 있으므로 당뇨병 환자들은 적어도 최대 허용체중 이하로
체중 조절을 하여야 함. 만약 현재의 체중이 표준체중에 미달될 경우 위에서 계산
된 열량보다 더 많이 섭취하여야 하고 반대로 현재의 체중이 표준체중보다 많아
서 체중을 줄여야 하는 경우 계산된 열량보다 하루 500칼로리 적게 섭취하면 일
주일에 0.5 kg 정도 체중을 줄일 수 있음.

3) 평소에 환자가 섭취하고 있는 칼로리를 정확히 알아두는 것이 필요함. 평소 식사량이 많았던 환자에게 무조건 표준체중만을 고려하여 평소 식사량보다 훨씬 적은 식이처방을 하게 될 경우 오히려 간식섭취를 늘려 식사조절에 더 어려움을 겪을 수 있음.

4) 이와 같은 식사처방은 다른 문제가 없는 환자에 대한 경우이고 전신질환이 있을 경우에는 해당되지 않음. 환자가 이화상태(catabolic state)이며 심한 스트레스 상황에 있을 경우이거나(감염 등) 식사를 잘 하지 못하는 고령의 환자나 암 환자와 같은 특수한 상황에서는 당뇨식사를 시행하는 것이 중요한 것이 아니라 우선적으로 충분한 열량을 공급하여 몸을 동화상태(anabolic state)로 돌리는 것이 더욱 중요함.

5) 현성 단백뇨가 동반된 당뇨병성 신증 환자에서는 단백질 섭취를 0.8 g/kg/day로 제한할 것을 권유함.

7. 당뇨병 환자의 운동 요법

① 운동 전 고려해야 할 사항
모든 당뇨병 환자들은 운동을 시작하기 전에 운동에 의해 악화될 수 있는 당뇨병의 미세, 대혈관 합병증 유무를 확인하고 운동이 금기시 되거나 특별한 관리가 필요한 다른 질환(퇴행성 관절염 등)의 동반 여부를 확인해야 함. 예를 들면, 조절되지 않는 고혈압, 심한 자율신경성 신경병증, 진행성 망막병증, 협심증이 강력히 의심되는 경우 등에서는 운동을 삼가야 함. 또한 환자의 나이와 이전의 활동량을 고려해야 함.

② 인슐린 주사를 맞지 않거나 심한 혈관합병증 또는 신경합병증이 없는 환자는 정상인처럼 운동을 실시하면 됨. 그렇지만 제1형 당뇨병 환자나 인슐린 주사를 맞는 제2형 당뇨병환자는 주의가 필요함. 이 경우에는 혈당검사를 자주 실시하여 고혈당이나 저혈당의 위험을 확인해야 함. 만약 운동 전 혈당이 90 mg/dL 이하이면 저혈당의 위험이 높으므로 포도당 섭취 후에 운동을 시행하고, 공복혈당이 250~350 mg/dL 이상이고 소변검사에서 케톤이 양성이면 인슐린 주사량을 늘리고 운동을 연기해야 함. 저혈당의 위험을 최소화하기 위해서는 운동 전후의 혈당을 모두 측정하는 것이 바람직하며, 혈당의 변화 속도도 같이 고려해야 함. 또한 활동하는 근육에 인슐린 주사를 투여 시 인슐린 흡수 속도가 증가하여 저혈당의 위험이 높으므로 피해야 함. 저혈당을 예방하기 위하여 운동 시작 전에 미리 인슐린 주사량을 감소시킬 수도 있는데, 운동의 강도와 시간을 고려하여 감량할 인슐린의 종류

와 양을 정해야 함.

③ 혈당을 개선시키고 체중유지를 보조하며, 심혈관계합병증을 줄이기 위해서는 적어도 중등도 이상의 강도(최대 심박수의 50-70%)로 1주일에 150분 이상 유산소 운동을 하거나 고강도로 일주일에 90분 이상(최대 심박수의 70% 이상) 유산소 운동을 해야 함. 금기사항이 없는 한 제2형 당뇨병 환자는 근력운동을 일주일에 3회 이상 시행하는 것이 도움이 됨.

8. 당뇨병 교육

당뇨병의 성공적인 관리를 위해 교육은 반드시 필요하며, 생활습관 교정은 물론 자가혈당 측정 방법, 인슐린 주사법, 일상생활에서 부딪히는 여러 상황에 대처하는 방법 등을 교육하여 당뇨병 환자가 스스로 관리할 수 있는 능력을 키움으로써 당뇨병 관련 비용을 절약하고 임상 경과를 호전시킬 수 있음.

9. 경구용 항당뇨병 약제

1) 일반적인 원칙
(1) 초기치료
① 제2형 당뇨병의 진단초기부터 적극적인 생활습관관리와 함께 약물치료 병행
② 메트포민을 우선적으로 고려하나, 임상 상황에 따라 다른 약제 선택 가능
(2) 병합요법
① 단독요법으로 혈당목표 도달에 실패했을 경우 또는 초치료의 경우에도 단독요법으로 적절한 혈당 감소의 목표에 도달하기 어렵다고 판단될 경우 병합요법을 적극 고려
② 병합요법 전에 기존 약제를 최대용량까지 증량하는 것을 고려할 수 있으나 혈당 조절이나 부작용을 고려하여 병합요법을 적극 고려
③ 약물의 작용기전, 효과, 부작용, 비용 및 순응도 등을 종합적으로 고려
④ 죽상경화성 심혈관 질환, 심부전, 만성신질환이 있는 환자, 또는 체중감량이 필요한 환자의 경우 SGLT-2 억제제를 우선 고려
⑤ 3제 병합요법에도 혈당 조절에 실패하였을 경우 인슐린 치료가 원칙이나, 임상상황에 따라 4제 병합요법도 고려할 수 있음.

2) 메트포민(Metformin)
(1) 작용기전
인슐린 작용 증강이 주요 기전. 주로 간에서의 포도당 신합성 억제하며, 근육이나 지방 조

직의 포도당 흡수를 증가시킴

(2) 용법

단독요법 시 제2형 당뇨병 치료의 1차 선택약제, 소화기 부작용을 고려하여 초기 용법으로 500 mg bid를 아침, 저녁 식사와 함께 복용, 부작용이 없으면 하루 최대 2,550 mg(서방정은 2,000 mg)까지 증량 가능

(3) 부작용

소화기장애(초기에 주로 발생, 시간 지나면 호전되는 경우가 많음)가 가장 흔함, 비타민 B12 결핍, 심한 부작용으로는 유산혈증(lactic acidosis이 가능하나 매우 드묾)

(4) 금기

신기능저하(eGFR 45 mL/min/1.73 m^2 미만에서는 주의, 30 mL/min/1.73 m^2 미만에서는 금기), 중증감염, 탈수, 심부전(신기능 정상이면 안정된 심부전에서 사용가능), 알코올 중독 등

(5) 48시간 이내 중등도 이상의 수술이나 요오드 조영제를 사용하는 검사를 시행할 경우에는 중단하는 것이 원칙

표 2-3. 메트포민 제형별 특징

성분명	상품명	단위 (mg/tab)	최대용량 (mg/day)	투여횟수 (회/일)	배설
Metformin	Diabex	500/1,000	2,550	1-3	신장 (활성형)
	Glupa	250/850			
	Diabex XR	500	2,000	1	
	Glucophage XR	1,000			

3) 설폰요소제(Sulfonylurea)

(1) 작용기전

췌장 베타세포의 ATP 의존성 칼륨 통로를 차단하여 혈당과 무관하게 인슐린 분비를 자극. 따라서 베타세포의 잔여기능이 있어야 효과가 있음.

(2) 용법

아침식사 30분 전에 투여, 최소용량으로 시작하여 1-2주 간격으로 부작용 유무와 혈당 조절상태를 관찰하며 증량

(3) 부작용

저혈당이 가장 중요한 부작용(고령, 신기능저하, 간질환, 영양결핍, 다른 약물 병용 시 위험 증가, 저혈당 발생 시 인슐린보다 오래 지속될 수 있음), 체중 증가

(4) 금기

제1형 당뇨병, 췌장 절제 후 환자, 임산부 또는 수유부, 심한 감염증, 대수술, 외상, 급성심근경색 같은 중증질환, 심한 간 또는 신기능 장애

(5) 금식 시에는 중단하도록 함

표 2-4. 설폰요소제 제형별 특징

성분명	상품명	단위 (mg/tab)	최대용량 (mg/day)	투여횟수 (회/일)	배설
Gliclazide	Diamicron	80	320	1-2	신장 60-70%
	Diamicron MR (서방정)	30/60	120	1	
Glipizide	Digrin	5	40	1-2	신장 80%
Glimepiride	Diaryl	3	8	1	신장 60%
	Amaryl	2/4	8	1	

4) 메글리티나이드(Meglitinide)

(1) 작용기전

비설폰계 인슐린 분비 촉진제, 췌장 베타세포의 ATP 의존성 칼륨 통로를 차단하는 것은 설폰요소제와 같으나 다른 수용체에 결합하여 인슐린 분비를 촉진, 가장 큰 차이점은 빠른 속도로 작용하여 주로 식후 고혈당을 조절함

(2) 용법

매 식사 10-30분 전에 복용, nateglinide 30 mg 또는 repaglinide 0.5 mg으로 시작하여 1-2주 간격으로 증량, 식사를 거르게 될 경우는 투여하지 않음.

(3) 부작용

저혈당, 체중 증가

(4) 금기

설폰요소제와 같음, Repaglinide의 경우 신기능 저하 시에도 사용 가능

(5) 다른 약제들에 비해 혈당강하효과가 약함

표 2-5. 메글리티나이드 제형별 특징

성분명	상품명	단위(mg/tab)	최대용량(mg/day)	투여횟수(회/일)
Nateglinide	Fastic	30/90/120	360	1-3
Repaglinide	Novonorm	0.5/1/2	6	

5) 알파-글루코시다아제 억제제(α-glucosidase inhibitor)

(1) 작용기전

소장의 당질분해 효소인 알파-글루코시다아제의 작용을 억제하여 당질의 흡수를 지연시켜 식후 혈당 상승을 억제

(2) 용법

acarbose 50 mg 혹은 voglibose 0.2 mg을 하루 2-3회 투여하기 시작하여 약 2주 정도의 간격으로 acarbose 100 mg 혹은 voglibose 0.3 mg을 하루 3회까지 증량, 반드시 식사 직전 또는 식사 시작 직후 투여

(3) 부작용

복부팽만감, 설사, 간기능 이상 등

(4) 금기

임산부 또는 수유부, 심한 간 또는 신기능 장애(Cr>2.0 mg/dl), 염증성 장질환 환자, 위마비 환자

(5) 위장관계 약물과 병용 시 효과가 감소할 수 있으며, 단독 사용 시 저혈당 없으나 인슐린 또는 설폰요소제와 같이 사용할 때 저혈당이 발생하면 복합 당질이 아닌 포도당으로 치료

표 2-6. 알파-글루코시다아제 억제제 제형별 특징

성분명	상품명	단위(mg/tab)	최대용량(mg/day)	투여횟수(회/일)
Acarbose	Glucobay	50/100	300	1-3
Voglibose	Basen	0.2/0.3	0.9	

6) 티아졸리딘다이온(Thiazolidinedione, glitazone, PPAR-r agonist)

(1) 작용기전

인슐린의 표적장기인 근육, 간, 지방조직에서 핵수용체인 PPAR-γ에 대한 작용제로 인슐린에 대한 감수성을 증가시킴

(2) 용법

pioglitazone 15 mg qd로 시작해서 30 mg qd까지 증량, lobeglitazone 0.5 mg qd, 약효가 충분히 나타나는데 2-3개월 정도 소요

(3) 부작용

부종, 체중 증가, 심부전 악화, 골절 위험 증가, 방광암과의 위험과 연관되었을 가능성이 있음.

(4) 금기

임산부 또는 수유부, 방광암, NYHA class 3 이상의 심부전, 심한 간질환, lobeglitazone
은 유당 불내성 시 금기

(5) 혈당 감소 효과의 내약성이 좋고, 뇌졸중 등의 심혈관 질환의 위험을 낮춤

표 2-7. 티아졸리딘다이온 제형별 특징

성분명	상품명	단위(mg/tab)	최대용량(mg/day)	투여횟수(회/일)
Pioglitazone	Actos	15/30	30	1
Lobeglitazone	Duvie	0.5	0.5	

7) DPP-IV 억제제

(1) 작용기전

위장관 호르몬인 GLP-1을 분해를 억제하여, 췌도세포의 포도당 의존성 인슐린 분비를 촉
진. 위장관 운동의 저하, 식욕 억제

(2) 부작용

부작용이 매우 적음(saxagliptin에서는 심부전 악화에 대한 우려), 단독으로는 저혈당을 거
의 일으키지 않음

(3) 금기

간기능 저하시 금기. 신기능 저하시 용량조절 필요. vildagliptin, saxagliptin의 경우 유당
불내성 시 금기

표 2-8. DPP-IV 억제제 제형별 특징

성분명	상품명	단위 (mg/tab)	최대용량 (mg/day)	투여횟수 (회/일)	신기능에 따른 용량 조절 (CrCl, mL/min/1.73 m²)	
					30~49	<30
Sitagliptin	Januvia	50/100	100	1	50 mg 1회	25 mg 1회
Vildagliptin	Galvus	50	100	2	50 mg 1회	50 mg 1회
Linagliptin	Trajenta	5	5	1	조절 필요 없음	
Saxagliptin	Onglyza	5	5	1	2.5 mg 1회	2.5 mg 1회
Alogliptin	Nesina	12.5/25	25	1	12.5 mg 1회	6.25 mg 1회
Gemigliptin	Zemiglo	50	50	1	조절 필요 없음	
Anagliptin	Guardlet	100	200	2	100 mg 2회	100 mg 1회
Teneligliptin	Tenelia	20	20	1	조절 필요 없음	
Evogliptin	Suganon	5	5	1	조절 필요 없음	

8) SGLT-2 억제제

(1) 작용기전

신장의 근위세뇨관에서 포도당을 재흡수하는 sodium glucose co-transporter 2 (SGLT-2)를 억제하여 소변으로 당 배설을 증가시켜 혈당을 낮춤

(2) 용법

식사와 무관하게 하루 1회 복용, 약제별로 보험기준이 다르므로 투여에 주의

(3) 부작용

요로생식기 감염이 가장 흔함, 케톤산혈증, 탈수로 인한 저혈압

(4) 금기

eGFR 30 mL/min/1.73 m^2 미만의 중증 신질환, 저혈압, 케톤산혈증 등에서 금기, 고령에서 사용에 주의

(5) 탈수가 있을 경우 미리 교정하고 투여, 이뇨제 사용 시, 요로 폐색의 증상이 있는 경우 사용에 주의

(6) 대규모 전향적 임상 연구결과 체중감소와 혈압감소효과, 심부전과 만성신질환의 악화를 예방하는 효과가 입증됨 → 죽상경화성 심혈관질환(ASCVD), 심부전, 만성신질환이 있거나 비만한 환자에서 메트포민으로 혈당 조절 목표에 도달하지 못한 경우, 2차 선택 약제에 있어 우선 사용이 추천됨

표 2-9. SGLT-2 억제제 제형별 특징

성분명	상품명	단위(mg/tab)	최대용량(mg/day)	투여횟수(회/일)
Dapagliflozin	Forxiga	10	10	
Empagliflozin	Jardiance	10/25	25	1
Ertugliflozin	Steglatro	5	15	

9) 신기능 저하 시 경구혈당강하제의 사용

(1) 대부분의 경구혈당강하제는 심한 신기능 저하 환자 또는 투석이 필요한 말기신부전 환자에서는 사용에 주의

(2) 신기능 이상에서 사용 가능한 약물

① Sulfonylurea: gliclazide, glipizide

② Meglitinide: repaglinide

③ Thiazolidinedione: pioglitazone, lobeglitazone

④ DPP-IV 억제제: linagliptin, 그 외 일부 약물은 감량이 필요함

10. 주사용 항당뇨병 약제

1) 인슐린

(1) 인슐린 치료의 적응증

① 제1형 당뇨병 환자 혹은 췌장이 없는 환자

② 식사, 운동 및 경구 혈당강하제로 조절되지 않는 제2형 당뇨병 환자

③ 당뇨병 환자가 임신한 경우 혹은 임신성 당뇨병

④ 당뇨병성 케톤산혈증(DKA)이나 비케톤성 고삼투압성 증후군(HHS) 같은 응급상황

⑤ 간이나 신기능에 이상이 있는 환자

⑥ 제2형 당뇨병으로 식사요법이나 경구 혈당강하제를 사용하고 있던 환자에서 대수술이나 감염, 기타 스트레스가 심한 상태에서 인슐린의 요구량이 급증하는 때

⑦ 심한 체중감소, 저체중

⑧ 기저 혹은 글루카곤 자극 후 혈청 c-peptide 농도가 낮은 경우

(2) 작용시간에 따른 인슐린의 분류

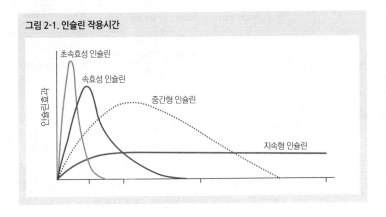

그림 2-1. 인슐린 작용시간

초속효성 인슐린

속효성 인슐린

중간형 인슐린

지속형 인슐린

인슐린효과

표 2-10. 작용시간에 따른 인슐린의 분류

약물	성분명	상품명	Onset time	Peak time	Duration time
Faster acting	Insulin aspart	Fiasp	Novorapid 대비 2배 빨리 작용		
Rapid acting	Insulin lispro	Humalog*	5-15 min	30-90 min	3-5 hr
	Insulin aspart	Novorapid*			
	Insulin glulisine	Apidra			
Short acting	Regular human insulin	Humulin R*	30-60 min	2-4 hr	6-8 hr
Intermediate acting	NPH	Humulin N*	2-4 hr	4-10 hr	10-16 hr
Long-acting	Insulin detemir	Levemir*	2-4 hr	6-14 hr	16-20 hr
	Insulin glargine U-100	Lantus		No peak	20-24 hr
Ultra-long acting	Insulin glargine U-300	Toujeo	2-4 hr	No peak	20-24 hr
	Insulin degludec	Tresiba			>42 hr

*임신 시 사용가능한 인슐린

(3) 인슐린 혼합제제

① 기본적으로 대부분의 인슐린 혼합제제는 중간형 인슐린 NPH와 초속효성 인슐린들의 혼합제형

② 예외적으로 insulin tresiba와 insulin aspart의 혼합제제인 Ryzodeg이 있음

③ 초속효성 인슐린들의 혼합비율에 조금씩 차이가 있으며 이에 따라 하루 사용 횟수가 달라짐

표 2-11. 혼합형 인슐린의 종류

중간형 또는 지속형 인슐린	초속효성 인슐린	혼합비율	상품명	사용방법
NPH	Insulin lispro	50:50	Humalog Mix 50	속효성 비율이 높음, 매 식전 3회까지 사용
	Insulin lispro	75:25	Humalog Mix 25	아침 식전 1회 또는 아침, 저녁 식전 2회 주사
	Insulin aspart	70:30	Novo Mix 30	
Insulin degludec	Insulin aspart	70:30	Ryzodeg	

(4) 인슐린 주사 방법

① 지속형, 중간형 인슐린의 1회 또는 2회 투여 시
- 지속형 인슐린은 하루 중 어느 시간이라도 투여 가능, 가급적 같은 시간에 맞도록 함
- 지속형 인슐린과 중간형 인슐린은 주로 아침에 주사하나 환자의 혈당 패턴, 주사 순응도 및 생활 방식에 따라 저녁으로 변경하거나 하루 2회 주사도 가능, 이 경우 아침:저녁 인슐린의 비율을 대개 2:1로 시작하여 환자의 혈당 패턴에 따라 조정
- 주로 공복 혈당을 목표로 인슐린 용량을 조절

② 적극적 인슐린 치료(다회 인슐린 주사요법 또는 인슐린 펌프)
- 적응증
  - 당뇨병성 신장합병증으로 신장이식을 받은 환자
  - 임신 중이거나 임신을 계획 중인 당뇨병을 가진 임산부나 임신성 당뇨병 환자
  - 젊고 합병증이 없는 당뇨병 환자에서 다른 방법으로 혈당 조절의 목표를 이룰 수 없을 때
  ※ 적극적인 혈당 조절 의지와 당뇨병 관리에 대한 지식이 있어야 하고 하루 4회 이상의 자가혈당 측정이 가능하며 인슐린 펌프의 경우 펌프 사용 시 발생할 수 있는 문제에 대한 해결 능력이 있는 사람에게 적용해야 함. 이외에도 식사요법을 시행하지 않고 자가혈당 측정을 하지 않는 경우와 펌프 고장에 대한 대처능력이 없는 경우는 적극적 인슐린 치료의 적용을 신중하게 결정
- 절대적 금기증
  - 철저한 혈당 조절을 하고자 하는 의지가 전혀 없거나 능력이 없는 경우
  - 인슐린 길항 호르몬의 결핍이 동반된 경우
- 상대적 금기증(주의를 요함)
  - 여명이 10년 미만인 경우
  - 진행된 당뇨병성 망막병증 또는 신장병증이 있는 경우
  - 심혈관 질환이나 뇌혈관 질환이 동반된 경우
- Basal-bolus regimen (=multiple daily injection, MDI or multiple subcutaneous insulin injection, MSII)
  - 하루에 필요한 총 인슐린 요구량을 결정. 요구량의 50%를 아침 식전에 기저 인슐린(중

간형 또는 지속형)으로, 나머지 50%를 매 식전 1/3로 나누어 초속효성 인슐린으로 주사
- 식사를 하지 못하는 경우 초속효성은 주사하지 않음
- 금식 중이거나 기존 인슐린 요법으로 혈당이 안정적인 경우는 하루 4회 정도 혈당을 측정하면 충분하지만 식사를 하고 있고 혈당 조절을 위해 인슐린 용량의 조정이 필요한 경우는 매 식전, 매 식후 2시간, 취침 전(필요시 새벽 3시 혈당도 측정)에 혈당을 측정
- 이후 환자의 혈당 패턴에 따라 인슐린 용량을 조정
- 인슐린 펌프 치료(Continuous subcutaneous insulin injection, CSII)
  - 적응증: 반복적인 심한 저혈당, 혈당의 변동이 심한 경우, 다회 인슐린 주사요법이 어려운 경우, 다회 인슐린 주사요법에도 혈당 조절 목표에 도달하지 못한 경우, 미세혈관합병증 또는 대혈관 합병증의 위험인자가 있는 경우
  - 기존에 사용하던 인슐린 총량의 75-90% 중, 50%를 24시간으로 나누어 기초주입량(basal rate, IU/hr)으로 하고 나머지 50%를 1/3로 나누어 식사량(meal bolus)으로 설정, 예) 기존 인슐린의 총량이 40 IU라면 75% 정도인 30단위 중, 50%인 15단위를 24시간으로 나누어 기초주입량을 0.6 IU/hr로 설정하고, 식사량은 15단위를 1/3로 하여 5단위씩 매 식전에 주입함

표 2-12. 인슐린 펌프 치료의 장점과 단점

장점	단점
철저한 혈당 조절로 인한 이득 보다 생리적인 인슐린 투여가 가능 심한 저혈당의 위험 감소 보다 유연한 정상적인 생활 가능	주입 중단 시 당뇨병성 케톤산혈증의 발생 위험 저혈당 카테터 주입구의 감염 혹은 접촉성 피부염 체중증가 고비용

③ 제1형 당뇨병에서의 고려사항
- 제1형 당뇨병 초기에 하루 1-2회의 인슐린 주사로 혈당 조절이 가능한 경우가 있으나 원칙적으로 다회 인슐린 주사요법이나 인슐린 펌프 치료가 필요
- 제1형 당뇨병 초기에 인슐린 저항성이 매우 낮은 경우에는 매우 적은 인슐린 용량에도 저혈당의 우려가 있으므로 주의가 필요함

④ 제2형 당뇨병에서의 고려 사항
- 초기에는 대부분 인슐린 치료가 필요하지 않으나 병이 진행하면서 베타세포의 기능도 저하되므로 많은 환자에서 인슐린 치료가 필요함
- 일반적으로 2-3제 병합 요법에도 불구하고 혈당 조절 목표에 도달하지 못하거나 인슐린 분비능의 저하를 의심할 수 있는 임상적 상황의 경우 인슐린 치료를 시작
- 초진단이라고 하더라도 당뇨병의 전형적인 증상이 있으면서 HbA1c 9% 이상인 경우에

는 초기부터 인슐린 치료를 고려할 수 있음

(5) 인슐린 요법의 부작용과 관리

① 저혈당

- 사탕 등 당분을 보충할 수 있는 음식을 지니고 다니면서 증상이 나타나면 (가능한 경우 혈당을 확인하고) 곧바로 당분을 보충하여 혈당을 회복시키도록 교육

- 저혈당이 발생한 원인을 파악하여 이후에 다시 저혈당이 반복되지 않도록 예방하는 것이 중요: 대개는 불규칙한 식사 및 활동 습관이 가장 많은 원인이므로 식사요법에 대해 다시 한번 철저히 교육

- 저혈당 무감각증(hypoglycemia unawareness)에 대한 평가가 필요: 이 경우에는 혈당 조절의 목표를 상향 조절, 퇴원 시 글루카곤을 처방하여 비상 시 사용할 수 있도록 교육

※ Somogyi 현상: 새벽에 인슐린 작용이 과도하게 나타나서 저혈당이 발생하고(새벽 2-3시경) 이에 따른 길항 호르몬(counter-regulatory hormone)의 분비로 아침에 반동 고혈당(rebound hyperglycemia)이 생기는 현상으로 인슐린(특히 저녁에 투여하는 인슐린이 있으면)의 용량을 줄이는 것이 치료임. 저녁 식전에 중간형 인슐린을 투여하고 있었다면 용량을 줄이는 것 외에도 중간형 인슐린 투여시간을 취침 전으로 변경하는 것도 한 방법임.

※ 새벽현상(Dawn phenomenon): 야간에 분비되는 성장 호르몬의 효과(인슐린 길항작용)에 의해 취침 후부터 새벽까지 고혈당이 지속되는 상태로 이를 교정하기 위해서는 인슐린의 용량을 높여야 함. 아침 고혈당이 있는 환자에서 Somogyi 현상과 새벽현상의 감별을 위해서는 새벽 3시에 혈당을 측정해 보는 것이 도움이 됨(Somogyi 현상의 경우에는 낮고 새벽현상의 경우에는 높음).

② 체중 증가

- 혈당 조절을 엄격하게 할수록 위험성 증가

- 체중이 증가하면 인슐린 저항성이 증가하여 더 많은 인슐린 투여가 필요하고 이는 다시 체중 증가로 이어지는 악순환이 될 수 있음

- 반복적인 식사 및 운동교육을 통해 체중 증가를 막도록 해야 함

③ 망막병증의 악화

- 중등도 이상의 당뇨병성 망막증이 있는 환자에서 갑작스럽게 혈당을 조절할 경우 당뇨병성 망막증 악화 가능성 있음

- 환자의 망막병증 유무를 미리 확인하고 위와 같은 경우 너무 급격하게 혈당을 떨어뜨리지 않도록 주의

(6) 인슐린에서 경구 혈당강하제로 변경하기

① 인슐린의 절대적 분비부족에 의한 경우가 아니거나 일시적으로 인슐린을 사용해야 했던 원인이 사라진 상태에서 경구 혈당강하제로 변경을 고려

② 25-30단위 이하의 인슐린 주사에도 혈당이 잘 조절되는 경우 시도

③ 퇴원을 계획 중인 환자에서는 퇴원하기 수 일 전부터 경구 혈당강하제로 변경한 후 혈당
  조절 상태를 살펴보고 퇴원하는 것이 바람직함

2) GLP-1 유사체

(1) 작용기전

소장의 L-cell에서 분비되는 인크레틴 호르몬인 GLP-1를 DPP-IV에 저항성을 가지도록
만든 합성 펩타이드. 포도당 농도에 의존적으로 인슐린 분비를 촉진하여 저혈당 위험이 적
고, 이 외에도 글루카곤 분비 억제, gastric emptying time 지연, 중추신경계에 작용하여
음식 섭취를 억제 등의 작용이 있음

(2) 적응증

경구혈당강하제만으로 충분한 혈당 조절이 어려운 환자에서 인슐린 사용이 어려운 경우에
고려할 수 있음. 또한 죽상경화성 심혈관 질환이 있는 환자와 비만인 당뇨환자에서 우선 추
천되는 약물임

(3) 피하 주사제이며 약제에 따라 하루 2회부터 주 1회 주사까지 다양함. 가장 흔한 부
  작용인 오심, 구토 증상에 대한 적응을 위해 초기에는 최소 용량으로 시작하여 천천
  히 증량

(4) 부작용

오심, 구토, 설사 등의 소화기계 부작용이 가장 흔하며, 천천히 증량하고 시간이 지나면 호
전됨

(5) 금기

갑상선 수질암 또는 MEN2 환자 및 가족력이 있는 경우

(6) 비만치료제로의 사용

당뇨가 없는 비만 환자에서 현재 국내에서 승인받은 약물은 liraglutide 3 mg 제형(Saxenda)
이 사용 가능함

표 2-13. GLP-1 유사체 제형별 특징

성분명	상품명	사용법	최대용량	기타
Short acting				
Exenatide	Byetta	5 μg bid	10 μg bid	
Lixisenatide	Lyxumia	10 μg qd	20 μg qd	
Lixisenatide + Insulin glargine	Soliqua	Lixisenatide/insulin glargine 5 μg/10 U	Lixisenatide 기준 20 μg qd	
Liraglutide	Victoza	0.6 mg qd	1.8 mg qd	당뇨병치료제
Liraglutide	Saxenda	0.6 mg qd	3 mg qd	비만치료제
Dulaglutide	Trulicity	0.75 mg qw	1.5 mg qw	

11. 입원 환자의 혈당 조절

1) 일반 병실 입원 환자의 혈당 조절 목표
(1) 식전 혈당 <140 mg/dL
(2) 공복을 제외한 혈당 <180 mg/dL(단, 혈당 조절을 목적으로 입원한 경우 제외)

2) 일반 병실 입원 환자 혈당 조절
 – 당뇨병의 기왕력과 상관없이, 입원 중 고혈당(무작위 혈당 140 mg/dL)과 저혈당(70 mg/dL 미만)은 환자의 경과에 불리하게 작용. 입원 후 측정한 무작위 혈당이 140 mg/dL 이상인 경우 당뇨병의 기왕력과 최근 3개월 이내 HbA1c 수치를 확인하고, 하루 4회(매 식사 직전과 취침 전) 혈당감시를 고려.
 – 폐렴, 심부전 등 내과적 질환으로 입원한 환자의 신속한 혈당 조절을 위해 규칙적인 기저 인슐린(basal insulin)과 식사인슐린(bolus insulin)을 조합을 권하며, 교정인슐린을 추가할 수 있음.

(1) 사용 가능한 인슐린
① Basal insulin: glargine (Lantus 및 Toujeo), degludec (Tresiba), 또는 determir (Levemir).
② Bolus insulin: insulin lispro (Humalog), glulisine (Apidra) 또는 aspart (Novorapid).
(2) 인슐린 요법의 시작
① 입원 후 경구혈당강하제를 중단.
② 1일 인슐린 용량 결정.
 – 입원 당시 혈당이 140-200 mg/dL일 경우 하루 총 인슐린 용량을 0.4 U/kg로 결정.
 – 입원 당시 혈당이 201-400 mg/dL일 경우 하루 총 인슐린 용량을 0.5 U/kg로 결정.
 – 연령이 70세 이상이거나 추정 사구체 여과율이 60 mL/min/1.73 m^2 미만일 경우 저혈당 위험성을 고려하여 하루 총 인슐린 용량을 0.2-0.3 U/kg로 결정.
③ 하루 총 인슐린 용량의 절반을 일정한 시각에 기저 인슐린으로 주사(단, NPH의 경우는 하루 2회로 나누어서 주사할 수도 있음).
④ 하루 총 인슐린 용량의 절반을 1/3씩 나누어서 매 식전에 기본 bolus insulin으로 주사(단 환자가 식사를 하지 못하면 주사를 하지 않아야 함).
(3) 인슐린 교정 용량 결정법
① 식전 측정한 혈당이 140 mg/dL를 초과하거나 환자가 배식된 식사를 전량에 가깝게 섭취할 수 있는 경우 인슐린 교정 용량 조절 프로토콜에 따라 기본 bolus insulin 용량에 보

조 용량을 추가해서 투여('sensitive'열을 기본으로 시작 하는 것을 추천).

② 환자가 식사를 하지 못하는 경우 기본 bolus insulin은 투약하지 않고, 혈당에 따라 'sensitive'열에 근거하여 rapid acting insulin 교정 용량만큼을 6시간마다 투여.

③ 공복 혹은 식전 혈당이 지속적으로 140 mg/dL를 초과하면서 저혈당이 없을 경우, 교정 용량 투여 방법을 한 단계 높이고(sensitive → usual → resistant), 저혈당 (<70 mg/dL)을 일으킬 경우, 교정 용량 투여 방법을 한 단계 낮춰야 함(resistant → usual → sensitive).

표 2-14. 인슐린 교정 용량 조절 프로토콜

Blood glucose (mg/dL)	Very sensitive	Sensitive	Usual	Resistant
140-180	+1 U	+2 U	+4 U	+6 U
181-220	+2 U	+4 U	+6 U	+8 U
221-260	+4 U	+6 U	+8 U	+10 U
261-300	+6 U	+8 U	+10 U	+12 U
301-350	+8 U	+10 U	+12 U	+14 U
351-400	+10 U	+12 U	+14 U	+16 U
>400	+12 U	+14 U	+16 U	+18 U

(4) 기저 인슐린 용량 조절

① 식사를 하지 못하는 경우라도 basal insulin은 투여해야 함.

아침 공복 혈당이나 하루 평균 혈당이 140 mg/dL를 초과하고 저혈당이 없는 경우 basal insulin 용량을 전일 대비 하루 20%씩 증량.

② 환자가 저혈당(<70 mg/dL)을 일으킬 경우, 하루 basal insulin 용량을 전일 대비 20% 감량.

3) 중환자의 혈당 조절

① 지속적으로 혈당이 >180 mg/dL이면 조절 시작.

② 정상 혈당을 목표로 하는 경우 저혈당 증가에 따른 문제가 많이 발생하므로 혈당 목표는 140-180 mg/dL 수준으로 조절하는 것을 목표로 함.

③ 정맥을 통한 인슐린 정주가 표준요법(이 경우 regular insulin을 이용을 권장함. Rapid acting insulin은 정맥 주사 시 regular insulin에 비해 장점이 없음).

(1) Continuous intravenous insulin infusion

① 0.9% NaCl 50 mL + RI 50 U 사용.

② 초기 1시간 간격으로 혈당을 측정하며, 3번 연속 목표 혈당 범위에 들어오면 측정 시간 간격 연장(1시간 → 2시간 → 4시간).

③ 내과계 중환자실 입실 환자 중 패혈증 등 저혈당의 위험성이 높은 환자의 경우 환자 상태를 고려하여 목표 혈당을 151-200으로 설정함.

표 2-15. MICU continuous intravenous insulin infusion protocol

1. 초기 인슐린 주입 속도(NS 50 cc + RI 50 U)

혈당(mg/dL)	181-220	221-260	261-300	≥301
infusion rate (U/hr)	1	2	3	4

2. 인슐린 주입 속도 변경**(현재 infusion rate이 소수점인 경우 반올림 후 증감을 결정)

현재 infusion rate (U/hr)	infusion rate 증감(U/hr)***
≤3	1
4-6	2
≥7	3

3. 혈당 변화값에 따른 속도 변경

혈당 (mg/dL)	혈당 변화값(mg/dL) 증가	혈당 변화값(mg/dL) 감소	인슐린 주입 변경 (참조: 인슐린 주입속도 변경**)
81-89			인슐린 주입 중단
90-99	≥0		유지
		1-20	감소
		≥21	인슐린 주입 중단
100-180	≥31	0-30	증가
	0-30	31-50	유지
		≥51	감소
		0	1시간 중단 후 감소
181-220	≥1	1-40	증가
		41-80	유지
		≥81	감소
		0	1시간 중단 후 감소
≥221	≥1	1-40	현재 주입 용량에서 infusion rate 증감***의 2배 증가
		41-80	증가
		81-120	유지
		81-120	감소
		≥121	1시간 중단 후 현재 주입 용량에서 infusion rate증감***의 2배 감소

4. 저혈당 발생시 지침(혈당≤80 mg/dL)

1) 인슐린 주입을 중지하고 50% dextrose를 50 cc 주입한다.
2) 혈당≥100 mg/dL에 도달할 때까지 혈당을 1시간 간격으로 측정한다.
3) 저혈당 관련 중재 후에는 측정값에 따라 초기 인슐린 주입속도의 1/2로 시작한다.

※ 인슐린 주입 속도는 환자의 혈당 반응에 따라 개별화해야 하며, tube feeding이 간헐적으로 들어감으로 인해 혈당 조절이 어려우면 continuous tube feeding을 우선적으로 고려할 수 있음.

12. 수술 환자의 혈당 조절

1) 일반적인 고려 사항

① 평소에 식사요법이나 경구 혈당강하제로만 조절해오던 환자라도 수술과 관련된 급성 스트레스에 따르는 고혈당을 조절하기 위해 인슐린 주사가 필요할 수 있으며 피하주사보다는 정맥 주사가 바람직함. 계획된 수술의 경우 수술 전 미리 혈당을 조절한 후 수술을 시행함(최소한 수술 전 24-48시간 정도는 혈당을 200 mg/dL 이하로 유지하는 것이 바람직).

② 수술 중 금식 시에는 modified Alberti's method나 인슐린 정맥 주입법을 이용하여 혈당을 200 mg/dL 이하로 조절 후 시행하며 이러한 조치를 취해도 혈당이 400 mg/dL를 넘는 경우에는 수술을 연기하는 것이 좋음. 그러나 생명이 위독한 응급 수술의 경우 혈당 조절 상태에 관계없이 수술을 시행하여야 함.

③ 수술 전 환자를 평가할 때 혈당 조절 상태만을 평가하는 경우가 많은데 혈당 조절 상태 외에 심혈관 질환의 위험성을 갖고 있는지를 판단하는 것이 더욱 중요하며 수술 중에는 일시적인 고혈당보다 저혈당이 생기지 않도록 하는 것이 중요함.

2) 식사요법만으로 조절되는 제2형 당뇨병

① 소수술인 경우 포도당 용액을 주입하면서 수술 중에 1-2시간 간격으로 혈당을 측정하고 필요한 경우 속효성 인슐린으로 조절.

② 대수술이거나 금식시간이 긴 경우 혈당 조절이 여의치 않으면 modified Alberti's method를 이용.

3) 경구 혈당강하제로 조절 중인 환자

① 수술 당일 경구 약은 복용하지 않음.

② 메트포민을 제외한 다른 약들은 수술당일 중단하며 식사를 다시 시작하면 약물 복용을 시작함. 메트포민의 경우 수술 48시간 전에 중단하고 수술 후 48시간 뒤에 신장기능에 이상이 없음을 확인하고 다시 약을 시작함.

③ 소수술인 경우 포도당 용액을 주입하면서 수술 중에 1-2시간 간격으로 혈당을 측정하고 필요한 경우 속효성 인슐린으로 조절함. 대수술이거나 금식시간이 긴 경우 혈당 조절이 여의치 않으면 modified Alberti's method를 이용함.

4) 인슐린으로 혈당 조절 중인 환자

① 일반적으로 수술 중 120-180 mg/dL 정도로 혈당을 유지하는 것을 목표로 함.

② 검사나 소수술(수술 시간이 짧고 수술 후 빠른 시간 내에 음식섭취가 가능한 경우)인 경우 스케줄을 가능한 아침으로 잡고 오전에 평소 맞던 인슐린의 1/2-2/3를 중간형 인슐린으로 투여하고 포도당 용액을 주입(80-100 cc/hr)하면서 수술을 시행함. 수술 중에는 1-2시간 간격으로 혈당을 측정함.

③ 수술 후 곧 식사가 가능한 경우에는 식전에 나머지 인슐린을 투여하고 식사를 시작하며, 수술 후 곧 식사가 가능하지 않은 경우에는 수술 후 포도당 주입은 계속하면서 4시간마다 혈당을 측정하여 필요한 경우 속효성 인슐린을 피하로 주입함. 환자가 식사나 음료 섭취를 시작하면서 중간형 인슐린 주사를 시작할 수 있을 때 포도당 주입을 중단함.

④ 대수술이거나 수술 후 금식기간이 긴 경우에는 modified Alberti's method를 이용함. 금식 기간이 1주일 이상 될 것으로 예상될 때는 PPN 혹은 TPN을 고려해야 함.

⑤ Modified Alberti's method: 포도당-인슐린 주입을 시작하면 모든 피하 인슐린은 투여 중단하며 아래와 같은 프로토콜을 이용함.

- 수술 전 혈당을 안정화시키기 위해 수술 전날 저녁 10-12시경(혹은 마지막 식사 후 4-6시간 뒤)에 modified Alberti's method 시작을 권함.

- 2시간 간격으로 BST를 하고(수술 중에는 1시간 간격으로) 6시간 이상 목표혈당 내에 유지되면 BST 시행 간격을 4시간으로 변경할 수 있음.

- Modifeid Alberti regimen을 시작한 시점으로부터 12시간 이내에 전해질 검사를 시행하고, 특별한 문제가 없을 시 아침 정규채혈 시간을 이용하여 24시간 간격으로 시행.

- D10W 용액은 혈당수치와 상관없이 Modified Alberti regimen 시작과 동시에 60 cc/hr로 주입 시작.

- 인슐린 주입속도는 다음 가이드라인에 따라 조절함.

- 초기 10% 포도당 용액은 24시간 이내에 시행한 K$^+$ 검사결과에 따라 적용(단, serum creatinie이나 eGFR 결과가 비정상일 경우 환자상태를 고려하여 결정)하며 아래 KCL용량 가이드라인을 따름.

※ 주의 사항

(1) 시작 시점에 혈당이 139 mg/dL 이하인 경우는 인슐린 주입을 시작하지 않고 BST를 시행하다가 혈당이 140 mg/dL 이상으로 상승한 시점부터 1 U/hr로 인슐린 주입을 시작함.

(2) 혈당이 140 mg/dL 이상인 경우 혈당에 관계없이 인슐린 주입 시작속도는 1 U/hr로 함.

(3) Modified Alberti's method를 시작하고 첫 6시간동안은 혈당이 200 mg/dL를 넘더라도 직전 혈당에 비해 혈당이 감소했으면 인슐린 주입속도를 그대로 유지함. 8시간째 혈당부터는 가이드라인에

따라 조절함. 첫 6시간 동안이라도 직전 혈당과 비교해 혈당이 상승했으면 가이드라인에 따라 인슐린 주입속도를 조절함.

표 2-16. Modified Alberti's method

N/S 500 cc + RI 50 unit mix IV with 1 u/hr로 시작		
BST에 따른 인슐린 주입속도	BST 80 mg/dL 미만	– 주입속도를 0.5 u/hr로 변경하여 유지하고 50% DW 20 cc IV 시행 (단, 이전 주입속도가 0.5 U/hr 이하였다면 이전 속도를 그대로 유지하면서 50% DW 30 cc IV 반복) – 15분 간격으로 BST 시행하여 140 mg/dL 이상이 될 때까지 50% DW 20 cc IV 반복 – BST가 140 mg/dL 이상이 되면 주입속도는 0.5 U/hr로 하고 다음 BST부터 guideline에 따라 속도 조절
	BST 80-139 mg/dL	주입속도를 이전의 절반으로 감소
	BST 140-200 mg/dL	현재 주입속도 유지
	BST 201-300 mg/dL	주입속도를 이전보다 0.5 U/hr 증가
	BST 301 mg/dL 이상	주입속도를 이전보다 1 U/hr 증가

serum K<4 mmol/L	30 mEq KCL 혼합
4 mmol/L≤serum K≤5 mmol/L	20 mEq KCL 혼합
serum K>5 mmol/L	KCL을 혼합하지 않음

13. 고혈당 위기

1) 정의

당뇨병의 고혈당에 의한 급성합병증으로는 당뇨병성 케톤산혈증(diabetic ketoacidosis, DKA)과 비케톤성 고삼투압 상태(hyperosmolar hyperglycemic state, HHS)가 있음. 이러한 급성합병증이 발생 시에는 먼저 감염, 부적절한 인슐린 치료나 심근경색 혹은 뇌졸중과 같은 유발인자를 찾아내 반드시 적극적으로 치료해야 함. DKA와 HHS는 인슐린의 결핍과 역조절 호르몬(counterregulatory hormones; catecholamine, glucagon)의 과잉으로 인한 고혈당과 고삼투압 현상을 말하며, DKA의 경우 지방산 산화의 동반으로 인하여 고케톤혈증 및 대사성 산증이 동반됨.

2) 진단

(1) 병력

① DKA의 흔한 선행인자는 인슐린의 중단 또는 부적절한 투여, 감염 등이며, DKA로 내원하였을 때 당뇨병을 처음 진단받는 경우도 있음. 또 코르티코스테로이드, 교감신경작용제(sympathomimetic), 비정형 항정신병약, SGLT2 억제제 등의 약물들도 확인 필요함.

② HHS에서는 감염이 가장 흔한 선행인자이고, 인슐린이나 당뇨병약을 적절히 사용하지 않았거나 뇌혈관질환, 심근경색증 등의 질환이 있을 때 유발될 수 있음.

표 2-17. DKA와 HHS의 진단 기준

	당뇨병성케톤산증			고삼투압성 고혈당 상태
	경증	중등증	중증	
혈장 포도당(mg/dL)	>250	>250	>250	>600
동맥혈 pH	7.25-7.30	7.00-7.24	<7.00	>7.30
혈청 중탄산염(mEq/L)	15-18	10-14	<10	>15
소변 혹은 혈중 베타하이드록시부티레이트(mmol/L)	>3	>3	>3	>3
소변 혹은 혈중 케톤	양성	양성	양성	음성 혹은 양성
유효 혈청 삼투압*(mOsmol/kg)	다양	다양	다양	>320
음이온 차이**	>10	>12	>12	<12
의식상태	명료	명료/기면	혼미/혼수	혼미/혼수

*유효 혈청 삼투압(effective osmolality: $2 \times [Na^+ (mEq/L)] + 포도당(mg/mL)/18$
**음이온차이:$(Na^+) - [Cl^- + HCO_3^- (mEq/L)]$

(2) 증상 및 징후

① 다음, 다뇨, 체중감소, 구토, 탈수, 쇠약

② 쿠스마울(Kussmaul) 호흡, 빈맥 및 의식변화(HHS보다 DKA에서 흔함)

(3) 검사실 검사

※ 상기 진단을 위한 기본적인 검사들 이외에도 감염과 신질환 등 유발요인 감별을 위한 검사(혈액 및 요배양, 흉부 단순촬영, 심전도 등)도 필요함.

3) 치료

치료의 대상은 탈수, 고혈당, 전해질 불균형 및 유발요인임(그림 2-2).

그림 2-2. 성인 당뇨병성케톤산증(DKA)과 고삼투압성고혈당상태(HHS) 치료 알고리듬

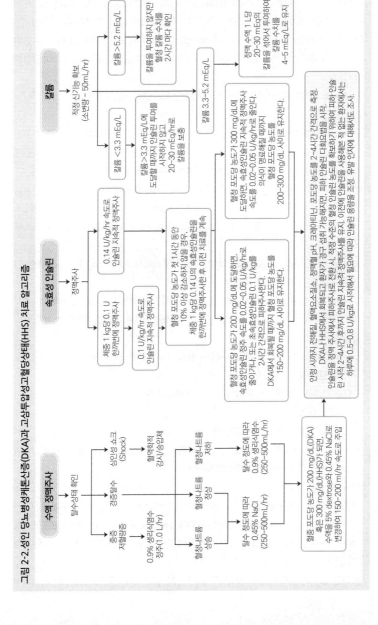

(1) 수액

① 심기능에 문제가 없으면, 신속히 생리식염수 1 L를 정맥주사함(15-20 mL/kg/hr).

② 이후 수액의 종류 및 투여 속도는 환자의 탈수 상태 및 전해질, 소변량에 따라 결정함.

③ 최초 Na>150 mEq/L 혹은 치료 도중 155 mEq/L 이상으로 상승할 경우와 심부전이 동반된 경우에는 0.45% 생리식염수를 투여함(혈중 소디움은 고혈당을 보정하여 판단하여야 함).

④ 혈관 내 용적이 회복되면 0.45% 생리식염수를 150-250 mL/hr로 정주함.

(2) 인슐린

① Regular insulin 0.1 U/kg 정맥주사 IV bolus → 시간당 0.1 U/kg의 속도로 지속 주입 (혹은 첫 IV bolus 없이 regular insulin 0.14 IU/kg 지속 정맥 주입) → 혈당이 1시간에 50-70 mg/dL의 속도로 감소하도록 1시간마다 투여 속도를 배가함.

② 혈당이 200-300 mg/dL이 되면(DKA 환자에서는 200 mg/dL, HHS 환자에서는 300 mg/dL) 인슐린 투여 속도는 0.05-0.1 U/kg/hr로 감량하고, 저혈당을 예방하기 위해, 기존의 0.9% 생리식염수는 5-10% 포도당 용액과 0.45% 생리식염수로 교체하여 투여함.

③ 대사상태가 조절되고 고삼투압, 의식이 정상화될 때까지 목표 혈당을 유지하기 위한, 인슐린과 포도당 주입 속도를 조절함.

④ 환자의 경구섭취가 가능해지면, MSII 요법으로 인슐린 피하주사를 시작하고, 이때 피하 주사 후에도 첫 1-2시간 동안은 인슐린 정맥투여를 지속해야 급격한 고혈당을 예방할 수 있음.

(3) 칼륨

① 수액요법과 인슐린 투여, 산증의 교정은 혈중 칼륨 농도를 급격히 감소시킬 수 있으므로 적절한 칼륨 공급이 필요함.

② 혈청 칼륨이 5.5 mEq/L 이하가 되고 소변 배출이 적절하다면, 20-30 mEq/liter fluid 의 속도로 투여함.

③ 혈청 칼륨은 4-5 mEq/L를 유지하도록 함.

④ 드물지만, 초기 칼륨 농도가 3.3 mEq/L 미만일 경우, 칼륨의 공급으로 3.3 mEq/L 이상이 될 때까지 일시적으로 인슐린의 투여는 보류함.

(4) 중탄산염

① 중탄산염의 투여는 일반적으로는 권고하지 않음. 이전의 무작위대조군연구에서 심각한 산증을 동반한 DKA환자에게 중탄산염을 투여했을 때 고혈당이나 케톤산증으로부터 회복하는 속도에는 이득이 없었고, 오히려 저칼륨혈증이나 뇌부종과 같은 부작용의 위험이 더 높았음.

② 다만 일부 지침에서는 동맥혈 pH가 6.9 미만일 경우, pH가 7.0을 넘을 때까지 NaH-

CO_3 투여를 조심스럽게 고려함(50 mmol/h의 속도로 1-2시간 동안 투여 -$NaHCO_3$ 100 mmol을 400 mL dextrose에 섞어서 200 mL/hr의 속도로 주입).

4) 관찰

① 환자의 의식과 활력징후가 안정화될 때까지, 혈압과 맥박을 30분 간격으로, 체온을 2시간 간격으로 측정.

② 혈당이 250-300 mg/dL로 떨어질 때까지 혈당을 1시간 간격으로 측정

③ 혈청 전해질, BUN, Cr, 포도당, 삼투압, pH (DKA; 모니터를 위해서는 정맥혈 pH로도 충분함. 다만 동맥혈 pH에 비해 0.03 정도 낮음): 정상화될 때까지 2-4시간 간격으로 측정.

④ DKA에서 대사성 산증의 평가: venous pH (>7.3), anion gap, HCO_3^- (≥ 18 mEq/L)

14. 저혈당증

1) 정의

① 혈당이 70 mg/dL 이하이면서 혈당저하의 증상(허기짐, 발한, 손떨림, 두근거림 등)이 있는 경우

② 특정 증상이 저혈당에 의한 것인지 증명하기 위해서는 1) 혈장포도당 농도가 낮으면서 (70 mg/dL 미만), 2) 자율신경항진 또는 신경당결핍 증상이 있고, 3) 포도당 섭취 혹은 투여로 혈당이 정상으로 회복되면 이러한 증상이 소실되는 세 가지 기준을 모두 만족해야 함 (Whipple's triad).

③ 저혈당은 당뇨병에서 적절한 혈당 관리를 방해하는 주요 요인이며 심실 부정맥 및 사망률 증가와 관련이 있을 수 있음.

2) 저혈당의 임상증상

① 자율신경 반응에 의한 증상: 심계항진, 진전, 불안, 발한, 공복감 및 이상감각(저혈당이 반복될 경우 자율신경 반응에 의한 증상은 없거나 경미할 수 있음)

② 대뇌기능저하 증상: 행동 변화, 의식 혼미, 피로감, 발작, 의식 소실 등 흔하지 않지만 일시적인 국소 신경학적 장애를 보이기도 함.

3) 감별 진단

① 저혈당의 가장 흔한 원인은 당뇨병의 치료제에 의한 부작용임. 따라서 저혈당으로 내원한 환자에서는 당뇨병 치료제의 부작용에 의한 것은 아닌지를 가장 먼저 확인해 보아야 함 (insulin, sulfonylurea 계열, meglitinide 계열).

② 당뇨병이 없는 성인에서 저혈당의 원인

- 공복 저혈당으로 주로 발현하는 경우
  - 인슐린종 및 기타 베타세포 이상
  - Non-β-cell tumor (fibrosarcoma, mesothelioma, etc.)
  - 약제(부주의로 인한 인슐린, 설폰요소제 과량 투여), ethanol 과다 섭취
- 식후 저혈당으로 주로 발현하는 경우
  - 위절제술 후의 식후 저혈당(postgastrectomy, alimentary hypoglycemia)
  - 기능성 저혈당(실제로 저혈당은 아니나 식후에 저혈당 증상을 호소)
  - 인슐린에 대한 자가항체(인슐린이 결합했다가 식후 유리되어 나오면서 저혈당 유발, 주로 식후 수 시간 경과 후)

4) 진단적 접근(당뇨병 환자의 저혈당 제외)

① 의식 변화로 응급실을 내원한 환자에서 저혈당이 확인되면 포도당 투여 전에 가장 먼저 감별 진단 검사용 채혈을 시행해야 함.

- 측정할 항목: glucose, insulin, C-peptide
- 해석: 저혈당의 증상이 있을 때 혈장 포도당 농도가 50 mg/dL 미만이면서 혈장 인슐린 농도가 6 μU/mL 이상이고, 혈장 C-peptide 농도가 0.6 ng/mL이상인 경우 내인성 고인슐린혈증(endogenous hyperinsulinemic hypoglycemia, EHH)에 의한 저혈당으로 진단 함. 이에 해당하는 대표적인 것은 인슐린종이며, insulin autoimmune syndrome 및 sulfonylurea의 과다투여에 의한 저혈당일 수도 있음. 인슐린 주사의 경우 혈장 C-peptide가 거의 측정되지 않을 수 있음.
- 인슐린종이 의심될 경우 pancreas dynamic CT를 우선적으로 고려하고, MRI, 내시경 초음파(Endoscopic ultrasound) 혹은 DOTATOC PET/CT 등을 고려할 수 있음. 인슐린 종이 강하게 의심되나 영상검사에서 발견되지 않는 경우에는 선택적 동맥 내 칼슘자극을 통해 증명을 고려하거나 외과적 exploration을 하여 촉진과 수술 중 초음파를 통해 확인할 수 있음.

② 내원 당시 저혈당이 없는 경우

- 공복 시 저혈당의 감별 진단: 72시간 금식 검사 시행
- 위절제술 후의 식후 저혈당의 진단: 혼합식(mixed meal, 저혈당이 발생했을 당시 먹었던 식사와 가장 비슷한 것이 이상적)을 먹은 후 Whipple's triad를 만족할 경우 식후 저혈당을 진단함.

표 2-18. 성인 저혈당의 원인 감별

1. Drugs	Insulin or insulin secretagogue Alchol Sometimes pentamidine, quinine Rarely salicylates, sulfonamides, and others
2. Critical illness	Hepatic, renal, or cardiac failure Sepsis (including malaria) Starvation and inanition
3. Hormone deficiency	Cortisol, growth hormone Glucagon and epinephrine (type 1 diabetes)
4. Nonislet cell tumor	Fibrosarcoma, mesothelioma, rhabomyosarcoma, liposarcoma, other sarcoma Hepatoma, adrenocortical tumors, carcinoid Leukemia, lymphoma, melanoma, teratoma
5. Endogenous hyperinsulinemia	Insulinoma Functional beta cell disorders (nesidioblastosis) Insulin autoimmune hypoglycemia 　　autobody to insulin 　　autobody to insulin receptor Insulin secretagogue Ectopic insulin secretion
6. Postprandial	Postgastrectomy alimentary hypoglycemia (reactive) Ethanol-induced Autonomic symptoms without true hypoglycemia (functional)
7. Factitious	Insulin, sulfonylureas

5) 치료

(1) 저혈당 자체에 대한 치료

① 의식이 있는 경우: 15–20 g의 당질을 섭취. 치료 15분 후에도 혈당이 낮다면 반복 섭취.

② 단순 당질 15–20 g에 해당하는 음식은 설탕 한 숟가락(15 g), 꿀 한 숟가락(15 mL), 주스 또는 청량음료 3/4컵(175 mL), 요구르트 1개(100 mL 기준), 사탕 3–4개이며 사탕보다는 흡수가 빠른 주스 등을 추천.

③ 의식이 없는 경우: 20% dextrose 수액 125 cc 정주(25 g) 후 15분 후 재측정, 의식 회복하면 음식을 섭취하도록 함. 지연성 저혈당증의 발생가능성이 있으므로 필요에 따라 지속적으로 포도당 용액을 공급해야 할 때도 있음.

(2) 인슐린종의 치료

수술에 의한 종양절제가 1차 치료이며, 절제가 불가능하거나 불완전한 경우에는 diazoxide (희귀의약품 센터 문의), somatostatin analogue를 이용해 볼 수 있음.

(3) 위절제술 후의 식후저혈당 치료

식이요법의 원칙은 한 번에 섭취하는 음식물의 양을 줄이고 고단백, 고지방, 저탄수화물과 수분이 적은 식사를 자주 먹는 것임. 특히 식사 중 탄수화물은 복합당질을 위주로 하는 것이 좋으며 하루 여러 차례에 나누어서 섭취. 하루에 식사를 여러 차례 나누어 하기 어려운 경우나 이러한 방법으로 반응이 없다면 포도당 흡수 속도를 지연시키기 위해 alpha-glucosidase inhibitor를 시도해 볼 수 있음.

15. 당뇨병 합병증

1) 서론

조절되지 않는 당뇨병은 망막, 신장, 신경의 미세혈관 합병증과 뇌혈관, 심장혈관, 말초혈관의 대혈관 합병증을 초래함. 당화혈색소가 7%를 초과하면 1% 증가 시마다 미세혈관 합병증 발생이 30~40%씩 증가. 당뇨병은 성인에서 시력 소실과 말기 신부전의 가장 중요한 원인이며 비외상성 하지 절단의 50%가 당뇨병 신경병증과 동반된 하지혈관 질환으로 일어남.

2) 미세혈관 합병증

(1) 당뇨병성 신경병증(Diabetic neuropathy)

① 당뇨병성 신경병증 중에서 가장 흔한 것은 당뇨병성 말초신경병증인 만성 감각운동성 원위부 대칭성 다발성 신경병증과 자율신경병증(안정 시 빈맥, 기립성 저혈압, 위장관 운동장애, 발기부전 등) 임. 이는 환자의 삶의 질을 저하시키고, 족부의 궤양과 절단과 같은 심각한 합병증을 초래 할 수 있어 적절한 진단 및 치료가 중요함.

② 제1형 당뇨병환자는 진단 후 5년부터, 제2형 당뇨병환자는 진단과 동시에 말초 및 자율신경병증 선별검사를 하고 이후 매년 반복하도록 하며 말초신경병증 선별검사로는 당뇨병성신경병증 설문조사(michigan neuropathy screening instrument, MNSI), 10 g 모노필라멘트 검사, 진동감각검사, 발목반사검사, 핀찌르기검사, 또는 온도감각검사 등을 고려할 수 있음.

그림 2-3. 10 g 모노필라멘트 검사

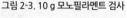
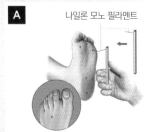
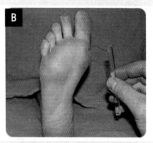

압력검사를 알아보는 검사 방법으로 모노필라멘트를 피부에 직각으로 대고 C자 형태로 휘어지도록 눌렀을 때 환자가 이를 느끼는지 검사함. 그림과 같이 발 부위 10곳을 검사하여 4곳 이상을 느끼지 못하면 이상이 있는 것으로 판정.

③ 당뇨병성 신경병증 치료의 목적은 통증 및 증상을 완화하고, 신경의 퇴축을 막아 재생을
돕고, 사지 손상과 같은 심각한 합병증을 막는 것이며(표 2-19) 치료의 첫 단계는 안정적
이고 이상적인 혈당 조절임.

④ 위 마비(gastroparesis)의 경우 오심, 구토, 조기 포만감, 상복부 통증이 동반되며 적절한
혈당 조절과 약물 치료 병행해야 함(표 2-20).

표 2-19. 당뇨병성 말초신경병증 통증 치료제

접근방법	약제명/치료방법	용량
이상적인 혈당 조절	생활습관 개선, 경구혈당 강하제, 인슐린	개별적으로 조절
병태생리학적 접근	α-Lipoic acid (thioctic acid)	600 mg IV 주입 1,200-1,800 mg 경구

통증 및 증상 완화	TCA
	  Amitriptyline
	  Desipramine
	  Imipramine
	  Clomipramine
	  Nortriptyline
		(10-) 25-150 mg
		(10-) 25-150 mg
		(10-) 25-150 mg
		(10-) 25-150 mg
		(10-) 25-150 mg

	SNRI Duloxetine	60-120 mg

	Anticonvulsants-calcium channel modulators
	  Gabapentin
	  Pregabalin
		900-3,600 mg
		300-600 mg

	Opioids (weak) Tramadol	50-400 mg
	국소치료 Capsaicin (0.025%) cream	qid 국소 도포

	Opioids (strong)
	  Oxycodone
	  electrical spinal cord stimulation	

표 2-20. 위 마비 치료 약제의 종류, 기전, 용량 및 부작용

	기전	용량	부작용
Metoclopramide	도파민 길항제	10-30 mg 식전 1시간, 자기 전	졸음, 기면, 우울감, 파킨슨양진전, 유즙분비
Domperidone	도파민 길항제 (BBB 통과하지 않음)	20-40 mg 식전 1시간, 자기 전	유방 통증, 유즙분비
Erythromycin	항생제(macrolide)	250 mg 식전 30분	항생제 내성
Levosulpiride	선택적 D2-도파민 수용체 길항제	25 mg tid	졸음, 파킨슨양진전, 유즙분비
Mosapiride	5-HT4 수용체 작용제	5 mg tid	추체 외로 증상 및 유즙분비가 거의 없음

(2) 당뇨신병증(Diabetic nephropathy)

① 자연경과

당뇨병성 신증은 당뇨병환자의 20-40%에서 발생하며 말기신부전증의 가장 흔한 원인.

② 당뇨병성 신증의 진단

- 알부민뇨(albuminuria)

알부민 배설량이 30 mg/24 hr 또는 albumin to creatinine ratio (ACR) 30 mg/g creatinine 이상인 경우

※ 과거 미세알부민뇨(ACR 30-299 mg/g)와 거대알부민뇨(ACR 300 mg/g 이상)로 분류하였으나, 1일 30 mg 이상의 알부민뇨에서는 알부민 배출량에 비례하여 연속적으로 사망과 심혈관계 위험성이 증가하므로, 최근 국제 가이드라인에서는 알부민뇨를 하나의 연속적인 개념으로 보고 있음.

③ 선별검사

- 제1형 당뇨병 환자는 진단 후 5년 이상부터 매년 미세알부민뇨 검사를 시행
- 제2형 당뇨병 환자는 진단 당시 및 최소 1년마다 미세알부민뇨 검사
- 요검체는 가능한 이른 아침 소변 ACR을 계산
- 모든 성인당뇨병 환자는 미세알부민뇨 여부에 관계없이 매년 1회 이상 혈청 크레아티닌을 측정하여 사구체여과율을 평가 받아야 함
- 당뇨병성신증 이외의 다른 원인을 확인해 보아야 하는 경우(신 조직검사 또는 적절한 영상 검사 고려)
  - 당뇨병의 유병기간이 짧을 때
  - 당뇨병성 망막증이 없을 때
  - 다른 전신질환의 징후와 증상이 있을 때
  - 혈뇨를 동반할 때
  - 급속히 증가하는 단백뇨 또는 신증후군
  - 사구체여과율의 저하가 10 mL/min/year 이상으로 빠른 경우

④ 예방 및 치료

- 치료 원칙: 혈당 정상화, 엄격한 혈압 조절(ACE inhibitor or ARB 사용), 이상지질혈증 치료
- 혈당 조절
  - 목표: HbA1c <7.0%(단, 신기능이 낮거나 동반질환이 많은 환자의 경우 저혈당 위험성을 고려하여 HbA1c 목표치를 상향 조정)
- 혈압 조절
  - 심혈관 사망과 신증 진행을 억제하기 위해 혈압은 140/90 mmHg 미만으로 조절. (단 혈압을 130/80 mmHg 이하로 더 철저히 조절하는 것은 부작용을 고려했을 때, 효

과가 더 크다고 생각되는 환자에게서 고려)
- 약제는 ACE inhibitor 또는 ARB를 기본적으로 사용하며, 추가로 calcium channel blocker (non-dihydropyridine class), beta-blocker, 이뇨제 등을 사용 가능. ACE inhibitor와 ARB의 병합 요법은 추천되지 않음.
- 고지혈증 치료
- 식이조절

과도한 단백질 섭취를 피하고 하루 권장량인 0.8 g/kg를 유지. 그러나 0.8 g/kg 이하의 저단백식사는 사구체여과율 감소나 심혈관질환 예방에 도움이 되지 않으므로 권고하지 않음.

(3) 당뇨병성 망막병증(Diabetic retinopathy)
① 분류

비증식성 당뇨망막병증(NPDR)과 증식성 당뇨망막병증(PDR)으로 나눌 수 있음.

NPDR은 흔히 시력 상실과는 관련이 없지만, 황반부종 발생 시에는 시력이 떨어질 수 있음. PDR은 허혈성 망막에 신생혈관이 생기는 질환으로 신생혈관이 발견된 경우 범안저광응고술(panretinal photocoagulation, PRP)이 시력 보호를 위해 필요함.

② 선별검사

제1형 당뇨병 환자는 진단 후 5년 이내에, 제2형 당뇨병 환자는 진단과 동시에 망막 주변부를 포함한 안저검사 및 포괄적인 안과검진을 받아야 하며 이후 1-2년 간격 검사 고려.

③ 당뇨병성망막병증이 의심되는 경우 안과전문의에게 의뢰.

④ 심혈관질환 예방을 위한 아스피린 사용은 망막출혈의 위험을 높이지 않음.

⑤ 임신은 당뇨병환자에게서 당뇨병성망막병증의 진행을 악화시킬 수 있음. 따라서 당뇨병을 이미 진단받은 환자가 임신을 계획하고 있거나 임신 중인 경우 안과검사를 받도록 하며 당뇨병성망막병증 발생 및 진행의 위험성에 대해 상담을 받아야 함. 임신 첫 3개월 이내에 안과검사를 받고 임신 전 기간 및 출산 후 1년까지 철저한 추적검사를 해야 함. 반면에 임신성 당뇨병환자는 진단 후 출산할 때까지 망막병증의 발생 위험이 증가하지 않으므로 안과검사가 필요하지 않음.

3) 당뇨병 대혈관 합병증

① 심혈관질환과 연관된 위험인자의 평가
- 위험인자: 성별, 나이, 혈압, 흡연, 이상지질혈증, 복부비만
- 당뇨병 환자는 심혈관질환의 과거력이 있는 환자와 같은 정도의 심혈관질환 발생위험을 가짐.

② 심혈관질환 선별검사 적응증

• 무증상 환자에서 심혈관질환에 대한 정기적인 선별검사는 권유되지 않음.

• 전형적이거나 비전형적인 심장 증상

• 심전도상 허혈 또는 경색 의심 소견

• 말초혈관 혹은 경동맥 폐색성 질환

③ 말초혈관질환

• 증상 및 증후

– 보행속도 감소, 하지피로감, 파행, 피부 온도감 저하, 피부 궤양 등 확인.

• 선별검사

– ABI (Ankle-Brachial Index)가 우선적으로 권고됨. 경우에 따라서는 도플러 초음파 검사, 피부 관류압(Skin perfusion pressure, SPP), 경피 산소분압(transcutaneous oxygen pressure, $TcPO_2$) 검사 및 CT angiography 혹은 MR angiography 촬영을 고려할 수 있음.

– ABI 검사의 해석(발목상완지수 = 발목 수축기 혈압/상완 수축기 혈압)

ABI는 정상적으로 0.9 이상을 유지해야 하며, 0.7 이하이면 폐색을 강력히 의심할 수 있음.

표 2-21. ABI 검사의 해석

ABI 결과	해석
≥1.3	상완 동맥의 협착, 하지 동맥의 석회화 경화도 증가
0.91-1.29	정상
≤0.9	하지 동맥의 협착
≤0.7	하지 동맥의 폐색

④ 심혈관질환의 치료

• 심혈관질환 환자의 경우 ACE 억제제, 아스피린, 스타틴 치료가 심혈관질환 발생을 감소시키기 위해 사용되어야 함.

• 증상이 있는 심부전 환자에서는 thiazolidinedione 사용은 피해야 함.

• Metformin은 안정된 심부전 환자에서는 사용할 수 있으나, 조절되지 않는 심부전 환자의 경우에는 피해야 함.

⑤ 그 외 이상지질혈증의 조절, 혈압 조절, 금연 등이 필요

16. 임신 중 당뇨병 관리

1) 임신성 당뇨병의 진단

① 모든 산모에서 첫 산전 방문 시 공복 혈당, 무작위 혈당, 혹은 당화혈색소 측정을 통해 기왕의 당뇨병 유무에 대한 검사를 시행해야 함. 검사결과 당뇨병의 진단기준에 합당하면 현성 당뇨병(임신전 당뇨병)으로 진단함.

② 이전에 당뇨병으로 진단받지 않은 산모는 임신 24-28주에 2시간 75 g 경구 당부하검사를 시행함(one step approach).

③ 기존의 2단계 접근법(two step approach)을 이용할 경우에는 50 g 경구 당부하 1시간 후 140 mg/dL 이상이면 100 g 경구 당부하검사를 시행함.

④ 임신성 당뇨병은 75 g 또는 100 g 경구당부하검사로 진단할 수 있음(진단 기준은 다름).

표 2-22. 임신성 당뇨병의 진단 기준

75 g 경구당부하검사를 시행한 경우 하나 이상을 만족하는 경우 임신성 당뇨병으로 진단함
100 g 경구당부하검사를 시행한 경우는 두가지 이상을 만족하는 경우 임신성 당뇨병으로 진단함

	75 g 경구당부하검사	100 g 경구당부하검사
공복	≥92 mg/dL	≥95 mg/dL
1시간	≥ 180 mg/dL	≥ 180 mg/dL
2시간	≥ 153 mg/dL	≥ 155 mg/dL
3시간		≥ 140 mg/dL

※ 50 g 경구당부하검사는 식사와 상관없이 시행하며, 100 g 경구당부하검사는 최소 3일간 식사 요법(하루 150 g 이상의 탄수화물 섭취)과 운동을 제한하지 않은 상황에서 8-14시간의 금식 후에 시행한다.

2) 임신 중 당뇨병 관리의 목표 및 방법

(1) 혈당 조절의 목표

임신 중 혈당 조절 목표는 식전 혈당≤95 mg/dL, 식후 1시간 혈당≤140 mg/dL, 식후 2시간 혈당≤120 mg/dL 임.

(2) 임신성 당뇨병의 치료

① 영양요법

임상영양요법은 임신 중 당뇨병 관리의 기본이며 이를 위해서는 태아 성장에 필요한 적절한 칼로리를 제공하고, 식후 고혈당을 조절하기 위해 탄수화물의 섭취비율을 낮춰야 함(탄수화물을 총 섭취 칼로리의 50% 정도로 조절). 정상 체중의 임산부는 현재 체중을 기준으로 30-32 kcal/kg으로, 비만한 임산부는 25 kcal/kg으로 총 열량을 계산함. 그러나 케톤증의 예방을 위해서는 하루 1,700-1,800 kcal 이하로 칼로리를 제한하지 않아야 함.

끼니별 식사 배분은 기본적으로 3식 2간식 또는 3식 3간식으로 식단을 작성하며, 임산부의 식사습관에 따라 개별화해야 함.

② 약물 치료

• 인슐린 요법

‒ 임상영양요법으로 목표 혈당에 달성할 수 없는 경우에 인슐린 치료를 시작. 또한 목표 혈당에 도달했더라도, 초음파 검사에서 태아의 성장속도가 빠르다면 인슐린 치료를 고려. 인슐린 치료는 임신성 당뇨병 임산부 중 20-50%에서 필요함.

‒ 임신 중에 안전하게 사용할 수 있는 인슐린 제제는 속효성 인슐린 유사체(lispro, aspart), 사람 인슐린(RI, NPH)과 지속형 인슐린 유사체인 인슐린 디터미어(insulin detemir)가 있음.

‒ 혼합형 인슐린제제도 임신 중 사용이 가능하나 지속형 인슐린 유사체인 인슐린 글라르진(glargine)과 데글루덱(degludec)은 임상시험 자료가 부족하여 공식적으로 임신 중에 허가되지는 않았음.

• 경구혈당 강하제

‒ 메트포르민은 임신 중 안전성과 임상적 효과를 증명한 연구들이 있어 인슐린을 사용할 수 없는 경우에 고려해 볼 수 있음.

‒ 따라서 일차적으로 인슐린 치료를 추천하지만 인슐린을 사용할 수 없거나 또는 환자가 인슐린 치료를 거부하는 경우에는 메트포르민 사용을 고려할 수 있음.

Ⅱ 갑상선

1. 갑상선 기능 검사의 해석

갑상선 기능 평가를 위해서는 TSH와 freeT4의 측정이 권고되며, 두 값에 따라 아래와 같이 감별진단할 수 있음.

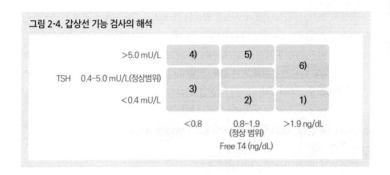

그림 2-4. 갑상선 기능 검사의 해석

1) Free T4 증가, TSH 감소: Overt hyperthyroidism
(1) 흔한 원인
그레이브스병, 일과성 갑상선염(산후, 무통성, 아급성)
(2) 드문 원인
갑상선 호르몬 투여, 이소성 갑상선 조직 또는 난소 갑상선종, 아미오다론 투여
(3) 드문 원인(임신 검사 양성)
임신성 갑상선 중독증, 포상기태, 가족성 임신성 갑상선기능항진증

2) Free T4 정상, TSH 감소: Subclinical hyperthyroidism
(1) 흔한 원인
갑상선 호르몬 투여(용량이 과다하거나 암의 재발 방지 목적으로 TSH 억제를 인위적으로 유도하는 경우), 일차성 갑상선기능항진증을 일으키는 원인 중 그 정도가 경한 경우, 일과성 갑상선염의 일시적 경과
(2) 드문 원인
스테로이드 치료, 도파민 또는 도부타민 투여, 비갑상선 질환

3) Free T4 감소, TSH 정상 또는 감소

(1) 흔한 원인

비갑상선 질환, 갑상선기능항진증 치료 시작 후 초기 상태

(2) 드문 원인

뇌하수체 질환(=이차성 갑상선기능저하증)

4) Free T4 감소, TSH 증가: Overt hypothyroidism

(1) 흔한 원인

만성 자가면역성 갑상선염(=하시모토 갑상선염), 방사능 요오드 치료 후 또는 갑상선 절제술 후 상태, 일과성 갑상선염의 갑상선기능저하증 시기

(2) 드문 원인(TPO 항체 음성이고 이전에 방사성 요오드나 수술 시행 받은 적이 없는 경우)

경부에 외부 방사선 조사를 받은 경우, 약물(아미오다론, 인터페론, interleukin-2, 면역항암제), 요오드 과다 투여, 리델 갑상선염, 선천성 갑상선기능저하증

5) Free T4 정상, TSH 증가: Subclinical hypothyroidism

(1) 흔한 원인

만성 자가면역성 갑상선염(=하시모토 갑상선염)

(2) 비교적 흔한 원인

약물(위장관 운동 촉진제, 요오드 량이 많은 건강식품, 아미오다론 등)

(3) 드문 원인

이종친화 항체, 갑상선기능저하증으로 T4 투여를 받고 있으나 불규칙적으로 복용하는 경우, 비갑상선 질환으로부터의 회복기

6) Free T4 증가, TSH 정상 또는 증가: Rare

갑상선 호르몬의 과다 섭취 또는 불규칙적인 섭취, 갑상선 호르몬 저항성 증후군, TSH 분비 뇌하수체 선종, 매우 드물게 갑상선 호르몬 자체에 대한 항체 형성(항 T4 항체 또는 항 T3 항체의 존재, 대개 TPO 항체도 같이 양성임) 고려 필요

※ 갑상선 기능 검사는 핵의학과와 진단검사의학과 양쪽에서 시행하고 있음. 오랫동안 임상에서 더 많이 사용되어 경험이 많은 핵의학과 검사가 표준이나, 신속한 결과가 필요할 때에는 진단검사의학과 방법이 더 유리함.

※ Total form의 갑상선 호르몬(Total T3 or Total T4)의 측정은 갑상선 호르몬 결합 단백 증가, non-thyroidal illness 등의 특수한 경우가 의심되는 것이 아니면 일반적으로 필요가 없음.

2. 갑상선 기능에 영향을 주는 상황 및 약제

입원 환자의 갑상선 기능 검사 이상의 원인으로는 실제 갑상선 질환 보다 스트레스 상황, 약물 또는 신체 질환에 의한 갑상선 기능 검사의 이상(Non-Thyroidal Illness)이 더 많은 원인을 차지함.

1) Non-Thyroidal Illness (NTI)

(1) 급성기의 변화

급성 스트레스 상황 발생 수 시간 이내에 total T3 감소가 발생하며(low T3 syndrome, 이 때에 freeT3 감소는 저명하지 않을 수 있음), TSH level도 증가 가능. Total T3의 감소 정도는 병의 중증도에 연관됨.

(2) 만성기의 변화

급성기와 같이 low T3 syndrome이 지속될 수 있고 중증도가 높아지면 T4 및 TSH 농도도 감소함. 이러한 현상은 불량한 예후와 연관이 있음. 오랜 금식에 의해서도 T3 및 TSH가 모두 감소할 수 있음.

(3) 회복기의 변화

질병의 회복기에는 TSH의 증가와 함께 Total & free form의 T3 및 T4가 모두 증가할 수 있음.

2) 갑상선 기능에 영향을 주는 약제

(1) Hypothalamic-pituitary-thyroid axis 조절에 영향을 주는 약제(TSH 억제)

Immune checkpoint inhibitor, glucocorticoid, dopamine agonists, somatostatin analogues

(2) Thyroid hormone 합성 및 분비 과정에 영향을 주는 약제(저하증 유발)

요오드 함량이 높은 약제(iodinated contrast agents, amiodarone), Lithium

(3) 갑상선 자가면역질환을 악화시키는 약제(무증상 갑상선염과 같은 경과를 유발)

Immune checkpoint inhibitor, Interleukin-2, Alemtuzumab

(4) 갑상선을 파괴시키는 약제(저하증 유발)

Amiodarone (destructive thyroiditis), tyrosine kinase or multi-kinase inhibitors

(5) 이외 말초에서 갑상선 호르몬과 갑상선 호르몬 결합단백의 상호작용에 영향을 주거나 갑상선 호르몬의 대사에 영향을 주는 약제들

• Oral estrogen, selective estrogen-receptor modulator (TBG 증가로 인해 total T3/T4 증가)

- Propranolol, glucocorticoids (T4 → T3 전환 억제)
- Phenobarbital, phenytoin, carbamazepine, rifampin(갑상선 호르몬 대사 증가, 호르몬 요구량 증가)
- Cholestyramine(갑상선 호르몬의 enterohepatic circulation 통한 재흡수 억제)

(6) 실제 갑상선 기능은 정상이나 검사 결과에는 이상을 유발하는 약제

- Biotin, heparin

3. 갑상선 자가항체 검사의 해석

1) Thyroid peroxidase antibodies (TPOAb)

(1) 정의

갑상선 여포 세포막에 존재하여 갑상선 호르몬 생성에 관여하는 thyroid peroxidase (TPO)에 대한 자가항체. 과거 갑상선 항 미소좀 항체(anti-microsomal autoantibodies, AMA)라고도 불렸음.

(2) 임상적 이용

TPOAb는 자가면역성 갑상선 질환을 발견하는 가장 예민한 지표로 그림 2-5와 같이 하시모토 갑상선염에 의한 향후 갑상선기능저하증으로의 진행을 예측하는 지표임. 따라서 갑상선기능저하증 환자에서 TPOAb가 증가되면 만성 갑상선염의 진단이 가능함. 임산부에서 TPOAb 검사는 임신 기간 중 갑상선 기능의 저하와 연관된 지표로, 임신 기간 중 갑상선 기능 조절 목표치 결정에 중요함.

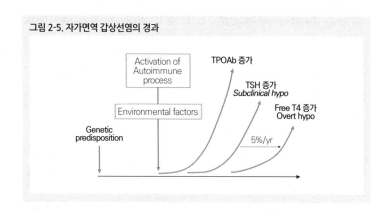

그림 2-5. 자가면역 갑상선염의 경과

2) Thyroglobulin autoantibodies (TgAb)

(1) 정의

Thyroglobulin (Tg)에 대한 항체로 TPOAb와 같이 자가면역성 갑상선 질환에서 증가하지만, 예민도가 TPOAb보다 낮음.

(2) 임상적 이용

갑상선암 환자에서 가장 유용한 종양 표식자인 Tg는 혈청 내 TgAb가 존재하면 측정 시 간섭에 의해 낮게 측정될 수 있음. 이에 갑상선암 환자의 추적 시 Tg와 TgAb를 동시 측정하는 것이 반드시 필요함. 또한, TgAb가 양성인 경우 TgAb 수치 자체가 갑상선암의 예후를 예측하는 인자로 의미가 있음.

3) TSH Receptor autoantibodies (TRAb)

(1) 측정법: TSH 수용체에 대한 항체는 다음의 표와 같이 측정법에 따라 다양한 명칭이 있음.

표 2-23. TSH Receptor autoantibodies

항체 명칭	기능	측정 방법
TSAb	cAMP 생성, 요오드섭취, Tg 생성 자극	세포 bioassay (FRTL-5/ CHO TSH-R) 정상인의 혈청에 대한 TSH 자극에 의한 cAMP 증가(%)
TBAb/TSBAb	cAMP 생성, 요오드섭취, Tg 생성 억제	세포 bioassay (FRTL-5/ CHO TSH-R) 정상인의 혈청에 대한 TSH 자극에 의한 cAMP 감소(%)
TBII	수용체에 I-125 TSH 결합 억제 정도	돼지 TSH-R(1세대) 또는 유전자 재조합 사람 TSH-R (2세대)를 이용한 수용체 assay

*TBAb/TSBAb: TSH receptor blocking antibodies
*TSH-R: TSH receptor
*TBII: TSH binding inhibitor immunoglobulins

일반적으로 방사면역측정법으로 시행하는 TBII가 임상에서 흔히 이용되나 이는 TSH 수용체와 항체의 결합 정도만을 반영하여, 측정한 항체가 갑상선을 자극하는 항체인지 여부를 알 수 없는 한계가 있음. cAMP의 증감을 측정하는 bioassay가 역가를 평가하는데 도움이 됨.

(2) 임상적 이용

• 그레이브스병과 일과성 갑상선기능항진증의 감별진단

• 그레이브스병의 임상경과 예측: 병의 경과, 그레이브스병 안병증의 진단, 항갑상선제 치료 지속 여부, 약제 중단 후 재발 위험 판단에 도움

• 그레이브스병 산모에서 태아의 갑상선 기능 이상 여부 예측: TBII 양성인 산모의 경우 태아 갑상선 기능이 항진 가능성 높음

4. 갑상선 스캔 및 섭취율 검사의 해석

1) 핵종

임상적으로 많이 이용되는 핵종으로 ^{131}I, ^{99m}Tc, ^{123}I 등이 있음. 요오드를 이용한 핵종은 갑상선에 능동적으로 섭취되고 유기화되는 등 갑상선 호르몬 생성에 이용되기 때문에 갑상선의 형태, 기능을 동시에 파악하고 더 생리적이라는 장점이 있으나 반감기가 길고 경구투여 24시간 후 스캔, 섭취율 측정을 해야 하는 단점이 있어 최근 ^{99m}Tc가 임상에서 빈번히 이용됨. 이는 유기화되지 못하는 단점이 있으나 반감기가 짧고 주사 투약 약 20분 후 스캔 및 섭취율을 측정할 수 있음.

2) 적응증

갑상선종, 갑상선 결절 또는 갑상선기능항진증의 진단이나 경과관찰 시, 이소성 갑상선종이 의심될 때

3) 결과 해석

표 2-24. 갑상선 스캔 결과의 해석

섭취율의 증가	섭취율의 감소
1) 갑상선기능항진증 　- 그레이브스병, 중독성 선종, 중독성 다결절성 갑상선종 2) 이외 갑상선염의 회복기, 호르몬 생합성 장애 등	1) 갑상선기능저하증 2) 갑상선 파괴를 동반한 갑상선 중독증 　- 아급성갑상선염, 무통성 또는 산후갑상선염 3) 이외 요오드 과잉섭취, 이소성 갑상선, 갑상선 호르몬제 투여 등

5. 갑상선기능저하증

1) 정의 및 분류, 빈도

갑상선 호르몬의 부족으로 인해 말초조직의 대사가 저하된 상태를 의미함.

발병시기에 따라 선천성, 후천성으로 나누고, 병변 부위에 따라 일차성, 이차성(속발성, 뇌하수체성), 삼차성(시상하부성) 갑상선기능저하증으로 분류 가능.

갑상선기능저하증은 비교적 흔한 질환으로 여자에서 흔하고, 연령이 증가할수록 빈도가 높은 특징이 있음. 우리나라 국민건강영양조사 자료에서 유병률은 명백한 갑상선기능저하증 0.7%, 무증상 갑상선기능저하증 3.2%로 나타남. 갑상선 호르몬 내성 증후군, 중추성 갑상선기능저하증은 매우 드물며, 95% 이상이 일차성 갑상선기능저하증이며, 일차성 갑상선기능저하증의 원인 중 70-85%는 자가면역성 갑상선염에 의함.

2) 증상 및 진단

(1) 증상

- 대사지연: 피로 및 쇠약, 추위에 민감, 호흡 곤란, 체중 증가, 인지기능 둔화, 변비
- 기질축적: 건조한 피부, 쉰 목소리
- 기타: 난청, 근육통 및 이상감각, 우울증, 월경과다, 관절통

(2) 진단

갑상선 호르몬 결핍에 의한 임상 소견은 대부분 비특이적이나, 임상적으로 갑상선기능저하증이 의심되는 경우 선별검사로 갑상선 기능 검사를 확인해볼 수 있음. 증상이 없는 사람에서 선별검사를 시행하는 기준은 논란이 있음. 혈청 TSH의 측정이 가장 예민한 검사이며 혈청 TSH가 증가되어 있으면 일차성 갑상선기능저하증으로 진단 가능. 혈청 TSH가 감소 또는 정상인 경우에는 유리 T4를 측정해서 감소되었으면 중추성 갑상선기능저하증 혹은 비갑상선 질환을 감별. 일차성인 경우 갑상선종 유무, 병력, 갑상선 자가항체 유무로 원인 감별이 가능.

3) 치료

갑상선 호르몬제 투여를 통해 혈청 TSH 및 fT4를 정상 범위로 유지하는 것이 목표이며 원인에 따라 치료 방침이 달라지지 않음.

무증상 갑상선기능저하증의 경우 치료의 명확한 지침은 확립되어 있지 않으나 일반적으로 TSH 10 mU/L 이상인 경우 갑상선 호르몬제 보충을 고려하며, 임산부이거나 임신을 원하는 환자는 TSH가 낮아도 치료를 고려할 수 있음.

(1) 갑상선 호르몬 제형

① 갑상선 호르몬제는 levothyroxine (T4) 단독 투여가 일반적으로 권유됨.

② 현재 원내에는 25 mcg, 50 mcg, 75 mcg, 88 mcg, 125 mcg, 150 mcg의 제형이 들어와 있으며, 가능한 약을 쪼개지 않고, 1알로 투약할 수 있도록 처방하는 것이 원칙

③ 저용량 liothyronine (T3)의 병합 요법이 갑상선 기능이 정상임에도 지속적으로 비특이적인 증상을 호소하는 일부 환자에서 도움이 될 수 있겠으나 이의 일상적 사용의 효과는 입증되지 않았고, 고령, 심질환 동반 시, 임산부에서는 안정성이 확립되지 않아 사용하지 않아야 함.

(2) 초기 투여 용량의 결정

환자의 나이, 갑상선 기능 저하의 심한 정도 및 기간, 동반질환을 고려하여 정함.

① 건강한 젊은 성인: 하루 1.6 μg/kg 용량 전체 투여(체중 60 kg의 경우 100 μg)

② 허혈성 심질환이 없는 60세 이상 노인, 장기간 갑상선 기능저하였던 환자: 하루 T4 50 μg로 시작하여 2개월 간격으로 서서히 증량

③ 허혈성 심질환이 있거나 고령의 환자: 하루 25 μg으로 시작하여 2개월 간격으로 서서히 증량(T4의 투여로 산소 소모량이 증가하면서 협심증의 악화, 심근경색증 및 돌연사 유발 가능하므로 주의가 필요함.)

(3) 갑상선 호르몬제의 투여 방법 및 용량 조절

표 2-25. 갑상선 호르몬제와 병용 투여시 주의를 요하는 약제

T4 흡수에 영향을 주는 약제	T4 대사를 증가시키는 약제
칼슘, 철분제재, 종합비타민 Aluminum hydroxide, Cholestyramine, Sucralfate, Proton pump inhibitors, H2-receptor antagonist Raloxifene, Oral bisphosphonates	Rifampin, Carbamazepine, Phenytoin, Phenobarbital, Tyrosine kinase inhibitors

① 하루 한 번 적어도 아침식사 30분 이전에 다른 약과 3-4시간 이상 시간을 두고 복용

② 투약 후 적어도 2개월이 지난 후 TSH 수치가 새로운 steady state 에 도달되면, 결과에 따라 증량 또는 감량하며 갑상선 호르몬제 용량의 변화는 20% 이내로 하는 것이 권고됨.

③ 갑상선기능저하증에서는 vitamin-K 의존성 응고 인자들의 대사가 감소되어 있는데, 갑상선기능저하증이 호전됨에 따라 응고인자들의 대사가 증가하므로 warfarin 투여 용량의 감소가 필요할 수 있음.

6. 갑상선기능항진증: 그레이브스병을 중심으로

1) 정의 및 분류

갑상선 중독증(thyrotoxicosis)이란 말초조직에 갑상선 호르몬이 과잉 공급되어 나타나는 모든 증상을 총칭하는 임상적 용어이고, 갑상선기능항진증(hyperthyroidism)은 갑상선에서 갑상선 호르몬이 과잉 생산되고 분비되어 일어나는 갑상선중독증을 말하는 것으로 그레이브스병이 대표적인 질환임.

그레이브스병은 TSH 수용체에 대한 자가항체가 갑상선을 자극하여 갑상선기능항진증을 일으키는 기관-특이성 자가면역질환으로 갑상선기능항진증의 대부분을 차지하므로, 앞으로의 기술은 그레이브스병에 대한 내용임.

그림 2-6. 갑상선 중독증의 감별진단

갑상선 중독증
아급성/무통성 갑상선염
갑상선 호르몬 과다 섭취
이소성 갑상선의 기능 항진

갑상선기능항진증:
그레이브스병
중독성 선종
TSH 과다분비
영양모세포종양(hCG)

2) 증상 및 진단

(1) 증상

① 전형적인 그레이브스병은 수 주 혹은 수 개월에 걸쳐 점차적으로 갑상선중독증의 증상, 갑상선종, 안구돌출 및 이에 따른 안증상이 나타남. 안병증의 경우는 동반되지 않는 경우도 많고, 갑상선 중독 발생 수년 후에 나타나거나, 갑상선 기능 이상 없이 안병증만 왔다가 후에 항진증이 나타나는 경우도 있음.

② 갑상선 중독증은 갑상선 호르몬의 과다공급에 의한 것이므로 전신 각 장기에 영향을 미쳐 그 증상이 매우 다양함. 피로, 심계항진, 발한 증가, 더위불내성, 떨림, 신경과민, 체중 감소, 하지근력 약화, 갈증, 다음, 운동 중 호흡 곤란, 식욕 증가, 월경장애, 가려움증, 잦은 배변, 설사, 불면증, 과색소 침착, 탈모, 식욕감퇴, 관절통 등이 나타남.

(2) 진단

① 특징적인 항진증의 증상, 미만성 갑상선종이 있으면 의심하고, 의심되면 확진과 더불어 그 정도를 파악하기 위해 TSH, free T4를 측정. 갑상선기능항진증 환자의 5% 남짓에서는 T4가 정상이면서 T3만 증가하는 T3-갑상선중독증이 생길 수 있어 의심되는 경우 T3 측정이 필요함.

② 갑상선기능항진이 확인된 경우, 갑상선세포의 파괴에 의한 일과성의 갑상선 중독증과 그레이브스병의 감별은 매우 중요하며 TSH 수용체 항체 측정이 필요함. 또한, 방사성 요오드 섭취율 검사 및 갑상선스캔 시행이 감별 진단에 도움이 됨.

3) 치료

항갑상선제, 방사성 요오드, 수술의 3가지 치료법이 있으며 환자 개개인의 특성을 고려한 적용 필요

(1) 방사성 요오드

① 효과적이며 경제적이지만 방사선 피해에 대한 우려, 갑상선기능저하증 합병이 높아 우리
나라에서는 1차 치료로 거의 쓰이지 않음.

② 5-15 mCi 용량의 투여가 흔하며, 방사성 요오드 투여 2주 이후부터 freeT4가 감소하기
시작하여 2개월 이후 최대 효과가 나타남.

③ 안병증이 있는 환자는 방사성 요오드 치료 후 악화의 위험이 있어 방사성 요오드 전/후
스테로이드 투약을 고려함. 기저 심한 안병증이 있는 경우는 수술적 치료를 우선 권유

(2) 수술

① 이전에는 아전절제술을 시행하였으나 최근 전절제술을 시행하는 경향

② 갑상선종이 매우 커 주위를 압박하거나 갑상선암이 의심되는 결절이 동반된 경우 고려

7. 항갑상선제 투여의 실제

1) 약물의 선택

(1) Methimazole (MZ) / Carbimazole (CAM)

① Carbimazole (CAM)은 간에서 대사되어 MZ로 변하기 때문에 같은 용량을 투여한 경우
CAM이 MZ의 80% 정도의 potency를 보인다고 판단(MZ 15 mg ≒ CAM 20 mg)

② PTU에서 발생하는 심각한 간손상에 대한 보고 때문에, 대부분의 경우에서 이 두 약제가
1차 약제로 권고되며 하루 한번 투여 가능하여 환자 순응도 측면에서 유리, 갑상선 기능
정상화 속도가 빠름

(2) Propylthiouracil (PTU)

① PTU 사용 후 심각한 간손상을 입었던 32건(성인 22건, 소아 10건)의 증례 보고 이후, 임
신초기(first trimester of pregnancy)나 갑상선 중독발작(thyroid storm)의 경우일 때만
1차 약제로 권고

② 태반이나 유선 분비가 적고 태아 기형 유발 위험이 methimazole에 비해 낮으며 말초에
서 T4 → T3 전환 억제 효과가 있는 점을 고려

2) 초기 투여 용량 및 최초 추적 관찰

① 환자의 증상이나 갑상선기능항진증 정도를 고려하여 MZ 15-30 mg/day, CAM 20-40
mg/day 로 시작하는 것이 보편적

② 항갑상선제 투여 시작 후 4-6주 경에 임상 증상과 혈청 Free T4/TSH를 검사하여 용량
을 조절. PTU은 갑상선 기능 호전에 대개 12주 정도가 소요됨: 이 시기에는 TSH가 정상
으로 회복되기 이전이기 때문에 TSH가 아닌 Free T4의 수치를 보고 용량을 조절함.

3) 추적관찰 및 투약의 종료

① 갑상선기능이 정상화되면 추적관찰 기간을 2-3개월에서 6개월까지 늘릴 수 있으며 용량을 점차 줄여서 정상 기능을 유지할 수 있는 최소량을 계속 투여(일반적으로 MZ 2.5-5 mg/day, Carbimazole 2.5-5 mg/day, PTU 50-100 mg/day이 최소 용량)

② 추적 중 일부 free T4가 정상 이하로 감소하고 환자가 갑상선 기능 저하 증상을 호소하는 경우에도 TBII가 지속 양성이고 사용 기간이 짧다면, 항갑상선제를 끊지 말고 용량을 최소 용량으로 줄여서 유지 또는 갑상선 호르몬제 병용을 고려함(block and replacement).

③ 최소량을 투여하면서 전체적인 투약 기간이 12-24개월이 넘고 TSH가 정상으로 회복 되면 투약을 종료할 수 있음. 그러나 TBII가 양성인 경우에는 음성인 경우에 비하여 재발 가능성이 높으며, 최근은 항갑상선제를 소량으로 장기간 유지하는 것이 부작용도 적고 재 발 위험이 낮은 것으로 알려져 더 장기간 사용하여 TBII가 음성이 될 때까지 사용하는 추 세임.

④ 투약 종료 후에는 임상적인 판단에 의하여 3-6개월 간격으로 갑상선 기능 검사를 하면서 1-2년간 추적 관찰함.

4) 부작용

대부분의 부작용은 투여 후 초기, 수 주에서 수 개월에 고용량을 사용하는 경우 주로 발생 하지만, 장기간 사용 중에 발생하는 경우도 있으며, 투여 중단 후 재투여 시 발생하는 경우 도 흔함.

(1) 흔하고 경한 부작용(1-5%): 사용하던 항갑상선제와 다른 약물(MZ ↔ PTU)로 바꾸고 항히스타민제 등의 대증적 치료 병용 고려.
① 두드러기 또는 피부 발진, 관절통, 발열
② 일과성 백혈구 감소증: 과립구가 1,500/mm³ 미만으로 감소
③ 위장관 이상, 미각 이상

(2) 중한 부작용: 무과립구증은 MZ, PTU 모두에서 비슷한 빈도로 발생하며, 무과립 구증을 제외한 대부분의 중한 부작용은 PTU에서 보다 흔함. 중한 부작용의 경우 사 용하던 항갑상선제를 다른 약물(MZ ↔ PTU)로 바꾸는 것은 금기이며 방사성 동위 원소 또는 수술 등을 고려하여야 함.
① 무과립구증: 과립구가 250/mm³으로 감소하고, 고열, 인후통 등 감염 증상 동반. 패혈증 으로의 진행 위험 있고, 사망 가능성 있으면 즉시 투약을 중단. G-CSF 등의 사용을 고려함
② 재생불량성 빈혈, 혈소판 감소증
③ 독성 간염(PTU), 담즙정체성 간염(MZ)

④ 혈관염(systemic lupus-like syndrome), 인슐린 자가항체에 의한 저혈당(MZ), hypoprothrmobinemia (PTU)

8. 갑상선 중독증 위기

1) 진단

① 갑상선 호르몬 수치로 판단하는 것이 아니라, 갑상선 호르몬에 대한 증상으로 판단

② 표 2-26에 따라 25점 미만이면 unlikely, 25-44점이면 impending, 45-60점이면 likely, 60 초과면 highly likely로 판단

③ 사망률이 높은 질환으로, 의심되면 바로 치료를 시작

표 2-26. 갑상선 중독증 위기의 진단 기준

체온 조절 장애			심혈관계 기능이상		
체온 (°C)	37.2-37.7	5	빈맥(회/분)	90-109	5
	37.8-38.2	10		110-119	10
	38.3-38.8	15		120-129	15
	38.9-39.3	20		130-139	20
	39.4-39.9	25		≥140	25
	≥40.0	30	울혈성 심부전	없음	0
중추신경계 영향				경증(부종)	5
없음		0		중등증(폐수포음)	10
Mild agitation		10		중증(폐부종)	15
Delirium, psychosis, lethargy		20	심방세동	없음	0
Seizure or coma		30		있음	10
소화기계 기능 이상			악화인자(수술, 감염 등)		
Absent		0		없음	0
설사, 오심, 구토, 복통		10		있음	10
설명되지 않는 황달		20			

2) 치료

(1) 갑상선 호르몬의 생산과 분비 억제

① PTU 200 mg 또는 MZ 15 mg 4시간마다 투여: 말초 T4 → T3 전환 억제 효과가 있는 PTU 선호됨

② Gemstein 용액 6방울(=0.6 mL) 6시간마다 투여

– 항갑상선제 투여 1시간 이후 투여.

– 원액은 점막 손상을 일으키므로 100 cc 이상의 물로 희석하여 투여해야 함.

(2) 발열과 Hypovolemia의 교정

① 발열- acetaminophen 사용(NSAIDs의 경우 T4의 단백결합을 억제하여 Free T4 상승 유발 가능)

② 충분한 수액과 전해질 불균형 교정

③ 필요시 승압제 고려

(3) 갑상선 호르몬의 말초조직 작용 억제

① 고용량 propranolol 60-80 mg을 경구로 6시간마다 투여

- Propranolol 투여에 의한 부작용이 높은 환자는 심장 특이적이고 반감기가 짧은 esmolol을 정맥으로 0.25-0.5 mg/kg를 5-10분간 loading한 이후 0.05-0.1 mg/kg/min 지속 투여

② 정맥 스테로이드 투여: 상대적인 부신 기능 저하 치료 및 T4 → T3 전환 억제 목적

- Hydrocortisone 300 mg IV 1회 정주 후 이후 8시간 간격으로 hydrocortisone 100 mg

(4) 유발인자 교정

유발인자: 감염, 다른 내과적 질환, 급성 감정적 스트레스, 급성 정신병, 수술, 외상, 갑상선 호르몬 과다 섭취, 방사선 동위원소 치료 후, 다량의 요오드 섭취 후, 조영제 사용 촬영 후

9. 갑상선중독성 주기성 마비(Thyrotoxic periodic paralysis, TPP)

1) 임상적 특성

① 젊은 동양 남자, 저칼륨혈증과 동반된 사지마비, 이와 동반된 가족력이 없고 혈압이 정상

② 주로 과격한 운동을 하거나 과식한 후 밤이나 새벽에 발생

③ 체중감소, 열불내성, 심계항진 등의 갑상선 중독증의 특징적인 증상은 경미한 경우가 많음
⇒ 의심이 되면 갑상선 기능 검사를 시행

2) 치료

(1) 베타 차단제의 투여: 1차 치료

① 마비에서 회복되는 시간을 단축시키고 치료에 의한 K^+ 과다 증가(overshooting)가 없는 안전한 치료법

② Propranolol 경구로 1 mg/kg씩 8시간 간격으로 투여 권장

(2) 칼륨 투여

① 과거에 사용되던 가장 주된 치료법이나 세포 내로 shift된 칼륨이 다시 혈중으로 나와 K^+ 수치가 overshooting될 수 있는 위험성이 있음.

② 심전도상 저칼륨혈증에 의한 부정맥이 의심되거나 베타 차단제의 금기가 있는 경우에 한하여 저용량으로 서서히(10 mmol/hr 미만) 또는 경구로 투여해 볼 수 있음.

3) 추적 검사 및 퇴원 방침

① EKG를 모니터링하면서 치료 시작 후 사지 마비가 회복될 때까지 2시간 간격으로 혈청 전해질을 측정

② 경구 베타 차단제를 사용한 경우라면, 혈청 전해질이 정상화되고 사지 마비가 회복되면 경구 베타 차단제 투여를 지속하면서 갑상선 기능 검사가 확인 가능한 가장 빠른 시점에 내분비내과 외래에 추적관찰 의뢰

③ 혈중 칼륨 투여를 한 경우에는, 사지마비가 회복된 후 4-6시간이 되는 시점에 혈청 K^+ 수치를 측정하여 K^+ 수치의 overshooting 여부를 확인한 후 퇴실 필요

④ 적절한 치료를 하고 있는 상황에서 24시간이 지나도 환자의 증상이 호전이 없으면 다른 질병을 의심 필요

10. 갑상선 결절

1) 갑상선 결절의 분류

① 양성(benign) vs. 악성(malignant)

② 비중독성(non-toxic) vs. 중독성(toxic)

③ 단일성(single) vs. 다발성(multiple)

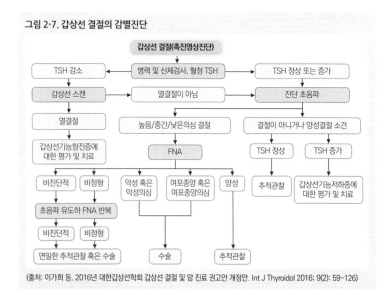

그림 2-7. 갑상선 결절의 감별진단

(출처: 이가희 등. 2016년 대한갑상선학회 갑상선 결절 및 암 진료 권고안 개정안. Int J Thyroidol 2016; 9(2): 59-126)

2) 갑상선 결절의 진단적 접근법

(1) 병력 청취 및 신체 검사: 갑상선암의 가능성 판단

① 암을 시사하는 병력: 두경부 방사선조사, 골수 이식을 위한 전신 방사선조사, 갑상선암의 가족력, 급격한 크기 증가 및 쉰 목소리

② 암을 시사하는 신체검진 소견: 성대 마비, 동측 경부 림프절 종대, 주위 조직에 고정된 결절

(2) 혈청 TSH를 포함한 갑상선기능검사를 시행 후 다음 단계의 검사 진행

① TSH가 정상 이하인 경우: 결절이 열결절, 온결절 혹은 냉결절인지를 알기 위해 갑상선스캔을 시행함. 열결절은 악성의 가능성이 거의 없기 때문에 추가적인 세포학적 검사를 생략 가능함.

② 혈청 TSH 농도가 낮지 않은 경우: 갑상선스캔을 생략하고 갑상선초음파를 시행

3) 갑상선 결절의 악성 위험도에 따른 세침흡인세포검사 시행 기준

① 갑상선암은 다른 암에 비하여 예후가 좋으며 특히 직경 1 cm 이하의 작은 갑상선암은 예후가 극히 좋은 것으로 알려짐. 따라서 모든 결절에 대하여 검사를 진행하는 것은 비용 효과적이지 않으며, 결절이 세침흡인 세포검사의 적응증에 해당하면 시행

② 대한갑상선영상의학회에서 제시한 초음파 소견에 의한 갑상선 결절의 악성 위험도 분류체계(Korean Thyroid Imaging Reporting and Data System, K-TIRADS)에 따르면 갑상선 결절은 초음파 유형에 따라서 갑상선암 높은 의심(high suspicion), 중간 의심(intermediate suspicion), 낮은 의심(low suspicion), 양성(benign)으로 분류됨.

③ 이 때 세침흡인세포검사(fine needle aspiration, FNA)의 시행 기준은 주로 이러한 결절의 초음파 소견에 따른 악성 위험도와 결절의 크기에 의해서 결정됨.

표 2-27. K-TIRADS에 따른 갑상선 결절의 악성 위험도 판단 및 세침흡인검사 시행 기준

카테고리	초음파 유형	암 위험도(%)	계산된 암 위험도(%)	세침흡인검사[b]
5 높은 의심	암 의심 초음파 소견[a]이 있는 저에코 고형결절	>60	79 (61-85)	>1 cm (선택적으로 >0.5 cm[c])
4 중간 의심	1) 암 의심 초음파 소견이 없는 저에코 고형결절 혹은 2) 암 의심 초음파 소견이 있는 부분 낭성 혹은 등/고 에코 결절	15-50	25 (15-34)	≥1 cm
3 낮은 의심	암 의심 초음파 소견이 없는 부분 낭성 혹은 등/고에코 결절	3-15	8 (6-10)	≥1.5 cm
2 양성	1) 해면 모양 2) Comet tail artifact 보이는 부분 낭성 결절 혹은 순수 낭종	<3 <1	0 0	≥2 cm
1 무결절	-	-		

a: 미세석회화, 침상 혹은 소엽성 경계, 비평행 방향성(nonparallel orientation) 혹은 앞뒤가 긴 모양(taller than wide)
b: 원격전이 혹은 경부 림프절전이가 의심되는 경우에는 결절 크기와 무관하게 의심 결절과 림프절에서 세침흡인검사를 시행한다.
c: 1 cm 미만의 결절에서는 환자 선호도 및 상태를 고려하여 시행한다.
(출처: 이가희 등. 2016년 대한갑상선학회 갑상선 결절 및 암 진료 권고안 개정안. Int J Thyroidol 2016; 9(2): 59-126)

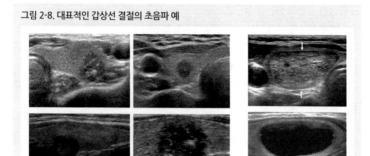

그림 2-8. 대표적인 갑상선 결절의 초음파 예

악성을 시사하는 초음파 소견
(K-TIARDS 5)

양성을 시사하는 초음파 소견
(K-TIARDS 2)

④ 단, 아래의 경우와 같은 고위험군에서는 제시된 기준보다 작은 크기의 결절에서 FNA 고려 가능

- 두경부에 방사선 조사의 과거력이 있는 경우
- 갑상선암의 가족력이 있는 경우
- 소아기에서 청소년기 사이에 전신 방사선조사의 과거력이 있는 경우
- 갑상선암의 가족력이 있는 경우
- 갑상선암으로 엽절제술을 받은 경우
- 18F-FDG-PET에서 양성인 경우
- MEN2/FMTC와 연관된 RET 유전자 변이가 발견된 경우
- 혈청 칼시토닌이 100 pg/ml 이상인 경우

4) FNA의 해석

FNA는 갑상선 결절을 진단하는데 가장 정확하고, 가장 비용-효율적인 방법임.

2017년 National Cancer Institute Thyroid Fine-Needles Aspiration State of the Science Conference에서 개정 발표한 Bethesda system은 FNA 결과에 따라 다음과 같이 구분함.

① 비진단적(nondiagnostic or unsatisfactory): 검체의 적절성(보존이 잘된 10개 이상의 여포 세포로 이루어진 세포 군집이 6개 이상 보여야 함) 기준에 미흡한 경우
② 양성(benign)

③ 비정형(atypia of undetermined significance or follicular lesion of undetermined significance): 여포종양 의심, 악성의심, 혹은 악성으로 진단하기에는 불충분한 세포의 구조적 혹은 핵 모양의 이형성을 보이는 경우

④ 여포종양 혹은 여포종양 의심(follicular neoplasm or suspicious for a follicular neoplasm): 세포 밀도가 높은 검체로 1) 여포세포가 유두암의 핵의 특징 없이 세포 군집 또는 소포 형태의 구조적인 변화를 보이는 경우 또는 2) 거의 대부분 Hürthle 세포로만 구성된 경우

⑤ 악성의심(suspicious for malignancy): 악성이 강력히 의심되지만 악성으로 확진하기에는 세포학적 소견이 부족한 경우

⑥ 악성(malignant)

표 2-28. Bethesda classificaiton에 따른 FNA 결과의 해석

분류	암 위험도(%) (NIFTP^a≠암)	암 위험도(%) (NIFTP=암)	일반적인 관리
비진단적	5-10	5-10	초음파 유도하에 FNA를 재시행
양성	0-3	0-3	임상적, 초음파적 추적관찰
비정형	6-18	~10-30	반복적인 FNA, 분자표지자 검사* 또는 엽절제술
여포종양 혹은 여포종양 의심	10-40	25-40	분자표지자 검사*, 엽절제술
악성의심	45-60	50-75	임상적인 위험 요소, 초음파 소견, 환자의 선호도, 유전자 변이 검사 결과를 고려하여 수술적 절제
악성	94-96	97-99	수술적 절제

a: 비침윤 유두세포핵을 가진 여포 갑상선종양(noninvasive follicular thyroid neoplasm with papillary- like nuclear feature, NIFTP): 비침윤 피막형 여포변종 유두암은 암은 암이지만 예후가 너무 좋기 때문에 암이란 표현을 뺀 용어
* 우리나라에서는 가능한 분자표지자 검사가 제한되어 있어 임상적 적용이 어려움

5) 갑상선 결절의 장기 추적 관찰

① FNA에서 양성으로 확인되었거나 FNA의 적응증에 해당하지 않는 결절의 경우 초음파 소견에 따라 정기적인 추적 관찰을 시행

• 높은 의심 초음파 소견: 첫 FNA 검사 이후 12개월 이내에 초음파 및 초음파 유도하 FNA 재검 권유, 크기 증가 시 FNA 여부 결정(크기 증가: 두 방향 이상에서 2 mm 이상 직경 증가 또는 50% 이상의 용적 증가)

• 중간 의심 또는 낮은 의심 초음파 소견: 12-24개월내 초음파 시행. 크기 변화 및 초음파 소견 변화 양상에 따라 추적관찰기간 또는 FNA 여부 결정(크기 증가: 두 방향 이상에서 2 mm 이상 직경 증가 또는 50% 이상의 용적 증가)

• 촉진 시 크기가 증가하거나 악성을 시사하는 임상 소견이 발생한 경우: 초음파 및 초음파 유도하 FNA 고려

② 일반적으로 무증상 양성 갑상선 결절은 특별한 치료를 요하지 않음. 크기가 지속 증가되는 경우 고주파 치료, 수술 등을 고려할 수 있음. 이 경우 갑상선 호르몬 억제치료는 근거가 없음.

11. 갑상선암

1) 갑상선암의 분류
① 갑상선 유두암(papillary thyroid carcinoma): 90-95%
② 갑상선 여포암(follicular thyroid carcinoma): 5% 이하
③ 갑상선 수질암(medullary thyroid carcinoma): 1-3%
④ 갑상선 역형성암 또는 갑상선 미분화암(anaplastic carcinoma): <1%
⑤ 기타 림프암, 전이암 등 <1%

2) 분화 갑상선암의 AJCC Staging System 8th edition

표 2-29. 분화 갑상선암의 AJCC staging system 8th edition

T staging	
T1	원발종양 크기가 2 cm 이하이며 갑상선 내 국한 T1a: 1 cm 이하 T1b: 1 cm보다 크거나 2 cm 이하
T2	원발종양 크기가 2 cm보다 크거나 4 cm 이하이면서 갑상선 내 국한
T3	원발종양 크기가 4 cm보다 크면서 갑상선 내 국한되어 있거나 육안적 갑상선 외 침범이 주변 띠근육(strap muscle)에 국한된 경우 T3a: 4 cm보다 크면서 갑상선 내 국한 T4a: 원발종양의 크기와 관계없이 육안적 갑상선 외 침범이 주변 띠근육(strap muscle)에 국한된 경우
T4	원발종양의 크기와 관계없이 경부 주요 구조물을 육안적으로 침범한 경우 T4a: 피하 연부 조직, 후두, 기관, 식도 또는 반회후두신경 침범 시 T4b: prevertebral fascia를 침범하거나 경동맥/종격동 혈관을 둘러싸고 있는. 경우
N staging	
N0	림프절 전이가 없는 경우
N1	주변 림프절로 전이가 있는 경우 N1a: level VI, NII 림프절 침범(기관 전, 기관주위, 전후두/Delphian, 상종격동. 림프절) N1b: 일측성, 양측성, 반대편 경부 림프절(level I, II, III, IV, V) 혹은 후후두 림프절 침범
M staging	
M0	원격 전이가 없는 경우
M1	M원격 전이가 있는 경우

3) 분화 갑상선암의 치료

(1) 수술: 일차 치료로서 원발병소를 완전히 제거하는 것이 가장 중요함.

- 수술의 종류: Total (or near total) thyroidectomy vs. lobectomy, open vs. minimally invasive thyroidectomy (endoscopy 또는 robot-assisted)

(2) 방사성 요오드 치료

① 적응증: Total thyroidectomy 또는 near total thyroidectomy(잔여 갑상선 조직 2 g 미만)가 시행된 분화 갑상선 암(Hürthle cell carcinoma, insular carcinoma, poorly differentiated carcinoma 포함) 환자에서 기본 임상-병리 소견을 참조하고, 재발 위험에 영향을 미치는 각 환자의 특성, 질병 추적에의 영향, 환자의 선호도를 고려하여 방사성요오드 치료에 대한 결정.

- 고위험군 갑상선 분화암 환자에게 갑상선전절제술 후 방사성요오드 치료를 일률적으로 권고: 원격 전이 동반 또는 수술 당시 갑상선암의 경부 주요 구조물 침범 및 완벽 제거가 불가능하였던 경우, 3 cm가 넘는 전이 림프절이, 광범위 혈관 침범을 동반한 여포암
- 중간위험군 갑상선 분화암 환자에게 갑상선전절제술 후 방사성요오드 보조치료를 고려: 현미경적 갑상선 외 침범을 보이는 갑상선암, 예후 나쁜 조직형 또는 혈관 침범 소견, 또는 림프절 전이를 동반한 대부분의 갑상선암
- 저위험군 갑상선 분화암 환자에서 갑상선절제술 후 방사성 요오드 잔여 갑상선 제거술은 일률적으로는 권고되지 않으나, 재발 위험에 영향을 미치는 각 환자의 특성, 질병 추적에의 영향, 환자의 선호도를 고려하여 의사결정을 함

② 용량(AMC protocol 2019): 이는 상황에 따라 변화 가능, 현재 이에 따라 CP 적용 중

표 2-30. AMC protocol 2019: 방사성 요오드 치료의 용량(mCi) 결정 기준

Longest diameter of Tumor (cm)	−1.0		1.1–2.0	2.1–4.0	4.1–
Microscopic ETE Microscopic RM involved PTC, vascular invasion	none	≥1:30	30	50	150
pN0/Nx	0	30		50	50
N1, number 1–5 PTC, aggressive variant	50				150
N1, number 6– FTC/HTC widely invasive or extensive vascular invasion	100				150
N1, size >2.0 cm or extranodal invasion Poorly differentiated PTC/FTC with small (<1 cm) anaplastic foci T4a, T4b and/or gross RM involved	150				
M1	200				

*ETE, extrathyroidal extension/RM, resection margin/PTC, papillary thyroid cancer/FTC, follicular thyroid cancer HTC, Hurthle cell thyroid cancer

③ 방사선 요오드 preparation 방법

• Thyroid hormone withdrawal: 기존 처방 중인 levothyroxine 제제 복용 중지: 입원 28일 전부터 liothyronine (T3) 제제인 테트로닌으로 변경 후, 입원 14일 전부터는 갑상선 호르몬제를 일체 중단하고 저요드식이 진행

• Recombinant human TSH 사용: 입원 중에도 호르몬제 복용을 지속

(3) 갑상선 호르몬 억제치료

① 억제치료의 이론적 근거: 갑상선 분화암은 세포막에 TSH 수용체를 가지고 있고, TSH 자극에 반응하여 세포 성장이 증가하므로 생리적 용량 이상의 고용량 갑상선 호르몬제(LT4)를 투여하여 TSH 분비를 억제함으로써 갑상선암의 재발을 감소시킬 수 있음.

② 적절한 초기 TSH 억제 목표

• 고위험군의 갑상선암 환자는 처음부터 혈청 TSH 농도를 0.10 mIU/L 미만으로 유지

• 중간위험군의 갑상선암 환자는 초기 혈청 TSH 농도를 0.10-0.50 mIU/L 사이에 유지하는 것을 권장

• 저위험군의 갑상선암 환자는 방사성 요오드 잔여 갑상선 제거 시행 여부에 관계 없이 혈청 갑상선글로불린 농도에 따라 추적 기간 동안 유지해야 하는 혈청 TSH 농도가 결정

  – 혈청 갑상선글로불린이 측정되지 않는다면 추적 기간 동안 혈청 TSH 농도를 0.50-2.00 mIU/L 사이로 유지

  – 혈청 갑상선글로불린 농도가 낮게 측정된다면 추적 기간 동안 혈청 TSH 농도를 0.1-0.5 mIU/L 사이로 유지

4) 분화 갑상선암 환자의 장기 치료 및 추적

장기 추적의 주목적은 질병이 일단 완치된 환자에서 재발 여부를 정확하게 찾아내는 것임. 잔존 혹은 장래재발 병소를 갖고 있는 환자에게는 완치를, 또는 이환율이나 사망률을 낮추는 것을 목표로 치료하며, 그것이 불가능한 경우에는 종양 부하를 감소시키거나 성장을 억제하는 보조적인 치료를 함.

(1) 잔여병소 없음(NED)의 정의: 갑상선 전절제술과 방사성 요오드 잔여 갑상선 제거술을 시행 받은 환자에서 다음의 조건을 모두 만족하는 경우

• 진단 영상에서 종양이 발견되지 않음(첫 번째 치료 후 전신스캔 또는 최근의 진단적 전신스캔에서 갑상선 부위 이외의 섭취가 없거나 경부 초음파검사에서 음성)

• 갑상선 글로불린항체가 음성인 상태에서 측정한 TSH-억제 갑상선 글로불린이 <0.2 ng/mL, T4 중단 또는 rhTSH 주사 후 측정한 TSH-자극 갑상선 글로불린이 <1 ng/mL로 모두 낮게 측정되는 경우

(2) 갑상선 분화암의 추적에서 혈청 갑상선 글로불린(thyroglobulin, Tg) 농도 측정

① 의의

혈청 Tg 농도의 측정은 갑상선 전절제술과 방사성 요오드를 이용해 잔여 갑상선을 제거한 경우 잔여 갑상선암을 발견하는데 있어서 민감도와 특이도가 높음. 특히 갑상선 호르몬 투여 중지 후 또는 rhTSH 투여 후 측정한 혈청 Tg 농도는 잔여 갑상선암 발견에 있어 가장 예민한 검사법이나 일상적으로 시행하지는 않음. 갑상선 전절제술 또는 갑상선 근전절제술과 방사성 요오드를 이용한 잔여 갑상선제거를 시행 받은 저위험군 환자의 초기 추적검사는 주로 갑상선 호르몬 투여 중(TSH-억제)의 혈청 Tg 농도 측정과 경부 초음파검사로 하며, TSH-억제 Tg 농도 0.2 ng/mL 이하이면 잔여 병소가 거의 없는 것으로 간주할 수 있음. TgAb는 갑상선암 환자의 25%에서, 일반인의 10%에서 발견되며, Tg 측정 시, Tg 농도가 실제보다 낮게 측정되는 원인임.

② 권고안

갑상선 전절제술 및 방사성 요오드를 이용한 잔여 갑상선 제거를 시행 받은 갑상선 분화암 환자의 추적에서 혈청 Tg 농도를 6-12개월 간격으로 측정(가능하면 같은 실험실에서 같은 측정법으로). Tg 농도를 측정할 때마다 TgAb를 동시에 정량적 방법으로 측정

(3) 경부 초음파검사

① 의의: 경부 초음파검사는 갑상선 분화암 환자에서 경부 전이를 발견하는데 매우 예민한 검사이며, TSH-자극 상태의 Tg가 음성인 환자에서도 경부 전이 병소를 발견할 수 있음.

② 권고안

- 수술 후 6-12개월에 갑상선 영역 및 중앙 및 측경부 림프절을 평가하는 초음파검사를 시행하고, 재발 위험도와 갑상선글로불린 결과에 따라 주기적으로 시행함.
- 초음파검사에서 전이가 의심되는 단경 ≥8-10 mm 이상의 림프절이 발견되거나 악성으로 확인되어 치료 방침이 바뀌게 되는 경우에 대해서는 FNA 및 흡인액의 Tg 농도를 측정함.
- 의심되는 림프절의 단경이 8-10 mm 미만인 경우에는 조직검사를 시행하지 않고 경과 관찰하며, 커지거나 중요한 장기의 침습이 의심되는 경우에 FNA나 중재를 고려함.

Ⅲ 골다공증

1. 골다공증의 정의

골의 강도를 떨어뜨려 골절의 위험을 높이게 되는 골격질환으로써, 골의 강도는 골량과 골의 질에 따라 좌우됨. 골량은 임상적으로 골밀도로 측정되며, 골의 미세 구조, 석회화 정도, 골 전환율, 미세 손상 축적 등의 골의 질은 생화학적 골표지자로 일부 측정 가능함.

2. 골다공증의 진단

이 중 에너지 엑스레이 흡수계측기(dual energy X-ray absorptiometry)로 측정하는 것을 표준으로 하며, 요추부와 근위 대퇴부를 측정함. 요추부는 퇴행성 변화 등에 의해 수치 이상을 보이는 부위를 제외한 L1-L4의 평균값을 기준으로 하고, 근위 대퇴부는 total femur와 femur neck 부위를 기준으로 함. T-score는 같은 종족, 같은 성별의 젊은 연령(20대 말 -30대 중반)의 평균값에 비교한 표준편차 값으로 골절 위험의 지표로 쓰임. 위의 세 부위 T-score 중 낮은 값을 기준으로 다음의 WHO 진단기준에 따라 진단함.

① 정상: BMD T-score≥-1
② 골감소증 또는 낮은 골량(osteopenia): T-score, -2.5＜T-score＜-1.0
③ 골다공증(osteoporosis): T-score≤-2.5
④ 심한 골다공증 또는 확립된 골다공증(severe or established osteoporosis): 골다공증 (T-score≤-2.5) + 한 부위 이상의 비외상성 골절(fragility fracture)이 있는 경우
※ 폐경 전 여성과 50세 미만 남성에서는 T-score 대신 Z-score를 사용. Z-score는 같은 종족, 같은 성별, 같은 연령의 평균값에 비교한 표준편차 값으로 이차성 골다공증의 유무를 암시하는 값임. Z-score가 -2.0 이하이면 "연령 예상치 보다 낮은 골밀도(below the expected range of age)" 라 명명하며 이차성 골다공증의 가능성이 있으므로 그 원인에 대한 검사가 필요함을 뜻함.
※ 골다공증이 있거나 의심되는 환자는 증상 없이도 발생가능한 척추 골절 여부를 평가하기 위하여 T-L spine X-ray (lateral) 검사를 시행함.
※ 정상에서는 L1에서 L4로 가면서 골밀도가 증가하는데 이러한 경향이 역전되거나 T-score가 주위 요추와 1 표준편차 이상 차이가 나면 퇴행성 변화 등 판정에 적합하지 않은 부위이므로 이 부분을 제외한 평균값을 측정해야 함.

3. 골밀도 검사의 적응증

① 6개월 이상 무월경을 보이는 폐경 전 여성
② 골다공증 위험인자를 갖는 폐경 이행기 여성
③ 폐경 후 여성
④ 골다공증 위험인자를 갖는 70세 미만 남성
⑤ 70세 이상 남성
⑥ 골다공증 골절의 과거력
⑦ 영상의학적 검사에서 척추 골절이나 골다공증이 의심될 때
⑧ 이차성 골다공증이 의심될 때
⑨ 골다공증 약물치료를 시작할 때
⑩ 골다공증 치료를 받거나 중단한 모든 환자의 경과 추적

4. 골절의 절대위험도(Absolute fracture risk) 평가

① 골밀도 기반의 WHO 골다공증 진단기준은 골절 발생을 예측함에 있어 예민도가 낮아 골다공증의 치료기준으로 그대로 적용하는 것은 치료가 필요한 많은 환자를 놓칠 수 있음.
② 이를 보완하려는 목적에서 WHO에서는 대규모 역학연구에서 정리된 골절의 위험인자 분석을 통하여, '10년 내 골절 위험도(10-year fracture risk)'를 계산할 수 있는 FRAX (fracture risk assessment tool)를 발표함.
③ 웹사이트(http://www.shef.ac.uk/FRAX)에서 골다공증성 골절의 위험인자 유무를 입력하면 10년 내 골절 위험도가 산출됨.

표 2-31. FRAX에 포함된 위험인자

나이	과거 골절 병력	스테로이드제 사용 병력
성별	부모의 대퇴 골절 병력	류마티스 관절염 여부
체중	흡연	이차성 골다공증 여부
신장	음주(하루 3단위 이상)	대퇴골 경부 BMD

④ 한계점: FRAX는 골다공증 치료 여부를 결정하는데 기여할 수 있으나, 현재 국내 보험에서는 FRAX 결과를 치료제 보험 기준으로 인정하고 있지 않아서 임상적으로는 널리 활용되지 못하고 있음.

5. 이차성 골다공증 검사

① 노화과정이나 폐경으로 인해 생긴 골다공증을 "일차성"이라 하고 다른 질환이나 약제에 의해 발생하는 골다공증을 "이차성"이라고 함. 이차성 골다공증은 폐경 전 여성 및 남성 골다공증의 50-80%에 이르며, 폐경 후 여성에서도 30%까지 보고되고 있음.

② 이차성 골다공증의 원인으로 내분비질환, 위장관질환, 골수질환, 결체조직질환, 약물 등이 있음(표 2-32). 남성에서 가장 흔한 원인은 성선기능저하증, 글루코코르티코이드 투여, 특발성 과칼슘뇨증(idiopathic hypercalciuria) 등임.

표 2-32. 이차성 골다공증의 원인

내분비대사질환	영양, 위장관질환	약물	결체조직질환	기타
당뇨병 말단비대증 성장 호르몬결핍증 부갑상선기능항진증 쿠싱증후군 갑상선중독증 상선기능저하증 저인산증 포르피린증 임신 고프락탄혈증	위절제술 또는 우회술 신경성식욕부진증 칼슘 결핍 만성 간질환 흡수장애증후군 염증성 장질환 비타민 D 결핍 알코올 중독	항경련제 아로마타제 억제제 항암제 면역억제제 갑상선 호르몬 과다 Thiazolidinedione 글루코코르티코이드 성선자극호르몬분비 호르몬작용제 헤파린 리튬 PPI SSRI	강직척추염 류마티스관절염 전신홍반루푸스 골형성부전증 호모시스틴뇨증 엘러스-단로스 증후군	후천성면역결핍증 용혈빈혈 만성폐쇄성폐질환 전이암 다발골수종 고칼슘뇨증 부동 장기이식 파킨슨병 뇌성마비

③ 이차적 원인을 감별하기 위해서는, 약제 복용력 등의 자세한 병력 청취, 이학적 검사와 최소한 아래의 기본적인 검사 시행하여야 함.

- 일반혈액검사(CBC), 간기능검사, 신장기능검사
- 혈청 칼슘, 인, 25-OH-vitamin D, 부갑상선 호르몬(intact PTH)
- 갑상선 기능 검사
- 24시간 소변 칼슘 및 크레아티닌
- LH, FSH, testosterone(남), estradiol(여)
- 기타 임상적으로 의심 시: 1 mg dexamethasone suppression test(쿠싱증후군), serum/urine electrophoresis(다발성 골수종), prolactin 등

6. 생화학적 골표지자

① 골표지자는 골교체율을 반영하는 지표로 뼈의 질을 평가할 수 있는 거의 유일한 비침습적 방법임. 골밀도가 골대사의 정적인 지표인 것에 반해 골표지자는 동적인 지표임.

② 골표지자는 파골세포와 조골세포에서 분비되는 효소나 골흡수와 골형성 과정에서 유리되는 기질 성분을 혈액이나 소변에서 측정하는 것인데 개념적으로 골흡수표지자와 골형성표지자로 나눌 수 있음(표 2-33).

표 2-33. 골표지자의 종류

골흡수 표지자	소변	Free and total pyridinoline (PYD) Free and total deoxypyridinoline (DPD) N-telopeptide of type I collagen (NTX) C-telopeptide of type I collagen (CTX)
	혈청	N-telopeptide of type I collagen (NTX) C-telopeptide of type I collagen (CTX)
골형성 표지자	혈청	Bone specific alkaline phosphatase (BSALP) Osteocalcin (OC) Procollagen type I C-terminal propeptide (PICP) Procollagen type I N-terminal propeptide (PINP)

③ 골대사 유관 단체에서는 비교적 변동성이 적으면서 자동화가 잘 구축된 혈청 CTX를 골흡수표지자로, 혈청 PINP 또는 혈청 BSALP를 골형성표지자로 사용하도록 권고하고 있음.

④ 혈청 골표지자는 공복 상태에서 아침에 측정하도록 함.

⑤ 골표지자는 골다공증 치료제 반응 평가에 유용하게 활용

- 골표지자는 치료제 사용 후 짧은 시간 내에 현저하게 변하므로 치료 효과를 평가하는 강력한 수단임.

- 여러 연구에서 골흡수억제제인 비스포스포네이트 투여 후 초기 골표지자 감소 정도가 향후 발생할 골절위험을 유의하게 예측함. 골흡수표지자는 비스포스포네이트 투여 후 8주경 최대로 억제되고, 골형성표지자는 이보다 천천히 감소하므로 골흡수표지자는 투여 후 3-6개월에, 골형성표지자는 투여 후 6개월에 측정해 투여 전 수치와 비교함.

- 일반적으로 임상적으로 충분한 골표지자의 변화는 비스포스포네이트 투여 후 폐경 전 여성의 중간값(median) 이하로 감소한 경우 또는 혈액 골표지자가 30% 이상 또는 소변 골표지자가 50% 이상 감소한 경우를 의미함.

- 비스포스포네이트 투여 후 유의한 변화가 없으면 약제 순응도, 투여방법 이상, 흡수장애, 이차성 골다공증 등의 가능성을 고려해야 함.

- 점차 사용이 늘고 있는 denosumab은 주사 후 수일 내 혈청 CTX 값이 측정되지 않을 정

도로 감소하며, 혈청 PINP는 좀 더 서서히 감소하여 3-6개월에 최저치에 도달. 아직까지 denosumab 치료 반응의 평가에 골표지자의 역할은 불분명하지만 denosumab 주사를 중단할 경우 골표지자가 주사 전보다 오히려 증가하는 점이 특이적임.

- 골형성촉진제 치료 후 1-3개월에 골형성표지자 증가가 골절위험 감소와 관련이 있다는 보고가 있지만 아직 근거가 부족함.

7. 골다공증 치료 적응증

미국 National Osteoporosis Foundation에서는 아래의 경우에 약물치료를 권고함.

① 대퇴골 혹은 척추 골절
② 골다공증(T-값 ≤-2.5)
③ 골감소증(-2.5 <T-값 <-1.0)인 경우
FRAX 10년내 중요 골다공증 골절(척추, 대퇴골, 손목, 상완골 포함) 위험도가 20% 이상 (일본의 경우 15%) 또는 FRAX 10년내 대퇴골 골절 위험도가 3% 이상인 경우
※ ③의 경우는 국내보험기준에서는 인정되지 않음.

8. 골다공증 치료제

골다공증 약제는 골흡수억제제와 골형성촉진제로 분류되며 현재 국내에서 사용가능한 골다공증 치료제는 표 2-34와 같음.

1) 칼슘과 비타민 D

50세 이상 남성과 폐경 후 여성에게 칼슘과 비타민 D의 적절한 공급은 골다공증과 골절의 예방과 치료를 위해 필수적임. 대한골대사학회에서는 아래와 같이 권고하고 있음.

(1) 칼슘
① 칼슘은 800-1,000 mg/일 섭취를 권장함.
② 통상 한국인 식단에는 약 500-600 mg/일의 칼슘이 들어있기 때문에, 여기에 축산품(우유, 치즈, 요구르트 등)에 의한 섭취를 더하고, 그래도 부족한 경우 보충제를 사용
(2) 비타민 D
① 비타민 D는 800 IU/일 섭취를 권장함.
② 골다공증 예방을 위해서는 혈액 25-OH-vitamin D 농도는 최소 20 ng/mL 이상 유지

해야함.

③ 골다공증 치료, 골절과 낙상 예방을 위해서는 30 ng/mL 이상이 필요할 수도 있음.

(3) 비경구(주사제) 간헐적 고용량 비타민 D 투여

① 비타민 D 흡수장애가 있거나, 경구투여를 할 수 없는 경우에만 제한적으로 사용

② 반드시 혈액 25-OH-vitamin D 농도로 추적 관찰하며 50 ng/mL 이상 올라가지 않도록 주의

2) 비스포스포네이트(Bisphosphonate)

(1) 적응증

폐경 후 골다공증의 치료, 스테로이드 유발성 골다공증의 치료, 남성 골다공증의 치료

(2) 투여방법

① 경구 투여 시

- 일어나자마자 아침 식사 최소한 30분 전에 200 mL 이상 충분한 양의 물과 함께 복용하며 이후 눕지 않아야 함(식도 점막 자극 예방).
- 특히 우유나 낙농제품, 오렌지 주스, 커피, 칼슘제, 철분제 및 제산제 등은 흡수를 방해하므로 약 복용 후 최소한 수 시간이 지난 후 복용

② 주사 시

- Pamidronate: 수액에 혼합(250-500 mL의 0.45% 또는 0.9% 생리식염수 혹은 5% 포도당 수액)하여 최소 4시간 이상에 걸쳐서 천천히 정맥 투여
- Ibandronate: 최소 15초 이상에 걸쳐 정맥 투여
- Zoledronate: 최소 15분 이상에 걸쳐 정맥 투여

(3) 주의점

① 경구 투여 시 경도의 위장관 불편감을 호소할 수 있으며, 따라서 충분한 양의 물과 함께 복용하는 것이 중요

② 급성기 반응: 비스포스포네이트를 처음 투여한 후 3일 이내에 두통, 근육통 등의 독감증상과 함께 체온이 약 1℃량 상승할 수 있음. 이는 특별한 치료가 없이도 수 일 이내에 호전되며 골다공증의 치료로 사용하는 용량에서는 흔치 않지만, 정맥 주사의 경우에는 상당한 숫자의 환자에서 경험하며, 약제 투여 전 치료나 증상 발생 후 해열진통제 등이 필요할 수 있음.

③ 위와 같은 불편감으로 환자들이 복용에 어려움이 있을 경우 전문가와 상의하여 다른 약제로 변경하도록 함.

④ 4년 이상 장기간 투여한 이후, 발치나 임플란트 같은 침습적인 치과 치료를 할 경우(뼈가 노출되는 치료) 일반적으로 2개월 정도 약을 중단한 이후 치과 치료를 시작하도록 함.

3) 여성호르몬

(1) 약제의 특성

① 에스트로젠 단독 요법(estrogen therapy, ET): 자궁이 없는 여성의 경우

② 에스트로젠-프로게스토겐 병합 요법(estrogen-progestogen combination therapy, EPT): 자궁을 가진 경우

(2) 적응증

① 골다공증의 예방과 치료를 위하여 여성호르몬을 장기간 사용하는 것은 2002년 WHI 연구결과가 발표된 후 일차 약제로는 권장되고 있지 않다.

② 안면홍조 등의 여성호르몬 부족증상을 보이는 경우 최단 기간 최소 용량을 투여함을 원칙으로 함.

③ 최소 용량 투여에는 1/2 용량을 투여하는 저용량 요법과 1/4 용량을 투여하는 극소용량 투여 요법이 있음.

④ 여성 호르몬 투여 후 유방암, 관상동맥질환, 정맥 혈전 색전증 등의 발생 위험이 증가할 수 있으므로, 미국 FDA에서는 골다공증 치료제로 비에스트로젠 요법을 먼저 권장하고 있음.

4) 선택적 에스트로젠 수용체 조절제(Selective estrogen receptor modulator, SERM)

(1) 약제의 특성

에스트로젠의 부작용이 없으면서 골보호 효과를 나타냄.

(2) 적응증: 폐경 후 여성의 골다공증 예방 및 치료

비스포스포네이트 제재들보다 골다공증 치료 효과는 적으나, 비스포스포네이트 치료 후 소화기관 부작용이 있는 경우, 유방암의 위험이 있는 경우 등에 먼저 고려함.

(3) 주의점

① 정맥 혈전 색전증의 발생 위험이 증가하므로 수술 등의 이유로 장기간 절대 안정을 요해야 하는 경우, 경구피임제나 에스트로젠 복용 후 정맥 혈전증이 발생하였던 경우 등에는 투여 금기

② 수술 등 장기간 부동 상태가 예상되는 경우 3일전에 중단하고 보행이 가능해질 때까지 투약하지 않아야 함.

5) RANKL 억제제(Denosumab)

(1) 약제의 특성

① 파골세포의 분화 및 생존에 필수적인 RANKL의 작용을 억제하는 단세포 항체로서 골흡수를 감소시킴.

② 신장으로 배설되지 않으므로 신기능저하 환자에서 용량을 조절할 필요는 없음.

(2) 적응증

폐경 후 골다공증의 치료, 남성 골다공증의 치료

(3) 투여방법

60 mg을 6개월 간격으로 상지, 허벅지, 복부에 피하 주사

(4) 주의점

① 비스포스포네이트와 달리 denosumab은 뼈에 강력하게 결합하지 않기 때문에 약제를 중단하면 골흡수 표지자가 급격히 증가하고 골밀도는 빠르게 감소함.

② 특히, 이미 척추골절이 있었던 환자는 추가적인 다발성 척추골절 위험이 높아지므로 비스포스포네이트 같은 약물 휴지기를 권고하지 않음.

③ 골밀도의 증가나 여러 이유로 denosumab을 중단할 때에는 골밀도 감소 및 척추골절 위험을 예방하기 위해서 반드시 비스포스포네이트와 같은 골흡수억제제를 이어서 사용해야 함.

④ 첫 주사 후에 저칼슘혈증이 발생 가능하므로(특히, 신장기능이 나쁘고 비타민 D 결핍이 있는 경우) 1주 전후에 혈청 칼슘 농도를 측정할 필요가 있음.

6) 부갑상선 호르몬(PTH)

(1) 약제의 특성

지속적으로 고농도로 유지할 경우에는 골흡수가 증가하는 반면, 적은 용량으로 간헐적 투여 시 골형성 촉진

(2) 적응증

심한 또는 다발성 척추 골절이 있는 남녀 환자, 다른 골다공증 치료제에 효과를 보이지 않았던 경우

(3) 투여방법

종류에 따라 매일 또는 매주 피하 주사

(4) 금기증

파제트씨병, 설명되지 않는 ALP 증가 소견, 소아, 골에 대한 방사선 치료받은 환자, 골육종 발생위험이 증가된 환자, 골전이암, 골의 악성 종양, 골다공증 이외 대사성 골질환, 고칼슘혈증, CCr 30 mL/min 미만, 임신, 수유부

7) Sclerostin 억제제(Romosozumab)

골형성을 억제하는 sclerostin 단백질에 대한 항체로 골형성 촉진과 골흡수 억제의 이중작용을 나타내며 매월 210 mg을 피하 주사함. 현재까지 개발된 약제 중 가장 강력한 골밀도 상승 효과 및 골절 예방 효과가 있으나, 12개월로 사용기간이 제한적이고 심혈관질환 발생에 대한 우려가 있어서 약제 선택에 신중할 필요가 있음. 2019년 KFDA 승인을 받았으므

로 2020년부터 본격적으로 사용 가능할 것으로 기대됨.

표 2-34. 국내에서 사용 가능한 골다공증 치료제

골흡수 억제제		용량	투여방법
비스포스포네이트	Alendronate	10 mg 70 mg	1일 1회 경구 1주 1회 경구 정제, 액상형
	Alendronate + Cholecalciferol	70 mg + 2,800 IU 1주 1회 경구	
		70 mg + 5,600 IU 1주 1회 경구	
	Alendronate + Calcitriol	5 mg + 0.5 ug	1주 1회 경구
	Risedronate	5 mg 35 mg 35 mg 장용정 75 mg 150 mg	1일 1회 경구 1일 1회 경구 1주 1회 경구, 식사와 무관 1개월 2회 경구 1개월 1회 경구
	Risedronate + Cholecalciferol	35 mg + 5,600 IU 150 mg + 3,000 IU	1주 1회 경구 1개월 1회 경구
	Pamidronate	100 mg 30 mg	1일 1회 경구 3개월 1회 정주
	Ibandronate	150 mg 3 mg	1개월 1회 경구 3개월 1회 정주
	Ibandronate + Cholecalciferol	150 mg + 24,000 IU	1개월 1회 경구
	Zoledronic acid*	5 mg	3개월 1회 정주
여성호르몬	Estrogen ± Progestogen	종류에 따라 용량차이	1개월 1회 경구
	Tibolone	2.5 mg	1일 1회 경구
조직선택적 에스트로겐 복합체(Tissue-Selective Estrogen Complex, TSEC)	Bazedoxifene + Conjugated estrogen	20 mg + 0.45 mg	1일 1회 경구, 식사와 무관 골다공증 예방으로 승인
선택적 에스트로겐 수용체 조절제(Selective Estrogen Receptor Modulator, SERM)	Raloxifene	60 mg	1일 1회 경구
	Raloxifene + Cholecalciferol	60 mg + 800 IU	1일 1회 경구
	Bazedoxifene	20 mg	1일 1회 경구
	Bazedoxifene + Cholecalciferol	20 mg + 800 IU	1일 1회 경구, 식사와 무관
RANKL 억제제	Denosumab	60 mg	6개월 1회 피하주사
골형성촉진제		**용량**	**투여방법**
부갑상선 호르몬제	Teriparatide	20 ug	1일 1회 피하주사
	Teriparatide acetate*	56.5 ug	1주 1회 피하주사
기타		**용량**	**투여방법**
활성형 비타민 D	Calcitriol	0.25 ug	경구, 상태에 따라 복용 횟수 차이
	Alfacalcidiol	0.5 ug	

Ⅳ 부신 질환

1. 쿠싱증후군(의인성 쿠싱증후군 제외)

1) 정의

만성적인 과잉의 당질코르티코이드(glucocorticoid)에 조직이 과도하게 노출되어 나타나는 증후군

2) 분류

(1) 의인성 쿠싱증후군

쿠싱증후군의 가장 흔한 원인이기 때문에 병력 청취 시 반드시 확인 필요

(2) ACTH 비의존성(20-30%)

부신 선종, 부신 피질암, 거대결절 부신 과증식증

(3) ACTH 의존성(70-80%)

뇌하수체 종양, 이소성 ACTH 분비 종양

3) 증상

(1) 쿠싱증후군에 특이한 증상

안면 홍조, 얇고 연약한 피부, 쉽게 멍듦, 자색선조(너비>1 cm), 근위부 근육 약화

(2) 쿠싱증후군에 비특이적인 증상

중심성 비만, 들소형 육봉, 월상안, 고혈압(특히 젊은 나이에 발생), 당뇨(특히 젊은 나이에 발생), 골다공증(특히 젊은 나이에 발생), 다모증, 무월경 등

4) 쿠싱증후군의 진단(그림 2-9)

(1) 선별검사: 선별검사 3가지 중 2가지 이상 양성이면 확진 가능

① 24시간 소변 유리 코티솔 배설량(적어도 2회 이상 반복): 정상 상한치 이상, 정상 상한치의 3배 이상일 경우 진단적 가치 있음.

② 1 mg-overnight 덱사메타손 억제 검사

- 방법: 밤 11시에 1 mg 덱사메타손을 경구 투여하고 다음 날 아침 8시에 혈청 코티솔 검사
- 평가: 혈청 코티솔 1.8 μg/dL 이상 때 쿠싱증후군 의심
- 위음성: 제거율 지연, 주기적 혹은 일시적 호르몬 생성
- 위양성: 급성 혹은 만성질환, 비만, 임신 혹은 경구 피임약, 약물, 알코올 중독증, 우울증

③ 자정 혈청 코티솔 측정: 자고 있을 때는 5.0 μg/dL 이상, 깨어 있을 때에는 7.5 μg/dL 이상일 경우 쿠싱증후군 의심(코티솔 측정 시 스트레스 받지 않게 미리 카테터를 낮에 넣어두고 측정)

그림 2-9. 쿠싱증후군의 진단

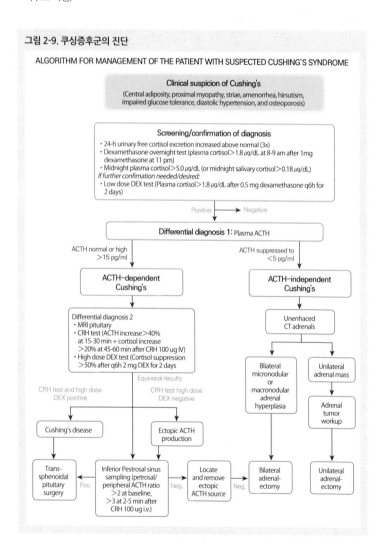

ALGORITHM FOR MANAGEMENT OF THE PATIENT WITH SUSPECTED CUSHING'S SYNDROME

Clinical suspicion of Cushing's
(Central adiposity, proximal myopathy, striae, amenorrhea, hirsutism, impaired glucose tolerance, diastolic hypertension, and osteoporosis)

Screening/confirmation of diagnosis
· 24-h urinary free cortisol excretion increased above normal (3x)
· Dexamethasone overnight test (plasma cortisol > 1.8 μg/dL at 8-9 am after 1mg dexamethasone at 11 pm)
· Midnight plasma cortisol > 5.0 μg/dL (or midnight salivary cortisol > 0.18 μg/dL)
If further confimation needed/desired:
· Low dose DEX test (Plasma cortisol > 1.8 μg/dL after 0.5 mg dexamethasone q6h for 2 days)

Positive ⟶ Negative

Differential diagnosis 1: Plasma ACTH

ACTH normal or high > 15 pg/ml

ACTH suppressed to < 5 pg/ml

ACTH-dependent Cushing's

ACTH-independent Cushing's

Differential diagnosis 2
· MRI pituitary
· CRH test (ACTH increase > 40% at 15-30 min + cortisol increase > 20% at 45-60 min after CRH 100 ug IV)
· High dose DEX test (Cortisol suppression > 50% after q6h 2 mg DEX for 2 days)

Unenhaced CT adrenals

Equivocal results

Bliateral micronodular or macronodular adrenal hyperplasia

Unilateral adrenal mass

CRH test and high dose DEX positive

CRH test high dose DEX negative

Adrenal tumor workup

Cushing's disease

Ectopic ACTH production

Transsphenoidal pituitary surgery

Pos.

Inferior Pestrosal sinus sampling (petrosal/peripheral ACTH ratio > 2 at baseline, > 3 at 2-5 min after CRH 100 ug i.v.)

Neg.

Locate and remove ectopic ACTH source

Neg.

Bilateral adrenalectomy

Unilateral adrenalectomy

(2) 확진검사

① 저용량 덱사메타손 억제 검사
- 방법: 덱사메타손 0.5 mg를 6시간마다 2일간 8번 투약
- 평가: 억제 검사 시행 후 혈청 코티솔 1.8 μg/dL 이상일 때 진단

(3) 감별진단

① 혈청 ACTH 농도 측정
- ACTH<5(10) pg/mL: ACTH 비의존적
- ACTH>15(20) pg/mL: ACTH 의존적(ACTH 30-150 pg/mL: 쿠싱병 의심 - ACTH >200 pg/mL: 이소성 ACTH 증후군 의심)
- ACTH 10-20 pg/mL: 변이가 심해서 추가 검사가 필요함.
- ACTH는 상온에서 쉽게 분해되기 때문에 채혈 즉시 얼음에 꽂아 미리 차갑게 한 EDTA tube에 채혈하고, 얼음에 꽂아 냉각시킨 대로 검사실로 보내 즉시 혈청 분리하도록 함.

② 고용량 덱사메타손 억제검사
- 방법: 덱사메타손 2 mg를 6시간마다 2일간 8번 투약
- 평가: 24시간 소변 유리 코티솔이 기저치의 90% 이상, 혈청 코티솔 농도가 기저치의 50% 이상 억제되면 쿠싱병의 가능성이 있음.
- 하룻밤 고용량 덱사메타손 억제 검사로 대체하기도 함: 밤 11시에 덱사메타손 8 mg 복용 후 다음 날 아침 8시에 혈중 코티솔 농도가 50% 이상 억제되면 ACTH 의존형 의심

③ 혈청 DHEA-S
- 부신 쿠싱증후군에서는 코티솔 과다 분비에 의한 ACTH 억제로 안드로겐을 생성하는 zona reticularis의 위축으로 혈청 DHEA-S 낮아짐.
- 쿠싱병이나 부신 피질암에서는 소변 17-KS와 혈청 DHEA-S가 증가됨.

5) 쿠싱증후군의 병소 위치 감별

(1) Sella MRI

쿠싱병의 병소위치를 찾기 위함. 10%에서 6 mm 정도의 뇌하수체 우연종이 보일 수 있음.

(2) IPSS (Inferior petrosal sinus sampling)

① 목적
- 쿠싱병과 ectopic ACTH syndrome의 감별이 모호한 경우
- 쿠싱병의 수술 전 위치 확인

② 준비물

CRH 100 μg (Desmopressin 4mcg), 얼음 담긴 용기, prechilled EDTA tube 27개, 채혈용 heparin lock (20 G-Lt arm), 모래주머니 2개 준비

③ 방법

합성 CRH IV 후 0, 1, 3, 5, 10분 후 채혈하고, inferior petrosal sinus와 말초혈액 ACTH 농도를 측정하여 그 비를 구함.

④ 판독: inferior petrosal sinus의 ACTH: 말초혈액 ACTH

- 쿠싱병: >3:1(post CRH or desmopressin) 혹은 >2:1(basal)
- 이소성: <2:1
- 좌우의 농도비가 1.4를 초과하면 높은 쪽이 병변일 가능성이 있음.

(3) 부신 전산화단층촬영: ACTH 비의존성인 부신 쿠싱증후군에서 부신 병변 확인

(4) 흉부 혹은 복부 전산화단층촬영: 이소성 ACTH 증후군

6) 쿠싱증후군의 치료

(1) 쿠싱병

① 접형동경유 선종 절제술(transsphenoidal adenomectomy, TSA)

- 수술 후 합병증: 요붕증, 뇌척수액 누출, 뇌막염
- 수술 후 6-12개월 정도 스테로이드 보충이 필요함.

② 방사선조사법

- 보통 1년 내지 1년반 이상이 지나야 효과를 나타냄.
- 수술 후에도 쿠싱병이 지속되는 경우, 재발된 경우, 넬슨 증후군의 예방 목적으로 시도해 볼 수 있음.
- 합병증: 뇌하수체기능저하증

③ 양측 부신 절제술 및 내과적 부신 절제술

수술에 의한 만성 부신피질기능저하증과 넬슨증후군(10-30%)의 위험성이 있어 거의 시행하지 않음.

(2) 부신 쿠싱증후군

① 부신 절제술: 수술 후 스테로이드 보충이 필요함(1년-1년 6개월)

② 부신피질호르몬 억제제 투여

- Mitotane: 내과적 부신 절제술이 가능하나 초치료로 사용하지 않음.
- Ketoconazole(200 mg/T): 1차 치료제, 200-1,200 mg 사용. 간독성에 주의하면서 사용.

(3) 코티솔을 분비하는 부신 악성 종양

① 부신절제술: 수술 후 스테로이드 보충이 필요함.

② 내과적 부신 절제술을 할 수 있는 mitotane 투여함.

(4) 이소성 ACTH 증후군

① 원인이 되는 종양 치료

② 원인이 되는 종양 치료가 불가능할 경우: 과다한 스테로이드의 교정을 목표로 bilateral adrenalectomy, 혹은 mitotane을 이용한 내과적 부신 절제술

2. 일차성 알도스테론혈증(Primary aldosteronism, PA)

1) 정의 및 분류

(1) 정의

나트륨 수치에 부적절하게 알도스테론 분비가 증가되어 고혈압이 발생하는 질환으로 고혈압의 5-10%를 차지하며 이차성 고혈압의 원인으로 가장 흔함.

(2) 분류

① 알도스테론 분비 선종(aldesterone producing adenoma, APA)

② 양측성 부신증식증(bilateral adrenal hyperplasia, BAH)

③ 기타: 일측성 부신증식증(unilateral adrenal hyperplasia, UAH), 당류코티코이드 반응성 고알도스테론혈증, 알도스테론 분비 부신암

2) PA 진단(그림 2-10)

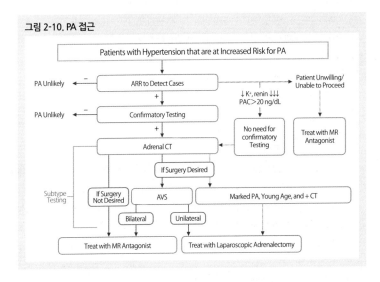

그림 2-10. PA 접근

(1) 의심하여야 할 경우

① 다른 날 측정한 혈압이 세 번 이상 >150/100 mmHg으로 높은 경우

② 이뇨제를 포함한 3종류의 혈압약을 사용하여도 >140/90 mmHg

③ 4종류 이상의 혈압약을 사용하여야 <140/90 mmHg으로 조절되는 경우

④ 고혈압과 자연적인 혹은 이뇨제 유발 저칼륨혈증

⑤ 부신 우연종과 고혈압이 있는 경우

⑥ 수면무호흡증후군과 고혈압이 있는 경우

⑦ 일찍 시작된 고혈압 혹은 젊은 나이(40세 미만)에 발생한 뇌심혈관계 질환 가족력

⑧ 일차성 알도스테론증의 일차 친족

(2) 선별검사

혈장 알도스테론 농도(plasma aldosterone concentration, PAC, ng/dL)/혈장 레닌 활성도(plasma renin activity, PRA, ng/mL/hr) 비율(aldosterone/renin ratio, ARR)

① ARR 30 이상이면서 PAC>15 ng/dL인 경우에 알도스테론의 자율 분비가 의심됨.

② ARR에 영향을 주는 약제 및 환경 고려(표 2-35)

③ 알도스테론 농도에 영향을 주지 않은 약제(표 2-36)

④ 저칼륨혈증은 위음성 결과를 유발할 수 있으므로, 칼륨 수치를 정상화 한 이후 시행

⑤ 염분 섭취를 제한하지 않음.

⑥ ARR에 막대한 영향을 주는 약제는 4주간 중지

- Spironolactone, eplerenone, amiloride, triamterene
- Potassium-wasting diuretics, products derived from licorice root.

⑦ ARR이 애매모호하고, 알도스테론 농도에 영향을 주지 않은 약제에 혈압이 유지되는 경우에는 다음의 약제는 2주간 중지

- 위양성 결과: β-blockers, central $\alpha 2$ agonists, NSAID, renin inhibitor
- 위음성 결과: ACE inhibitors, ARBs, dihydropyridine calcium channel blockers, renin inhibitor

(3) 확진검사

① 생리 식염수 부하 검사

- 방법: 아침 안정된 상태로 누워 있는 환자에게 생리식염수 2 L를 주입펌프를 통하여 3시간 30분 혹은 4시간 동안 정맥 주사하고 투여 전후 PRA, PAC를 측정.
- 해석: PAC<5 ng/dL인 경우 정상, PAC>10 ng/dL인 경우는 PA, PAC 5-10 ng/dL인 경우는 indeterminate임(6.8 ng/dL이 가장 좋은 민감도와 특이도를 가지고 있다고 보고됨).

표 2-35. ARR에 영향을 주는 약제 및 환경

Factor	Effect on Aldosterone Plasma Levels	Effect on Renin Levels	Effect on ARR
Medications[a]			
β-Adrenergic blockers	D	D D	U (FP)
Central agonists (eg, clondine, α-methyldopa)	D	D D	U (FP)
NSAIDs	D	D D	D (FN)
K⁺ -wasting diuretics	R U	U U	D (FN)
K⁺ -sparing diuretics	U	U U	D (FN)
ACE inhibitors	D	U U	D (FN)
ARBs	D	U U	D (FN)
Ca²⁺ blockers (DHPs)	R D	U	D (FN)
Renin inhibitors[a]	D	D U	U (FP) D (FN)
Potassium			
Hypokalemia	D	R U	D (FN)
Potassium loading	U	R D	U
Dietary sodium			
Sodium restriction	U	U U	U (FN)
Sodium loading	D	D D	U (FP)
Advancing age	D	D D	U (FP)
Premenopausalwomen (vs males)[b]	R U	D	U (FP)
Other conditions			
Renal impairment	R	D	U (FP)
PHA-2	R	D	U (FP)
Pregnancy	U	U U	D (FN)
Renovascular HT	U	U U	D (FN)
Malignant HT	U	U U	D (FN)

*Abbreviations; D, down arrow; U, up arrow; R, right arrow; NSAIDs, nonsteroidal anti-inflammatory drugs; K⁺, potassium; ACE, angiotensin-converting enzyme; ARBs, angiotensin II type 1 receptor blockers; DHPs, dihydropyridines; PHA-2, pseudohypoaldosteronism type 2 (familial hypertension and hyperkalemia with normal glomerular filtration rate); HT, hypertension; FP, false positive; FN, false negative.

a: Renin inhibitors lower PRA, but raise DRC. This would be expected to result in false-positive ARR levels for renin measured as PRA and false negatives for renin measured as DRC.

b: In premenopausal, ovulating women, plasma aldosterone levels measured during the means or the proliferative phase of the menstrual cycle are similar to those of men but rise briskly in the luteal phase during which aldosterone rises to a greater extent than renin. False positives can occur during the luteal phase, but only if renin is measured as DRC and not PRA. In preliminary studies, some investigaitons have found false positive on the current cutoffs for women in the luteal phase. Accordingly, it would seem sensible to screen women at risk in the follicular phase, if practicable.

(출처: J Clin Endocrinol Metab 2016;101:1889-1916)

표 2-36. 알도스테론 농도에 영향을 주지 않은 약제

Drug	Class	Usual Dose	Comments
Verapamil slow-release	Non-dihydropyridine slow-release antagonist calicum channel	90-120 mg twice daily	Use singly or in combination with the other agents listed in this table
Hydralazine	Vasodilator	10-12.5 mg twice daily, increasing as required	Commence verapamil slow-release first to prevent reflex tachycardia. Commencement at low doses reduces risk of side effects (including headaches, flushing, and palpitations)
Prazosin hydrochloride	α-Adrenergic blocker	0.5-1 mg two or three times daily, increasing as required	Monitor for postural hypotension
Doxazosin mesylate	α-Adrenergic blocker	1-2 mg once daily, increasing as required	Monitor for postural hypotension
Terazosin hydrochloride	α-Adrenergic blocker	1-2 mg once daily, increasing as required	Monitor for postural hypotension

(출처: J Clin Endocrinol Metab 2016;101:1889-1916)

② Captopril challenge test
- 방법: 최소 1시간 이상 안정 후 PRA, PAC를 측정하고 captopril 25-50 mg을 투여 후 90분 후에 PRA, PAC를 측정함.
- 해석: PAC가 >30% 억제되는 경우 정상이며 ARR>20 또는 PAC>12 ng/dL인 경우 PA
③ 확진검사가 필요 없는 경우: 자연적인 저칼륨혈증, PRA 억제, PAC>20 ng/dL

(4) 아형검사(Subtype classification)
① 기립 검사: 기저 및 기립 2시간 후 PRA와 PAC를 측정하여 PAC가 증가하지 않는 경우 BAH보다 APA를 시사함.
② 부신 CT: PA 진단되는 모든 환자분들에게 권유됨.
③ 부신정맥채혈(adrenal vein sampling, AVS)
- 수술을 고려하는 35세 이상의 PA 환자분들에게 권유됨.
- 35세 미만, 자연적인 저칼륨혈증, 높은 PAC, 부신 CT에서 뚜렷한 일측성 부신 결절이 발견된 경우는 AVS를 시행하지 않고 수술을 시행할 수 있음.
- 방법: ACTH 50 μg/hr로 정주하여 코티솔의 분비를 자극함.
  - 시술 중에 하대정맥(inferior vena cava, IVC)과 양측 부신정맥(adrenal vein, AV)에서 혈액을 채취하여 알도스테론 및 코티솔 농도를 측정함.
  - 부신정맥에는 횡경막정맥 등 다른 정맥이 유입되어 알도스테론이 희석될 수 있어 검사의 해석을 위해 알도스테론을 코티솔로 나눈 것을 사용함.

- 해석(표 2-37)
  - Selectivity index (SI): catheterization의 성공 여부를 볼 수 있는 지표로 adrenal vein/IVC cortisol ratio가 ACTH infusion 한 경우에는 5(3) 이상이 되어야 함.
  - Lateralization index (LI): AV aldosterone/AV cortisol 의 좌우비가 ACTH infusion 한 경우 >4인 경우는 편측성, <3인 경우는 양측성, 3-4는 indeterminate임.
  - Contralateral ratio (CLR): CLR<1인 경우는 반대편의 편측성일 가능성이 있어, 반대편의 catheterization이 실패했거나 LI가 3-4인 경우에 사용될 수 있음.

표 2-37. AVS 지표

	Measurement	Clinical significance	Suggested cut-off
Selectibity index (SI)	Cortisoladrenalvein/ cortisolperipheral vein	Adequacy of cannulation of the adrenal veins	Minimum requirement of SI >2 under basal conditions, SI>3 during ACTH (1-24) (>3 and >5 respectively are preferable)
Lateralisation index (LI)	Aldosterone/cortiso-ladrenal vein/aldosterone/cortisolcontralateral adrenal vein	Lateralisation of aldosterone production. To distinguish between unilateral and bilateral PA	LI>4 indicates unilateral PA; LI<3 indicates bilateral PA; 3<LI<4 is a grey zone
Contralateral ratio (CLR)	Aldosterone/cortisol-nondominant adrenal vein/aldosterone/cortisolperphral vein	Inhibition of aldosterone secretion in the non-dominant adrenal gland	CLR<1 can be thought of as indicative of unilateral PA in the opposite side; can be used when the other adrenal vein is not cannulated or when LI is in the grey zone
Ipsilateral ratio (ILR)	Aldosterone/cortisol-nondominant adrenal vein/aldosterone/cortisolperphral vein	Gradient between the dominant adrenal and the peripheral vein	ILR>2 is required together with CLR<1 in some centres to diagnose unilateral PA

(출처: Lancet Diabetes Endocrinol 2015; 3: 296-303)

3) PA 치료

(1) APA, UAH

① 일측성 부신 절제술이 가장 우수한 치료 방법임.

② 수술 전 spironolactone 투여로 고혈압과 저칼륨혈증을 2-3주 교정 후 수술하고 수술 후에는 중단함.

(2) BAH: 내과적 치료가 원칙

① Spironolactone: 초기 용량 12.5-25 mg/day로 시작하여 최대 100 mg/day 사용 가능함. 여성형 유방, 발기부전, 생리불순 등의 부작용 있음.

② Amiloride: spironolactone의 부작용이 있을 경우 사용 가능함.

3. 갈색세포종(Pheochromocytoma)

1) 정의 및 분류
(1) 정의

부신수질 등에 기원하는 크롬친화성 세포에서 발생한 종양으로 전체 고혈압 환자의 0.1-
0.4% 이하로 드물지만 치료받지 못하면 치명적인 질환임.

(2) 분류

① 갈색세포종(pheochromocytoma, PHEO): 부신 수질에서 발생함. 전체 pheochro-
mocytoma/paraganglioma (PPGL) 종양 중 80%를 차지함.

② 비두경부 부신경절종(non-head/neck paraganglioma, PGL): 다양한 부위의 교감신
경절에서 발생가능. PHEO 보다 전이(악성) 위험성이 높음.

③ 두경부 부신경절종(head/neck PGL): 일반적으로 카테콜아민을 분비하지 않음. Carotid
body나 중이, 고막 부근, jugular foramen, 후두, 비강 등에서 발생하여 주위의 뇌신경이
나 구조물을 압박하는 증상

2) PHEO 진단(그림 2-11)
(1) 의심하여야 할 경우

① 증상이 있는 경우
- 발작적인 두통, 발한, 빈맥과 같은 3개의 주증상을 동반한 고혈압
- 고혈압
  - 60% 지속적, 40% 발작 시에만 상승
  - 마취, 수술 혹은 약제 등에 의한 설명되지 않는 혈압 반응
- 발작
  - 갑자기 시작되어 수 분-수 시간 지속
  - 두통, 발한, 심계항진, 죽을 것 같은 느낌, 창백, 안면홍조, 흉통, 복통, 오심, 구토와 동반
  - 수술, 체위변동, 운동, 임신, 배뇨 및 약제(표 2-38)에 의해 유발 가능
- 고혈압 환자에서 기립성 저혈압

② 증상이 없는 경우
- 부신 우연종
- 유전성 PPGL의 가능성이 높은 경우: 1/3 이상이 질병을 유발할 수 있는 배선(germline)
변이가 있음(표 2-39).
- 젊고 마른 고혈압 환자에서 새롭게 당뇨가 발생한 경우

그림 2-11. PPGL 접근

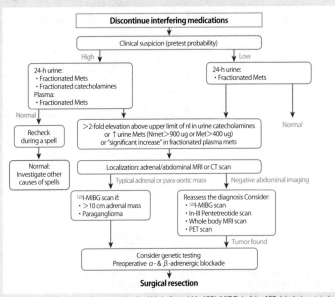

Abbreviations: CT, computed tomography; In-111, indium-111; 123I-MIBG, iodide-123-labeled metaiodo-benzylguanidine; Mets, metanephrines; MRI, magnetic resonance imaging; nl, normal; Nmet, normetanephrine; PET, positron emission tomography

표 2-38. PPGL 증상을 유발 가능한 약제

Class of Drugs	Examples
Dopamine D2 receptor antagonists (including some antiemetic agents and antipsychotics)	Metoclopramide, sulpiride, amisulpride, tiapride, chlorpromazine, prochlorperazine, droperidol
β-Adrenergic receptor blockers	Propranolol, sotalol, timolol, nadolol, labetalol
Sympathomimetics	Ephedrine, pseudoephedrine, fenfluramine, methylphenidate, phentermine, dexamfetamine
Opioid analgesics	Morphine, pethidine, tramadol
Norepinephrine reuptake inhibitors (including tri- cyclic antidepressants)	Amitriptyline, imipramine
Serotonin reuptake inhibitors (rarely reported)	Paroxetine, fluoxetine
Monoamine oxidase inhibitors	Tranylcypromine, moclobemide, phenelzine
Corticosteroids	Dexamethasone, prednisone, hydrocortisone, betamethasone
Peptides	ACTH, glucagon
Neuromuscular blocking agents	Succinylcholine, tubocurarine, atracurium

(출처: J Clin Endocrinol Metab 2014;99:1915–1942)

표 2-39. PPGL과 관계된 배선 변이

Germline Mutations Associated With Pheochromocytoma and Paraganglioma

Syndrome/Name	Gene	Typical Tumor Location and Other Associations
Hypoxic Pathway: Cluster 1*		
SDHD mutation (familial paraganglioma type 1)**	SDHD	Primarily skull base and neck; occasionally adrenal medulla, mediastinum, abdomen, pelvis; GIST; possible pituitary adenoma
SDHAF2 mutation (familial paraganglioma type 2)**	SDHAF2	Primarily skull base and neck; occasionally abdomen and pelvis
SDHC mutation (familial paraganglioma type 3)	SDHC	Primarily skull base and neck; occasionally abdomen, pelvis, or chest; GIST; possible pituitary adenoma
SDHB mutation (familial paroganglioma type 4)	SDHB	Abdomen, pelvis, and mediastinum; rarely adrenal medulla, skull base, and neck; GIST; possible pitutary adnoma
SDHA matation	SDHA	Primarily skull base and neck; occasionally abdomen and pelvis; GIST; possible pituitary adenoma
von Hippel-Lindau (VHL) disease	VHL	Adrenal medulla, frequently bilateral; occasionally abdomen and pelvis; GIST; possible pituitary adenoma
Hereditary leiomyomatosis and renal cell carcinoma (Reed syndrome) –fumarate hydratase mutation	FH	Multifocal and metastatic; associated with hereditary leiomyomatosis, uterine fibroids, and renal cell cancer
Hypoxia-inducible factor (HIF) 2α	HIF2A	Paraganglioma, polycythemia, and rarely somatostatinoma
Familiar erythrocytosis associated with mutation in prolyl hydroxylase isoform 1 (PDH 1)	EGLN2	Polycythemia associated with phechromocytoma and paraganglioma
Familial erythrocytosis associated with mutation in prolyl hydroxylase isoform 2 (PDH 2)	EGLN1	Polycythemia associated with pheochromocytoma and paraganglioma
KIF1B	KIF1B	Neuroblastoma
Kinase Signaling Pathway: Cluster 2*		
MEN2A and MEN2B	RET	Adrenal medulla, frequently bilateral; see text for MEN2A and MEN2B associated findings
Neurofibromatosis type 1 (NF1)	NF1	Adrenal or periadrenal; see text for NF1–associated findings
	MAX	Adrenal medulla
Familial pheochromocytoma	TMEM127	Adrenal medulla; possible renal cell carcinoma

*Cluster 1 tumors are mostly extra-adrenal paragangliomas (except in VHL where most tumors are lovalized to the adrenal) and nearly all have a noradrenergic biochemical phenotype.
**Associated with maternal imprinting–see text.
***Cluster 2 tumors are usually adrenal phechromocytomas with an adrenergic biochemical phenotype.
GIST, gastrointestinal stromal tumor; MEN, multiple endocrine neoplasia, SDH, succinate dehydrogenase.
(출처: Williams Textbook of Endocrinology, 13th ed.)

(2) 생화학적 검사(표 2-40)

① 혈청 유리 메타네프린

- 종양에서 불규칙하게 분비되는 카테콜아민과는 달리 그 대사물질인 메타네프린(노르메타네프린과 메타네프린)은 지속적으로 분비되어 메타네프린을 측정하는 것이 권유됨.
- 판독
  - 혈청 메타네프린(plasma metanephrine, MN): 상한치가 0.45 nmol/L로 3.5-4배 증가한 1.2 nmol/L이면 PPGL 가능성이 높음.
  - 혈청 노르메타네프린(plasma normetanephrine, NMN): 0.62 nmol/L(<40세), 1.05 nmol/L(>60세)로 3.5-4배 증가한 2.2 nmol/L이면 PPGL 가능성이 높음.

② 24시간 요중 분획 메타네프린

- 방법: 강산을 넣은 수집용기를 사용하고 냉장보관은 필요 없음. 요 중 크레아티닌을 같이 측정하여 제대로 수집했는지 확인함.
- 판독
  - 24시간 소변에서 총 메타네프린 >1.3 mg/day(소변 MN>400 μg/day, 소변 NMN >900 μg/day) 이상 시 양성으로 판정하며 정상 상한치의 2배 이상일 경우 진단적임.*

표 2-40. 혈청 및 소변 메타네프린 위양성을 일으킬 수 있는 약제

	Plasma		Urine	
	NMN	MN	NMN	MN
Acetaminophen[a]	+ +	–	+ +	–
Labetalol[a]	–	–	+ +	+ +
Sotalol[a]	–	–	+ +	+ +
α–Methyldopa[a]	+ +	–	+ +	–
Tricyclic antidepressants[b]	+ +	–	+ +	–
Buspirone[a]	–	+ +	–	+ +
Phenoxybenzamine[b]	+ +	–	+ +	–
MAO–inhibitors[b]	+ +	+ +	+ +	+ +
Sympathomimetics[b]	+	+	+	+
Cocaine[b]	+ +	+	+ +	+
Sulphasalazine[a]	+ +	–	+ +	–
Levodopa[c]	+	+	+ +	+

*Abbreviations: MAO, monoamine oxidase; MN metanephrine; NMN, normetanephrine; + +, clear increase; +, mild increase; –, no increase
a: Analytical interference for some but not all methods employing LC-ECD
b: Pharmacodynamic interference leading to increased levels affecting all analytical methods.
c: Analytical interference with LC-ECD assays, and also pharmacodynamic interference increase the dopamine metabolite 3-methoxytyramine affecting all analytical methods.
(출처: J Clin Endocrinol Metab 2014;99:1915-1942)

(3) 영상학적 검사

① CT: 과혈관성, 조영제에 의한 음영증가를 보임.

② MRI: T2 부하 영상에서 고음영으로 보임.

③ ^{123}I-MIBG (^{123}I-metaiodobenzylguanidine) 스캔

- ^{123}I-MIBG는 SPECT 또는 CT 스캔과 같이 시행할 수 있고 ^{131}I-MIBG을 이용한 치료 계획이 있으면 이점이 있음. 갑상선의 섭취를 차단하기 위해 검사 전 Lugol solution을 투여해야 함.
- 다른 영상학적 검사에서 전이 PPGL이 발견되어 ^{131}I-MIBG을 이용한 치료 계획이 있는 경우, 크기가 큰 경우, 부신 외에 있는 경우, Head/neck PGL 외의 다발성 PPGL, 재발했을 경우 시행 가능함.

3) 갈색세포종의 치료

(1) 수술 전 내과적 치료

① 알파 차단제: 수술 전 10-14일 투여

- Phenoxybenzamine: 10 mg bid 투여 시작, 1-4일마다 10 mg씩 증량하여 최종 용량을 1 mg/kg/d까지
- Doxazosine: 2 mg/d 투여 시작, 최종용량을 32 mg/d까지

② Calcium channel blocker: 알파 차단제로 혈압 조절이 충분치 않은 경우

- Nifedipine: 30 mg/d 투여 시작, 최종 용량을 60 mg/d까지
- Amlodipine: 5 mg/d 투여 시작, 최종용량을 10 mg/d까지

③ β 차단제: 알파 차단제 사용 후 적어도 3-4일 뒤 빈맥을 조절하기 위해서만 사용

- Propranolol: 20 mg tid 투여 시작, 최종 용량을 40 mg tid까지
- Atenolol: 25 mg/d 투여 시작, 최종 용량을 50 mg/d까지

(2) 외과적 치료

① 대부분의 PHEO는 복강경 수술 권유.

② 크기가 >6 cm 크거나 침윤성 PHEO, PGL 경우에는 개복 수술이 추천됨.

③ 수술 중 고혈압 위기(표 2-41)

④ 수술 후 저혈압: 급격한 노르에프네프린 감소에 및 수술 전 고혈압 약제에 의해 발생 가능하여, 적극적인 수액 요법 등이 필요함.

⑤ 수술 후 저혈당

표 2-41. 고혈압 위기일 때 사용할 수 있는 주사제

Agent	Dosage Range
For Hypertension	
Phentolamine	Administer a 1-mg IV test dose, then 2- to 5-mg IV boluses as needed or continuous infusion.
Nitroprusside	IV infusion rates of 2 μg/kg of body weight per minute are suggested as safe, Rates>4 μg/kg per minute may lead to cyanide toxicity within 3 hr.Doses>10 μg/kg per minute are rarely required, and the maximal dose should not exceed 800 μg/min.
Nicardipine	Initiate therapy at 5.0 mg/hr; the IV infusion rate may be increased by 2.5 mg/hr q15min up to a maxium of 15.0 mg/hr.
For Cardiac Arrhythmia	
Lidocaine	Initiate therapy with an IV bolus of 1-1.5 mg/kg (75-100 mg); additional boluses of 0.5-0.75 mg/kg (25-50 mg) can be given q5-10min if needed up to a maxium of 3 mg/kg. Loading is followed by maintenance IV infusion of 2-4 mg/min (30-50 ug/kg per minute) adjusted for effect and settings of altered metabolism (e.g., heart failure, liver congestion) and as guided by blood level monitoring.
Esmolol	An initial IV loading dose of 0.5 mg/kg is infused over 1 min, followed by a maintenance infusion of 0.05 mg/kg per minute for the next 4 min. Depending on the desired ventricular response, the maintenance infusion may then be continued at 0.05 mg/kg per minute or increased stepwise(e.g., by 0.1 mg/kg per minute increments to a maximum of 0.2 mg/kg per minute), with each step being maintained for ≥4 min.

(출처: Williams Textbook of Endocrinology, 13 th ed.)

4. 부신기능저하증

1) 정의

당질코르티코이드(glucocorticoid)나 염류코르티코이드(mineralocorticoid)의 결핍에 의하여 나타나는 증후군

2) 분류

① 일차성 부신피질기능저하증: 부신의 해부학적 파괴, 또는 대사적 실패로 부신의 90% 이상 파괴 되었을 때 발생

② 이차성 부신피질기능저하증: 시상하부, 뇌하수체 이상, 외인성 스테로이드(가장 흔함)

3) 임상양상

① 피로, 허약감, 식욕감퇴, 체중감소, 저혈압, 위장관 증상(오심, 구토, 복통, 설사), 근육 혹은 관절통, 피부와 점막의 과색소침착(일차성의 경우)

② 저나트륨혈증, 고칼륨혈증(일차성인 경우), 고칼슘혈증, 빈혈, 호산구증다증

4) 검사

① 아침 8시 기저 코티솔: <5 μg/dL인 경우 부신 기능 저하증을 의심해 볼 수 있으나, 박동성 분비, 일중 변동, 결합 단백질의 영향 등이 제한점들이 있음.

② 급속 ACTH 자극 검사

• 방법: 합성 ACTH (synacthen) 250 μg을 정맥 주사하여 0분, 30분, 60분 후 코티솔 농도 측정

• 판독: 최대 코티솔 자극치가 18 μg/dL 이상인 경우 정상으로 평가

• 판독 시 유의사항

– 혈액 내 코티솔의 대부분이 결합되어 있는 코티솔-결합글로블린(cortisol-binding globulin, CBG)와 알부민 낮거나 기능 이상이 있는 경우 위양성

– ACTH의 자극소실에 따른 부신피질위축이 발생하기까지는 3주 정도의 기간이 소요되어 초기의 경우에는 정상반응을 보일 수 있음.

• 일차성 vs. 이차성 부신기능저하증 감별: 알도스테론 증가치가 5 ng/dL 이하

③ 인슐린 내성검사

• 전체 시상하부-뇌하수체-부신 축의 보전 상태를 통합적으로 평가하는 표준 검사

• 저혈당을 유발하는 것이 필수적이어서 심혈관 질환, 간질이 있는 환자이거나 노인에게 시행하는데 제한이 있어 많이 사용 않음.

5) 치료

(1) 당질코르티코이드 보충 요법

① Hydrocortisone (HC)은 15-20 mg/day (10-15 mg at 8 AM, 5-10 mg at 4 PM), cortisone acetate의 경우에는 20-35 mg을 투여

② Prednisone (PD)는 순응도가 떨어지는 환자 일부에서 3.75-5 mg at 8 AM을 투여

③ 정상적인 부신의 일중리듬을 자극하기 위하여 하루 용량의 2/3는 아침에 투여하고, 1/3은 오후 늦게 투여

④ 스트레스-상황 시 당질 코르티코이드 용량 조절(표 2-42): 스트레스 상황 시에 맞는 용량 증량 필요

• 발열, 감기, 구역/구토, 스트레스가 있는 경우 유지용량의 2-3배를 복용하도록 교육 (예를 들어, HC 20 mg을 하루 복용하는 분은 PD 15 mg을 복용 권유)

• 특정 약제(phenytoin, barbiturate, rifampin) 사용 시 증량 필요

표 2-42. 특정 상황 시에 당질코르티코이드 보충

Condition	Suggested actions
Home management of illness with fever	HC replacement doses doubled (>38°C) or tripled (>39°C) until recovery (usually 2 to 3 day) ("3 x 3" rule; increased consumption of electrolyte-containing fluids as tolerated
Unable to tolerate oral medication due to gastroenteritis or trauma	HC 100 mg IM, IV
Minor to moderate surgical stress	HC, 25-75 mg/24hr (usually 1 to 2 d)
Major surgery with general anesthesia, trauma, delivery, or disease that requires intensive care	HC 100 mg per iv injection followed by continuous iv infusion of 200 mg hydrocortisone/24h or 50 mg every 6h IV or IM. Weight-appropriate continuous iv fluids with 5% dextrose and 0.2 or 0.45% NaCl. Rapid tapering and switch to oral regimen depending on clinical state.

(2) 염류 코르티코이드 보충

① 일차성 부신피질기능저하증에서 필요함.

② Fludrocortisone: 50-100 μg/일 투여 시작, 50-200 μg/일로 용량 조절

③ 말초부종, 혈압, 나트륨, 칼륨 수치 관찰

(3) 부신 위기(Adrenal crisis) 시 치료

① 즉시 HC 100 mg IV 후 100 mg 6시간 간격 또는 10 mg/hr 지속 투여. 동시에 5% 포도당-식염수용액 지속적 주입.

② HC 50 mg 이상 투여 시에는 염류 코르티코이드 보충은 불필요함.

③ 유발인자에 대한 치료

6) 의인성 쿠싱증후군과 이차성 부신피질기능저하증(표 2-43)

표 2-43. 당질코르티코이드의 종류와 효과

	등가용량	소염효과	염류코르티코이드 효과	작용시간(hours)
Short-acting				
Hydrocortisone (HC, Cortisol)	20	1	1	8-12
Cortisone	25	0.8	0.8	8-12
Intermediate-acting				
Prednisone (PD)	5	4	0.25	12-36
Prednisolone	5	4	0.25	12-36
Methylprednisolone (MPD)	4	5	<0.01	12-36
Triamcinolone (TA)	4	5	<0.01	12-36
Long-acting				
Betamethasone	0.60	25	<0.01	36-72
Dexamethasone (DXM)	0.75	30	<0.01	36-72

(1) 시상하부-뇌하수체-부신 축의 억제

① 억제 정도는 스테로이드의 용량, 투여기간, 속성, 투여 시간에 따라 결정되지만 이 또한 사람에 따라 다양함.

② 시상하부-뇌하수체-부신 축의 억제될 가능성이 적은 경우
- 생리학적인 범위에 근접한 용량 복용 시: PD 5 mg/day, MPD 4 mg/day, DXM 0.5 mg/day, HC 20 mg/day 이하 사용 시에는 발생 위험이 적음.
- 투여기간: 용량과는 무관하게 3주 미만인 경우

③ 시상하부-뇌하수체-부신 축의 억제될 가능성이 높은 경우
- 3주 이상 PD 20 mg/day (MPD 16 mg/day, DXM 2 mg/day, HC 80 mg/day)
- 스테로이드 투여 중인 환자 중 쿠싱 증후군의 임상 양상이 있는 경우

④ 시상하부-뇌하수체-부신 축의 억제 정도를 파악하기 어려운 경우
- PD 5 mg 이하 혹은 동등 용량도 저녁에 투여하거나 장기간 지속되는 약제를 사용한 경우
- 흡입형 스테로이드: fluticasone ≥ 750 μg/day daily(다른 흡입형 스테로이드 ≥ 1,500 μg/day)을 3주 이상 사용한 경우
- 연고형 스테로이드: high potency or super high potency topical corticosteroids ≥ 2 g/day (class I-III) 3주 이상 사용한 경우
- 관절 내 혹은 척수 스테로이드 주사 시: 3개월 이내 3번 이상 투여할 경우 혹은 쿠싱증후군의 임상 양상이 있는 경우

(2) 시상하부-뇌하수체-부신 축의 억제

① 뇌하수체-부신 축의 회복은 6-9개월 정도가 소요

② 스테로이드 중지 방법에 대한 무작위 대조 시험은 없어 정해진 방법은 없음(표 2-44).
- 치료적 용량에서 생리적 용량의 스테로이드로(PD, 2.5-7.5 mg/일) 수 주에 걸쳐 용량을 감소시키는데, 환자의 상태에 따라 2-4주 간격으로 1 mg씩 감량할 수 있음.
- 최근에는 비교적 반감기가 짧은 HC를 처방하는 경향이 높음.
- 생리적 용량의 스테로이드를 사용한 후에 2-3개월째, 투약을 2-3일간 중단 후 급속 ACTH 자극 검사를 통해, 뇌하수체-부신 축의 기능 회복여부를 파악함.

표 2-44. 스테로이드 중지

PD 용량 (mg/일)	스테로이드 사용 기간			
	≤3주		>3주	
≥7.5 mg	중지가능	급히 감량 매 3-4일마다 2.5 mg 감량	혹은	PD 5 mg을 HC 20 mg으로 감량 후 매주 2.5 mg씩 10 mg까지 2-3개월 감량
5-7.5 mg	중지가능	매 2-4주마다 1 mg 감량		
<5 mg	중지가능	매 2-4주마다 1 mg 감량		

5. 부신우연종

1) 정의

① 다른 목적으로 영상 검사를 하다가 발견되는 부신의 1 cm 이상의 종양

② 빈도: 영상검사를 받는 50세 이상에서 3%, 나이가 들면 10%

③ 양성선종이 80% 정도를 차지하며, 대부분의 경우에는 비기능성임.

2) 접근방법(그림 2-12)

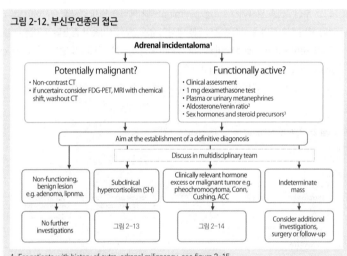

그림 2-12. 부신우연종의 접근

Adrenal incidentaloma[1]

Potentially malignant?
· Non-contrast CT
· if uncertain: consider FDG-PET, MRI with chemical shift, washout CT

Functionally active?
· Clinical assessment
· 1 mg dexamethasone test
· Plasma or urinary metanephrines
· Aldosterone/renin ratio[2]
· Sex hormones and steroid precursors[3]

Aim at the establishment of a definitive diagonosis

Discuss in multidisciplinary team

Non-functioning, benign lesion e.g. adenoma, lipnma.

Subclinical hypercortisolism (SH)

Clinically relevant hormone excess or malignant tumor e.g. pheochromocytoma, Conn, Cushing, ACC

Indeterminate mass

No further investigations

그림 2-13

그림 2-14

Consider additional investigations, surgery or follow-up

1. For patients with history of extra-adrenal milignancy, see figure 2-15.
2. Only in patients with concomitant hypertension and/or hypokalemia.
3. Only in patients with clinical or imaging features suggestive of adrenocortical carcinoma.

(1) 악성여부를 확인

① Non-contrast CT 실시: Hounsfield unit≤10으로 양성 부신 종양이며 균일한 4 cm 보다 작은 종양인 경우에는 더 이상의 영상검사가 필요 없음.

② Non-contrast CT 상 애매모호하거나 호르몬 분비의 증가가 없는 경우: 다음의 3가지 방향을 선택할 수 있음.

· 추가적인 영상검사 실시

- Contrast washout CT: Absolute washout >60%, relative washout >40%인 경우 양성일 가능성이 있음.

- MRI: chemical shift: Loss of signal intensity on outphase imaging consistent with lipid-rich adenoma인 경우 양성일 가능성이 있음.
- ^{18}F-FDG-PET: Absence of FDG uptake or uptake less than the liver인 경우 양성일 가능성이 있음.
- 6-12개월 후에 non-contrast CT 혹은 MRI 촬영
- 수술

③ 부신 외 악성 종양이 없는 경우 원발성 부신종양에서 양성과 악성을 감별하기 위한 세침 흡인검사는 권유되지 않음.

(2) 호르몬 과다 여부를 확인

① 모든 부신우연종 환자에서 1 mg-overnight 덱사메타손 억제 검사를 실시하여 코티솔 과다 분비 확인하여 쿠싱증후군의 임상양상이 없으면서 코티솔이 증가되어 있는 자발적 코티솔 분비(autonomous cortisol secretion) 혹은 비임상적인 고코티솔혈증(subclinical hypercortisolism, SH)를 확인하고자 함.
- 1 mg-overnight 덱사메타손 억제 검사 후 코티솔 농도에 따른 해석(그림 2-13)

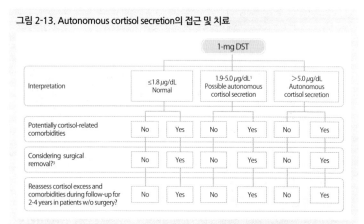

그림 2-13. Autonomous cortisol secretion의 접근 및 치료

1. The majority, but not all, panel members preferred additional biochemical tests to confirm cortisol secretory autonomy and assess the degree of cortisol secretion. In all patients with comorbidities, we suggest to measure basal morning plasma ACTH and to repeat the 1 mg-DST in 3-12 months.
2. We suggest additional biochemical tests to confirm cortisol secretory autonomy (plasma ACTH) and to better judge the degree of cortisol secretion (24-h urinary free cortisol ± midnight salivary cortisol). We also suggest to repeat the 1 mg-DST in 3-12 months.
3. The decision to undertake surgery should be individualized taking into account factors that are linked to surgical outcome, such as patient's age, duration and evolution of comorbidities and their degree of control, and presence and extent of end organ damage. In all patients considered for sugery, ACTH-independency of cortisol excess should be confirmed by a suppressed or low basal morning plasma ACTH.
4. Overall, the group agreed that there is an indication of surgery in a patient with the presence of at least two potentially cortisol-related comorbidities(e.g. Type 2 diabetes, hypertension, obesity, osteoporosis), of which at least one is poorly controlled by medical measures.

- ≤1.8 μg/dL: autonomous cortisol secretion 배제
- 1.9-5.0 μg/dL: possible autonomous cortisol secretion
- >5.0 μg/dL: autonomous cortisol secretion

- (possible) Autonomous cortisol secretion이 확인된 경우에는 자발적 코티솔 분비를 확인할 수 있는 추가 검사 및 코티솔 분비 정도 확인이 필요함.
- 임상적인 판단을 위해 코티솔과 연관된 동반질병들(고혈압, 내당능 장애/2형 당뇨, 비만, 이상지혈증, 골다공증 및 척추 골절) 및 환자의 나이가 중요함.

② 혈청 유리 메타네프린, 24시간 요중 분획 메타네프린: PHEO 여부 확인

③ 고혈압±저칼륨혈증 있는 경우에는 aldosterone/renin ratio 측정하여 PA 여부 확인

④ 부신악성종양이 의심되는 경우 성호르몬 및 스테로이드 전구체 측정: DHEA-S, androstenedione, 17-hydroxyprogesterone

3) 수술적 치료(그림 2-14)

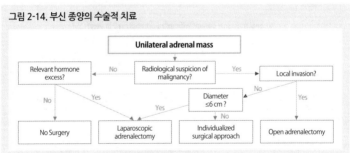

그림 2-14. 부신 종양의 수술적 치료

Unilateral adrenal mass

Relevant hormone excess? — No — Radiological suspicion of malignancy? — Yes — Local invasion?

No / Yes — Diameter ≤6 cm? — No

No Surgery | Laparoscopic adrenalectomy | Individualized surgical approach | Open adrenalectomy

1. Always take life expectancy in consideration.
2. If there is hormone excess, treat individualized.
3. FDG-PET-CT should be considered to exclude other metastatic deposits in patients with no other obvious metastatic lesions for whom surgical removal of the lesion is an option.

4) 수술 받지 않는 환자의 추적관찰

① 4 cm 미만의 전형적인 양성 종양의 특징을 가진 경우는 더 이상의 추적 관찰을 권유하지는 않음.

② 영상검사 상 애매모호한 종양에서 수술을 받지 않은 경우 6-12개월 후에 noncontrast CT or MRI를 실시

5) 부신 외 악성종양이 있는 환자에서 부신에 종양이 확인된 경우(그림 2-15)

① Indeterminate mass가 있는 경우 전이의 가능성이 높아보이더라도 갈색세포종을 감별하기 위한 혈액 및 소변 메타네프린 측정을 권유. 개별적인 접근을 통하여 추가적인 호르몬 검사 실시

② FDG-PET 검사 권유

③ Indeterminate mass를 가진 경우

- 추적 영상 검사를 실시하여 병변의 크기 증가 확인하거나
- FDG-PET/CT, 수술적 제거 혹은 조직 검사 실시와 같은 3가지 방향을 선택할 수 있음.

④ 부신 종양의 조직 검사는 다음 세가지 조건을 충족시킬 경우에만 실시

- 호르몬 분비가 없는 경우 특히 갈색세포종은 배제
- 영상검사에서 양성이 의심되지 않는 경우
- 치료 방향이 조직 검사 결과에 따라 변하는 경우

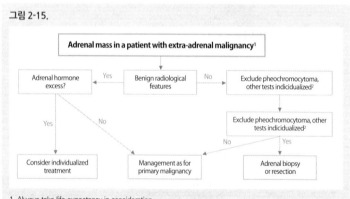

그림 2-15.

Adrenal mass in a patient with extra-adrenal malignancy[1]

1. Always take life expectancy in consideration.
2. If there is hormone excess, treat individualized.
3. FDG-PET-CT should be considered to exclude other metastatic deposits in patients with no other obvious metastatic lesions for whom surgical removal of the lesion is an option.

6) 부신 양측에 종양이 확인된 경우

① 악성여부확인: 일측성 부신 종양과 동일

② 호르몬 과다 분비 여부 확인: 일측성 부신 종양과 동일한 검사 및 Congenital adrenal hyperplasia를 감별하기 위한 17-hydroxyprogesterone

③ 수술 및 경과 관찰: 일측성 부신 종양과 동일

V 뇌하수체 질환

1. 뇌하수체 우연종

1) 정의/분류

증상 없이 우연히 시행한 영상검사에서 발견된 뇌하수체 종양

2) 검사

① 영상검사: sellar MRI

② 호르몬검사

③ Mass effect: neurologic sign/symptom, visual field defect(크기 ≥ 10 mm이면서 optic nerve에 접촉하는 경우): Gold mann's perimetry(안과 협진 의뢰)

3) 치료

① 호르몬 이상이 동반되지 않고, mass effect가 없음.

- Macroincidentaloma (size ≥ 10 mm): 6개월마다 sella MRI와 호르몬 검사, 이후 3년 동안 1년마다, 그 후 2년마다 sella MRI와 호르몬 검사
- Microincidentaloma (size < 10 mm): 3년동안 1년마다 sella MRI와 호르몬 검사, 그 후 간격 연장

② 호르몬 이상이 동반하거나 mass effect가 있음: 약물 또는 수술적 치료

2. 뇌하수체 기능저하증

1) 증상

각 뇌하수체 호르몬(GH, FSH/LH, TSH, ACTH, prolactin) 분비기능저하에 해당하는 호르몬 기능저하증 증상을 보일 수 있음.

① 갑상선기능저하증, 부신기능저하증: 해당 chapter

② 성선기능저하증: 발기부전, 성욕감퇴, 무월경, 불임

③ 성장 호르몬 결핍증, 프로락틴 결핍증, 요붕증

2) 진단

(1) 기저 호르몬 검사

IGF-1 (GH), freeT4, TSH, FSH, LH, E2 (estradiol, 여자), testosterone(남자)

ACTH, cortisol, prolactin

(2) 뇌하수체 자극검사(Cocktail test)

① 방법

- TRH 400 μg(2 앰플), LHRH 100 μg(1 앰플), 속효성 인슐린 0.1 단위/kg(0.05-0.2 단위/kg)을 천천히 정맥주사
- 0, 30, 60, 90, 120분에 혈장 포도당, 프로락틴, 성장 호르몬, 코티솔, ACTH, TSH, FSH, LH를 측정하여 정상 반응치와 비교
- 의미 있는 저혈당 증세가 반드시 나타나고, 혈당이 50 mg/dL 이하 혹은 기저치의 50% 이하로 감소하면 충분한 검사가 이루어진 것으로 판정.
- 최근에는 주로 인슐린 유발 저혈당 검사만 시행함.
- 금기: 관상동맥질환, 뇌혈관 질환, 간질환자(노인에서는 주의해서 시행)

② 결과의 해석

표 2-45. Cocktail test 결과의 해석

Hormone	Time for maximal respose	Normal response
GH	40-90min	basal: <5 ng/ml peak: >2 fold basal or >8 ng/ml
Cortisol	60min	basal: 5-25 μg/dl peak: >20 μg/dl (and increase by 7μg/dl)
TSH	20-30min	basal: 0.4-4.1 IU/ml peak: if basal <2 IU/ml: 5 IU/ml if basal >2 IU/ml: increase by more than 5 IU/ml
FSH	60min	basal: 2-20 mIU/ml peak: >1.5-2×basal
LH	20-30min	basal: 2-20 mIU/ml peak: male >4×, female >3×
PRL	15-20min	basal: 0-25 ng/ml peak: male >3×, female >6×

3) 치료

필요한 호르몬의 보충 요법을 시행하고, 환자 인식표 또는 교육을 통해 심한 질환이나 상해를 당했을 경우, 당질코티코이드를 투여 또는 증량할 수 있도록 해야 함.

(1) TSH 결핍

T4, 0.05-0.2 mg/일(소량부터 시작하여 증량, 부신기능저하증이 있을 경우 반드시 glucocorticoid를 먼저 보충)

(2) ACTH 결핍

부신기능저하증에 준하여 치료(해당 chapter에 기술)

(3) LH/FSH 결핍

① 남성: Testosterone enathate 또는 cypionate, 200-300 mg IM 2-3주 간격으로 (또는, testosterone transdermal patch, 2.5-5 mg/일)

② 여성: Cyclic estrogen and progesterone (conjugated equine estrogen, 0.625 mg/일 (D1-D25) with medroxyprogesterone acetate, 10 mg/일(D16-D25)

(4) GH 결핍

소아(0.025 mg/일 피하주사), 성인(0.3-0.8 mg/일 피하주사. 투여 여부는 아직 논란의 여지가 있음)

3. 뇌하수체졸중

1) 정의

급작스런 뇌하수체 경색 혹은 출혈로 오는 응급상황(대부분 뇌하수체 종양에서 발생)

2) 증상

두통(일반적으로 매우 심하고, 안구 주위에 흔함, m/c), 시야장애(시력감퇴, 의식 혼미, 목덜미 경직), 오심과 구토(수막자극증상, 뇌하수체기능부전, 뇌압상승)

3) 진단

① Sellar MRI

② 감별진단: 대뇌 동맥류 파열로 인한 지주막하 출혈, 뇌농양, 수막염

4) 치료

치료 전 호르몬검사용 혈액채취(cortisol, TFT, ACTH, prolactin)

① Hydrocortisone 50-100 mg IV q6hr-8hrs로 첫 48시간(부신기능부전 예방)동안 투여하고 점차 감량

② 신경학적 소견이 진행하는 경우에는 응급 신경외과적 수술

③ 급성 상태에서 회복 후 뇌하수체 전엽 호르몬검사에 따른 부족 호르몬의 보충(뇌하수체 기능저하증 참조)

4. 고프로락틴혈증(Hyperprolactinemia)

1) 정의/진단

임상소견뇌하수체 종양 중 가장 흔하며, 프로락틴 수치가 남자에서 20 ng/mL, 성인 여자에서 25 ng/mL 이상인 경우(2회 이상 검사)

2) 감별진단

① 생리적요인: 임신, 수유, 흉벽 자극, 수면, 스트레스

② 프로락틴분비선종

③ 시상하부-뇌하수체 줄기 손상: 뇌하수체종양의 줄기압박, 방사선 조사, 외상

④ 약물

- 정신과약: chlorpromazine, haloperidol, buspirone, olanzapine, risperidone, sulpiride, thioxanthines
- 소화기약: metoclopramide, domperidone, cimetidine(특히, 도파민 수용체에 작용하는 위장약)
- 고혈압약: labetalol, methyldopa, verapamil
- 기타약: estrogens, opiate 등

3) 증상

유루, 무월경 또는 희발월경, 불임, 성기능 저하(성욕감퇴, 발기부전), 두통, 시각장애 (mass effect)

4) 치료

※ 원인질환 치료/원인 약물이 있는 경우 약을 1주 이상 중단 후 재검

※ 미세선종의 경우, 거대선종으로 진행은 거의 일어나지 않으므로 임신을 원하지 않는 한 치료는 필요 없으며, 골소실과 저에스트로겐혈증에 따른 증상의 치료를 위해 약제 치료를 할 수 있고, 여성호르몬으로 대체하기도 함. 이런 환자의 경우 정기적으로 PRL과 MRI로 추적검사를 시행하도록 함.

※ 증상이 있는 경우 치료의 목적은, 고프로락틴혈증을 조절하고, 종양의 크기를 감소시키며, 월경과 수정능 회복과 유즙분비를 호전시키는 것으로서, dopamine agonist를 적절하게 사용하는 것이 원칙.

(1) 내과적 치료

　Dopamine agonist(다른 뇌하수체 종양과 달리 크기나 신경학적 증상과 상관없이 초치료임)

① Bromocriptine: 1.25 or 2.5 mg/일 3-4일마다 증량, 5-10 mg/일 유지

② Carbergoline: 종양 크기의 감소에 있어서는 bromocriptine보다 더 효과적. 시야장애와 같은 증상이 있는 경우 초기에 사용할 수 있음(0.25-0.5 mg 일주에 2번 경구투여).

③ 임신한 경우 bromocriptine 사용이 가능하지만, 대부분 중단하고 관찰하다가 조기분만, 혹은 크기가 커지면 다시 사용(임신 중 종양이 커질 확률은 미세선종의 경우, 3-5%). 그러나 두통, 시야장애 여부, visual field test 등을 통해 종양의 크기가 커지는지 관찰하고 이러한 이상소견이 나타날 경우 대처

(2) 수술

　약물치료의 차선책임. 경접형동선종제거술(미세선종의 경우 70-80%의 관해율을 보이며 장기적으로 20%가 재발함. 거대선종의 경우 30%의 관해율과 재발율을 보임)

5. 말단비대증

1) 정의

성장 호르몬의 과다 분비가 나타나는 질환. 주로 뇌하수체선종에 의하나 드물게 뇌하수체 외의 종양에 의해 발생할 수 있음.

2) 증상: 성장 호르몬 과분비에 의한 임상증상

- 땀샘의 확장 및 대사항진에 의한 과도한 발한
- 전두부 돌출, 하악골 돌출
- 손목의 연골조직의 과성장에 의한 정중신경 압박
- 체중 부하 관절의 변형과 골의 과성장에 의한 퇴행성 관절염
- 염분저류에 의한 고혈압
- 내당능장애 또는 당뇨병
- 1,25 수산화 비타민 D 생성 자극으로 인한 고칼슘뇨증
- 유루증
- 만성폐쇄성 폐질환 또는 중추성 수면 호흡 장애
- 대장용종 및 대장암의 발생 증가

3) 진단

① 경구 당부하 검사: 포도당 75 g 혹은 100 g을 경구 복용 후 30, 60, 90, 120, 180분에 GH을 측정. GH 농도가 1 ng/ml 이하로 억제되지 않으면 진단

② IGF-I 농도가 성별, 연령별 정상범위보다 상승된 경우

③ Sella MRI와 뇌하수체 호르몬 측정

④ 필요한 경우 심초음파와 대장내시경

4) 치료

(1) 수술적 치료가 원칙

경접형동절제술(transsphenoidal surgery, TSA)

(2) Bromocriptine, Carbergoline

말단비대증 환자의 10-40%에서 유의하게 혈중 GH, IGF-1의 농도를 낮추고 종양의 크기를 줄어들게 하지만 프로락틴선종보다는 효과가 적으므로, 수술이나 방사선치료 시 보조요법으로 사용

(3) Somatostatin analogue (octreotide, lanreotide)

① Octreotide: 50 μg tid 피하주사로 시작하여 200 μg tid 피하주사까지 증량

② Sandostatin LAR: 작용시간이 긴 somatostatin 유사체. 20-30 mg을 월 1회 근주

③ Lanreotide : 7-14일마다 30 mg 근주

④ 흔한 부작용 : 복통, 설사, 당불내성, 담석 발생이 있을 수 있음.

(4) GH receptor 길항제: Pegvisomant

① 매일 피하주사로 10 mg부터 시작하여 4-6주마다 증량하여 최고 30 mg/day까지 다양

② 간이상이 있는 환자에서는 금기

(5) 방사선 치료: 수술과 약물 치료로 반응하지 않는 경우

5) 추적관찰

① 성공적인 치료 후에는 혈중 GH, IGF-1 농도는 정상화되고, 연조직의 비대, 당대사장애, 수근터널증후군, 심한 발한 등의 증상은 호전되나, 관절염과 같은 골변화는 호전되지 않고 안정화 됨.

② 치료 후 말단 비대증 환자는 처음 2-3년 동안 매 6개월마다 혈중 GH, IGF-1 농도를 측정, 그 이후에는 매년 측정

③ GH 분비가 잔존하는 경우

- 치료 후에도 당뇨, 고혈압 등 심혈관질환, 관절염에 대한 치료는 계속 유지
- 대장용종이나 대장암에 대한 추적검사도 계속되어야 함.

6. 요붕증(중추성 요붕증)

1) 원인

뇌하수체 후엽의 병변으로 항이뇨호르몬(antidiuretic hormone) 결핍으로 발생. 뇌하수체 수술 또는 외상, 시상하부의 종양이나 침윤성 질환, 특발성으로 발생할 수 있음.

2) 임상양상

① 갑자기 발생하고 야간뇨가 새로이 발생함.

② 수술이나 외상 후에는 세 단계로 나타날 수 있음(수술 후 6일간 polyuric phase → 6-12일째는 anti-diuretic phase → 12일 이후 permanent central DI).

③ 뇌하수체기능저하증이 동반된 경우 중추성 요붕증이 호전되었다가, 글루코코르티코이드 나 갑상선 호르몬을 보충하면서 악화될 수 있음.

3) 진단

요 삼투압이 300 mOsm/kg, 요비중이 1.010 이하인 소변을 하루에 50 mL/kg 이상 배설

(1) 선별검사

① 소변량 >50 mL/kg/일

② 요 비중 <1.010

③ 요 삼투압 <300 mOsm/kg

④ 수분손실로 인한 고나트륨혈증

(2) 수분제한검사

① 검사의 준비

- 이 검사는 입원 환자만을 대상으로 하고, 수분 제한이 완전히 되도록 감시하여야 하며, 탈수로 인해 환자의 상태가 악화되는지 관찰해야 함.
- 수분제한검사 전에는 수분 섭취를 충분히 하도록 함.
- 저녁 식사는 간단히 하되, 홍차, 커피, 음주나 흡연은 금함.

② 검사의 시작

- 환자가 아침에 일어난 후 소변 삼투압은 매 시간마다 측정하고, 혈장 삼투압 및 체중은 매 2시간마다 측정
- 환자가 무의식적으로 음료수를 마시지 않도록 관찰

③ 수분제한검사 종료기준(목표): 다음 3가지 조건 중 어느 한 가지를 만족하면 목표에 도달 한 것으로 간주함.

- 매 시간 측정한 소변 삼투압 상승폭이 둔화될 때: 즉, 3시간 이상 연속한 소변 삼투압의 증가가 30 mOsm/kg 이하일 때(정상인에서는 대개 4-18시간 이후, 10 L/day 이상의 심한 다뇨가 있는 경우 6-8시간 이후에 도달하게 됨)
- 체중 감소가 3-5% 이상 이를 때(2 kg 이상)
- 혈장 삼투압이 300 mOsm/kg에 이를 때
④ 수분제한검사 종료기준
- 수분제한검사가 목표에 도달하면 desmopressin 2 mcg을 피하주사하고 1시간, 2시간 뒤에 소변 삼투압을 측정
- Desmopressin 주사 전의 혈장 삼투압은 최소한 288 mOsm/kg 이상이어야 함.
- 주의: desmopressin을 부주의로 정맥 주사하는 일이 없도록 확인

표 2-46. 수분 제한검사 결과의 해석

구분	Maximum Urine Osm (mOsm/kg)	Urine Osm Change After desmopressin (%)	Maximum Plasma Osm (mOsm.kg)
Normal	Concentrated (764±212)	No change (<5%)	289±7
Complete DI	Very dilute (168±59)	Marked Increase (>50%)	306±12
Partial DI	Modest Increase (438±116)	Modest Increase (10-50%)	294±4
Nephrogenic DI	Dilute (<150)	No change (<10%)	302-320
Primary polydipsia	Concentrated (696±190)	No change (<5%)	>288
High set Osmoreceptor	Concentrated (>600)	No change (<5%)	>295

(3) Sella MRI

4) 치료

(1) 수분 소실 보충

D5W solution: 교정속도 plasma Na 0.5-1 mEq/L/hr, 최대 8-10 mEq/L/d

(2) DDAVP (desmopressin)

① 비강 투여: 작용이 빠르고, 지속시간이 긴 특징(6-24시간). 10 μg씩 하루 1-4회 분무 가능

② 피하주사: 1-2 μg을 하루에 2번씩 사용 가능

③ 경구투여: 0.1-0.2 mg 정제로 복용 30-60분 후부터 작용함. 시작은 0.1 mg을 취침 전 또는 하루에 2번 투약하며 환자의 상황에 맞추어 투여량 및 투여간격을 결정함. 하루 총량 1.2 mg까지 가능

※ 상응 용량: 근주 또는 피하주사 1 μg = 비강 내 투여 10 μg = 경구 0.1 mg

03

류마티스내과

03

류마티스내과
Rheumatology

I 류마티스내과 개요

1. 근골격질환의 구분접근

① 가장 먼저 관절성인지 비관절성인지 구분이 필요

표 3-1. 관절성 질환과 비관절성 질환의 특징

관절성 질환	비관절성 질환
깊거나 미만성의 관절통 능동적, 수동적 운동에 움직임의 제한 및 통증 발생 활액막 증식이나 삼출 또는 골확장에 의한 부종 및 관절미찰음, 불안정성, 고정, 변형이 동반됨	관절과는 거리가 먼 부분의 국소적 통증 능동적 운동에만 통증 발생 관철마찰음, 불안정성, 변형, 부종이 거의 없음

② 만약 관절성 질환이라면, 환자의 증상이 관절통(arthralgia)인지 관절염(arthritis)인지 제일 먼저 구분해야 함. 관절통은 통증의 자각증상이며 관절염은 염증의 객관적 징후가 있어야 함.

③ 만약 관절염이라면, 염증성, 비염증성 관절염의 구분이 필요

• 염증성 질환
  – 감염성(임질이나 결핵균 감염), 결정성(통풍, 가성통풍), 면역성(류마티스관절염, 전신홍반루푸스), 반응성 관절염
  – 염증의 4가지 징후: 홍반, 온기, 통증, 종창
  – 전신증상: 조조강직, 피로, 발열, 체중감소
  – ESR, CRP의 증가, 혈소판 증가증, 만성질환에 의한 빈혈, 저알부민혈증
  – 조조강직은 긴 휴식 후 발생되고 1시간 이상 지속되며, 활동과 소염제에 의해 호전

- 비염증성 질환
  - 골관절염, 외상, 색소성, 융모결절성 활막염, 섬유근육통 등
  - 종창이나 열감이 없는 통증, 염증성 또는 전신적 특성이 없고 조조 강직이 미약하거나 없으며 검사소견이 정상
  - 간헐적인 강직이 있을 수 있는데 이는 짧은 휴식에 의해 유발되고 1시간 이상 지속되지 않으며 활동에 의해 악화
- ④ 관절염의 기간과 침범 관절
  - 급성(6주 이내), 만성(6주 이상), 간헐성 관절염
  - 단발성, 소수성(2-3개), 다발성(4개 이상) 관절염
  - 대칭적과 비대칭적 관절염

2. 구분을 토대로 감별해야 할 진단

표 3-2. 관절염의 감별진단

Characteristic	Status	Representative disease
Inflammation	Present	RA, SLE, gout
	Absent	OA
No. of involved joints	Monoarticular	Crystal induced arthropathy, trauma, septic
	Oligoarticular (2–3 joints)	Spondyloarthropathy (Reactive arthritis, Psoriatic arthritis, Ankylosing spondylitis)
	Polyarticular (≥4 joints)	RA. SLE, Behcet's disease
Site of joint involvement	DIP	OA, psoriatic arthritis (not RA)
	MCP, wrists	RA, SLE (not OA)
	First MTP	Gout

표 3-3. 주요 관절염

Feature	OA	RA	Crystal-induced	Spondyloarthropathy
Onset	Gradual	Gradual	Acute	Variable
Inflammation	–	+	+	+
Pathology	Degeneration	Pannus	Microtophi	Enthesitis
Number of joints	Poly	Poly	Mono	Oligo or poly
Type of joints	Large	Small	Small or large	Large
Location	DIP, 1st CMC weight-bearing	PIP, MCP, wrist	MTP, feet, ankles	sacroiliac joints, spine, peripheral

3. 근골격계 증상에 따른 진단 알고리즘

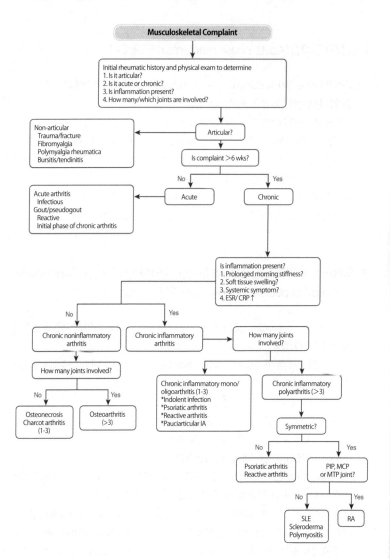

Ⅱ 류마티스 질환의 진단검사

1. 급성기 단백질(Acute phase reactants) : ESR, CRP

① 급성기 단백질 검사 중 ESR과 CRP는 류마티스 질환에서 가장 많이 이용되는 검사임
② 염증성 관절염의 여부를 선별하는데 이용됨
③ 질환의 활성도를 대변해 주는 추적검사로도 이용
④ CRP는 ESR보다 반응이 빨라 조직 손상 후 6시간부터 상승하기 시작하며 빨리 감소함
⑤ ESR은 급성기 단백질 외에 여러 인자에 의하여 영향을 받음
  • 빈혈, 고면역글로불린혈증이나 고지혈증에서 증가
  • 다혈증이나 anisocytosis, spherocytosis, poikilocytosis에서는 감소
  • 범발성 혈관내응고로 인해 fibrinogen이 감소된 경우는 감소 결과 판정시 이 같은 사항을 고려해야 함

2. 류마티스 인자(Rheumatoid factor, RF)와 항CCP 항체(Anti-cyclic citrullinated peptide antibody, Anti-CCP antibody)

① RF는 immunoglobulin IgG의 Fc 부위에 대한 자가 항체로 류마티스관절염 환자의 70-80%에서 관찰됨
② 최근 RF와 함께 특이도(95%)가 향상된 anti-CCP antibody가 류마티스관절염의 진단에 사용됨
③ 임상에서 RF의 결과를 해석할 때의 고려사항
  • RF는 류마티스관절염 외의 다른 질환에서도 관찰되며 특히 B형 간염 보균자인 경우 위양성율이 높음(그러나 이 경우는 titer는 낮은편)
  • 나이가 증가함에 따라 RF의 양성률이 높아짐
  • 류마티스가 음성인 류마티스관절염도 20%나 되므로 임상양상이 다발성 대칭적 관절염 소견이며 X-선상 골미란이 보이면 류마티스관절염으로 고려해야 함
  • 류마티스 인자가 양성인 류마티스관절염 환자는 음성인 환자에 비해 예후가 좋지 않음
  • RF 또는 anti-CCP antibody 양성의 경우 진단의 특이성이 높고, 골미란의 예후인자이기도 하므로 조기에 DMARDs (Disease-modifying antirheumatic drugs)를 고려해야 함

3. 항핵항체(Antinuclear antibody, ANA)

세포 핵항원에 대한 자가항체는 자가면역 질환의 진단에 매우 중요한 지표로서 항핵항체의 선별검사는 간접면역형광법(indirect fluorescence)을 이용함

① 항핵항체 양성 시 고려해야 할 사항
- 임상적으로 의미가 있는 경우는 대부분 역가가 1:160 이상부터임
- RF와 마찬가지로 나이가 들면 위양성률이 높아짐
- 질병활성도와 관련이 없으므로 추적검사는 필요하지 않음

표 3-4. Disease associated with positive FANA

Titer	1:1280 ↑ ⋮ 1:40	SLE Mixed connective tissue disease, Drug-induced lupus RA, especially with extra-articular disease, Scleroderma Chronic autoimmune hepatitis, Sjogren's syndrome, Myositis Malignancy, especially lymphoma, HIV Bacterial endocarditis, Discoid lupus erythematosus Normal women

4. 기타 자가항체

표 3-5. 항핵항체와 관련질환

	Antinuclear Antibody			
	ANA	pattern	Titer	Anti- dsDNA
전신홍반루푸스	95-99%	P,D,S,N	50%>1:640	20-30%
쇼그렌 증후군	75%	D,S	Low	5%
류마티스관절염	15-35%	D	10%>1:640	<5%
전신성 경화증	60-90%	S,N,D	Often high	0%
약물유발루푸스	100%	D,S	May be high	0%
혼합결합조직병	95-99%	S,D	May be high	0%
정상	<5%	D	Rarely>1:80	0%

표 3-6. 질환별 ENA (Extractable nuclear antigen)

	Precipitin Panel			
	Anti- Sm	Anti- RNP	anti- Ro	anti- La
전신홍반루푸스	30%	30-50%	30%	15%
쇼그렌 증후군	0%	15%	50%	25%
류마티스관절염	0%	10%	10%	5%
전신성 경화증	0%	30%	5%	1%
약물유발루푸스	<5%	<5%	<5%	0%
혼합결합조직병	0%	95%	<5%	<5%
정상	0%	<5%	<5%	Rare

P=peripheral, D=diffuse, S=speckled, N=nucleolar

1) Anti-ds DNA

전신홍반루푸스(systemic lupus erythematosus, SLE)에 아주 specific한 항체이며 SLE 질병 활성도와 관련이 있어 추적검사로 이용됨

고역가를 나타내는 경우 루푸스 신염(nephritis)이 동반되는 경우가 흔함

2) Anti-Smith (Sm) antibody

전신홍반루푸스(systemic lupus erythematosus, SLE)에 아주 specific한 항체이다. 자가면역 간염에서 발견되는 anti-smooth muscle 항체와 혼돈하지 말 것

3) Anti-RNP antibody

고역가로 검출되는 경우 MCTD (mixed connective tissue disease)의 지표가 됨

4) Anti-histone antibody

① 약물유도 루푸스에서 95% 이상에서 검출됨

② 약물유도 루푸스가 의심되는 상황에서 이 항체가 음성으로 나오면 약물유도 루푸스를 배제 가능

5) Anti-Ro/anti-La antibody

① 쇼그렌 증후군, 루푸스, 류마티스관절염 등에서 관찰됨

② 루푸스 산모에서 양성으로 확인될 경우, congenital heart block과 같은 신생아 루푸스에 대한 산전 검사 필요

6) Anti-Scl 70 antibody, anti-centromere antibody and anti-RNA polymerase III

① Anti-Scl 70 antibody는 미만성 경피증(diffuse scleroderma) 환자의 약 22-40% 정도 발견됨

② Anti-centromere antibody는 제한형 경피증(limited scleroderma) 환자의 38% 정도에서 발견됨

③ Anti-RNA polymerase III antibody는 미만성 경피증(diffuse scleroderma) 환자에서 광범위 피부경화, 힘줄마찰음, 콩팥위기와 관련됨

5. 항인지질 항체(Anti-phospholipid antibody)

① Lupus anticoagulant, anti-cardiolipin antibody, anti-beta-2 glycoprotein I antibody가 있으며, 이들 중 하나만 양성이어도 항인지질 항체 양성으로 생각함

② 항인지질 항체는 자가면역 질환, 감염, 악성종양 등에서도 발견될 수 있음

③ 항인지질 항체가 12주 간격을 두고 2회 이상 양성이면서 임상적으로 동정맥혈전, 혈소판 감소증, 반복적 태아 소실 등의 증상이 있는 경우에만 항인지질 항체 증후군으로 진단

6. 항호중구 세포질 항체(Anti-neutrophil cytoplasmic antibody, ANCA)

① 간접면역 형광법(indirect immunofluorescent), ELISA 방법으로 측정(두 검사가 서로 보완적)

② C-ANCA (cytoplasmic staining)의 표적항원- proteinase-3 (PR-3), P-ANCA (perinuclear staining)의 표적항원- myeloperoxidase (MPO)

③ C-ANCA는 active granulomatous with polyangiitis (GPA) 환자의 80% 이상에서 관찰 P-ANCA는 microscopic polyangiits, eosiniphilic granulomatosis with polyangiitis (EGPA), crescentic glomerulonephritis 등에서 관찰

Ⅲ 류마티스관절염(Rheumatoid arthritis, RA)

1. 정의

Synovial inflammation (pannus)가 주된 병리로서, cartilage damage와 bone erosion 을 가져오며 종국엔 joint deformity를 유발하는 질병

2. 원인 및 역학

① 전 국민의 1%, 남성보다 여성에서 호발
② Major genetic risk factor 로써 HLA-DR4, 원인은 아직 불확실
③ 흡연, periodontitis와 관련(금연은 병의 경과를 예방)

3. 임상양상

1) 발병

수 개월에 걸쳐 점진적으로 여러 관절을 침범하는 chronic polyarthritis 소견, 10% 정도에 서 acute polyarthritis 소견을 보이기도 함

2) 관절증상

① Bilateral symmetric inflammatory polyarthritis
② 활동 후 호전되는 1시간 이상의 조조강직
③ 손관절의 MCP, PIP 주로 침범
④ 특징적인 deformity
　Swan neck deformity – PIP 관절의 과신전과 DIP 관절의 보상적인 flexion
　Boutonniere deformity – PIP 관절의 flexion과 DIP 관절의 신전
　Z deformity – wrist의 radial deviation과 digit의 ulnar deviation
⑤ Axial involvement – atlantoaxial subluxation
　마취를 요하는 수술 시 반드시 확인요망(C-spine lateral flexion view)

3) 관절 외 증상

보통 류마티스 인자(Rheumatoid factor, RF)의 역가가 높은 경우 발생

① Rheumatoid nodule

RA환자의 20~30%에서 나타나며 periarticular 또는 extensor surface의 non-tender nodule로 나타남

② Rheumatoid vasculitis

Severe RA와 high titer RF 환자에서 호발. small vessel, cutaneous ulcer(말단의 small brown spot)으로 나타나며 Peripheral neuropathy, renal vasculitis는 드묾

③ Pleuropulmonary manifestation

흉수검사상 Glucose↓, LDH↑, protein↑, 혈장에 비해 낮은 보체(Caplan's syndrome: RA + pneumoconiosis + diffuse nodular fibrosis)

④ Heart

Asymptomatic pericarditis, chronic constrictive pericarditis, Accelerated athero-sclerosis, valvulitis

⑤ Eye involvement

1% 이하에서 mild transient episcleritis나 scleritis가 관찰됨.

⑥ Felty's syndrome

RA + splenomegaly + neutropenia(+ anemia, thrombocytopenia) high titer RF, subcutaneous nodule와 연관성이 높음

⑦ Lymphoma 증가

4. 검사소견

1) 류마티스 인자(Rheumatoid factor, RF)

① 약 80%의 sensitivity, 정상인의 약 5%에서도 양성

② High titer인 경우 관절 외 증상이 많으며 예후가 좋지 않음

③ Disease activity와는 연관성이 없음

2) 항CCP 항체(Anti-cyclic citrullinated peptide antibody, anti-CCP antibody)

류마티스관절염에 대한 specificity는 95% 이상

RF와 같이 둘 다 양성이면 진단적 가치가 높음

3) Hematologic finding

Ineffective erythropoiesis로 인한 normocytic normochromic anemia 소견

Anemia와 thrombocytosis는 disease activity와 연관성이 있음

4) ESR/CRP

Disease activity와 연관성이 있음

5) 방사선 소견

관절주위 골흡수, 골의 미란성 파괴, 연부조직의 염증성 부종

5. 임상경과 및 예후

① 관절의 미란은 발병 초기(1~2년)부터 이루어진다고 알려져 있음

② 나쁜 예후를 시사하는 인자; 일찍 DMARDs를 시작하는 기준으로 도움이 됨

- Functional limitation (e.g., HAQ DI or similar valid tools)
- Extraarticular disease (e.g., rheumatoid nodules, vasculitis, Felty's syndrome)
- Rheumatoid factor or anti-cyclic citrullinated peptide antibody positivity
- Bony erosion by radiograghs

6. 진단

표 3-7. 2010 ACR/EULAR RA classsification criteria

		score
A. Joint involvements	1 large joint 2-10 large joints 1-3 small joints (with or without large joints) 4-10 small joints (with or without large joints) >10 joints (at least 1 small joint)	0 1 2 3 5
B. Serology (at least 1 test result)	Negative RF and negative ACPA Low-positive RF or low-positive ACPA High-positive RF or high-positive ACPA	0 2 3
C. Acute phase reactants (at least 1 test result)	Normal CRP and normal ESR Abnormal CRP or abnormal ESR	0 1
D. Duration of symptoms	<6 weeks ≥6 weeks	0 1

*A score of ≥ 6 fulfilling the requirements of definite RA
*Large joints : shoulder, elbows, hips, knees, and ankles.
*Small joints : MCP, PIP, thumb IP, wrists, MTP(2-5) (제외 : DIP of hand and feet, 1st CMC, 1st MTP)

7. 치료

* T2T (Target to treat): 치료 시작과 동시에 최대한 빨리 remission or low disease activity를 목표로
함. 목표에 도달하지 못하면 자주(1-3개월) 치료 변경과 모니터링을 실시

1) NSAIDs

Traditional NSAID는 COX-1, COX-2 모두 억제하므로 GI toxicity (bleeding, perforation)
의 위험성이 있음. 이런 경우 selective COX-2 inhibitor (Coxib)의 사용을 고려할 수 있
음. nephrotoxicity는 traditional NSAIDs와 차이 없음

(1) COX-2 Inhibitor 사용 고려대상
① Major upper GI side effects Hx
② 65세 이상의 고령
③ Steroid나 anticoagulant 복용 중인 환자
④ 고용량의 NSAIDs를 필요로 하는 환자

표 3-8. COX isoform의 상대적 억제에 따른 분류(한국에서 사용 가능한)

COX-1 우선적	COX-1, COX-2 동등	COX-2 우선적	COX-2 특이적
Indomethacin Naproxen Piroxicam Aspirin Ibuprofen	Diclofenac	Meloxicam Nimesulide Etodolac	Celecoxib Etoricoxib

2) Conventional synthetic DMARDs (disease modifying anti-rheumatic drugs)
① 나쁜 예후 시 조기투여를 시작하는 것이 병의 진행과 골미란과 변형 같은 합병을 방지함
② 단독 혹은 조합으로 사용하게 됨
③ 효과 판정은 3-6개월 후 효과 판정

표 3-9. Conventional synthetic DMARDs

약물	효과발현시기	일일 상용량
Hydroxychloroquine (HCQ)	2-6 months	200 mg bid or 300 mg qd
Sulfasalazine (SSZ)	1-3 months	Initial; 500 mg bid Maintenance; 1000 mg bid to tid
Methotrexate (MTX) Foilc acid 병용으로 부작용방지	1-2 months	Initial; 7.5-10 mg/week Maintenance; 7.5-20 mg/week
Leflunomide (LEF)	4-12 weeks	Maintenance; 10-20 mg/day
Tacrolimus (FK506)	2-3 months	1-3 mg/day

3) Prednisolone

① DMARDs 사용과 더불어 DMARDs 효과가 나타날 때까지 연결요법으로 사용

② 급성 악화로 심한 활동의 제약 시

③ Neuropathy, vasculitis, pericarditis, pleuritis, scleritis의 합병증인 경우 고용량 고려

④ 일반적인 권고 용량은 고용량 적응증이 아니라면 prednisolone 10 mg 이하로 단기간 사용

4) Biologic agent

최근은 조기에 DMARDs 증량 투여를 시도해 보고 반응이 미약하면 바로 사용하는 것을 추천

표 3-10. Biologic agent

Etanercept	Recombinant human TNF receptor-Fc (IgG) fusion protein Dose; 50 mg s.c. q 1wk
Infliximab	Chimeric(mouse/human) monoclonal antibody to TNF α Dose; 3 mg/kg iv infusion 0, 2, 6wks → q 8wks
Adalimumab	Fully humanized antibody to TNF-α, Dose; 40 mg s.c. q 2wks
Rituximab	Anti CD20 monoclonal Ab, Dose; 1000 mg IV q 2wk (1 cycle, 2 infusion)
Abatacept	Soluble fusion protein of CTLA-4 Dose; <60 kg: 500 mg, 60-100 kg: 750 mg, >100 kg: 1 g, iv 0,2,4wks → q4wks 혹은 125 mg s.c. q 1wk
Tocilizumab	IL-6 receptor inhibitor, Dose; 4-8 mg/kg iv monthly 혹은 162 mg s.c. q 2wks

5) Targeted synthetic DMARDs

염증에 관여하는 세포내 신호전달을 억제하며 현재 Janus kinase (JAK) 억제제로 Methotrexate 치료에 불충분한 반응을 보이는 경우 사용할 수 있음

표 3-11. Targeted synthetic DMARDs

Tofacitinib	Inhibition of JAK 1 and JAK 3, Dose; 5 mg bid
Baricitinib	Inhibition of JAK 1 and JAK 2, Dose; 4 mg qd

** Anti-TNF agent, JAK inhibitors는 잠복결핵의 재활성화 위험도를 증가시킴. 따라서 치료 전에 chest X-ray 및 tuberculin skin test, IGRA 등을 반드시 먼저 시행하여야 하며, 결과에 따라서 예방적 항결핵요법을 시행하여야 함(필요시 호흡기내과 자문의뢰)

Ⅳ 전신홍반루푸스(Systemic lupus erythematosus, SLE)

1. 병인

유전적 면역학적, 호르몬, 환경적 요인의 복합으로 생각됨

Genetic factor HLA-DR2, -DR3 관련인자, UV light

2. 진단: 분류기준

Entry criterion

Antinuclear antibodies (ANA) at a titer of ≥1:80 on HEp-2 cells
or an equivalent positive test (ever)

If absent, do not classify as SLE
If present, apply additive criteria

Additive criteria

Do not count a criterion if there is a more likely explanation than SLE. Occurrence of a criterion on at least one occasion is sufficient. SLE classification requires at least one clinical criterion and ≥10 points. Criteria need not occur simultaneously. Within each domain, only the highest weighted criterion is counted toward the total Score.

Clinical domains and criterla	Weight	Immunology domains and criteria	Weight

Constitutional
  Fever
	2	Antiphospholipid antibodies
		  Anti-cardiolipin antibodies OR
		  Anti-Beta2 glycoprotein 1
		  antibodies OR
		  Lupus anticoagulant
			2

Hematologic
  Leukopenia
  Thrombocytopenia
  Autoimmune hemolysis
	3
	4
	4		

Neuropsychiatric
  Delirium
  Psychosis
  Seizure
	2
	3
	5
		Complement proteins
		  Low C3 OR low C4
		  Low C3 AND low C4
			3
			4

Mucocutaneous
  Non-scarring alopecia
  Oral ulcers
  Subacute cutaneous OR discoid lupus
  Acute cutaneous lupus
	2
	2
	4
	6
		SLE-sepcific antibodies
		  Anti-dsDNA antibody OR
		  Anti-Smith antibody
			6

Serosal
  Pleural or pericardial effusion
  Acute pericarditis
	5
	6		

Musculoskeletal Joint Involvement	6		

Renal
  Proteinuria >0.5 g/24h
  Renal biopsy: class II or V lupus nephritis
  Renal biopsy: class III or IV lupus nephritis
	4
	8
	10		

Total score:			

총 점수의 합이 10점 이상이면 SLE로 분류할 수 있음 specificity ~98%: sensitivity ~96%

3. 임상양상

① Musculoskeletal manifestations: symmetric polyarthritis or arthralgia (hand, wrist, knee), myalgia, joint deformity는 rare(10% 이하), myositis
  • Jaccoud's deformity: transient, migratory, reversible arthropathy
② Cutaneous manifestations: photosensitivity, malar rash, SCLE, DLE, mucosal ulcer, alopecia, leukocytoclastic vasculitis
③ Renal manifestations: 조직검사가 진단과 경과에 중요
  • 위험인자: 지속적인 U/A 이상, anti-dsDNA 상승, 보체치 감소 등
  • 나쁜 예후 인자: anti-dsDNA 상승, 보체치 감소, high pathology grade

표 3-12. 조직학적 분류 (ISN/RPS;2003 classification)

Class I	Minimal mesangial lupus nephritis
Class II	Mesangial proliferative lupus nephritis
Class III	Focal lupus nephritis (proliferative changes in 10-50% of the glomeruli) (A) active lesions (A/C) active and chronic lesions (C) chronic lesions
Class IV	Diffuse segmental (IV-S) or global (IV-G) lupus nephritis proliferative glomerulonephritis >50% of glomeruli (DPGN) (A) active lesions (A/C) active and chronic lesions (C) chronic lesions
Class V	Membranous lupus nephritis (may occur in combination with class III or IV)
Class VI	Advanced sclerosing lupus nephritis

④ Nervous system manifestations
  • Cognitive dysfunction (memory difficulties, reasoning), headache가 흔한 증상
  • 모든 형태의 seizure와 psychosis도 가능, transverse myelitis
  • Steroid induced psychosis와 감별 요함
⑤ Vascular occlusions: aPL(+)일 때 vascular event의 증가와 연관(TIA, stroke, MI). 45세 이하의 여성 SLE 환자는 50배 정도의 vascular risk를 가짐
⑥ Pulmonary manifestations: pleuritis가 흔하며 interstitial fibrosis, pneumonitis 발생 가능
⑦ Cardiac manifestations: pericarditis, pericardial effusion, Libman-Sacks endocarditis
⑧ Hematologic manifestations: normochomic normocytic anemia가 가장 흔함

- Hemolysis 양상 시 high dose steroid가 필요하기도 함
- Leukopenia가 lymphopenia와 동반되기도 함

⑨ G-I manifestations: LFT 이상은 일반적으로 mild하며, autoimmune hepatitis와 감별이 필요하기도 함
- 위장관을 침범한 vasculitis – 복통, 설사, 천공까지도 응급처치가 필요

⑩ Oral manifestations: sicca syndrome 및 nonspecific conjunctivitis가 흔함. painless oral ulcer 양상이 관찰되기도 함

4. 치료

1) 일반원칙
Sun exposure를 피하고 photosensitizing drug은 주의. Influenza vaccination과 pneumococcal 백신 접종. 골다공증을 예방. 임신 시 의사와 상담 필요

2) 중증 임상상
Lupus nephritis, pneumonitis (lung hemorrhage), hematologic abnormality (PLT <30k, AIHA), CNS lupus, myocarditis, vasculitis (massive pleural and/or pericardial effusions도 포함)

3) 중증이 아닌 경우
① 일광차단
② 국소 코르티코스테로이드
③ NSAIDs
④ 항말라리아 약제: Hydroxychloroquine 6.5 mg/kg/일 이하
⑤ 경구 코르티코스테로이드: Prednisolone 10 mg/일 이하

4) 중증 임상상이 있는 경우
(1) 고용량 코르티코스테로이드
Prednisolone 40-60 mg/일 또는 methylprednisolone 1g/일*3일
(2) 면역 억제제
① 경구 cyclophosphamide 50-150 mg/일 또는 경정맥 cyclophosphamide 0.5-1.0 g/㎡/일
② 경구 azathioprine 50-150 mg/일
③ 경구 methotrexate 7.5-15 mg/주

④ 경구 mycophenolate 1.5-3 g/일

⑤ 경구 cyclosporine 2.5-5 mg/kg/일

⑥ 경구 Tacrolimus 1-4 mg/일

(3) 기타

① 혈청 교환술

② 면역 글로불린

③ B-cell target: Rituximab, Belimumab (Benlysta, FDA 승인)

5. 예후

① 10년 생존률: 90%

② Poor prognostic factors: 10년 mortality rate는 약 50%

- High serum creatinine >1.4 mg/dL

- Hypertention

- Nephrotic syndrome (24hr urine protein >2.6 g)

- Anemia

- Hypoalbuminemia

- Hypocomplementemia

- Anti-phospholipid antibodies (aPL)

- Male, ethnicity

6. 질병 활동도의 추적

각 검사의 절대 수치 변화가 임상적인 질병 활동도의 변화를 전적으로 반영하지 않으므로 임상의의 판단이 가장 중요함

① Anti-ds DNA

② Complement C3, C4

③ ESR

④ 침범된 각 장기에 대한 증상 및 검사 소견(예: 루푸스 신염이 있는 환자의 뇨단백 정량, 관절염 증상 등)

⑤ 루푸스 환자의 재발은 이전의 발병양상과 많이 비슷한 임상상과 검사상을 나타내므로 이전 병력을 잘 따져보는 것이 매우 중요함

Ⅴ 골관절염(Osteoarthritis, OA)

1. 정의

관절 연골 파괴에 따른 연골층의 손실로 연골하 골과 주변조직의 변화가 나타나 관절 통증과 기능 부전을 초래하는 질환이며 주로 퇴행성 관절염으로 알려져 있음

2. 병인 및 위험인자

1) 골관절염의 분류
① 원발성 골관절염: 선행요인(−)
② 이차성 골관절염: 외상, 선천성 골관절질환, 칼슘 침착질환 골괴사, 류마티스관절염, 골다공증, 내분비 질환 패짓병(Paget's disease), 염증 관절질환의 합병증 등

2) 관절 연골의 변화
관절의 과도한 부하 또는 연골하 골의 이상으로 발생. 질병 초기에는 연골세포의 증식과 세포기질 합성 증가로 정상보다 두꺼워지나 질병이 진행하면서 기질 합성이 감소하고 분해효소의 분비는 증가하여 연골의 파괴가 가속화됨. 이후 관절 변연부의 연골과 골의 성장이 발생하여 골증식(osteophyte)이 나타나게 됨

3) 위험 요인

표 3-13. 골관절염의 위험요인

고령	반복적 사용
여성	비만
인종	선천적 골관절 질환
유전	염증 관절 질환
관절 외상	대사/내분비 질환

연령(가장 강력한 위험 요인): 45세 이하에서는 2% 정도만이 OA로 진단되나 68세 이상의 여성에서는 68%의 유병률을 가짐. 남성도 비슷한 경향을 가지나 고령에서는 여성보다 적음.

3. 임상양상

① 이환 관절에 국한된 통증(류마티스관절염과 차이점)

② 사용에 따른 악화와 휴식 시 완화가 특징. 강직 <30분

③ 경추와 요추, 손가락 관절, 엄지손가락 기저, 첫 번째 중족지, 무릎과 고관절을 주로 침범하며 55세 이전에는 관절분포가 남녀 비슷하나, 55세 이후에는 남자는 hip joint, 여자는 DIP joint, thumb base가 흔함

④ 신체 검진

- 염발음(crepitus): 연골 마모를 반영
- 손가락 관절: Heberden's nodule in DIP joint, Bouchard's nodule in PIP joint
  Squared appearance of CMC joint
- 무릎관절: 슬개골 촉진 시 통증 발생, 염발음, 삼출물 동반 가능
- 발관절: 1st MTP joint에 호발, 통증과 무지외반 변형(hallux valgus or bunion) 가능
- 척추관절: L3-4에 호발(척추의 OA는 spondylosis)
  Diffuse idiopathic skeletal hyperostosis (DISH)
  → Marked calcification and ossification of paraspinous ligament

⑤ 방사선 검사소견

- 관절강협착: uneven, unilateral, irregular
- 연골하골 경화증
- 연골하낭종
- 골증식의 형성

⑥ 혈액검사소견

혈액검사상 급성반응단백(CRP, ESR)은 일반적으로 정상

관절액 검사상 대부분 백혈구수는 2,000/uL 이하로 비염증성임

표 3-14. RA와 OA의 감별

	류마티스관절염	골관절염
발병 연령	중장년	고령
선행요인	HLA-DR4, DR1	외상, 유전
조조강직	≥1시간	<30분
관절 침범	다관절형, MCP, PIP joint, wrist	단일 혹은 소수관절형, DIP joint, thumb base, knee, hip
대칭성	(+)	(+/−)
진찰 소견	연부조직종창, 열감	염발음
방사선학적 소견	관절주위 골감소증, 변연부 미란	골증식, 연골하골 경화증
혈청학적 소견	RF(+), Anti-CCP Ab(+). high ESR, anemia	정상

4. 치료

1) 내과적 치료

(1) 비약물 치료: 관절통증을 경감시키기 위해 가장 먼저, 우선 시 되어 시행

① 교육: 무릎을 꿇거나 쪼그려 앉는 것을 피하고 오랜 시간 서 있는 것보다 앉아서 일할 수 있는 작업을 추천, 긴 시간 작업보다 짧게 나누어 작업하도록 권고

② 관절보호기구: 지팡이, 목발, 보호장구 사용 권장

③ 체중 조절: 과체중 환자에서 10% 체중 감소 시 통증 감소 및 기능 향상 효과

④ 운동: 수영, 실내자전거, 걷기 등, 등척 운동(isometric exercise)부터 시작하여 등장 운동 (isotonic exercise), 등속 운동(isokinetic exercise)을 점차적으로 시행하여 periarticular muscles을 강화

(2) 약물 치료

Capsaicin 겔/크림, NSAIDs 패치, acetaminophen부터 시작하여(max <4 gm/day), NSAIDs, weak opioid (tramadol) 등으로 통증 조절

(3) Knee OA의 경우 관절 내 스테로이드 혹은 히알루론산 주사를 시행할 수도 있음

스테로이드 주사의 경우 시술과 관련된 연골 손실과 같은 부작용을 피하기 위해 적어도 3개월 간격을 두고 시행.

(4) 글루코사민, 콘드로이친의 효과는 아직 논란이 있음

2) 외과적 치료

심한 골관절염에서 일상 활동에 많은 지장이 있거나 다른 치료방법으로 효과가 없을 때 시행, 관절 전치환술은 무릎이나 고관절의 골관절염 환자에서 효과적이며, 인공 관절의 수명은 15-20년 정도로 알려져 있음

VI 베체트 병(Behcet's disease)

1. 정의

반복적인 피부 점막 궤양(oral ulcer and genital ulcer)과 안구침범이 특징적인 질환으로 기본적으로 다양한 크기의 혈관을 모두 침범하는 혈관염

2. 병인

① 혈관내피세포의 활성화 및 선천면역과 후천면역체계 이상
② 과응고 상태(Superimposed hypercoagulability state)
    혈관내피세포 활성화와 더불어 혈관내피세포 의존 혈류에 의한 혈관 확장이 저하되어 있어서, nitric oxide 대사체 이상으로 혈전이 쉽게 형성될 수 있음
③ 유전요인: HLA-B51, -DR5와 연관

3. 임상증상

① 아프타성 구강궤양
  • 반복적인 다발성 궤양으로 통증을 동반함, 1-2주 후 반흔 없이 소실
② 성기궤양
  드물게 발생하나 진단에 특이적임
  • 남성의 경우 음낭, 여성의 경우 대음순이나 음문 부위에 주로 발생
  • 구강궤양에 비해 통증이 심하며 반흔을 남기기도 함
③ 피부 증상
  • 결절 홍반, 여드름양 피부병변, 가성모낭염, 구진농포
  • 이상초과민 반응(+): 특이도가 높은 검사이지만 민감도가 낮음(40-70% 양성율). 긁거나 진피 내 생리식염주 주사에 염증성 반응을 보임
④ 관절 증상
  • 50% 이상이 관절 미란이 없는 말초 단관절염 또는 소수관절염이 발생, 무릎이 가장 흔하게 침범되며 발목, 손목, 팔꿈치, 팔목 관절을 주로 침범
⑤ 눈 증상
  • 유병기간 중 50-70% 환자에게서 관찰되며 젊은 남성에서 더 흔하고 심하게 발병, 만성

적이고 재발하는 포도막염의 경우 양측성, 범포도막염인 경우가 많음
- 전포도막염의 경우 눈이 빨개지고, 햇빛을 볼 때 심한 통증이 동반되며 후포도막염의 경우 시력상실로 이어질 가능성이 높음

⑥ 장 증상
- 소장, 대장, 회장 등의 장점막을 침범하여 궤양 발생

⑦ 신경 증상: 주로 뇌실질을 침범(80%)
- 5-10% 환자에서 나타나며 남자에서 더 흔함
- 두개내압상승, 무균성 뇌막염, 국소 신경학적 손실
- 추체엽 침범(경직마비, 바빈스키사인, 경련, 언어 장애)

⑧ 혈관 증상
- 정맥: 표재혈전정맥염, 심부정맥혈전증, 대정맥 협착
- 동맥: 동맥염, 말초 동맥류 또는 폐색, 폐동맥류

4. 진단

베체트 병에 특이적인 검사소견이 없어 임상소견을 바탕으로 한 진단/분류 기준을 이용하여 진단함. 하지만 이러한 기준은 개개 환자의 진단보다는 연구를 위한 분류 기준의 성격이 강해서, 이에 의존하지 말고 임상적으로 접근하는 것이 바람직함.

표 3-15. ISG (International Study Group in 1990) 진단기준

반복 구강궤양(+ 아래 4개 중 2개 이상)	1년에 최소 3차례 이상
반복 성기궤양	
눈 병변	포도막염, 망막염
피부 병변	결절홍반, 구진농포병변
이상초과민반응 양성	

5. 치료

1) 점막피부 병변
① Colchicine 0.6-1.2 mg/day 및 dexamethasone gargling 시행
② 심한 경우 azathioprine, methorexate, steroid, TNF-inhibitor (infliximab, adalim-umab)를 사용해 볼 수 있으며 최근 Apremilast (PDE4 inhibitor)가 베체트 병과 관련된 oral ulcer에 FDA 승인을 받음

2) 포도막염

① 전포도막염: 스테로이드 점안액(betamethasone 1-2 drop tid)

② 후포도막염: 스테로이드 점안액, 경구 스테로이드, azathioprine, Cyclosporine, TNF-inhibitor

3) 신경 병변

① 정맥 스테로이드 주사(methylprednisolone 1 mg/kg/day)

② Severe case: 고용량 정맥 스테로이드 주사(methylprednisolone 1,000 mg/day) +/- 면역억제제(cyclophosphamide, azathioprine)

4) 혈관 병변

IV steroid pulse therapy or high dose steroid + monthly IV cyclophosphamide

5) 관절염

NSAIDs, Colchicine, sulfasalazine, methotrexate, azathioprine, systemic steroid

6) 위장관병변

① Systemic steroid, 5-ASA, 6-MP, azathioprine, sulfasalazine, tacrolimus 등

② 중등도-중등 베체트 장염 환자로, 스테로이드와 면역조절제 치료 불응성 또는 금기인 경우 TNF inhibitor인 adalimumab(급여), infliximab(인정 비급여)을 사용해 볼 수 있음

VII 척추관절염(Spondyloarthritis)

1. 개요

1) 정의

척추와 천장관절 및 말초관절을 침범하는 만성 염증 류마티스 질환으로 HLA-B27 유전자와의 연관성을 공통적으로 가짐

2) 종류

① 강직척추염(ankylosing spondylitis)
② 반응관절염(reactive arthritis)
③ 건선관절염(psoriatic arthritis)
④ 장질환과 연관된 관절염(enteropathic arthritis)
⑤ 미분화 척추관절염(undifferentiated spondyloarthropathy)

2. 강직척추염(Ankylosing spondylitis, AS)

1) 개요

① 강직척추염은 천장관절과 척추관절을 주로 침범하는 염증 관절염으로 무릎, 골반, 어깨를 포함한 관절 증상과 눈, 장, 피부 등의 관절 외 증상을 동반할 수 있음
② 40세 이하에서 주로 발생하며 남자에서 여자보다 2-3배 많음
③ 유병률은 0.2-1.2%로 보고되며 인종간 차이가 많음
④ 강직척추염 환자에서 HLA-B27의 양성률은 90%이며 전체 HLA-B27 양성인 자의 1-6%에서 강직척추염이 나타남

2) 임상양상

① 전형적으로 요통과 강직을 호소하며, 안정 시에 악화되고 운동 시에 호전되는 양상을 보임. 수 개월-수 년에 걸쳐 점차 악화와 호전을 반복하며 종국에 심한 척추의 변형을 가져오고 척추운동의 제한을 초래함
② 신체 검진
  • Schober test (forward flexion of the lumbar spine)
  발꿈치를 붙이고 똑바로 서서, 요천골 접합부의 위 10 cm, 아래 5 cm을 연결한 선을 표

시한 후 앞으로 최대한 숙이게 하고 두 표시점 사이를 측정하여 길이 증가가 4 cm 이하일 때 이상소견으로 판단

- Chest expansion

남성에서 4th intercostal space와 여성에서 breast 바로 아래에서 최대 흡기 시와 최대 호기 시의 흉부 둘레 길이를 비교하여 5 cm 이상이 되면 흉곽 확장이 정상인 것으로 판단

③ 관절 외 증상

- 전포도막염: 강직척추염 환자의 40%에서 발생
- 폐침범: 제한성 폐질환(chest wall stiffness>pulmonary fibrosis)
- 심혈관 침범: 대동맥폐쇄부전, 전도장애, 대동맥염, 아밀로이드증
- 기타: 마미증후군, 복막뒤 섬유증

3) 진단

(1) 축성 척추관절염에 대한 ASAS 분류 기준

표 3-16. 45세 이전에 시작된 3개월 이상의 등통증을 갖는 환자에서 다음을 만족할 때

영상검사에서 천장관절염*+≥1 척추관절염 특징 or HLA-B27+≥2개 이상의 다른 척추관절염 특징	
척추관절염 특징	영상검사에서 천장관절염
염증성 등통증 관절염 부착부염 (발뒤꿈치) 포도막염 손발가락염 건선 크론병/대장염 NSAIDs에 좋은 반응 척추관절염 가족력 HLA-B27 양성 CRP 상승	Active inflammation on MRI : highly suggestive of Sacroiliitis associated with SpA Definite radiographic sacroiliitis according to modified New York criteria : sacroiliitis grade ≥2 bilaterally sacroiliitis grade 3 to 4 unilaterally

(2) 혈액검사: 일반혈액검사, ESR, CRP, HLA-B27

(3) 영상검사: 단순 X-선 검사(Sacroiliac joint AP both oblique, T-L spine AP/lateral, C-spine AP/lateral), MRI (S-I joint minimal without enhance)

(4) 감별진단

① 비염증성 원인의 하부요통: 근연축, 수핵 탈출증(herniated nucleus pulposus)

② 기타 혈청 음성 축성척추관절병증

③ Diffuse idiopathic skeletal hyperostosis (DISH)

3. 반응관절염(Reactive arthritis)

1) 개요

① 반응관절염은 선행하는 위장관 또는 비뇨기 감염 후에 나타나는 무균성 관절염임

② 주로 20-40세 성인에서 발병하고 남성이 여성보다 발생빈도가 높으며(3:1) 30-70%에 서 HLA-B27 양성

③ 반응관절염 환자의 80-90%는 증상이 자연 소실되나, 일부 환자에서 재발과 만성 경과를 보이므로 이 경우 질병조절제(DMARDs)가 필요할 수 있음

2) 임상양상

① 비뇨기 및 장관 감염 발생 2-4주 이후에 갑자기 발생하며 무릎, 발목, 발등의 하지를 침범하는 비대칭성 소수관절염이 흔한 임상 양상

② 부착부염이 흔하며 주로 아킬레스 힘줄과 족저근막에 가장 빈번히 나타나고 손발가락염이 발생하기도 함

③ 천장관절염이나 척추염의 증상으로 염증성 하부요통이 발생

④ 관절 외 증상으로 포도막염, 결막염, 윤상귀두염(circinate balanitis) 농루각피증, 소와조갑(pitting nail)과 같은 손발톱분리증이 동반되기도 함

3) 진단

① 반응관절염을 확진할 수 있는 특이 검사는 없어 특징적 임상적 소견으로 진단하게 되므로 설사나 배뇨통 등의 유발요인이 있었는지에 관한 병력청취가 중요

② 반응관절염 유발과 관련된 세균감염의 증거를 확인하기 위해 관절액 검사 및 배양 검사가 필요

③ ESR, CRP 증가가 동반될 수 있으며 HLA-B27 검사는 진단적 가치는 적지만 양성의 경우 만성 또는 재발관절염, 포도막염, 대동맥염, 천장골염 등의 임상증상 발현과 관련 있음

4. 건선관절염(Psoriatic arthritis)

1) 개요

① 건선은 적색 인설상의 발진을 특징으로 주로 관절의 신전부위와 두피, 피부가 접히는 부위, 손바닥, 발바닥에 발생

② 건선관절염은 건선과 동반하여 발생하는 만성 염증관절염으로 주로 30-40대에 발생하며 건선 환자 중 9-14%에서 건선관절염이 발생

2) 임상양상

① 건선관절염은 비대칭 소수관절염, 대칭 다발관절염, 원위지간 관절염, 단절 관절염, 척추 관절염의 형태로 분류되며 비대칭 소수관절염의 발생빈도가 가장 높음

② 손발가락염, 부착부염이 흔하게 발생하며 90%의 환자에서 손발톱변화가 나타남

3) 진단

① 건선관절염에 특이적인 검사방법은 없으나 축성 질환이 있는 환자의 경우 50-70%에서 HLA-B27 양성 소견을 보이며, 약 10% 환자에서 류마티스인자 및 항CCP항체가 나타남

② 건선관절염을 진단하기 위해서는 건선의 과거력 및 가족력 여부에 대한 병력청취와 건선을 발견하기 위한 신체검진이 중요함

③ 말초 건선관절염에서는 단순 X선 검사에서 원위지간 관절 침범, 비대칭적 분포, 골막염, 부착부의 증식 골형성, 말단뼈융해, pencil-in-cup 변형 등이 관찰됨

④ 축성 건선괄절염에서는 단순 X선 검사에서 비대칭적인 천장관절염, 척추주위 골화, 인대골극, 파괴 추간판척추 병변 등을 관찰할 수 있음

5. 치료

(1) 임상적으로 염증이 없는 관해 상태를 유지시키는 것이 치료의 목표

(2) 금연, 올바른 자세 유지, 재활 치료가 중요

(3) 약물치료

① 진통소염제(NSAIDs)

- 1st line therapy로 통증, 압통을 줄이고 척추 운동성을 증가시키는 효과가 있으며 꾸준히 복용하는 경우 경추/요추 변형을 늦춘다는 보고가 있음
- 2-3주 치료 후 효과가 없으면 다른 계열의 NSAIDs로 교체 치료를 권하고 중복 사용은 피해야 함

② 질병조절제(DMARDs)

- Sulfasalazine: 말초관절염이나 건선관절염에는 효과가 있음
- 전신 스테로이드: 빠른 증세 완화를 위해 투여하는 경우가 있으나 장기간의 효과 및 부작용으로 인해 추천되지 않고 말초관절염이 있거나 포도막염이 있는 경우 사용될 수 있음
- 관절 내 스테로이드 주사: 천장관절, 무릎 및 발목 등 말초관절염이 심한 경우 시행해 볼 수 있음

③ 생물학적제제: 질병활성도와 염증의 현저한 감소효과를 보임

- 2가지 종류 이상의 NSAIDs 혹은 질병조절제로 6개월 이상(각 3개월 이상) 치료했으나 효과가 미흡하거나 약제들의 부작용으로 치료를 중단한 환자
- Anti-TNF agent: etanercept, infliximab, adalimumab, golimumab

  Cf.) Etanercept를 사용한 일부 환자에서 uveitis의 발생 및 재발을 보일 수 있으므로 uveitis를 동반한 환자에서 etanercept 사용은 피할 것
- Anti-TNF agent 불응성인 경우 강직척추염에서 secukinumab (IL-17 inhibitor), 건선관절염에서 secukinumab, ustekinumab (IL-12/23 p-40 inhibitor) 사용을 고려할 수 있음

(4) 수술치료

심한 척추굴곡변형이나 관절 기능부전에는 인공 관절 치환술, spinal fusion 등의 치료를 시행하게 됨. 전신 마취를 위한 기관지 삽관 시에 경추의 과신전이 위험하거나, 되지 않아 삽관이 어려울 수 있으므로 수술 전 경추부의 강직 상태에 대한 평가가 필요함

VIII 통풍(Gout)

1. 개요

① 통풍은 비정상적인 퓨린대사에 의한 질환으로, 요산의 과도한 생산 혹은 배출 저하에 의한 요산나트륨(monosodium urate) 결정의 관절, 연부조직 침착으로 발생
② 통풍의 자연경과
  • 무증상의 고요산혈증이 수 년 정도 통풍 발작 이전에 존재
  • 급성통풍관절염으로 발전하며, 만성통풍관절염으로 이행할 때까지 점차 발작의 횟수가 증가
  • 만성통풍관절염환자들은 통풍 발작기간 외에도 관절 동통이 계속 지속되며 통풍 결절이 나타나기도 함
③ 통풍은 3-4:1의 비율로 여자보다 남자에서 유병률이 높으며 흔한 발생연령은 30-50대이나 연령이 증가함에 따라 유병률이 증가함
④ 정상 혈중 요산 농도는 남자는 7.0 mg/dl 이하, 폐경 전 여자는 6 mg/dl 이하이고, 폐경 후 여자는 에스트로겐의 요산 배설 촉진 효과의 소실로 인해 남자와 거의 비슷하게 됨
⑤ 폐경 전 여성에서는 매우 드물어 이 경우 대사질환에 대한 검사가 필요함

2. 원인

① 요산은 xanthine dehydrogenase나 xantine oxygenase에 의해 퓨린의 분해로 생겨남
② 효소 결핍에 의한 것이 원발성 통풍의 원인
③ 혈중 요산농도를 상승시키는 이차적 원인
  • 약물(이뇨제, cyclosporine, low-dose aspirin, pyrazinamide), 납중독
  • 골수증식질환/림프구 증식질환
  • 용혈질환
  • 만성신질환
  • 갑상선기능저하증

3. 임상양상

1) 급성통풍 발작의 전형적인 증상
① 주로 하지 단일관절에 발생하며 4-24시간 이내에 극심한 통증, 발적, 관절부위 발열, 연부조직 부종을 동반
② 1st MTP joint (podagra)＞ankle＞knee＞wrist 순으로 발생, hip, shoulder는 매우 드묾
③ 통풍 결절은 치료받지 않고 유병기간이 긴 환자에게서 귀 둘레, 손, 발, 팔꿈치, 머리, 무릎 아래에서 주로 관찰되므로 신체 검진 시 확인해 보아야 함

2) 통풍 발작의 재발은 대개 2년 이내에 발생
① 통풍 발작은 재발 시 더 심하고 다관절 침범이 많음
② 치료받지 않은 환자에서 첫 번째 급성 발작부터 만성 관절염이나 통풍 결절이 발견되기까지는 평균적으로 약 11.6년이 소요됨
③ 통풍의 유병 기간이 길고 혈중 요산 농도가 높을수록 통풍 결절이 잘 발생함
④ 통풍 결절 자체는 통증이나 압통을 유발하지는 않지만, 관절 변형, 파괴, 신경 압박을 발생시킬 수 있음

4. 진단

(1) 통풍은 병력, 신체검진, 관절액에서 요산나트륨 결정(편광현미경상에서 바늘모양의 강한 음성복굴절)을 현미경으로 증명하여 진단할 수 있음
(2) 혈액검사: 일반혈액검사, 간기능 검사, 신기능검사, uric acid, ESR, CRP
(3) 소변검사: Urinalysis, 24hr urine uric acid, 24hr creatinine clearance
(4) 영상검사
① 단순 X-선 검사에서 돌출된 모서리(overhanging edge)를 가진 미란(punch out erosion)을 확인: Foot AP/lateral/oblique
② 관절 초음파 검사에서 관절연골 위에 쌓인 요산을 나타내는 이중윤곽징후(double contour sign)를 발견: US, toe joint
③ 이중에너지컴퓨터단층촬영(dual energy computed tomography, DECT)에서 병변 부위에 apple-green color의 요산침착을 확인: CT, lower extremity 3D without enhance (comments: DECT 시행 필요. r/o gout, r/o pseudogout, r/o infection)

표 3-17. 2015 ACR/EULAR Gout classification criteria

Criteria		Categories	Score
임상 기준	관절 침범의 양상	발목 또는 발등 엄지발가락(MTP)	1 2
	통풍의 전형적인 임상적 특징 1) 관절위 피부발적 2) 침범 관절의 심한 압통 3) 보행장애	1가지 충족 2가지 충족 3가지 충족	1 2 3
	통풍 발작의 시간에 따른 경과	한 번의 전형적인 발작	1
	급성 발작, 14일 이내 완벽한 회복	재발성의 전형적인 발작	2
	통풍 결절의 임상적 증거	존재	4
검사실 기준	혈청 요산 농도(mg/dL)	<4 6-<8 8-<10 ≥10	-4 2 3 4
	관절액검사에서 요산 결정	음성	-2
영상 기준	요산 축적의 영상적 증거	있음(관절초음파 또는 DECT)	4
	통풍과 관련된 관절손상의 영상적 증거	있음(골미란 또는 통풍 결절)	4
합계			23

*임상양상과 실험실 검사 소견, 영상검사 등 3가지 기준에서 점수를 합산하여 총 23점 만점에 8점 이상이면 통풍으로 진단할 수 있다.

(5) 감별진단

① 연조직염: 병변부위에 swelling, erythema를 동반하며 fever, leukocytosis가 있을 경우 통풍 발작과 임상양상이 유사하므로 감별에 주의해야 함

② 패혈관절염

③ 가성통풍(CPPD arthritis): 노인에 가장 흔한 결정침착질환으로 양성의 복굴성을 띠는 마름모형의 calcium pyrophosphate dihydrate (CPPD) 결정에 의해 유발됨

④ 류마티스관절염

5. 치료

1) 식이요법과 생활습관에 대한 교육

① 금연, 금주, 체중 조절, 대사증후군과 같은 고요산혈증의 2차적 원인에 대한 관리

② 퓨린 함량이 높은 음식인 고기의 내장류와 과당이 많이 함유된 옥수수시럽이 포함된 청량음료, 과자, 과량의 알코올 포함 음료 등을 피해야 함

2) 약물 치료

(1) 요산저하약물 사용의 적응증(long-term antihyperuricemic agent indication)

① 일년에 2번 이상 통풍 발작

② 통풍 결절

③ 요산 결석

④ 관절 손상

(2) Allopurinol or Febuxostat(요산 합성 억제)

　24hr urine UA>800 mg/day, 요로 결석이 있는 경우, tophi가 있는 경우 우선 사용

① Allopurinol

　• 사구체 여과율에 따라 100-300 mg qd로 투여

　(GFR<30 ml/min: 100 mg/day, GFR≤60 ml/min: 200 mg/day, GFR>60 ml/min: 300 mg/day)

　• 피부발진, 간이상, 발열, 호산구증가증과 같은 부작용이 발생할 수 있으며 0.1%에서 allopurinol hypersensitivity syndrome을 유발 가능

　• Azathioprine, warfarin 대사를 억제하므로 병용 투약 시 주의가 필요함

② Febuxostat

　• Allopurinol에 부작용이 있거나 신기능이 저하된 환자에서 사용 가능

　• 40-120 mg qd로 투여

　• 간독성, 설사, 두통의 부작용이 발생할 수 있음

　• FDA에서 시행한 시판 후 임상시험 결과 allopurinol에 비해 febuxostat에서 심혈관계 사망 위험이 높다는 것이 확인되어 제품설명서 경고항에 해당내용을 추가함. 국내 권고사항에는 심장질환 및 뇌졸증 병력이 있는 환자에서는 이 약의 위험성 및 유익성을 고려하여 사용할 것을 권고함

(3) Probenecid, Benzbromarone(요산 배설 촉진)

　정상 신기능이면서, 24hr urine UA<600 mg/day의 경우에 투여, 충분한 수분섭취 필요

(4) 비스테로이드 소염제

　비스테로이드 소염제 사용 시의 주의

① NSAIDs 사용용량에 따른 효과 차이(항염효과 vs 진통효과)가 있으므로 질환에 따라 적절한 용량의 NSAIDs를 사용하는 것이 필요

② 위장관, 신장, 심혈관계 부작용이 발생할 수 있어 기저질환에 따른 위험도를 고려하여 사용하는 것이 필요

표 3-18. NSAIDs 제제별 효과 및 용량

	항염효과(anti-inflammatory effects)	진통효과(analgesic effects)
Meloxicam	7.5 mg bid or 15 mg qd	7.5 mg qd
Naproxen	500 mg bid	500 mg qd
Ibuprofen	800 mg tid	400 mg tid
Celecoxib	200 mg bid	100 mg bid or 200 mg qd

표 3-19. 위장관계 및 심혈관계 부작용을 고려한 NSAIDs의 선택

	위장관계 위험도		
	저위험	중등도 위험	고위험
심혈관계 저위험군	비선택적 NSADIs 단독	비선택적 NSAIDs + PPI COX-2 선택억제제 단독	COX-2 선택억제제 + PPI or misoprostol
심혈관계 고위험군	Naproxen+PPI	Naproxen + PPI	Avoid NSAIDs
위장관계 고위험군	합병증(출혈, 천공, 폐색) 이 동반된 궤양의 병력 3개 이상의 위험인자	위장관계 위험인자 1. 합병증이 없는 궤양의 병력 2. 65세 이상의 고령 3. 고용량 NSAIDs 치료 4. aspirin, steroid, anticoagulant 사용	
위장관계 중등도 위험군	1-2개의 위험인자		
위장관계 저위험군	위험인자가 없는 경우		

3) 임상 단계에 따른 치료

(1) 급성 통풍 발작

급성기 치료의 목표: 빠른 통증 완화와 기능의 회복

① 진통소염제(대부분의 환자에서 효과가 있으며 3-7일 정도 소요)

② 스테로이드: 신장 기능 저하, 위장관 출혈 위험 시 사용

→ prednisolone 20-30 mg, 5-7일 이내에 tapering 시작

③ 급성 통풍 발작 시 급격한 혈중 요산치의 변화를 피해야 하므로 요산저하제 투여 시작은 금기이며, 이미 사용하던 환자에서는 원래 사용하던 요산저하제를 유지

(2) 간헐기 통풍/만성결절통풍관절염

① 통풍 발작을 예방, 혈중 요산 농도 저하가 목표

② 통풍 결절이 없는 경우에는 혈청 요산농도를 6.0 mg/dL 이하로, 통풍 결절이 있는 경우에는 5.0 mg/dL 이하로 유지하는 것이 추천되나 혈청 요산농도를 3.0 mg/dL 이하로 낮추는 것은 권장되지 않음

③ 요산저하약물 + Colchicine (0.6 mg bid)

　혈중 요산의 저하기에 통풍 발작이 발생할 가능성이 크므로 예방 목적으로 Colchicine 의 병합투여 추천(혈청 요산농도가 정상이 되고 3-6개월 동안 급성 발작이 없을 때까지 유지).

(3) 무증상 고요산혈증

① 고요산혈증 환자의 15%에서만 통풍이 발생

② 위험요인 또는 기저질환 교정

③ 증상이 없는 고요산혈증에서 약물치료를 시행하지 않음

IX 염증근질환(Inflammatory myopathy)

1. 개요

① 골격근을 침범하여 근육 염증과 근력 저하를 유발하는 전신 류마티스 질환
② 다발근염(polymyositis, PM), 피부근염(dermatomyositis, DM), 봉입체근염(inclusion body myositis, IBM) 및 악성종양 관련 근염(malignancy associated myositis), 중복증후군(overlap syndrome) 등으로 분류
③ 비교적 드문 질환으로, 연간 발병률은 100만 명당 2.18-7.7명, 유병률은 10만 명당 10-20명
④ 15세 미만과 45-54세 사이에 흔하며, 50세 미만에서는 피부근염이 가장 흔하고, 50세 이상 남성에서는 봉입체근염이 흔함
⑤ 남녀 성비는 1:1.5로 여성에서 호발

2. 임상양상

1) 전신증상
피로감, 발열, 체중감소

2) 근골격
① 대칭적인 무통성의 근위부 근력약화: 의자나 변기에서 일어나기, 계단 오르기, 머리 빗기 등이 어려움
② 수 주에서 수 개월에 걸쳐 서서히 아급성으로 진행(봉입체근염: 비대칭적인 원위부 근력약화 가능, 수 년에 걸쳐 서서히 진행)
③ 인두근육, 목굽힘근육 침범: 음식 삼키거나 고개 들고 있기 어려움
④ 안구근육은 침범하지 않음. 진행될 경우 호흡근육 침범 가능
⑤ 근염이 없는 피부근염(dermatomyositis sine myositis): 특징적인 피부증상은 있으나 근력이 정상인 경우
⑥ 근육통은 드물고, 건반사도 심한 근육 위축이 있지 않으면 정상적으로 유지. 감각도 보존

3) 피부

① 헬리오트로프 발진(heliotrope rash): 윗눈꺼풀에 부종과 함께 나타나는 연보라 발진

② 고트론 구진(Gottron's papule): 보랏빛 혹은 붉은 비늘모양의 발진이 동반되는 중수지 관절, 지관절의 홍반

③ 고트론 징후(Gottron's sign): 팔꿈치, 무릎, 발목의 폄쪽에 발생하는 같은 양상의 발진

④ 코입술주름(nasolabial fold)을 침범하는 얼굴 홍반, V 징후(목 전흉부), Shawl 징후(어깨와 견갑부), 태양광선 노출 시 악화되는 발진, 손톱 기저부의 모세혈관 확장

⑤ 기계공의 손(Mechanic's hand): 손가락 옆쪽과 손바닥 부분이 거칠어지면서 지저분한 수평의 금

⑥ 연조직의 석회화: 소아피부근염에서 흔하게 나타남

4) 관절

다발관절통, 다발관절염

5) 폐

간질 폐질환: 호흡곤란, 기침 등의 증상이 흔하게 나타남. 근육염에 선행할 수 있고, 발병 초기부터 동반 가능. 폐실질의 병변, 가슴근육의 근력저하, 심기능의 이상 등과 감별 필요

6) 심장

전도장애, 부정맥, 울혈성 심부전, 심장 눌림증, 제한성 심근병증

7) 위장관계

삼킴장애, 역류증상

8) 레이노 증후군

9) 악성종양

① 모든 염증근 질환에서 동반될 수 있으며, 특히 피부근염에서 빈도가 가장 높음. 염증근질환 진단 약 3년 후까지 가장 발생 위험 높음

② 진단 당시 해당 연령에 따라 악성종양 동반 유무에 대해 검사 필요함

3. 진단

표 3-20. 1975년 Bohan-Peter 다발근염, 피부근염 진단 기준

1. 대칭적인 근위부 근육 약화
2. 혈청 내 근육 효소 증가
3. 특징적인 근전도 형태(근육병증 양상)
4. 근생검에서의 근염 소견
5. 피부근염에서의 특징적인 피부 소견

Definite PM: 1-4 모두 만족, Probable PM: 1-4 중 3개 만족, Possible PM: 1-4 중 2개 만족
Definite DM: 5+'1-4 중 3개 이상' 만족, Probable DM: 5+'1-4 중 2개' 만족, Possible DM: 5+'1-4 중 1개' 만족

① 기본검사: 일반혈액검사, 간기능검사, 신기능검사, ESR, CRP

② 근육효소: CK, myoglobin, aldolase, LDH

③ 자가항체: ANA, ENA 6종[항 Jo-1 항체 포함]

④ Both thigh MRI (enhance): 근육 염증을 확인하여 조직검사 부위를 결정하는데 유용

⑤ 근전도검사

⑥ 근육조직검사: 근전도검사 시행한 곳과 반대쪽에 있는 병변에서 시행

⑦ 피부조직검사: 피부근염에서 고려. 피부근염에 합당할 경우 근육조직검사 없이 치료 가능

⑧ 관련 증상 동반된 경우 흉부 CT, 폐기능검사, 심초음파, 삼킴검사(VFSS) 고려

⑨ 성별, 연령에 맞는 암 선별검사 시행(흉부/복부 CT, 위/대장내시경, 유방촬영술, 산부인
과 검진, 전립선특이항원 등 고려)

4. 감별진단

1) 약물

① Procainamide, penicillamine: 면역 매개 근육병증 유발

② Statin을 포함한 lipid-lowering agent: 미토콘드리아 기능 이상 유발

③ Ethanol: 횡문근융해증을 동반한 심한 근육병증

④ Corticosteroid: 주로 수 개월 이상 사용한 사람에게 발생

2) 악성종양

① 근력 감소는 악성종양 진단 전후로 나타날 수 있는데, 주로 피부근염과 관련됨

② 병력 청취나 진찰을 통하여 필요한 검사를 시행해야 하며, 추정되는 종양이 없다면 해당
연령에 따라 검사

3) 일차 대사 근이영양증

Glycogen metabolism abnormality, myoadenylated deaminase deficiency

5. 치료

1) 운동요법

근육 기능 회복, 구축 예방을 위해 필요

2) Prednisolone

① 고용량의 prednisolone(1-2 mg/kg/day) 투여
② 1-3개월 치료 후 근육 힘이 정상으로 회복되고 근육효소 수치가 정상으로 된 후 서서히 (약 10 mg/month) 감량. 이후 6개월 동안 prednisolone 5-10 mg/day 유지
③ 장기간 steroid 투여로 인해 골다공증 등 부작용이 발생할 수 있으므로 대비가 필요

3) 면역억제제

① 고용량의 prednisolone를 3개월 이상 투여함에도 호전이 없을 경우 고려
② Azathioprine(2-3 mg/kg/day)
③ Methotrexate(10-25 mg/week)
④ Mycophenolate mofetil(1-2 g/day)

4) IVIG

치료에 불응성일 경우 고려, 총 2 g/kg을 3-5일에 나누어 투여

5) 악성종양과 연관된 근병증은 기저 악성종양이 효과적으로 치료되면 호전됨

6) Steroid 유발 근병증

① 장기간 steroid를 사용하면 근육효소 수치가 정상 또는 변화가 없어도 근력악화가 진행할 수 있음
② 이전에 고용량 glucocorticoid에 반응했던 환자가 다시 근력 약화를 호소한다면 steroid 유발 근병증의 가능성이 있음
③ 환자의 근력 검사, 근육효소 수치, 최근 2개월 동안의 약물 변화를 확인하여 steroid 용량을 조절

X 쇼그렌 증후군(Sjogren's syndrome, SjS)

1. 개요

① 외분비샘의 림프구 침윤 및 파괴로 인해 기능 저하를 일으키면서 서서히 진행하는 전신 자가면역 질환

② 주로 침샘과 눈물샘을 침범하며, 구강건조, 안구건조 등의 증상을 유발

③ 일차성 쇼그렌 증후군으로 발생하기도 하지만, 다른 류마티스 질환(RA, SLE, sclero-derma, MCTD, inflammatory myopathy)에서도 흔하게 발생

④ 유병률은 전 세계적으로 0.1-4.6%로 다양하게 보고

⑤ 40-50대에서 호발, 여성에서 10배 이상 발생

2. 임상양상

1) 건조증상(Glandular symptom)

① 점막의 불편한 건조감으로 시작하여, 수 년에 걸쳐 서서히 진행

② 안구건조: 눈이 뻑뻑하고, 모래 같은 이물감, 충혈, 건성각막결막염 동반

③ 구강건조: 건조한 음식을 삼키기 어렵거나 말을 오래하기 어려움, 치아 우식, 침샘비대

④ 질건조, 배뇨곤란

2) 샘외증상(Extraglandular symptom)

① 일차성 쇼그렌 증후군 환자의 1/3에서 발생

② 피로감, 열, 레이노현상, 근육통, 관절통 등이 흔함

③ 호흡기: 재발성 기관지염, 폐장염 등이 발생할 수 있으나 위중한 경우는 드묾

④ 신장: 간질성 신염, 사구체 신염, 신결석

⑤ 급성, 만성 췌장염, 중추신경계 침범, 갑상선 질환

3) 림프종 발생의 위험인자

지속적인 침샘 비대, 자색반, 백혈구감소증, 비장비대, 림프절병증, C4 저하, 한랭글로불린 혈증, 침샘조직검사에서 발견된 ectopic germinal center

3. 진단

1) 2016년 ACR/EULAR 쇼그렌 증후군 분류기준(건조증상/징후+4점 이상)

표 3-21. 2016년 ACR/EULAR 쇼그렌 증후군 분류기준

항목	점수
입술 침샘조직검사에서 국소 림프구침샘염증소견과 포커스점수 1 foci/4 mm² 이상	3
항 SSA/Ro 항체 양성	3
적어도 한쪽 눈에서 안구염색점수 5점 이상(또는 van Bijsterveld 점수 4점 이상)	1
적어도 한쪽 눈에서 셔머 검사 5 mm/5분 이하	1
비자극 침 배출량 0.1 ml/분 이하	1

* 분류기준 적용조건: 구강건조 및 안구건조 두가지 증상 중에서 적어도 한 개의 증상을 가져야 함
  1) 3개월 이상 매일, 지속되는, 불편한 안구건조감이 있었는가?
  2) 안구에서 모래가 들어간 것 같은 불편감이 반복되었는가?
  3) 하루에 3번 이상 인공눈물을 사용하는가?
  4) 3개월 이상 구강건조감이 있었는가?
  5) 건조한 음식을 먹을 때 물을 자주 마셔야 음식 넘길 때 편한가?

* 배제기준: 두경부에 방사선 치료의 과거력, PCR 검사에 의해 확진된 활동성 C형 간염, 후천면역결핍증후군, 사르코이드증,
  아밀로이드증, 이식편대숙주병, IgG4 연관 질환
* 항콜린제를 복용 중인 사람은 약제를 충분히 중단한 후에 검사를 진행해야 함.
* 건조증상 및 징후+4점 이상시 쇼그렌 증후군으로 분류

2) 기본검사

일반혈액검사, 간기능검사, 신기능검사, ESR, CRP, 소변검사

3) 자가항체

ANA, anti-Ro/La, RF

4) 안과 검사

Schirmer's test[안과 의뢰]

5) 침샘 검사

침샘스캔, 필요시 작은 침샘 조직검사(minor salivary gland biopsy)

4. 치료

건조증상 및 샘외증상을 조절하고, 림프종을 포함한 합병증을 예방, 치료하는 것이 목표

1) 건조증상
① 안구건조: 인공눈물, 유발약물 제한
② 구강건조: pilocarpine(부작용: 발한, 홍조, 시야장애, 복통, 설사), 인공타액, 수분보충, 구강위생감시
③ 질건조: propionic acid gel

2) 전신증상
① 관절통: NSAIDs, hydroxychloroquine, methotrexate, leflunomide, glucocorticoid
② 피부: local glucocorticoid, hydroxychloroquine, methotrexate
③ 폐: 간질 폐질환이 심한 경우 고용량 glucocorticoid, azathioprine, mycophenolate mofetil
④ 혈관염, 중추신경계 침범: glucocorticoid, cyclophosphamide, IVIG, 혈장교환술, rituximab

XI 전신경화증(Systemic sclerosis, SSc)

1. 개요

① 피부경화증(Scleroderma): 피부가 두꺼워지는 증상을 보이는 자가면역성 결체조직 질환
② 국한 피부경화증(Localized scleroderma)과 전신경화증(Systemic sclerosis, SSc)으로 분류
  • 국한 피부경화증: 내부 장기의 침범 없이 피부에만 섬유화 국한
  • 전신경화증: 피부와 전신 장기, 특히 폐, 위장관, 심장, 신장의 섬유화 진행
    – 제한(limited SSc): 피부 침범이 팔꿈치와 무릎의 원위부까지만 발생. 얼굴 침범 가능
    – 광범위(diffuse SSc): 피부 침범이 제한형보다 더 근위부까지 발생. 얼굴 침범 가능
    – 피부경화증이 없는 전신경화증(SSc sine scleroderma): 드문 형태(<5%)로, 뚜렷한 피부경화는 없으나 혈관병증, 섬유화가 전신에서 관찰되며, 전신경화증의 특이 자가항체도 검출됨. 제한 전신경화증에서 더 흔함
    – 중복증후군(overlap syndrome)이나 혼합결합조직병(mixed connective tissue disease)로도 나타날 수 있음
③ 미국의 경우 인구 백만명 당 발병률 13.9–21명, 유병률 276명
④ 주로 40대에 발생하며, 남녀 비는 1:9로 보고

표 3-22. 제한 전신경화증과 광범위 전신경화증의 비교

	제한 전신경화증	광범위 전신경화증
혈관	발병 전 레이노현상 병력이 길다	발병 전 레이노현상 병력이 짧다
피부	피부경화가 서서히 진행 석회증(45%), 혈관확장증(80%)	피부경화가 빠르게 진행 석회증(5%), 혈관확장증(30%)
내부장기 침범	후기에 흔히 발생	초기에 흔히 발생
폐동맥고혈압	후기에 흔히 발생	흔히 폐섬유화와 연관하여 발생
간질 폐질환	후기에 가끔 나타남(35%)	심하고 초기에 흔함(65%)
콩팥위기	드묾(1–2%)	초기에 발생(20–25%)
자가항체	항 centromere 항체	항 topoisomerase I (scl70) 항체 항 RNA polymerase III 항체
10년 생존율	75%	50%

2. 임상양상

1) 레이노 현상
① 손가락 동맥과 피부세동맥의 혈관경련수축(vasospasm)에 의해 발생
② 추위, 심리적 스트레스에 노출되었을 때 손가락, 발가락 끝이 창백해지고(pallor), 시간이 경과하면 청색증(cyanosis)을 보였다가, 따뜻하게 해주면 발적(rubor)이 되면서 회복되는 증상. 통증, 저림, 감각저하 등이 동반
③ 거의 모든 전신경화증 환자에서 발생하며, 가장 먼저 발생하는 증상

2) 피부
① 염증 부종(손, 손가락이 붓고 주름이 없어짐), 홍반, 가려움증, 피부 통증, 땀 감소, 탈모
② 진행성 피부 섬유화(말단부터 피부 경결, 비후 발생하며 점차 몸쪽으로 진행)
③ 위축(굴곡구축, 가락피부경화증[sclerodactyly])
④ 입을 벌리기 힘들고 입가에 방사상 주름, 점상 피부탈색, 흑백모자이크(salt & pepper appearance), 모세혈관확장증, 석회증, 피부 궤양 또는 궤저
⑤ 제한 전신경화증의 특징: CREST (Calcinosis, Raynaud's phenomenon, Esophageal dysmotility, Sclerodactyly, Telangiectasia)

3) 근골격
관절염, 관절통, 근염

4) 폐: 가장 흔한 사망 원인
① 간질 폐질환: NSIP, UIP가 가장 흔함. 항 topoisomerase 1 (Scl70) 항체, 고해상도 흉부CT, 폐기능검사 고려
② 폐동맥 고혈압: 심초음파, 우심도자술 고려

5) 심장
무증상 심장막 삼출, 심막염

6) 소화기
삼킴 장애, 위식도역류, 위마비, GAVE (gastric antral vascular ectasia), 흡수장애, 거짓폐쇄(pseudo-obstruction), 공기창자낭종(pneumatosis cystoides intestinalis)

7) 신장: 콩팥위기(Scleroderma renal crisis)

① 혈전성 미세혈관병증(MAHA)

② 가속고혈압(accelerated hypertension)

③ 진행하는 급성 신장 손상

④ 항RNA polymerase III 항체

3. 진단

표 3-23. 2013년 ACR/EULAR 전신경화증 분류기준(9점 이상)

항목	소항목	점수
근위부 피부침범: 손허리손가락관절의 근위부까지 침범하는 피부가 두꺼워지는 증상	–	9
손가락 피부경화(더 높은 점수만 포함)	손가락 부종 가락피부경화증	2 4
손가락 끝 병소(더 높은 점수만 포함)	수지궤양 함요반흔	2 3
모세혈관확장증	–	2
전신경화증 특이 손톱주름 모세혈관경(NCS) 소견	–	2
폐동맥고혈압 그리고/또는 간질폐렴(최대 2점)	폐동맥고혈압 간질폐렴	2 2
레이노현상	–	3
전신경화증 특이 자가항체(최대 3점)	항 centromere 항체 항 topoisomerase I (Scl70) 항체 항 RNA polymerase III 항체	3

1) 기본검사

일반혈액검사, 간기능검사, 신기능검사, ESR, CRP, 소변검사

2) 자가항체

ANA, ENA 5종[항 topoisomerase I (Scl70) 항체 포함], 항 centromere 항체, 항 RNA polymerase III 항체

3) 손톱주름 모세혈관경(Nailfold capillaroscopy, NCS)

4. 치료

1) 면역억제치료

Cycloshosphamide(간질폐렴), methotrexate(피부경화), glucocorticoid(고용량 투여 시 콩팥위기를 유발할 수 있으므로 꼭 필요한 경우 최소 용량만 사용)

2) 혈관 치료

(1) 레이노 현상

- 손, 발 및 몸 전체를 따뜻하게 유지, 장갑과 양말 착용
- 흡연이나 혈관 수축 작용이 있는 약물, 스트레스는 피해야 함
- DHP-CCB (nifedipine)
- ARB (losartan)
- PDE-5 inhibitor (sildenafil)
- Prostanoids (IV iloprost)
- Endothelin receptor 1 blocker (bosentan)
- SSRI (fluoxetine)

(2) 피부궤양

IV iloprost, sildenafil, bosentan

(3) 폐동맥고혈압

Bosentan, sildenafil, IV epoprostenol, 페이식

(4) 콩팥위기

ACE inhibitor 투여하며 혈압 조절. 호전 없을 경우 투석, 신이식 고려

3) 위장관 증상

위식도 역류 시 프로톤 펌프 억제제(PPI), 흡수장애증후군 시 적절한 항균제

4) 항섬유화 치료

D-penicillamine (RCT에서 효과가 입증되지는 않음)

XII 혈관염(Vasculitis)

1. 개요

1) 정의

혈관벽의 염증으로 혈관이 손상되고 혈류가 차단되어 조직 손상이 유발되는 다양한 질환군

2) 혈관염의 분류

표 3-24. 일차/이차 혈관염 분류

일차혈관염	이차혈관염
육아종증다발혈관염 호산구육아종증다발혈관염 결절다발동맥염 현미경다발혈관염 거대세포동맥염 타카야수동맥염 헤노흐-쉔라인자반증 특발피부혈관염 한냉글로불린혈증혈관염 베체트 병 고립중추신경계혈관염 코간증후군 가와사키병	약물유도혈관염 혈청병 감염과 연관된 혈관염악성종양과 연관된 혈관염 류마티스 질환과 연관된 혈관염

3) 침범 혈관 크기에 따른 구분

① 큰혈관 혈관염(Large vessel vasculitis): 타카야수동맥염(Takayasu's arteritis), 거대세포혈관염(Giant cell arteritis)

② 중간크기 혈관염(Medium vessel vasculitis): 결절다발혈관염(Polyarteritis nodosa, PAN), 가와사키병(Kawasaki disease), 원발중추신경계혈관염(Primary central nervous system vasculitis)

③ 소혈관 혈관염(Small vessel vasculitis): 육아종증다발혈관염(Granulomatosis with polyangiitis, GPA), 호산구육아종증다발혈관염(Eosinophilic granulomatosis with polyangiitis, EGPA), 현미경다발혈관염(Microscopic polyangiitis, MPA), 헤노흐-쉔라인자반증(Henoch-Schonlein purpura, HSP), 한냉글로불린혈증혈관염(Cryoglobulinemia vasculitis)

④ 베체트 병(Behcet's disease)은 모든 크기의 혈관 침범이 가능

4) 항호중구 세포질 항체(Anti-neutrophil cytoplasmic antibody, ANCA)

① Cytoplasmic ANCA: 항원의 90% 이상이 proteinase-3 (PR-3)이며, GPA와 연관성이 높음

② Perinuclear ANCA: 주된 항원은 myeloperoxidase (MPO)로, MPA, PAN, EGPA, goodpasture's syndrome, GPA 등과 관련이 있음

2. 타카야수동맥염 (Takayasu's arteritis)

① 큰 혈관을 침범하며 병리학적으로 육아종(granuloma)을 형성하는 혈관염

② 대동맥과 주요 분지 및 폐동맥, 관상동맥도 침범하여 혈관의 협착, 폐색, 동맥류를 유발

③ 연간 100만 명 중에 1.2-2.6명에서 발생

④ 젊은 여성, 동양권에서 호발

⑤ 대동맥의 주 분지 중에서 쇄골하동맥, 신동맥, 총경동맥 순으로 흔하게 침범. 대동맥은 복부대동맥, 하행대동맥, 대동맥궁 순으로 흔하게 침범

⑥ 임상양상: 1기-전 염증기(발열, 피로, 관절통, 체중감소), 2기-혈관의 염증기(혈관에 통증, 촉지 시 압통), 3기-염증을 앓고 지나간 시기(혈관 잡음, 허혈 증세)

⑦ 진단

표 3-25. 1990년 ACR 타카야수혈관염 분류 기준(3개 이상)

1. 40세 이하
2. 사지의 파행(claudication)
3. 위팔동맥(brachial artery)의 맥박 감소
4. 좌우 상지에서 10 mmHg 이상의 혈압 차이
5. 대동맥이나 쇄골하동맥의 잡음
6. 혈관조영술 소견(arteriographic narrowing or occlusion of the entire aorta, its primary branches, or large arteries in the proximal upper or lower extremities)

• 기본검사: 일반혈액검사, 간기능검사, 신기능검사, ESR, CRP

• Coronary artery & Aortic dissection CT with enhance, 경동맥 도플러 초음파 시행, PET/CT, 심초음파 고려

⑧ 치료

• 고용량 prednisolone(40-60 mg/day) 투여. 호전되면 서서히 감량

• Methotrexate(15-20 mg/week) 또는 azathioprine(2 mg/kg/day)를 병용

• 치료에 반응 없을 경우: 항TNF제제, tocilizumab 고려

• 고혈압이 있는 경우 적절한 혈압 조절이 중요

• 수술 또는 혈관 중재술: 말단 장기 허혈, 고혈압 유발, 동맥류로 동맥 박리 또는 파열 가능성 있을 경우, 심한 대동맥판 역류증이 동반된 경우 고려

3. 결절다발혈관염 (Polyarteritis nodosa, PAN)

① 소동맥과 중간크기 동맥에 괴사성 염증을 일으키는 전신 혈관염이나, 사구체, 세동맥, 모세혈관, 세정맥은 침범하지 않음
② 병인은 명확하지 않으나 HBV, HCV, HIV, parvovirus 등과 같은 바이러스, 약물, 악성종양과의 관련성이 보고됨
③ 임상양상
  • 전신증상: 발열, 전신쇠약감, 체중감소, 관절통, 근육통
  • 피부(50%): 손가락 끝부분에 경색, 괴사, 그물울혈반(livedo reticularis), 피부밑결절(subcutaneous nodule), 허혈성 변화
  • 신경: 말초신경병증(51%, 하지>상지, 통증, 감각 이상, 다발홑신경염), 중추신경계 침범(23%)
  • 신장(60%): 신장동맥 허혈로 인한 고혈압 발생과 관련. 사구체염 양상은 아님
  • 소화기(40%): 장간막 동맥 침범으로 인한 복통 동반, 담낭염, 충수염, 췌장염도 발생 가능
  • 고환염: 고환통증, 주로 한쪽에 발생
④ 진단

표 3-26. 1990년 ACR 결절다발동맥염의 분류기준(3개 이상)

1. 체중 감소 ≥4 kg
2. 그물울혈반(livedo reticularis)
3. 고환 통증, 압통
4. 근육통, 쇠약, 다리 압통
5. 단일신경병증, 다발신경병증
6. 확장기 혈압 >90 mmHg
7. BUN >40 mg/dL 또는 Creatinine >1.5 mg/dL
8. B형간염 양성
9. 혈관조영술의 이상소견
10. 작은 동맥과 중간크기 동맥에 다형핵중성구가 침윤된 조직 소견

• 기본검사: 일반혈액검사, 간기능검사, 신기능검사, ESR, CRP, HBV, HCV 검사, 소변검사
• 해당 부위 고식적 혈관조영술(conventional angiography), CT/MR 혈관조영술(CT/MR angiography)
• 가능한 경우 조직검사(피부, 신경 등)

⑤ 치료
- Non-HBV PAN
  - Prednisolone (1 mg/kg) 투여
  - Cyclophosphamide 병합 치료: poor prognostic 5 factors(단백뇨 >1 g/day, creatinine >1.58 mg/dL, 심장근육병, 위장관 침범, 중추신경계 침범) 중 1개 이상 동반한 경우, 중증의 말초신경병증과 다발홑신경염의 증상을 갖는 경우
  - Cyclophosphamide 6개월 치료 후 관해 유지 치료로 azathioprine, methotrexate 의 사용을 권함
- HBV PAN
  - Prednisolone(1 mg/kg), 혈장교환술 시행, 항바이러스제 투여

4. 육아종증다발혈관염 (Granulomatosis with polyangiitis, GPA)

① 상, 하기도, 신장을 침범하며 육아종을 형성하거나 괴사를 유발하는 염증질환
② 중장년층에서 호발하며 남녀 성비는 비슷함
③ 임상양상
- 전신: 발열, 전신 쇠약감, 피곤함, 관절통, 근육통, 체중감소
- 상기도(>90%): 가장 흔한 증상. 점막/부종으로 인한 코막힘, 코 이물감, 비궤양, 화농성 또는 혈성 코 분비물, 격막천공, 안장코, 삼출중이염, 청력저하, 성문하협착, 기도폐쇄
- 폐(70-90%): 기침, 객혈, 호흡곤란, 흉부 불편감, 폐결절(이동성 또는 고정성, 다발성, 양측성, 공동), 폐침윤, 전격성 폐포출혈
- 신장(75-85%): RPGN의 경우 예후 불량
- 눈(52%): 눈의 모든 부분 침범 가능
- 신경(22-50%): 다발홑신경염이 가장 흔함
- 피부(46%): 피부궤화양, 촉지자색반, 구진, 소포
④ 80-90%에서 ANCA 양성(대부분 PR3-ANCA 양성이고, 10-20% 환자에서 MPO-ANCA 양성)
⑤ 진단

표 3-27. 1990년 ACR 육아종증다발혈관염 분류기준(2개 이상)

1. 비강 또는 구강의 염증: 구강궤양, 화농성 또는 혈성 비강 분비물
2. 비정상적인 흉부촬영: 결절, 고정성 폐침윤 또는 공동
3. 비정상적인 소변검사: 미세혈뇨 또는 적혈구 원주
4. 조직검사: 혈관내 또는 혈관주위 육아종성 염증

- 기본검사: 일반혈액검사, 간기능검사, 신기능검사, ESR, CRP, 소변검사, 소변 단백/크레아티닌 비
- 자가항체: ANCA IF/EIA, ANA
- 흉부 x-ray/CT, 증상 있을 경우 이비인후과/피부과 진료, 해당 부위 근전도/신경전도검사, 뇌 CT/MRI 고려
- 조직검사: 괴사육아종증혈관염(necrotizing granulomatous vasculitis), 신장 조직검사에서 국소분절사구체염(focal segmental glomerulonephritis) 또는 면역결핍사구체신염(pauci-immune glomerulonephritis)

⑥ 치료
- 심각하지 않은 국소성 육아종증다발혈관염: glucocorticoid, methotrexate 병합치료
- 심각한 전신성 육아종증다발혈관염: glucocorticoid, cyclophosphamide 병합치료
- 관해유지: methotrexate, azathioprine
- Rituximab(관해 유도 및 유지 요법), 혈장교환술(심한 폐출혈)도 고려할 수 있음

5. 현미경다발혈관염 (Microscopic polyangiitis, MPA)

① 작은 크기의 혈관을 침범하는 혈관염 중에서 육아종을 형성하지 않는 괴사혈관염
② 40-60세에서 흔하게 발생, 남녀비는 1.5:1로 보고
③ 임상양상
- 사구체신염(79-100%): 가장 흔한 증상, 일부는 신부전증으로 진행
- 객혈, 미만폐침윤, 폐출혈
- 다발홑신경염, 자반증, 눈, 말초신경 침범

④ 70-75%의 환자에서 ANCA 양성이며, 주로 P-ANCA 또는 MPO-ANCA 동반
⑤ 임상적 특징을 갖고 있는 환자에서, 혈관염이나 면역결핍사구체염의 조직학적 소견이 보이면 진단
- 기본검사: 일반혈액검사, 간기능검사, 신기능검사, ESR, CRP, 소변검사, 소변 단백/크레아티닌 비
- 자가항체: ANCA IF/EIA, ANA
- 흉부 x-ray/CT, 증상 있을 경우 해당 부위 근전도/신경전도검사 고려
- 조직검사: 혈관염 또는 신장 조직검사에서 면역결핍사구체신염 확인

⑥ 치료: GPA와 유사

표 3-28. 결절다발동맥염과 현미경다발혈관염의 비교

	결절다발혈관염 (Polyarteritis nodosa, PAN)	현미경다발혈관염 (Microscopic polyangiitis, MPA)
혈관염	괴사, 중간크기-소혈관	괴사, 소혈관
신장 침범	RPGN 없음	RPGN 흔하게 동반
폐 침범	없음	출혈 흔하게 동반
말초신경 침범	51%에서 동반	13-60%에서 동반
재발	드묾	흔함
혈액 검사	ANCA(+) <20%, HBV(+) 흔함	ANCA(+) 70-75%
혈관조영술	미세동맥류, 협착	정상

6. 헤노흐-쉔라인자반증(Henoch-Schonlein purpura, HSP= IgA Vasculitis)

① 하지의 자색반, 복통, 관절통 및 신염 등의 임상양상을 보이는 전신 혈관염

② 소동맥 혈관벽에 IgA가 침착되는 면역복합체유도혈관염

③ 소아나 청소년기에 호발, 상기도 감염 후 발생

④ 임상양상

- 하지의 점상출혈, 자색반: 거의 모든 환자에서 동반

- 관절 증상(50%): 무릎, 발목관절통

- 위장관 증상(40%): 급경련복통, 위장관 출혈, 내시경에서 상부 혹은 하부 위장관 점막 자색반, 회맹부 궤양 등이 동반될 수 있음

- 신장염(50%): 혈뇨, 단백뇨, 사구체신염, 신 조직검사에서 IgA 면역 형광염색 양성

⑤ 진단

표 3-29. 2010년 EULAR/PRINTO/PRES 분류기준(자색반+2-5 중 1개 이상)

1. 자색반: 혈소판감소증과 관련없는 하지에 분포한 병변
2. 복통: 급성으로 발생한 광범위한 경련통
3. 조직소견: IgA 침착 백혈구파괴혈관염 혹은 사구체신염
4. 관절염/관절통: 급성으로 발생한 관절 부종 혹은 통증
5. 신장: 단백뇨(≥300 mg/day), 혈뇨(RBC ≥5/HPF or RBC casts)

- 기본검사: 일반혈액검사, 간기능검사, 신기능검사, 응고검사(coagulatory battery), ESR, CRP, 소변검사, IgA

- 자가항체: ANA, ANCA IF/EIA

- 복통, 위장관 출혈의 다른 원인과 감별 위해 복부 CT, 내시경 고려
- 진단이 불분명하거나 중증의 신장 침범 양상을 보일 경우 신조직검사 고려

⑥ 치료
- 예후는 매우 양호하며 대부분은 특별한 치료 없이 호전됨
- 경증: 경과 관찰 또는 관절 증상에 대한 소염진통제
- 복통: 금식, glucocorticoid(증상 완화에 도움될 수 있음)
- 사구체신염: 공격적인 신장 침범 동반된 경우 고용량 prednisolone (1 mg/kg/day) 및 면역억제제(cyclophosphamide, azathioprine, mycophenolate mofetil) 투여. 치료에도 불구하고 급격히 진행할 경우 혈장교환술, IVIG 고려 가능

7. 호산구육아종증다발혈관염(Eosinophilic granulomatosis with poly-angiitis, EGPA)

① 천식, 호산구 증가증 및 호흡기 호산구성 육아종 염증을 유발하는 질환
② 임상양상
- 천식(90%), 폐 병변(50-70%): 천식은 주로 전신 혈관염 증상보다 8-10년 선행. 이동하는 호산구성 폐음영, 흉막 삼출, 결절
- 상기도(40-50%): 장액중이염, 알레르기 비염, 부비동염, 비용종
- 피부(50%): 자반증, 상완 신근 부위의 압통성 피하결절
- 심혈관(14%): 가장 흔한 사망의 원인, 빠르게 진행하는 심부전, 심막염, 심전도 이상
- 신경(72%): 다발홑신경염
③ 40-60%의 환자에서 ANCA 양성이며, 대부분 P-ANCA(또는 MPO-ANCA) 양성임
④ 진단

표 3-30. 1990년 ACR 호산구육아종증다발혈관염 분류기준(4개 이상)

1. 천식: 천명 또는 수포음
2. 호산구증: >10% 말초혈액 백혈구
3. 신경병증: 단발신경증, 다발홑신경염, 기타 혈관염과 관련된 다발신경증
4. 비고정성 폐침윤: 이동성 또는 일시적 폐 침윤
5. 부비동 이상소견: 급성 또는 만성 부비동 통증, 압통, 방사선상 음영
6. 혈관주위 호산구증: 조직검사상 혈관(동맥, 세동맥, 세정맥) 주위 호산구 침윤

- 기본검사: 일반혈액검사, 간기능검사, 신기능검사, ESR, CRP, 소변검사
- 말초혈액도말, 말초호산구수, 총 혈청 IgE, 혈청검사(Toxocara 항체, C.S&P.W 항체,

Cysticercus 항체, Sparganum 항체), 혈액 FIP1L1/PDGFRA PCR 고려
- 자가항체: ANCA IF/EIA, ANA
- 흉부 x-ray/CT, 폐기능 검사, 증상 있을 경우 해당 부위 신경전도검사
- 조직검사(피부, 신경 등)

⑤ 치료
- 고용량의 prednisolone(0.5-1.5 mg/kg/day) 투여 후 점차 감량
- 중증의 다기관을 침범하였거나, glucocorticoid에 반응하지 않는 경우: glucocorticoid, cyclophosphamide 병합 치료
- 관해유지: azathioprine, methotrexate
- 나쁜 예후인자: PAN의 poor prognostic 5 factors와 동일

8. IgG4 연관 질환(IgG4 related disease, IgG4-RD)

① 혈청 IgG4 상승, IgG4 양성 형질세포 및 림프구 침윤, 섬유화를 특징으로 하는 질환
② 100,000명당 0.28-1.02명 발생
③ 비교적 중년과 노년 남성에 흔하지만 침범 장기에 따라 다름
④ 임상증상
- 전신증상: 체중 감소, 피곤함, 관절통 등을 동반할 수 있음, 일반적으로 발열은 드묾
- 췌장, 담도: 제1형 자가면역췌장염, 경화 담관염에 의한 황달, 복통, 2차성 당뇨병, 지방변
- 침샘: 턱밑샘이 가장 흔하게 침범, Mikulicz 병(대칭적인 눈물샘염과 귀밑 침샘 또는 턱밑 침샘 비대), 림프종과의 감별 필요
- 림프절: 단독 발생 또는 IgG4 연관질환에서 침범된 장기 주변에서 발생
- 신장: 세뇨관간질신염이 가장 흔함. 이외에 막성콩팥병증, IgA 콩팥병, 국소성 분절성 증식사구체신염(focal and segmental proliferative glomerulonephritis), 막증식사구체신염, 혈관간세포질증식사구체신염(mesangial proliferative glomerulonephritis) 가능
- 안와, 귀/코/인후: 눈물샘염에 의한 안검 부종, 외안근 침범으로 인한 안검하수, 콧물, 후비루, 인두, 하인두, 발데이어링(Waldeyer's ring)을 침범하여 종괴 형성, 드물게 청력 감소, 중이염 동반
- 갑상선: 리델 갑상선염, 섬유화 하시모토 갑상선염
- 폐: 간질 폐질환, 늑막 결절, 늑막 삼출
- 대동맥, 관상동맥: 대동맥 확장, 동맥류, 대동맥 박리
- 후복막섬유증: 신장, 요로 등을 침범하기도 함. 요로폐색을 동반한 수신증

• 중추신경계: 비후 경수막염(hypertrophic pachymeningitis), IgG4 연관 질환에 의해 형성된 종괴에 의한 뇌신경 압박

⑤ 조직검사

림프형질 세포 침윤, 많은 수의 IgG4 양성 형질세포 침윤, 나선형 섬유화(storiform fibrosis), 폐쇄 정맥염(obliterative phlebitis)

⑥ 진단

표 3-31. 2012년 IgG4 연관 질환 진단 기준

1. 장기 침범: 미만성/국소성 종창 또는 종괴
2. 혈액 검사: 혈청 IgG4>135 mg/dL
3. 조직병리 소견
   1) 림프형질 세포 침윤과 섬유화
   2) IgG4 양성 형질세포 침윤: IgG4/IgG 비율 0.4 이상 그리고 고배율에서 IgG4 양성 세포가 10개 이상 관찰

*Definite(확실한): (1)+(2)+(3), Probable(가능성 높은): (1)+(3), Possible(가능성 있는): (1)+(2)
*침범한 장기에 따라 특이적인 IgG4 연관 질환 진단 기준을 만족하여도 진단 가능

• 기본검사: 일반혈액검사, 간기능검사, 신기능검사, ESR, CRP, 소변검사

• 혈청학적 검사: IgG, IgG subclass

• 해당 부위 CT, MRI, 내시경초음파 등 영상검사 시행

• 가능하면 조직검사를 시행하고, 조직검사가 어려울 경우에는 암과의 감별 위해 PET/CT 고려

⑦ 치료

• 일부는 치료 없이 저절로 호전되기도 하므로 경과관찰 하지만, 주요 장기가 침범된 경우에는 치료가 필요함

• Prednisolone (40 mg/day 또는 0.6 mg/kg/day) 투여 후 서서히 감량(IgG4 연관 질환은 steroid에 대한 반응이 좋음)

• 담도나 요관협착으로 인해 응급으로 감압이 필요한 경우에는 일시적인 스텐트 삽입이나 수술을 고려

• Steroid 투여에 반응이 없거나, 재발: azathioprine, mycophenolate mofetil, rituximab

XIII 관절 천자술

1. 적응증

① 급성관절염의 진단
② 외상관절염의 진단 및 치료
③ 관절천자 후 치료 약물의 주사
④ 관절 배액에 의한 통증 완화 및 운동장애의 개선
⑤ 미생물학적 검사가 필요한 경우

2. 금기증: 절대적 금기는 없으나 상대적 금기로 생각되는 임상적 상황

① 천자 부위 주변의 연부 조직이나 피부 감염
② 패혈증
③ 피부장벽 손상
④ 응고장애
⑤ 심한 비만
⑥ 협조가 되지 않는 환자
⑦ 인공관절

3. 무릎관절 천자 술기

① 양측 다리를 완전히 편 상태에서 바로 눕힌다.
② 피부에 천자 위치를 선정한 후 표시한다.
③ 무릎관절 주위에 소독포를 두르고 환부를 소독한다. 주사기에 18-22게이지 바늘을 부착한다.
④ 무릎관절 천자는 슬개골의 외측연 혹은 내측연에서 슬개골(patella)과 대퇴골(femur) 사이의 공간에서 시행하고, 2-5 cm 정도 바늘을 삽입하면 관절강 내에 도달한다(그림 3-1).
⑤ 관절액이 미량이거나 잘 배출되지 않는 경우에는 반대편을 손으로 눌러 주거나 바늘의 방향을 변경해 본다.
⑥ 관절 내 삼출액이 적고 슬개-대퇴관절면의 골극으로 접근이 힘든 경우는 무릎을 90도 굴곡시킨 상태에서 슬개근의 내(외)측연에서 후상방으로 찌른다.

그림 3-1. 무릎관절 천자술

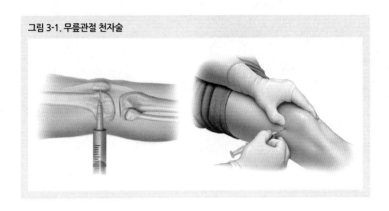

4. 관절액 검사

① 요산나트륨결정(monosodium urate): 바늘 모양, 강한 음성 복굴절
② 칼슘피로인산결정(calcium pyrophosphate, CPPD): 직사각형 모양, 약한 양성 복굴절
③ 비염증성: 골관절염, 외상, 박리골연골염, 무혈성괴사
④ 염증성: 류마티스관절염, 전신홍반루푸스, 결절다발혈관염, 전신경화증, 반응관절염, 결정관절염, 건선관절염, 척추관절염, 유육종증

표 3-32. 관절액 양상에 따른 감별진단

	정상	비염증관절염	염증관절염	패혈관절염	출혈관절염
색	무색/투명한 황색	황색	황색/백색	백색/다양	붉은색
투명도	투명	투명	투명/탁함	탁함	탁함
점도	매우 높음	높음	낮음	매우 낮음/다양	
백혈구 수(mm³)	<150	<3,000	3,000-50,000	>50,000	
과립구(PML, %)	<25	<25	>70	>90	
당(mg/dL)	정상	정상	70-90	>90	
단백(mg/dL)	1.3-1.8	3-3.5	>4.0	>4.0	
배양검사 (그람염색, 배양)	음성	음성	음성	양성	음성

04

소화기내과

간

I 개요

1. 간기능 검사 이상의 해석

1) 개별 간기능 검사법의 의미와 해석

(1) Aminotransferase: aspartate aminotransferase (AST, GOT), alanine aminotransferase (ALT, GPT)

① AST는 간 이외에도 심장, 골격근, 신장, 뇌, 췌장, 폐, 백혈구 및 적혈구에 모두 존재하여 심장 또는 근육 질환에서도 상승하지만 ALT는 주로 간에 존재하여 간세포 손상에 더 특이 적으로 상승한다.

② AST와 ALT는 거의 모든 간질환에서 상승할 수 있는데 정상 상한치의 15배 이상 상승하는 경우는 바이러스성 간염, 약제 유발성 및 독성 간염, 허혈성 간염일 경우가 많다. 이 때 AST와 ALT의 상승 정도는 간세포 손상의 정도를 나타낼 수 있으나 환자의 예후와는 잘 맞지 않으며 심각한 간손상의 경우에도 AST와 ALT의 상승 이후 감소가 일어나기 때문에 수치가 떨어진다고 모두 호전을 나타내는 것도 아니다.

③ 정상 상한치의 5-15배 상승: 급성 또는 만성 바이러스성 간염, 자가면역간염, 약제 유발 간염, 알코올성 간염 등

④ 정상 상한치의 5배 이내로 상승: 비알코올성 지방간질환, 약제 유발 간염, 만성 C형 간염 등

⑤ AST/ALT 비가 2 이상: 알코올성 간질환

⑥ AST/ALT 비가 1 미만: 이외의 다른 간염(바이러스성 간염, 약제 유발성 간질환, 비알코올성 지방간질환). 하지만 여러 원인에 의해 간경변으로 진행 시 AST/ALT 비가 1 이상이 될 수 있다.

그림 4-1. 원인 간질환에 따른 ALT 상승의 패턴

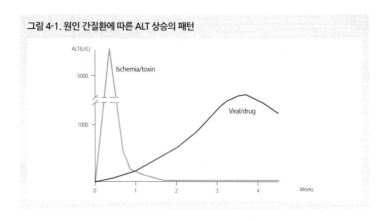

그림 4-2. 급성 간기능 검사 장애를 일으킬 수 있는 질환과 진단적 근거

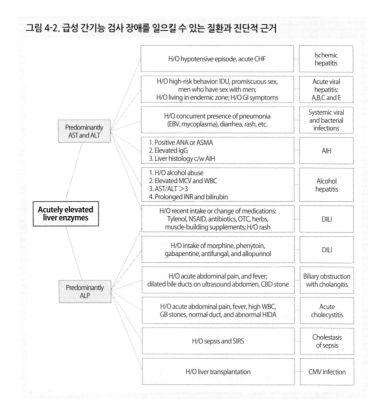

그림 4-3. 만성 간기능 검사 장애를 일으킬 수 있는 질환과 진단적 근거

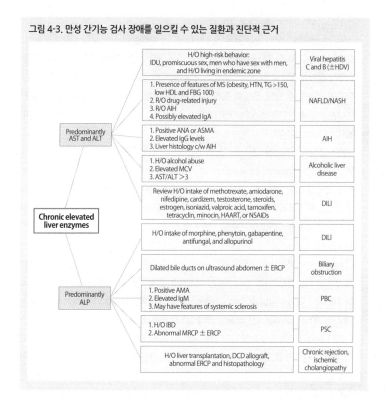

(2) Alkaline phosphatase (ALP)

① 건강한 사람에서 혈중 ALP는 주로 간과 뼈에서 분비된 것이지만 임신 중에는 태반에서 분비되어 혈중 농도가 높아진다. ALP의 정상 농도는 나이에 따라 변하여 성장기에는 정상 성인의 4-5배까지 상승할 수 있으며 흡연, 비만이 있는 경우에도 경도로 상승할 수 있다.

② ALP가 상승해 있는 경우 대부분은 간질환에 의한 경우이지만 약 1/3의 환자에서는 간질환의 증거를 찾을 수 없는 경우가 있고 반복 검사하였을 경우 정상 수치로 되는 경우도 드물지 않다. 혈청 ALP의 상승이 간에 의한 것인지 또는 뼈 등 다른 원인에 의한 것인지를 구별하는 데에 γ-glutamyl transferase나 5'-nucleotidase의 동반 상승을 확인하는 것이 유용하다. 간질환에 의한 ALP의 상승으로는 담도 폐쇄에 의한 상승이 가장 특징적이며 악성 종양의 간내 침범이나 lymphoma, 결핵, 간농양, 육아종성 간질환, amyloidosis 등 침윤성 간질환에서도 ALP가 상승한다.

(3) r-glutamyl transferase (transpeptidase) (GGT)

① GGT는 담도계 질환이 있는 경우 ALP와 더불어 상승하는데 ALP 보다 민감도와 음성 예측도가 더 높아서 ALP의 상승이 있는 경우 간에 의한 상승인지를 알아보는데 유용하다. 담도계 질환 이외에도 만성 알코올 중독, 신부전, 만성 폐쇄성 폐질환, 당뇨병이 있는 경우 GGT가 상승할 수 있다. 담도의 증식 없이 간세포 기능 이상에 의해 간내 담즙 정체가 일어나는 드문 질환인 benign recurrent intrahepatic cholestasis의 경우는 담즙 정체는 있으나 GGT는 상승하지 않을 수도 있다.

② GGT 검사의 문제점은 낮은 특이도로서 간질환이 없는 경우에도 상승할 수 있다는 것과 알코올이나 phenytoin, cimetidine, 경구 피임약 등 여러 약제에 의해 발현이 유도가 된다는 점으로 다른 간질환의 이상 소견이 없는 환자에서 GGT 만이 상승한 환자에서는 우선 알코올이나 약제의 복용력을 물어보아야 하고 다른 간기능 검사 특히 ALP의 동반 상승이 없으면 간질환이 원인일 가능성은 떨어진다.

(4) Bilirubin

① 간접 bilirubin이 총 bilirubin의 80% 이상으로 주로 증가하는 경우는 bilirubin의 생성이 증가하거나 간세포로의 bilirubin 운반 장애 또는 간세포에서 bilirubin 포합(conjugation)이 감소하는 때에 나타날 수 있다. 그 원인으로는 양성 유전성 질환인 Gilbert's syndrome이 가장 흔하여 68%를 차지하고 용혈성 질환(12%), 간경변증에 의한 문맥-체순환 션트(12%) 순이고 드물게 수술에 의한 션트, 갑상선 질환, Crigler-Najjar syndrome 등이 있다. 용혈의 증거가 없고 다른 간기능의 이상이 없이 중등도(혈청 총 bilirubin 5-7 mg/dL) 이하로 빌리루빈이 증가한 경우의 대부분은 Gilbert's syndrome이므로 금식 등 유발 인자를 찾아보고 진단은 대개 임상적으로 이루어진다. 심한 용혈이 있는 경우에도 간기능이 정상이면 대부분 총 bilirubin은 5 mg/dL를 넘지 않는다.

② 직접 bilirubin이 총 bilirubin의 50% 이상으로 주로 상승하여 총 bilirubin이 5 mg/dL를 넘거나 다른 간기능 검사 이상을 동반하는 경우는 거의 대부분 간실질의 장애(간염, 간경변, 간부전, 담즙정체, 침윤성 질환)나 간내 및 간외 담도 폐쇄의 존재를 나타내는데, 혈청 bilirubin이 상승하면 소변으로 배출되어서 심한 간실질 장애가 용혈성 질환 또는 신부전과 동반되지 않으면 총 bilirubin이 약 35 mg/dL에서 더 오르지 않는다. 혈청 bilirubin은 만성 간질환, 간부전 등에서 중요한 예후 인자가 되며 패혈증, 수술 후 다량 수혈, total parenteral nutrition에서도 나타날 수 있다. 이외에 드문 유전성 질환인 Dubin-Johnson syndrome이나 Rotor syndrome에서도 직접 bilirubin이 증가한다.

(5) Albumin

Albumin의 합성은 간질환뿐만 아니라 영양 상태, 호르몬 균형, 체내 삼투압 등에 의해 모두 영향을 받아서 단백질 영양 장애가 심하거나 hypergammaglobulinemia가 있는 경우 등에서 합성이 감소할 수 있다. 복수를 동반한 간경변증 환자에서는 albumin 합성이 절대적으로 감소할 뿐만 아니라 체분포 용적이 증가하여 hypoalbuminemia가 더 심하게 나타날 수 있다. Albumin은 약 20일의 긴 반감기를 가지고 있기 때문에 급성 간질환에서는 간 합성능 표지자로서 사용하기에 제한점이 있으나 만성 간질환의 경우에는 간질환의 만성도를 반영할 분 아니라 혈청 cholesterol의 감소와 더불어 그 중증도의 좋은 지표가 될 수 있다. 간질환 이외에도 영양 장애나 신증후군, 단백 소실성 위장병증, 만성 소모성 질환, 화상 등의 경우에도 hypoalbuminemia가 나타날 수 있다.

(6) Prothrombin time (PT) : 응고 인자 I, II, V, VII, X

① 혈액 응고 인자들의 혈청 반감기는 대부분 1일 이내로서 알부민보다 훨씬 짧기 때문에 간질환에 의해 합성이 저하된 경우 응고 장애를 측정하여 간질환의 경과 관찰과 예후의 예견에 좋은 지표가 된다. PT는 급성 및 만성 간질환에서 모두 유용하게 사용할 수 있는 예후 인자로서 PT의 연장은 급성 간질환에서 간부전으로의 진행을 예견하고 만성 간질환에서 나쁜 예후와 연관되어 있음이 잘 알려져 있다. 영양실조가 있거나, 담도 폐쇄, 만성 췌장염 등 지방 흡수장애가 있는 경우, 항생제에 의해 장내 세균의 성장이 억제된 경우, warfarin계 항응고제를 사용한 경우 등에서는 간기능의 부전 없이도 PT가 연장될 수 있고 패혈증 등에 의한 광범위 혈관내 응고증(disseminated intravascular coagulation, DIC)이 있는 경우에도 PT가 연장되어 감별이 필요하다.

② 간부전의 평가에는 INR보다 activity percentage가 더 유용하다.

2) 간기능 검사 이상자에 대한 접근법

① 간질환이 있는 경우에도 간기능 검사는 정상을 보일 수가 있으며 간질환 이외의 심장, 근육, 신장 질환이나 세균 감염, 심지어 정상 임신의 경우에도 간기능 검사는 이상을 보일 수 있다. 따라서 간기능 검사를 해석할 때에는 환자의 증상, 과거 병력, 약물력이나 음주력, 바이러스성 간염 여부, 비만 등 간질환의 위험인자 유무, 신체 검진 소견 및 심지어 검사실적 오류까지도 동시에 고려하여 해석하여야 한다.

② AST와 ALT의 상승이 주된 소견인 간세포 손상형(hepatocellular damage pattern)과 ALP와 bilirubin의 상승이 주된 소견인 담즙 정체형(cholestatic pattern)으로 분류하는 것이 원인 질환 감별에 도움이 되며 간실질 침윤 질환의 경우는 AST, ALT, bilirubin의 상승은 없거나 미미하여 ALP 만이 주로 상승하는 경우가 많다.

표 4-1. General Patterns of Liver Function Test Abnormality

	Type of Liver Disease					
	Hepatocellular Necrosis			Biliary Obstruction		Hepatic Infiltration
Causative agent	Toxin/ischemia	Viral	Alcohol	Complete	Partial	
Examples	Acetaminophen or shock liver	Hepatitis A or B	–	Pancreatic carcinoma	Hilar tumor, PSC	Primary or metastatic carcinoma, TB, sarcoidosis, amyloidosis
Aminotransferase	x50–100	x5–50	x2–5	x1–5	x1–5	x1–3
ALP	x1–3	x1–3	x1–10	x2–20	x2–10	x1–20
Bilirubin	x1–5	x1–30	x1–30	x1–30	x1–5	x1–5 (often normal)
Prothrombin time	Prolonged and unresponsive to vitamin K in severe disease			Often prolonged and responsive to parenteral Vitamin K		Usually normal
Albumin	Decreased in subacute/ chronic disease			Usually normal; decreased in advanced disease (i.e., LC)		Usually normal

PSC, primary sclerosing cholangitis; TB, tuberculosis; x, times normal serum concentration; ALP, Alkaline phosphatase.

표 4-2. Etiology of AST/ALT Elevation

Mild AST/ALT elevation, <200 IU/L	Severe AST/ALT elevation, >600 IU/L
Hepatic: ALT–predominant Chronic hepatitis B Chronic hepatitis C Acute viral hepatitis (A, E, EBV, CMV) Steatosis/steatohepatitis Hemochromatosis Medications/toxins Autoimmune hepatitis Alpha–1–antitrypsin deficiency Wilson's disease Celiac disease	Acute viral hepatitis (A, E, herpes) Acute exacerbation of chronic hepatitis B Ischemic hepatitis Autoimmune hepatitis Wilson's disease Acute bile duct obstruction Acute Budd–Chiari syndrome Hepatic artery ligation
Hepatic: AST–predominant Alcohol-related liver injury Steatosis/steatohepatitis Cirrhosis	
Non–hepatic Hemolysis Myopathy Thyroid disease Strenuous exercise Macro–AST	

표 4-3. Etiology of Serum Alkaline Phosphatase (ALP) and γ-Glutamyl Transferase (GGT) Elevation

Elevated ALP and GGT	Elevated ALP only
Hepatobiliary	
Bile duct obstruction	
Primary biliary cirrhosis	
Primary sclerosing cholangitis	
Medications	
Hepatocellular carcinoma	
Hepatic metastasis	
Hepatitis	
Cirrhosis	
Vanishing bile duct syndromes	
Benign recurrent cholestasis	
Infiltrating diseases of the liver	
Sarcoidosis	
Tuberculosis	
Fungal infection	
Other granulomatous diseases	
Amyloidosis	
Lymphoma	
Non-hepatic	
Chronic renal failure	Bone disease
Lymphoma and other malignancies	Pregnancy
Congestive heart failure	Childhood growth
Infection/inflammation	

표 4-4. Etiology of Hyperbilirubinemia

Unconjugated hyperbilirubinemia	Conjugated hyperbilirubinemia
Gilbert's syndrome	Bile duct obstruction
Neonatal jaundice	Hepatitis
Hemolysis	Cirrhosis
Blood transfusion (hemolysis)	Medications/toxins
Resorption of a large hematoma	Primary biliary cirrhosis
Shunt hyperbilirubinemia	Primary sclerosing cholangitis
Crigler-Najjar syndrome	Total parenteral nutrition
Ineffective erythropoiesis	Sepsis, benign postoperative jaundice
Medications	Intrahepatic cholestasis of pregnancy
	Benign recurrent cholestasis
	Vanishing bile duct syndromes
	Dubin-Johnson syndrome
	Rotor syndrome

그림 4-4. 간기능검사 이상 시의 이상적 접근 방법

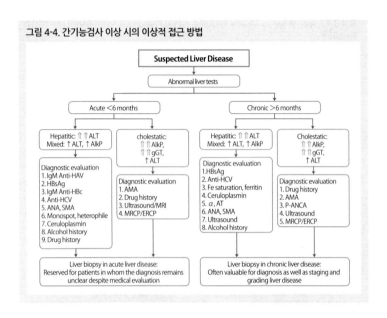

그림 4-5. 만성 간기능 이상의 진단 접근 알고리즘

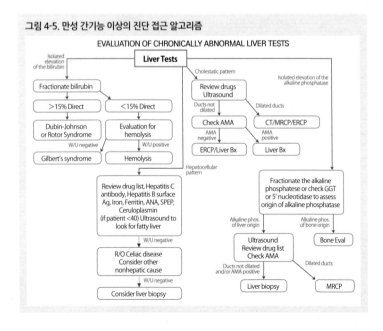

2. 해부학

그림 4-6. Diagram of the functional segments using the nomenclature of Couinaud

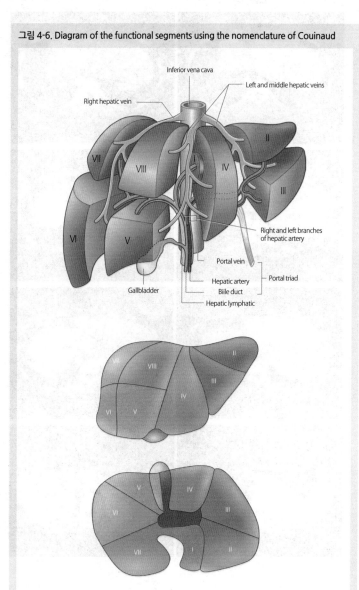

그림 4-7. CT로 알 수 있는 간의 분절 해부

그림 4-7. CT로 알 수 있는 간의 분절 해부(계속)

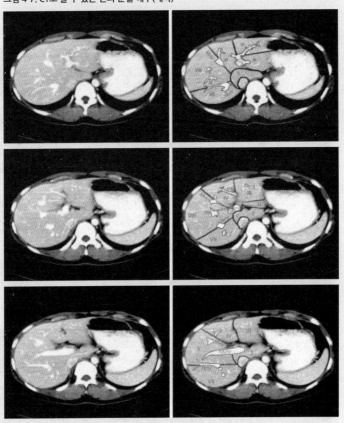

3. 상복부 초음파 검사 표준 영상

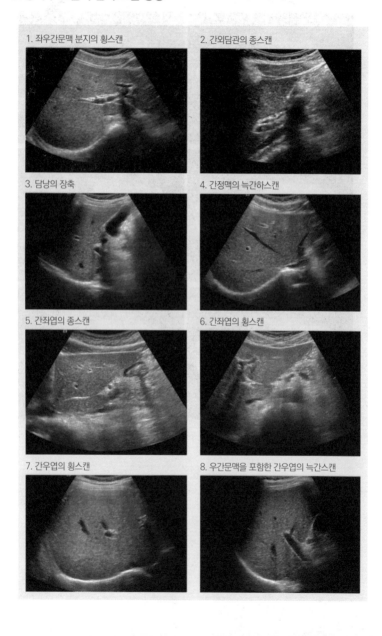

1. 좌우간문맥 분지의 횡스캔
2. 간외담관의 종스캔
3. 담낭의 장축
4. 간정맥의 늑간하스캔
5. 간좌엽의 종스캔
6. 간좌엽의 횡스캔
7. 간우엽의 횡스캔
8. 우간문맥을 포함한 간우엽의 늑간스캔

9. 우간정맥을 포함한 간우엽의 늑간스캔

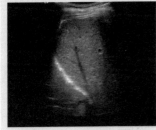

10. 간우엽의 상부

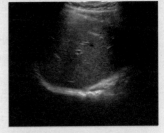

11. 우간하부와 우측신장피질의 관상면 스캔

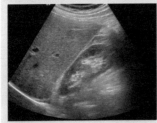

12. 비장의 장축스캔

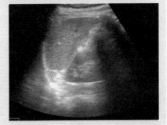

13. 비장을 통한 췌장말단미부의 종스캔

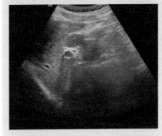

14. 췌장체부의 횡스캔

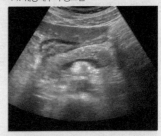

15. 췌장두부의 횡스캔

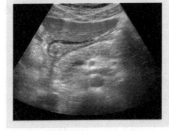

16. 췌장체부와 상장간막정맥의 종스캔

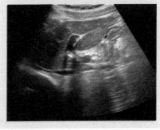

II 급성 바이러스성 간염

1. 급성 바이러스성 간염의 역학, 임상양상, 예후

표 4-5. 급성 바이러스성 간염의 역학, 임상양상, 예후

	Hepatitis A	Hepatitis B	Hepatitis C	Hepatitis E
역학	Fecal to oral 10-30대 국내 급성 바이러스성 간염의 가장 흔한 원인(>60%)	Sexual, Percutaneous, Perinatal 예방접종의 영향으로 국내에서 급성 B형 간염은 감소 추세 (10-20%)	Percutaneous (IV drug, 수혈, 침술, 문신, 투석), Sexual 수혈감염은 donor screening으로 감소, 국내 급성 바이러스성 간염의 10-20%	Fecal to oral 인도, 중국, 아프리카, 중앙 아메리카가 endemic area, 한국에서도 sporadic case 보고
임상양상 - 전격성 - 만성화 - 악성종양	Self-limited 0.1% 없음 없음	Occasionally severe -1% 5(성인)-90%(주산기) 발병 가능	Insidious 0.1% 50-90% 발병 가능	Usually self limited -1%(임산부, -20%) 없음 없음
선별검사	IgM anti-HAV	HBsAg, IgM anti-HBc	anti-HCV (HCV RNA로 확진)	IgM anti-HEV
예후	Excellent	Worse with age	Moderate	Good
예방	Inactivated vaccine	Recombinant vaccine, HBIG	None	None

2. 급성 간염의 진단

1) 급성 바이러스성 간염의 1차 필수 검사 항목
① IgM anti-HAV, HBsAg, IgM anti-HBc, Anti-HCV
② Anti-HCV 양성으로 나오면 HCV RNA 검사를 시행

2) 2차 검사 항목
① IgM anti-HEV, IgG anti-HEV
② Autoimmune markers: ANA 정량, AMA & ASMA, Anti-LKM1 Ab, IgG, IgA, IgM
③ Wilson's disease: ceruloplasmin, serum copper, 24hr urine copper
④ CMV DNA PCR
⑤ EBV Ab battery, EBV PCR
⑥ Autoimmune hepatitis, lymphoma 등 infiltrative liver disease, Wilson's disease 등의 감별을 위해 간 조직검사를 시행할 수도 있다. 이 때 Liver copper 정량은 biopsy 시행 시 조직을 따로 얻어 식염수에 보관하여 녹십자에 의뢰

Ⅲ 만성 B형 간염

- 우리나라 만성 간질환의 가장 중요한 원인임(-70%).
- 우리나라 만성 B형 간염의 유병률: 3-6%(10세 이상 성인 자료)
- 정의: 감염 후 6개월 이상 HBsAg이 존재하는 경우로, 만성 B형 간염의 자연 경과는 면역 관용기, HBeAg 양성 면역활동기, 면역비활동기, HBeAg 음성 면역활동기, HBsAg 소실 기로 나뉘어진다.

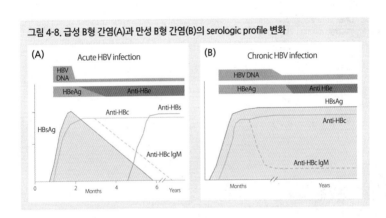

그림 4-8. 급성 B형 간염(A)과 만성 B형 간염(B)의 serologic profile 변화

1. 만성 B형 간염의 자연 경과

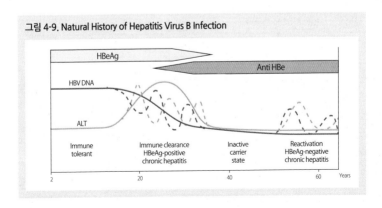

그림 4-9. Natural History of Hepatitis Virus B Infection

표 4-6. Natural course of chronic hepatitis B(2018년 대한간학회 가이드라인)

Phases	Serologic marker	ALT	HBV-DNA	Histologic activity
CHB, Immune tolerant phase	HBeAg (+) Anti-HBe (−)	Persistently normal	Very high levels of viral replication (HBV DNA levels ≥10,000,000 IU/mL)	None/ Minimal
HBeAg-positive CHB, immune active phase	HBeAg (+) may develop anti-HBe	Elevated (persistently or intermittently)	High levels of viral replication (HBV DNA levels ≥20,000 IU/mL)	Moderate/ severe
CHB, Immune inactive phase	HBeAg (−) anti-HBe (+)	Persistently normal	Low or undetectable HBV DNA (HBV DNA levels <2,000 IU/mL)	Minimal
HBeAg-negative CHB, immune active phase	HBeAg (−) anti-HBe (+/−)	Elevated (persistently or intermittently)	Moderate to high levels of HBV replication (HBV DNA levels ≥2,000 IU/mL)	Moderate/ severe
HBsAg loss phase	HBsAg (−) Anti-HBc (+) Anti-HBs (+/−)	Normal	Not detected	–

그림 4-10. Outcomes of chronic HBV infection

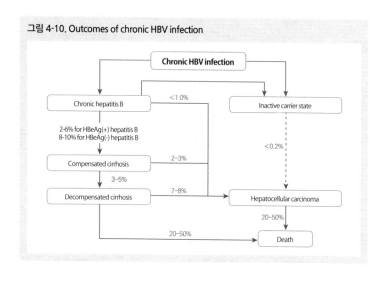

CHAPTER **04** 소화기내과　**227**

2. 만성 B형 간염 치료 가이드라인

* 치료목표: HBV 증식을 억제하여 염증을 완화시키고 섬유화를 방지하여, 간경변증과 간세포암종 발생을 예방함으로써 간질환에 의한 사망률을 낮추고 생존율을 향상시키는 것이다.

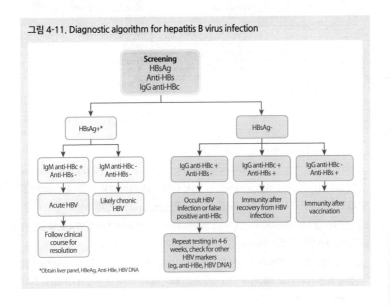

그림 4-11. Diagnostic algorithm for hepatitis B virus infection

1) 만성 B형 간염 환자의 초기 검사

① 다른 바이러스에 의한 중복감염, 음주력, 약물 복용력 및 HBV 감염과 간세포암종의 가족력 등에 중점을 둔 병력 청취와 신체검사

② Laboratory tests: CBC, AST/ALT, ALP, GGT, bilirubin, albumin, creatinine, prothrombin time

③ Serologic tests for HBV replication: HBeAg/anti-HBe, HBV DNA(표 4-7)

④ Other serologic tests: IgG anti-HAV(음성 시, A형 간염 백신 필요), anti-HCV, anti-HIV (high risk)

⑤ Liver biopsy, fibroscan (optional)

⑥ Screening test for HCC: Upper abdomen US, AFP

표 4-7. Interpretation of screening tests for HBV infection (2018 AASLD guidance)

HBsAg	Anti- HBc	Anti- HBs	Interpretation	Management	예방접종
+	+	−	Chronic hepatitis B	만성 B형 간염에 대해 추가적인 검사 및 치료 고려	No
−	+	+	Past HBV infection, resolved	면역저하자나 항암치료 혹은 면역억제 치료를 시행하지 않는다면 추가적 치료 불필요	No
−	+	−	Past HBV infection, resolved or false-positive	면역저하자라면 HBV DNA test 시행	Yes(저감염율 지역의 경우)
−	−	+	Immune	No further testing	No
−	−	−	Uninfected and not immune	No further testing	Yes

2) 치료 약제의 종류, 용량 및 치료 기간(표 4-8)

① 약제별 투여 가능 연령: 텔비부딘(telbivudine; 만 16세 이상), 엔테카비어(entecavir; 만 2세 이상), 아데포비어(adefovir; 만 18세 이상), 테노포비어DF (TDF; 만 12세 이상), 테노포비어AF (TAF; 만 18세 이상), 베시포비어(besifovir; 만 20세 이상)

② 신기능 감소나 골대사질환이 있거나 질환의 위험이 있는 경우 초치료 약제로 테노포비어 DF보다는 엔테카비어, 테노포비어AF, 베시포비어가 우선 추천된다.

③ 테노포비어DF를 복용하고 있는 환자에서 신기능 감소나 골밀도의 감소를 보이거나 위험성이 있는 경우 치료 기왕력에 따라 테노포비어AF, 베시포비어 또는 엔테카비어로 전환할 수 있다.

④ 모든 약제는 크레아틴 청소율에 따른 적절한 용량 조절을 해야 하며, 테노포비어AF는 크레아티닌 청소율 15 mL/min 미만인 경우, 베시포비어는 크레아티닌 청소율 50 mL/min 미만인 경우, 테노포비어DF는 크레아티닌 청소율 10 mL/min 미만이면서 신대체요법을 시행하지 않는 경우 추천되지 않는다(표 4-9).

3) 치료대상 및 치료의 실제(2018년 대한간학회 가이드라인)

(1) 항바이러스제 치료대상(표 4-10) 및 치료의 실제

① 만성 B형 간염 환자의 치료는 내성발현의 유전자 장벽이 높은 경구용 항바이러스제 단독요법(entecavir, TDF, TAF, besifovir) 또는 페그인터페론 알파 단독 치료를 권장한다.

② 대상성 간경변증 환자의 경우에도 경구용 내성발현의 유전자 장벽이 높은 경구용 항바이러스제 단독요법 혹은 간기능이 좋은 경우에 간기능 악화와 약물 부작용 등에 주의하며 페그인터페론 알파 치료를 고려할 수 있다.

표 4-8. 만성 B형 간염 환자 치료 약제 및 특징(2018년 대한간학회 가이드라인)

Administration route	Subcutaneous injection	Oral	
Features	Immune modulator	High genetic barrier (preferred)	Low genetic barrier (not preferred)
Drug	PEGylated interferon alfa 2a (페그인터페론 알파)	Entecavir, Tenofovir disoproxil fumarate (TDF) Tenofovir alafenamide fumarate (TAF) Besifovir dipivoxil maleate (Besifovir)	Lamivudine, Telbivudine, Clevudine, Adefovir dipivoxil (Adefovir)
Treatment duration	48 weeks	Until HBsAg loss	Until HBsAg loss, Until the resistant mutation is confirmed
Dose in adult	180 mcg/week	Entecavir (0.5 mg/day for naïve, 1 mg/day for lamivudine resistant), TDF (300 mg/day), TAF (25 mg/day), Besifovir (150 mg/day)	Lamivudine (100 mg/day), Telbivudine (600 mg/day), Clevudine (30 mg/day), Adefovir (10 mg/day)
Tolerability	Poor	Good	Good to fair
Adverse event	Frequent: Flu like symptoms, Hematologic, Ophthalmologic, Psychiatric effects, Thyroid dysfunction	Rare, but possible: Lactic acidosis (Entecavir); Nephropathy, Fanconi syndrome, Osteomalacia, Lactic acidosis (TDF); LDL cholesterol 상승(TAF); Carnitine depletion (Besifovir)	Rare, but possible: Lactic acidosis, Pancreatitis (Lamivudine); Lactic acidosis, CK elevation, Myopathy, Peripheral neuropathy (Telbivudine, Clevudine); Lactic acidosis, Fanconi syndrome, Acute renal failure (Adefovir)

표 4-9. 신기능에 따른 항바이러스제의 권장 용량(2018년 대한간학회 가이드라인)

Drug	Creatinine clearance (mL/min)	Recommended dose	
		초치료	라마부딘 내성
Entecavir	≥50	0.5 mg q 24 hrs	1 mg q 24 hrs
	30–49	0.5 mg q 48 hrs	1 mg q 48 hrs
	10–29	0.5 mg q 72 hrs	1 mg q 72 hrs
	<10 or hemodialysis	0.5 mg q 7 days	1 mg q 7 days
Tenofovir disoproxil fumarate (TDF)	≥50	300 mg q 24 hrs	
	20–49	300 mg q 48 hrs	
	10–19	300 mg q 72–96 hrs	
	<10 with dialysis	300 mg q 7 days(투석 이후 투약)	
	<10 without dialysis	Not recommended	
Tenofovir alafenamide fumarate (TAF)	≥15	25 mg q 24 hrs	
	<15	Not recommended	
Besifovir	≥50	150 mg q 24 hrs	
	<50	Not recommended	

③ 비대상성 간경변증 환자의 치료는 내성발현의 유전자 장벽이 높은 경구용 항러스제 단독 요법을 권장한다. 페그인터페론 알파 치료는 간부전 위험성 때문에 금기이다.

④ 경구용 항바이러스제 치료 중에는 간기능검사 및 혈청 HBV DNA를 1-6개월 간격으로 검사하고 HBeAg/anti-HBe는 3-6개월 간격으로 검사한다. 바이러스 반응이 확인된 후에 혈청 HBV DNA를 3-6개월 간격, HBeAg/anti-HBe는 6-12개월 간격으로 측정한다. 치료 반응 예측/종료 시점 결정에 도움을 줄 수 있는 HBsAg 정량검사도 고려할 수 있다.

⑤ 만성 B형 간염 환자에서 HBsAg 소실이 이루어진 후 경구용 항바이러스제 치료 종료를 권장한다.

⑥ 치료 비대상자인 경우에는 치료 대상으로 이행하는지 혈청 ALT, HBV DNA 등을 3-6개월 간격으로, HBeAg/anti-HBe 등을 6-12개월 간격으로 주기적으로 모니터링한다. 치료 대상 여부가 불분명한 경우에는 혈청 ALT, HBV DNA 등을 1-3개월, HBeAg/anti-HBe 등을 2-6개월 간격으로 추적 관찰하거나, 비침습적 방법(Fibroscan 등)으로 간섬유화 정도를 판단하거나 간생검을 시행하여 치료 여부를 결정할 수 있다.

(2) 예방적 항바이러스제 치료 대상

① HBsAg(+) 또는 HBV-DNA(+)로서 B형 간염 재활성화 위험이 중등도/고위험군에 해당하는 항암화학요법(cytotoxic chemotherapy)(표 4-11) 또는 면역억제용법을 받는 환자: 해당 요법 시행 동안 및 종료 후 6개월까지(보험 처방 가능, 이후로는 비보험 전환 사용 혹은 중단 고려)

② HBsAg(-)/anti-HBc(+)로서 B-cell depleting agent (rituximab, ofatumumab, natalizumab, alemtuzumab, ibritumomab)을 포함하는 요법을 투여하는 환자: 해당 요법 시행 동안 및 종료 후 12개월까지

③ HBsAg(-), HBV-DNA(-), anti-HBc(+)로서 조혈모세포이식을 받는 만성 B형 간염 환자: 총 18개월 투여까지

④ anti-HBc(+)인 공여자로부터 간을 공여 받는 수혜자로서 human anti-hepatitis B immunoglobulin 제제를 투여하지 않는 환자: 면역억제 요법 시행 동안 및 종료 후 6개월까지

⑤ 치료 약제로는 엔테카비어, TDF ≫라미부딘, 클레부딘, 텔비부딘, 아데포비어를 고려할 수 있다.

⑥ HBV-DNA가 높은(>200,000 IU/mL) 산모: 임신 24-28주차부터 항바이러스제 고려 (TDF 선호)

표 4-10. HBV 항바이러스제 치료 대상

HBeAg 양성 만성 B형 간염	① HBV DNA ≥20,000 IU/mL이면서 AST 또는 ALT가 정상 상한치의 2배 이상이거나 간생검에서 중등도 이상의 염증괴사/문맥주변 섬유화 이상의 단계일 경우 - 치료 권장 ② HBV DNA ≥20,000 IU/mL이면서 ALT 또는 AST가 정상 상한치의 2배 미만인 경우 -3개월 간격으로 AST/ALT를 추적하거나 간생검 고려
HBeAg 음성 만성 B형 간염	① HBV DNA ≥2,000 IU/mL이면서 AST 또는 ALT가 정상 상한치의 2배 이상이거나 간생검에서 중등도 이상의 염증괴사/문맥주변 섬유화 이상의 단계일 경우 - 치료 권장 ② HBV DNA ≥2,000 IU/mL이면서 ALT 또는 AST가 정상 상한치의 2배 미만인 경우 -3개월 간격으로 AST/ALT를 추적하거나 간생검 고려
대상성 간경변증	HBV DNA ≥2,000 IU/mL인 경우 치료 권장
비대상성 간경변증, 간세포암	HBV DNA 양성인 경우 즉시 치료 시작

표 4-11. B형 간염 재활성화 위험도 분류(2018년 대한간학회 가이드라인)

B형 간염 재활성화 위험도	약제 분류	예시
고 위험군(10% 초과)	B cell depleting agent	Rituximab, Ofatumumab, Alemtuzumab
	Anthracycline 유도체 계열	Doxorubicin, Epirubicin
	4주 이상 고용량 스테로이드	1일 20 mg 초과 prednisolone
	TNF-alpha inhibitor	Etanercept, Adalimumab, Certolizumab, Infliximab, Golimumab
	TACE (경동맥화학색전술)*	
중등도 위험군(1-10%)	Systemic chemotherapy	
	Tyrosine kinase 억제제	Imatinib, Nilotinib
	Immunophin inhibitors	Cyclosporine
	Proteasome inhibitors	Vortezomib
	Cytokine-based therapies	Abatacept, Ustekinumab, Natalizumab
	4주 이상 중등도 용량 스테로이드	1일 10-20 mg prednisolone
저 위험군(<1% 미만)	Azathioprine, 6-MP, MTX, Cetuximab, Erlotinib, Trastuzumab, Ruxolitinib, Bevacizumab, Sorafenib, Fluorouracil, 4주 이내 prednisolone(용량 무관)	

4) 약제 내성의 치료(표 4-12)

① 경구용 항바이러스 치료 중에 바이러스 돌파가 발생하면 환자의 약물 순응도 확인 및 약제 내성검사를 시행한다. 내성 치료는 바이러스 돌파가 관찰되고 유전자형 내성이 확인되는대로 가급적 빨리 시작한다.

② Nucleoside 내성의 치료

- 라미부딘, 텔비부딘, 클레부딘 등 Nucleoside 유사체 내성 만성 B형 간염에 대해서 테노포비어 단독 치료로 전환한다.
- 엔테카비어 내성 만성 B형 간염에 대해서 테노포비어 단독 치료로 전환하거나, 테노포비어를 추가한다.

③ Nucleotide 내성의 치료

- 아데포비어 내성 만성 B형 간염에 대해서 테노포비어 단독 치료로 전환하거나 테노포비어/엔테카비어 병합 치료로 전환한다.
- 테노포비어 내성 만성 B형 간염에 대해서 엔테카비어를 추가한다.

④ 다약제 내성 만성 B형 간염의 경우 테노포비어/엔테카비어 병합 치료 또는 테노포비어 단독 치료로 전환한다.

표 4-12. 만성 B형 간염 약제 내성의 치료(2018년 대한간학회 가이드라인)

Resistance	Preferred	Alternative
Lamivudine/Telbivudine/ Clevudine resistance	1. Change to tenofovir (TDF/TAF)	1. Add tenofovir 2. Add adefovir
Entecavir resistance	1. Change to tenofovir 2. Add tenofovir	1. Add adefovir
Adefovir resistance	1. Change to tenofovir 2. Change to entecavir+tenofovir	1. Add entecavir
Tenofovir resistance	1. Add entecavir	
Multi-drug resistance	1. Change to entecavir+tenofovir 2. Change to tenofovir	

* 참고 용어 정리(2018 AASLD guidance)
- HBV reactivation: loss of HBV immune control in HBsAg-positive, anti-HBc-positive or HBsAg-negative, anti-HBc-positive patients receiving immunosuppressive therapy for a concomitant medication condition; a rise in HBV DNA compared to baseline (or an absolute level of HBV DNA when a baseline is unavailable); and reverse seroconversion (seroreversion) from HBsAg negative to positive for HBsAg-negative, and anti-HBc-positive patients
- Hepatitis flare: ALT increase ≥3 times baseline and >100 U/L
- HBV-associated flare: HBV reactivation and flare
- HBeAg clearance: loss of HBeAg in a person who was previously HBeAg positive
- HBeAg seroconversion: loss of HBeAg and detection of anti-HBe in a person who was previously HBeAg positive and anti-HBe negative
- HBeAg seroreversion: reappearance of HBeAg in a person who was previously HBeAg negative
- Resolved CHB: sustained loss of HBsAg in a person who was previously HBsAg positive, with undetectable HBV-DNA levels and absence of clinical or histological evidence of active viral infection
- Virological breakthrough: >1 log10 (10-fold) increase in serum HBV DNA from nadir during treatment in a patient who had an initial virological response and who is adherent

그림 4-12. 만성 B형 간염 치료 요약(2018년 대한간학회 가이드라인)

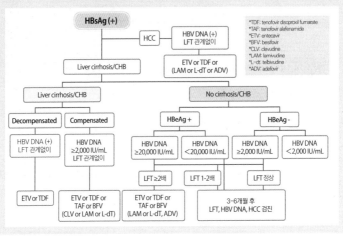

3. 현재 개발 중인 만성 B형 간염 치료제 및 치료 타겟

그림 4-13. Life cycle of hepatitis B virus and therapeutic target for treatment of chronic hepatitis B

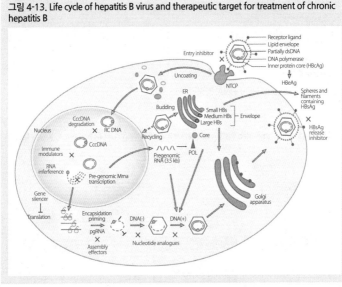

IV 만성 C형 간염

우리나라 만성 C형 간염의 유병률: 0.4-2.1%(성인 자료)

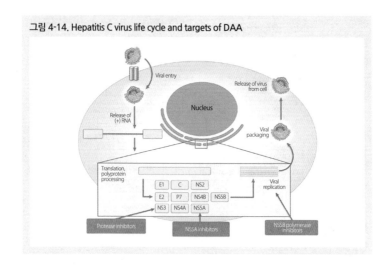

그림 4-14. Hepatitis C virus life cycle and targets of DAA

1. 만성 C형 간염의 진단

- Screening Test; Anti-HCV antibody test
- Confirmative Test; HCV RNA 정량검사

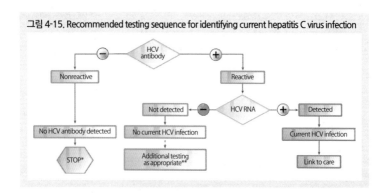

그림 4-15. Recommended testing sequence for identifying current hepatitis C virus infection

2. 만성 C형 간염의 자연 경과

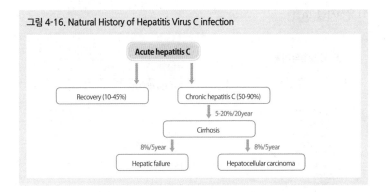

그림 4-16. Natural History of Hepatitis Virus C infection

3. 만성 C형 간염 약제 소개(Direct acting antivirals, DAA)

최근 새롭게 개발된 경구 항바이러스제인 DAA가 사용되면서 C형 간염 치료의 틀이 빠르게 변하고 있다. DAA는 hepatitis C virus (HCV) 생활사에 직접 작용하여 항바이러스 효과를 나타낸다. DAA는 작용 부위에 따라 HCV nonstructural protein (NS) 3/4A 단백분해효소 억제제(protease inhibitor, PI), NS5A 억제제, NS5B 중합효소 억제제 등으로 분류한다. NS3/4A PI는 HCV 증식에 필수적인 다단백 분해과정을 차단한다. 1세대 PI인 boceprevir와 telaprevir 이후 simeprevir, asunaprevir, paritaprevir, grazoprevir, voxilaprevir, glecaprevir 등이 개발되었다. NS5A 억제제는 HCV 복제 및 조립을 억제하며 다른 약제와 병합할 경우 상승 효과를 나타낸다. 약제로는 daclatasvir, ledipasvir, ombitasvir, elbasvir, velpatasvir, pibrentasvir 등이 있다. NS5B 중합효소 억제제는 sofosbuvir와 dasabuvir가 있다.

새로운 DAA의 기본적인 특성, 용량 및 복용법의 차이를 이해하고 간기능 및 콩팥 기능 장애를 동반한 환자에서 적절한 약제를 선택하고 사용할 수 있어야 한다. 또한, 함께 투약하는 여러 약제들과 약물상호작용을 유발할 수 있으므로, 치료 전에 반드시 사용하고 있는 모든 약제에 대하여 상호작용 여부를 확인하여야 한다.

4. 만성 C형 간염 치료 가이드라인(2017년 대한간학회)

1) 유전자형 1a형

유전자형 1a형의 치료

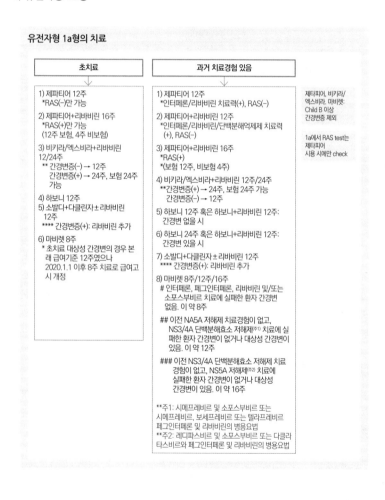

초치료	과거 치료경험 있음
1) 제파티어 12주 　*RAS(-)만 가능 2) 제파티어+리바비린 16주 　*RAS(+)만 가능 　(12주 보험, 4주 비보험) 3) 비키라/엑스비라+리바비린 　12/24주 　** 간경변증(-) → 12주 　　간경변증(+) → 24주, 보험 24주 　　가능 4) 하보니 12주 5) 소발디+다클린자±리바비린 　12주 　**** 간경변증(+): 리바비린 추가 6) 마비렛 8주 　* 초치료 대상성 간경변의 경우 본 　래 급여기준 12주였으나 　2020.1.1 이후 8주 치료로 급여고 　시 개정	1) 제파티어 12주 　*인터페론/리바비린 치료력(+), RAS(-) 2) 제파티어+리바비린 12주 　*인터페론/리바비린/단백분해억제제 치료력 　(+), RAS(-) 3) 제파티어+리바비린 16주 　*RAS(+) 　*(보험 12주, 비보험 4주) 4) 비키라/엑스비라+리바비린 12주/24주 　**간경변증(+) → 24주, 보험 24주 가능 　간경변증(-) → 12주 5) 하보니 12주 혹은 하보니+리바비린 12주: 　간경변 없을 시 6) 하보니 24주 혹은 하보니+리바비린 12주: 　간경변 있을 시 7) 소발디+다클린자±리바비린 12주 　**** 간경변증(+): 리바비린 추가 8) 마비렛 8주/12주/16주 　# 인터페론, 페그인터페론, 리바비린 및/또는 　　소포스부비르 치료에 실패한 환자 간경변 　　없음. 이 약 8주 　## 이전 NA5A 저해제 치료경험이 없고, 　　NS3/4A 단백분해효소 저해제^(주1) 치료에 실 　　패한 환자 간경변이 없거나 대상성 간경변이 　　있음. 이 약 12주 　### 이전 NS3/4A 단백분해효소 저해제 치료 　　경험이 없고, NS5A 저해제^(주2) 치료에 　　실패한 환자 간경변이 없거나 대상성 　　간경변이 있음. 이 약 16주 　**주1: 시메프레비르 및 소포스부비르 또는 　시메프레비르, 보세프레비르 또는 텔라프레비르 　페그인터페론 및 리바비린의 병용요법 　**주2: 레디파스비르 및 소포스부비르 또는 다클라 　타스비르와 페그인터페론 및 리바비린의 병용요법

제파티어, 비키라/
엑스비라, 마비렛:
Child B 이상
간경변증 제외

1a에서 RAS test는
제타피어
사용 시에만 check

(1) 치료 경험이 있는 유전자형 1a형 만성 C형 간염 및 대상성 간경변증의 치료
　Ledipasvir/sofosbuvir와 리바비린을 병합하여 12주 치료하거나, ledipasvir/sofosbuvir
　로 24주 치료한다.

(2) 치료 경험이 없는 유전자형 1a형 만성 C형 간염 및 대상성 간경변증의 치료

① Ledipasvir/sofosbuvir로 12주 치료한다. 간경변증이 없고, HIV 중복 감염이 없으며, 치료 전 HCV RNA 농도가 6,000,000 IU/mL 미만인 경우 8주 치료할 수 있다.

② 치료 전 elbasvir에 대한 RAS가 검출되지 않으면 elbasvir/grazoprevir로 12주 치료한다. RAS가 검출되면 리바비린을 추가하여 16주 치료할 수 있다.

③ 간경변증이 없으면 ombitasvir/paritaprevir/ritonavir와 dasabuvir 및 리바비린을 병합하여 12주 치료한다. 간경변증이 동반된 경우는 ombitasvir/paritaprevir/ritonavir와 dasabuvir 및 리바비린을 병합하여 24주 치료한다.

④ 간경변증이 없으면 daclatasvir와 sofosbuvir를 병합하여 12주 치료한다. 간경변증이 동반된 경우는 치료 기간을 24주로 연장하거나 리바비린을 추가하여 12주 치료할 수 있다.

⑤ 간경변증이 없으면 glecaprevir/pibrentasvir로 8주 치료한다. 간경변증이 동반된 경우는 glecaprevir/pibrentasvir로 12주 치료한다.

⑥ Sofosbuvir/velpatasvir로 12주 치료한다.

2) 유전자형 1b 형

유전자형 1b형의 치료

초치료 or 인터페론/리바비린 병력	인터페론/리바비린/단백분해 억제제 병력	
1) 다클린자+순베프라 24주 *RAS(-) 2) 제파티어 12주 3) 비키라/엑스비라 12주 4) 하보니 12주: 인터페론/리바비린 치료력 (-) ** 초치료환자이고 간경변증이 없으며 HCV RNA <6백만 IU/mL인 경우 하보니 8주도 가능** 5) 하보니 12주+리바비린: 인터페론/리바비린 치료력 (+) 6) 소발디+다클린자±리바비린 12주 7) 마비렛 8/12주 **초치료: 8주 인터페론/리바비린병력: 간경변(-) 8주, 간경변 (+) 12주 *초치료 대상성 간경변의 경우 급여기준 12주였으나 2020.1.1부로 8주치료로 급여 고시개정	1) 제파티어+리바비린 12주 2) 비키라/엑스비라 12주 3) 하보니 12주 혹은 하보니+리바비린 12주: 간경변 없을 시 4) 하보니 24주 혹은 하보니+리바비린 12주: 간경변 있을 시 5) 소발디+다클린자±리바비린 12주 *** RAS(+), 간경변증 시 리바비린 추가 6) 마비렛 8주/12주/16주 # 인터페론, 페그인터페론, 리바비린 및/또는 소포스부비르 치료에 실패한 환자 간경변 없음. 이 약 8주 ## 이전 NS5A 저해제 치료경험이 없고, NS3/ 4A 단백분해효소 저해제[주1] 치료에 실패한 환자 간경변이 없거나 대상성 간경변이 있음. 이 약 12주 ### 이전 NS3/4A 단백분해효소 저해제 치료경험이 없고, NS5A 저해제[주2] 치료에 실패한 환자 간경변이 없거나 대상성 간경변이 있음. 이 약 16주 **주1: 시메프레비르 및 소포스부비르 또는 시메프레비르, 보세프레비르 또는 텔라프레비르와 페그인터페론 및 리바비린의 병용요법 **주2: 레디파스비르 및 소포스부비르 또는 다클라타스비르와 페그인터페론 및 리바비린의 병용요법	제파티어, 비키라/엑스비라, 마비렛: Child B이상 간경변증 제외 **1b에서 RAS test는 다클린자+순베프라, 소발디+다클린자 사용 시에만 확인**

(1) 치료 경험이 있는 유전자형 2형 만성 C형 간염 및 대상성 간경변증의 치료

① 간경변증이 없으면 sofosbuvir와 리바비린을 병합하여 12주 치료한다. 간경변증이 동반된 경우는 16~24주 치료할 수 있다.

② Daclatasvir와 sofosbuvir를 병합하여 12주 치료할 수 있다.

③ 간경변증이 없으면 glecaprevir/pibrentasvir로 8주 치료한다. 간경변증이 동반된 경우는 12주 치료한다.

④ Sofosbuvir/velpatasvir로 12주 치료한다.

(2) 치료 경험이 없는 유전자형 1b형 만성 C형 간염 및 대상성 간경변증의 치료

① Ledipasvir/sofosbuvir로 12주 치료한다. 간경변증이 없고, HIV 중복 감염이 없으며, 치료 전 HCV RNA 농도가 6,000,000 IU/mL 미만인 경우 8주 치료할 수 있다.

② Elbasvir/grazoprevir로 12주 치료한다.

③ Ombitasvir/paritaprevir/ritonavir와 dasabuvir를 병합하여 12주 치료한다.

④ 간경변증이 없으면 daclatasvir와 sofosbuvir를 병합하여 12주 치료한다. 간경변증이 동반된 경우는 리바비린을 추가하여 12주 치료하거나 리바비린 없이 24주 치료할 수 있다.

⑤ 치료 전 NS5A RAS가 검출되지 않으면 daclatasvir와 asunaprevir를 병합하여 24주 치료하고, NS5A RAS가 검출되면 다른 약제로 치료한다.

⑥ 간경변증이 없으면 glecaprevir/pibrentasvir로 8주 치료한다. 간경변증이 동반된 경우는 12주 치료한다.

⑦ Sofosbuvir/velpatasvir로 12주 치료한다.

3) 유전자형 2형

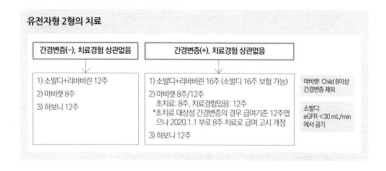

유전자형 2형의 치료

간경변증(-), 치료경험 상관없음	간경변증(+), 치료경험 상관없음	
1) 소발디+리바비린 12주 2) 마비렛 8주 3) 하보니 12주	1) 소발디+리바비린 16주 (소발디 16주 보험 가능) 2) 마비렛 8주/12주 　초치료: 8주, 치료경험있음: 12주 　*초치료 대상성 간경변증의 경우 급여기준 12주였 　으나 2020.1.1 부로 8주 치료로 급여 고시 개정 3) 하보니 12주	마비렛: Child B이상 간경변증 제외 소발디: eGFR <30 mL/min 에서 금기

(1) 치료 경험이 있는 유전자형 2형 만성 C형 간염 및 대상성 간경변증의 치료
① 간경변증이 없으면 sofosbuvir와 리바비린을 병합하여 12주 치료한다. 간경변증이 동반된 경우는 16-24주 치료할 수 있다.
② Daclatasvir와 sofosbuvir를 병합하여 12주 치료할 수 있다.
③ 간경변증이 없으면 glecaprevir/pibrentasvir로 8주 치료한다. 간경변증이 동반된 경우는 12주 치료한다.
④ Sofosbuvir/velpatasvir로 12주 치료한다.

(2) 치료 경험이 없는 유전자형 2형 만성 C형 간염 및 대상성 간경변증의 치료
① 간경변증이 없으면 sofosbuvir와 리바비린을 병합하여 12주 치료한다. 간경변증이 동반된 경우는 16주 치료할 수 있다.
② Daclatasvir와 sofosbuvir를 병합하여 12주 치료할 수 있다.
③ 간경변증이 없으면 glecaprevir/pibrentasvir로 8주 치료한다. 간경변증이 동반된 경우는 12주 치료한다.
④ Sofosbuvir/velpatasvir로 12주 치료한다.
⑤ 페그인터페론 알파 및 리바비린을 병합하여 24주 치료할 수 있다.

5. 비대상성 간경변증을 동반한 만성 C형 간염 치료 가이드라인 (2017년 대한간학회)

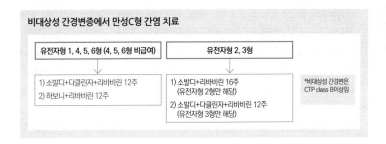

① C형 간염 바이러스 혈증이 있는 모든 비대상성 간경변증(CTP 분류 B 또는 C) 환자는 전문가 또는 간이식 기관에게 의뢰한다.
② 간이식 대기 시간이 6개월을 초과하거나 간이식이 가능하지 않은 경우는 치료를 할 수 있다.
③ 간이식 대기자 또는 심한 간기능 저하를 보이는 환자를 치료할 경우 약제 부작용, 독성 등에 대하여 면밀히 모니터링한다.

④ 단백분해효소 억제제(PI)는 부작용 때문에 비대상성 간경변증 환자에게 사용하지 않는다.

6. 특수 상황에서의 치료

1) 간이식 및 간외 장기 이식 전 환자의 치료
① 간이식 전 항바이러스 치료로 이식 후 재발을 예방할 수 있으며 치료 약제와 용법은 간기능과 HCV 유전자형에 의해 분류된 권고안을 따른다.
② 간이식이 가능한 MELD 점수 20-25점 이하의 비대상성 간경변증 환자는 간이식 전에 가능한 한 빨리 치료하고, MELD 점수 20-25점을 초과하는 비대상성 간경변증 환자는 간이식을 먼저 시행하고 이식 후 C형 간염이 재발하면 치료할 수 있다.
③ 간이식 후 C형 간염이 재발한 환자는 항바이러스 치료의 우선 고려대상이다.
④ 항바이러스 치료는 간이식 후 수개월 내 임상경과가 안정화되면 가능한 한 빨리 시작한다. 특히 섬유화 담즙정체성 간염이 발생하였거나 진행된 간섬유화나 문맥압 항진증이 발생하면 간질환의 급격한 진행과 이식편 손실이 예측되므로 신속히 항바이러스 치료를 시작한다.

2) 만성 콩팥병 환자의 치료
① 혈액투석이나 콩팥 이식 등의 콩팥 대체 치료를 준비하는 만성 콩팥병 환자에서는 향후 치료와 관리를 계획하기 위하여 HCV 항체 검사를 시행한다.
② HCV 항체 양성인 경우, 또는 항체는 음성이지만 원인 불명의 간질환을 가진 만성 콩팥병 환자에서는 HCV 감염을 확인하기 위하여 혈중 HCV RNA를 검사한다.
③ 사구체 여과율 30-80 mL/min의 콩팥 기능을 보이는 환자에서 sofosbuvir, ledipasvir/sofosbuvir, elbasvir/grazoprevir, ombitasvir/paritaprevir/ritonavir와 dasabuvir, daclatasvir, asunaprevir, glecaprevir/pibrentasvir, sofosbuvir/velpatasvir, sofosbuvir/velpatasvir/voxilaprevir를 이용한 치료에서 약제 용량 조절은 필요하지 않다.
④ 사구체 여과율 30 mL/min 미만의 만성 콩팥병을 가진 유전자형 1형 만성 C형 간염 및 대상성 간경변증 환자에서는,
  • Elbasvir/grazoprevir로 감량없이 12주 치료할 수 있다.
  • Ombitasvir/paritaprevir/ritonavir와 dasabuvir로 감량 없이 치료할 수 있다. 단, 유전자형 1a형에서는 리바비린(200 mg/d)을 추가한다.
  • Glecaprevir/pibrentasvir로 치료할 수 있으며, 치료 기간은 사구체 여과율이 정상인 환자와 같다.
  • 유전자형 1b형은 daclatasvir와 asunaprevir로 24주 치료를 고려할 수 있다. 단, 투석을

받지 않는다면 asunaprevir을 100 mg으로 감량한다.

⑤ 사구체 여과율 30 mL/min 미만의 만성 콩팥병을 가진 유전자형 2-6형 만성 C형 간염
및 대상성 간경변증 환자에서, glecaprevir/pibrentasvir로 치료할 수 있으며, 치료 기간
은 사구체 여과율이 정상인 환자와 같다.

⑥ 사구체 여과율 30 mL/min 미만인 만성 콩팥병을 가진 유전자형 4형 만성 C형 간염 및
대상성 간경변증 환자에서, elbasvir/grazoprevir 12주 또는 ombitasvir/paritaprevir/
ritonavir와 ribavirin 200 mg로 12주 치료를 고려할 수 있다.

⑦ 사구체 여과율 30 mL/min 미만인 만성 콩팥병을 가진 환자에서 유전자형 2, 3, 5, 6형
인 경우 감량된 페그인터페론 알파(2a, 135 g/wk)와 리바비린(200-800 mg/d) 병합요
법으로 치료할 수 있다. 투석 중인 환자에서는 감량된 페그인터페론 알파(2a, 135 g/wk)
단독치료를 고려할 수 있다.

3) HBV 중복 감염 환자

① HBV/HCV 중복 감염자에서는 어떤 바이러스가 간질환의 원인이 되는지를 확인한 후 단
독 감염과 동일한 기준에 의하여 치료를 권고하며, C형 간염의 치료 중 또는 후에 주기적
으로 HBV DNA 정량검사를 한다.

② HBV/HCV 중복 감염자에서 C형 간염에 대한 항바이러스 치료 중 또는 후에 HBV의 유
의한 증식이 확인되면 HBV에 대한 경구용 항바이러스제의 투약을 고려한다.

V 알코올성 간질환

1. 위험인자

① 음주량: 간경변증이 발생하는 최소 알코올 양은 남자에서 하루 20-40 g 이상, 여자에서 10-20 g이며 대부분의 후향적 연구에서도 하루 40-80 g의 알코올 소비는 간손상의 위험도를 높인다.

② 성별: 하루 30-80 g의 음주가 남성보다 여성에서 알코올성 간질환의 발생을 높인다고 보고. 짧은 기간과 소량의 음주로도 간손상이 더 잘 온다. 여성에서 같은 양의 음주 후 알코올의 혈중농도가 남성에서보다 더 높기 때문이다.

③ HCV: HCV 감염과 중증 알코올성 간질환이 같이 있는 경우가 많으며 예후가 나쁘다.

④ 유전: 알코올 대사와 관련된 알코올 탈수소효소, 알데히드탈수소효소의 유전적 다형성이 알코올 의존과 알코올 간질환에 관련이 있다

⑤ 비만: 비만한 사람이 과도한 음주를 하면 간질환의 위험이 증가되고, 간경변증과 간질환 사망률도 증가된다.

⑥ 흡연: 흡연은 알코올성 간경변증 위험인자이고, 산화 스트레스를 유발하고 알코올성 간질환이 있는 환자에서 간섬유화의 진행을 촉진시킨다.

2. 병리

① 알코올성 지방간(alcoholic fatty liver): 전형적인 대수포성 지방변성 소견

② 알코올성 간염(alcoholic hepatitis): 간세포 변성과 괴사, 풍선양 세포, 다핵백혈구 침윤, Mallory body 등을 볼 수 있다.

③ 알코올성 간경변증(alcoholic cirrhosis): 과도한 콜라겐 등 세포 외 기질의 축적이 특징

3. 임상진단

① 병력 청취: 술의 종류, 음주량, 1주간 음주횟수, 음주기간에 대하여 자세히 확인해야 한다. 하루 평균 알코올 섭취량이 남자에서 40 g 이상, 여자는 20 g 이상인 경우를 기준으로 삼는다.

② 증상 및 진찰소견: 알코올성 간질환 증상은 무증상에서 간부전이나 사망에 이르기까지 다양하게 나타난다.

③ 혈액 검사
- AST, ALT 상승(AST/ALT>2이면 알코올성 간염 고려): 2-7배 증가. 400 IU/L 이상 높게 증가는 드물다.
- GGT 상승: 음주량 증가를 의미할 수 있으나, 알코올 남용에 특이적이지는 않다.
- ALP, Bilirubin 상승: ALP는 정상치의 3배 이내로 상승, 반면 bilirubin은 현저히 상승하기도 함.
- 빈혈: 원인은 급/만성 위장관 출혈, 영양결핍(엽산과 비타민 B12 등), 비장기능항진증, 알코올의 직접적인 골수 억제, 용혈성 빈혈 등
- 당분결핍 트란스페린(Carbohydrate deficient trasnferrin, CDT): 알코올 남용 지표로 예민도와 특이도가 높다.

④ 조직학적 진단: 알코올 간질환 환자들에서 진단을 확립하고 염증 활성도와 섬유화 단계를 평가하기 위한 표준검사

4. 임상 양상

① 알코올성 지방간: 대부분 무증상. 간종대나 우상복부 통증, 황달 등이 나타날 수 있다. 수주 이상 금주 후 대부분 정상간으로 회복되지만, 일부에서 간섬유화 또는 간경변증으로 진행될 수 있다.

② 알코올성 간염: 매우 다양. 경미한 경우 알코올성 지방간과 구분이 어렵고 중증 알코올성 간염에서 간부전으로 사망할 위험이 높다.
- >50%: 식욕부진, 구역과 구토, 권태감, 체중감소, 간종대, 39℃ 이상의 고열(by cytokine)
- 간부전으로 진행 시: 복수, 부종, 출혈, 간성뇌증(알코올 중독 증상이나 금단현상과 구별 힘듦)

③ 알코올성 간경변증: 정맥류 출혈, 복수, 간성뇌증 등의 간기능 부전과 문맥압 항진 증상

5. 예후

① Discriminant function이 32 이상 시 입원 중 사망률이 50%으로 불량
(Discriminant function of Maddrey (MDF) = 4.6 × [prothrombin time – control (seconds)] + serum bilirubin (mg/dL))

② MELD 21 이상이면 90일 이내 사망률 20%

③ 심한 알코올성 간염소견을 보일 때 예후가 불량(PT 연장, 빈혈동반, Alb<2.5 mL/dL, Bil>8 mL/dL, 간신증후군, 간성혼수 동반 시)

6. 치료

① 완전한 금주와 충분한 영양공급(고칼로리 >30 kcal/kg, 고단백식)이 치료의 핵심

② 전해질(Mg, K, P) 교정 및 thiamine을 보충(Wernicke 뇌증 예방)

③ Steroid: 심한 알코올성 간염(MDF ≥32 or MELD ≥21)이고, 위장관 출혈, 패혈증, 신부전, 췌장염 등이 없는 경우, 4주간 Prednisone 40 mg, Prednisolon 32 mg PO qd로 복용하다 점진적으로 감량한다.

④ Pentoxifylline (nonspecific TNF inhibitor): 심한 알코올성 간염(MDF ≥32)의 경우, 특히 steroid 사용의 금기사항이 있거나 초기 신부전이 있을 때 4주간 Pentoxifylline을 400 mg PO tid로 투여할 수 있으나 최근 여러 연구에서 효과가 없다고 밝혀지고 있어 더 이상 추천되지 않는다.

⑤ 알코올성 간염 환자는 응급 사체간이식의 대상이 아니며, 6개월 이상의 금주 후 간이식 대상 여부를 다시 평가해야 함.

⑥ 스테로이드 치료 시 치료반응 평가

• 스테로이드 투약 1주일 후 Lille score를 구하고, 0.56 이상이면 스테로이드 무반응군으로 평가하고 스테로이드 투약을 중단한다.

• Lille Model Score = $(\exp(-R))/(1+\exp(-R))$

Where R = $3.19 - (0.101 \times age) + (0.147 \times baseline\ albumin) + (0.0165 \times change\ in\ bilirubin\ level) - (0.206 \times creatinine) - (0.0065 \times baseline\ bilirubin) - (0.0096 \times prothrombin\ time)$

Ⅵ 비알코올성 지방간질환(Nonalcoholic fatty liver disease, NAFLD)

1. 위험 인자

① 과체중, 비만, 인슐린 저항성(insulin resistance): lean body에서도 발생 가능하다 (lipodystrophy)

② Ethnic/racial factor: 히스패닉 계열의 American에서 많다.

③ Genetic factor

- PNPLA3 (lipid의 세포 내 trafficking에 관여하는 효소를 코딩하는 유전자)의 변이
- TM6SF2, MBOAT7 (lipid의 항상성에 관여하는 유전자)의 polymorphism

2. Pathology: 다양한 spectrum의 liver pathology를 보임

① 단순히 hepatocyte 내에 triglyceride가 축적되는 hepatic steatosis

② Hepatocyte death와 inflammation을 보이는 NASH (Nonalcoholic steatohepatitis)

③ NASH를 넘어 cirrhosis에서 primary liver cancer

NAFLD-related cirrhosis에서 연간 3% 비율로 primary liver cancer로 진행함.

3. Pathogenesis

① 명확하지는 않지만 현재로서 가장 잘 이해되는 기전은 hepatic steatosis

Triglyceride (TG) 합성을 위한 hepatocyte mechanism이 TG 분해 및 처리를 위한 hepatocyte mechanism보다 많아지면서 hepatocyte내 TG 축적을 일으킨다.

- Obesity: 장 내 미생물총을 변경하여 음식 섭취물로부터 장 투과성을 증가시켜 hypatocyte 내에 TG 축적을 자극시킴. 비만 지방세포 저장소는 tissue의 insulin sensitivity를 억제하는 adipokine 생성.
- 인슐린 저항성: 고혈당 촉진, glucose homeostasis를 유지하기 위해 더 많은 인슐린을 생산, 고인슐린 혈증은 지질 흡수, 지방 합성, 지방 저장을 촉진함.

② Triglyceride 자체는 hepatotoxic하지 않지만, 그 전구체와 대사 부산물들은 간세포를 손상시켜 hepatocyte lipotoxicity를 일으키고, 이는 염증성 cytokine, hormonal mediator들의 생성을 유발하여 hepatocyte death를 초래함.

4. Diagnosis

- 진단을 위해 체질량지수(body mass index), insulin resistance, DM 및 대사 증후군 동반 등을 확인하는 것이 중요.
- 기본적으로 배제 진단임.
- 과도한 알코올 섭취량이 없어야 함.

  과도한 알코올 섭취량 – 여성 하루 한잔 이상, 남성 하루 2잔 이상(한 잔 = 맥주 한 캔, 와인 4온스, 증류주 1.5온스)
- 간 지방축적의 다른 원인에 의한 liver injury (drug, virus, autoimmune, iron or copper overload 등) 배제되어야 함.

1) Blood test
- 간기능 상승이 나타나기도 하나 정상범위를 보이는 경우도 많다.
- Viral hepatitis나 자가면역간염 등 다른 원인을 배제하는데 이용된다.

2) Imaging
- Ultrasound, MRI, CT scan
- Transient elastography
- Magnetic resonance elastography

3) Liver biopsy: 반드시 필요하지는 않다

5. Staging

① 예후를 파악하고 치료 여부를 결정하는데 있어서 중요하다.

  Simple steatosis와 NASH를 구분하고, NASH 환자 중 advanced fibrosis로의 진행 여부를 파악하여 예후 및 치료 여부를 결정할 수 있다.

② Staging을 위해 비침습적 검사(혈액검사, 신체검사, imaging)와 침습적 검사(liver biopsy)로 구분
- 혈액검사, 신체 진찰, imaging 등을 통해 cirrhosis 동반 여부를 확인할 수 있다.
- 간생검은 liver injury와 fibrosis의 severity를 확인하는 가장 gold standard.
- 최근 liver fibrosis를 예측하기 위한 BARD score, NAFLD Fibrosis score, APRI score 등의 lab test와 MRI using proton density fat fraction (MRI-PDFF), magnetic

resonance elastography, Fibroscan 등의 비침습적 검사들이 대두되고 있다.

6. Clinical feature

- 대부분 무증상이며, 비만은 50-90%에서 확인.
- 그 외 당뇨, hypertriglyceridemia, HTN, cardiovascular disease, 만성 피로, 기분 변화, 폐쇄성 수면 무호흡증, 갑상선 기능장애, 만성 통증 증후군의 발병률이 증가되어 있다.

7. Treatment: 크게 3가지로 구분

1) NAFLD-related liver disease에 대한 specific therapy

(1) 생활습관 교정

① 체중조절: 간내 염증호전을 위해 7-10% 이상의 체중감량 필요

② 식이요법: 총 에너지 섭취 감소 및 저탄수화물, 저과당 식이 교육

③ 운동요법: 일주일에 두 번 이상, 최소 30분 이상

(2) 약물 요법: 아직 FDA 승인을 받은 약물은 없음.

① Vitamin E: 800 IU/일 사용 시 간 조직소견을 개선하고 지방간염을 호전시켜 치료제로 사용할 수 있으나 장기간 투여 시 안정성에 대한 우려가 있음.

② Pioglitazone, Rosiglitazone: 인슐린 저항성을 향상시켜, NASH의 조직학적 특징을 개선시켰다는 일부 연구 보고되어 있음.

③ Metformin: 간조직소견의 개선이나 ALT 호전을 보이지 않으나 당뇨병이 있는 비알코올 지방간질환 환자에서 당뇨병의 치료제로 우선 고려할 수 있음.

④ Statin: NASH 치료제로 추천되지는 않으나 고지혈증이 동반된 지방간 질환 환자에서 심혈 관계 합병증 감소를 위해 사용할 수 있음.

⑤ Omega-3 fatty acid: liver fat과 blood lipid profile을 호전시키나 liver histology를 호전 시키지는 못함.

(3) 비만 수술

대부분의 연구에서 hepatic steatosis와 괴사 염증을 개선시켰음을 입증하였으나 간섬유증에 대한 영향은 variable.

(4) 간이식

End-stage liver disease에서 고려할 수 있으며, outcome은 일반적으로 좋지만, DM, obesity, CVD 등의 동반질환의 상태에 따라 간이식이 제한되는 경우 있고, NAFLD가 간이식 후 재발하는 경우도 있다.

Ⅶ 자가면역 및 유전 대사성 질환

1. 윌슨병(Wilson disease)

- 구리 대사 장애로 간, 뇌, 각막, 신장 및 적혈구에 구리가 침착
- 상염색체성 열성 유전성 질환(13번 염색체 ATB7B gene의 돌연변이)
- 40세 이하, 젊은 환자에서 원인 모를 만성 간염이나 간경변이 있는 경우 윌슨병의 가능성을 의심

1) 진단
(1) 생화학적 검사

표 4-13. Measurement of Ceruloplasmin, Copper, urine Copper

	Normal	Heterozygous carrier	Wilson disease
Serum ceruloplasmin	18–35 mg/dL	Low in 20%	Low in 80%
24 hr urine Cu	20–50 μg/d	20–80 μg/d	>100 μg/d in Sx
Liver Cu(녹십자 수탁)	20–50 μg/g	20–150 μg/g	>200 μg/g

(2) Kayser-Fleisher ring

세극등 검사로 확인

(3) 유전자 검사

Wilson major mutation (ATP7B gene)

Heterozygote로 나온 경우에도 Wilson disease를 완전히 R/O 할 수는 없음.

2) 치료

① 일반적으로 zinc가 일차 선택약이나, 아직도 D-penicillamine이 많이 사용되고 있다.

② 유지 요법 및 무증상기의 치료, 소아나 임산부의 치료에도 zinc가 일차 선택임.

③ 간부전이 있는 경우 trientine과 zinc를 고려할 수 있으나 심한 비대상성 간부전의 경우 간이식의 적응이 됨.

④ 전격성 간부전의 경우 간이식 전에 plasmapheresis, exchange transfusion, hemo-filtration, dialysis, albumin dialysis, MARS 등이 시행될 수 있음.

표 4-14. Recommanded anticopper drug for Wilson's disease

Disease status Hepatitis or cirrhosis without decompensation	First Choice	Second Choice
Hepatic decompensation		
Mild	Trientine and zinc	Penicillamine and zinc
Moderate	Trientine and zinc	Hepatic transplantation
Severe	Hepatic transplatation	Trientine and zinc
Initial neurologic/psychiatric	Tetrathiomolybdatec and zinc	zinc

표 4-15. Pharmacologic Treatment for Wilson disease

	Initial therapy (2-6 months)	Maintenance therapy
D-penicillamine (공복 시 복용)	1,000-1,500 mg/d in 2-4 divided dose PO + pyridoxine 25-50 mg PO qd	750-1,000 mg/d in 2 divided dose PO + pyridoxine 25-50 mg/d PO qd
Trientine	750-1,500 mg/d in 2-3 divided dose PO	750-1,000 mg/d in 2-3 divided dose PO
Zn	150 mg/d elemental Zn in 2-3 divided dose, ≥1 hr away from meals if possible	

2. 자가면역간염

1) Definition

간세포 괴사와 염증 지속으로 섬유화를 일으키고, 간경변 또는 간부전으로 진행할 수 있는
것을 특징으로 하는 만성장애로, Auto Ab가 존재하고, serum Ig이 증가되어 있으며 다른
면역질환(thyroiditis, RA, hemolytic anemia, UC, type I DM 등)을 흔히 동반하는 질환

2) Clinical feature

① Fatigue, malaise, anorexia, amenorrhea, acne, arthralgia, jaundice가 흔한 증상

② 드물게 arthritis, maculopapular eruption, erythema nodosum, colitis, pleurisy,
pericarditis, anemia, azotemia가 발생할 수 있으며, cirrhosis로 진행한 경우 cirrhosis
로 인한 complication과 관련된 증상 발생

3) Laboratory feature

① 보통 minimal aminotransferase elevation을 보이며, bilirubin/ALP는 정상이나 심한
경우 serum AST, ALT가 100-1000까지 높아지기도 하며, bilirubin/ALP 증가되는
경우도 있다.

② Autoantibody: ANA (most common), Anti-mitochondrial Ab & Anti-smooth m.
Ab, Anti-LKM1 Ab, IgG/IgA/IgM

4) Type

표 4-16. Type of Autoimmune Hepatitis

Type 1	여성, bimodal (16-30 and >50 yrs), lupoid feature	ANA(+), ASMA(+)
Type 2	소녀(2-14 yrs), 유럽에 호발, glucocorticoid 반응 좋음	ANA(-), ASMA(-), anti LKM1(+)
Type 3	Type I과 비슷	ANA(-), anti LKM(-), anti SLA(+)

5) 진단

그림 4-21. Diagnostic algorithm in liver disease of unknown origin

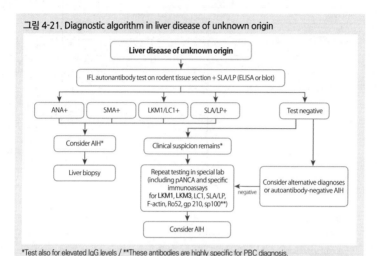

*Test also for elevated IgG levels / **These antibodies are highly specific for PBC diagnosis.

표 4-17. Simplified Diagnostic Criteria of the International Autoimmune Hepatitis Group

Feature/Parameter	Discriminator	Score
ANA or SMA+	≥1:40	+1*
ANA or SMA+	≥1:80	+2*
ANA or LKM+	≥1:40	+2*
ANA or SLA/LP+	Any titer	+2*
IgG or γ-globulins level	>upper limit of normal	+1
	>1.1×upper limit	+2
Liver histology (evidence of hepatitis is a necessary condition)	Compatible with AIH	+1
	Typical of AIH	+2
	Atypical	0
Absence of viral hepatitis	No	0
	Yes	+2

Definite autoimmune hepatitis: ≥7; Probable autoimmune hepatitis: ≥6.
Typical liver histology for autoimmune hepatitis, each of the following features had to be present namely, interface hepatitis, lymphocytic/lymphoplasmocytic infiltrates in portal tracts and extending into the lobule, emperipolesis (active penetration by one cell into and through a larger cell), and hepatic rosette formation; Compatible liver histology for autoimmune hepatitis, chronic hepatitis with lymphocytic infiltration without all the features considered typical; Atypical, showing signs of another diagnosis.
AIH, Autoimmune hepatitis; ANA, antinuclear antibody; LKM, liver kidney microsomes; SLA/LP, liver pancreas/soluble liver antigen; SMA, smooth muscle antibodies.
*Addition of points achieved for all autoantibodies (maximum, 2 points).
(Zakim and Boyer's Hepatology, 7th Ed, 2018)

표 4-18. Scoring system for diagnosis of autoimmune hepatitis

Category	Factor	Score
Gender	Female	+2
ALP/AST (or ALP/ALT)	>3	−2
	<1.5	+2
GGT or IgG (levels above ULN)	>2.0	+3
	1.5-2.0	+2
	1.0-1.5	+1
	<1.0	0
ANA, SMA, or Anti-LKM1 titers	>1:80	+3
	1:80	+2
	1:40	+1
	<1:40	0
AMA	Positive	−4
Viral markers	Positive	−3
	Negative	+3
Hepatotoxic drugs	Yes	−4
	No	+1
Alcohol	<25g/day	+2
	>60g/day	−2
Concurrent immune disease	Any nonhepatic immune disease	+2
Other liver defined autoantibodies	Anti-SLA/LP, actin, LC1, pANCA	+2
Histologic features	Interface hepatitis	+3
	Plasma cells	+1
	Rosettes	+1
	None of above	−5
	Biliary changes	−3
	Atypical features	−3
HLA	DR3 or DR4	+1
Tx. response	Remission alone	+2
	Remission with relapse	+3

Pretreatment Score: Definite diagnosis >15, Probable diagnosis 10-15
Posttreatment Score: Definite diagnosis >17, Probable diagnosis 12-17
(Zakim and Boyer's Hepatology, 7th Ed, 2018)

6) 치료

자가면역 감염 치료는 steroid 치료가 주를 이루며, 단독 요법은 steroid 60 mg/day로 시작하며 병합 요법은 PD 30 mg/day와 azathioprine 50 mg/day로 투약하는 것이다. 심한 자가면역간염 환자에서는 steroid 치료가 생존율을 증가시키는 것으로 잘 알려져 있으나 덜 심한 자가면역간염에서 steroid 치료의 부작용까지 고려한 연구는 아직 없다. 현증염증이 있는 경우에만 치료에 의미가 있으므로 치료의 적응증이 되지 않는 자가면역간염 환자에서의 치료는 치료에 따르는 부작용을 고려하여 임상적인 판단에 따라 개별화되어야 한다. 상기한 면역 억제 요법에 80% 이상에서 반응하지만, 중단 시 재발률이 높아서 수년간 유지 요법이 필요한 경우가 많으며 steroid 치료가 간경변증으로의 진행을 막지는 못하였다. Decompensated cirrhosis 발생 시에는 간이식을 한다(이식 후 재발은 드묾).

표 4-19. 자가면역간염 치료의 적응증

Absolute	Relative
Serum AST ≥ 10-fold upper limit of normal	Symptoms (fatigue, arthralgia, jaundice)
Serum AST ≥ 5-fold upper limit of normal and γ-globulin level ≥ twice normal	Serum AST and/or γ-globulin less than absolute criteria
Bridging necrosis or multiacinar necrosis on histologic examination	Interface hepatitis

Abbreviation: AST, serum aspartate aminotransferase level.
(AASLD Practice Guideline, Hepatology 2010:51:2193-2213)

표 4-20. Treatment Regimens for Adults

	Prednisone Only (mg/d)	Combination	
		Prednisone (mg/d)	Azathioprine (mg/d)
Week 1	60	30	50
Week 2	40	20	50
Week 3	30	15	50
Week 4	30	15	50
Maintenance until end point	20	10	50
Reasons for preference	Cytopenia, Pregnancy, Thiopurine methyltransferase deficiency, Malignancy, Short course (≤6 mo)	Postmenopausal state, Osteoporosis, Brittle diabetes, Obesity Acne, Emotional lability, Hypertension	

(AASLD Practice Guideline, Hepatology 2010:51:2193-2213)

VIII 간경변과 그 합병증

표 4-21. Child-Turcotte-Pugh Scoring System to Assess Severity of Liver Disease

Clinical and Laboratory Measurements	Points Scored for Increasing Abnormality		
	1	2	3
Encephalopathy (grade)	None	1–2	3–4
Ascites	None	Mild or controlled by diuretics	At least moderate despite diuretics
PT(%)(INR)	>50 (–1.70)	30–50 (1.71–2.20)	<30 (2.2–)
Albumin (g/dL)	>3.5	2.8–3.5	<2.8
Bilirubin (mg/dL)	<2	2–3	>3

Grade A: 5–6, Grade B: 7–9, Grade C: 10–15

표 4-22. Complications of liver cirrhosis

- Portal hypertension
  Gastroesophageal varix
  Portal hypertensive gastropathy
  Splenomegaly, hypersplenism
  Ascites
  Spontaneous bacterial peritonitis
- Hepatorenal syndrome (Type 1, Type 2)
- Hepatic encephalopathy
- Hepatopulmonary syndrome
- Malnutrition

- Coagulopathy
  Factor difciency
  Fibrinolysis
  Thrombocytopenia
- Bone disease
  Osteopenia, osteoporosis
  Osteomalacia
- Hematologic abnormalities
  Anemia, thrombocytopenia, neutropenia
  Hemolysis

1. 복수, 자발성 세균성 복막염

1) 정의 및 개괄

① 복수의 정의: 복강 내 과량의 체액이 축적되는 것으로 간경변증의 가장 흔한 합병증

② 대상성 간경변증 환자의 약 50%에서 10년 내에 복수가 발생

③ 복수를 가진 간경변증 환자의 40–50%가 2년 내에 사망

④ 난치성(refractory) 복수: 중앙 생존 기간 <1년

⑤ 제1형 간신증후군이 발생한 경우: 중앙 생존 기간 <2주

⑥ 복수 생성의 가장 중요한 인자: 내장 혈관 확장

⇒ 간경변 진행 → 문맥압 항진증 → 국소적인 혈관 확장물질들(주로 NO) 생성 → 내장 혈관의 확장 → 유효 동맥 혈류량의 저하 → 전신 순환계의 동맥 저충만(arterial underfilling) → 보상 반응으로 혈관 조절 물질들과 항이뇨 호르몬들에 의하여 나트륨과 수분의 저류 → 복수

⇒ 문맥압 항진증과 내장 혈관 확장 자체가 장모세혈관 압력과 투과도를 변화시켜 복강 내에 수분을 축적

2) 복수의 진단

① 복수 천자의 Indication
- 복수가 새로이 진단된 경우
- 복수를 가진 환자가 입원한 경우
- 복수 감염이 의심되거나 감염의 전신 증상/징후가 있는 경우
- 원인 미상의 임상적 악화(예, 간성 뇌증, 신기능 악화 등)를 보이는 경우

② 복수의 최초 검사 항목에는 cell count와 differential, 알부민, 총 단백질이 포함되어야 하며, 혈청 알부민을 같이 측정하여 serum-ascites albumin gradient (SAAG)를 구하여야 한다. SAAG가 1.1 g/dL 이상이면 문맥압 항진증에 의한 복수를 시사한다.

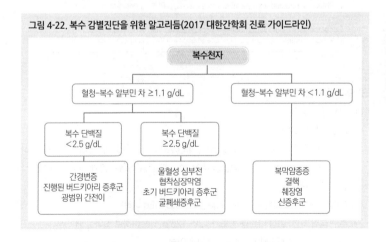

그림 4-22. 복수 감별진단을 위한 알고리듬(2017 대한간학회 진료 가이드라인)

③ 복수 감염이 의심되면 복수를 혈액배양용기에 배양하여야 한다.

④ 다른 추가적인 검사들은 이전 검사의 결과 해당 질환이 의심되는 경우에 시행한다. 반복적 치료적 복수천자를 시행하는 경우 세포수와 분획검사만을 시행할 수 있다.

표 4-23. 복수의 진단검사(2017 대한간학회 진료 가이드라인)

	항목	진단
필수검사	Cell count and differential Albumin Total protein	복수 감별진단, 자발성 세균성 복막염
선택검사	Gram's stain Culture in blood culture bottle	감염의 원인균
	Cytology	암성복수
	Acid-Fast Bacilli smear and culture Adenosine deaminase	결핵성 복막염
	Lactate dehydrogenase Glucose Carcinoembryonic antigen Alkaline phosphatase	이차성 세균성 복막염
	Amylase	췌장성 복수
	Triglyceride	유미성 복수
	Bilirubin	담관의 천공
	Urea, Creatinine	요로성 복수

⑤ 혈성 복수에서 복수 세포수 교정

Corrected ascitic fluid PMN count = Absolute ascitic fluid PMN count - RBC/250
(1 PMN is subtracted from the absolute ascitic fluid PMN count for every 250 RBC)

Corrected ascitic fluid WBC count = Absolute ascitic fluid WBC count - RBC/750
(1 WBC is subtracted from the absolute ascitic fluid WBC count for every 750 RBC)

3) 복수의 치료

(1) 비약물적 치료

① 원인 간질환의 치료

② 영양 치료 및 교육: 하루 2-3 g/kg/day의 탄수화물, 1.2-1.5 g/kg/day의 단백질, 하루 35-40 kcal/kg/day의 열량 공급을 추천. 충분한 영양 섭취가 불가능하면 여러 번 나눠 먹는 것을 고려

③ 저염식: 하루 5 g 이하로 제한(나트륨은 2 g, 88 mEq 이하)

④ 수분 섭취 제한: 혈청 나트륨 농도가 120-125 mmol 이하로 떨어질 때 하루 1.0-1.5 L 로 제한해 볼 수 있으나 반드시 필요한 것은 아님.

⑤ 침상 안정: 초기 복수 조절을 위해 권유할 수 있으나 비실용적임. 권장하지 않음.

(2) 약물적 치료(이뇨제의 사용)

① Urine Na을 이용한 이뇨제 조절: 복수 환자에서 비약물적 치료에 의해 natriuresis가

일어나지 않는 경우 이뇨제를 사용한다(Natriuresis: 24시간 소변 Na >78 mEq, spot urine Na/K ratio >1, spot urine Na >10-50 mEq/L). 이뇨제는 처음부터 spirono-lactone과 furosemide 병합요법을 사용하거나 또는 spironolactone 단독요법에서 반응하지 않는 경우 furosemide를 추가할 수 있다.

② 병합요법 시 spironolactone과 furosemide의 용량은 10:4 비율일 때 가장 이뇨작용이 우수하며, 대개 normokalemia를 유지할 수 있다.

③ 시작 용량은 spironolactone 100 mg ± Furosemide 40 mg qd in the morning 또는 spironolactone 50 mg ± furosemide 20 mg bid (8 am, 4 pm)

④ 단독요법으로 시작 시 첫 2-3주 동안 spironolactone 200 mg/day에 반응하지 않을 경우 furosemide를 추가할 수 있다. Spironolactone로 인한 gynecomastia 발생 등 부작용이 있으면, amiloride로 대체한다(amiloride 용량 = spironolactone 용량/10).

⑤ 필요시 두 약제를 동시에 증량시킨다(e.g., spironolactone 200 mg + furosemide 80 mg → 300 mg + 120 mg → 400 mg + 160 mg: 최대용량).

⑥ 전해질 이상: Hyperkalemia 시 spironolactone을 감량하거나 중지, hypokalemia secondarily d/t loop diuretics 시 furosemide 감량 혹은 중지

⑦ 병합요법으로도 치료 효과가 미비할 때에는 thiazide 25 mg 추가 3제 요법 고려

⑧ 바람직한 체중 감량 속도: 말초부종 동반 시 정해진 제한은 없음, 복수만 있을 시 0.5 kg/d

⑨ 이뇨제 중단 적응증: Hepatic encephalopathy, symptomatic severe hyponatremia (serum Na <120 mEq/L), renal dysfunction (serum Cr >2.0 mg/dL), active bacterial infection (SBP도 포함)

⑩ 이뇨제 치료의 반응 평가
- 염분 5 g 저염식에는 나트륨 88 mEq이 함유되어 있고, 일반적인 소변 외 배출 나트륨은 10 mEq임. 그러므로 24시간 소변 나트륨 배설량은 78 mEq을 넘어서는 안 된다. 24시간 소변 나트륨이 78 mEq 이상이면 환자가 저염식을 따르지 않은 것이고 78 mEq 미만이면 이뇨제가 불충분한 것이므로 이뇨제를 증량.
- Spot urine Na/K ratio가 1이상이면 24시간 소변 나트륨 배설량이 78 mEq 이상일 확률이 90-95%로 24시간 소변 나트륨 검사를 대신할 수 있다.

(3) 치료적 복수 천자

① Diuretics-sensitive ascites 환자의 경우 serial large volume paracentesis를 피함.

② Large volume paracentesis (>5 L) 시 post-paracentesis circulatory dysfunction을 최소화하기 위해 albumin infusion을 권고(albumin 6-8 g/L of ascites removed ⇒ 5 L 배액할 경우 40 g: 20% albumin 200 mL).

4) 난치성 복수

(1) 정의

염분섭취 제한과 최대용량의 이뇨제(spironolactone 400 mg/day 및 furosemide 160 mg/day) 사용에도 불구하고 조절되지 않거나, 복수천자 후에도 바로 재발하는 경우

(2) 치료

- 간헐적 대량 복수 천자, 이뇨제 투여는 중단하고 저염식 유지. 베타차단제/ACEi/ARB는 중단
- 표준 이뇨제 + midodrine 7.5 mg q8hr 또는 clonidine 0.1 mg q12hr 투여 고려
- 반복적 복수천자, 간이식, TIPS, 복강-정맥 단락술 등 시도해 볼 수 있다.

5) 간경변성 흉수

(1) 정의 및 발생기전

기저 심폐질환 없이 발생하는 삼출성 흉수. 복수가 횡격막의 작은 틈(1 cm 미만, 대부분 우측)을 통해 복강에서 흉강으로 이동하여 발생. 우측이 70% 양측이 12%로, 좌측 흉수가 있을 때는 결핵, 암, 췌장염 등을 고려해야 한다.

(2) 진단

① 혈청-흉수 알부민차(SPAG) >1.1

② 흉수 총 단백질 <2.5 g/dL 또는 흉수/혈청 총단백질비 <0.5

③ 흉수/혈청 LDH비 <0.6

④ PMN <250 cells/mm^3

(3) 자발성 세균성 흉막염

간경변성 흉수의 심각한 감염. 흉부 영상에서 폐렴이 없으면서 흉수천자에서 세균배양 +PMN >250/mm^3 또는 세균배양 음성이더라도 PMN >500/mm^{3}일 때 진단하며, 흔히 배양되는 균주는 SBP와 비슷하다. 대부분 적절한 항생제로 치료되므로 명백한 농흉이나 pH <7.2가 아니라면 가슴관 삽입은 피하도록 한다.

(4) 치료

비대상성 간부전으로의 진행을 의미하며, 간이식을 고려해야 한다.

- 일반적인 복수의 조절과 동일하게 염분제한, 이뇨제투여, 호흡곤란 악화 시 치료적 흉수 천자 시행
- 조절되지 않을 경우 이차적으로 TIPS를 고려하고, VATS를 이용한 흉막유착이나 횡격막 결손부위의 수술적 치료도 고려할 수 있다.

6) 저나트륨혈증

(1) 간경변증 환자에서 발생하는 희석성 저나트륨혈증은 130 mmol/L를 기준으로 한다. 대부분 희석성 저나트륨혈증으로 예후가 좋지 않고 여러 합병증을 동반할 수 있다.

(2) 치료

① 원인치료

- 저혈량성 저나트륨혈증: 이뇨제 과다 투여에 의한 경우가 흔함. 수액 보충이 먼저 필요
- 고혈량성 저나트륨혈증: 간경변증 악화에 의함. 수분섭취 제한(하루 1~1.5 L), 혈장증량제 투여

② Vaptan (conivaptan, lixivaptan, satavaptan, tolvaptan)

정상혈량성/고혈량성 저나트륨혈증에서 고려해 볼 수 있음

7) 자발성 세균성 복막염

(1) Three subtypes of spontaneous ascitic fluid infection

① Sponteneous bacterial peritonitis (SBP): ascitic fluid PMN count ≥250 cells/㎣, ascites culture(+), without evidence of an intra-abdominal surgically treatable source of infection

② Monomicrobial non-neutrocytic bacterascites (MNB): ascitic fluid PMN count <250 cells/㎣, ascitic culture (+) for a single organism, no evidence of an intra-abdominal surgically treatable source of infection → 감염의 증상이 있는 경우 SBP에 준해 치료

③ Culture-negative neutrocytic ascites (CNNA): ascitic fluid PMN count ≥250 cells/㎣, ascitic culture (−), there is no other explanation for an elevated ascitic PMN count → SBP에 준해 치료

(2) 진단

① 발열, 복부 동통, 압통, 간성뇌증, 신부전, 산혈증, 말초 백혈구 증다증 등 감염의 증상 및 징후 혹은 검사소견의 악화가 있는 경우 반드시 복수 천자 및 배양검사 반복. 복수배양은 양성률을 높이기 위해 반드시 혈액배양배지를 사용.

② 복수의 다형핵 호중구 250/㎣ 이상: 배양검사 결과와 상관없이 SBP로 진단, 경험적 항생제의 투여

복수의 다형핵 호중구가 250/㎣ 미만이라도 감염의 증상 및 징후가 있는 경우, 배양 검사 결과가 나올 때까지 경험적 항생제의 투약이 필요.

③ 복수의 다형핵 호중구가 250/㎣ 이상인 경우는 복수 총 단백, LDH, 포도당, 그람 염색 등

을 추가적으로 시행하며 이차성 세균성 복막염과 감별. PMN 수가 수천 이상으로 증가하고, 여러 개의 균주가 배양되며, 복수 내 총 단백질량이 1 g/dL 이상, 복수 내 LDH가 혈청 LHD의 정상 상한치 이상, 복수내 포도당 수치가 50 mg/dL 이하인 경우, 적절한 항생제 치료 48시간 이후에 PMN수가 치료 전보다 감소하지 않는다면 이차성 세균성 복막염을 의심할 수 있다. 복수내 CEA(>5 ng/mL), ALP(>240 U/L) 상승 시 천공을 의심한다.

(3) 치료

① 경험적으로 cefotaxime 2 g IV q8hr 또는 ceftriaxone 1 g q12hr or 2 g q24hr 사용

② 병원내 감염(입원 48-72시간 이상 후 발생)일 경우 중증이거나 다약제 내성균 위험인자 (장기간의 예방적 항생제 사용, 최근의 베타-락탐 항생제 사용, 최근 입원 병력 등) 있을 때 carbapenem ± glycopeptide 고려 → 재평가 통해 하향조정

③ 치료 기간: 5-10일. 항생제 감수성 결과 및 증상 등에 따라 변경.

④ 치료효과 판정: 경험적 항생제 2일간 투여 후 재복수천자에서 PMN이 25% 이상 줄지 않으면 치료 실패로 판정, 항생제 교체를 고려.

⑤ 혈청 빌리루빈 4 mg/dL 이상 혹은 sCr 1.0 mg/dL 이상인 경우 진단 시 1.5 g/kg, 3일째 1.0 g/kg의 알부민을 투여한다.

⑥ 급성신손상이 흔하게 발생하므로 신기능을 모니터링하며 이뇨제 용량을 감량/중단한다.

(4) 예방

① 복수 단백 <1.5 g/dL이며 간부전, 신부전, 저나트륨혈증 동반: Norfloxacin 400 mg/day PO 고려

② 위장관 출혈이 있는 경우, Norfloxacin 400 mg bid or ceftriaxone 1 g qd for 7 days

③ 이차 예방: 회복후 재발 위험이 높아, norfloxacin 400 mg/day or rifaximin 1,200 mg/day 고려

2. 간성뇌증

1) 정의

① 간기능 저하 상태에서 발생하는 의식 또는 지남력 장애 및 각종 신경학적 이상을 특징으로 하는 신경정신학적 증후군

② 전체 간경변증 환자의 10-14%, 비대상성 간경변증 환자의 16-21%에서 발생한다고 알려져 있다.

2) 진단

현성 간성뇌증은 임상증상만으로 진단이 가능하지만, 다른 질환을 배제해야 한다.

(1) 임상증상: 광범위한 임상양상을 보인다.

① 성격의 변화, 무관실, 불안, 초조, 수면의 질과 삶의 질 감소, 근육 긴장 증가, 과민반응, 바빈스키 양성반응 등을 보이나, 발작(seizure)이 동반되는 경우는 드물다.

② 퍼덕떨림: 현성 간성뇌증의 초기 또는 중기에 흔하게 나타나는 증상. 손가락을 벌리면서 손목을 과신전 시키는 동작 등에 의해 발생되는 여러 근육들의 긴장도 부조화로 나타나는 손 떨림 현상

(2) 중증도 분류(2019 대한간학회 진료가이드라인)

표 4-24. 간성뇌증 중증도 분류

분류	단계	임상양상	특징
불형성 (covert)	최소 (minimal)	임상적으로 인지장애 징후 없음 정신측정학적/신경생리학적 검사에서만 이상 소견 확인	도구를 이용한 인지기능 검사에서 만 이상소견을 보임
	1	지남력은 유지되어 있으나 경미한 인지 또는 행동 변화를 보이는 상태	경미한 임상증상을 보이나 진단의 재현성이 떨어짐
현성 (overt)	2	행복감 또는 불안감, 집중 시간 감소, 수면 행 태의 변화	지남력 장애와 퍼덕떨림이 가장 특징적임. 임상증상이 비교적 재 현성 있게 나타남
	3	지남력 장애(disorientation, 특히 시간 지남력 장애), 퍼덕떨림(flapping tremor, asterixis), 기면(lethargy), 성격의 변화, 부적절한 행동 공간 지남력 장애, 졸림(somnolence), 반혼 수(semicoma), 혼란(confusion) 상태	근육 강직이나 간대(clonus), 반사 항진(hyperreflexia)
	4	모든 자극에 반응이 없는 상태	혼수(coma)

(3) 감별진단

뇌의 기질적 질환, 약물남용, 알코올 중독, 저나트륨혈증 및 정신과적 질환 등을 감별

표 4-25. 간성뇌증 감별진단

감별질환	감별점
Korsakoff 증후군	선행성 건망증, 단어기억 감소
Wernicke 뇌병증	안구운동마비, 주시에 의하여 유도되는 안구진탕, 보행실조
진전 섬망	심장박동 증가, 식은땀, 고성, 거칠고 반복적인 진전
경막하혈종	한쪽 마비 등의 신경학적 증반을 동반하는 경우가 흔함
뇌염	두통, 발열, 구토, 목이 뻣뻣한 증상
치매	증상이 서서히 나타나며
알코올성 치매	최근 사건 기억저하, 폭력적 성향
급성 저나트륨혈증, 저혈당, 또는 대사성 알칼리증	

(4) 혈중 암모니아

암모니아의 대사는 여러 장기의 영향을 받기 때문에, 정맥혈 암모니아는 간성뇌증의 정도와 비례하지 않고 예후와도 연관성은 없다. 반복적인 암모니아 농도의 측정은 치료 효과를 판정하는데 도움이 될 수 있고, 간성뇌증이 의심되는 환자에서 정상 암모니아 농도를 보이는 경우 다른 질환과의 감별이 필요하다.

3) 치료

(1) 유발인자의 확인 및 제거

안정된 간경변 환자에서 간성뇌증의 발생은 명백히 확인할 수 있는 유발인자들에 의한 경우가 많으며 약 80%에서 유발인자가 확인되기 때문에 급성 간성뇌증의 경우에는 유발인자의 교정과 간기능의 개선으로 신경학적 증상이 완전히 소실될 수 있다. 따라서 간성뇌증의 유발요인을 찾고 교정하는 것이 가장 중요하다.

표 4-26. 간성뇌증의 유발인자 및 확인을 위한 유용한 검사와 치료(2019 대한간학회 진료가이드라인)

유발인자	유용한 검사법	치료
위장관 출혈	내시경, 일반혈액검사, 직장수지검사, 변잠혈검사	수혈, 내시경 및 방사선중재술, 혈관수축제
감염	일반혈액검사(백혈구 백분율), C-반응단백, 흉부 X-ray, 요검사 및 균배양검사, 혈액배양검사, 진단적 복수천자	항생제
변비	병력청취, 복부 X-ray	관장 또는 완하제
단백질 과다섭취	병력청취	단백질 섭취 제한
탈수	피부 탄력도, 혈압, 맥박수	이뇨제 중단 또는 감량, 알부민 투여 등 수액 요법
신기능장애	혈청 blood urea nitrogen, 혈청 creatinine, 혈청 cystatin C, 혈청 전해질	이뇨제 중단 또는 감량, 알부민 투여 등 수액 요법
저나트륨혈증	혈청 나트륨 농도	이뇨제 용량 조절 또는 중단, 수분섭취 제한
저칼륨혈증	혈청 칼륨 농도	이뇨제 용량 조절 또는 중단
Benzodiazepine	병력청취	약물 투여 중단, flumazenil 투여 고려
Opioid	병력청취	약물 투여 중단, naloxone 투여 고려
급성 간기능 악화	간기능 검사, 프로트롬빈 시간	보존적 치료, 간 이식 고려

(2) 급성기 치료

표 4-27. 급성기 간성뇌증의 약물 치료 요법(2019 대한간학회 진료가이드라인)

비흡수성 이당류	- 경구 lactulose 시럽을 한 번에 30-45 mL (20-39 g)씩 3-4회/일 투여(경구 lactitol은 67-100 g을 3회/일 분할하여 투여) - 치료 초기: 적어도 하루 2회 이상 무른 변을 볼 때까지 1-2시간 간격으로 투여. 이후 2-3회/일의 배변을 보도록 용량 조절(경구 섭취 어려울 경우 비위관을 통해 투여) - Lactulose 관장의 경우 300 mL (200 g)을 총량 1 liter로 만들어 최대 3-4회/일 시행
Rifaximin	400 mg 3회/일 또는 550 mg 2회/일
경구 분지쇄아미노산	0.25 g/kg/일
경정맥 L-ornithine-L-aspartate	30 g/일
알부민	1.5 g/kg/일 증상 회복 또는 최대 10일
Polyethylene glycol	- 비흡수성 이당류 대체제로 사용 가능 - 4 liter 경구 투여

① 무의식 상태의 환자가 회복되어 먹을 수 있게 되면 1일 30-40 g의 단백질이 포함된 식사를 하게 한다. 1일 40 g 미만의 단백질 섭취는 negative nitrogen balance를 유발하여 내인성 단백질의 파괴를 초래해 환자 상태를 더욱 악화시킬 수 있다. 지나친 단백질 제한은 하지 말자!

② 필수 미량원소 중 하나인 아연(zinc)은 단백질 및 질소 대사 조절에 중요한 역할을 한다. 아연이 결핍되면 요소회로 효소 및 글루타민 합성효소의 작용이 저하되며 아연을 공급하면 요소회로가 활성화 된다. 간성뇌증 환자에서 아연보충의 효과는 확실하지 않으나 간경변증 환자에서 아연결핍이 간성뇌증의 유발인자로 작용할 수 있으므로, 아연이 결핍되어 있는 경우 경구로 아연을 보충해 주는 것이 도움이 될 수 있다. 아연의 하루 권장허용량은 성인 남성 및 여성에서 각각 11 mg 및 8 mg이다. 아연을 과량 복용하였을 때 구역, 구토, 식욕부진, 복통, 설사 및 두통 등의 부작용이 나타날 수 있다(Ref. 2011 guideline LC 대한간학회).

③ 급성뇌증에서는 경구 혹은 비위관을 통해 우선 lactulose를 30-50 mL 가량 투여하며 설사가 나타날 때까지 1-2시간마다 동량을 투여한다. 이후에는 하루 2-3회의 묽은 변을 볼 수 있도록 용량을 조절하는데 대개 8-12시간마다 15-45 mL를 투여한다. 장폐쇄나 장마비가 있거나 의식 저하가 심한 환자에서는 락툴로스 관장(1 L의 물에 300 mL을 희석)을 사용할 수 있다. 이 경우 관장액이 전 대장에 골고루 퍼지도록 해야 하며 30분 이상 관장액이 장내에 머물러 있도록 노력한다.

④ Rifaximin은 rifamycin의 유도체로서 장에서 거의 흡수되지 않아 장관 내에서 고농도로 유지되며 대변으로 배설될 때까지 활성화된 형태를 유지한다. 세균의 DNA-dependent

RNA polymerase에 결합하여 RNA 합성을 억제하며 호기성 및 혐기성 그람 양성 및 음성균에 대한 광범위한 항균력을 보인다. 간성뇌증에서 lactulose 또는 lactitol과 유사한 치료 효과를 보이고, rifaximin과 lactulose를 병합한 치료는 lactulose 단독치료에 비해 우수한 회복률을 보였다. 하루 1,200 mg까지 사용이 가능하고, 경구로 투여되어야 하므로 3단계 이상의 심한 간성뇌증에서는 사용이 제한될 수 있다.

그 외 neomycin과 metronidazole도 장에서 거의 흡수되지 않으면서 요소 생성 세균에 작용하여 장내 암모니아 생성을 감소시켜 간성뇌증을 호전시킬 수 있지만, neomycin은 소장 흡수장애, 신독성, 이독성을 유발할 수 있고, metronidazole은 말초신경장애 등의 부작용이 있어 우선적으로 권장되지는 않는다.

⑤ 다른 치료에 잘 반응하지 않는 급성 또는 만성 간성뇌증 환자에게 추가적으로 L-ornithine-L-aspartate (Hepamerz®) 투여를 고려할 수 있다. 하루 20 g을 5% 글루코스 용액 250 mL에 섞어 4시간 동안 정주하되 1주일간 투여한다. 경구 투여의 유용성은 추가 연구가 필요하다.

⑥ 경구 분지쇄아미노산은 간성뇌증 치료에 효과가 있어 표준 치료에 대한 보조적 요법으로 적용 가능하나, 경정맥 분지쇄아미노산은 현성 간성뇌증의 치료에 별다른 효과가 없다고 알려져 있다.

⑦ 기타 약물
- 알부민: 2단계 이상의 간성뇌증에서 lactulose와 더불어 알부민(1.5 g/kg/day)을 경정맥으로 투여할 경우, lactulose 단독치료에 비해 10일 내 간성뇌증의 회복률을 향상시킨다는 보고가 있다.
- PEG (Polyethylene glycol): 비흡수성 이당류와 같이 장 내 암모니아를 줄여서 치료적 효과가 있을 것으로 추정. 유용성 및 안정성에 관한 추가 연구가 필요하다.
- Flumazenil: 일차치료로 권장되지 않으나, benzodiazepine 사용으로 유발된 간성뇌증의 경우 투여해 볼 수 있다.

⑧ 간성뇌증 환자에서 다른 모든 내과적 치료가 실패하고 단락이 확인된 경우 중재적 시술에 의한 문맥-전신 측부순환 차단을 고려할 수 있다.

⑨ 급성 간부전 환자의 경우 초기증상으로 간성뇌증을 보이면 예후가 불량하기 때문에 간이식을 고려한다. 또한 급성기 치료에 반응하지 않는 심한 간성뇌증 환자는 간이식의 대상이 된다.

(3) 재발 방지

① 약물요법
- 비흡수성 이당류: 우선적 사용. 하루 2-3회의 부드러운 대변을 보도록 30-60 mL 복용
- Rifaximin: 비흡수성 이당류 복용이 어려운 경우. 400 mg 하루 3회 또는 550 mg 하루 2회

- 2회 이상 간성뇌증이 재발하는 경우 비흡수성 이당류와 rifaximin을 병용
- 경구 분지쇄아미노산: 식이로 충분한 단백질 섭취가 어려운 경우 권장
- 경구 LOLA: 재발을 줄이나 lactulose/rifaximin에 비해 효과적이지는 않다.
- 경정맥 알부민: 이뇨제에 잘 반응하지 않는 복수를 동반한 경우 도움이 될 수 있다.

② 교육
- 간성뇌증으로 입원 치료를 받았던 환자 및 가족에게 충분한 교육을 시행하는 것은 향후 치료의 순응도를 높이며, 간성뇌증으로 인한 재입원율을 유의하게 감소시킨다.
- 복용 중인 약제(lactulose, rifaximin 등)의 효과, 약물 순응도의 중요성, 간성뇌증 재발의 초기 증상 및 징후, 재발 시 대처 요령을 포함

③ 영양 관리 및 운동
- 하루 열량 35-40 kcal/kg 및 단백질 1.2-1.5 g/kg의 섭취를 권장. 장기적인 단백 제한식은 단백질 분해대사의 증가, 간 기능 저하, 근육량 감소 등을 유발할 수 있으므로 권장하지 않는다.
- 적절한 운동 요법은 골격근량의 손실을 막아 효과적인 암모니아 대사를 촉진하고 간성뇌증의 재발을 줄여 줄 수 있다. 그러나 현성 간성뇌증 환자에서는 운동이 일시적으로 문맥압 상승을 유도할 수 있으며, 특히 불충분한 영양 상태에서 운동을 하는 경우 낙상 및 골절의 위험이 있어 운동 요법에 앞서 적절한 영양 공급을 해야 한다.

4) 불현성 간성뇌증(Covert hepatic encephalopathy)

(1) 정의

현성 간성뇌증의 전단계로서 West-Haven criteria 1단계 간성뇌증과 간성뇌증의 범위 중 가장 경한 형태인 최소 간성뇌증을 포함한다. 진단이 어렵고 임상적으로 구분하기 어려워, 불현성 간성뇌증이라는 하나의 진단군으로 정의할 수 있다.

(2) 임상적 의미
- 주의력, 시공간 지남력, 조정능력, 운동 속도 및 반응시간 등 인지기능이 감소되어, 사회적 관계, 각성, 감정 행동, 수면, 업무, 가사, 오락 및 취미활동 등 일상생활 기능에 장애가 발생하고 삶의 질이 저하된다. 또한 낙상과 골절의 위험이 증가하고 작업 능력이 감소하여 개인 및 사회의 부담이 증가하게 된다.
- 현성 간성뇌증의 발생이 의미 있게 증가하여 현성 간성뇌증의 전 단계로 여겨진다.

(3) 진단

① 간경변증이나 문맥-전신 단락 등 불현성 간성뇌증을 유발할 수 있는 질환이 있고, 다른 신경학적 질환이 없으며, 지남력 장애와 퍼덕떨림이 동반되어 있지 않고, 인지기능 또는 신경생리기능에 이상이 있어야 한다.

② 최근 낙상이나 교통사고의 과거력이 있는 경우, 수면장애, 집중력 및 기억력 저하 등을 호소하는 경우와 같이 삶의 질이 저하되고 일상생활의 불편을 호소하는 환자에서 진단을 위한 검사를 시행하는 것이 좋다.

③ 선별을 위한 검사는 SIP의 4개 질문을 이용한 검사, 동물이름대기, 스마트폰을 이용하는 Stroop test 등을 이용해 볼 수 있다. 한국형 검사를 http://encephalopathy.or.kr/inspection에서 이용할 수 있다.

(4) 치료

현성 간성뇌증과 마찬가지로 장에서 기인한 질소성 물질, 특히 암모니아가 주된 역할을 하는 것으로 알려져 있어, 체내 암모니아를 감소시키기 위한 치료(lactulose, rifaximin)를 시행할 수 있다.

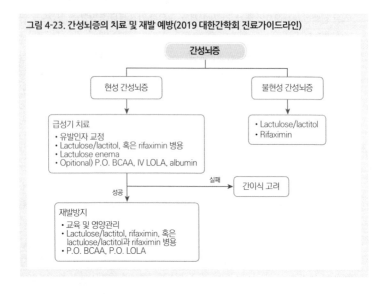

그림 4-23. 간성뇌증의 치료 및 재발 예방(2019 대한간학회 진료가이드라인)

3. 위·식도정맥류

1) 감시

(1) 감시의 대상

① 정맥류가 없는 간경변증 환자에서 1년에 5-9%, 2년에 14-17%의 빈도로 정맥류가 발생하며, 작은 식도정맥류는 1년에 12%, 2년에 25% 정도의 빈도로 큰 정맥류로 진행한다. 정

맥류가 동반된 간경변증 환자의 약 12%에서 1년 내 정맥류 출혈이 발생하며, 정맥류 출혈에서 생존하였다고 하더라도 적절한 예방이 없으면 1년 내 60%에서 재출혈을 하게 된다.

② 간경변증으로 처음 진단될 때 위식도정맥류의 존재 여부를 확인하고 출혈의 위험도를 평가하기 위한 내시경 검사를 시행해야 하며, 출혈 위험도가 높은 정맥류가 확인되면 출혈 예방을 위한 치료를 해야 한다.

(2) 감시 방법

대상성 간경변증 환자는 2-3년 간격으로, 비대상성 간경변증 환자는 1-2년 간격으로 내시경 검사를 시행, 정맥류의 발생 및 진행 여부를 확인

2) 분류

위정맥류의 분류는 식도정맥류와의 관계와 위치에 따라 위식도정맥류(gastroesophageal varices, GOV)와 단독 위정맥류(isolated gastric varices, IGV)로 크게 분류함.

표 4-28. Gastroesophageal varix의 내시경 소견

판정인자	기호	소견
1. Location	L	Ls: 상부식도까지 정맥류 존재 Lm: 중부식도까지 정맥류 존재 Li: 하부식도에 국한 Lg: 위 정맥류 Lg-c: 분문부에 근접한 경우 Lg-f: 분문부에서 떨어져 있는 경우
2. Form	F	F0: 정맥류가 보이지 않는 경우 F1: 직선적이고 가는 정맥류 F2: 염주상의 중등도의 정맥류 F3: 결절상 또는 종류상의 굵은 정맥류
3. Color	C	Cw: 백색 정맥류 Cb: 청색 정맥류 혈전이 보이는 경우 Cb-Th, Cw-Th
4. Red color sign	Rc	RC(-): 발적 소견이 보이지 않는 경우 RC(+): 국한성의 발적이 소수 보일 경우 RC(++): (+)와 (+++)의 중간 RC(+++): 전주성의 발적이 다수 보이는 경우 RWM (red wale marking), CRS (cherry-red spot), HCS (hematocystic spot), TE (Telangiectasis)
5. Bleeding sign	출혈 중의 소견	분출성 출혈(spurting bleeding) 비분출성 출혈(oozing bleeding) 출혈후의 소견: 적색 혈전(red plug), 백색 혈전(white plug)

그림 4-24. 위정맥류의 분류(2019 대한간학회 진료가이드라인)

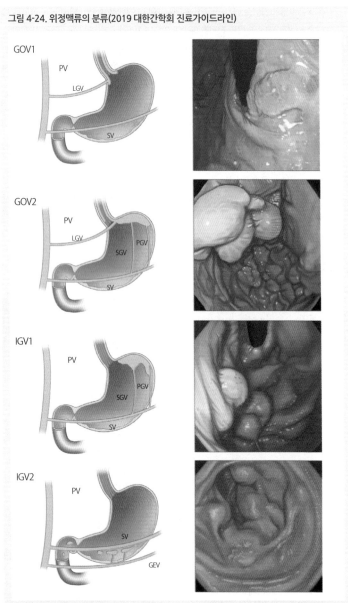

PV, portal vein; SV, splenic vein; LGV, left gastric vein; SGV, short gastric vein; PGV, posterior gastric vein; GEV, gastric epiploic vein

3) 초출혈의 예방

(1) 초출혈의 위험인자

① 식도정맥류: 크기(F2, F3), 비대상성 간경변증, 적색징후

② 위정맥류: 위치(IGV1 > GOV2 > GOV1), 정맥류의 크기, 적색증후, 간기능의 심한 저하

(2) 작은 식도정맥류 초출혈 예방

　크기가 작더라도 출혈의 위험도가 높은 경우 비선택적 베타차단제 투여를 고려

(3) 큰 식도정맥류 초출혈 예방

① 비선택적 베타차단제

- 치료 목표: 안정 시 심박수 분당 55-60회, 수축기 혈압 90 mmHg 이상
- Propranolol: 20-40 mg 하루 2회 투여로 시작, 2-3일 간격으로 조절. 최대용량은 복수가 없는 환자에서 320 mg/일, 복수가 있는 환자에서 160 mg/일
- Nadolol: 20-40 mg 하루 1회 투여로 시작, 2-3일 간격으로 조절. 최대 용량은 복수가 없는 환자에서 160 mg/일, 복수가 있는 환자에서 80 mg/일
- 금기: 동성서맥, 인슐린의존당뇨병, 폐쇄성 폐질환, 심부전, 대동맥판막질환, 2도 또는 3도 방실차단, 말초동맥질환 등
- 부작용: 어지럼, 피로, 전신쇠약, 호흡곤란, 두통, 저혈압, 서맥, 발기장애
- 약제투여는 평생 지속. 중단해야 하는 경우 EVL을 권장한다.
- 난치성 복수, 자발성 세균성 복막염 환자에서의 역할은 불확실하므로 사용에 따른 이득과 위험을 고려하여 신중하게 결정해야 한다.

② Carvedilol

- 용량 조절이 용이하며 심박수에 영향받지 않고 사용할 수 있다.
- 6.25 mg 하루 1회(또는 3.125 mg 하루 2회)로 시작, 3일 후에 6.25 mg 하루 2회로 증량한다. 최대 용량은 하루 12.5 mg

③ 내시경 정맥류 결찰술

- 선별검사를 하며 함께 시행할 수 있고 금기가 거의 없으나, 연하곤란, 식도 궤양, 협착, 출혈 등의 위험이 있다. EVL 시행 후 단기간 PPI 투여가 결찰부위 궤양을 줄이고 궤양출혈률을 감소시킨다. 비선택적 베타차단제와 정맥류 결찰술 병합치료도 고려할 수 있다.
- 정맥류 소실까지 2-8주 간격으로 반복 시행하며, 추적 검사는 소실 후 1-6개월째 및 그 후 6-12개월 간격으로 시행한다.

(4) 위정맥류 초출혈 예방

① GOV1: EVL에 의하여 식도정맥류가 없어지면 GOV1도 소실되어, 식도정맥류의 초출혈 예방 지침을 따른다.

② GOV2/IGV1: 출혈 고위험군에서 EVO, BRTO, PARTO를 고려할 수 있다.

그림 4-25. Balloon-occluded retrograde transvenous obliteration of gastric varices (BRTO)

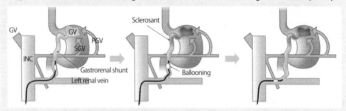

1996년 Kanagawa 등이 보고한 방법으로 위신단락(gastrorenal shunt)이 있는 위정맥류의 치료에 효과적이며 성공적인 시술 후 5년 재발률이 2.7%로 매우 낮다.
대퇴정맥이나 내경정맥을 천자하여 좌측 신정맥에서 좌측 부신정맥을 선택하고 폐색풍선카테타를 삽입한 후 풍선을 팽창시켜 혈류를 막은 후 5% Ethanolamine oleate를 유성 조영제인 Lipiodol과 3:1 또는 6:1로 섞어 혈류를 역행시켜 정맥류 내로 삽입하고 3시간 동안 유지시켜 정맥류를 색전하는 방법.
TIPS 또는 수술적인 단락술과 비교하여 덜 침습적이며 Hepatic encephalopathy나 hepatic failure가 없는 장점이 있는 것으로 알려져 있다. 시술 전에 gastrorenal shunt의 존재를 확인해야 하므로 반드시 Liver dynamic CT (5 mm section)를 찍어야 한다.

그림 4-26. Plug-Assisted Retrograde Transvenous Obliteration (PARTO)

BRTO는 경화제 주입 후 굳을 때까지 수 시간 이상 풍선을 고정해야 한다는 단점이 있고, 또한 시술 중 풍선이 파열되었을 때 경화제로 인한 전신색전증 등의 합병증 발생 위험이 있다.
이러한 BRTO의 단점을 개선하기 위해 고안된 치료가 PARTO로, 풍선 대신 vascular plug로 단락을 막고, 경화제 대신 젤라틴 색전제를 사용하여 지혈과 폐색을 유도한다.

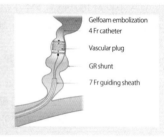

Gelfoam embolization
4 Fr catheter
Vascular plug
GR shunt
7 Fr guiding sheath

그림 4-27. 위식도정맥류의 초출혈예방(2019 대한간학회 진료 가이드라인)

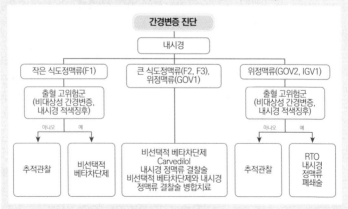

GOV, gastroesophageal varices; IGV, isolated gastric varices; RTO, retrograde transvenous obliteration

4) 급성 정맥류 출혈 진단 및 치료

(1) 진단

① 상부 위장관 출혈이 있는 환자에서 황달, 복수, 간성뇌증, 비장비대, 복부혈관의 우회순 환, 다리부종, 거미혈관종의 소견이 있으면 의심. 확실한 진단은 내시경 검사로 한다.

② 내시경에서 정맥류로부터 활동성 출혈이 관찰되거나, 정맥류 표면에 혈괴, 백태가 붙어 있는 경우, 위내 혈액이 관찰되나 정맥류 이외 다른 잠재적인 출혈병소가 발견되지 않으면 급성 정맥류 출혈로 진단할 수 있다.

(2) 급성 출혈의 치료

① 급성 정맥류 치료의 목적: 혈량저하증 교정, 신속한 지혈, 초기 재출혈 예방, 출혈과 연관 된 합병증 예방, 간기능 악화 예방

② 치료

• 우선 적절한 수액 주입과 수혈을 통하여 환자의 혈역동학 안정을 유지하기 위한 조치를 시행. 과도한 수혈은 오히려 문맥압을 기저치 이상으로 상승시켜 정맥류 출혈을 조장할 수 있으므로 혈액 용적의 보충은 농축 적혈구를 이용하여 헤모글로빈 7–9 g/dL를 유지 하도록 제한적으로 수혈한다. 신선동결혈장 및 재조합 응고인자 VIIa를 통한 출혈경향성 교정은 권고되지 않는다.

• 정맥류 출혈 환자에서 예방적 항생제 투여는 세균감염, 재출혈, 사망위험을 낮추므로, 출 혈 환자의 내원 직후부터 항생제를 투여한다. 지역의 항생제 내성 빈도를 고려하여야 하 나, 대부분의 지역에서는 ceftriaxone 단기간(7일 이내) 투여가 권장된다.

　ⅰ) 혈관 수축제: 정맥류 출혈이 의심되는 경우 혈관수축제를 가능한 빠른 시간 내(내시 경 검사 전)에 투여한다. 3가지 중 한 가지를 투여하고, 3–5일간 유지한다.

　(ⅰ) Terlipressin (Glypressin®)

　－ Vasopressin에 비해 부작용이 적어 단독 사용 가능

　－ 용량: Initial bolus of 2 mg (loading) + 1–2 mg bolus injection every 4–6 h (유 지) (그러나 우리나라 보험 기준상 하루 6 mg까지 사용 가능하기 때문에 본원에서는 2 mg once then 1 mg every 6 hrs 의 용법으로 사용하는 경우가 많다)

　－ 심혈관계 질환의 병력이 있거나 고위험군은 vasopressin, terlipressin 사용시 주의!!

　(ⅱ) Somatostatin (Somatorin®)

　－ 내장 혈관 추축을 유발하는 자연 펩타이드로 전신 혈관의 수축에 의한 부작용이 없는 것이 장점이며 위약과 vasopressin에 비해 효과가 우수하여 내시경 정맥류 결찰술 전의 교량요법으서 풍선 탐폰 삽입법에 버금가는 지혈 효과를 나타낸다.

　－ 용량: Initial bolus of 250 μg (loading) + 250–500 μg/hr infusion (continuous infusion)

- 투여기간: 2–5일이나 적정 기간에 대해서는 연구가 더 필요
- 부작용: 오심, 구토(25%) 고혈당(2–4%), 저혈당, 복부경련, 설사, 부정맥(SVT, bradycardia)

표 4-29. 급성 식도정맥류 출혈에 사용되는 혈관수축제(2019 대한간학회 진료가이드라인)

종류	초기용량	유지용량	부작용
Terlipressin	2 mg 정맥주사	4–6시간마다 1–2 mg 정맥주사	저나트륨혈증, 심장허혈, 복통, 설사
Somatostatin	250 ug 정맥주사	250 ug/hr 정맥주사	구역/구토, 복통, 두통, 고혈당
Octreotide	50 ug 정맥주사	50 ug/hr 정맥주사	구역/구토, 복통, 두통, 고혈당

ii) 내시경 치료

가급적 빠른 시간 내에 내시경을 시행한다. EVL이 일차치료로 권장되며, 내시경 주사 경화요법(EIS)은 더 이상 추천되지 않는다. 재출혈의 위험이 높은 일부 환자에서는 내시경적 지혈술에 이어 조기에 경경정맥 간내문맥전신 단락술(TIPS) 시행을 고려할 수 있다.

- GOV1은 기존의 식도정맥류가 위의 소만부를 따라 연장된 것으로, 식도정맥류 출혈과 유사하게 치료하는 경향이 있었다. 위정맥류는 더 크고 덮고 있는 점막층이 두꺼워 밴드결찰이 충분히 적용되기 어렵고, 시술부위가 지속적으로 위산과 음식물에 노출되므로, EVO를 고려한다.
- 위바닥정맥류(GOV2/IGV1) 출혈은 EVO, EVL, EIS 등으로 지혈할 수 있고, 내시경적 지혈 외에도 TIPS, BRTO, PARTO를 고려한다.

(3) 출혈 치료 실패 후 구조요법

① 출혈 치료 실패: 출혈 발생 이후 5일 이내 사망 또는 약물요법 또는 내시경적 지혈술 2시간 후 100 mL 이상의 토혈, 저혈량성 쇼크, 수혈 없이 24시간 이내 3 g/dL 이상의 헤모글로빈 감소가 있는 경우

② 우선적으로 TIPS를 고려한다.

Transjugular intrahepatic portosystemic shunt (TIPS)

문맥압을 낮추기 위하여 경피적으로 간내에서 간정맥과 간내 문맥 분지간에 경로를 만드는 시술로 급성 출혈의 지혈에 약 89–100%에서 효과적이며 70–93%에서 재출혈을 예방한다.

시술 전 간문맥과 간정맥의 상태를 알기 위하여 Liver dynamic CT 또는 Doppler 초음파 검사를 시행.

합병증: 간성뇌증, 간기능 악화, 스텐트 폐쇄가 있으며 이로 인해 생존율을 향상 시키지는 못함.

TIPS 경로가 50% 이상 좁아지거나 문맥고혈압이 재발하는 경우가 6–12개월 추적 검사 시 25–50%에서 발생.

③ 풍선 탐폰 삽입법은 TIPS 등의 치료 전 가교치료로서 시행하며, 24시간을 넘지 않도록 주의가 필요

Balloon tamponade (Sengstaken-Blakemore tube)

대량 출혈의 경우 효과적인 치료가 이루어질 때까지 일시적으로 사용할 수 있으며 Sengstaken-Blakemore 관은 활동성 출혈의 90%에서 효과적인 지혈이 가능
환자에게 심한 불편감을 주며 합병증이 있을 수 있으므로 약물치료에 반응하지 않는 경우에 효과적인 치료가 이루어 질 때까지 교량요법으로만 사용하는 것이 좋다.
Gastric balloon은 200-250 cc의 물이나 공기로 팽창시키며 48-72시간 동안 유지할 수 있고, esophageal balloon은 40 mmHg 이하의 압력으로 팽창시키며 24시간 이상 유지하지 않는 것이 좋으며 2시간마다 감압(deflation) 시켜주는 것이 원칙이나 상황에 따라 간격을 변경할 수 있다.

---

5) 정맥류 재출혈의 예방

(1) 재출혈의 정의

급성 위식도정맥류 출혈에서 회복된 후 최소 5일 이상의 출혈이 없는 상태에서 급성 정맥류 출혈이 반복되는 경우. 1-2년 이내에 평균 60%에서 경험하며 이로 인한 사망률이 33%에 달한다.

(2) 임상적으로 유의한 재출혈

반복되는 흑색변 또는 토혈을 보이며 ① 입원 또는 수혈이 필요, ② 3 g/dL 이상의 Hb 감소, ③ 6주 이내 사망 중 하나에 해당하는 경우

(3) 재출혈의 예방

① 내시경 정맥류 결찰술(EVL)과 비선택적 베타차단제의 병합치료를 권장한다. 병합치료가 어려운 경우에는 단독치료를 권장한다.

② 일차치료에 실패한 경우 TIPS을 구조요법으로 고려한다.

③ 반복적으로 정맥류 출혈이 있는 경우 간이식을 고려한다.

4. 급성신손상 및 간신증후군

1) 개괄

① 간경변 환자에서 신기능 장애의 마지막 단계로 동맥혈압 감소, 레닌, norepinephrine, 항이뇨 호르몬의 현저한 증가, 사구체 여과율의 감소(<40 mL/min)를 특징으로 한다.

② 간신증후군의 진단에서 첫 번째로 사구체 여과율의 감소를 밝히고 두 번째로 다른 종류의 신부전과의 감별해야 한다.

표 4-30. ICA-AKI의 혈청 크레아티닌을 통한 급성신손상 진단기준

	ICA-AKI
Definition	sCr이 기저치로부터 48시간 내 0.3 mg/dL 상승 또는 1주 이내 1.5배 이상 상승
Staging	
Stage 1	sCr이 기저치로부터 0.3 mg/dL 이상 상승 또는 1주 이내에 1.5-2배 상승
Stage 2	sCr이 1주 이내에 기저치의 2배 초과 3배 이하 상승
Stage 3	sCr이 1주 이내에 기저치의 3배 초과 상승 또는 sCr ≥4.0mg/dL로 상승 또는 신대체요법 개시

(Angeli P. et al. Gut 2015;64:531-537)

2) 진단

표 4-31. 2015년 International Club of Ascites의 간신증후군 진단기준

1) 복수가 동반된 간경변증
2) ICA-AKI 진단기준에 따른 급성신손상의 진단
3) 2일간의 이뇨제 중단 및 알부민(1 g/kg body weight/day, 하루 최대 100 g까지)을 사용하여 혈장량을 늘려도 급성신손상의 호전이 없을 때
4) 전신적인 쇼크가 없어야 함
5) 동시 또는 최근에 신독성이 있는 약제(NSAIDs, aminoglycosides, iodinated 조영제 등) 사용력이 없어야 함
6) 구조적 신손상의 증거가 없음 　– 단백뇨 하루 500 mg/day 이하 　– 혈뇨 50 RBC/high power field 이하 　– 신초음파에서 정상 소견

ICA-AKI, international club of ascites-acute kidney injury; NSAIDs, nonsteroidal anti-inflammatory drugs.
(Angeli P. et al. Gut 2015;64:531-537)

3) 분류

1996년 처음 간신증후군 진단기준 제시할 때에 1형과 2형으로 나누었으나 2015년 개정 진단에서는 아형 분류 없이 간신증후군으로 통일하였음.

표 4-32. Classification of Hepatorenal Syndrome

제 1형 간신증후군	제 2형 간신증후군
급속히 진행하는 신기능 장애가 특징 2주 이내에 급격히 AKI가 발생한 경우	2주 이상의 시간을 두고 천천히 진행하는 중등증(sCr 1.5 to 2.5 mg/dL)의 신기능장애.
유발인자 없이도 발생할 수 있으나 심한 세균 감염, 위장관 출혈, 대수술, 간경변에 병발한 급성 간염 등이 유발인자가 된다. 발생 후 중앙 생존기간이 2주에 불과하여 간경변의 합병증 중 가장 나쁜 예후	감염이나 다른 유발 인자에 의해 제 1형 간신증후군으로 발전할 가능성이 높고 중앙 생존기간이 6개월로 복수는 있으나 신기능 장애가 없는 간경변 환자에 비해 예후가 훨씬 나쁨
진행적 순환기계 장애	안정적 순환기계 장애

4) 예방

① 혈장량의 감소 혹은 혈관확장을 억제하는 것이 중요: 이뇨제의 조심스러운 사용, lactu-lose 용량 조절을 통한 지나친 설사 방지, 대량복수천자 후 알부민 투여

② 급성 세뇨관 괴사 예방을 위해 aminoglycoside계 항생제나 NSAIDs 사용을 자제

③ 급성 알코올성 간염 환자에서는 steroid보다 pentoxifylline이 신기능 보호작용이 있어 생존률 향상

5) 치료

(1) 비약물적 치료

① 간신증후군에서 신부전으로 진행하는 경과를 반전시키기 위해 기저 질환의 해결에 의한 간기능 회복을 기대하거나 성공적인 간이식을 시행하는 것이 가장 바람직한 치료 방법이다.

② 일반적으로 원인인자 제거(혈장량 증량, 필요시 항생제 투여), NSAIDs 및 혈관확장제 투여 중단, 이뇨제 감량 또는 중단

- Liver transplantation
  - 일차 선택 치료법
  - 장기 생존율은 비교적 좋아서 3년 생존율이 60%에 달한다.
- TIPS
  - 난치성 복수 조절 및 간문맥 고혈압의 조절을 통한 간신증후군 발생을 줄이기 위해 시도되어 일부 연구에서는 60% 환자에서 사구체 여과율 호전을 보고
  - 2형 간신증후군의 경우 심각한 간성 뇌증을 유발할 수 있지만 반복적 복수천자와 알부민 주입에 비해 생존율이 비슷하거나 좀 더 나은 결과가 최근 무작위 대조군 연구에서 보고되었다.
  - 최근 4개의 연구들을 정리한 Bresing 등의 연구에서 TIPS가 제 1형 간신증후군의 치료에서도 효과적이라는 것을 보고하였으나 아직까지 약물적인 치료와 TIPS간의 비교 연구는 없다.
- 혈액투석
  - 저혈압, 감염, 출혈 등 혈역학적으로 불안정하기 때문에 간신증후군의 일반적 치료로는 사용할 수 없다.
  - 내과적 치료에 반응하지 않는 폐부종, 심한 저칼륨혈증, 대사성 산증의 발생시 지속적 동정맥 혈액여과(continuous arterio-venous hemofiltration, CAVH), 지속적 정맥-정맥 혈액여과(continuous veno-venous hemofiltration, CVVH) 등을 시도해 볼 수 있다.

- Molecular Adsorbent Recirculating System (MARS)

MARS는 환자의 혈액 중 알부민과 결합한 독소와 수용성 독소를 제거하기 위해 알부민을 함유한 투석액을 charcoal과 이온 교환 수지 흡착제를 통해 순환하도록 고안된 투석방법으로 전통적인 혈액 투석은 간신증후군의 치료에 효과적이지 않은 데에 비해 MARS는 간신증후군 환자의 치료에 도움이 되는 것으로 생각된다. 현재까지는 간이식 등의 치료를 위한 가교 역할로 생각되며 간신증후군의 확립된 치료법으로 인정되기 위해서는 더 많은 연구가 필요하다.

(2) 약물적 치료

① 간신증후군은 병인에서 내장혈관이 확장되고 유효 전신 혈액량이 감소하기 때문에 간신증후군의 이론적인 약물치료는 전신 혈관 수축제와 혈장 확장제 병용치료일 것이며, 실제 여러 비대조군 연구에서 이러한 치료법의 효과가 확인되었다.

② HRS의 약물치료로 사용되는 혈관 수축제: 바소프레신 유사체(terlipressin, ornipressin), 소마토스타틴 유사체(octreotide), 알파아드레날린 작용제(midodrine, noradrenalin)

③ Terlipressin 치료 시 치료 반응 환자에서 요량의 증가는 terlipressin 투여 후 12-24시간 내 즉시 일어나며 사구체 여과율의 증가는 수 일에 걸쳐 서서히 나타난다.

④ 대부분의 연구에서 terlipressin은 혈청 크레아티닌이 떨어질 때까지 혹은 최대 15일까지 유지요법을 시행할 수 있다고 보고하였다.

⑤ 간신증후군의 치료 중단 후 재발은 약 50%, 반응군은 재발 시 재치료에도 효과가 나타남.

표 4-33. 간신증후군의 혈관 수축제 투여 용량 및 기간(예)

1. 치료 목표: 혈청 크레아티닌 <1.5 mg/dL
2. 추천 약물과 용량 　1) Terlipressin과 알부민 병용요법 　　– Terlipressin 0.5-2.0 mg을 매 4-6시간마다 정맥 주사(혈청 크레아티닌의 감소가 없는 경우 2-3일마다 단계적으로 증량 가능, 0.5 mg/4h → 1.0 mg/4h → 2.0 mg/4h) 　　– 알부민을 첫 날 1 g/kg로 정맥 주사하고 이후 매일 20-50 g으로 유지 　2) Midodrine과 octreotide 및 알부민 병용요법 　　– Midodrine 2.5-7.5 mg을 하루 세 번 경구투여(필요시 12.5 mg까지 증량) 　　– Octreotide 100 μg 하루 세 번 피하주사(필요시 200 μg까지 증량) 　　– 알부민을 매일 20-50 g 정맥주사 　3) Noradrenaline과 이뇨제 및 알부민 병용요법 　　– Noradrenaline을 0.5-3.0 mg/h의 속도로 지속 정맥주입 　　– 알부민과 이뇨제(furosemide)를 중심정맥압 4-10 mmHg로 유지하며 4시간 요량을 100 mL 이상으로 유지하도록 다양한 용량으로 정맥주사
3. 허혈성 부작용 위험을 고려하여 심장질환, 말초혈관질환, 뇌혈관질환이 동반된 경우에는 상대적 금기
4. 투여기간: 5-15일

Ⅸ 간세포암(Hepatocellular carcinoma)

1. 발생 요인 및 알려진 종양유전체 변화

표 4-34. 간세포암 위험인자

Common Risk factors
Liver Cirrhosis (from any cause) Chronic HBV, Chronic HCV Chronic alcohol consumption Non-alcoholic fatty liver disease, steatohepatitis Aflatoxin B1
Unusual Risk factors
Primary biliary cirrhosis Autoimmune hepatitis Budd-Chiari syndrome Wilson's disease Hemochromatosis Some genetic disorders (a1-antitrypsin deficiency, glycogen storage disease, Citrullinemia, Hereditary tyrosinemia) Porphyria cutanea tarda
Common molecular aberrations in HCC (Harrison's 20th)
Telomere instability (TERT promoter) Wnt/beta-catenin signaling (CTNNB1, AXIN1) Other mutations related with chromatin remodeling, cell cycle control, and growth factor signaling

2. 예방 (2018 간세포암종 진료 가이드라인)

Primary, secondary, and tertiary control of the modifiable risk factors

3. 우리나라의 간세포암 감시검사 (2018 간세포암종 진료 가이드라인)

1) 대상: 고위험군(간경변증, 만성 B형 간염, 만성 C형 간염)

2) 감시검사의 방법

간 초음파와 serum alpha-fetoprotein (AFP)를 6개월마다 정기적으로 시행한다. 감시검사 중 간세포암종이 의심되는 1 cm 이상의 결절은 진단적 검사를 시행한다. 감시검사로서 간 초음파 검사를 적절히 시행할 수 없는 경우, 대체 검사로서 역동적 조영증강 CT 또는 역동적 조영증강 MRI 등을 시행할 수 있다.

4. 진단 (2018 간세포암종 진료 가이드라인)

간세포암은 기본적으로 조직검사를 통해 병리학적으로 진단할 수 있으나, 고위험군(간경변증, 만성 B형 간염, 만성 C형 간염)에서는 전형적 영상소견으로 진단할 수 있다.

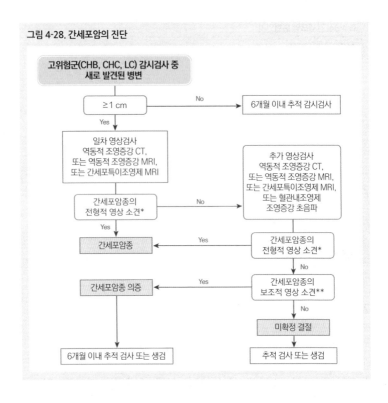

그림 4-28. 간세포암의 진단

1) 영상진단

① 간세포암 고위험군(간경변증, 만성 B형 간염, 만성 C형 간염)에서 크기 1 cm 이상의 결절은 diagnostic image (dynamic CT, dynamic MRI, hepatocyte-specific MRI)를 시행하여 진단한다. 처음 영상에서 정확히 진단할 수 없는 경우, 추가 diagnostic image 시행 혹은 contrast enhance US 등을 보완하여 진단한다.

② 전형적인 영상소견*은 '동맥기 조영증강+문맥기, 지연기의 씻김현상'으로 정의한다. Hepatocyte-specific MRI의 경우 '동맥기 조영증강 + 문맥기, 지연기 혹은 간담도기의

씻김 현상'으로 정의한다. 단, 병변은 MRI T2 강조영상에서 매우 밝은 신호강도를 보이지 않아야 하며, 확산강조영상이나 조영증강영상에서 과녁 모양을 보이지 않아야 한다.

③ 고위험군에서 발견된 1 cm 이상의 결절 중, 전형적인 영상 소견을 보이지 않으며, 보조적 영상소견에서는 간세포암에 합당하다면, 간세포암 의증으로 진단한다(보조적 영상소견**: MRI T2 강조영상에서 중등도 신호강도, 확산강조영상에서 고신호강도, 간담도기에서의 저신호강도, 추적검사 중 크기증가들 중 하나 이상이 있으면서, 피막의 존재, 모자이크 모양, 결절 내 결절, 또는 종괴내 지방이나 출혈 등이 있는 경우).

④ 간세포암 의증 결절의 경우 6개월보다 짧은 간격의 추적검사 또는 생검을 시행하며, 영상검사만으로 진단이 어려운 미확정결절의 경우, 추적검사 또는 생검을 한다. 간세포암종 고위험군에서 감시검사 중 새로 발견된 1 cm 미만의 결절은 6개월보다 짧은 간격으로 추적 감시검사를 시행한다.

⑤ 간세포암종 치료 후 추적검사에서 발견된 새로운 종괴나 크기가 증가되는 간종괴는 전형적인 영상소견을 보이지 않더라도 보조적 영상소견에 합당하다면 간세포암종으로 진단할 수 있다.

2) Tumor marker의 역할

(1) 혈청 알파 태아 단백(serum alpha-fetoprotein, AFP)

Sensitivity와 specificity가 떨어져 진단기준 자체에서는 제외되었으나, 우리나라와 같은 HBV endemic area에서 감시검사 및 치료 후 추적검사에 유용할 것으로 생각된다.

(2) PIVKA-II (Protein induced by vitamin K antagonist-II, des-γ-carboxy prothrombin)

간에서 생성되는 abnormal prothrombin으로 sensitivity 40%, specificity 90% 정도로 추정된다.

간암 환자의 80%까지 상승되나 Vit K 결핍 시에도 상승될 수 있고, warfarin 사용 시에도 상승될 수 있어 해석에 주의가 필요하다.

5. 병기

간세포암종은 대부분 간경변증 혹은 만성 간질환에서 발생하기 때문에 종양 병기뿐만 아니라 간기능도 중요한 예후지표이다. 이런 요인으로 간세포암종 병기 체계는 복잡해질 수밖에 없다. 본원에서는 치료방법을 고려하여 BCLC 병기와 modified UICC 병기를 중심으로, 다른 병기를 보완적으로 사용한다.

1) Modified Barcelona Clinic Liver Cancer (BCLC) stage (EASL guideline, 2018)

그림 4-29. Modified Barcelona Clinic Liver Cancer (BCLC) stage

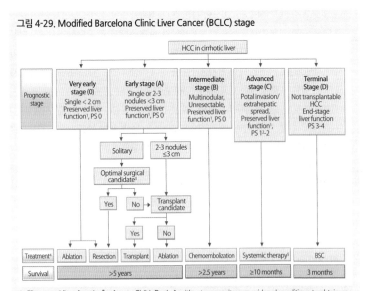

1. "Preserved liver function" refers to Child–Pugh A without any ascites, considered conditions to obtain optimal outcomes.
2. PS 1 refers to tumour induced (as per physician opinion) modification of performance capacity.
3. Optimal surgical candidacy is based on a multiparametric evaluation including compensated Child–Pugh class A liver function with MELD score <10, to be matched with grade of portal hypertension, acceptable amount of remaining parenchyma and possibility to adopt a laparoscopic/minimally invasive approach.
4. The stage migration strategy is a therapeutic choice by which a treatment theoretically recommended for a different stage is selected as best 1st line treatment option.
5. As of 2017 sorafenib has been shown to be effective in first line, while regorafenib is effective in second line in case of radiological progression under sorafenib. Lenvatinib has been shown to be non–inferior to sorafenib in first line, but no effective second line option after lenvatinib has been explored. Cabozantinib has been demonstrated to be superior to placebo in 2nd or 3rd line with an improvement of OS from eight months (placebo) to 10.2 months (ASCO GI 2018). Nivolumab has been approved in second line by FDA but not EMA based on uncontrolled phase II data.

2) Modified UICC stage(2018 간세포암종 진료 가이드라인)

Stage	T	N	M
I	T1	N0	M0
II	T2	N0	M0
III	T3	N0	M0
IV A	T4	N0	M0
	T1, T2, T3, T4	N1	M0
IV B	T1, T2, T3, T4	N0, N1	M1

Stage	T1	T2	T3	T4
(1) Number of tumors: solitary (2) Diameter of the largest tumor ≤ 2 cm (3) No vascular or bile duct invasion: Vp0, Vv0, B0	All three criteria are fulfilled	Two of the three criteria are fulfilled	One of the three criteria is fulfilled	None of the three criteria are fulfilled

6. 자연 경과

1) Asymptomatic early stage HCC (Hepatology 1992;16:132-7)
81% at 1yr, 55.7% at 2yr, 21% at 3yr

2) Intermediate or advanced stage HCC (Hepatology 1999;29:62-7)
54% at 1yr, 40% at 2yr, 28% at 3yr

3) End stage HCC
Less than 6 month life expectancy

7. 치료

간암의 치료는 비단 생존기간을 늘려 생존율을 높이는 것뿐만 아니라, 삶의 질 유지 및 향상이 고려되어야 한다. 따라서 병기뿐만 아니라 환자의 잔여 간기능도 반드시 고려하여 치료 방법을 결정하여야 하며, etiology가 명확한 경우 가능하면 이에 대한 치료나 조절도 병행하여야 한다(e.g. antiviral agent for viral hepatitis). 이를 위해 소화기내과, 종양내과, 외과, 영상의학과, 방사선종양학과, 병리과 및 다른 여러 전문과들과의 다학제적 치료 계획수립이 필요하다.

1) 수술적 절제술(Hepatic resection)

(1) 적응증

① 문맥압항진증과 고빌리루빈혈증이 없는 Child-Pugh A의 환자에서 간에 국한된 단일 간세포암종은 간절제가 일차 치료법이다. 경미한 문맥압항진증 고빌리루빈혈증을 동반한 Child-Pugh A등급 및 B7 등급의 간세포암종은 제한적 간절제를 선택적으로 시행할 수 있다.

② 간기능이 잘 보존된 환자에서 간문맥, 간정맥, 담도 침습 등이 있더라도 주간문맥(main portal trunk) 침습이 없으면, 간에 국한된 3개 이하 간세포암종은 간절제를 고려할 수도 있다.

(2) 5 YSR: 50-70%, Treatment related mortality: <1-3%

(3) Liver function evaluation for operability

Clinical significant portal hypertension (ascites, varix, splenomegaly, platelet $<1 \times 10^5/mm^3$)의 존재 유무, ICG retention rate, bilirubin, 혹은 liver stiffness test, 필요시 HVPG measurement 등을 고려하여 결정한다.

ICG (indocyanine green) R15의 정상치는 10% 이하이고 40% 이상인 경우에는 간 절제술이 위험하다.

표 4-35. ICG R15에 따라 기능한 간절제술의 범위의 예시(절대적인 기준은 아니다)

ICG R15	가능한 간절제술 범위
Normal	Rt. lobectomy, Trisegmentectomy
10-19%	Rt.and, Rt.post, Lt, lobectomy, Subsegment V + VI
20-29%	Subsegmentcomy
30-39%	Limited resection
>40%	Enucleation

(4) HCC recurrence after resection: 50-70% at 5 year

① Risk factors: microvascular invasion, poor histologic differentiation, satellite nodule

② HCC는 수술 후 재발이 많다. 재발하는 경우 상황에 따라 TACE, 재수술, 간이식, RFA 등 여러 치료법을 고려한다.

(5) 수술 후 재발의 high risk인 경우 adjuvant treatment

① 사이토카인 유도 살해세포(CIK)를 이용한 면역치료 보조요법을 사용해 볼 수 있겠으나 이외 TACE나 sorafenib, 세포독성화학요법 등은 권장되지 않는다.

② Immune check point inhibitor를 이용한 adjuvant treatment는 현재 연구가 진행 중이다.

2) Liver transplantation

이론적으로는 간암과 함께 만성 간질환을 가진 간 전체를 치료하는 것이므로 가장 좋은 치료법

(1) Cadaveric donor liver transplantation (CDLT)

• 5 YSR: over 70%, recurrence rate: lower than 15%

• Optimal candidate

- Milan criteria

   Single ≤5 cm, Multiple (≤3) ≤3 cm, No evidence of major vessel invasion or distant metastasis

- University of California San Francisco (UCSF) criteria

   Single ≤6.5 cm, Multiple (≤3) largest≤4.5 cm total≤8 cm, No evidence of major vessel invasion or distant metastasis

• Allocation of organ: KONOS에서는 2016년 6월부터 MELD 점수를 도입함.

① 간세포암종이 Milan criteria에 해당되는 경우

• MELD 점수가 0-13인 경우 4점을 추가

• MELD 점수 14-20인 경우 5점 추가

• MELD 점수 21점 이상은 추가 점수를 부여하지 않도록 함

② 그럼에도 불구하고 우리나라에서 대부분의 뇌사자 간이식은 MELD 점수가 30점 이상인 경우에 시행되기 때문에 간세포암종 환자가 상대적으로 간을 배정받기는 어렵다.

• 이식에 필요한 간이 절대적으로 부족하여 이식을 기다리는 대기 시간이 문제

(2) Living donor liver transplantation (LDLT)

- 이식간의 부족을 해결하기 위해 특히 동양에서 발전하고 있는 시술
- CDLT에 필적하는 치료 성적을 보이고 있으나 donor safety가 중요한 고려의 대상임.
- Donor mortality: 0.3-0.5%, donor morbidity: 20-40%
- No consensus in recipient selection criteria

(3) Downstaging and Bridging therapy

- 통상의 간이식 적응증(Milan criteria)을 벗어나는 간세포암종 환자에서 국소치료, 경동맥 화학색전술, 혹은 기타치료 등에 의해 병기감소가 되면 간이식을 고려할 수 있다.
- 간이식에 적응이 되는 간세포암종 환자 중, 이식시기를 예측하기 어려운 경우 국소치료 또는 경동맥화학색전술 등을 먼저 시행하는 것이 추천된다.

3) Radiofrequency ablation (RFA) 고주파열치료술

(1) 적응증-일반론

① 간세포암 크기 ≤3 cm에 대해 시행한다. 이 경우, 간절제와 비교하여 생존율은 동등하고, 국소 재발률은 높으며, 합병증 발생률은 낮다.

② 고주파열치료술은 종양괴사 효과나 생존율에서 에탄올 주입술(PEI)보다 우수하다. 다만 직경 2 cm 이하의 경우 두 치료법의 결과가 유사하므로, 고주파열치료술을 적용하기 어려운 경우 에탄올 주입술을 시행할 수 있다(본원에서는 주로 고주파 열 치료술을 시행하고 있다).

③ 초단파소작술(microwave ablation)과 냉동소작술(cryoablation)과 비교하여 유사한 생존율, 재발률, 합병증 발생률을 기대할 수 있다.

(2) 주의점

① 종양의 크기뿐만 아니라 위치도 중요한 고려 사항이다. 횡경막 아래 Dome 부위의 종양은 시술이 쉽지 않은데 전극을 종양에 위치시킨 후 평균 10분 동안 전기적 에너지를 가하여야 하므로 호흡을 정지한 상태로 시술할 수 없다는 문제점이 있다. 간피막에 연해있는 종양의 경우 시술 후 통증이 심하게 나타날 수 있다. 또한 큰 혈관에 인접한 종양의 경우 혈액에 의한 cooling effect로 혈관 주변에 종양세포가 남아 있을 수 있고 시술 시 큰 담도가 손상되어 황달이 발생할 수도 있다.

② 시술 후 24시간 이내에 CT (post RFA)를 시행하여 잔여 종괴를 확인하고, 잔여 종괴가 있거나 safety margin이 불충분한 경우 재시술할 수 있다.

(3) 합병증

통증, 혈복강, 간농양, 장천공, 횡격막 천공, 피하 또는 복막 전이, 피부 화상, 혈흉, 패혈증

4) Conventional Transarterial Chemoembolization (TACE, cTACE)

① Intraarterial injection of chemotherapeutic agent (CDDP or Adriamycin) + lipiodol
followed by gelfoam particle embolization

② Unresectable HCC, preserved LFT, no vascular invasion에서 palliative treatment
로 생존율을 향상시키는 것으로 알려져 있다. cTACE는 항암효과를 극대화하고 간손상을
최소화하기 위해 가능한 한 선택적으로 종양의 영양동맥에 시행되어야 한다.

③ 일반적인 Contraindication: Liver failure (Child-Pugh class C), Main portal vein
thrombosis(본원에서는 Main portal v. thrombosis의 경우에도, collateral circulation
및 tumor thrombosis extension을 고려하여 신중하게 결정한다. 문맥혈전에 대한 체외
방사선치료 고려하는 경우, embolic material 사용 정도를 조절하여 시술을 시행하기도
하며, hepatic failure 위험성을 고려하 신중하게 선택한다.)

* AMC에서 TACE 시행 진행 및 취소 여부 결정이 다시 필요한 기준은 아래와 같으며, 임상적인 판단을
함께 고려하여 결정하도록 한다.

표 4-36. 서울아산병원 TACE 고려사항

평가 항목	TACE 진행 시 주의
Fever	≥38℃
Total bilirubin	≥2.5-3.0 g/dL
PT	<60%
ALT	≥200 IU/L
Creatine	>1.4 g/dL
Tumor size	≥50% liver involvement
Vascular invasion	Main or 1st branch portal vein
Ascites	Tense ascites

④ AMC에서 TACE에 쓰이는 항암제

표 4-37. AMC에서 TACE에 쓰이는 항암제

	CDDP (cisplatin)	Adriamycin
적응	TACE에서 선택약제	CDDP에 과민반응 있거나 azotemia 있는 경우
용량	2 mg/kg (creatinine marginal하거나 cytopenia 심하면 half dose고려)	50 mg (Fixed dose)
부작용	Nausea, Vomiting, Renal toxicity, Neuropathy, Ototoxicity, SIADH, BM suppression (uncommon)	BM suppression, Cardiomyopathy, Alopecia, Skin necrosis (extravasation), diarrhea

5) Conventional TACE의 방법 이외 본원에서 사용 중인 색전 치료 방법

① 약물방출미세구(Drug eluting bead, DEB-TACE)를 이용한 화학색전술

항암제가 서서히 방출됨으로써 간세포암종 조직에서는 지속적으로 약물 고농도가 유지되는 반면 혈장 약물 농도는 낮게 유지되어 전신 부작용이 적으나, 비용 대비 효과 및 종양크기에 따라 종양반응이 떨어지는 경향을 고려하여 선택되어야 한다(Hepasphere®, DC bead®).

② Yttrium (90Y) microsphere를 이용한 방사선색전술(TARE)

색전술후증후군(post embolization syndrome) 같은 전신 부작용이 적으나, 타 장기로의 방사선물질 유입가능성 여부(hepatopulmonary shunt) 및 영향 가능성과 비용 및 효과를 고려하여 결정되어야 한다.

6) 체외 방사선치료(Radiation therapy): Target별로- PVT, SBRT, other palliative 등으로 나눌 수 있다.

① 수술적 절제가 불가능하거나 RFA, TACE 등의 locoregional treatment, systemic treatment 등으로 근치적 치료가 되지 않는 환자에서 암에 대한 Local control, 통증 등 증상 호전, 생존 기간의 연장을 기대할 수 있다.

② 새로운 방사선 조사 방법(3D-Conformal RT (3D-CRT), intensity-modulated RT (IMRT))이 개발되어, 최근 새롭게 각광받고 있는 국소 치료법으로서 많은 연구가 진행되고 있다.

③ 본원에서 간세포암과 관련된 일반적인 적용

- Palliative Tx: bone or LN metastasis, discrete metastatic lesion other than liver
- TACE + RT for portal vein thrombosis or IVC thrombosis
- RT for residual tumor after locoregional treatment
- RT for inapplicable treatment lesion by locoregional treatment

7) Systemic therapy and hepatic artery chemotherapy(2018 간세포암종 진료 가이드라인)

Advanced stage HCC(국소 림프절 전이를 포함하여 폐 혹은 뼈 등의 간외 전이가 있는 경우, 또는 다른 치료법에 반응하지 않고 암이 계속 진행하는 경우)

(1) 세포독성 화학요법(Cytotoxic chemotherapy)

① 단독사용으로 명확하게 생존율 향상이 입증된 세포독성 화학요법제는 아직까지 없다. (doxorubicin (adriamycin), cisplatin, oral 5-FU)

② 대부분의 간세포암 환자는 만성간질환이나 간경변증을 동반하고 있기에, 항암제의 흡수, 대사에 영향을 미쳐 충분한 항암제 용량 투여가 불가능하거나 항암제 독성이 발생할 가능성이 높다. 전신상태와 간기능을 고려하여, 무의미하게 환자의 삶의 질을 저하시키지 않도록 주의하여야 한다.

(2) 간동맥주입화학요법(Hepatic arterial infusion chemotherapy)

TACE나 sorafenib과 직, 간접 비교한 생존률과 종양반응률에 대한 연구결과가 상반된다. 다만, 주간문맥침범한 진행성 간세포암 환자에서 제한적으로 사용을 고려해 볼 수 있다.

(3) 표적치료제(Molecular targeted agent): 세포신호전달 체계나 면역체계조절을 통한 치료방법

- Advanced HCC, 현재(2019년12월) 본원에서 사용 가능한 경구용 항암 표적치료제는 다음과 같으며, Immune check point inhibitor의 도입과 combination treatment에 대한 연구가 활발히 진행되고 있어 지속적으로 신약의 도입과 사용적응증의 변경이 있을 것으로 생각된다.

- 1st line treatment: sorafenib (Nexavar®, multikinase inhibitor), lenvatinib (Lenvima®, multikinase inhibitor)

- 2nd line treatment: regorafenib (Stivarga®, multikinase inhibitor), nivolumab (Opdivo®, immune check point inhibitor), cabozantinib (Cabometyx®, c-Met & VEGFR2 inhibitor)

＊대표적인 부작용:

- Sorafenib: 수족피부부작용(hand foot skin reaction, HFSR), 설사, 피로감, 체중감소
- Lenvatinib: 고혈압, 설사, 피로감, 식욕감퇴, 체중감소, 오심, 단백뇨, 갑상선기능저하증
- Regorafenib: 고혈압, 수족피부반응, 피로감, 설사
- Nivolumab: 피로감, 소양감, 발진, 설사, 이외 immune-related adverse event
- Cabozantinib: 손발바닥 홍반성 감각이상, 고혈압, AST수치증가, 피로, 설사 등

X 급성 간부전(Acute liver failure)

1. 정의 및 분류

이전에 간경변증이 없는 환자에서 급성 간손상의 증상 발현으로부터 26주 이내에 혈액응고장애(prothrombin time, INR ≥1.5)와 함께 어떠한 정도라도 의식변화(간성뇌증)가 나타나는 경우를 말한다.

2. 원인(국내)

표 4-38. Causes of acute liver failure in 110 patients (AMC)

Causes	Patients, %
Hepatitis B virus	37%
Herb	19%
Hepatitis A virus	7%
Autoimmune hepatitis	7%
Drugs	6%
Mushrooms	5%
Acetaminophen	3%
Miscellaneous	6%
Indeterminate	10%

(Park SJ et al. Emergency adult-to-adult living-donor liver transplantation for acute liver failure in a hepatitis B virus endemic area. Hepatology 2009;51:903-911)

3. 임상양상

급성 간부전 환자의 4대 사망원인: 뇌부종(1주 이내), 전신감염증(1주 이후), 다장기부전, 출혈

① 간성뇌증: 간경변증의 경우와 달리 경련과 섬망이 빈번히 발생

② 뇌부종: 만성 간질환으로 인한 간성뇌증에서는 발생하지 않는, 독특한 현상

③ 혈액응고장애

④ 심혈관계 합병증: 과역동성 순환증후군(hyperdynamic circulatory state)에 의해 동맥 저혈압과 승압제의 투여에 반응이 감소됨

⑤ 조직 저산소증

4. Treatment

① ALF로 진단된 모든 환자는 즉시 간이식 대상으로 등록해야 하고 우리나라는 대부분 생
체 간이식이기 때문에 미리 공여자를 확인하고 준비시켜야 함. 특히 간성뇌증 2단계 이상
은 즉시 이식대상으로 등록하고 ICU care를 시작한다.

② 원인에 따른 해독제

• Acetaminophen에 의한 간부전

– (경구) N-acetylcysteine (NAC) 140 mg/kg를 처음 투여하고 이후 4시간마다
70 mg/kg를 17번 더 투여한다.

– (정주: 의식이 떨어진 경우) NAC 150 mg/kg을 5% 포도당 200 mL에 섞어서 1시간
동안 정주한 후, 50 mg/kg를 5% 포도당용액 500 L에 섞어서 4시간 동안 주입, 이후
24시간마다 150 mg/Kg를 5% 포도당 1 L에 섞어서 총 72시간 동안 천천히 투여한다.

• Amanita 속 버섯류(독우산광대버섯, 개나리광대버섯)
Silymarin (20-50 mg/kg/day IV)과 고용량 penicillin G (300,000-1,000,000 units/
kg/day IV)의 병합요법이 해독 효과가 있는 것으로 알려져 있다.

③ 뇌압 상승에 대한 치료

• 조용하고 안정적인 중환자실(avoid stimulation)에서 상체 30도 정도 올린 자세 유지

• 기계호흡: 2단계 이상의 간성 뇌증에서 흡인성 폐렴 예방과 기도 유지를 위해 시행

– 진정제 사용. Propofol 1차 약제, 3-6 mg/kg/hr로 정주, cerebral blood flow 감소효
과가 있다. Benzodiazepine은 가능하면 피한다(뇌증 악화).

– PEEP: 가능한 안 쓴다(뇌압상승, 심박출량과 혈압 저하를 초래), <2-4 mmHg로 낮
게 건다.

– 중등도의 과호흡: $PaCO_2$ 25-30 mmHg 정도 유지, ICH를 낮추어 herniation 방지를
위해

• Mannitol: ICP 25 mmHg 이상일 때 사용(ICP >60 mmHg, 효과 없음). 예방적 투여
는 안 함.

– 용법: 1-2 g/kg, 20% 용액으로 정주(약 1100 mOsm/L) 100 ml/3-10 min 속도로
2-3회 사용. serum osmolarity 320 Osm/L 이내에서 사용

• Hypothermia: 32-33℃의 저체온증 유지: Infection, coagulation disorder, arrhythmia
주의

• Hypertonic saline: 3% hypertonic saline을 이용해 serum Na 145-155 mmol/L 유지

뇌부종 발생 고위험군(고암모니아혈증, 심한 간성뇌증, 신부전 동반, 승압제 투여)에서 예방적 사용 고려

- Thiopental sodium: refractory intracranial hypertension에서 고려해 볼 수 있다.
  - 185-500 mg을 15분에 걸쳐 정주. BP monitoring-systemic hypotension 올 수 있으므로 주의
- Corticosteroid: cerebral edema나 survival에 효과 없다.

④ 경련에 대한 치료(AASLD guideline에서는 추천 안 함)

경련이 증명된 경우 phenytoin 투여. 효과는 아직 controversy

⑤ 간성 뇌증의 치료

Lactulose 30 g PO tid를 사용해 볼 수 있으나 효과가 없는 경우 중지

⑥ 심혈관계 및 혈역동학적 치료

- C-line 삽입, CVP 8-10 cmH$_2$O 유지, 진행되면 Swan-Ganz cath 삽입 고려, PCWP 8-12 mmHg 유지
- Check I/O, electrolyte, ABGA, continuous EKG monitoring
- 승압제 사용
  - 승압제 사용 전에 euvolemia로 유지되도록 수액을 조절해야 한다.
  - Mean a. pressure는 적어도 50-60 mmHg 이상 유지되도록 승압제 사용
  - dopamine, norepinephrine은 오히려 말초조직 산소전달을 나쁘게 할 수 있음

⑦ 신부전에 대한 치료

- 급성 간부전에서 신부전의 정의: 24시간 뇨가 300 mL 이하의 핍뇨, 혈청 Cr 3.4 mg/dL 이상
- 주요 원인: prerenal azotemia, ATN, sepsis, HRS
- 초기 치료: Furosemide, 저용량의 dopamine (2-5 mg/kg/hr)
- 진행된 경우: Furosemide는 효과 없으므로 중단, CVVH, CAVH (continuous ≫ intermittent), Vasopressin, terlipressin은 추천되지 않음!

⑧ 혈액응고 장애에 대한 치료

- PLT transfusion: 출혈이 없을 때는 10,000-20,000/mm^{3}으로도 well tolerated, 출혈이 있거나 침습적 시술이 계획되어 있을 때 50,000-70,000/mm^3 유지
- FFP transfusion: 출혈이 있을 때나 침습적 시술을 앞두고 있을 때만 사용한다.
- Vitamin K: 5-10 mg sc 정기적으로 투여

⑨ 감염증에 대한 예방과 치료(혈액,소변,객담배양 및 chest X-ray 정기적으로 check!)

예방적 항생제 사용: 3세대 세팔로스포린 항생제 정주와 norfloxacin (400 mg/day)과 fluconazole을 경구로 투여

⑩ 위장관 출혈에 대한 예방적 치료(위와 상부 십이지장)

　모든 환자들에게 H2-수용체 길항제나 PPI 또는 sucralfate를 예방적으로 투여

⑪ 기타 대사 합병증에 대한 치료

- 저혈당증: 최소한 4시간 간격으로 혈당을 모니터, 80 mg/dL 이상 유지, 지속적 포도당액 정주

- 저나트륨혈증: 뇌압을 상승시킬 수 있음. 3-5% 식염수로 교정(145-155 mmol/L 유지)

- 저인산 혈증, 저마그네슘 혈증, 저칼륨 혈증: 보충이 필요

⑫ 영양공급

　열량 35-40 kcal/kg/day: 지속적 포도당 주입, 지질용액은 안전, 아미노산 제제는 암모니아 농도 상승가능 → 모니터 하면서 사용(단백질 60 g/d 정도가 적당)

⑬ Molecular adsorbents recirculating system (MARS)

　알부민을 이용하여 체내의 각종 독성물질을 분리, 배출시키는 방법으로, 간이식으로 가는 가교로서의 역할

⑭ 간이식술: 생존율을 개선시킬 수 있는 확실한 치료법

5. Prognosis

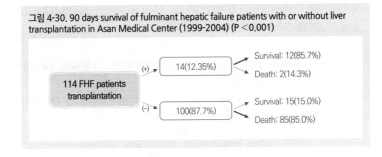

그림 4-30. 90 days survival of fulminant hepatic failure patients with or without liver transplantation in Asan Medical Center (1999-2004) (P < 0.001)

XI 간이식

1. Potential candidate

① Children and adult who, in the absence of contraindication, suffer from severe, irreversible liver disease for which alternative medical or surgical treatments have been exhausted or are unavailable.

② Donor liver의 결정에 가장 중요한 것은 Donor의 자발적 의사, Donor liver volume, 혈액형, 이외 Donor의 chronic liver disease 등이다.

2. Cadaveric donor liver transplantation (CDLT)에서의 organ allocation(우리나라)

(1) 2016년 6월 CTP scoring에서 MELD scoring system으로 기준 변경되었다.

※ Model for End-Stage Liver Disease (MELD) score: Calculator: 대한간학회 홈페이지

(2) 현재 국내 Cadaveric donor allocation 체계의 숙제

우리나라에서 대부분의 뇌사자 간이식은 MELD 점수가 30점 이상인 경우에 시행되기 때문에 간세포암종 환자가 상대적으로 간을 배정받기는 어렵다.

표 4-39. (성인, 18세 이상) 이식대상자의 선정기준에 의한 의학적 응급도와 그 판별기준, 항목별 점수

	MELD 점수와 관계없이 아래 기준에 의함.
응급도1	(1) 만성 간질환 없이 간질환의 증상이 나타난 후 8주 이내에 뚜렷한 간성혼수가 동반된 급성 전격성 간부전증(fulminant liver failure) 환자로, 중환자실에 입원 중 다음의 3가지 조건 중에 하나 이상을 동반한 경우 ㉮ 인공호흡요법, ㉯ 신대체요법, ㉰ INR>2.0 (2) 간 이식 후 7일 이내에 이식된 간이 기능을 하지 못하는 경우(Primary non function) *(간 이식후 응급도1의 세부조건은 KONOS 기준참조) (3) 윌슨병(Wilson's disease)환자에서 급성 간부전증이 동반된 경우 ** 응급도 1를 유지하기 위한 연장은 단 1회만 가능, 최대 14일 인정
응급도2	MELD 38~40점
응급도3	MELD 31~37점
응급도4	MELD 21~30점
응급도5	MELD 20점 이하

*** 간세포암은 밀란기준(Milan criteria)에 해당되는 경우 대기자에게 추가점수를 다음과 같이 부여한다.
① MELD 점수 0~13인 대기자: MELD 점수에 +4점
② MELD 점수 14~20인 대기자: MELD 점수에 +5점
※ MELD 점수 21점 이상은 추가점수 없음.

3. Living donor liver transplantation (LDLT)

① Donor safety에 대한 고려가 필요

② 최근 연구에 의하면 주요합병증(담즙 누출, 담도 협착, 간문맥 협착, 상처열개, 폐부종 등)
은 1.9%였고 사망자는 없었다. 그러나 세계적으로는 생체간이식 기증자 수술과 연관된 약
0.2-0.3% 사망률이 보고되었으며, 중증합병증이 2% 내외에서 발생할 수 있다. 따라서 생
체간이식 기증자의 안전성을 동시에 고려할 때 숙련된 기관에서 엄격한 기증자 선정기준을
적용하는 것이 필수적이다.

4. 간이식 후 면역억제를 포함한 약물치료

① 간세포암 환자의 이식 후 면역억제를 위해 calcineurin inhibitor (cyclosporine, tacrolimus),
mammalian target of rapamycin inhibitor (mTORi) (sirolimus, everolimus)를 기본으
로 하는 면역억제제가 사용된다.

② 이외에도 recipient와 donor의 liver disease etiology를 고려하여, B형 간염과 C형 간염
재발 예방을 위한 치료, 혈압강하제, 고지질혈증 치료제, 당뇨치료제, 항 감염제, 위장약 사
용필요성과 선택에 주의를 기울여야 한다.

5. Contraindication to Liver transplantation

표 4-40. Contraindication to Liver transplantation

Absolute	Relative
Uncontrolled extrahepatobiliary infection	Age >70
Active, untreated sepsis	Prior extensive hepatobiliary surgery
Uncorrectable, life-limiting congenital anomalies	Portal vein thmobosis
Active substance or alcohol abuse	Renal failure
Advanced cardiopulmonary disease	Previous extrahepatic malignancy
Extrahepatobiliary malignancy	Severe obesity
Metastatic malignancy to the liver	Severe malnutrition/wasting
Choangiocarcinoma	Medical noncompliance
AIDS	HIV seropositivity
Life-threatening systemic disease	Intrahepatic sepsis
	Severe hypoxemia secondary to right-to-left intrapulmonary shunts
	Uncontrolled psychiatric disorder

I 담도계 질환의 검사

1. 혈액 검사 (Enzymes that reflect cholestasis)

Alkaline phosphatase (ALP), 5'-nucleotidase (5-NT), γ-glutamyl transpeptidase (GGT) 담즙정체 시 보통 이 3가지의 효소가 상승하게 된다. GGT는 담즙 정체 평가에 있어 ALP, 5-NT보다 특이도가 낮다.

1) Alkaline phosphatase (ALP)

여러 조직에 분포하나 혈중에서 나타나는 것은 주로 간, 뼈(osteoblast), 소장, 태반 등에서 생성된다. ALP 상승이 간내 담즙정체와 간외 담즙정체를 감별해주지는 못한다.

① 임상적으로 중요한 것은 ALP가 간담도계에 의해 상승되었는지를 확인하는 것으로 Electrophoresis를 통해 isoenzyme을 측정하거나 GGT, 5-NT 등 동반 상승되는 enzyme 의 수치를 확인하여 감별해 볼 수 있다.

② ALP 상승은 담즙정체에 특이적이지만 대부분의 간질환에서 3배 이하의 ALP 상승을 볼 수 있다.

③ 정상적인 ALP의 상승
- 고령(60세 이상에서 1-1.5배 증가)
- 혈액형 B, O형에서 fatty meal 식이 후
- 임신후기
- 골 성장이 빠른 소아, 청소년기

④ 병적 ALP의 상승
- 담즙정체성 간질환(간외 담도폐쇄, PBC, PSC)
- 침윤성 간질환(암, 결핵, 유육종증)
- 골질환(Paget's disease, Osteomalacia, bone metastasis)

2) Gamma glutamyl transpeptidase (GGT)

① 간, 췌장, 신장에 분포하나 혈중 GGT는 대부분 간에서 유래한다.

② ALP와는 달리 임신, 골질환 시 상승하지 않아 ALP 상승 시 감별진단에 쓰인다.

③ Alcoholism의 sensitive marker로서 금주 여부 등을 확인하는데 쓰이나 specificity는 낮다.

GGT/ALP >2.5면 alcohol abuse를 의심할 수 있다

④ 간담도 질환 이외에 AMI, neuromuscular Ds, pancreactic Ds, pulmanary Ds, DM 등에서 올라갈 수 있어 ALP, 5-NT 보다는 덜 specific하다.

표 4-41. Liver test patterns in hepatobiliary disorders

Type of Disorder	Bilirubin	Aminotransferases
Intra- and extrahepatic cholestasis	Both fractions may be elevated	Normal to moderate elevation
(Obstructive jaundice); Infiltrative diseases (tumor, granulomata); partial bile duct obstruction	Bilirubinuria Usually normal	Rarely >500 IU Normal to slight elevation
Alkaline Phosphatase	Albumin	Prothrombin Time
Elevated, often >4x normal elevation	Normal, unless chronic	Normal If prolonged, will correct with parenteral vitamin K
Elevated, often >4x normal elevation Fractionate, or confirm liver origin with 5'-nucleotidase or γ glutamyl transpeptidase	Normal	Normal

(Harrison's principles of internal medicine, 20th ed, 2019)

2. 영상의학적 검사

1) 단순복부 촬영

① 담석을 진단하기에 유용하지 못하다(약 15%의 담석만 보인다).

② 복통의 다른 원인을 배제하는데 사용된다(장폐색, 궤양천공 등).

2) 복부 초음파 검사

① 담석 및 담낭염 진단의 민감도와 특이도가 매우 높다(90-95%에서 담석 발견).

② 확장된 담도는 담도 폐쇄, 염증성 변화, 담관 낭종 등을 감별해야 한다.

③ GB의 확장, pericholecystic fluid는 GB의 염증, 감염을 의미하며 GB wall 내의 intra-mural gas는 emphysematous cholecystitis 때 발생한다.

④ 검사 시 조영제가 필요 없고 방사선 노출이 없다.

⑤ 검사자의 숙련도가 중요하다.

3) CT (Computed tomography)
① 초음파보다 해부학적인 구조와 담도 폐쇄 부위를 파악하는데 유리하다.
② 비만환자나 장내 가스에 의해 영상을 얻기 힘들 때 초음파보다 좋다.
③ Calcification이 없으면 담석 및 담관석의 관찰이 어렵다.

4) MRCP (Magnetic resonance imaging cholangiopancreatography)
① 초음파보다 해부학적인 구조파악과 담도 폐쇄 진단에 우월하다.
② ERCP와 비교하여 비침습적인 검사로 총담관석에 대한 진단에 유용하다.

5) 경피 경간 담도 조영술(Percutaneous transhepatic cholangiography)
① PTBD 삽입이 필요하다.
② 담도 폐쇄 시 진단률은 ERCP와 비슷하다.
③ ERCP와 마찬가지로 풍선확장술이나 stent 삽입술이 가능하다.
④ 출혈, 천공, 담도염 등의 합병증이 생길 수 있다.

3. 내시경 검사

1) ERCP (Endoscopic retrograde cholangiopancreatography)
① 담도와 췌관을 직접적으로 조영할 수 있다.
② 담관 폐쇄의 진단 시 민감도와 특이도가 매우 높다. CT 혹은 초음파를 통한 췌담도 질환의 진단이 확실하지 않을 때 유용성이 크다.
③ Periampullary lesion에 대해 biopsy, washing cytology 등이 가능하다.
④ 폐쇄부위에 대해 sphincterotomy, stone extraction, dilatation, stent 삽입 등의 시술이 진단과 동시에 시행될 수 있다.
⑤ 적응증: 대부분의 췌담도 질환에서 시행할 수 있다. 현재 대부분 치료적 접근으로 쓰이나 특히 sphincter of oddi 기능장애 평가 그리고 담관협착 및 담관폐쇄 시 조직검사 등에서 진단적 방법으로 쓰이게 된다.
⑥ 금기증: 상대적 금기증으로 급성기의 중증 췌장염, 교정되지 않은 혈액응고질환이 있다. Billroth II gastrojejunostomy, Roux-en-Y choledochojejunostomy 등 수술을 시행받은 환자에서는 검사가 어렵거나 불가능하다.
⑦ 합병증: 호흡부전, 흡인, 출혈, 천공, 담도염, 췌장염 등

2) EUS (Endoscopic ultrasound)

① 식도, 췌장, 직장암에서 가장 정확한 local staging이 가능하다.

② 담낭담석, 담낭질환, 소화관 점막하 병변, 만성췌장염 진단 시 민감도가 매우 높고 췌장 암의 진단에 가장 정확한 검사이다.

③ 후종격동, 복부, 골반부위의 종양이나 임파선에 대해 EUS 유도 하에 fine needle aspiration이 가능하다.

3) PTCS (Percutaneous transhepatic cholangioscopy)

① 주로 간내 담석 치료 목적으로 시행되나 담관의 병변에 대한 조직검사에 사용될 수도 있다.

② Percutaneous transhepatic biliary drainage (PTBD) catheter 삽입 후 tract dilatation 시행, tract maturation이 된 후에 PTCS를 시행하게 된다.

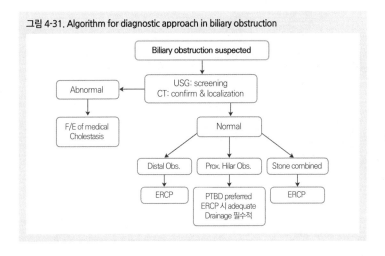

그림 4-31. Algorithm for diagnostic approach in biliary obstruction

표 4-42. 담낭 질환 진단을 위한 검사별 특성

Advantages	Limitations	Comment
Gallbladder Ultrasound		
Rapid	Bowel gas	Procedure of choice for
Accurate identification of gallstones (>95%)	Massive obesity	detection of stones
Simultaneous scanning of GB, liver, bile ducts, pancreas	Ascites	
"Real-time" scanning allows assessment of GB volume, contractility		
Not limited by jaundice, pregnancy		
May detect very small stones		
Plain Abdominal X-ray		
Low cost	Relatively low yield	Pathognomonic findings in:
Readily available	Contraindicated in pregnancy	calcified gallstones
		Limey bile, porcelain GB
		Emphysematous cholecystitis
		Gallstone ileus
Radioisotope Scans (HIDA, DIDA, etc.)		
Accurate identification of cystic duct obstruction	Contraindicated in pregnancy	Indicated for confirmation of suspected acute chole-
Simultaneous assessment of bile ducts	Serum bilirubin > 103-205 μmol/L (6-12 mg/dL)	cystitis; less sensitive and less specific
	Cholecystogram of low resolution	in chronic cholecystitis;
		useful in diagnosis of acalculous cholecystopathy,
		especially
		if given with CCK to assess
		gallbladder emptying

(Harrison's principles of internal medicine, 20th ed. 2019)

Diagnostic Use	Limitations	Contraindications	Complications	Comments
Hepatobiliary Ultrasound Rapid; Simultaneous scanning of GB, liver, bile ducts, pancreas; Accurate identification of dilated bile ducts; Not limited by jaundice, pregnancy; Guidance for fine-needle biopsy	Bowel gas; Massive obesity; Ascites; Barium; Partial bile duct obstruction; Poor visualization of distal CBD	None	None	Initial procedure of choice in investigating possible biliary tract obstruction
Computed tomography (CT) Simultaneous scanning of GB, liver, bile ducts, pancreas; Accurate identification of dilatated bile ducts, masses; Not limited by jaundice, gas, obesity, ascites; High-resolution image; Guidance for fine-needle biopsy	Extreme cachexia; Movement artifact; Ileus; Partial bile duct obsturction	Pregnancy	Reaction to iodinated contrast, if used	Indicated for evaluation of hepatic or pancreatic masses; Procedure of choice in investigating possible biliary obstruction if diagnostic limitations prevent HBUS
Magnetic Resonance cholangiopancreatography (MRCP) Useful modality for visualizing pancreatic and biliary ducts; Has excellent sensitivity for bile duct dilatation, biliary stricture, and intraductal abnormalities; Can identify pancreatic duct dilatation or stricture, pancreatic duct stenosis, and pancreas divisum	Cannot offer therapeutic intervention; High cost	Claustrophobia; Certain metals (iron)	None	
Endoscopic Retrograde Cholangiopancreatography (ERCP) Simultaneous pancreatography; Best visualization of distal biliary tract; Bile or pancreatic cytology; Endoscopic sphincterotomy and stone removal; Biliary manometry	Gastroduodenal obstruction; Roux-en-Y biliary-enteric anastomosis	Pregnancy; Acute pancreatitis; Severe cardiopulmonary disease	Pancreatitis; Cholangitis, sepsis; Infected pancreatic pseudocyst; Perforation (rare); Hypoxemia, aspiration	Cholangiogram of choice in: Absence of dilated ducts; Pancreatic, ampullary or gastroduodenal disease; Prior biliary surgery; Endoscopic sphincterotomy treatment possibility
Percutaneous Transhepatic cholangiogram (PTC) Extremely successful when bile ducts dilated; Best visualization of proximal biliary tract; Bile cytology/culture; Percutaneous transhepatic drainage	Nondilated or sclerosed ducts	Pregnancy; Uncorrectable coagulopathy; Massive ascites; Hepatic abscess	Bleeding; Hemobilia; Bile peritonitis; Bacteremia, sepsis	Indicated when ERCP is contraindicated or failed
Endoscopic Ultrasound (EUS) Most sensitive method to detect ampullary stones				Excellent for detecting choledocholithiasis

(Harrison's principles of internal medicine, 20th ed, 2019)

Ⅱ 담낭, 담도 질환

1. 담낭 담석: 한국은 pigment stone 비율이 높음

1) 종류

(1) 콜레스테롤 담석(80%)

담즙의 과포화, 결정화 항진, 담낭의 운동저하 등

* 위험인자: Obesity, metabolic syndrome, 체중 감량, 여성, 고령, GB hypomotility (TPN, 금식, 임신)

(2) 색소성 담석(20%)

① 갈색석: 세균감염, 기생충, 유두염, 음식[담즙 정체에 따른 2차 세균 감염]

② 흑색석: 용혈성 황달, 만성 간질환, 심장판막 수술 후, 위절제술 이후[enterohepatic circulation의 장애]

2) 임상증상

(1) 복통

① 위치: 우상복부, 심와부, 우측 견갑부나 등쪽으로 방사통

② 유발요인: 지방섭취, 폭음, 폭식

③ 담석 산통(biliary colic): 보통 수분 내에 최고조에 달하고 15분 이상, 24시간 이내이다. 지속적인 통증으로 반복적인 통증의 증감을 보이는 intestinal colic 과는 다르다. 오심이나 구토가 동반될 수 있다.

(2) 그 밖의 증상으로 폐쇄성 황달, 발열 등이 동반될 수 있다.

3) 진단

(1) 복부 초음파 검사

① Procedure of choice, 진단 정확도가 매우 높다.

② 2 mm 크기의 담석도 진단 가능하다.

③ 담낭 내 고에코 병소(stone) 및 후방 음영(posterior acoustic shadowing)가 있으며 환자 체위에 따라 바뀐다.

④ 담낭 오니(sludge): dependent portion에 low echogenic layer로 보이나 후방음영은 보이지 않는다.

(2) CT

초음파의 보조적 역할로 담석의 석회화 여부가 식별 가능하다.

(3) 경구 담낭조영술(Oral cholecystography, OCG)

① 과거에 많이 사용되었으나 현재 대부분 초음파 검사로 대체되었다.

② Cystic duct의 patency나 GB emptying function을 보는데 쓰였으나 현재는 DISIDA scan을 주로 이용한다.

(4) 방사선 동위원소 검사(HIDA, DISIDA)

① 혈중에서 빠르게 biliary tree로 빠져나가 높은 농도로 존재한다.

② Nonvisualization of GB: cystic duct obstruction, acute or chronic cholecystitis, previous cholecystectomy

4) 치료: 무증상이면 경과관찰(10-18%에서 증상이 발생)

(1) 경구 담즙산 제제(UDCA, ursodeoxycholic acid)

① Ix: Radiolucent (cholesterol) stone, <10 mm in diameter, 담낭기능 정상

② 6개월-2년 사용 시 약 50%의 환자에서 완전 용해 가능

③ 3-5년 F/U 시 30-50%의 환자에서 다시 담석이 재발한다.

④ LLC의 개발로 인해 담석 용해요법의 중요성이 많이 감소하였으며 현재 담석 용해를 위해서는 많이 시행되지 않고 있다.

(2) 복강경 담낭 절제술(Laparoscopic cholecystectomy, LLC)

① Ix: 생활에 불편을 느낄 만한 증상이 있는 경우

이전에 담낭 석석으로 인한 합병증이 있었던 경우(급성 담낭염, 췌장염)

Calcified porcelain GB, large gallstone (>3 cm), 선천성 담낭 기형(AUPBD, chole-dochal cyst)

② Elective choloecystectomy의 procedure of choice이다.

③ 합병증은 4%에서, 담도 손상은 0.2-0.5%에서 발생할 수 있다.

무증상 담낭 담석

④ 예방적 담낭 절제술은 mortality 감소에 도움이 되지 않는다.

⑤ 증상이 발생한 후 치료해도 늦지 않는다.

2. 급성 담낭염(Acute cholecystitis)

담낭관이 담석에 의해 막혀 담낭벽에 급성 염증이 생긴 것

1) 병인
① 담낭관의 폐색으로 인한 기계적 염증, 화학적 염증, 세균 감염에 의해 발생
② 흔한 세균은 *E.coli*, *Klebsiella*, *Streptococcus*, *Clostridium spp.* 등이다.

2) 증상 및 징후
① 우상복부 통증, 우측 견갑부나 등쪽으로 방사통
② 발열, 오한
③ Murphy's sign: 우상복부 늑골 하방을 누르며 깊은 들숨을 쉬게 하면 통증이 증가해 숨을 멈추게 된다.

3) 진단
① Triad: sudden onset RUQ tenderness, fever, leukocytosis
백혈구 증다증(85%), 총빌리루빈(<5 mg/dL), AST/ALT (<200 IU/L)의 경도 상승(25%)
② 초음파(90-95%의 담석 발견), 담도 동위원소 검사(DISIDA)

4) 치료
① 75%에서는 금식, 수액 및 전해질 공급 등 내과적 치료에 반응하며 25%에서 합병증으로 인해 외과적 수술이 필요하다.
② 약물치료로 호전된 환자 중 25%에서 1년 안에 담낭염이 재발하므로 가능하면 조기에 수술하는 것이 가장 좋은 치료이다.
③ 항생제: 7-10일간 사용
First line antibiotics: 3rd Ceph, CIP, PIP/TZ, AM/SB
+Add metronidazole: gangrenous or emphysematous cholecystitis 의심 시
Life-threatening: IMP, MEM
④ 수술: early cholecystectomy (TOC)
⑤ 경피경간 담낭배액술(PTGBD): 담낭의 확장이 현저하고 중환이면서 환자 상태가 당장 수술이 어려울 때
⑥ 내시경 담낭-비배액술(endoscopic naso-GB drainage, ENGBD), 초음파내시경하 담낭배액술(EUS-guided cholecystostomy): PTGBD 시행하기 전에 담낭천공이

나 necrosis가 없는 경우에는 이와 같은 내시경 배액술을 우선적으로 고려할 수 있으며, 초음파내시경하 담낭배액술은 수술적 치료를 받을 수 없는 경우에 대안적 치료로 고려할 수 있음.

5) 합병증

(1) 축농(Empyema)

① 지속적인 담낭관의 폐쇄로 인해 정체된 담즙에 농 형성 세균이 중복 감염됨.

② 패혈증과 담낭천공의 위험이 높아 응급 수술이 필요하다.

(2) 담낭 수종(Hydrops of GB)

① 담낭의 완전 폐색이 지속되어 담낭이 확장되고 내부에 맑은 무균의 액체로 참.

② 담낭이 우상복부에서 만져지나 압통은 없다.

③ 일반적으로 담낭 절제술을 시행한다.

(3) 괴저(Gangrene), 천공(Perforation)

① 담낭벽에 허혈이 생겨 세포 괴사가 생긴다.

② Localized perforation: 수술, PTGBD 등이 필요하다.

③ Free perforation: RUQ pain이 사라지고 generalized peritonitis 증상 생김.
사망률이 30%에 이른다.

(4) 누공 형성, 담석성 장폐쇄(Fistula formation, Gallstone ileus)

(5) Bile leakage

수술 후 1.1%에서 발생 가능하며 진단 및 치료적 목적의 ERCP가 권유된다.

6) Mirizzi's 증후군

① 담낭 경부 혹은 담낭관 내에 감돈 된 담석이 CBD를 눌러 CBD 폐쇄와 황달이 생기는 드문 합병증이다.

② ERCP, PTC 등으로 CBD의 extrinsic compression을 확인한다.

③ 치료는 대부분 수술적 교정이 필요하다.

그림 4-32. Mirizzi's syndrome

3. 급성 무결석성 담낭염(Acute acalculous cholecystitis)

급성 담낭염 환자의 5-10%에서 발생하며 수술 시 cystic duct를 막는 돌이 없음.

1) 병인
심한 외상, 화상, 산욕기, 대수술후, 비경구영양, 담낭 오니, 혈관염, 담낭암, 당뇨, 담낭염 전, 담낭의 감염, 담낭의 기생충 감염, 유육종증, 심혈관 질환, 결핵, 매독, 방선균증

2) 진단
담낭의 팽창, 비후 등이 보이나 담낭담석이 보이지 않는다.

3) 치료
담석이 있는 급성 담낭염에 비해 괴저, 천공 등의 합병증 비율이 더 높아 빠른 담낭절제술이 필요하다.

표 4-44. Diagnostic Criteria for Acute Acalculous Cholecystitis

Technique	Findings
Clinical examination	• RUQ tenderness & Murphy's sign – helpful but lacking in 3/4 of cases • Unexplained fever, leukocytosis, hyperamylasemia – frequently the only signs
USG	• Thickened GB wall (>4 mm) without ascites or hypoalbuminemia(<3.2 g/dL) • Sonographic Murphy's sign (maximum tenderness over USG localized GB) • Pericholecystic fluid collection • Bedside availability is major advantage
CT	• Thickened GB wall (>4 mm) without ascites or hypoalbuminemia (<3.2 g/dL) • Pericholecystic fluid, subserosal edema, intramural gas, sloughed mucosa • Best test for excluding other intra-abdominal pathology
Hepatobiliary scintigraphy	• Nonvisualization of GB with normal excretion of dye into bile duct and duodenum ⇒ Positive test for acute cholecystitis • Critically ill immobilized patients : false-positive scans because of viscous bile • Morphine augmentation may reduce number of false-positive results • Better at excluding acute cholecystitis than confirming it

4. 기종성 담낭염(Emphysematous cholecystitis)

① 담낭벽의 허혈, 괴사와 gas-forming organism의 감염으로 생긴다.
② 원인균: *C.welchii*, *C.perfringens*, *E.coli*
③ 고령, 당뇨 환자에서 잘 생긴다.

④ 진단: 단순 복부 촬영에서 담낭 벽내의 gas
⑤ 사망률이 높으므로 즉각적인 수술과 적절한 항생제 치료가 필요하다.

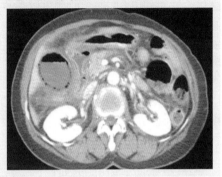

그림 4-33. Emphysematous cholecystitis

5. 담낭 용종 (GB polyp)

담낭 내강으로 점막이 돌출되는 병변, 대부분 지방 침착이나 염증성 병변임.

① 콜레스테롤 용종: 가장 흔하다(60%), 작고(10 mm 이하) 다발성이 많다.
② 염증성 용종: 작은 무경성 병변, 50%에서 단독으로 존재한다.
③ 선종(Adenoma): 5-20 mm 크기의 유경성 용종, 전암 병변으로 직경이 10 mm 이상
　이면 수술을 하는 것이 좋다.
④ 증상: 대부분 증상 없이 우연히 발견된다.
⑤ 치료
　• 무증상, 크기 <5 mm: 경과 관찰, 1년 간격 초음파 f/u
　• 무증상, 크기 6-10 mm: 경과 관찰, 6개월 간격 초음파 f/u
　• 담낭절제술 Ix
　　– 크기 >10 mm
　　– 크기 <10 mm이나 무경성(sessile) 용종
　　– 초음파 f/u에서 크기가 커지는 용종
　　– 담석과 동반되어 있거나 biliary colic or pancreatitis 등의 증상이 있는 경우
　　– 50세 이상

6. 담낭암(GB cancer)

① Biliary cancer 중 가장 흔해서 전체 암중 0.76-1.2%를 차지한다.
② 90%의 담낭암 환자는 담낭 담석을 가지고 있다.
③ 석회화 담낭(Porcelain GB) 환자는 20% 이상에서 추후 담낭암이 발생하므로 증상이 없어도 예방적 담낭 절제술을 시행한다.
④ 대부분이 선암(adenocarcinoma)이다.
⑤ Median survival은 3개월, 5년 생존률은 5% 미만이다.
⑥ 수술이 유일한 치료이다.

7. 담낭 선근종증(Adenomyomatosis)

① 대부분 무증상
② 표층상피가 과증식하여 담낭의 근육층내로 함입되고 근육층이 비후된다.
③ 과증식과 벽 내의 게실이 특징이다.
④ 분류: 미만형(generalized), 국소형(fundal type), 분절형(segmental type)
⑤ USG: 미만성 혹은 국소적 담낭벽 비후, 무에코 병소로 보이는 벽내 게실이 관찰
⑥ 담도계 증상이 없으면 치료는 불필요하나 범위가 넓으며 증상이 있거나 결석이 동반되어 증상이 있으면 수술이 필요하다.
⑦ 전암병소는 아니나 담낭암과의 구별이 안되면 수술이 필요하다.

8. 총담관 결석증(Choledocholithiasis)

1) 정의
CBD 내 결석이 있는 것

2) 병인
① Bile duct stone의 대부분은 GB에서 형성되었다가 extrahepatic biliary tree로 이동한 cholesterol stone이다.
② CBD 내에서 만들어진 stone은 대개 pigment stone으로 hepatobiliary parasitism or chronic, recurrent cholangitis, congenital anomalies of the bile ducts 등에 의해 발생한다.

3) 증상

① 우연히 발견된 무증상 담석은 저절로 십이지장으로 나가기도 한다.

② 담석 산통, 황달, ALP 상승, 급성 담낭염을 일으킬 수 있다.

4) 진단

① 복부 초음파: CBD 확장 90% 이상 발견. 담낭담석에 비해 담도담석의 진단 민감도는 낮지만(50~70%) 특이도는 높다(95%).

② 내시경 초음파(EUS): 결석 진단에 민감도, 특이도가 95% 이다.

③ ERCP: 가장 표준적인 검사방법으로 민감도, 특이도가 95% 이다.

④ PTC: 간내 담도가 확장이 있으면서 ERCP가 불가능할 때 시도된다.

5) 치료

담관결석은 무증상이라도 발견되면 치료가 필요하다.

ERCP로 총담관 결석을 제거한 후 담낭을 수술로 제거하는 것이 표준 치료이다.

9. 급성 담관염 (Acute cholangitis)

1) 병인

① 85%에서 담관 결석과 연관이 있고, 나머지는 종양, 담관 협착, 기생충 감염 등과 연관이 있다.

② *E.coli*, *Enterococci*, *Klebsiella*, *Pseudomonas* 등이 원인균이다.

2) 증상, 증후

① Charcot's triad: 통증, 황달, 발열

② Suppurative cholangitis의 경우 완전히 막힌 ductal system에 압력을 받는 pus가 존재하며 저혈압, 의식저하가 동반될 수 있다.

③ 황달, ALP 상승, 백혈구 증가

3) 진단

초음파, EUS, ERCP, MRCP, PTC

4) 치료

① 균배양 검사 후 적절한 항생제 치료

② 6-12시간 뒤에도 증상의 호전이 없고 발열, 통증이 나빠지거나 의식저하, 저혈압 등이 생기면 총담관의 압력을 낮추는 치료(ERCP, PTC, OP)를 응급으로 시행하여야 한다.

③ 내시경 접근이 불가능하거나 실패한 경우에는 PTBD를 시도한다.

10. 원발성 경화성 담도염(Primary sclerosing cholangitis)

1) 정의

① 진행성, 염증성, 경화성의 담도 염증으로 간외, 간내 담도를 침범

② 70%에서 염증성 장질환과 연관이 있다(특히 UC와 관련이 있다).

2) 증상, 증후

① 약 20-44%는 증상이 없을 때 ALP level 상승에 의해 발견

② 우상복부 통증, 폐쇄성 황달, 피부 소양증, 급성 담도염

③ 후기에는 담도 완전 폐쇄, 이차적 담관성 간경화, 간부전, 간문맥 고혈압

3) 진단

① ERCP: 담도 조영상 미만성의 다발성 담도 협착 및 담도 확장의 소견이 있어 구슬이 일렬로 있는 모양으로(beaded appearance) 보인다.

② CFS: 염증성 장질환의 동반여부를 확인해야 함.

③ AIDS 환자에서 감염으로 인해 PSC와 비슷한 소견을 보일 수 있다.

④ p-ANCA가 90%에서 양성으로 나타난다.

4) 치료

① Cholestyramine: 소양증의 증상 감소

② Vit D + calcium: 골소실 방지

③ UDCA in high dosage (20 mg/kg): improves serum liver tests, but an effect on survival has not been documented

④ Steroid, MTX, Cyclosporin: not efficacious

⑤ Balloon dilatation + stent insertion: high-grade biliary obstruction (dominant stricture)의 경우

⑥ Liver transplantation: 유일한 치료법으로, 간이식 후에는 예후가 양호

5) 예후

① 예후 인자는 나이, 빌리루빈 수치, 조직소견, 비장비대 등이다.

② 예후는 불량하여 진단 이후 평균 9-12년 생존.

11. 담도암(Cholangiocarcinoma)

1) 개요

(1) 담도 표피세포에서 생기는 암으로 발생률은 1년에 10만 명당 1명이다.

(2) 발생 위치에 따라 구분

① Intrahepatic (peripheral): small intrahepatic bile duct에서 생김.

② Perihilar (Klatskin tumor): large intrahepatic bile duct에서 생기며 좌우측 주간관을 침범함. CCC의 60-80%

③ Distal: extrahepatic bile duct에 생김. CCC의 10-30%

(3) Bismuth-Corlette classification

① Type I: confined to the common hepatic duct

② Type II: involve the bifurcation of the hepatic duct

③ Type IIIa and IIIb: involve the secondary hepatic duct IIIa involving the right side, IIIb the left

④ Type IV: both sides

(4) 위험인자

PSC, Choledochal cyst, Clonorchis sinensis, 담도 내 담석, Biliary tract carcinogens (고무, 화학약품), HBV/HCV(간내담관암만 관련)

2) 증상

① 위치에 따라 다르나 90% 이상의 환자에서 무통성 폐쇄성 황달을 보인다.

② 진행되는 경우 복통, 체중감소, 소양증, 피로.

3) 진단

① 빌리루빈, ALP, GGT의 상승

② CEA, CA19-9가 상승될 수 있으나 민감도, 특이도가 낮다.

③ 초음파, CT, MRCP, ERCP/EUS(biopsy), PTC

그림 4-34. 담도암의 해부학적 분류

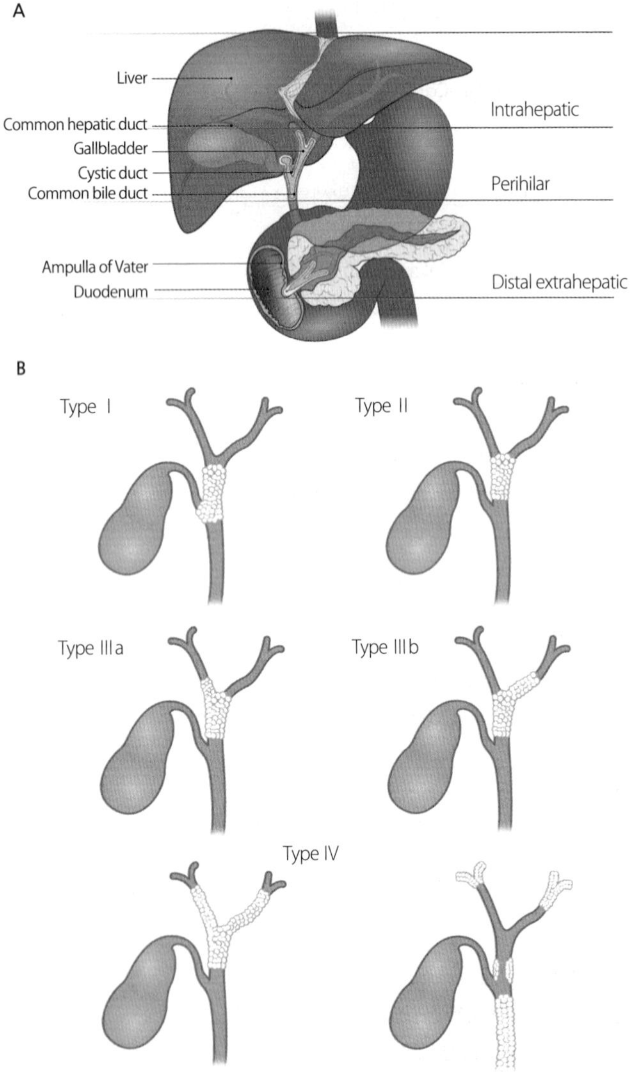

A Anatomic classification of cholangiocarcinoma. B Bismuth–Corlette classification of cholangiocarcinoma.

4) 치료

수술이 유일한 근치적 치료이나 약 20-30%만 수술 가능하다.

① Intrahepatic: HCC의 surgical resection과 같은 방법으로 수술
② Perihilar: bilateral hepaticojejunostomy, resection with hepatic lobectomy and reconstruction via hepaticojejunostomy
③ Distal: distal lesions은 pancreaticoduodenectomy (Whipples OP)나 PPPD (pylorus preserving pancreaticoduodenectomy)
④ 간이식은 2년 내 재발률이 50% 이상으로 보고되어 추천되지 않는다.
⑤ 증상 호전을 위하여 palliative biliary drainage를 시도할 수 있다(ERBD or PTBD).

5) 예후

① 5년 생존률은 proximal biliary lesions시 9%, distal tumors 시 20%
② 평균 생존 기간은 hilar 침범이 없으면 18개월, hilar 침범이 있으면 12개월이다.

12. 바터 팽대부 종양(Ampulla of Vater tumor)

1) 선종(Adenoma)

① 대부분 폐쇄성 황달 형태로 증상이 나타난다.
② Adenocarcinoma로 진행할 수 있다.
③ 과거에는 수술적 치료만 시행했으나 최근에는 1차 치료로는 내시경적 절제술이 고려되며 내시경적 치료 후 절제면에 종양이 남거나 cancer가 동반되었을 경우 근치적 수술을 고려한다.

2) 선암(Adenocarcinoma)

(1) Periampullary adenocarcinoma의 10%를 차지한다.
(2) 위험인자: FAP, Peutz-Jeghers syndrome
(3) 진단
① ALP, 빌리루빈 상승
② 초음파, CT, ERCP, MRCP, EUS
(4) 치료
① Whipple's OP, PPPD
② 수술로 인한 mortality는 5% 이하이다.

(5) 예후

① 수술을 받지 못할 경우 평균 생존기간은 5-9개월이다.

② 수술을 받은 환자의 5년 생존률은 25-55%이다.

13. 오디괄약근 기능장애(Sphincter of Oddi Dysfunction)

1) 정의

양성, 비담석성 폐쇄가 sphincter of Oddi (SO) level에서 일어나는 것

2) 기전

① Passive obstruction: 섬유화나 염증에 의한 폐쇄

② Active obstruction: 괄약근의 spasm에 의한 폐쇄

3) 임상 양상

(1) 흔한 양상

① 대부분 담낭절제술 후 지속적이고 반복적인 biliary pain으로 나타나지만, 정상 GB에서도 발생 가능하다.

② 원인불명의 반복적인 췌장염

③ 담낭결석, 담석 등이 없는 biliary pain

(2) 중년 여성에서 가장 흔하다.

(3) 심와부나 우상복부 통증이 전형적으로 간헐적이고 심하다.

4) 분류

표 4-45. Milwaukee Classification for Possible Biliary Sphincter of Oddi Dysfunction

Patient Group	Clinical Criteria
Biliary type I(86%)	• Biliary-type pain • Serum AST or ALP level >2 times normal on ≥2 occasions • Delayed ERCP contrast drainage >45 minutes • Dilated CBD >12 mm
Biliary type II(55%)	• Biliary-type pain • One or two of the other three criteria
Biliary type III(28%)	• Biliary-type pain alone

5) 진단

(1) MRCP, EUS: stone, tumor 등 다른 원인을 배제하기 위해 시행한다.

ERCP c sphincterotomy: Pancreatitis 발생이 20%나 되므로 주의한다.

(2) SO Manometry (ERCP 시 시행한다)

① Standard upper limit: 35-40 mmHg

② Sphincterotomy 후 통증 감소의 예측인자로 basal pressure가 >40 mmHg이면 clinical response가 91% 이다.

6) 치료

(1) Medical therapy

① Low fat diet: pancreaticobiliary stimulation 경감

② Nifedipine, nitrates, antispasmotics: basal SO pressure 감소

(2) Endoscopic sphincterotomy

① Cholecystectomy를 시행한 후 biliary pain이 있을 때 가장 흔히 시행

② Type I: 90%, Type II: 85%, Type III: 55% 증상 경감

Ⅲ 담도 질환의 비수술적 치료법

1. 내시경적 치료법

1) 내시경적 유두 괄약근 절개술(Endoscopic sphincterotomy, EST)
① 총담관 담석, 유두부 협착, 내시경치료 기구의 삽입의 목적으로 이용된다.
② Sphincterotome으로 괄약근을 자른다.
　출혈과 천공의 위험성이 큰 환자에서는 EPBD가 선호된다.
③ 목적에 따라 절제 크기를 정한다.
④ 합병증: 대부분 저절로 호전된다.
　담도염, 담낭염, 출혈, 십이지장 천공

2) 내시경적 비담관 배액술(Endoscopic nasobiliary drainage, ENBD)
① 카테터의 Pig-tail 모양의 끝을 담관에 유치하고 다른 끝을 유두, 위를 지나 코로 놓아 배액시킨다. 육안으로 담즙의 배출양을 확인할 수 있는 장점이 있으나, 환자가 불편한 단점이 있다.
② 목적: 담즙 누출 시 우회목적, 담관 폐쇄 시 배액 목적, 담관 누출을 보기 위해, Stent 삽입 후 조영제를 넣는 검사목적, ESWL 시술 시
③ 제거 시에는 내시경이 필요 없다.

3) 스텐트 삽입(Endoscopic retrograde biliary drainage, ERBD)
(1) 적응증
① 종양에 의한 담도 폐쇄 시 황달을 떨어뜨려 가려움증을 줄이거나 항암화학치료, 방사선 치료를 받게 하기 위해
② 담석으로 인한 폐쇄를 예방하기 위해
③ 협착부위를 넓히기 위해
(2) 종류
① 플라스틱: 제거가 용이하나 정기적인 교체가 필요하다.
② 금속: covered stent와 uncovered stent가 있으며, 정기적인 교체가 필요하지 않은 장점이 있으나 가격이 플라스틱에 비해 비싸다.
(3) 합병증
　담도염, 패혈증, 스텐트 막힘

4) 담석 제거

① EST 시행 후 Balloon 등을 사용하여 담석을 배출시킨다.

② 큰 담석(>1.5 cm)인 경우는 mechanical lithotripsy, laser lithotripsy, EHL (electro-hydraulic lithotripsy) 등이 시행될 수 있다.

③ 아주 큰 담석이고 단단하여 내시경적 절제가 어려울 경우에는 PTBD 시행 후 PTCS로 제거할 수도 있다.

2. 방사선과적 치료

1) 경피 경간 담도 조영술(Percutaneous transhepatic cholangiogram, PTC)

① Hilar 부위 폐쇄, ERCP 실패, Biliary-enteric anastomosis 시 담도 조영이나 치료 목적으로 유용하다.

② 합병증: 2-4%, 담즙 누출, 복막염, 패혈증, 출혈

2) 경피 경간 담도 배액술(Percutaneous transhepatic biliary drainage, PTBD)

① 담도 배액을 목적으로 피부를 통해 카테터를 삽입한다. 일반적으로 ERCP가 어렵거나 ERCP를 실패한 경우 이용되며, 간내담석의 치료를 위해 PTCS의 진입경로를 확보하기 위해 쓰이기도 한다. PTBD의 성공률은 매우 높지만 간내 담관의 확장이 없는 경우 시술이 어렵다. 합병증과 불편감으로 인해 요즘은 초음파내시경 유도 담도배액술이 많이 사용된다.

② 합병증: 담도염, 패혈증, 출혈, 담즙 누출, 피부감염

③ 심한 hemobilia는 hepatic artery의 손상을 의미하고 혈관조영술 후 색전술이 필요하다.

④ 많은 양의 복수가 있거나 혈액응고 장애 시 시술이 불가능하다.

3) 경피적 담낭배액술(Percutaneous transhepatic gallbladder drainage, PTGBD)

① 초음파, fluoroscopy guide로 시행된다.

② 급성 담낭염 시 GB의 감압, 배액 목적으로 시행된다.

EUS-guided drainage가 어려운 GB perforation시 우선 시도된다.

③ 합병증: 8%, 담즙유출(복막염), 통증, 출혈

Ⅳ 급성 췌장염(Acute pancreatitis)

1. 정의

여러 가지 원인에 의해서 분비된 소화 효소가 췌장 조직을 자기소화시킴(autodigestion)으로써(autodigestion)시킴으로써 췌장에 괴사성 염증을 일으키는 병변

2. 원인

음주와 담석이 80%, 기타 10%, 원인불명 10%
Post-ERCP pancreatitis (PEP)-ERCP한 환자 중 5-10%
참고: 유전성췌장염 - PRSS1, SPINK1, CFTR 유전자 변이

3. 임상 양상

① 복통: 하루 이상 지속되는 증상이 심와부 및 배꼽 주변에 나타나고 종종 등이나 옆구리로
전파 됨. 복통은 누우면 심해지고 상체를 구부리거나 무릎을 굽히면 경감.
② 마비성 장폐쇄(paralytic ileus): 화학적 복막염으로 발생하며 장음이 감소
③ 미열(감염 합병 시 high fever), 빈맥, 저혈압
④ Grey-Turner's sign, Cullen's sign: 출혈성 췌장염에서 피하출혈 반점이 옆구리(Grey-
Turner's sign)와 제대주위(Cullen's sign)에 생김. poor Px를 반영함.
⑤ Shock: 심한 췌장염에서 혈관 투과성 증가 시키는 물질들이 분비 되면서 혈관 투과도 증가
하여 혈장 당백질이 후복강으로 유출되거나 혈액이 유출 되면서 shock으로 진행할 수 있다.

4. 진단

1) 검사 소견
(1) Amylase 상승
① 증상 발생 3-6시간 이내에 상승, 3-5일 후 정상화(반감기: 10-12시간)
② 혈중 amylase 수치와 췌장염의 심한 정도와는 무관
③ 일주일 이상 지속적으로 상승 시 다른 합병증(췌장 괴사, 가성 낭종, 주췌관 부분 폐쇄 등)
동반 됐을 수 있어 확인 필요

→ 췌장 괴사, pseudocyst, 주췌관의 부분 폐쇄

④ Amylase 상승의 위양성 소견:

→ 신부전, 급성 장손상, 알코올 중독, 급성 담낭염, 장경색, 췌장암에서도 상승

(2) Lipase 상승

① 췌장에서만 분비되어 기관 특이도가 높다. 발생 후 1-2주까지 상승되어 있어 amylase가 정상화 되었을 시기에 췌장염 진단에 유효하다.

② Organ specificity 높다.

③ Lipase 상승의 위양성 소견: pancreatitis, s-lipase level may increase in following conditions

가. Severe renal failure (Ccr ≤20 mL/min) - ≤2 × normal

나. Inflamed or perforated intestine - ≤3 × above normal

④ Cut-off of ≥3×upper limit of normal for both amylase and lipase

⇒ specificity of both enzymes is very high to differentiate between painful, acute pancreatitis and a surgical condition causing abdominal pain

(3) 췌장염 이외에 amylase/ lipase 둘 다 상승할 수 있는 경우

→ 장천공, 장폐색, 신부전 등

(4) 산혈증, 백혈구 증가증, 고혈당, 저칼슘혈증(25%), 고빌리루빈혈증(10%에서 >4 mg/dL), 혈청 ALP, AST, LDH 상승, 고중성지방혈증

표 4-46. Causes of Increased Serum Amylase Activity

Pancreatic Diseases		
Acute pancreatitis	Complications of pancreatitis	
Acute exacerbation of chronic pancreatitis	Pancreatic tumors, cysts	
Other Serious Intra-abdominal Diseases		
Acute cholecystitis	Common bile duct obstruction	
Perforation of esophagus, stomach, small bowel, colon		
Intestinal ischemia or infarction	Intestinal obstruction	Acute appendicitis
Acute gynecologic conditions (ruptured ectopic pregnancy & acute salpingitis)		
Diseases of Salivary Glands	Mumps	Effects of alcohol
Tumors		
Ovarian cysts	Papillary cystadenocarcinoma of ovary	Carcinoma of lung
Renal Insufficiency		
Macroamylasemia		
Miscellaneous		
Morphine	Endoscopy	Anorexia nervosa
Sphincter of Oddi stenosis or spasm		Diabetic ketoacidosis
Head trauma with intracranial bleeding		AIDS

2) X선 및 초음파 소견

(1) 단순 복부 촬영: 췌장 주변의 소장(특히 jejunum)의 localized paralytic ileus로 공기 음영이 증가

(2) 복부 초음파

① 췌장 두부의 크기 증가 (>3 cm), 췌장의 부종으로 저에코 소견

② 췌장 주위에 액체 고이거나 췌관 미부 확장

③ 담도 담석으로 인한 췌장염 감별

④ 마비성 장폐쇄 등으로 대부분의 경우 췌장 주위의 초음파 검사가 용이하지 못함.

3) CT

① 췌장염의 중등도 판단과 국소 합병증의 진단에 가장 유용한 검사(특히 궤사성 췌장염의 경우 그 진단 및 중등도 평가에 탁월함)

② 췌장이 커져 있고(국소적 or 전반적), 췌관의 확장, 췌장 주위의 액체 저류, 주위 fascia의 비후.

③ CT상 조영 증강이 되지 않는 부위는 췌장의 괴사를 의미하며, 괴사 동반된 경우 mortality 는 23%까지 높다.

4) ERCP

① 일반적으로 급성 췌장염을 앓고 있을 때는 금기. 하지만, 급성 췌장염의 원인 중 담석에 의해 유발된 담석 췌장염에서는 EST를 시행하여 담석 제거 목적으로 사용함.

② 원인이 불명확한 급성 췌장염 잦은 재발의 원인 감별 위해서 급성기가 지나서 시행하기 도 한다.

ex) pancreas divisum, annular pancreas, sphincter of Oddi dysfunction.

5) EUS

복부 초음파보다 정확함. 합병증에 대한 배액 시술 시 용이함.

표 4-47. 급성 췌장염과 감별진단★

Biliary colic/acute cholecystitis
Perforated hollow viscus
Mesenteric ischemia or infarction
Closed-loop intestinal obstruction
Inferior wall myocardial infarction
Dissecting aortic aneurysm
Ectopic pregnancy

5. 예후

임상 증상과 징후에만 근거한 중증도 평가는 신뢰성이 떨어지므로 단순 흉부촬영, 혈청 C-reactive protein (CRP), 혈청 blood urea nitrogen (BUN), 혈청 creatinine 측정 등의 객관적인 임상 검사가 필요하며 조영 증강 복부 전산화 단층 촬영의 시행이 필요하다. 중증도의 경과 관찰을 위해 추적관찰이 입원 후 대략 1주일 뒤에 권고되며, 장기 부전, 패혈증 및 임상 양상이 악화되는 경우 추가 시행을 고려해야 한다. 급성 췌장염이 회복되어 퇴원하는 경우에도 가성낭이나 가성 동맥류와 같은 무증상 합병증을 발견하기 위해도 시행이 권유된다.

예후 결정을 위해 여러 criteria가 있지만 유용성에서 우열을 가리기 어렵다. 최근에는 BISAP (bedside index for severity in acute pancreatitis) 지표나 신일본지표 등이 개발되었다. 본문에는 CTSI를 수록한다.

표 4-48. Radiology assessment CT severity index (CTSI)

Grade of acute pancreatitis	point
Normal pancreas	0
Pancreatic enlargement alone	1
Inflammation compared with pancreas and peripancreatic fat	2
One peripancreatic fluid collection	3
Two or more fluid collections	4
Degree of pancreatic necrosis	
No necrosis	0
Necrosis of one-third of pancreas	2
Necrosis of one-half of pancreas	4
Necrosis of more than one-half of pancreas	6
CT severity index (CTSI) = CT grade + necrosis score (0-10)	

6. 치료

1) 금식

① 경장 영양 시기: 과거에는 복통, 압통 소실 시까지 췌장 안정 목적으로 금식하였으나, 최근에는 배고픔을 느끼고(hunger sense) 마비성 장폐쇄증이 없으면 가급적 이른 시간에 경구 식사를 시작함. 오랜 금식은 장점막을 위축시키고 장내 세균의 췌장 전위(bacterial translocation)을 조장하여 감염성 합병증을 유발할 수 있다.

② 저지방, 고형식으로 식사를 시작한다.

③ 경장영양(parenteral nutrition)은 가급적 짧은 시간만 유지하고, 장기간 경구식이가 불가능할 경우 비위관(nasogastric tube)나 비공장관(nasojejunal tube) 삽입을 하여 소화관 통합성(integrity)을 유지한다.

2) 통증 조절

과거에는 morphine이 sphincter of Oddi의 압력을 높여 사용을 피했으나, 어떠한 연구도 해롭다는 증거를 제시하지 못하였다. 현재는 안전하게 쓰일 수 있는 것으로 알려졌으며, 특히 fentanyl을 이용하여 통증을 용이하게 조절할 수 있다.

3) ★★체액량의 보충과 유지

췌장 주위로 삼출액의 유출, 구토, 비위관 흡인 등으로 많은 양의 수액공급이 필요하다. 초기에 5-10 mL/kg/hr로 수액을 공급하나 저혈압이나 빈맥 있을 경우 더 많은 양을 공급한다(초기 30분간 20 mL/kg로 IV infusion, 이후 8-12시간 동안 3 mL/kg/hr). Isotonic crystalloid fluid를 사용하며 Ringer's lactate solution과 normal saline이 있고, Ringer's lactate solution이 임상 성적이 더 좋다는 보고가 있다. 산염기균형에 도움이 되었을 것으로 생각되며, Ringer's lactate solution에는 3 mEg/L의 칼슘이 포함되어 있어 고칼슘혈증으로 인한 급성 췌장염에서는 normal saline을 쓴다.

4) 위산 분비 억제

큰 효과가 없음이 밝혀졌으나 소화성궤양이나 마비성 장폐쇄 환자에서 사용

5) 단백분해 효소 억제

Gabexate, nafamostat이 대표적이며, 효과가 증명되지 않았으나 췌장의 손상을 줄일 목적으로 쓰이기도 한다.

6) Gallstone pancreatitis

담석성 췌장염 환자가 담관염이 동반된 경우에는 내원 24 hr 내에 ERCP 시행을 권한다.

7) 항생제 투여

① 이차적 세균 감염은 중요한 사망 원인

② 예방적 항생제는 췌장염의 종류(interstitial or necrotizing)와 중등도(severity)와 상관없이 일반적으로 권하지 않음.

③ 담석에 의한 급성 췌장염의 경우나 패혈증이 의심되는 경우에 균배양 후 광범위 항생제 사용

7. 합병증

1) 국소 합병증

췌장염과 관련된 액체저류, 출혈 등 다양한 국소합병증이 있을 수 있다. 과거에는 췌장의 가성낭종, 췌장궤사, 췌장농양 등으로 분류하였으나 현재는 Atlanta classification에 의거하여 췌장실질의 괴사유무에 따라 interstitial or necrotizing pancreatitis로 나누고, 4주가 지나 벽(wall)이 형성되면 각각 pseudocyst, walled-off necrosis로 분류하게 된다. 감염 유무에 따라 감염성과 비감염성으로 나눈다. 췌장실질 혹은 췌장주위 조직의 괴사는 췌장염 발생 후 첫 4주까지는 급성 괴사성 고임(acute necrotic collection, ANC)으로 불리며 4주가 지난 시점에서는 구역성 췌장 괴사(walled-off pancreatic necrosis, WON)로 불린다.

**Step-up therapy

무균성 췌장 괴사는 가급적 보존적 치료가 최우선 된다. 일반적으로 중재시술은 최대한 늦게 시행하는 것이 추천된다. ANC 상태에서 배액술 등의 시술을 할 경우 합병증의 위험성이 매우 높고 치료 성적이 좋지 않아 추천되지 않는다. 괴사조직이 충분히 액화되고 주변으로 섬유화에 의한 벽이 생성될 때까지 기다렸다가 시행하는 것이 중요하다. 치료가 필요한 WON은 전통적으로 수술적 괴사조직 제거술이 주된 치료였다. 그러나 수술적 치료는 주요 합병증이 40-80%까지 매우 높다고 보고되고 있다. 최근에는 WON에 대해서 최소침습수술 방법이 사용되고 있으나 여전히 주요 합병증의 비율이 40%로 높게 보고되고 있다. 따라서 경피적 배액술이나 내시경적 배액술을 시행하고 호전이 없으면 추가적인 이차 시술 또는 최소 침습 수술적 괴사조직 제거술을 시행하는 step-up 접근법이 주로 사용되고 있다.

(1) 가성낭종(Pseudocyst)

급성간질성췌장염 발생 후 최소 4주 이상 경과하여 췌관으로부터 유출된 췌장 효소를 포함한 고형괴사조직이 없는 췌장액 또는 췌장주위 액체 고임이 얇은 섬유성막으로 싸인 경우로 급성췌장염의 약 6-20% 정도에서 발생한다. 만성췌장염에서도 나타날 수 있다.

과거 가성낭종 중재적 시술은 6 cm 이상이거나 크기가 증가하는 경우 시행하였으나 현재는 증상이 없는 PP의 경우에는 크기에 상관없이 중재적 시술은 필요하지 않고 복통, 감염, 출혈 등의 증상이나 합병증이 발생한 경우 배액술이 필요하다.

(2) 구역성 췌장 괴사(walled off necrosis, WON)

WON은 ANC가 발생 최소 4주 이상 경과 후 ANC 외부에 염증성 벽이 형성된 것으로 괴사 조직에 의한 액체와 고형 물질들로 구성되어 있다. 감염이 없는 ANC는 특별한 치료가 필요하지 않다. 그러나 발열, 복통의 악화, 백혈구 증가, 조영 증강 복부CT에서 괴사 부위에 가스가 관찰되거나 가스/액체층(gas/fluid level)이 보이는 등 감염이 의심되는 경우에는 먼저 광범위 항생제를 사용하여 감염을 완화시키고 최소 4주 정도 경과하여 벽이 형성되는 WON이 되어 괴사 조직과 정상 조직의 구분이 가능하고 괴사 조직이 부드럽게 액화된 후 중재적 시술을 실시하는 것이 합병증의 위험을 줄일 수 있다. 그러나 환자 상태가 항생제 투여 만으로는 효과가 없을 것으로 판단되면 경피적배액술을 실시한 후 4주 정도 경과하여 벽이 형성된 후 중재적 시술을 실시한다.

(3) 가성동맥류와 출혈
- 가성동맥류: 파열된 혈관과 연결된 캡슐에 싸인 혈종. 소화효소에 의한 동맥벽의 자가소화로 동맥벽이 파열되면서 혈관내벽이 약해져 주위 혈종과 연결되게 된다.
- 급성췌장염 3-5주 후에 발생
- 비장동맥이 50% 이상으로 가장 흔하다.
- 가성동맥류가 파열되는 경우 사망률이 높아 진단 시 출혈 유무와 관계없이 치료
- 주로 색전술을 이용

(4) 췌장누공과 위장관 누공

췌장관이 파열되어 유출되면 복수, 늑막삼출, 췌장피부 누공 등이 생길 수 있으며 주변 위, 십이지장, 공장, 회장, 대장과 누공이 발생하기도 한다. 필요한 경우 수술적 치료가 필요하다.

2) 전신합병증

담관 폐쇄, 쇼크, 급성신부전, 호흡부전, 위장관출혈, 인접 장기의 협착, 다발성 장기부전 등이 나타날 수 있다.

Ⅴ 만성 췌장염(Chronic pancreatitis)

1. 정의

췌장에 발생하는 지속적인 염증과 섬유화로 인해 비가역적 구조적, 기능적 장애를 초래하는 질환.

2. 원인

알코올이 가장 흔하며 많은 경우 원인을 알지 못한다. 젊은 나이에 만성췌장염이 있을 경우 유전성췌장염을 의심한다.

3. 임상양상

① 복통(M/C): 수 시간에서 수 일간 지속되며, 다양한 자연경과를 보인다. 췌관내압의 증가 혹은 통각수용신경의 손상 및 변경으로 인한 통증으로 생각된다. 통증으로 인해 음식 섭취가 줄어 체중이 감소한다. 진통제로 조절되기도 하나 필요시 내시경치료 혹은 수술적 치료가 필요하다.

② Malabsorption: 소화기능의 감소가 나타날 수 있으며 지방변은 우리나라에서는 드물다. 서구에 비해 지방섭취량이 적어서 그럴 것으로 생각된다.

③ Impaired glucose tolerance, DM: 만성췌장염과 관련되어 T3cDM이 발생할 수 있다.

4. 진단

1) 검사 소견

① Triad: 췌장 석회화, 지방변, 당뇨(1/3 이하의 환자에서만 나타남)

② Amylae/lipase: 췌장의 섬유화로 인해 외분비기능 상실로 보통 정상

③ 혈청 bilirubin과 ALP의 상승이 있는 경우 CBD 협착을 의심

④ 당내성의 장애, 공복 시 혈당치의 상승

2) 방사선학적 검사

① 단순 복부 촬영: 췌장의 석회화

② US: 췌장이 작고 외연이 불규칙하고 췌관의 불규칙한 확장과 석회화

③ CT: small calcification, ductal dilatation, pseudocyst

④ MRCP: 췌장실질의 신호 강도 이상 소견, 췌관 이상 소견, 주췌관의 염주모양
  비침습적으로 ERCP를 대신하기도 한다.

⑤ ERCP: luminal narrowing, ductal system irregularity (stenosis, dilatation,
  sacculation), intraductal stones

⑥ EUS: 조기 진단에 매우 유용

  • 실질변화: Hyperechoic foci, hyperechoic strands, hypoechoic lobules, cyst

  • 췌관변화: Dilatation, irregularity, hyperechoic ducts wall, visible branch duct, stones

5. 합병증

① 영양 결핍: 지방, 지용성 비타민 흡수장애가 발생할 수 있다.
  필요시 췌장단백효소의 공급을 한다(Lipase 최소 25,000~75,000 IU).

② 췌관 결석: 췌관 결석으로 인해 췌관폐쇄가 일어나면 췌관 내 압력이 올라가 통증을 유발
  할 수 있고 췌장의 기능의 소실이 유발될 수 있다. 내시경적 치료, ESWL 등을 이용하여
  치료한다.

③ 가성낭종: 췌관이 좁아지면서 췌관 분지의 파열로 생길 수 있다. 만성췌장염 환자 중
  30% 정도에서 나타날 수 있으며 자연소실이 드물다.

④ Pancreatic cancer

  • 2년 이상 경과하면 췌장암의 빈도가 증가하게 되는데

  • 20년 이상 지난 만성췌장염의 pancreatic cancer cumulative risk는 4%이다.

⑤ Narcotics addiction: 가장 흔한 문제이고 중요한 문제이다.

⑥ 췌장 외 합병증: 총담관 협착, 소화성궤양, 흉수, 복수 등 다양한 합병증이 발생

6. 치료

원인과 생활습관 교정, 통증 조절, 흡수장애, 당조절에 초점을 맞춘다.

1) 원인과 생활습관 교정
알코올에 의한 만성췌장염은 금주를 통해 췌장의 기능저하 진행 속도를 늦출 수 있어 금주를 강조해야 한다. 흡연 또한 질병의 진행을 촉진하기 때문에 금연이 필요하다.

2) 통증조절
① 금주의 복통에 대한 효과는 논란이 있으나 금주에 따른 다른 여러 이점이 있기 때문에 금주를 권한다.
② 식이조절: 저지방식사가 도움이 될 수 있다.
③ 비마약성 진통제부터 시작하며, 마약성 진통제는 내성 및 의존성을 유발할 수 있어 신중히 사용한다. 항우울제 같은 보조적 치료제를 적절히 사용한다(amitryiptylline, pregabalin).
④ 내시경 중재술: 주췌관이 확장된 환자에서 통증이 지속될 경우 내시경 치료를 고려한다. 췌장두부의 단일 협착일 경우 효과적이며 스텐트 삽입을 시행한다. ERCP로 접근이 안될 경우 ESWL로 쇄석 후 다시 시도하거나, EUS를 이용하여 접근하기도 한다.
⑤ 신경차단술: 경피적 혹은 내시경초음파를 통해 celiac plexus block을 시행해볼 수 있다. 시술 후 저혈압의 부작용이 있어 세심한 관찰이 필요하다.

3) 외분비 기능부전에 따른 흡수장애(Pancreatic enzyme replacement therapy)
우리나라에는 지방변은 드물다. 하지만 적절한 췌장효소의 공급으로 영양 상태 개선이 필요하다.

① 외분비 기능이 90% 이상 파괴되어야 임상적으로 흡수장애가 나타난다. 이론적으로 lipase를 30,000 IU 이상 공급 시 지방변을 치료할 수 있으나 여러 문제로 완전히 없어지진 않는다.
② 췌장효소제는 식전에 투여하지 말고 음식과 함께 혹은 식후 복용하도록 한다.
③ 섬유소가 많은 음식은 소화효소의 활성도를 떨어뜨릴 수 있다.

VI 췌장암(Pancreatic cancer)

1. 역학

① 우리나라: 전체 암 발생 순위에서 9번째(암종 발생분율 2.9%)

② 미국: 전체 암 환자의 3.2%를 차지하며, 암 사망률 3번째 흔한 원인

2. 위험 인자

① Cigarette smoking: most consistent risk factor(발생 원인의 약 30%를 차지)

② Chronic pancreatitis

③ Long-standing DM

④ High intakes of fat or meat

⑤ Hereditary/Genetics

표 4-49. Germ-line Mutations, Their Familial Cancer Syndrome, and Fold Risk of Pancreatic Cancer

Germ-Line Mutation	Familial Cancer Syndrome	Estimated Increased Risk (fold) of Pancreatic Cancer
BRCA2	Familial breast/ovarian cancer	3.5–10
PALB2 (partner and localizer of BRCA2)	Familial breast cancer and others	~sixfold
p16/CDKN2A	Familial atypical multiple mole melanoma (FAMMM)	13–38
STKII (LKB1)	Peutz–Jeghers syndrome	132
PRSS1 or SPIN11	Hereditary (familial) pancreatitis	53
ATM	Ataxia-telangiectasia	Not yet established
MLH1, MSH2, MSH6, PMS2	Heredity nonpolyposis colorectal syndrome of Lynch syndrome	9–30

Harrison's Princiople of Internal Medicine.20th. Chapter 79.
* alcohol, cholelithiasis, coffee는 위험인자가 아니다.

3. 임상적 특징

1) 병리

Ductal adenocarcinoma(90%), islet cell tumor(5-10%)

2) 발생 위치

Head(70%), body(20%), tail(10%)

3) 증상: 통증, 체중감소(>75%), 황달(췌두부암의 80% 이상에서)

(1) Pain: visceral quality, epigastrium → back radiation

식사, 앙와위(lying flat) 시에 악화될 수 있다.

Retroperitoneal invasion, splanchnic n. infiltration 시 통증이 심하다.

(2) Wt loss(대부분): anorexia 때문이다.

(3) Jaundice (head ca의 80% 이상에서): Bilirubin 2.5-3.0 mg/dL 이상일 때 확인 가능

*Pruritis: Bilirubin 6-8 mg/dL 이상일 때 호소

*GB palpation (Couvoisier's sign)은 50% 미만에서 가능하다.

(4) Glucose intolerance: tumor자체로 인해 발생하며, 진단 전 2년 내에 발생한다.

(5) Venous thrombosis, migratory thrombophlebitis (Trousseau's syndrome)

(6) GI hemorrhage

① Portal vein compression으로 인한 varix

② Splenic vein encasement로 인한 splenomegaly

4. 진단

1) CEA, CA 19-9

진단 및 병기 설정보다는 치료 효과 판정에 도움

2) CT

수술 가능성을 파악 및 병기 결정에 가장 널리 사용되는 검사. 혈관 침범 확인을 위해 가급적이면 동맥기, 문맥기를 모두 촬영하는 dynamic CT를 촬영을 권유함.

3) ERCP

췌관의 협착이나 폐쇄 소견을 확인 가능. CBD와 p-duct이 모두 늘어난 "double-duct sign"이나, p-duct의 abrupt cut-off 등을 확인할 수 있음. 하지만 최근에는 췌장암의 진단 목적으로는 거의 사용하지 않고, bile duct invasion으로 biliary decompression이 필요할 때 등 치료 목적으로 시행되는 경우가 대부분임.

4) MRI/MRCP

병기 설정에 있어서는 MRI와 CT는 대등한 성적을 보인다고 알려져 있다. 하지만 간 전이 발견에는 MRI/MRCP가 더 우수하다. 즉 CT에서는 보이지 않는 간 전이를 MRI/MRCP에서 진단하는 경우가 있으므로 CT와 더불어 MRI/MRCP를 같이 촬영하여야 한다.

5) EUS

CT에 비해 해상도가 높기 때문에 크기가 작은 췌장 종양을 발견하는데 매우 민감한 검사이다. 임상적으로 췌장암이 의심되나(CA19-9 상승, p-duct dilatation) CT에서 mass가 명확하게 보이지 않는 경우 반드시 고려해야 하는 검사이다. 그리고 다른 영상학적 진단 방법에 비해 실시간으로 조직검사를 할 수 있다는 장점도 있다.

5. 치료

National Comprehensive Cancer Network (NCCN)의 resectability crieteria에 따라 치료 방침을 결정한다.

1) Criteria defining resectability by NCCN guideline

표 4-50. Criteria defining resectability by NCCN guideline

Resectability Status	Arterial	Venous
Resectable	No arterial tumor contact (celiac axis [CA], superior mesenteric artery [SMA], or Common hepatic artery [CHA]).	No tumor contact with the superior mesenteric vein (SMV) or portal vein (PV) or ≤180° contact without vein controur irregularty.
Borderline Resectable	**Pancreatic head/uncinate process:** • Solid tumor contact with CHA without extension to CA or hepatic artery bifurcation allowing for safe and complete resection and reconstruction. • Solid tumor contact with the SMA of ≤180° • Solid tumor contact with variant arterial anatomy (ex: accessory right hepatic artery, replaced right hepatic artery, replaced CHA, and the origin of replaced or accessory artery) and the presence and degree of tumor contact should be noted if present, as it may affect surgical planning. **Pancreatic body/tail:** • Solid tumor contact with the CA of ≤180° • Solid tumor contact with the CA of >180° without involvement of the aorta and with intact and uninvolved gastroduodenal artery thereby permitting a modifiled Appleby procedure [some panel members prefer these criteria to be in the unresectable category].	• Solid tumor contact with the SMV or PV of >180°, contact of ≤180° with contour irregularity of the vein or thrombosis of the vein but with suitable vessel proximal and distal to the site of involvement allowing for safe and complete resection and vein reconstruction. • Solid tumor contact with the inferior vena cava (IVC).
Unresectable	• Distant metastasis (including non-regional lymph node metastasis) **Head/uncinate process:** • Solid tumor cantact with SMA >180° • Solid tumor contact with the CA >180° **Body and tail:** • Solid tumor contact of >180° with the SMA or CA • Solid tumor contact with the CA and aortic involvement	**Head/uncinate process:** • Unreconstructible SMV/PV due to tumor involvement or occlusion (can be due to tumor or bland thrombus) • Contact with most proximal draining jejunal branch into SMV **Body and tail:** • Unreconstructible SMV/PV due to tumor involvement or occlusion (can be due to tumor or bland thrombus)

2) Resectable

전체 췌장암 환자 중에 수술적 치료가 가능한 환자는 15-20%에 불과하다. 종양의 위치에 따라 Pancreaticoduodenectomy (Whipple's Operation), Pylorus-preserving pancreaticodudenectomy (PPPD), Distal pancreatectomy with spleenectomy 등의 수술을 시행한다.

3) Borderline/Unresectable resectable

신보조 항암요법(neoadjuvant chemotherapy)을 시행하고, 반응평가 후 수술적 절제가 가능하면 수술을, 불가능하면 항암요법을 계속 시행한다. 항암요법은 주로 Gemcitabine 이나 5-FU를 기반으로 하며, CCRT나 SBRT도 고려할 수 있다.

4) 방사선 치료

방사선 치료는 종양의 혈관 침범을 완화하고, 근처적 절제 가능성을 높이며 통증 완화의 목적으로 시행한다. 최근에는 정위 방사선치료(stereotatic body radiation therapy, SBRT)가 췌장암의 치료에 많이 사용되고 있다. 좁은 부위에 fraction마다 높은 방사선 선량을 조사하여 치료 기간이 짧다는 장점이 있으나, CT, MRI나 내시경 등에서 bowel invasion이 있으면 시행하지 못한다. SBRT 하기 전에는 정확한 targeting을 위하여 췌장 종양에 금(gold)으로 된 Fiducial marker를 EUS를 통해 injection을 해야 한다.

5) Palliative therapy

황달, 통증, 십이지장 폐쇄 등이 발생할 경우 surgical bypass op.나 endoscopic intervention을 시행해 볼 수 있다.

Ⅶ 췌장 낭성 종양(Pancreatic cystic tumor)

1. 고형 가유두상 종양(Solid pseudopapillary neoplasm, SPN)

20-30대 젊은 여성에서 호발. 처음에는 고형 종양으로 시작되나 병변이 커지면서 내부에 괴사가 발생하여 고형부위와 낭성부위가 혼재되는 것이 특징이다. 내부 출혈이나 석회화가 동반되는 경우도 있다. 대부분 8-10 cm 크기의 경계가 명확한 병변이며, 두부, 체부, 미부에서 균등하게 발생한다. 주변 조직으로 침윤이 가능하여 수술적 절제가 권유된다.

2. 췌관 내 유두상 점액 종양(Intraductal papillary mucinous neoplasm, IPMN)

IPMN은 유두상으로 성장하는 점액성 췌관세포에 의해 점액이 다량 생산되어 췌관이 확장되는 질환이며, 전암성 병변으로 인식된다. 남자에게서 약간 더 호발하고 60대 이상 연령에서 췌장 두부에 흔하게 보이며, 다발성으로 보이는 경우가 많다. 조직학적으로 저도 이형선증에서 악성 선암에 이르기까지 다양한 스펙트럼을 보인다. 내시경에서 바터 팽대부가 넓어져 있고, 점액이 흘러나오는 모습을 관찰할 수 있다. IPMN은 늘어나는 췌관의 종류에 따라 주췌관형(Main duct-IPMN, MD-IPMN), 부췌관형(Branch duct-IPMN, BD-IPMN), 혼합형(Mixed IPMN)으로 나눌 수 있다. 주췌관형은 전암성 병변으로 수술적 치료가 원칙이다. 부췌관형은 악성도가 주췌관형 보다 낮으며, 증상 유무나 크기에 따라 치료 방침을 정한다. "Fukuoka 가이드라인"이 가장 흔하게 사용된다.

4-35. Algorithm for the managment of suspected BD-IPMN

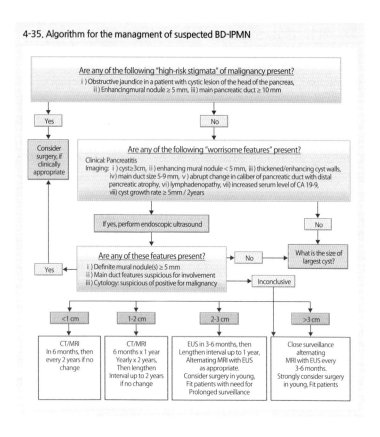

3. 점액성 낭성 종양(Mucinous cystic neoplasm, MCN)

MCN은 40-50대 여자에 많고 대낭성(macrocystic) 종양이다. 대부분 단일 병변이며 체부, 미부에서 발견된다. 대부분 주췌관과 연결성은 없다. 내부는 점액성 액체로 차 있으며 fluid analysis에서 CEA가 170-200 ng/mL 이상으로 높게 나온다. 전암성 병변이므로 수술적 치료가 원칙이나 환자의 나이, 전신상태 등을 감안하여 close follow up 할 수도 있다.

4. 장액성 낭성 종양(Serous cystic neoplasm, SCN)

SCN은 60대에 호발하고, 여성이 남성보다 빈도가 높다. 췌장 두부, 체부, 미부에 걸쳐 고르게 발생한다. 대부분 무증상이다. 스폰지와 같이 많은 수의 작은 낭종 집합체로 구성되어 있는 것이 특징이고 점액은 생산하지 않는다. 악성화가 거의 없기 때문에 추적 관찰이 원칙이나 증상을 일으키거나 성장 속도가 빠르면 수술을 고려해야 한다.

표 4-51. 췌장 낭성 종양의 감별진단

Characteristic	MCN	BD-IPMN	SCN	Pseudocyst
Sex (% female)	>95%	~55%	~70%	<25%
Age (decade)	4th, 5th	6th, 7th	6th, 7th	4th, 5th
Asymptomatic	~50%	Mostly when small	~50%	Nearly zero
Location (% body/tail)	95%	30%	50%	65%
Common capsule	Yes	No	Yes	N/A
Calcification	Rare, curbilinear in the cyst wall	No	30-40%, central	No
Gross appearance	Orange-like	Grape-like	Spongy or honeycomb-like	Variable
Multifocality	No	Yes	No	Rare
Internal structure	Cysts in cyst	Cyst by cyst	Microcystic and/or macrocystic	Unilocular
Main pancreatic duct communication	Infrequent	Yes (though not always demonstrable)	No	Common
Main pancreatic duct	Normal or deviated	Normal, or dilated to >5 mm, suggesting mixed type	Normal or deviated	Normal or irregularly dilated, may contain stones
Cyst fluid analysis	Mucin, high CEA, *GNAS* wild, RNF43 mutated	Mucin, high CEA, *GNAS* frequently mutated, *RNF43* mutated	Serous, verl low CEA, VHL gene mutated, RNF43 wild	Nonmucinous, high amylase

Abbreviations: MCN, mucinous cystic neoplasm; BD-IPMN, branch duct intraductal papillary mucinous neoplasm; SCN, serous cystic neoplasm; N/A, not applicable; CEA, carcinoembryonic antigen.

위장관 공통

I 위장관 출혈

위장관 출혈 환자의 치료에서 중요한 원칙은 1) 환자의 혈역학적 상태를 신속하게 평가하여 안정시키고, 2) 출혈의 위치(상부위장관 또는 하부위장관 출혈)를 추정하고 적절한 검사를 선택하여 출혈의 원인을 확인한 후, 3) 약물치료와 내시경 치료를 통해 활동성 출혈을 지혈하고 재출혈을 예방하는 것이다.

1. 환자의 초기 평가 및 치료

환자의 혈역학적 상태를 신속히 파악하고 치료하는 것이 무엇보다 중요하다. 지속적으로 활력징후를 감시함으로써 치료에 대한 반응과 지속적인 출혈 여부를 확인하여야 한다. 기립성 저혈압 또는 빈맥 여부가 재출혈의 유일한 단서가 되는 경우가 흔하다.

- 18 G 이상의 두 개의 정맥주사로 확보한다.
- 생리식염수나 하트만액을 통한 수액치료로 활력징후를 안정화 시킨다.
- 환자의 활력징후가 불안정한 경우 중환자실에서의 관찰을 고려한다.
- Nasal cannula 또는 face mask를 통해 산소를 공급한다.
- 헤모글로빈 수치가 7 g/dL 미만일 경우 packed RBC 수혈을 시행한다. 목표 헤모글로빈 수치 7-9 g/dL를 유지하도록 제한적으로 수혈한다. 환자가 관상동맥질환 등의 동반 질환이 있는 경우, 활동성 출혈이 지속되는 경우 목표 헤모글로빈 수치를 9 g/dL 이상으로 유지한다.
- Packed RBC 10단위 이상 수혈이 필요한 경우 신선동결혈장과 혈소판 수혈을 시행한다.
- Warfarin을 복용 중인 환자는 warfarin 복용을 중단한다. 활력징후가 불안정한 경우 10 mg vitamin K1을 서서히 IV 주입하고 신선동결혈장 수혈을 시행한다. 추가 검사를 시행하여 필요한 경우 상기 치료를 반복한다.

환자의 치료와 함께 다음과 같은 병력청취와 신체검진을 동시에 시행하여야 한다.
- 약물 복용력(아스피린 등의 항혈소판제, NSAIDs, warfarin, DOAC, 스테로이드)
- 소화기 질환의 과거력/수술력
- 소화성궤양의 증상
- 음주/흡연력(소화성궤양, 식도 정맥류 출혈)
- 심한 구토 후 발생한 출혈

2. 출혈의 위치 추정

1) 출혈 양상

대부분의 경우 토혈, 흑색변은 상부위장관 출혈을, 혈변은 하부위장관 출혈을 의미한다. 하지만 다량의 상부위장관 출혈은 혈변을 일으킬 수 있으며, 원위부 소장, 근위부 대장에서의 소량 출혈은 흑색변을 일으킬 수 있다.

2) 비위관 삽입 및 세척

상부위장관 출혈 여부를 확인하기 위해 비위관 삽입과 세척을 시행할 수 있다. 혈성 흡입물이 배액 되면 상부위장관 출혈로 진단할 수 있지만, 위음성인 경우도 25% 가량 보고되고 있어 혈성 흡입물이 배액 되지 않는다고 상부위장관 출혈을 배제할 수 없다. 비위관의 삽입과 세척은 응급 내시경이 계획되어 있는 경우 내시경의 시야확보에 도움이 된다. 재출혈을 조기에 발견하기 위해 비위관을 삽입하고 관찰하는 것은 추천되지 않으며 활력징후를 감시하는 방법이 더 효과적이다.

위점막절제술, 위점막하박리술, 대장폴립절제술, 대장점막하박리술과 같이 지연출혈 발생 위험이 있는 시술을 최근에 받은 병력이 있다면 불필요하게 비위관을 삽입하지 않고 위내시경 또는 대장내시경을 통해 지혈술을 시도하는 것이 바람직하다.

3) 진단 및 지혈 목적의 내시경

출혈의 위치가 결정되면 상부 또는 대장내시경을 시행하여 출혈의 원인을 진단하고 동시에 내시경 치료를 시행할 수 있다.

3. 상부위장관 출혈의 치료

1) 위험도 분류

약 80%의 상부위장관 출혈은 재발 없이 자연 지혈된다. 대부분의 이환, 사망례는 지속적으로 출혈하거나 재출혈하는 20%에서 발생한다. 따라서 이러한 고위험군을 예측함으로써 치료 결정과 예후 추정에 도움을 받을 수 있다. 재출혈, 사망의 고위험군으로는 (1) 65세 이상의 고령, (2) 쇼크, (3) 동반질환(신부전, 간부전, 심부전, 심혈관 질환, 악성 질환), (4) 낮은 혈색소수치, (5) 직장 검사에서 신선혈, 또는 토혈의 존재, (6) 수혈 요구량, (7) 고위험 내시경 소견(활동성 출혈, 노출 혈관, 피떡 부착), (8) 응급 수술이 필요한 경우 등이 있다. 즉, 고령이거나 처음에 대량의 출혈이 있었던 경우, 동반 질환이 있는 경우에는 내시경 소견이 경미하더라도 재출혈의 위험이 높으므로 주의해야 한다.

표 4-52. The Rockall Risk Score Scheme for Assessing Prognosis in Patients with Acute Upper Gastrointestinal Bleeding

Variable	Score			
	0	1	2	3
Age (years)	<60	60–79	≥80	
Shock	"No shock" systolic BP ≥100mmHg, pulse <100/min	"Tachycardia" systolic BP ≥100mmHg, pulse ≧100/min	"Hypotension" systolic BP <100mmHg	
Comorbidity	No major comorbidity		Cardiac failure, ischemic heart disease, any major comorbidity	Renal failure, liver failure, disseminated malignancy
Diagnosis at time of endoscopy	Mallory–Weiss tear, no lesion identified, and no SRH	All other diagnoses except malignancy	Malignancy of the upper GI tract	
Stigmata of Recent Hemorrhage (SRH)	None or dark spot only		Blood in upper GI tract, adherent clot, visible or spurting vessel	

* A score of 0 to 2 indicates an excellent prognosis, whereas a score of 9 or more is associated with a high risk of death.

2) 상부위장관 출혈의 원인

환자를 혈역학적으로 안정시킨 후에는 출혈의 원인을 확인하는 일이 중요하다. 상부 위장관 출혈의 원인은 표 4-53와 같이 다양하다. 환자의 병력과 신체검진 소견만으로 출혈의 원인을 확인할 수 없는 경우가 많으므로, 진단적인 검사가 필요하다. 상부위장관 출혈의 원인 확인을 위한 검사로는 상부내시경 검사가 필수적이며, 진단과 동시에 내시경치료를 시행할 수 있는 장점으로 다른 방사선학적 검사에 비해 우선적으로 고려한다. 24시간 이내에 시행한 내시경 검사 및 치료는 환자의 예후를 향상시킬 뿐 아니라, 재출혈의 위험이 낮은 환자를 선별하여 조기에 퇴원시킬 수 있는 장점이 있다.

표 4-53. Causes of Acute Upper Gastrointestinal Bleeding

Common	Less Common	Rare
Gastric ulcer Duodenal ulcer Esophageal varices Mallory–Weiss tear	Gastric erosions/gastropathy Esophagitis Cameron lesions Dieulafoy lesion Telangiectasias Portal hypertensive gastropathy Gastric antral vascular ectasia (watermelon stomach) Gastric varices Neoplasms	Esophageal ulcer Erosive duodenitis Aortoenteric fistula Hemobilia Pancreatic disease Crohn's disease

내시경 검사 이후 출혈의 원인이 확인되면, 이후의 치료는 출혈의 원인 질환에 대한 치료이다. 상부위장관 출혈 환자의 접근에 대한 모식도는 그림 4-36과 같다.

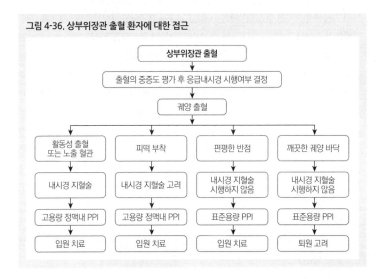

그림 4-36. 상부위장관 출혈 환자에 대한 접근

(1) 소화성궤양 출혈
① 내시경 치료

내시경 치료는 소화성궤양의 활동성 출혈의 치료와 재출혈의 예방에 가장 효과적인 치료법이다. 내시경 당시 궤양에서 활동성 출혈, 노출 혈관, 피떡 부착 소견이 관찰되면 재출혈율이 각각 55%, 43%, 22%로 재출혈 위험이 높아 내시경 치료의 대상이 된다. 하지만 궤양 바닥이 깨끗하거나 편평한 반점 소견만 관찰되는 경우 재출혈율이 5-10% 미만으로 내시경 치료의 대상이 되지 않는다. 내시경 치료의 방법은 표 4-54와 같으며 특정 방법의 단독 치료가 다른 치료보다 우월하지 않지만, 주사요법이나 응고요법의 병합요법과 같은 복합치료가 단독치료보다 지혈효과와 재출혈 예방효과가 우수하다.

표 4-54. Endoscopic Therapies Used for Ulcer Bleeding

Injection	Thermal methods	Other
Epinephrine Ethanol Sclerosants Fibrin glue Thrombin	Bipolar or multipolar electroco- agulation Heater probe Laser photocoagulation Monopolar electrocoagulation	Argon plasma coagulation Band ligation Endoloops Hemoclips

② 약물 치료

내시경 치료 후 재출혈의 예방을 위해 양성자펌프억제제가 사용된다. 내시경 치료 후 위산분비 억제 치료의 이론적 배경은 위 내 pH를 상승시켜 펩신을 불활성화하고, 혈소판의 기능을 향상시킬 수 있다는 점인데 이를 위해서 고용량의 양성자펌프억제제의 정맥 내 투여가 추천되고 있다. 현재 정맥 내 투여가 가능한 양성자펌프억제제는 omeprazole, pantoprazole, esomeprazole 등이 있으며, 고용량 투여는 80 mg iv bolus, 8 mg/hr continuous infusion for 72 hr이 추천되고 있다. 내시경 검사 후 재출혈의 위험이 낮아 내시경 치료를 시행하지 않은 경우(궤양 바닥이 깨끗하거나 편평한 반점 소견만 관찰되는 경우)에는 식이 진행, 표준 용량의 경구 양성자펌프억제제를 투여한다.

일반적으로 내시경 시행 전에 양성자펌프억제제를 투여하며, 내시경 시행 전 양성자펌프억제제의 투여가 활동성 출혈을 감소시키고 궤양의 치유를 촉진시켰다는 연구들이 있다.

히스타민 수용체 길항제는 소화성궤양 출혈에 효과적이지 않아 추천되지 않는다.

Somatostain과 octreotide는 소화성궤양 출혈에서 일상적인 사용은 추천되지 않지만, 다른 치료에 효과가 없는 경우, 수술에 금기증이 있는 경우 등 일부에서 고려할 수 있다.

③ 내시경 치료에 실패하는 경우

내시경 치료로 지혈에 실패하는 경우 혈관조영술을 통한 색전술을 우선적으로 고려하며, 수술적 치료를 고려할 수 있다.

④ 헬리코박터 파일로리 검사

헬리코박터 파일로리는 소화성궤양의 중요한 원인이다. 제균 치료를 시행하면 소화성궤양 출혈의 재발을 감소시킬 수 있어, 헬리코박터 감염여부를 확인하여 치료하는 것이 중요하다. 급성 출혈시에는 급속요소분해효소검사(CLO test)의 위음성이 높다. 급성 출혈 시 헬리코박터 음성인 경우에는 추적검사에서 재검사를 시행하여야 한다. 요소호기검사는 출혈로 인한 위음성이 낮아 급속요소분해효소검사 음성일 경우 시행하면 도움이 된다. 혈청검사는 출혈 여부에 영향을 받지 않지만, 활동성 감염 여부를 확인하지 못하는 제한점이 있어 제균치료력을 고려하여 해석하여야 한다.

4. 하부위장관 출혈

1) 하부위장관 출혈의 정의 및 임상양상

하부위장관 출혈은 Treitz 인대의 하방으로부터 발생하는 출혈을 의미하며, 전체 위장관 출혈의 20% 정도를 차지하는데, 80% 정도는 저절로 지혈되는 것으로 알려져 있다. 주로 선혈변(hematochezia)이나 밤색혈변(maroon stool)을 동반한다. 그러나, 상부위장관 출혈에서도 장운동 속도가 빠르거나 출혈양이 많은 경우에 선혈변이나 밤색혈변을 보일 수 있으며, 드물게 맹장이나 우측결장에서 발생한 출혈이 흑색변(black, tarry stools)을 보이는 경우도 있다. 기저질환이 없는 젊은 환자이거나, 소량의 항문 출혈이 의심되는 경우에는 입원이 필요하지 않고, 불안정한 생체징후를 보이거나, 지속적인 출혈로 수혈이 필요한 경우, 급성 복통이 동반된 경우에는 입원하여 조기 평가한 후, 적절한 조치를 취하는 것이 바람직하다.

2) 하부위장관 출혈의 원인

급성 하부위장관 출혈의 원인은 다음과 같으며, 크게 해부학적 이상 병변, 혈관 병변, 염증 병변, 종양 병변으로 분류할 수 있다. 한 메타분석에 의하면, 게실(33%), 종양(19%), 염증 병변(18%), 원인미상(16%), 혈관이형성증(8%), 기타 질환(8%, 숙변성 궤양, 문합부 출혈, 용종절제후 출혈 등), 항문출혈(4%) 등의 순이었다.

표 4-55. Low gastrointestinal bleeding의 원인

Diverticulosis
Ischemic colitis
Angiodysplasia
Hemorrhoid
Neoplasm
Postpolypectomy bleeding
Inflammatory bowel disease
Infectious colitis
NSAIDs-induced colitis
Radiation colitis
Dieulafoy's lesion
Meckel's diverticulum
Others: rectal varix, stercoral ulcer, aortoenteric fistula, small bowel sources

3) 진단 및 치료

혈역학적으로 불안정한 경우에는 먼저 상부위장관내시경 시행을 반드시 고려해야 하는데, 즉각적인 상부위장관내시경 시행이 어려운 경우, 비위관 흡인이나 세척을 통해 상부위장관 출혈 여부를 감별할 수 있다. CT나 혈관조영술(angiography)은 활동성 출혈이 지속되어 혈역학적으로 불안정하거나, 혈역학적 초기 안정(resuscitation) 후 shock index(심박수/수축기 혈압) >1인 경우 내시경을 신속하게 시행하기 어려울 때, 첫 번째 검사로 시행될 수 있다.

불량한 예후 인자(고령, 저혈압, 빈맥, PT 연장, 의식 변화, 초기 hematocrit <35%, 재출혈 등)를 가진 환자이거나, 출혈이 지속되는 것으로 판단되는 경우, 가능한 빨리(24시간 이내) 장정결 후 대장내시경을 시행해야 하며, 대장내시경 시행이 어려운 경우에 한해 제한적으로 구불결장내시경 시행을 고려할 수 있다. 고위험군이 아니거나 출혈이 지속되지 않는 것으로 판단되는 경우, 다음 날 장정결 후 대장내시경 검사(elective colonoscopy)를 시행할 수 있다.

지속적인 출혈이 의심되나, 활력징후가 안정된 상태는 bleeding scan (99mTc-tagged RBC scan)을 시행할 수 있는데, 분당 0.1-1.0 mL 이상의 출혈을 진단할 수 있으나 정확한 부위 진단(localization)은 어렵다. 지속적 출혈이 의심되면서 활력징후가 불안정한 상태(상부위장관 출혈이 배제된 경우)에는 혈관조영술을 시행한다. 혈관조영술은 분당 0.5-1.0 mL 이상의 출혈을 진단할 수 있으며, 진단과 동시에 색전술 등으로 치료를 할 수 있다는 장점이 있다.

5. 원인불명 위장관 출혈 (Obscure gastrointestinal bleeding, OGIB)

1) 정의 및 진단적 접근

원인불명 위장관 출혈은 위장관 출혈이 재발하거나 지속되지만 상부위장관 및 대장내시경에서 출혈 원인이 발견되지 않은 상태를 말하며, 토혈, 혈변, 흑색전 등의 증상이 있는 경우(overt OGIB)와 육안출혈 없이 철분결핍성 빈혈 또는 대변잠혈양성 소견만 보이는 경우(occcult OGIB)로 나눌수 있다. 명백한 출혈이 현재 지속되는 원인불명 위장관 출혈 환자에서 대량 출혈이 지속되고 활력징후가 불안정한 상태라면 혈관조영술을 시행한다. 혈관조영술에서 원인을 찾을 수 없는 경우나, 현성 출혈 없는 원인불명 위장관 출혈에서는 캡슐내시경을 시행한다. 소장 CT (CT enterography)를 보완적으로 시행하기도 한다. 캡슐내시경과 소장 CT에서 원인을 찾은 경우는 병변에 따라 소장내시경, 약물 치료, 혈관조영술, 수술 등을 시행한다. 캡슐내시경에서 원인을 찾을 수 없고, 임상적으로 의미있는 출혈이 지속되어 원인 규명이 필요한 경우는 상부위장관내시경 및 대장내시경 반복, 캡슐내시경 반복, Meckel's scan, 소장내시경, 개복 후 소장내시경을 임상상황에 따라 선택, 시행한다. 캡슐내시경에서 원인을 찾을 수 없으나 출혈이 멈춘 경우 임상상황에 따라 관찰할 수 있고, 출혈이 재발한 경우 상기 검사들을 선택적으로 반복 시행할 수 있다.

2) 소장출혈

원인불명의 위장관 출혈은 전체 위장관 출혈의 약 5%를 차지하며 이중 약 80%는 소장출혈이다. 소장출혈의 흔한 원인으로 40세 미만에서는 염증성 장질환, Dieulafoy's lesion, 종양, 메켈게실, 유전성용종증을 들 수 있고, 40세 이상에서는 혈관확장증, Dieulafoy's lesion, 종양, 비스테로이드소염진통제(NSAIDs)에 의한 궤양을 들 수 있다. 캡슐내시경은 원인불명 위장관 출혈 환자에서 32-83%의 진단율을 보이는데 이는 풍선보조소장내시경과 비슷하다. 캡슐내시경을 통해 활동성 출혈 병변을 확인하고, 풍선보조소장내시경 삽입 경로를 결정할 수 있다. 전술한 바와 같이 소장 CT (CT enterography)를 보완적으로 시행할 수도 있다.

그림 4-37. 소장출혈 의심 시 검사 흐름도

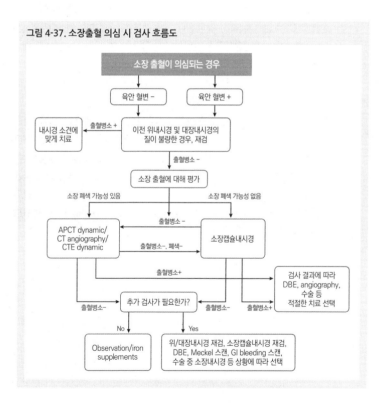

3) 소장캡슐내시경

소장캡슐내시경은 26×11 mm 크기의 내시경 본체, 외부 수신 안테나와 저장 장치, 그리고 컴퓨터와 소프트웨어로 구성된다. 서울아산병원에서 사용되는 PillCam SB3 시스템은 초당 2-6 프레임 속도로 사진 촬영을 하는데, 장내 이동 속도에 따라 초당 최대 6장의 사진을 촬영할 수 있다. 캡슐내시경 시행 전 코리트에프산 2 L를 복용하여 소장 정결을 시행한다. 본체를 삼키기 전에 장내 거품제거제(시메치콘)를 복용한 후, 이미지 저장장치 및 고정용 벨트를 장착하고, 소량의 물과 함께 본체를 삼킨다. 2시간 후 캡슐이 유문을 지났는지 확인하기 위해 복부 X-ray 검사를 시행한다.

위장관 폐쇄나 협착, 누공이 의심되거나, 복부 방사선 조사력이 있는 경우에는 캡슐이 소장에서 빠져나오지 못하는 캡슐 저류 가능성이 있기 때문에 협착 유무 확인을 위해 캡슐내시경 시행 전에 CT를 먼저 시행하는 것이 좋다. 캡슐 저류율은 소장출혈 의심환자에서 약 1-2% 정도인데, 크론병 의심환자와 확진환자에서는 각각 3.6%, 8.2%로 높기 때문에 주의가 필요하다.

4) 풍선보조소장내시경

소장 병변에 대한 보다 세밀한 육안 소견 확인, 조직검사 및 지혈을 위해 풍선보조소장내시경을 시행한다. 검사 전 CT나 캡슐내시경 검사를 통해 진입경로(경구 혹은 경항문)를 결정한 후 시행하게 된다. 서울아산병원에서 사용하는 풍선보조소장내시경은 내시경 선단과 overtube 선단에 각각 라텍스 풍선이 달려있는 이중풍선소장내시경(double balloon enteroscopy)이다.

풍선보조소장내시경의 주요 합병증은 출혈(0.2-0.3%), 천공(0.1-0.3%), 급성 췌장염(경구삽입 시 0.3%) 등이다.

Ⅱ 위식도 역류질환

1. 정의

위식도 역류질환은 위의 내용물이 식도로 역류해서 불편한 증상을 유발하거나 이로 인하여 합병증을 유발하는 질환이다. 일반적으로 불편한 증상이란, 위식도 역류와 관련된 증상들이 삶의 질에 나쁜 영향을 줄 때로 간주된다. 즉, 역류 증상들이 있지만 환자의 관점에서 별로 불편함을 느끼지 않는 경우에는 위식도 역류질환으로 진단되지 않는다. 위식도 역류로 인한 합병증에는 식도염으로 인한 합병증들 외에도, 역류에서 기인된 천식, 흡인성 폐렴, 후두염 등이 포함된다.

위식도 역류질환 중 내시경 검사에서 전형적인 미란이나 궤양이 있는 경우는 역류성 식도염(reflux esophagitis)으로 분류하고, 내시경 검사에서 전형적인 미란이나 궤양이 없는 경우는 비미란성 역류질환(non-erosive reflux disorder, NERD)로 분류한다. 위식도 역류질환 증상을 가진 환자들의 내시경 검사에서 식도 부위에 비정상 소견이 관찰되지 않는 경우는 원래 식도 점막의 손상이 없거나, 전에 미란이 있다가 자발적으로 치유된 경우, 최근의 약물치료로 미란이 없어진 경우 등으로 생각할 수 있다. 이 중, 식도 점막의 손상이 원래 없으면서 불편한 역류 증상이 있는 경우를 비미란성 역류질환으로 정의한다.

위식도 역류질환 = 역류성 식도염 + 비미란성 역류질환

2. 원인

위식도 역류질환의 원인으로는 식도열공허니아, 하부식도조임근의 기능 이상, 식도운동 기능 저하, 위배출 기능 저하, 비만, 잘못된 식생활 습관 등이 있다.

3. 증상

위식도 역류질환의 전형적인 증상은 가슴 쓰림이나 산역류로, 구토 위장관 출혈, 빈혈, 체중감소, 삼킴곤란, 흉통 등의 경고 증상이 없으면서 이러한 전형적인 증상들이 있는 경우, 위식도 역류질환으로 진단할 수 있다. 증상의 심한 정도는 증상의 빈도, 강도 및 지속 기간을 모두 포함하여 삶의 질에 어느 정도의 영향을 줄 것인가를 평가하여 정할 수 있다.

비전형적인 증상으로는, 비심장성 흉통, 연하곤란, 인두이물감, 만성기침, 만성목쉼, 치아 손상 등이 나타날 수 있다.

4. 내시경 분류

현재 가장 널리 쓰이고 있는 역류성 식도염의 내시경 분류는 Los Angeles 분류법으로 표 4-56과 같다.

표 4-56. The modified Los Angeles Classification

Grade A	1 or more mucosal breaks confined to folds, ≤5 mm
Grade B	1 or more mucosal breaks >5 mm confined to folds but not continuous between tops of mucosal folds
Grade C	Mucosal breaks continuous between tops of 2 or more mucosal folds but that involves less than 75% of the circumference
Grade D	Circumferential (at least 75%) mucosal break

5. 진단

전형적인 역류증상인 가슴쓰림과 산역류를 가진 환자는 비교적 쉽게 위식도 역류질환으로 진단할 수 있다.

내시경 검사는 식도염의 정도를 평가할 수 있고(그림 4-38), 다른 원인으로 인한 증상을 배제할 수 있다는 장점이 있으나, 약 70% 정도의 위식도 역류질환 환자에서는 내시경 소견이 음성인 비미란성 역류 질환이 나타날 수 있음을 유의해야 한다.

양성자펌프억제제(proton pump inhibitor, PPI)를 일정 기간 투여하여 증상 호전이 있는 경우 위식도 역류질환으로 진단하는 양성자펌프억제제 검사(PPI test)는 임상에서 쉽게 시행할 수 있어 최근 많이 사용되고 있다. 하지만 양성자펌프억제제 검사는 24시간 식도 pH 검사와 비교시, 민감도 78%, 특이도 54%로 낮은 특이도가 문제가 된다. 그러므로 우리나라에서는 전형적인 증상을 가진 환자에서 양성자펌프억제제 검사를 위식도 역류질환의 진단에 사용할 수 있으나 기질적 질환에 대한 고려는 반드시 해야 한다.

식도산도검사인, 24시간 보행성 식도 pH 검사는 식도 내 산역류를 직접 측정하여 위산 역류의 빈도와 정도를 알 수 있고, 증상과의 연관성을 평가할 수 있는 장점이 있어 위식도 역류질환의 진단 기준이 되는 검사로 받아들여지고 있다. 하지만 검사 기간 동안 환자의 불편함과 이로 인한 위음성 검사 등 검사 자체가 가진 단점으로 인해서 식도산도검사는 위식도 역류질환의 초기 진단시 보다는, 위산분비억제제에 치료 반응이 없는 환자나 비전형적인 증상을 가진 환자 평가 또는 항역류수술이나 시술 시행 전에 이용될 수 있다.

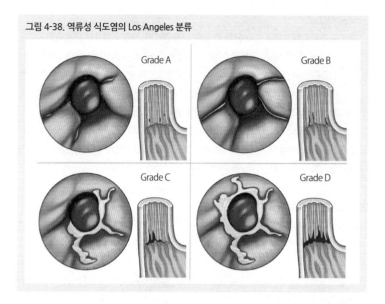

그림 4-38. 역류성 식도염의 Los Angeles 분류

6. 치료

위식도역류질환 치료의 목표는 역류 증상을 완화시키고, 증상의 재발을 예방하며, 식도염을 호전시켜 이로 인한 합병증을 예방하는 것이다.

1) 비약물치료

환자뿐 아니라 일반인을 대상으로 위식도 역류를 예방할 수 있는 생활습관 개선의 효과는 크게 세 가지 영역으로 나누어 볼 수 있다. 첫째, 악화시키는 음식 회피(커피, 술, 초콜릿, 지방식 등), 둘째, 가슴쓰림 증상을 유발하는 음식 회피(매운 음식, 감귤류 과일, 탄산음료 등), 셋째, 하부 식도에 위산노출을 감소시키는 생활습관 관리(제중감량, 금연, 금주, 머리쪽 침상 올리기, 식후 2-3시간 후 취침하기)로 나누어 볼 수 있다.

이러한 생활습관이 위식도 역류질환 치료에 미치는 영향은 다양한 인자가 상호복합적으로 작용하여 모든 환자에게 일반화시키기는 어렵다. 그러나 생활습관 개선이 위식도 역류질환 환자의 일부에서는 증상의 호전 혹은 장기적인 증상 재발 방지에 도움을 줄 수 있다.

2) 약물치료

위식도 역류질환의 치료에 이용할 수 있는 약물 중 대표적인 약제로는 양성자펌프억제제제
(PPI), H2 수용체길항제, 위장관 촉진 운동촉진제가 있다. 이 중 양성자펌프억제제는 식도
염을 치유하는 비율이 높으며 증상 완화와 식도염 치유의 속도가 H2 수용체길항제에 비해
2배 정도 빨라, 식도염의 정도와 관계없이 초기 치료에 가장 효과적인 약물이다. 양성자펌프
억제제의 부작용은 드물지만 설사, 두통, 구역 등이 발생할 수 있다. 최근 개발된 potassium
competitive acid blocker (PCAB)은 기존 양성자펌프억제제에 비하여 작용시간이 빠르
고, 강력한 위산분비 억제 작용을 보이며, CYP2C19의 유전자형에 영향을 받지 않고, pH
에도 안정적이어서 식사와 무관하게 복용할 수 있다는 장점이 있다.

3) 외과적 또는 내시경적 치료

고용량의 양성자펌프억제제 치료에도 위식도 역류증상이 지속되는 경우 외과적 또는 내시
경적 치료를 고려할 수 있다. 서구에서는 복강경을 이용한 Nissen 추벽성형술이 많이 시술
되고 있지만, 국내에는 합병증을 동반한 심한 위식도 역류질환이 드물기 때문에 수술적 치
료를 필요로 하는 경우는 많지 않아, 양성자펌프억제제의 장기적인 유지 요법이 필요한 환
자의 일부에서 고려해 볼 수 있다.

내시경적 치료는 다양한 방법들이 시도되고 있으나 아직까지 많은 연구가 되어 있지 않아,
치료의 장점과 합병증 등에 대해 충분한 논의 및 연구가 필요할 것으로 보인다.

Ⅲ 식도염과 위염

1. 식도염

1) 감염성 식도염

감염성 식도염은 주로 AIDS 환자, 항암제 투여 또는 면역억제제 투여 등으로 인해 면역기능이 저하된 환자에서 주로 발생한다. 하지만 면역기능이 정상인 사람에도 발생할 수 있으며 주된 원인균은 *Candida albicans*, *Herpes simplex* virus (HSV), cytomegalovirus (CMV) 등이다. 주된 증상은 연하곤란, 연하통이며, 체중감소, 위장관 출혈 등의 증상이 나타날 수 있다. 진단을 위해서는 내시경 검사를 통한 조직생검, 솔질(brushing)을 통한 세포검사, 바이러스 배양검사가 필요하다.

(1) 칸디다 식도염

칸디다는 면역기능이 정상인 사람에서 가장 흔한 감염성 식도염의 원인이다. AIDS 환자에서 구강 칸디다증이 함께 동반된 경우가 약 2/3에서 관찰된다. 진단은 내시경검사를 통한 솔질 또는 생검으로 조직을 확인하는 것이다. PAS (periodic acid-Schiff) 염색 또는 은염색 GMS (Gomori's methenamine silver) staining으로 판과 삼출물을 염색하여 효모(yeast)나 가성균사를 증명함으로써 진단할 수 있다.

(2) HSV 식도염

면역기능이 정상인 사람의 경우에는 상대적으로 가볍게 나타나지만 면역이 저하된 환자들에서는 더 자주 심하게 발생한다. HSV 식도염 환자의 약 1/3에서 인두나 생식기의 HSV 감염이 동반된다. 진단은 내시경 소견, 조직검사와 배양 검사에 의해 이루어진다.

(3) CMV 식도염

증상이 서서히 나타나며, 연하곤란이나 연하통보다 구역, 구토, 발열, 체중감소 등이 더 현저하게 나타난다. 내시경 소견은 HSV 식도염에 비해 크고 깊은 궤양이 특징적이나 얕은 미란, 발적 등 다양한 소견을 보일 수 있다. 진단을 위해서는 식도 궤양의 바닥에서 조직검사를 시행해야 한다.

(4) 기타

그 외에 HIV 감염은 다른 미생물의 감염 없이 식도 궤양을 일으킬 수 있으며, HIV 연관 특발성 식도궤양이라고 한다. prednisone 40 mg/d로 시작하고 주당 10 mg씩 감량하여 4주간 치료한다. 그 외에 정상 상재균, 결핵, 매독 등에 의한 세균성 감염이 발생할 수 있다.

표 4-57. Treatment of infectious esophagitis

Candida esophagitis

Fluconazole 100 to 200 mg/day for 10 to 14 days
Oral nystatin, 1 to 3 million units four times a day 14 days
Clotrimazole 100 mg tablets dissolved in the mouth three to five times a day 1 week
Low-dose intravenous amphotericin, 0.3 to 0.5 mg/kg/day, for 10 to 20 days

HSV esophagitis

Acyclovir orally 200 to 400 mg five times a day or
Intravenous 250 mg/m^2 every 8 hours for 2 weeks.
Valacyclovir and famciclovir are alternatives;
  for resistant cases, intravenous foscarnet 60 mg/kg every 8 hours for 2 to 4 weeks

CMV esophagitis

Intravenous ganciclovir, 5 mg/kg every 12 hours for 2 to 4 weeks;
  for resistant cases, intravenous foscarnet 60 mg/kg every 8 hours for 2 to 4 weeks

2) 호산구성 식도염

호산구성 식도염은 호산구에 의한 염증 및 연하곤란이나 음식 걸림 등 위식도 기능의 이상 증상을 보이는 질환으로 진단은 내시경을 이용하여 특징적인 소견과 조직학적으로 고배율 현미경 시야에서 호산구가 15개 이상 확인되며, 호산구가 침착될 수 있는 다른 질환이 없는 경우에 할 수 있다. 호산구성 식도염의 특징적인 내시경 소견은 부종(edema), 고리(ring), 삼출물(exudate), 고랑(furrow), 협착(stricture) 등이 있으며 중요한 감별질환 중 위식도역류질환과는 알레르기 질환이 동반되며, 호산구의 침착이 두드러지고, 식도 다중채널 저항 pH 검사소견이 정상인 것이 감별점이 된다. 치료는 음식제한과 연하 국소 스테로이드(swallowed topical corticosteroid), PPI, 현재 연구 중인 anti-IL-5 항체들(mepolizumab, reslizumab)이 있으며. 식도의 섬유화로 인한 협착이 있을 경우는 내시경적 확장술로 치료한다.

3) 부식성 식도염

산이나 알칼리 등의 부식성 물질을 삼키게 되면 심각한 식도의 손상을 유발할 수 있는데 손상의 정도는 삼킨 물질의 속성(어느 정도 강한 부식을 일으키는지), 삼킨 양이나 농도 및 형태(고체 혹은 액체), 위장관 점막에 머무른 시간 등에 의해 결정된다. 부식 물질을 삼킨 성인의 경우 대개 대량의 강독성 물질인 경우가 많으므로 모든 환자에서 내시경을 하는 것이 권장되며 상부위장관내시경은 삼킴 후 24시간 이내에 시행하는 것이 추천되나 혈역학적으로 불안정한 환자, 천공이 의심되는 환자, 심한 호흡 부전 환자, 극심한 인후두의 부종이나 괴사가 있는 환자 등에서는 금기이다. 내시경 검사를 통해 식도의 손상 정도를 평가할 수 있고 예후를 예측할 수 있으며 치료계획 수립에 도움을 줄 수 있다.

Grade 0 환자는 즉시 퇴원하여도 무방하며 Grade 1 혹은 2A의 경우 특별한 치료가 필요하지는 않다. Grade 2B 혹은 3 환자에서는 삼킴 후 24시간이 지난 후 비위관을 통한 액상 음식의 투여가 가능하며 48시간이 지난 후 침을 삼킬 수 있으면 물은 마셔도 된다. Grade 3 환자들에서는 적어도 1-2주일 동안은 천공에 의한 증상이 없는지 면밀히 관찰이 필요하다.

표 4-58. Endoscopic Classification of Caustic Injuries

Grade	Features
Grade 0	Normal
Grade 1	Superficial mucosal edema and erythema
Grade 2A	Superficial ulcerations, erosions, exudates
Grade 2B	Deep discrete or circumferential ulcerations
Grade 3A	Small scattered areas of multiple ulcerations and areas of necrosis
Grade 3B	Extensive necrosis
Grade 4	Perforation

4) 약물유발성 식도염

약물유발성 식도염은 특정한 약물 복용과 관련되며 항생제, 항바이러스제, 염화칼륨, 철분제, 비스테로이드소염제, 키니딘 및 비스포스포네이트 등이 흔한 원인 약물이다. 대개의 경우 병력청취와 강력한 의심으로 진단할 수 있다. 가장 흔한 증상은 알약을 복용한 다음 수 시간 후, 또는 수 일 후, 또는 수 주 후에 나타나는 흉골뒤 통증이다. 내시경검사에서 발적과 부종, 작고 얕은 궤양, 암과 비슷한 모양의 염증으로 인하여 경계 부위가 부어 오르고 삼출물이 많은 큰 궤양에 이르기까지 다양한 소견을 보인다.

5) 방사선 식도염

30 Gy 이상의 방사선 조사를 하면 급성 흉부작열감과 삼킴통증이 나타날 수 있는데, 대개는 경증이며 방사선 치료를 하는 기간 중에만 증상이 있다. 내시경검사에서 정상 소견을 보이는 경우가 많으나 방사선 조사량이 40 Gy 정도가 되면 점막의 발적과 부종이 종종 관찰된다. 방사선 조사 시작 2주일 후가 되면 얕은 미란이 나타나고, 방사선 조사 완료 3-4주 후가 되면 호전된다.

2. 위염

위염이란 상부내시경 검사에서 또는 위장 점막조직에서 염증이 증명된 상태로 원인 별로는 출혈성 위염, 급성 위염, 알코올성 위염, 표재성 위염, 위축성 위염, 만성 위염, 미란성 위염, 비후성 위염, 화농성 위염, 담즙 역류성 위염, 특발성 위염 등이 있다.

1) 위축성 위염

만성 위축성 위염(chronic atrophic gastritis)은 위내시경 검사 시 얇아진 위점막 아래로 투영되는 혈관상이 보이면 진단할 수 있다. 점막하 혈관상의 투영(visibility of vascular-pattern)은 위점막 세포 손상에 의한 분비능 감소를 간접적으로 시사하며, 위축성 변화의 경계선(atrophic border)으로 그 진행 정도를 알 수 있다. 위축의 진행 정도는 위세포 분비능을 수치로 나타내는 혈청 펩시노겐(pepsinogen) 검사로도 알 수 있다. 위축성 위염은 대부분 장상피화생을 동반하는데 위점막의 재생과정이 반복되면서 내시경상으로는 유백색 또는 회백색의 색조변화와 함께 융기된 반점을 보이고 위 점막 미세 구조의 소실이 관찰된다. 위축성 위염의 범위는 색조변화와 혈관의 투영성으로 평가하며, 폐쇄형과 개방형으로 나누고, 전정부에 국한된 경우와 체부까지 진행된 경우로 다시 구분한다. 위축의 범위를 구분함으로써 위암의 고위험군을 선별하는 데 이용할 수 있다.

2) 화생성 위염

장상피화생은 위축성 위염의 과정에서 위축된 위 점막이 장상피로 치환되어 백색조를 띤다. 쌀알모양, 판모양의 작은 융기가 미만성으로 배열하고 있으며 투명한 백색조를 보이는 경우에 장상피화생을 의심할 수 있다. 화생성 위염은 *H.pylori*의 만성 또는 과거 감염을 시사하며, 위축성 위염과 공존하는 경우가 많다. 화생성 위염이 진행되면 흰색 융기가 정상 점막보다 많아져서 정상 점막이 오히려 붉은 색으로 강조되어 보인다.

3) 비후성 위염

위에 공기를 주입하여 충분히 신전시켰음에도 불구하고 점막주름의 두께가 1 cm 이상으로 비후된 경우를 말하며, 점막이 용종처럼 불규칙하게 보이기도 하고 점막 주름 상단에 미란이 있는 경우도 있다. 비후성 위염은 가스트린종, Menetrier 병, 4형 진행성 위암, 림프종, 위정맥류 등과도 감별을 요한다. 점막의 유연성을 보면 다른 침윤성 질환과 감별하는 데 도움이 된다. 점막주름이 불규칙하고, 출혈성 경향이 있으며, 주름의 굵기가 동일하지 않고 미란이나 궤양을 동반하고 있으면 악성의 가능성을 염두에 두어야 한다.

4) 미란성 위염

전정부의 대만 측에 균일한 크기의 다발성 융기형 발적(raised erosion, patchy redness, patchy erythema, reddish macula)이 보이는 소견으로 *H.pylori* 감염 여부와 무관하게 위산과다 시 관찰되는 소견으로, 궤양보다 얕은 염증을 가리킨다. 미란이 만성적으로 지속되면 유문선이나 위저선의 비후에 의하여 융기미란이 된다. 나이가 많아질수록 다발성으로 나타나며 체부에서도 관찰된다.

5) 표재성 위염

직선상의 발적(red streak, linear erythema)들이 전정부의 대만측이나 체부의 소만측에서 관찰되면 진단될 수 있으며 조직검사 시 정상 소견을 보이고 *H.pylori* 감염이 없는 경우에 더 흔해서 전암성 병변이 아니다. 미만성 홍반, 빗살모양발적 등이 이에 속한다.

6) 담즙 역류성 위염

담즙의 역류로 인해 위점막에 발적 또는 부종이 나타나는 위염으로 위 운동질환, 위아전절제술 후 남아 있는 위, 담낭절제술을 시행 받은 환자에서 잘 나타난다. 내시경 검사에서 위액이 노란색을 띄거나 점막이 담즙으로 염색이 되어 있다. 병리적으로는 염증세포의 침윤이 별로 없고, 점막세포의 비후, 혈관충혈, 부종, 점막 근층의 비후 등이 관찰된다.

7) 림프여포성 위염

닭살 모양의 작은 다발성 점막하 결절들이 균일하게 전정부에서 관찰되며 결절은 *H.pylori* 감염으로 인해 모인 림프성 여포(lymphoid follicle)들이 돌출되어 보이는 것으로 활동성 감염을 시사한다. 남녀비는 비슷하지만 10대, 20대에 많으며 과립상의 작은 융기를 주로 유문선 영역에 나타낸다. 제균 치료를 하면 수개월에 거쳐서 서서히 사라진다.

Ⅳ 소화성궤양과 *H.pylori*

1. 소화성궤양의 정의 및 원인

1) 정의

소화성궤양은 위산과 펩신의 공격으로 위장관 점막의 결손이 발생하는 것으로 정의한다. 심한 역류성 식도염에 의한 식도궤양, 메켈 게실 등과 같이 위장관 전체에 발생할 수 있으나, 대개 임상에서는 위와 십이지장에서 발생하는 것을 의미한다. 조직학적으로는 괴사적 점막의 결손이 점막하층 이하로 진행된 경우를 궤양이라고 정의하며, 점막층에만 국한된 경우는 미란이라고 정의한다. 궤양의 발생은 공격인자(위산, 펩신, NSAID, 흡연, 산소유리기, 알코올 등)와 방어인자(점액, 중탄산이온 분비, 위점막 혈류, 상피세포의 재생 등)의 사이의 불균형에 기인한다.

2) 원인

- *Helicobacter pylori*의 감염: 감염된 환자의 10-15%에서 소화성궤양 발생
- Non-steroid anti-inflammatory drugs (NSAIDs) 사용: 복용자의 10-20%에서 발생, 1%에서 출혈, 천공 등 합병증 발생
- Zollinger-Ellison syndrome과 같은 위산의 과분비 질환
  이외에도 결핵, 매독, 바이러스, 진균과 같은 감염 질환, 크론병 및 베체트병과 같은 염증 질환, 방사선 치료 후, 림프종 및 전이 악성 질환에서도 발생할 수 있으나, 기전 및 치료, 예후가 달라 일반적으로 소화성궤양과 다른 질환으로 분류한다.

2. 임상 양상

전형적인 증상으로 상복부 불쾌감, 상복부 통증, 속쓰림, 더부룩함, 식욕부진으로 나타나며, 상부위장관 출혈, 천공에 따른 심한 복통 및 발열, 반복적인 궤양에 따른 합병증인 위장관 출구 폐쇄 등의 증상이 나타날 수 있다. 그러나 증상 자체가 질환에 특징적이지 않고, 질환의 심한 정도에 비례하지 않기 때문에, 자세한 병력 청취와 신체 검진과 더불어 내시경 검사가 가장 정확하며 중요한 진단적 검사이다.

3. 진단

1) 상부위장관 내시경

상부위장관 내시경 검사는 소화성궤양 진단에 가장 중요한 검사이며, 진단의 정확도는 95% 이상이다. 검사 중 조직 진단을 병행할 수 있고, 가장 중요한 원인인 *H.pylori* 감염 여부를 동시에 알아볼 수 있다는 장점이 있다. 내시경에서 소화성궤양의 전형적인 모양은 원형의 형태로 주위 점막과의 경계가 분명하고, 부드럽게 폭이 감소하며, 궤양의 중앙부를 향하는 함요 주름을 동반한다.

2) 조직 검사

내시경에서 위궤양이 발견된 경우 악성과의 감별을 위해 조직 검사를 시행한다. 조직 검사에서 *H.pylori* 감염 진단을 위해 이차적으로 Giemsa 염색을 시행할 수 있다. 내시경 검사에서 강력히 악성 위궤양이 의심되었으나, 조직 검사에서 악성 세포가 발견되지 않는 경우에는 곧바로 다시 내시경을 시행하며, 악성과 양성의 감별이 어렵다면 약물치료를 먼저 시행한 후 치유 여부를 추적 내시경 검사를 통하여 확인하며 반복적으로 조직 검사를 시행한다. 십이지장궤양의 경우 실제 악성 종양의 빈도가 매우 낮기 때문에 조직 검사를 시행하는 경우는 많지 않으며, *H.pylori* 감염 여부를 알기 위하여 급속요소분해효소검사(CLO test)만 시행하는 경우가 많다.

4. 치료

1) 치료 원칙

소화성궤양의 치료목표는 궤양에 의한 복통, 속쓰림, 소화불량 등의 증상을 없애고, 궤양을 치유함으로써 궤양에 의한 합병증이 생기지 않게 하며, *H.pylori*에 감염된 경우에는 *H.pylori*를 제균하면 궤양 재발이 현저히 줄어들기 때문에 제균 치료를 하여야 한다.

소화성궤양의 치료 약제는 작용 기전에 따라 제산제, H2 수용체 길항제, 양성자펌프억제제, 방어인자 증강제 등이 있으며, 양성자펌프억제제가 가장 효과적이다.

이들 약제로 치료하는 경우 4-6주 내에 대부분의 궤양은 치료되고 8주 이상 치료를 요하는 경우도 드물게 있다. 위궤양의 경우 치료 8-12주 후에 추적 내시경 검사와 제균을 시행하였다면 *H.pylori* 검사를 시행한다. 십이지장궤양의 경우 출혈 등 합병증이 발생한 경우를 제외하고 추적내시경 검사는 필요하지 않으며, *H.pylori* 여부는 요소호기검사를 이용해 시행한다.

> ***양성자펌프억제제 표준용량**
>
> Dexlansoprazole 60 mg, esomeprazole 40 mg, lansoprazole 30 mg, omeprazole 20 mg, pantoprazole 40 mg, rabeprazole 20 mg, ilaprozole 10 mg

2) NSAID 궤양의 치료

NSAID와 관련된 궤양의 치료 시 고려되어야 할 사항으로는 가능하면 NSAID 투여를 중지하거나 감량하여야 한다. NSAID 투여를 중지할 수 있는 경우에는 H2 수용체 길항제 또는 양성자펌프억제제를 사용하여 치료할 수 있다. 하지만 많은 경우에서 NSAID의 투여를 중지할 수 없는데 이러한 경우에는 양성자펌프억제제를 사용하여 치료하는 것이 추천된다.

NSAID를 복용하는 모든 환자를 대상으로 궤양을 예방하는 치료를 하는 것은 추천되지 않으나 ① 65세 이상의 고령 환자 ② 이전 궤양의 병력 ③ 고용량 NSAIDs 사용 ④ 스테로이드 사용 ⑤ 항응고제 사용 ⑥ 아스피린을 포함한 NSAIDs의 중복 사용의 위험인자가 있는 경우, 궤양 합병증의 발생빈도가 높으므로 selective COX-2 inhibitor 사용 또는 misoprostol 또는 양성자펌프억제제 병용 투여로 궤양 발생을 예방하여 한다. *H.pylori* 감염이 있고, 급성 궤양이 있거나, 이전 소화성궤양 병력이 있는 경우에는 제균을 시행한다.

5. *Helicobacter pylori*

*H.pylori*는 미세호기성 그람음성 막대균으로 위점막 표면에 서식한다. 전세계 인구의 50% 이상 감염이 되어 있으나 감염에 의한 임상 양상은 무증상 위염에서 위궤양, 위암까지 다양하게 나타나는데, 이는 질환이 *H.pylori*의 독성인자, 환경인자 및 숙주인자의 상호작용에 의하여 결정되기 때문이다.

1) 진단법

표 4-59. *H.pylori* 진단법

검사	특징
침습적 검사	
Rapid urease test (CLO test)	가장 많이 사용되는 검사, 전정부와 체부 각각 조직 채취 필요, 최근 항생제, PPI 복용 시 가음성 가능성 있음.
Histology	Giemsa염색 또는 Warthin-Starry silver 염색을 추가 시 정확도 높임. 점막의 상태 평가 가능.
Culture	시간이 소요되며, 검사 방법이 복잡함. 항생제 감수성 검사 가능.
Polymerase chain reaction	Clarithromycin 내성과 연관된 23SrRNA 변이 여부 확인 가능함.
비침습적 검사	
Serology	감염 여부를 판단할 수 있으나, 현재와 과거 감염을 구분할 수 없음.
Urea breath test	제균 치료 후 성공 여부를 확인하기 위해 추천되는 검사. 탄소동위원소가 포함된 요소를 구강으로 섭취 후 요소 분해 시 혈액으로 흡수되는 탄소 동위원소를 호흡 검사를 통해 측정
Stool antigen	금식이 필요 없다는 장점이 있으나, 검체 채취가 불편하여 잘 사용되지 않음.

2) 제균 적응증

2013년도 국내 진료지침에 따르면 (1) 소화성궤양, (2) 위 점막연관 림프조직 림프종 및 (3) 내시경 절제술로 치료한 조기위암이 제균 치료를 강력히 추천하는 세 가지 질환이며, 그 외 제균치료가 도움이 될 수 있는 경우에 대하여 아래와 같이 제시하고 있다.

표 4-60. *H.pylori* 제균 치료의 적응증(2018.1.1 보험 기준 반영)

적응증	근거수준 및 권고등급	국내보험기준
H.pylori 감염된 소화성궤양(궤양 반흔 포함)	Grade 1A	급여
위 점막연관 림프조직 림프종 (mucosa-associated lymphoid tissue lymphoma)	Grade 1A	
H.pylori 감염된 조기위암 환자에서 내시경 절제 후	Grade 1A	
만성특발성 혈소판 감소성 자반증 환자	Grade 1A	
위축성 위염/장상피화생 환자	Grade 2C	인정 비급여
위암 가족력이 있는 경우	Grade 2B	
위선종의 내시경 절제술 후	–	
기타 진료상 제균치료가 필요하다고 판단되며, 환자가 이에 동의할 경우	–	

근거 수준 1: 높음, 2: 중등도, 3: 낮음, 4: 매우 낮음
권고 수준: A: 높음, B: 중등도, C: 낮음, D: 매우 낮음

3) 제균 치료법

우리나라에서는 metronidazole에 대한 내성률이 비교적 높은 점을 감안하여 표준 3제 요법(PPI 표준용량 bid + amoxicillin 1 g bid +clarithromycin 500 mg bid) 1주 내지 2주 투여가 가장 적합할 것으로 결정하였다. 초기 치료에 실패하면 비스무스 4제 병합요법 (PPI 표준용량 bid + bismuth 120 mg qid +tetracyclin 500 mg qid + metronidazole 500mg tid) 1-2주 투여가 적절하다. Clarithromycin의 내성률이 높은 지역에서는 일차 치료로 3제 요법 대신 4제 요법을 고려해 볼 수 있다. 그외에도 순차치료, 동시치료, levofloxacin 삼제요법 등이 있으며, 최근에는 PPI 대신 PCAB을 이용한 제균과 CYP2C19 polymorphism 및 항생제 내성검사를 바탕으로 한 맞춤 치료(tailored therapy)가 새롭게 대두되고 있다. 제균 치료 종료 후 4주(양성자펌프억제제는 2주) 이상 경과 후 급속 요소분해효소검사(CLO test, 위궤양에서 내시경 추적 검사를 하는 경우) 또는 요소호기검사를 시행하여 제균 성공 여부를 확인한다.

Ⅴ 기능성 소화불량증

1. 임상 양상

소화불량증이라는 용어는 여러 다양한 원인으로 인하여 발생하는 다양한 상복부 증상을 가리킬 때 사용되고 있는데, 환자들은 자신들의 증상을 속이 불편하다, 속이 거북하다, 속이 팽만하다, 속이 더부룩하다, 속이 가득 차 있다, 속이 쓰리다, 속이 아프다, 소화가 안된다 등의 다양한 표현을 사용한다.

2. 진단

기능성 소화불량증은 2016년에 개정된 로마 기준 Ⅳ에 의하면 식후 불편감, 조기 포만감, 명치 통증, 그리고 명치 작열감 중에 적어도 1개 이상의 증상이 적어도 6개월 이전부터 시작되어 최근 3개월간 증상이 있으면서, 자세한 병력 청취, 진찰 및 내시경 등을 포함한 검사에서 증상을 일으킬 만한 기질적 질환이 없어야 한다.

이유 없는 체중 감소, 지속적인 구토, 빈혈 등 소화기 출혈 의심, 위암 가족력, 40세 이상에서 이전에 없던 소화불량증 호소 등이 있는 경우 혈액검사, 내시경, 복부 초음파 등의 검사를 권고하고 있다.

1) 상복부 통증 증후군(Epigastric pain syndrome)
크게 명치 부위 통증 그리고/또는 작열감을 1주일에 1번 이상 호소

2) 식후 불편감 증후군(Postprandial distress syndrome)
식후 포만감(위 내의 음식이 계속 남아 있는 것 같은 불편한 증상)이나 조기 만복감(식사를 시작하자 곧 배가 부르고 더 이상 식사를 할 수 없는 느낌) 증상이 주 3일 이상

3. 치료

1) 생활 습관 개선 및 식이 요법

일반적으로 소화불량증 환자는 불규칙한 식사 습관 및 짧은 식사시간 등이 증상과 연관되어 있다고 보고되고 있다.

① 본인이 섭취할 때 증상을 유발시키는 음식을 피하도록 권고하고 있다.

② 과식이나 불규칙하게 급하게 빨리 먹는 식사 등의 나쁜 식사습관을 피하도록 권고하고 있다.

③ 고지방식 및 양파, 고추 등 자극적 음식을 피하고, 탄산음료, 초콜렛 등도 피하는 것이 좋다.

④ 유제품(우유, 치즈, 요구르트 등)은 일부 환자에서 소화불량 증상을 악화시킬 수 있다.

⑤ 밀가루 음식 보다는 쌀로 만든 음식이 증상을 덜 일으킨다고 한다.

⑥ 커피 보다는 차가 좋다는 보고도 있다.

⑦ 매운 음식을 평소 먹지 않는다면 매운 음식이 속쓰림 및 소화불량을 유발시키므로 피하는 것이 좋겠다.

2) *H.pylori* 제균 치료

주로 서구에서 진행된 연구에 의하면 헬리코박터 제균 치료는 소화불량증 증상 호전에 효과적이었다고 보고하고 있다. 하지만 우리나라는 헬리코박터 유병률이 높고, 제균 치료에 의한 부작용과 항생제 내성 균주가 증가할 수 있어 우리나라 진료 지침에서는 낮은 권고 수준으로 헬리코박터 제균 치료는 일부 환자에서 도움을 줄 수 있다고 하였다.

3) 위산분비 억제치료

기능성 소화불량증 주증상이 궤양과 유사한 증상이고 위식도 역류 질환이 동반되는 경우가 적지 않으므로 산 분비 억제제가 치료에 사용되고 있다. 비록 양성자 펌프 억제제의 효과에 대한 연구결과는 일관되지는 않으나, 메타 분석에 의하면 양성자 펌프 억제제는 효과가 있었다고 한다. 특히 상복부 통증 증후군 아형에서는 산 분비 억제제를 먼저 쓰는 것을 여러 가이드라인에서는 권고하고 있다.

4) 위장관 운동 촉진제(Prokinetics)

식후 불편감 증후군 아형에서는 위장관 운동 촉진제를 먼저 투여하는 것을 여러 가이드라인에서 권고하고 있다. 하지만, 실제로 임상에서는 두 아형이 명확하게 구분되지 않은 경우도 종종 있어서, 두 계열의 약제를 한꺼번에 투여하면서 증상 호전 여부를 지켜보는 경우도 자주 있다.

5) 정신 신경계 약물

다양한 정신 사회적 요소들이 기능성 소화불량증과 밀접한 연관을 보이고 있고, 불안장애, 우울증, 신체화 장애 등이 소화불량증과 가장 흔하게 동반된다고 한다.

6) 기타 약제

최근 일부 연구에 의하면 복부 팽만감을 주요 증상으로 하는 기능성 소화불량증 환자들에서 단기간의 rifaximin같은 항생제 치료가 일부 증상 개선에 도움이 된다는 보고도 있었다.

Ⅵ 식도, 위 운동질환

1. 식도운동질환

1) 증상

식도 운동질환에서 나타나는 주된 증상은 연하곤란과 흉통, 역류 증상이다. 증상발생의 초기부터 고형식뿐 아니라 유동식에서도 보이는 연하곤란은 식도 운동질환을 강력하게 시사하는 증상이다.

2) 진단

바륨 식도 조영술, 식도 내압검사, 핵의학검사 등을 이용하여 진단한다. 최근에 개발된 고해상도 식도내압검사가 가장 진단에 있어 도움이 된다고 알려져 있으며 3가지 아형으로 구분이 가능하다. 식도이완불능증이 대표적인 식도운동 질환으로 알려져 있다.

> * 식도내압검사 전 주의사항
>
> 식도내압검사는 검사 전 6시간 금식 후 실시하며, 검사 전날 및 당일 흡연, 음주를 금하도록 한다. 식도 기능에 영향을 줄 수 있는 약물(nitrate, 칼슘 길항제, 장운동 촉진제, 안정제, 항우울제 및 항콜린제, 마약성 진통제 등)은 검사 전 48시간 이상 금하도록 하며, 만일 식도 운동에 영향을 줄 수 있는 약제를 중단할 수 없는 경우에는 결과 판독 시 약물의 영향을 고려해야 하며, 검사 당일은 꼭 금하도록 한다.

2. 식도이완불능증(Achalasia)

1) 증상

식도이완불능증은 식도의 myeneteric plexus의 이상으로 하부식도괄약근의 불완전 이완과, 식도 체부 연동운동의 소실이 발생하는 식도 운동 질환이다. 연하곤란이 특징적인 증상이다.

2) 진단

식도 조영술 소견은 식도가 확장되어 있고, 위식도 연결부위는 새부리모양으로 좁아져 있는 것이 특징적인 소견이다. 식도 내압검사 소견은 하부식도괄약근의 불완전 이완과 식도체부의 연동운동이 소실된 소견을 보인다. 최근 개발된 고해상도내압검사에 의하면 총 3가

지 아형으로 구분이 가능하다. 하지만 종양에 의한 이차적 변화도 유사한 방사선, 식도 내
압검사 소견을 보일 수 있어 내시경검사가 필수적이다.

3) 치료

(1) 약물 치료

Nitrate나 칼슘통로차단제와 같은 약물은 일시적인 증상완화에는 효과가 있지만 지속적인
효과가 없다.

(2) 보툴리눔 독소 주입

보툴리눔 독소 주입은 90% 이상의 환자에서 증상의 호전을 가져오며 부작용이 적다는 장
점이 있지만 50% 이상의 환자가 6개월 내지 1년 이내에 재발하여 반복 주입이 필요하다는
단점이 있다.

(3) 풍선 확장술

풍선 확장술은 40세 이상의 고령, 시술 후 하부식도괄약근압이 감소된 경우 지속적인 효과
를 예측할 수 있다. 풍선 확장술로 인한 천공은 3-5%에서 발생한다고 알려져 있다.

(4) 수술적 근절개법

수술적 근절개방법은 장기 치료효과가 큰 장점이 있으며 최근에는 복강경을 이용한 수술이
가장 보편적으로 사용된다.

(5) 내시경적 근절개술(POEM)

최근에는 전신 마취하에 내시경적 근절개술이 가장 효과적이라고 알려져 있으며, 특히 풍
선확장술과 POEM을 무작위 대조군 연구에 의하면 3가지 아형 모두에서 POEM이 증상
개선에 효과적이라고 보고 하였다.

3. 위마비

1) 정의

위마비는 구조적인 위의 폐색이 없으면서 오심 구토 복부 팽만감 등의 증상을 호소하는 증
후군이다. 당뇨병성 위마비는 한번 진단이 되면 당뇨 조절을 잘하여도 호전되지 않는 경우
가 있고, 바이러스 또는 박테리아 장염에 의한 위마비는 시간이 지나면 저절로 호전되는 경
우가 있다. 수술 이후 위마비는 남아 있는 신경의 적응 등으로 인해서 서서히 호전되는 경
우도 있다.

2) 진단

진단으로는 위배출스캔(gastric emptying scan)이 가장 정확하며, 위내시경에서는 위마비 환자의 27%만이 남아 있는 음식물이 관찰된다고 하며, 바륨 조영술은 바륨이 음식물에 비해 저장성(hypo-osmolar)이기 때문에 정확한 진단이 어려우나 소장 폐색이나 위창자간 막동맥증후군(superior mesenteric artery syndrome) 등의 진단에서 도움이 될 수도 있다. 위배출스캔 전에 최소한 4시간 이상 금식이 필요하며, 위배출시간 영향을 주는 약제는 가능한 검사 2일전부터 중단을 권한다.

3) 치료

(1) 식이 요법

가능한 적은 양의 식사를 자주 섭취하라고 권고하고 있다.

(2) Metoclopramide

metoclopramide같은 위장관 운동 촉진제도 사용할 수 있으나 추체외로 부작용 때문에 장기간 사용을 하지 않는 것을 권하고 있으며 최근 국내 식품의약품 안전처에서도 5일 이내로 사용을 권장하고 있다.

(3) Domperidone

Domperidone도 효과적이긴 하나 하루 30 mg 이상의 고용량을 60세 이상에서 장기간 투여시 심장부정맥의 위험도가 높아진다고 경고하고 있으며, 최근 국내 식품의약품 안전처에서는 성인 1회 10 mg, 1일 3회 치료기간은 최대 1주일 이내로 쓰라고 권고하고 있다.

(4) Macrolide

Macrolide계 항생제인 erythromycin (125 mg twice a day, orally)과 azithromycin도 사용 가능하나, 고용량으로 사용 시 심부정맥 위험도가 증가한다고 알려져 있고 장기간 사용시 tachyphylaxis 올 수 있어 주의를 요한다.

(5) 기타 약제

그 외 하제로 주로 알려진 prucalopride 등의 prokinetics도 위마비에서 도움이 될 수 있다.

(6) 유문 확장술

한편 위마비 중에서도 유문폐쇄(pyloric stenosis)가 의심되는 경우에는 보튤리늄 독소(보톡스) 주사 및 내시경을 통한 풍선 확장술, 그리고 최근에는 전신 마취 하에 내시경적 유문 근육절제술(G-POEM) 등도 효능을 보이고 있다.

Ⅶ 식도, 위, 십이지장 양성 종양

위장관 종양은 기원에 따라 상피(epithelium)와 상피밑(subepithelium) 종양으로 구분된다.

1. 식도, 위, 십이지장 상피종양 및 상피밑종양의 종류

표 4-61. 식도, 위, 십이지장 상피종양 및 상피밑 종양의 종류

Neoplastic epithelial tumors	Benign (adenoma): low grade, high grade Malignant (carcinoma)
Non-neoplastic epithelial tumors	Hyperplastic polyps Fundic gland polyps Inflammatory polyps
Inflammatory fibroid polyps	Peutz-Jegher polyps Juvenile polyps
Subepithelial tumors	GIST (gastrointestinal stromal tumor) Leiomyoma/leiomyosarcoma Schwannoma NET (neuroendocrine tumor) Heterotopic pancreas Lipoma Granular cell tumor Duplication cyst

2. 진단

내시경 생검겸자를 이용한 조직검사를 시행하며, 상피밑 종양은 상피 종양에 비해 진단이 쉽지 않다. 상피밑종양의 정확한 진단을 위해 필요한 경우 초음파내시경 유도하 세침 생검이나 내시경적 점막하절제술 등을 시행하기도 한다.

3. 양성 종양 치료의 원칙

① 출혈이나 이로 인한 빈혈, 위장관 출구 폐색과 같은 종양 자체에 따른 증상이 있는 경우 제거를 한다. 크기나 종양이 위치한 위장관내 층을 고려하여 내시경적 또는 수술적 제거를 시행한다.

② 향후 악성화 가능성이 있는 경우나 악성 변화를 완전히 배제하기 어려운 경우 마찬가지 방법으로 제거한다. 내시경 생검 겸자를 이용한 조직검사에서는 종양의 전체를 대변하지 못하는 경우가 있으므로 각 종양의 임상상에 따라 제거를 고려해야 한다.

과형성 용종의 경우 1 cm 이상의 크기에서 1-2% 이내로 악성화가 보고되고 있다. 위선종의 경우 추적관찰의 보고에 따르면, 저도선종의 경우 15%까지 고도선종으로 진행되며, 고도선종의 경우는 20-85%까지 위암으로 진행할 수 있다. 또한 내시경적 절제술로 제거를 한 경우 위암으로 최종 진단되는 경우도 있다. 선종의 경우 크기가 크거나 표면 함몰형이거나 발적을 동반한 경우는 악성 가능성이 높다.

③ 상피밑종양은 정확한 조직진단이 쉽지 않은 경우가 있다. 이런 경우는 내시경 또는 초음파내시경 소견에 따른 크기나 모양, 위치 등을 종합적으로 고려하여 경과 관찰하거나 내시경적 혹은 수술적 절제를 시행한다.

Ⅷ 식도암

1. 개요

식도암은 2016년 우리나라 통계에서 연간 2,499명이 발생하며(10만 명당 4.9명), 남녀비는 8.8:1이다. 서구에서는 바렛식도와 관련된 선암의 발생률이 증가하고 있으나, 우리나라를 포함한 동아시아에서는 흡연과 음주와 관련된 편평상피세포암이 90% 이상을 차지한다. 식도암은 식도 주변에 림프 조직이 풍부하고, 장막층이 없으며, 주요 장기가 인접하여 있고, 증상이 발현된 진행된 병기에서 주로 진단이 되며, 흡연이나 음주와 관련된 장기 부전이 동반된 경우가 흔하기 때문에 일반적으로 예후가 불량하다.

2. 원인 및 임상양상

식도암의 원인 인자는 흡연과 음주 이외에 뜨거운 차, 부식성 혹은 방사선 식도염, 아칼라지아, Plummer-Vinson syndrome, 흡입성 마약제 남용 등이 있다.

진단 당시 점진적으로 진행하는 연하장애와 체중감소가 가장 흔한 증상이다. 또한 연하통, 역류, 반복적 흡인성 폐렴, 식도 기관 누공, 고칼슘혈증과 관련된 증상이 드물지 않게 동반된다. 최근 6개월간 체중 감소가 10% 이상인 경우 불량한 예후와 관련이 있다.

3. 진단

내시경을 통한 조직검사로 확진 하여야 하며, 병기 설정을 위해 초음파 내시경(EUS), 흉부 및 복부 CT, PET-CT 검사를 한다. EUS는 종양의 침윤 깊이(T 병기)와 국소 림프절 전이(N 병기) 여부를 결정하는데 가장 정확한 검사이다. 흉부 및 복부 CT와 PET-CT는 N 병기뿐만 아니라 원격 전이(M 병기) 여부를 확인할 수 있으며, 동시성 이차암의 진단에도 중요하다. 식도암 환자는 흡연에 의한 field cancerization으로 두경부암, 폐암, 위암의 이차암 발생이 드물지 않다. 따라서 두경부암 선별을 위해 이비인후과 검진을 의뢰하며, 폐암 혹은 식도암의 기관지 침범이 의심되면 기관지 내시경 검사를 한다. PET-CT는 항암화학방사선요법 후 치료 반응을 평가하는 데에도 유용하다.

4. 치료

국소 림프절 전이가 의심되는 경우 경피하 초음파 혹은 초음파 내시경 유도하 세침흡입술 (fine needle aspiration/biopsy)로 조직학적 확진을 한다. 원격 전이가 있거나 전신 상태가 불량한 환자에서 초음파 내시경이나 PET-CT 검사는 선별적으로 하여야 하며, 종괴나 궤양을 형성하지 않는 표재성 식도암에서 바륨 식도 조영술 검사는 유용성이 제한적이다.

식도암 병기가 T1-2N0M0인 경우 근치적 수술을 하며, T3-4N0M0/TanyN+M0이면 항 암화학방사선 동시요법 후 수술을 한다(NCCN Clinical Practice Guidelines in Oncology. J Natl Compr Canc Netw 2019;17:855). M1 병기이거나, 기저 질환 등으로 전신상태가 양호하지 않아 의학적으로 치료가 어려운 경우(medically unfit)에는 근치적 항암화학방사선 요법이나 고식적 치료를 고려한다. 식도암 환자는 병기 설정을 위한 검사뿐만 아니라 심폐 기 능, 뇌혈관 질환, 간 질환 등에 대해 치료 전 평가를 하여야 한다.

환자의 전신 상태에 대한 평가와 식도암 병기 설정 후 흉부외과, 방사선종양학과, 종양내과 에 의뢰하여 초기 치료 계획을 세운다. 심한 연하장애가 있으면 다학제 접근(multidisciplinary approach)으로 초기 치료 계획을 설정한 후 식도 스텐트 삽입술이나 경피 위루술을 한다.

일반적으로 내시경 점막하 박리술은 병변의 크기가 2 cm 이하이고 점막층에 국한된 조기 식도암에서 시도하며, 절제된 표본에서 종양의 크기, 침윤 깊이, 림프혈관 침범 여부, 분화도 등 병리학적 최종 판정 후 추가 치료 여부를 결정하여야 한다.

식도암 환자는 약 45%에서 진단 시 수술적 절제가 불가능하거나 전이된 상태로 발견되므 로 전반적으로 예후가 불량하다. 하지만 절제 가능한 국소 진행형 식도암에서 항암화학방사선 동시요법 후 수술군과 수술군의 비교 연구에서, 항암화학방사선 동시요법 후 수술군에서 중간 생존율 49.4개월(vs. 24.0개월)과 5년 생존율 47%(vs. 34%; hazard ratio, 0.657)로 유의 한 생존율 증가를 보였다(CROSS study. N Engl J Med 2012;366:2074). 이 연구에서 항 암화학방사선 동시요법 후 수술군에서 병리학적 완전 관해율은 29%(편평상피세포암 49%, 선암 23%)였다.

Ⅸ 위암

1. 임상 양상 및 진단

위암은 우리나라에서 남, 녀 모두에서 가장 발생률이 높은 악성종양이다. 위암 사망률은 인구 10만 명 당 24명으로 폐암에 비해 두번째로 높다. 위암의 발생에는 고염분 식이와 같은 환경적 요인, 유전적 요인, *H.pylori* 감염 등이 중요한 역할을 할 것으로 생각된다. *H.pylori* 등으로 인한 만성 위염과 같이 위점막염증이 오랜 기간 지속되면 위점막의 위축이 생기고 더 지속되면 장상피화생이 수반된다. 이러한 병변에서는 이형성 세포가 잘 생기고 고분화성 위선암이 자주 발생한다는 것이다(그림 4-39).

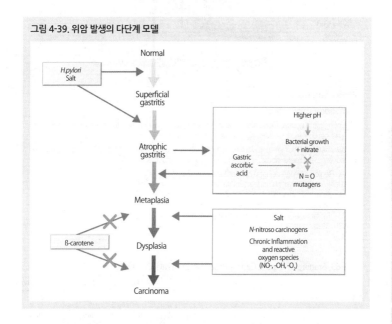

그림 4-39. 위암 발생의 다단계 모델

위암의 증상 중 상복부 통증이 가장 흔하며, 체중 감소, 오심, 구토, 식욕 부진이 대표적이다. 최근 조기위암의 비율이 증가하고, 증상없이 우연히 발견되는 경우도 증가하고 있다.

신체검진 소견은 조기위암의 경우는 대체로 정상이지만 진행위암의 경우는 상복부에서 종괴가 촉진되는 것과 폐쇄나 출혈과 같은 합병증에 의한 소견, 전이에 의한 소견이 보일 수 있다. 전이에 의한 대표적인 소견은 간비대, 좌쇄골상림프절, 직장선반, 복막전이에 의한 복수 등이다.

위암의 진단은 내시경 검사를 통한 조직검사에 의하며, 병기 결정은 복부 CT, 흉부촬영, EUS 등을 시행한다. 병기는 UICC TNM 분류를 가장 많이 사용하며 구체적인 내용은 다음 표 4-62~64와 같다.

표 4-62. 위암의 UICC Tumor, Node Stage (AJCC 8th edition)

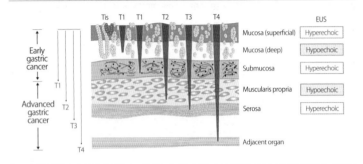

Regional lymph nodes (N)

The regional lymph nodes

The perigastric nodes, found along the lesser and greater curvatures, the nodes located along the left gastric, common hepatic, splenic, and celiac arteries.

Involvement of other intra-abdominal lymph nodes, such as the hepatoduodenal, retropancreatic, mesenteric, and para-aortic, is classified as distant metastasis.

- NX: Regional lymph node(s) cannot be assessed
- N0: No regional lymph node metastasis*
- N1: Metastasis in 1 to 2 regional lymph nodes
- N2: Metastasis in 3 to 6 regional lymph nodes
- N3a: Metastasis in 7 to 15 regional lymph nodes
- N3b: Metastasis in more than 16 regional lymph nodes

표 4-63. Staging of Gastric Cancer Based on the TNM Classification

	N0	N1	N2	N3a	N3b	M1 (any N)
T1	IA	IB	IIA	IIB	IIIB	IV
T2	IB	IIA	IIB	IIIA	IIIB	IV
T3	IIA	IIB	IIIA	IIIB	IIIC	IV
T4a	IIB	IIIA	IIIA	IIIB	IIIC	IV
T4b	IIIA	IIIB	IIIB	IIIC	IIIC	IV
M1 (any T)	IV	IV	IV	IV	IV	IV

표 4-64. 5-Year Survival Rates (%) for Patients with Gastric Cancer Based on Clinical Staging

Stage	United States	Japan	Korea
IA	78	95	98
IB	58	86	89
II	34	71	71
IIIA	20	59	53
IIIB	18	35	36
IV	7	17	23

2. 치료

　조기위암에 대한 내시경적 점막 절제술(endoscopic mucosal resection, EMR)의 절대적인 적응증으로는 ① 점막에 국한된 분화암이면서, ② 융기형인 경우 2 cm 이하, ③ 궤양을 동반하지 않는 함몰형인 경우 1 cm 이하인 경우가 해당된다. 내시경 점막하 절개박리법(endoscopic submucosal dissection, ESD)이 소개되어, 기존의 방법으로 일괄 절제가 불가능하였던 큰 병변은 물론, 궤양 반흔이 있는 병변에서도 기술적으로 일괄 절제가 가능하게 되었다. 기술적 진보와 함께 ① 궤양이 없는 분화형 점막암에서는 크기에 상관없이, ② 궤양이 있는 분화형 점막암에서는 크기가 3 cm 미만인 경우, ③ 미분화형 점막암에서는 2 cm 이하인 경우, ④ 림프관과 혈관 침범이 없이 점막하층 침범이 500 μm 이하(sm1)이면서 크기가 3 cm 이하인 경우 등이 확장된 적응증으로 제시되고 있으나 아직 논란이 있는 실정이다.

　내시경적 절제술은 기본적으로 위 점막과 표층 점막하 병변만을 제거할 수 있다. 위암의 외과수술은 병변으로부터 충분한 절제 변연을 포함한 위 절제와 주위 림프절의 절제가 기본적으로 시행되나, 내시경적 절제술은 이러한 조건을 만족 시킬 수 없다. 따라서 조기 위암을 내시경적 절제술로 완치하려면 림프절 전이가 없는 병변을 대상으로 시행해야 한다. 림프절 전이를 예측할 수 있는 요소는 병변의 크기, 병변의 분화도, 병변의 침윤 깊이, 림프-혈관계 침범 등이므로 시술 전 후에 상기 요소를 정확히 평가하여야 한다. 내시경적 절제술의 합병증으로는 시술 후 통증, 출혈, 천공 등이 있다. 출혈은 약 7-8%의 환자에서 나타나며, 기존의 내시경 점막 절제술에 비해 내시경적 점막하 절개박리법은 천공의 비율이 높아 약 4% 정도이다. 천공이 발생하면 대부분 내시경 클립을 이용한 내시경적 봉합 후 금식, 항생제 치료 등 보존적 치료를 우선적으로 시행하며 발열, 복막 자극 증상이 발생하는 경우 수술적 치료를 고려한다.

X 혈관성 질환

1. 개요 및 분류

장간막 혈관 질환의 병태생리는 협착, 혈전, 색전, 박리, 연축, 출혈 등으로 다양하며 이로 인한 임상상 역시 무증상에서부터 식후 복통, 흡수장애, 체중 감소, 급성 복통, 혈변 등 광범위한 양상을 보이고 급성 장간막 허혈의 경우 높은 사망률(50~80%)을 보인다. 장간막 허혈은 발생 시간 및 속도에 따라 급성과 만성으로, 침범 혈관에 따라 동맥 혹은 정맥성 허혈로 나눌 수 있다. 또 폐쇄의 여부에 따라 폐쇄성과 비폐쇄성으로 나눌 수 있다. 급성의 경우 장손상의 위험이 높고 만성보다 더 흔히 발생하며 정맥보다 동맥이 더 흔히 침범된다. 급성 장간막 허혈은 장간막동맥 색전증(50%), 장간막동맥 혈전증(25%), 비폐쇄성 장간막 허혈(non-occlusive mesenteric ischemia (NOMI), 20%), 장간막정맥 혈전증(~10%)에 의해 발생한다. 그 밖에 허혈성 대장염(Ischemic colitis), 만성 장간막 허혈(chronic mesenteric ischemia) 등의 혈관성 질환들이 있다.

2. 급성 장간막 허혈

1) 병태생리

급성 장간막 허혈은 상장간막환의 동맥순환(드물게 정맥순환) 이상에 의해 발생한다. 폐쇄성 허혈이 약 3/4을 차지하며, 그 중 색전에 의한 것이 2/3, 혈전에 의한 것이 1/3 정도이다. 급성 장간막 허혈 중 가장 흔한 임상상은 상장간막동맥 색전증인데, Ileocolic artery 기시부보다 근위부의 혈관이 막히면 대색전(major emboli)이라고 하고, Ileocolic artery 기시부의 원위부 말단 가지가 막히면 소색전(minor emboli)이라고 한다. 대색전은 심장 기원의 혈전에 기원하는 경우가 많으며, 소장과 상행결장을 포함하는 광범위한 장괴사를 유발한다. 소색전은 죽종물질(atheromatous material)이나 증식(vegetation), 섬유소 같은 파편(fibrinaceous debris), 악성종양(carcinoma) 등에 의한다. 상장간막동맥 혈전증 환자는 20~50%에서 수 주에서 수 개월에 걸친 식후 복통, 흡수장애, 체중 감소 등을 경험하며, 죽상경화증에 의한 관상동맥이나 뇌혈관 질환을 지니고 있는 경우가 많다. 비폐쇄성 장간막 허혈은 급성 울혈성 심부전, 부정맥, 급성 저혈량증(acute hypovolemia), 저혈압, 심폐우회수술, 혈액투석, 패혈증 등에 의한 혈관수축에 의해 발생한다.

2) 임상양상

급성 장간막 허혈은 대부분 갑자기 발생하는 급성 복통으로 발현한다. 환자가 호소하는 심한 복통에도 불구하고 신체검진에서 복부는 비교적 부드럽고 압통, 반발통은 심하지 않기 때문에 주의를 요한다. 약 1/4에서는 특히 고령자에서는 복통이 없이 복부 팽만이나 장출혈이 유일한 증상일 수도 있다. 육안적 출혈은 허혈성 장염과 달리 드물다. 허혈이 진행하여 장괴사가 진행되면 구토, 구역, 혈변, 토혈, 복부 팽만, 발열, 쇼크 등이 나타나고 압통과 반발통이 저명하게 된다.

3) 진단

조기 진단에 가장 중요한 것은 위험 인자를 가진 환자(고령, 부정맥, 울혈성 심부전, 최근의 심근경색)에서 원인이 불분명한 복통의 원인 중 하나로 급성 장간막 허혈을 염두에 두고, 의심이 될 경우 조속히 혈관조영술을 시행하는 것이다.

(1) 단순 복부촬영

장괴사가 일어나기 전까지는 정상인 경우가 많고 장괴사가 발생하면 장마비(ileus)나 thumbprinting pattern의 음영을 보일 수 있다.

(2) 도플러 초음파(doppler ultrasonography)

상장간막정맥이나 문맥의 혈전증을 진단하는데는 도움이 되지만 상장간막동맥의 폐쇄를 진단하는데는 제한이 많다.

(3) Multidetector CT angiography or MR angiography

복부 CT는 급성 복통으로 내원한 환자에게 시행해 볼 수 있는 검사이다. 급성 장간막 허혈이 의심된다면 MDCT angiography(또는 MR angiography)를 우선적으로 시행한다. CT 검사가 낮은 비용, 신속도, 이용 범위가 넓기 때문에 더 선호된다. MR angiography는 장간막 혈전증의 경우에서 더 민감하고 iodinated contrast에 알러지가 있는 경우 시행해 볼 수 있다. 장벽의 비후, 장의 확장, 장간막 정맥의 확장 등이 나타날 수 있다. 장벽, 장간막 정맥, 간문맥에 가스가 보일 수도 있는데, 이는 불량한 예후를 시사한다. Arterial vasculature의 조영증강이 없을 때 확인할 수 있으며, thromboembolic occlusion 진단에 특이적이다.

(4) 선택적 장간막 혈관조영술(selective mesenteric angiography)

진단에 gold standard이며 치료 목적의 혈관확장제, papaverine 주입이 가능하다. 비폐쇄성 장간막 허혈에서도 상장간막동맥 가지 시작부위의 협착이나 장분지 혈관의 불규칙성, 경련, 벽내 혈관의 충만장애 등을 관찰함으로써 진단할 수 있다.

4) 치료

허혈의 원인을 교정하고 광범위 항균제를 사용한다. 급성 울혈성 심부전의 치료를 비롯하여 저혈압, 저혈량증, 부정맥의 교정 등이 필요하다. 금기증이 없는 한 헤파린(unfractionated heparin) 정주를 통한 항응고 치료를 병행한다. 혈관조영술로 상장간막동맥의 이상을 확인하고 선택적 동맥내 papaverine 주입(selective intra-arterial papaverine infusion, 30-60 mg/hr)을 통해 혈관 수축을 완화한다. 혈관조영술로 진단된 급성 장간막 허혈은 대부분 수술적 치료를 필요로 한다. 수술적 치료는 색전제거술(embolectomy), 혈전제거술(thrombectomy), 동맥 우회(arterial bypass) 등을 통해 침범된 장의 관류를 재건한 후 장의 생존능을 평가하여 절제의 범위를 결정한다. 생존능이 분명하지 않은 경우는 생존능이 없는 것이 확실한 장만 절제한 후 12-24시간 후(48시간 이내)에 2차 수술(second-look operation)을 시행하여 생존능을 다시 판정하기도 한다. 복막자극 징후가 없는 소색전(minor emboli)는 대개 papaverine 주입만으로 치료할 수 있으나, 대색전(major emboli)는 대개 수술이 필요하다. 비폐쇄성 장간막 허혈은 복막 자극 징후가 없으면 추적 혈관조영술을 시행하면서 papaverine 주입만으로 치료할 수 있으나 경과 관찰 중 장괴사의 소견이 나타나면 수술을 시행한다.

3. 장간막정맥혈전증

1) 병태생리

급성 장간막 허혈의 원인 중 5-10%를 차지한다. 장간막정맥혈전증은 60% 이상에서 심부정맥혈전증(deep vein thrombosis)의 병력을 가지고 있으며, protein C 또는 protein S 결핍, 간경변 등에 의한 문맥 고혈압, 췌장염이나 복막염과 염증 등이 원인이 된다. 기타 임신, 수술, 종양 등의 응고항진 상태와도 관련이 있다.

2) 임상양상

급성인 경우 동맥성 허혈과 마찬가지로 대부분 심한 복통으로 내원하며, 장경색으로 진행되면 혈변, 토혈 등이 발생할 수 있다. 아급성장간막정맥혈전증은 장경색 없이 몇 주 이상 복통이 지속되는 경우로, 혈전이 통증을 일으키지 않을 정도이거나 측부 순환에 의해 경색이 생기지 않거나 허혈로부터 회복이 될 정도의 정맥폐쇄가 있는 경우에 발생한다. 대개 비특이적 복통이 유일한 증상이며, 진찰 소견이나 검사실 소견은 대개 정상이다. 만성인 경우 보통 무증상이지만 정맥류 출혈을 일으킬 수 있다. 대부분의 환자는 문맥이나 비정맥 혈전으로 위-식도 정맥류에서 출혈한다.

3) 진단

(1) 전산화단층촬영

90% 이상에서 상장간막정맥혈전증을 진단할 수 있어 진단에 우선적인 검사이다. 임상적으로 급성 장간막 허혈이 의심되는 환자가 심부정맥 혈전증이나 유전성 응고장애의 가족력 등 장간막정맥혈전증이 의심되는 소견이 있는 경우 혈관조영술 전에 전산화단층촬영을 시행한다.

(2) 혈관조영술

동맥성 질환과의 감별에 도움을 주며, 상장간막정맥에 혈전이 보이거나, 상장간막정맥 혹은 간문맥이 보이지 않거나, 장간막정맥의 결손 또는 조영제가 늦게 차는 소견을 보일 수 있다.

4) 치료

장간막정맥혈전증은 장괴사의 소견이 없으면 항응고요법이 우선적이다. 장괴사의 소견이 있으면 즉시 수술을 시행한다. 괴사된 장이 짧으면 절제술을 시행하고, 비교적 긴 부위의 침범이 의심되면 혈전제거술을 시행하고 동반된 동맥 경련을 해소하기 위해 papaverine을 주입 후 2차 수술을 시행한다. 혈전증의 재발을 막기 위해 수술 후 바로 항응고 치료를 시작한다.

무증상의 만성 장간막정맥혈전증은 치료가 필요하지 않고 정맥류가 있는 경우 내시경적 치료, 문맥전신정맥단락술(portosystemic shunt)이 시행될 수 있다.

4. 허혈성 대장염

1) 개요

허혈성 대장염은 고령층에서 가장 흔한 허혈성 장질환으로 대장의 소혈관 분지의 일시적 비폐쇄성 허혈에 의한 것으로 생각되며 대부분의 경우 뚜렷한 원인을 밝히기 어렵다. 주로 잘 침범되는 부위는 watershed area인 비만곡부(splenic flexure, Griffiths' point)와 직장-S자결장 접합부(rectosigmoid junction, Sudeck's point)이고 직장은 잘 침범하지 않는다(그림 4-40).

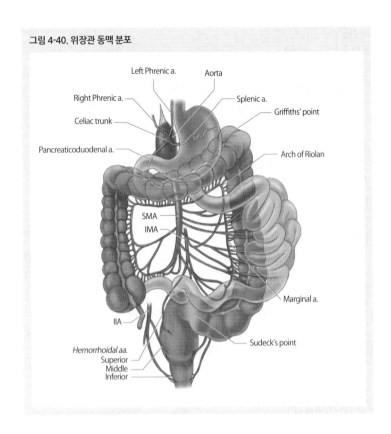

그림 4-40. 위장관 동맥 분포

2) 임상양상

아급성인 경우 중등도의 복통과 출혈이 수 일에서 수 주에 걸쳐서 나타나지만 급성 전격성 허혈성 대장염의 경우 심한 하복부 통증과 혈변, 저혈압으로 발현한다. 신체검진에서는 침범 부위의 압통이 있을 수 있다.

3) 진단

임상적으로 허혈성 대장염이 의심되는 경우 병변의 범위 확인을 위하여 복부 전산화단층촬영을 우선적으로 시행해본다. 침범된 대장의 장벽 비후(wall thickening), 부종, thumbprinting pattern이 보일 때 허혈성 대장염을 의심해 볼 수 있다. Isolated right colon ischemia가 의심될 경우 급성 장간막 허혈 질환 가능성을 고려하여 Multidetector

CT angiography를 시행한다.

복막 자극 징후가 없으며 영상 검사에서 천공이 의심되지 않을 때 48시간 이내에 대장내시경이나 S자결장경을 시행한다. 내시경 검사시 공기의 과다 주입은 천공의 위험을 높이므로 주의를 요한다. 내시경 소견은 비특이적이고 점막의 발적, 부종, 점막하 출혈이나 궤양이 관찰될 수 있다. 직장은 침범되지 않고 정상부위와 병변부위의 경계가 비교적 분명한 것도 허혈성 대장염의 진단에 부합되는 소견이다. 급성 허혈성 장염의 내시경 소견은 다른 염증성 장질환 등과 구별이 어려운 경우가 많으므로 괴저가 없는 경우 조직검사를 하고, 1-2주일 후의 추적 내시경 검사로 병변의 호전이나 변화를 확인한다.

4) 치료

대부분의 경우 보존적 치료로 잘 회복되므로 휴식과 수액요법을 하며 광범위 항균제를 사용한다. 그러나, 장허혈이 심하면 장괴사 및 복막염이 발생할 수도 있으므로, 압통이 심해지면서 반발통이 나타나거나, 마비성 장폐쇄가 심해지면 수술적 처치가 필요하다. 50% 이상에서 가역적이며 48시간 이내에 증상의 호전이 있고 대개 1-2주 이내에 회복되지만 중증의 경우 회복에 1-6개월이 소요되기도 한다. 나머지 환자는 괴저, 협착, 천공, 전격성 장염 등의 경과를 밟는다.

5. 만성 장간막 허혈(Chronic mesenteric ischemia, Abdominal angina)

1) 개요

대부분 고령, 당뇨병, 고혈압 등에 수반된 동맥경화성 변화가 원인이며 식사 후 등 내장 혈류의 증가가 요구되는 조건에서 복통이 유발된다. 간헐적인 둔한 혹은 경련성 통증이 배꼽 주위 혹은 심와부에서 식후 10-30분에서 시작, 서서히 증가하다가 1-3시간 후에 소실된다. 식후 통증으로 인한 경구 섭취의 감소, 만성적 허혈에 따른 장점막의 손상과 흡수장애로 인한 체중 감소가 발생한다.

2) 진단

우선 복통과 체중감소를 보일 수 있는 다른 질환을 배제하고 임상양상 및 혈관조영술로 진단한다.

3) 치료

동맥 우회술, 풍선 성형술을 시행할 수 있다.

XI 과민성 장증후군과 변비

1. 과민성 장증후군(Irritable bowel syndrome)

1) 개요 및 진단

과민성 장증후군이란 반복적으로 복통과 함께 복부 불편감, 배변 습관의 변화, 복부 팽만감 등 다양한 하부위장관 증상이 나타나는 증후군으로 만성적으로 호전과 악화를 반복한다. Rome IV functional gastrointestinal disorder의 분류(2015)에서 과민성 장증후군의 진단기준은 아래와 같다.

표 4-65. Rome IV Criteria for Irritable Bowel Syndrome

평균 주 1일 이상의 복통이 6개월 전에 시작되고 지난 3개월 동안 반복되면서 아래 중 두 가지 이상의 동반 증상이 함께 있을 때:

1. 배변과 연관된 복통
2. 배변 횟수의 증가 혹은 감소
3. 대변이 물러지거나 단단해지는 배변 굳기의 변화

최종 진단은 증상을 설명할 만한 다른 기질적인 질환이 없다는 것을 검사를 통하여 확인한 다음에 내린다. 또한 Rome criteria는 적용 기준이 엄격하여 주로 임상 연구 등을 목적으로 할 때 많이 사용되며, 실제 임상에서는 그 빈도나 강도보다 더 융통성 있는 진단 기준으로 진단한다. IBS는 증상에 따라서 변비형, 설사형, 혼합형의 3가지로 분류하며, 분류가 불가능한 경우를 비특이형으로 분류하였다. 아형의 분류는 주로 대변의 굳기 정도에 따라서 평가하며 Bristol Stool Form Scale (BSFS)을 이용한다(그림 4-41).

그림 4-41. Bristol stool form scale

	Type 1	Separate hard lumps	SEVERE CONSTRIPATION
	Type 2	Lumpy and sausage like	MILD CONSTIPATION
	Type 3	A sausage shape with cracks in the surface	NOMAL
	Type 4.	Like a smooth, soft sausage or snake	NOMAL
	Type 5	Soft blobs with clear-cut edges	LACKING FIBRE
	Type 6	Mushy consistency with ragged edges	MILD DIARRHEA
	Type 7	Liquid consistency with no solid pieces	SEVERE DIARRHEA

IBS의 아형 분류는 증상과 연관된 약제를 사용하지 않는 경우의 증상으로 2주간의 배변일기를 바탕으로 평가한다. 대변의 형태에 따라서 BSFS type 1 또는 2의 형태가 전체 배변의 25% 이상인 경우를 변비형, BSFS type 6 또는 7의 형태가 전체 배변의 25% 이상인 경우를 설사형, BSFS type 1 또는 2의 형태가 전체 배변의 25% 이상이면서 BSFS type 6 또는 7의 형태가 전체 배변의 25% 이상이 같이 동반된 경우를 혼합형, IBS의 진단기준에는 합당하지만 아형 분류가 어려운 경우를 비특이형으로 분류한다.

2) 역학

모든 연령에서 발생할 수 있고, 젊은 연령층에서 유병률이 높으며 50세가 넘으면 감소하는 것으로 알려져 있다. 우리나라 지역사회 인구 기반 연구에서 10% 가량으로 흔하며 증가 추세에 있다.

3) 증상 및 징후, 진단

배변과 연관된 복통 및 복부 불편감이 있을 때 의심할 수 있다. 항문 출혈, 원인 불명의 체중 감소, 야간 소화기 증상으로 잠을 깨거나 50세 이상에서의 배변 습관 변화가 있을 때, 소화기암의 가족력이 있을 때 기질적 질환을 배제하기 위한 대장내시경을 시행한다. 경고 증상이 없는 전형적 과민성 장증후군의 경우는 진단을 위한 검사는 거의 필요하지 않다.

4) 치료

① FODMAP (fermentable oligosaccharides, disaccharides, monosaccharides, and polyols)은 장내 세균에 의하여 발효될 수 있는 저분자 탄수화물 등을 통칭하며, 장관 내의 삼투압을 증가시켜 배변의 양상을 변화시키거나 가스를 생성하여 과민성 장증후군 환자의 증상의 악화를 초래할 수 있다. 따라서 저(low) FODMAP 식이는 과민성 장증후군 증상 조절에 효과적이다.

② 아기오, 실콘 같은 부피형성제는 변비형 과민성장 증후군 환자의 증상을 완화시킬 수 있다. 다만, 부피형성제는 장내 세균에 의하여 대사되어 가스와 복부 불편감 또는 복통을 유발할 수 있다.

③ PEG, 락툴로오스, 수산화마그네슘의 삼투성 완하제는 변비 우세형 과민성 장증후군에서 배변 빈도를 증가시켜 증상을 완화시킬 수 있다.

④ 진경제에는 평활근이완제, 항무스카린수용체차단제, 항콜린제, 칼슘통로차단제가 포함되는데 과민성 장증후군의 복부불편감을 완화시키는 데에 효과적이다.

⑤ 5HT3-antagonist인 ramosetron은 설사형 과민성장증후군 환자들의 대변의 굳기, 복통, 복부 팽만감 및 건강과 관련된 삶의 질을 향상시킨다.

⑥ 다른 하제에 반응이 없는 변비형 과민성장증후군 환자에게 5HT4-agonist인 prucalo-pride는 관련 증상 개선과 삶의 질 향상에 도움이 될 수 있다.

⑦ 항균제인 rifaximin은 위장관에서 체내로 흡수되는 양이 1% 미만으로 매우 적으며, 장벽의 균에 주로 작용한다. 설사형 과민성 장증후군의 전신 증상을 완화시키는데 효과적일 수 있다.

⑧ 생균제는 과민성 장증후군 환자의 전반적인 증상 및 가스 관련 증상 등의 호전을 위하여 보조적으로 투약해볼 수 있다.

2. 변비

만성 변비는 임상 현장에서 매우 흔히 접할 수 있는 소화기 증상이다. 국내 연구에서의 유병률은 2.6-16.5% 정도로 다양하게 보고되고 있다. 만성 변비는 주관적인 증상과 객관적인 평가를 통해 진단 및 치료적 접근을 하게 되며, 만성 변비 환자들이 주로 호소하는 증상들로는 배변시 과도한 힘주기, 단단한 대변, 복부 불편감, 복부 팽만감, 배변 후 잔변감, 배변 시 배출 장애감 등이 있다.

1) 분류

① 일차성(기능성) 변비: 이차성, 기질적 변비가 배제되면 진단 가능. 대장 통과시간에 따라 서행형 및 정상 통과시간형 변비로 구분. 정상 통과시간 변비 중 항문 배출 장애가 있는 경우를 출구 폐쇄형 변비라고 함.

② 이차성 변비: 이환되어 있는 동반 질환, 투약 중인 약제에 의한 경우

③ 기질적 변비: 대장암, 대장협착, 직장류, 항문열창 등

2) 진단

자세한 병력 청취를 통하여 해당 변비 환자가 어떤 범주에 속하는지 판단하고, 경고 증상 없이 변비가 지속된다면 경험적인 약물 치료를 시도해 볼 수 있다. 4-8주 정도 경험적 약물 치료에 실패한 경우에는 대장 통과 시간 측정, 항문직장 내압 검사, 풍선배출 검사, 배변 조영술 등을 포함한 객관적인 진단 검사들을 시행함으로써 병태생리를 고려한 정확한 진단이 이루어져야 한다.

증상의 발생이 6개월 전부터 시작됐고 지난 3개월 동안 계속된 경우에 기능성 변비로 정의할 수 있다. 실제 임상 현장에서는 기능성 변비와 변비형 과민성 장증후군을 구분하지 않는 경우들이 많은데, 변비형 과민성 장증후군의 경우 복통을 주증상으로 하며 복통의 조절을 치료 목표로 한다는 점에서 차이가 있으며, 위의 진단 기준과 같이 기능성 변비의 진단을

위해서는 변비형 과민성 장증후군의 배제가 필요하다.

표 4-66. Rome IV Criteria for Functional constipation

1. 아래 6가지 항목 중에서 2가지 이상을 만족하면서:
   a. 배변 시 과도하게 힘을 주는 경우 (전체 배변의 25% 이상)
   b. 딱딱하고 덩어리진 변을 보는 경우 (전체 배변의 25% 이상)
   c. 대변의 불완전 배출이 있다고 느끼는 경우 (전체 배변의 25% 이상)
   d. 항문이나 직장의 폐쇄감을 느끼는 경우 (전체 배변의 25% 이상)
   e. 배변을 용이하게 하기 위해 수조작이 필요한 경우 (전체 배변의 25% 이상)
   f. 배변 횟수가 1주일에 3번 미만인 경우

2. 묽은 변은 거의 없고,

3. 과민성 장증후군의 진단 기준은 충족되지 않는 경우

(1) 병력청취

배변 횟수, 변의 굳기, 배변 중 힘주기, 잔변감, 증상 지속기간, 최근의 변화, 병원을 방문한 동기 등에 대한 자세한 병력 청취가 필요하다. 또한 체중감소, 혈변, 복통 등의 동반 증상에 대한 문진이 필요하다.

전신질환에 동반된 변비를 배제하기 위해 갑상선 기능저하증, 부갑상선 기능항진증, 당뇨병, 악성 종양, 파킨슨병, 다발성경화증, 전신경화증, 척추 질환, 여러가지 근병증, 근이영양증, 정신질환, 약제(칼슘채널차단제, 베타차단제, 칼슘함유약제, 마약성 진통제, 항콜린제, 알루미늄 함유 제산제, 철분제제, 항전간제, 이뇨제, cholestyramine 등) 복용 등에 대한 병력 청취가 필요하다. 전신질환에 동반될 수 있는 증상들도 자세히 조사한다. 여성에서는 빈뇨, 긴장성 요실금 등 비뇨기 증상과 산과력에 대한 청취도 필요하다. 환자의 식사량, 식사조성, 섬유질 함량, 사회 생활과 심리적 문제도 면밀히 조사한다. 소아 초기에 변비가 발생하면 선천성 질환의 가능성이 많고, 최근 발생한 변비와 증상이 진행하는 변비는 기계적 폐쇄가 원인일 수 있으며, 특히 노인에서 갑자기 변비가 발생하면 대장암의 가능성을 염두에 두어야 한다. 반면 수 년 이상 지속된 변비는 기능성 장애의 가능성이 높다.

(2) 신체검진

회음부 관찰은 환자를 좌측와위(left lateral decubitus position)로 눕게 하여 무릎을 굽혀 가슴에 붙이게 한다. 엉덩이를 벌리고 환자에게 모의배변과 괄약근 수축을 하게 하여 회음부의 하강/상승을 관찰한다. 모의배변을 할 때 회음부가 하강하지 않는 경우(정상적으로는 1~3.5 cm 하강)는 골반저 근육의 이완부전을 의심한다. 항문주위의 피부를 관찰하고, 항문주위의 피부를 가볍게 긁어 항문괄약근이 반사적으로 수축하는지를 살펴본다 (anal wink, cutaneoanal contractile reflex). 모의배변을 할 때는 항문연을 관찰하여 직

장점막이 빠져나오는지도 관찰한다. 직장수지 검사는 분변 매복(fecal impaction), 협착, 직장 종괴를 확인할 수 있는 좋은 검사법이다. 직장에 손가락을 넣은 상태에서 환자에게 괄약근을 수축하도록 하여, 휴식 때와 비교하여 괄약근압이 상승하는지를 느껴본다. 또한 환자에게 직장에 넣고 있는 손가락을 배출하도록 하여 골반저의 움직임을 느낀다. 직장의 전체 벽을 만져보고 구조적인 결손이 있는지도 확인한다.

(3) 검사

말초혈액검사, 생화학검사, 갑상선기능검사, 대변잠혈반응검사, S자결장경 검사나 대장내시경 검사를 시행한다. 단순 복부촬영은 대변이 장관에 남아있는지 여부와 장관 폐쇄 혹은 거대결장 여부를 볼 수 있다. 50세 이상의 연령, 혈변이나 체중 감소가 동반된 경우, 과거에 대장내시경 검사를 시행하지 않은 경우는 내시경 검사를 꼭 시행하도록 한다.

(4) 배변기능 관련검사

① 대장통과시간(colon transit time) 측정

대장통과시간 측정법은 변비환자에서 가장 기본적인 검사이면서도 비교적 간편하고 많은 임상적 정보를 제공하기 때문에 우선적으로 시행되는 검사이다. 현재 임상에서는 다수 표지자 사용법(multiple marker technique)을 널리 사용한다. 검사 전 장운동에 영향을 미칠 수 있는 약제와 하제를 중단하고 관장은 하지 않는다. 한 알에 20-24개의 방사선 비투과표지자가 포함된 캡슐을 3일간 하루 1알씩 복용한 후 4일째 단순복부사진을 촬영한다(서울아산병원에서는 한 알에 20개짜리 표지자를 사용함). 단순복부 사진에서 대장의 구획을 구분하고 배출되지 않고 남아 있는 표지자의 수를 세어 평균 대장통과시간을 계산한다(한 알당 20개짜리 표지자의 경우, 한 개 표지자당 1.2시간으로 환산, 한 알당 24개짜리 표지자의 경우 한 개 표지자당 1시간으로 환산). 우측 대장에 표지자가 많이 남아있는 경우 대장무력증으로, S자결장과 직장에 많이 남아 있으면 출구 폐쇄형 변비로 진단할 수 있다.

② 배변조영술(defecography)

항문을 통하여 주입된 조영제(실제 변과 유사하게 제조한 반고형의 바륨)를 피검자가 배출하는 동안 방사선 투사기로 관찰하면서 휴식기, 압착기, 배변기에 촬영하는 기법인데 특히 일련의 배변과정을 비디오로 녹화, 기록하는 방법이 많이 이용되고 있다. 순간촬영사진에서 항문직장각, 회음하강도, 항문관의 길이 등을 측정하며 연속 녹화 촬영에서는 치골직장근의 이완여부, 항문관의 개폐여부, 직장류 유무 등을 관찰한다. 결과 판독시에는 환자의 증상, 이학적 검사 및 다른 항문직장 생리검사결과와 병용이 필요하다. 이 검사에서 평가되는 배설 능력은 반정량적, 주관적이라는 단점이 있고, 또한 환자가 부끄러워하여 배변이 자연스럽게 이루어지지 못할 수 있다는 점도 염두에 두어야 한다. 직장의 구조적 이상은 변비가 없는 정상인에서도 흔히 관찰되므로 결과 해석에 주의를 요한다.

③ 항문직장내압검사(anorectal anometry)

- 목적 및 적응증

  항문직장내압검사는 변비 및 변실금의 원인 평가, 배변 자제능에 영향을 미칠 가능성이 있는 수술 전 괄약근 기능 평가, 외상에 의한 괄약근의 손상 위치 및 정도를 평가하기 위해 시행한다.

- 검사원리

  항문직장내압검사는 항문과 직장벽의 수축에 따른 내압의 변화를 기록하여 배변에 관여하는 신경학적 및 생리학적 기전을 검사하는 방법이다. 고해상도 내압검사(high-resolution manometry)를 사용하여 휴식기 및 압착기의 항문괄약근 압력과 배변시 직장 압력 및 항문 괄약근의 압력 변화, 그리고 고압력대, 항문관의 길이 등을 측정한다. 또한 풍선 내에 주입한 공기나 물의 용적과 이에 반응는 피검자의 반응으로 최소감각용적, 변의 감각용적, 긴박용적, 최대감내용적을 측정할 수 있으며 항문 및 직장의 압력과 주입한 용적과의 관계를 통해 직장항문억제반사와 직장의 유순도도 평가할 수 있다.

- 해석

  – 직장항문 억제반사가 없는 경우: 성인의 경우 대부분 저류된 대변에 의해 직장이 신전되어 확장된 풍선에 의한 직장벽의 신전이 불충분하기 때문인 경우가 많으나 드물게 adult onset Hirschsprung's disease인 경우도 있으므로 감별 진단이 필요하다.

  – 직장 감각능 저하(rectal hyposensitivity): 신경학적 이상을 시사하기도 하지만 장기간의 대변 저류로 인해 직장 용적이 늘어나서 생기는 경우가 더욱 빈번하다.

  – 모의 배변시 적절한 항문 내압 감소의 소실: Dyssynergic defecation (DD)에서 특징적으로 관찰할 수 있다.

④ 풍선배출검사

좌측와위를 취한 환자의 직장 속으로 풍선을 밀어 넣고 약 50 cc의 따뜻한 물을 풍선 속에 주입한 후 실제 변기에 앉아서 배변을 시도하도록 하여 풍선을 배출시킬 수 있는지를 검사한다. 정상인 경우는 1분 내에 배출이 가능하나 DD인 경우는 배출시키지 못한다. 본 검사는 검사자가 관찰하고 있기 때문에 일상적인 배변조건이 아니며 좌측와위에서 검사를 시행할 경우 생리적인 배변자세가 아니므로 위음성이 초래될 수 있다. 그러나 변을 배출시키거나 참는 능력을 평가할 수 있는 간단하고 값싼 검사이며, 다른 생리검사와 병행하여 실시하면 DD로 인한 만성변비의 진단에 도움이 된다.

3) 치료

(1) 생활 습관 개선

① 규칙적으로 아침식사 전후나 저녁식사 전후에 화장실에 가도록 권한다.

② 배변 훈련 시 교육시킬 내용은 아침과 저녁식사 후 30분 정도 하루 두 번 화장실에 가도록 하고, 배변힘주기는 5분을 넘지 않도록 하며, 배변힘주기 시 힘을 주는 강도는 최대치의 50-70% 정도만 힘을 주도록 한다. 수분섭취량 및 운동량을 늘리는 것이 중요하다.

(2) 섬유질 섭취

식이섬유는 과일류, 채소류, 곡물류 등에 많이 함유되어 있다.

① 불용성, 비발효성 섬유질은 물에 잘 녹지 않기 때문에 장내 세균에 의해 분해되지 않으며 몇몇 과일이나 채소에 함유되어 있는데, 특히 현미나 밀 겨울 등의 통곡물에 많고, 변의 부피를 증가시켜 장관의 이동과 분비를 촉진한다.

② 수용성, 발효성 섬유질은 대장 상재균에 의해 발효되어 상재균의 성장을 촉진함으로써 변의 부피를 크게 할 뿐 아니라, 대장 내에서 물, 이온과 결합하여 변을 부드럽게 하고 배변의 횟수와 대변의 양을 증가시켜 변비를 개선시키는데, 장기간 사용할 경우 수용성 섬유질의 효과가 좀 더 우수하다.

③ 용량이 많으면 복부 불편감이 발생하여 순응도에 영향을 미칠 수 있으므로 하루 15-25 g 정도를 충분한 양의 물(1.5-2 L)과 같이 섭취할 것을 권장한다.

④ 식이섬유소가 충분하지 않다면 상품화된 식이섬유 보조제를 복용할 수도 있다. 심한 서행형 변비나 폐쇄성 변비가 있는 경우에는 상대적으로 식이 섬유의 효과가 적다.

(3) 약물요법

① 완하제에는 부피형성 완하제(bulk forming agent), 삼투성 완하제(osmotic agent), 자극성 완하제(stimulant laxative) 등이 있으며 그 밖에 장운동 촉진제(prokinetics) 등이 변비 치료에 사용되고 있다.

② 부피형성 완하제는 섬유질을 농축, 추출 또는 합성하여 제조한 약물이다. 이 약물들은 소장에서 흡수되지 않고 대장 세균에 의해서도 분해되지 않아 수분을 유지함으로써 장관 내 대변 부피가 증가하면서 대변 양이 증가하게 된다. 증상 정도에 따라 각 포장 단위별(포 혹은 정)로 1-2단위씩 하루 3회까지 식전에 충분한 물과 함께 복용하여야 한다. 이 약제들은 특별한 부작용이 드물고 안전성이 높아 임산부에도 사용할 수 있는 장점이 있으나, 장 폐쇄나 장 협착 환자에서 사용하면 변의 부피 증가로 인하여 폐쇄 증상이 더욱 심해질 수 있으므로 사용해서는 안된다. 대표적인 약제로 아기오 과립(천연 식물성 섬유 제제)와 실콘정(Calcium polycarbophil; 물에 대한 결합력이 큰 폴리아크릴 수지) 등이 있다.

③ 삼투성 완하제는 염류성 완하제와 고삼투성 완하제로 나뉜다. 염류성 완하제에는 각종 인산염 및 마그네슘염이 있으며, 이 전해질들은 장에서 거의 흡수되지 않아서 수분의 저류를 일으키고 장관 내 압력을 증가시켜 하제로 작용한다. 일반적인 성인에서의 권장량은 수산화마그네슘 2.4-4.8 g이며, 이 역시 충분한 양의 물과 함께 복용하는 것이 좋다. 그러나 과량 복용 시 고마그네슘혈증을 일으킬 수 있으므로 신기능부전 환자와 소아에서는 주의하여야 한다. 고삼투성 완하제는 다시 비흡수성 다당류 완하제와 합성 고분자 완하제로 나눌 수 있다. 비흡수성 다당류 완하제에는 lactulose, lactitol, sorbitol 등이 있으며, 특히 lactulose가 흔히 사용되는데, 이 물질은 갈락토오스와 과당의 합성 이당체로 혈중으로 흡수되지 않아서 혈당을 높이지 않으므로 당뇨병 환자에서도 안전하게 사용할 수 있다. 통상적으로 성인에서 15 mL씩 하루 2회 복용하고, 증상 정도에 따라 용량을 조절한다. 단점은 대장에서 장내 세균에 의해 분해되어 가스를 생성하므로 복부 팽만이나 방귀를 유발할 수 있다는 점이다.

합성 고분자 완하제로는 polyethylene glycol (PEG)이 대표적인데, 소장에서 흡수되지 않으므로 수분과 전해질을 분비하게 되고, 대변의 굳기가 떨어지며 변의 부피가 늘어나 이차적으로 연동 운동이 발생한다. 대장내시경이나 수술에 앞서 장 정결을 위해 사용되고 있는 대부분의 약제들이 고용량 PEG를 주성분으로 한다. 부작용으로 용량 의존적인 복부 불편감과 복통 등이 있을 수 있으나 6개월 이상의 장기 사용에도 비교적 안전하였으며, lactulose나 위약군에 비하여 소아 및 성인 변비 환자에서 우월한 효과가 입증되었다. 또한 PEG는 소아와 노인에서 분변 매복에 대한 효과적인 치료제인 것으로 나타났다.

④ 5-HT4 receptor 작용제는 연동 운동을 자극하고, 위장관 통과시간을 단축시키며, 장관에서 분비를 촉진시킨다. 현재 국내에서 사용 중인 5-HT4 receptor 작용제로는 Prucalopride가 있으며, 5-HT4 receptor에 좀 더 선택적으로 작용하여 효능은 높이고 부작용은 줄인 약제이다.

⑤ 자극성 완하제는 위에서 언급한 약제들에 반응이 없는 경우 사용하게 되는데, 이들의 정확한 기전은 확립되어 있지 않으나 대부분 수분과 전해질의 흡수를 억제하여 장내에 축적되게 하고, 대장의 근육신경총을 자극함으로써 장운동을 촉진하는 것으로 알려져 있다. 임상에서 흔히 사용되는 자극성 완하제로 polyphenol 제제(bisacodyl, phenolphthalein 등), anthraquinone 유도체(cascara, aloe, senna 등) 등이 있으며 연구자들 간 견해의 차이는 있으나 장기간 사용시 수분과전해질의 손실, 지방변, 2차성 고알도스테론혈증, 단백소실장증 등을 유발할 위험성을 배제할 수 없기 때문에 일반적으로 수개월 이내의 단기간 사용을 권한다.

⑥ 생균제가 배변 횟수를 증가시키고 변의 굳기를 호전시키는 것으로 보고한 바 있으며, 해당 연구들에서 사용된 균주는 Bifidobacterium lactis DN-173 010, Lactobacillus casei Shirota 그리고 Escherichia coli Nissle 1917 등이었다. 하지만 아직 만성 변비에서 생균제의 작용기전이 알려져 있지 않으며, 후속 연구가 부족한 상황으로 만성 변비에서 생균제의 효능을 단정하기는 이르다고 여겨진다.

(4) 행동요법

Biofeedback 치료는 직장항문근육이 제대로 이완되지 않아서 생기는 배변기능 장애를 보이는 변비 환자에서 항문괄약근 이완운동을 시켜줌으로써 정상적인 배변을 도와주는 방법이다. 이는 일종의 배변훈련이므로 환자에 대한 교육, 환자의 인지도 및 의지가 성공적인 치료에 중요한 요소이다. 대개 감지용 전극을 항문 내에 삽입해 항문근육의 근전도 모양을 컴퓨터 장치를 통해 분석하고 이를 모니터 화면으로 나타내면 환자가 이를 보면서 항문근육의 이완/수축 정도를 확인하면서 부적절한 반응을 교정하게 된다. 전문적인 치료사와 의료진이 잘 치료를 한 경우 항문폐쇄형 환자에서 60-70%의 치료 효과를 보일 수 있어서 폐쇄형 변비 환자를 잘 선별하여 치료하면 좋은 효과를 거둘 수 있다.

3. 대장폐쇄

대장폐쇄는 다양한 원인에 의해 장의 내용물의 이동이 완전 또는 부분적으로 차단되는 것으로 기계적 폐쇄(mechanical obstruction)과 가성 폐쇄(pseudo-obstruction)로 분류될 수 있다. 기계적 폐쇄는 대장이 장관 내부, 장벽 또는 장관 외부의 원인으로 막히는 것이고, 가성 폐쇄는 기계적 폐쇄 없이 장 운동의 소실로 인해 장폐쇄의 방사선적 소견, 증상 및 징후를 보이는 임상군을 일컫는다. 대장벽의 장력과 대장의 직경은 비례하기 때문에, 대장이 확장되면 대장에서 가장 직경이 넓은 맹장의 장력이 가장 많이 증가하면서 허혈과 천공에 취약하게 된다. 하지만 실제 임상에서는 대장 확장의 발생 속도, 기간에 영향을 받기 때문에 천공 없이 12 cm 이상 확장이 되기도 한다.

1) 기계적 폐쇄

(1) 원인

다음과 같은 다양한 원인에 의해 대장의 기계적 폐쇄가 발생할 수 있다.

① 대장암 및 그 외 악성 종양에 의한 폐쇄(기계적 폐쇄의 절반 이상을 차지)
② 염전(volvulus)
③ 크론병, 궤양성 대장염 등 염증성 장질환에 의한 협착

④ 게실염에 의한 협착

⑤ 수술 문합부 협착(anastomotic stricture)

⑥ 방사선 손상(radiation injury), 허혈(ischemia)에 의한 협착

⑦ 이물질에 의한 폐쇄

⑧ 장중첩증(intussusception)

(2) 임상양상

원인, 부위, 폐쇄의 정도, 및 발병의 급성 또는 만성 여부에 따라 다르다. 일반적으로 복부 팽만과 함께 복통을 호소하는데, 복통의 정도는 불편감부터 참기 어려운 심한 통증(복막염 진행의 경우)까지 다양하다.

(3) 진단

가장 먼저 평가해야 할 것은 폐쇄에 의한 장허혈과 천공의 발생 여부이다.

① 복부진찰: 초기에는 폐쇄에 대한 생리적인 반응으로 장관 운동성이 증가되어 장음이 항 진된다. 복막자극 징후가 있는 경우에는 완전폐쇄(complete obstruction)와 함께 장괴저 (intestinal gangrene)를 시사한다.

② 단순 복부 촬영: 폐쇄 부위 근위부에 과도한 가스 팽창과 함께 팽기(haustration)의 소실 과 공기-액체층(air-fluid level)이 관찰된다.

③ 복부골반CT: 폐쇄 유무, 폐쇄의 원인, 위치, 정도를 평가할 수 있다. 폐쇄로 인한 복막염, 장괴저, 천공이 의심되는 소견을 보이는 경우, 응급수술을 위해 외과와 상의해야 한다.

④ 내시경 검사: 복부골반CT에서 좌측 대장 폐쇄 소견을 보이는 경우, 관장으로 장정결을 시행하여 검사를 진행한다. 우측 결장 부분 폐쇄의 경우, 환자 상태에 따라 장정결제 복용 이 가능한 경우도 있으나, 장정결제 복용이 오히려 폐쇄 증상을 악화시킬 수 있으므로 주 의가 필요하다. 복부진찰, 복부골반CT에서 복막염, 장괴저, 천공이 의심되는 경우에는 내 시경을 시행해서는 안된다.

(4) 치료

대장 폐쇄가 확인되면 금식과 비위관(nasogastric tube) 삽입을 통한 근위부 위장관의 감 압과 수액 공급 및 전해질 이상 교정, 광범위 항균제 사용 등의 보존적 치료를 한다.

양성 질환에 의한 좌측 대장 폐쇄의 경우 내시경으로 협착부 근위부로 직장관(rectal tube) 을 유치시켜 감압을 유도할 수 있다.

문합부 협착에 의한 폐쇄와 같이 비교적 짧은 분절의 양성 협착에 의한 폐쇄에 대해서는 내 시경적 풍선확장술을 통해 감압을 유도할 수 있다.

대장암 또는 타장기 암의 대장 침윤에 의한 대장폐쇄에 대해서는 내시경 스텐트 삽입술을 시행할 수 있다.

적절한 감압이 이루어지지 않을 경우, 급격히 환자 상태가 악화될 수 있으므로 초기부터 외과와 협진을 하는 것이 좋다.

2) 가성 폐쇄

(1) 개요

급성 대장가성폐쇄(Acute colonic pseudo-obstruction or Ogilvie's syndrome)는 수술 후 혹은 중증 내과적 질환과 동반되어 발생한다(수술 후 발생하는 경우가 가장 흔함). 만성 대장가성폐쇄(Chronic colonic pseudo-obstruction)의 경우는 반복적으로 장폐쇄의 임상증상을 보이나 원인질환이 발견되지 않는 특발성인 경우가 많으며, 평활근, 장의 운동을 조절하는 카할간질세포(Interstitial cell of Cajal), 장의 움직임에 관여하는 중추 및 말초 신경계의 이상이 관여하여 유발된다.

(2) 임상양상

급성 대장가성폐쇄의 특징적인 임상 소견은 대변뿐만 아니라 가스도 배출되지 않는 된변비(obstipation)이다. 대부분 복부 불편감이 동반되지만, 통증이나 압통이 없는 경우도 많다. 만일 복부 통증이나 압통이 있는 경우에는 장허혈과 장천공의 징후일 수 있어 주의를 요한다. 청진에서 장음은 없거나 항진되어 들리는 등 다양하나, 대부분 고음조를 보여 기계적 장폐쇄와 비슷한 양상을 보인다.

만성 대장가성폐쇄의 경우 만성적인 복부 팽만과 복통, 변비 등을 호소하며 외래로 방문하는 경우와 급성으로 복부 팽만이 진행하여 응급실로 내원하는 경우가 있다. 급성 감염이나 특정 음식에 의해 악화되는 등 유발 요인이 있는 경우도 있지만, 특별한 원인이 없으면서 갑자기 증상이 발생하는 경우도 많다. 식사와 관련된 복부 팽만 증상으로 음식을 거부하는 경우가 많아 체중감소, 영양결핍상태가 흔하고 소장이 함께 침범된 경우는 구역, 구토를 호소하는 경우가 많다.

(3) 진단

① 병력청취

급성 증상인지 만성 증상인지 혹은 급성 악화를 반복적으로 경험하고 있는지 병력 청취를 통해 확인해야 한다. 이전에 대장 폐쇄 증상이 없던 환자에서 중증 내과 질환으로 중환자실에서 치료 중이거나, 외과 수술 후 상태인 경우에는 급성 대장가성폐쇄의 가능성을 우선적으로 고려한다.

② 단순 복부 촬영

폐쇄 부위 근위부에 과도한 가스 팽창과 함께 팽기(haustration)의 소실과 공기-액체층(air-fluid level)이 관찰된다. 만성 대장가성폐쇄의 경우, 장관 확장 정도에 비해 환자의 증상이 심하지 않을 수도 있다.

③ 복부골반CT

기계적 폐쇄와 구분하는데 용이하며, 진단에 있어 높은 민감도와 특이도를 보인다. 또한, 대장의 직경을 평가할 수 있어 유용하다. 만성 대장가성폐쇄의 경우 기질적인 병변이 없이 대장의 원위부가 정상 소견을 보이면서 근위부가 심하게 팽배하여 있는 소견을 관찰할 수 있다.

④ 대장내시경 또는 구불결장경

기질적인 병변을 확인하는 진단 목적과 함께 치료적 감압술이 가능하지만, 검사 수행 과정에서 천공과 같은 합병증이 발생할 수 있어 주의를 요한다.

⑤ 직장항문내압검사

만성 대장가성폐쇄 환자에서 직장항문억제반사가 소실될 경우 Hirschprung병 가능성이 있다.

⑥ 소장내압검사

만성 대장가성폐쇄의 원인 질환이 평활근 또는 신경인성 질환에 의한 것인지 판단하는데 도움을 줄 수 있으나 많은 시간과 노력이 필요하고 환자에게 힘든 검사법이기 때문에 거의 시행되지 않는다.

⑦ Cinematic MRI

장관의 확장 및 움직임을 실시간으로 관찰하기 위해 시행되고 있으나 아직 연구가 더 필요한 상황이다.

(4) 치료

① 보존적 치료

급성 대장가성폐쇄의 경우 금식과 비위관(nasogastric tube) 삽입, 수액 보충 및 K^+, Ca^{2+}과 같은 전해질 이상의 교정, 증상을 유발, 악화시킬 수 있는 약물 중단, 동반 질환의 적절한 관리와 같은 보존적 치료만으로도 20~92%의 환자들이 2~6일 이내 호전된다. 직장관의 거치는 구불결장이 이환된 경우 도움이 된다. 위장관 운동촉진제인 metoclopramide(효과가 있었다는 개별적 보고만 있음)를 사용하고 감염 또는 패혈증이 의심되는 경우 광범위 항균제를 사용한다. 무작위 대조 연구를 통해 효과가 입증된 약제로 acetylcholinesterase 억제제인 neostigmine이 있다. 이는 부교감 신경흥분제로 부작용으로는 복부경련통증, 타액과다분비, 발한, 구역/구토, 일과성 서맥 등이 발생할 수 있어 심전도 감시와 같은 심폐기능의 집중 감시가 필요하다. Neostgmine은 2 mg을 3~5분에 걸쳐 천천히 정맥 주사한다. 심혈관 부작용인 서맥의 발생을 줄이기 위해 1 mg으로 투약을 시작하기도 한다. Neostigmine 투여에 대한 평균 반응시간은 약 4분 정도이며, 대부분 투약 30분 이내에 가스가 배출되고 대장의 확장이 해소되는 등의 임상적 호전을 보이므로 투약 후 3시간이 지나도 반응이 없거나 제한적인 경우 두 번째 Neostigmine 투여

를 고려하는 것이 필요하다. 서맥 발생시 atropine의 즉각적인 투여가 필요하고 절대 금기
증으로는 기계적 장, 요로 폐쇄와 약제 과민성이 포함되며, 최근 발생한 심근경색, 산혈증,
천식, 서맥, 위궤양 출혈, 베타 차단제 사용과 같은 경우는 상대적 금기증으로 분류된다.

만성 대장가성폐쇄의 경우 치료가 매우 어렵다. 이차적으로 발생한 경우 근본 질환을 치료
하면서 호전되는 경우가 많으나 원발성인 경우 금식, 경정맥 영양공급, 약물 치료로 호전
이 되기도 하지만 반응이 없거나 천공등 합병증이 발생한 경우 수술적인 치료도 고려해야
한다.

② 대장내시경 감압술

급성 대장가성폐쇄 환자에서 보존적 치료에 반응이 없는 경우에 시행하게 된다. 이미 천공
이나 복막염이 발생한 경우에는 금기이다. 장정결 없이 관장 후 감압술을 하게 되며 일반
적으로 사용하는 anticholinergics와 opioid 계열의 진통제는 장운동을 억제하므로 사용
하지 않는 것이 좋다. 가능하면 과도한 조작은 피하고 송기를 최소화하며 무리하게 맹장까
지 삽관하지 않는다. 가능한 부위까지 삽입 후 대변과 가스를 흡입, 감압하는 것만으로도
효과적이다. 성공률은 61~95%까지 보고되나 재발률 또한 40%로 높다.

③ 수술적 치료

급성 대장가성폐쇄에서는 다른 치료에 반응이 없는 환자들이 대상이 된다. 기저질환의 상
태가 심하기 때문에 수술적 치료의 사망률은 6%에 이른다.

만성 대장가성폐쇄에서의 수술적 치료는 증상이 계속 재발하여 일상 생활이 불가능할 경
우, 장천공이나 괴사와 같은 합병증이 발생했을 경우 시행한다. 수술은 늘어난 장의 감압
을 위해 회장루(ileostomy)를 만들고 증상이 호전되면 다시 연결을 하는 경우도 있고, 대
장만을 침범한 경우 전 대장절제술을 시행할 수도 있다. 대장절제술을 시행하기 전 위와
소장의 기능을 평가하는 것이 중요한데 수술 후에도 지속적인 증상이 발생할 수도 있기 때
문이다.

XII 대장폴립 및 대장암

1. 대장폴립과 조기대장암

1) 대장폴립

(1) 대장폴립의 조직학적 분류

대장폴립은 조직학적 소견과 무관하게 편평하게 또는 볼록하게 융기된 병변을 통칭하는 용어이다. 대장에서 발생하는 종양성 병변은 표 4-67과 같이 크게 상피성 병변과 비상피성 병변으로 분류할 수 있다.

표 4-67. 대장내시경 중 발견되는 종양성 병변의 조직학적 분류

	Benign	Malignant
Epithelial lesion	Adenoma*	Adenocarcinoma*
	Serrated polyp Hyperplastic polyp Traditional serrated adenoma* Sessile serrated lesion*†	
	Hamartomatous polyp	
	Inflammatory polyp	
Non-epithelial lesion	Lipoma	Gastrointestinal stromal tumor*
	Lymphangioma	Sarcoma*
	Leiomyoma	Lymphoma*
	Hemangioma	Neuroendocrine tumor*
	Lymphoid polyp	

* 치료가 필요한 전암 또는 악성 병변
† 2019년 WHO에서는 sessile serrated adenoma, sessile serrated polyp, sessile serrated adenoma/polyp이라는 명칭 대신 sessile serrated lesion이라는 용어로 통일할 것을 권고한다.

가장 흔히 발견되는 폴립인 대장선종(adenoma)는 조직 소견에 따라 관상 선종(tubular adenoma), 관융모상 선종(tubulovillous adenoma), 융모상 선종(villous adenoma)로 분류할 수 있다. 크기가 1 cm 이상인 선종, 융모상 또는 관융모상 선종, 고도 이형성(high grade dysplasia)이 동반된 선종을 진행선종(advanced adenoma)으로 분류한다.

"톱니모양폴립"의 경우, "톱니모양"라는 용어는 병변의 육안 소견을 묘사하는 것이 아니라 조직 소견에서 대장의 샘(gland)이 톱니모양 변화(serration)를 보이기 때문에 붙여진 수식어이다. 톱니모양폴립에는 대장암 발생과 무관한 것으로 간주되는 증식성폴립 외에도 전암(precancerous) 병변에 해당하는 traditional serrated adenoma와 sessile serrated lesion이 있다. 대장선종, traditional serrated adenoma, sessile serrated lesion은 전암 병변으로 내시경 절제가 필요하다.

(2) 대장폴립의 형태학적 분류

대장폴립과 조기대장암은 Paris 분류법(Paris classification)에 따라 육안 소견을 기술할 수 있으며(그림 4-42), 크기가 1 cm 이상이면서 옆으로 자라는 양상의 넓고 편평한 병변은 별도로 측방발육형종양(laterally spreading tumor)라고 지칭하여 분류하기도 한다 (그림 4-43).

그림 4-42. 대장폴립을 기술하기 위한 Paris 분류법

Macroscopic Classification of Superficial Colorectal Neoplasms (Type 0)

Type 0- I (Polypoid or P-CRN*)

Type 0- II (Nonpolypoid or NP-CRN*)

Superficial Elevated (IIa)   Superficial Elevated (IIa)

Pedunculated (Ip)

Flat (IIb)

Sessile (Is)

Depressed(IIc)   Depressed(IIc)

*CRN: colorectal neoplasm

그림 4-43. 측방발육형 종양(Laterally spreading tumor, LST)의 분류

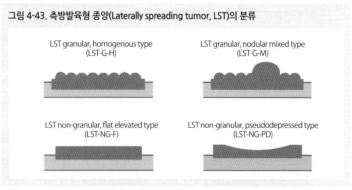

LST granular, homogenous type (LST-G-H)

LST granular, nodular mixed type (LST-G-M)

LST non-granular, flat elevated type (LST-NG-F)

LST non-granular, pseudodepressed type (LST-NG-PD)

(3) 대장폴립의 발견 및 진단

　다음과 같은 검사를 통해 진단 가능하다.

- 대장내시경
- 구불결장경(S결장경)
- 대장조영술
- CT 대장조영술(CT colonography)

　대장내시경은 대장폴립을 발견하기 위한 가장 좋은 방법이며, 조직 검사가 가능하고 폴립 절제술을 통해 치료도 가능하다는 대장조영술은 민감도가 낮고, 구불결장경은 근위 결장 관찰이 불가능하다는 단점이 있다. CT 대장조영술도 대장암 선별검사의 한 가지 방법으로 사용되고 있으나, 검사에서 이상 소견이 발견될 경우 대부분 대장내시경을 시행해야 한다.

2) 조기대장암

(1) 조기대장암의 정의

　림프절 전이 여부와 무관하게 암세포 침윤이 점막 또는 점막하층에 국한된 대장암

(2) 조기대장암의 림프절 전이 위험도

　대장의 점막에는 림프관이 없기 때문에 이론상으로 점막암(Tis)은 림프절 전이 위험이 없으나, 점막하층암(T1)에서는 림프절 전이 위험이 있다.

　표 4-68와 같은 병리 소견이 동반된 조기대장암은 림프절 전이 위험이 증가하므로 외과 수술의 적응이 된다.

표 4-68. 조기대장암 림프절 전이 위험인자(병리 소견)

Poor histologic type: poorly undifferentiated adenocarcinoma and signet ring cell carcinoma/ mucinous carcinoma
Deep submucosal invasion (depth of submucosal invasion ≥ 1,000 μm from muscularis mucosa or Haggitt level 4)
Lymphovascular invasion
Intermediate-to-high tumor budding

(3) 조기대장암의 림프절 전이 위험도 및 전이 여부 평가

　조기대장암의 림프절 전이 위험과 관련된 병리 소견은 결국 일괄절제된 병변 조직이 있어야 확인이 가능하므로 내시경 또는 외과적 절제가 이루어지기 전에 임상에서 확인하기는 어렵다. 그러나, 병변의 침윤 깊이는 확대내시경, 색소내시경, 협대역영상(narrow band imaging, NBI)을 활용한 병변 표면의 세부 특징으로 추정 가능하며, 비록 민감도와 특이도가 낮으나 복부골반CT도 조기대장암에서 림프절 전이 여부를 확인하기 위해 시행하게 되는 검사이다

(표 4-69). 내시경초음파도 침윤 깊이를 평가하기 위한 보조 검사로 활용할 수 있다.

표 4-69. 조기대장암의 림프절 전이 위험을 평가 하기 위한 검사

	침윤 깊이 평가	림프절 전이 여부 평가
필수 검사	고해상도 대장내시경(확대내시경/색소내시경/협대역영상 기법 활용)	복부골반 CT*
선택 검사	내시경초음파	내시경초음파 직장 MR

* 내시경 절제 전에는 조기대장암을 의심하지 못한 상태에서 절제 후 조기대장암(특히, 점막하층암)으로 진단된 경우에는 내시경 절제술 후 복부골반CT를 시행하게 된다.

3) 대장폴립 및 조기대장암의 치료

(1) 치료 대상 병변

대장폴립 중 암으로 진행할 가능성이 있는 폴립 또는 이미 암으로 진행한 폴립(조기대장암)은 제거해야 한다. 톱니모양폴립 중 증식성폴립은 악성화 가능성은 없는 것으로 여겨지지만 내시경 소견과 생검 조직 소견만으로 증식성폴립과 SSL을 감별하기 어렵기 때문에 구불결장보다 근위부에 위치하거나 크기가 5 mm 이상인(문헌에 따라서는 10 mm 이상을 기준으로 제시하기도 함) 톱니모양폴립은 내시경으로 절제하여 최종 병리 소견을 확인한다.

(2) 내시경 절제법

대부분의 대장폴립과 림프절 전이 위험이 낮은 조기대장암은 내시경 절제로 치료가 가능하다. 대장내시경을 이용한 내시경 절제법의 원리와 특성을 요약하면 표 4-70과 같다.

표 4-70. 내시경 절제법의 원리와 특성

절제법	원리 및 특성
생검겸자법	원리: 조직검사용 겸자로 제거 대상: 3 mm 이하 폴립에 최적 (최대 5 mm까지 가능) 출혈/천공 위험: 극히 낮음
저온올가미법	원리: 점막하용액 주입 없이 올가미로 조이면서 물리적 힘으로 절제 대상: 조기대장암 가능성이 없는 4-10 mm 크기 폴립 출혈/천공 위험: 매우 낮음
고온올가미법	원리: 점막하용액 주입 없이 올가미로 조인 후 전기로 절제 대상: 목있는 폴립(Paris Ip 형태)에서 사용 출혈/천공 위험: 저온올가미법과 유사하거나 높음
점막절제술	원리: 점막하용액 주입 후 올가미로 절제 대상: 10-20 mm 크기 병변, 20 mm 이상 병변의 경우 분할절제법 적용 지연 출혈: ~1% 천공 위험: ~1%
점막하박리술	원리: 점막하용액 주입 후 내시경용 점막절개도로 절제 대상: 20 mm 이상 병변, 편평한 형태의 조기대장암 의심 병변, 상피하종양 등 지연 출혈: ~2% 천공 위험: 2-10%(숙련자의 경우 2-3%)

(3) 내시경 절제술 관련 우발증

① 출혈: 출혈은 시술 중 발생하는 즉시 출혈과 시술 종료 후 발생하는 지연 출혈이 있다. 시술 중 발생하는 출혈은 바로 내시경으로 지혈술을 시행하게 되므로 임상적으로 문제가 되는 경우는 드물며, 실제 임상에서 문제가 될 수 있는 출혈은 시술 종료 후 발생하는 지연 출혈이다. 따라서, 입원 환자에서 폴립절제가 시행된 경우, 혈변을 포함하여 표 4-71에 기술된 증상 또는 징후가 관찰되는지 확인해야 한다. 지연 출혈은 대개 시술 종료 후 2주 이내에 나타나며, 혈액응고장애가 있는 환자, 항응고제 복용 환자, 혈소판감소증이 동반된 경우 등에서는 보다 늦은 시기에 지연 출혈이 발생하기도 한다.

② 천공: 각 시술법의 대략적인 천공 발생 위험도는 표 4-70과 같다. 시술 중 천공이 확인되는 경우는 대부분 클립(clip)을 이용하여 내시경으로 천공 부위를 봉합한 후, 금식, 항생제 투여, 수액공급을 포함하는 보존적 치료가 가능하다. 그러나, 이 경우에도 복막염을 시사하는 증상이나 활력징후의 변화가 있는지 면밀히 관찰해야 하며, 증상 악화 시에는 외과 수술을 고려해야 한다. 드물게 발생하는 지연천공의 경우, 대부분의 경우 복막염 증상을 동반하고 있고, 외과 수술이 필요하다.

③ 전기응고증후군: 전기를 사용하는 내시경 절제법(고온올가미법, 점막절제술, 점막하박리술)의 경우, 얇은 대장 점막이 전기손상을 입으면서 시술 후 마치 국소복막염과 같은 증상이 발생할 수 있다. 발열이 동반될 수 있으나, 발열이 없는 경우도 많으며, 대부분 시술 부위에 잘 일치하는 위치의 압통 및 가벼운 반발통으로 발현하지만, 드물게 명백한 복막염이 동반되기도 한다. 금식, 항생제 투여, 수액공급을 포함하는 보존적 치료를 하면서 천공에 준하여 환자 상태를 평가하고 모니터해야 한다.

④ 발열: 대장폴립절제술 후 복통이나 압통 없이 발열만 발생하는 경우가 1% 미만에서 있으나, 균혈증이 동반되는 경우는 매우 드물다. 다른 원인에 의한 발열이 아닌지 감별이 필요하다.

(4) 내시경 절제 후 추가 수술이 필요한 경우

조기대장암의 경우, 표 4-71에 기술한 위험인자가 있거나 불완전절제된 경우에는 림프절 전이 위험과 재발 위험을 고려하여 대장항문외과와 추가 수술 여부를 논의해야 한다.

표 4-71. 폴립절제 후 출혈 발생 시 나타날 수 있는 증상 및 징후

혈변
식은땀
복통을 동반한 장음 증가
혈압저하 및 기립성 저혈압
심박수 상승
어지러움 또는 syncope

2. 대장암

1) 역학

우리나라에서 2015년 인구 10만 명당 대장암 조발생률은 남자에서 65.6명, 여자에서 43.6명으로 남녀에서 각각 두 번째와 세 번째로 호발하는 암이다. 우리나라의 대장암 발생률은 2011년까지는 지속적으로 증가하다가 2012년부터 서서히 감소하는 추세이다.

2) 증상 및 징후

진행한 대장암의 경우, 병변의 위치에 따라 발현 증상에 차이가 있을 수 있다. 그러나, 이러한 차이는 절대적인 것은 아니며, 오히려, 분변잠혈검사를 통한 대장암 검진과 검진 대장내시경의 보편화로 비교적 초기에 병변이 발견되면서 무증상인 상태에서 대장암이 발견되는 경우가 빈번하다.

① 우측대장암: 폐색이나 배변 습관의 변화가 발생하기 전에 만성 출혈로 인한 빈혈로 발현할 수 있다. 그러나 출혈이 간헐적이기 때문에 대변 잠혈반응검사는 음성일 수 있다. 따라서 성인에서 설명되지 않는 철결핍성 빈혈이 있을 때는 대장 검사가 필요하다.

② 좌측결장암: 횡행 결장 원위부로는 고형변이 형성되기 때문에 대변 통과 장애로 인한 복통, 장폐쇄 증상, 천공이 나타날 수 있다. 특히 S결장 및 직장에서 발생하는 대장암은 대변 굵기의 감소, 육안적 혈변, 후중 등과 같은 배변 습관의 변화로 발현할 수 있다. 하부 직장암은 직장 수지검사로 종괴를 촉지할 수 있다.

③ 진행암의 경우 복부 종괴가 촉진될 수 있다.

3) 진행 대장암의 검사

진행 대장암 환자에서는 병력청취 및 진찰을 포함하여 표 4-72에 나열한 검사가 수행되어야 한다. 그 외 대장암의 진단 및 병기 설정과는 별개로 수술 전 평가 목적으로 폐기능검사, 심초음파를 선택적으로 시행하며, 직장암에서 수술 전 직장항문기능평가를 위해 항문직장내압검사(anorectal manometry)를 시행하기도 한다.

표 4-72. 진행 대장암 환자에서 수행하는 병력 청취 및 검사

기본검사

병력청취: 폐색이 동반된 경우, 치료 계획과 검사 진행에 반영되어야 하므로 복통 및 복부팽만감 여부와 정도, 배변 및 가스 배출이 원활한지 등 자세한 병력 청취가 필요하다. Lynch 증후군 등의 유전성대장암증후군에 의해 대장암이 발생하는 경우도 있으므로 자세한 가족력을 함께 청취해야 한다.

복부진찰: 복통을 동반한 경우에는 폐색 외에도 천공에 의한 복막염이 있을 수 있으므로 압통/반발통에 대한 확인이 필요하다.

직장수지검사

CEA: 치료 후 추적 관찰 및 예후 평가 목적으로 기저치 측정이 필요하다.

흉부단순촬영

복부단순촬영(supine/upright): 폐색이 의심되는 경우 반드시 촬영해야 한다.

대장내시경: 폐색이 의심되는 경우에는 장정결제를 복용하지 않고, 구불결장경으로 대체한다. 폐색 또는 천공이 의심되는 경우에는 대장내시경 시행 전 응급 복부골반CT를 시행한다.

흉부CT

복부골반CT

선택검사

직장 MR, 경직장초음파: 직장암의 경우 시행한다.

PET-CT: 모든 환자에서 시행하지는 않으며, 초진 환자에서는 치료적 수술이 가능한 간 또는 폐전이 병변이 있는 환자에서 CT/MR 등에서 발견되지 않은 원격 전이 병소 유무를 확인하기 위해 시행한다. 기타 전이 병소인지 명확하지 않은 이상 병소가 CT/MR에서 확인된 경우 임상적 판단에 따라 수행 가능하다.

CT colonography: 부분 폐색을 동반한 대장암에서 장정결제 복용은 가능하나, 대장내시경의 통과는 불가능할 때 폐색 부위 근위부 결장을 평가하기 위해 시행할 수 있다.

4) 대장암의 치료
(임상 병기 4기 대장암의 치료는 종양내과 대장암 챕터 참고)

(1) 수술
임상 병기 1-3기 대장암은 모두 수술의 적응이 된다. 그러나, 임상 병기 1기 중 내시경 소견에서 얕은 점막하층암에 해당하면서 복부골반CT에서 전이 소견이 없는 경우는 앞서 기술한 바와 같이 내시경 절제를 시행할 수 있다.

(2) 수술 후 보조화학요법
임상 병기 1-3기 대장암에 대해 수술을 시행한 후에는 외과 검체로 최종 병기를 확정하고 그 결과를 바탕으로 수술 후 보조화학요법을 결정한다.

(3) 항암화학방사선치료
국소 진행된 병기 2, 3기 직장암의 경우 골반내 재발의 감소를 위한 보조 치료로 수술 전 또는 수술 후 항암화학방사선치료를 시행한다.

5) 대장스텐트 삽입술

폐색을 동반한 대장암에서 수술 외에 내시경으로 대장스텐트 삽입술을 시행할 수 있다 (그림 4-44). 근치 수술이 가능한 대장암 환자가 폐색을 동반한 경우에는 수술 전 감압 목적으로 스텐트를 삽입함으로써 장루 형성 확률을 낮출 수 있다(bridge-to-surgery stenting). 근치 수술이 불가능한 환자에서 장기 폐색 완화 수단(palliative stenting)으로 삽입하게 된다.

스텐트 삽입을 고려할 정도의 폐색이 동반된 환자에서는 장정결제를 복용하더라도 정결 효과는 없고 오히려 폐색 증상만 유발 또는 악화시킬 수 있으므로 스텐트 삽입 전 장정결은 경구 장정결제 복용 없이 관장만 시행하도록 한다.

그림 4-44. 대장스텐트 삽입 원리

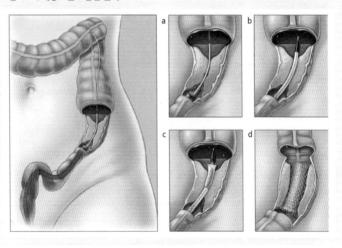

XIII *C. difficile* 감염

1. *C. difficile* 감염

1) 개요 및 정의

*Clostridium difficile*은 포자를 형성할 수 있는 그람 양성균으로, 1978년 항생제 관련 위막성 대장염(antibiotic-associated pseudomembranous colitis)으로 보고된 이래로 수십년에 걸쳐 병원감염 설사 및 항생제연관 장염 중 가장 중요한 원인균으로 알려져 있다. 항생제 연관 설사의 10-25%, 항생제 연관 대장염의 50-75%, 항생제 연관 위막성 대장염의 90-100%를 차지한다. 주로 입원해 있는 고령의 환자에서 최근 항생제 사용력이 있는 경우 잘 발생한다고 알려져 있었으나, 근래에 들어 북미 및 유럽에서 고병독성 균주(hypervirulent strain)가 등장함으로써 지역사회 감염(community acquired infection) 및 항생제 사용력이 없는 젊은 환자에서도 그 영향력이 커지고 있다.

C. difficile 감염의 임상 증상은 다양한 스펙트럼으로 나타날 수 있다. 치료를 필요로 하지 않는 자가한정 설사에서부터, 경도, 중등도, 중증, 전격성(fulminant) 형태로 분류될 수 있으며, 중증 CDI는 백혈구 수치가 15,000/mm^3 이상, 혈중 creatinine 농도가 기저치의 1.5배 이상인 경우로 정의되며 전격성 CDI는 저혈압이나 쇼크, 장마비, 거대결장 등이 동반된 경우이다. 치료를 위해 감수성이 있는 항생제를 일차적으로 사용하지만, 15-30%에서 재발하고, 한 번 재발했던 환자가 두 번째 재발할 가능성은 40%, 두번째 재발했던 환자가 세 번째 재발할 가능성은 63%로 보고되고 있다. 수차례 재발하거나 항생제에 반응이 없는 경우 최근 대변 세균총 이식을 시행하고 있으며 높은 치료 성적을 보인다.

2) 진단

24시간 동안 3회 이상의 unformed stool이 새로 발생하였으며 다른 이유(예를 들어 laxative 사용)로 설명되지 않을 때 진단검사를 통해 CDI 여부를 진단해야 한다. 증상이 없는 환자에서 검사를 시행하지 않아야 하며, 같은 episode 내에서 검사를 반복할 필요는 없다.

표 4-73. Tests for *Clostridium difficile* Infection, in Decreasing Order of Sensitivity (2017 IDSA guideline)

Test	Sensitivity	Specificity	Substance Detected	Utilization
Toxigenic culture	High	Low	*Clostridium difficile* vegetative cells or spores	Gold-standard. Difficult to perform & time consuming (24-48h)
Nucleic acid amplification tests (PCR)	High	Low/ moderate	*C. difficile* nucleic acid (toxin genes)	Fast PCR-based toxin gene testing. Most commonly employed in US. May increase detection of colonization and not true CDI.
Glutamate dehydrogenase	High	Low	*C. difficile* common antigen	High sensitivity, but cannot differentiate between toxigenic and nontoxigenic strains. Must use sequentially with toxin EIA confirmatory testing
Cell culture cytotoxicity neutralization assay	High	High	Free toxins	Diagnostic utility limited by labor-intensity and time to result.
Toxin A and B enzyme immunoassays (EIA)	Low	Moderate	Free toxins	Fast and specific for toxigenic strains. Limited by low sensitivity.

표 4-74. 서울아산병원에서 시행되고 있는 *C. difficile* 대변 검사

C. difficile 독소 직접검체 PCR	*C. difficile* toxin gene에 대한 PCR
Clostridium difficile study	*C. difficile* toxin, direct: Toxin EIA Toxigenic *C. difficile* culture: Toxigenic culture

표 4-75. Sigmoidoscopy 검사 시행을 고려해야 하는 경우

빠른 진단이 필요한 경우, 대변 검사가 불가능한 경우	Fulminant CDI 의심 시
CDI 외의 다른 질환 감별을 요하는 경우	치료 중 경과 악화 시
CDI 대변 검사가 모두 음성이나 임상적으로 의심되는 경우	

3) *C. difficile* infection (CDI) 치료 프로토콜(서울아산병원 2018년 개정)

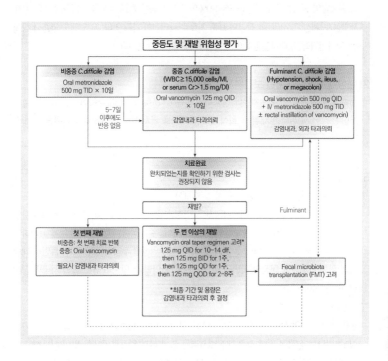

2. 대변 세균총 이식(Fecal microbiota transplantation, FMT)

1) 개요 및 정의

사람의 장내에는 1,013-1,014개에 이르는 세균, 곰팡이, 원생동물 등 다양한 미생물들이 존재하며, 사람의 총 세포수보다 10배 정도 많다고 알려져 있다. 이러한 미생물들을 통칭하여 장내 미생물군(세균총, Microbiota)라고 부르며, 장내 미생물들은 점막면역계 및 외부 환경과 끊임없이 상호작용을 하고 균형을 이루면서 장내 면역체계를 유지시켜주는 역할을 한다. 대변 세균총 이식은 건강한 사람의 장내 미생물을 수여자(이식을 받는 사람)의 위장관에 넣어주어 장내 미생물의 불균형을 회복하게 해주고, 궁극적으로 장내 미생물 불균형에 의한 질환을 치료하고자 하는 방법이다. 대변 세균총 이식은 비위관, 직장 관장, 위내시경, 대장내시경 등으로 시행할 수 있으며, 주로 건강한 공여자의 대변을 사용한다. 대변 세균총 이식은 1958년 위막성 대장염에서 처음 보고되었으며, 표준 항생제 치료에 효과가 없거나 재발이 반복되는 *C. difficile* 장염에서 대변 세균총 이식을 시행하였을 때 주입 경로와 관계없이 신속한 치료반응과 85-90%에 이르는 높은 치료 성적을 보여주고 있어 현재 재발성/난치성 *C. difficile* 장염의 표준 치료로 자리잡아 가고 있다. 그 외에도 염증성 장질환, 자가면역질환, 대사질환 등에서 활발히 연구가 진행 중이다.

2) 대상 및 방법(2016년 보건복지부 고시)

재발성 또는 기존 항생제 치료에 반응하지 않는 *C. difficile* 감염 환자에서 공여자 선별을 통한 건강한 자의 대변 채취 후 희석 및 처리과정을 거쳐 상부 또는 하부 위장관을 통해 주입한다.

3) 주입 경로

(1) 상부위장관을 통한 주입(NG tube, EGD)

NG tube를 이용하는 경우 FMT 시행 당일 아침 삽입하고, 복부 x-ray를 통해 위치를 확인한다. Tube 혹은 EGD를 통해 stool suspension을 주입하며, 환자의 BMI 등을 고려하여 주입량을 결정한다. (일반적으로 50 mL 미만) 상부위장관 주입의 경우 역류, 흡인성 폐렴 등의 위험성이 있고 대장의 병변을 직접 눈으로 확인할 수 없으며 튜브 삽입 시 불편감이 있다는 단점이 있다.

(2) Colonoscopy를 통한 주입

흡인성 폐렴 등의 상부위장관 주입에서 발생할 수 있는 합병증이 없고 병변을 눈으로 확인할 수 있다는 장점이 있어 최근 대장내시경을 통한 하부 위장관 주입을 많이 시도하고 있다. 대장내시경 시행을 위해서는 일반적으로 장정결이 필요하나 심한 대장염의 경우 장정결 자체가 위험할 수 있어 시술자의 의견에 따라 장정결 여부를 결정하는 것이 좋다. 대장내시경의 biopsy channel를 통해 stool suspension을 주입하며, 일반적으로 말단 회장부와 상행 결장부에 주입하나, 최종적인 주입 위치는 CDI 주 병변의 위치와 중등도 등을 고려하여 시술자가 최종적으로 판단한다. 일반적으로 200-500 mL 정도를 주입한다. 가능한 4시간 동안은 대변을 보지 않도록 하며, 이식 후 지사제 투여 여부는 감염내과 및 소화기내과의 타과의뢰 소견을 따른다.

(3) Retention enema를 통한 instillation

Rectal syringe를 통해 stool suspension을 주입하고, 환자는 좌측와위를 유지한다. 시술후 최소 6시간 동안은 hip을 올린 자세를 유지하도록 한다. 대장내시경에 비해 덜 침습적이라는 장점이 있으나, distal colon에만 주입된다는 단점이 있다.

3. 대변 세균총 이식 프로토콜(서울아산병원 2018년)

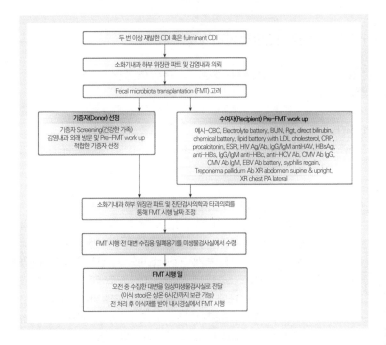

4. 대변 세균총 이식의 안전성

현재까지 대변 세균총 이식은 비교적 안전한 시술로 생각되고 있으나 심각한 합병증이 발생할 수 있는 시술이므로, 시술 전 주요 부작용 및 합병증에 대해서 충분히 설명해야 한다.

표 4-76.

Mino	Serious	Potential
Abdominal discomfort Bloating Flatulence Diarrhea/Constipation Borborygmus Nausea/Vomiting (particularly with oral FMT route) Transient fever	Complications of endoscopy (perforation, bleeding) Adverse effects related to sedation (aspiration) Transmission of enteric pathogens Peritonitis in a patient undergoing peritoneal dialysis Pneumonia IBD flares Infection and/or sepsis (infection may be a long-term sequelae) Post-infectious irritable bowel syndrome	Transmission of unrecognized infectious agents that cause illness years later (e.g., hepatitis C, HIV) Induction of chronic diseases based on alterations in the gut microbiota (e.g., obesity, diabetes, atherosclerosis, IBD, colon cancer, nonalcoholic fatty liver disease, IBS, asthma, autism)

XIV 염증성 장질환

1. 염증성 장질환의 진단 및 치료: 개요

장관에 만성 염증을 유발하는 원인 불명의 질환으로 크게 궤양성 대장염과 크론병으로 대별할 수 있다.

1) 진단

염증성 장질환의 진단은 임상적, 내시경적, 조직학적, 영상의학적 소견을 종합하여 내리게 된다.

(1) 궤양성 대장염(Ulcerative colitis)
① 임상양상: 대부분 혈변을 동반한 설사로 발현한다. 다수의 경우 직장의 염증을 동반하기 때문에 긴급배변(urgency)과 후중(tenesmus)이 동반되고 변실금(fecal incontinence)이 나타날 수 있다. 그러나 드물게는 변비(constipation)으로 발현할 수도 있다. 활동기에는 하복통이 동반될 수 있고 전신증상으로 식욕부진, 오심, 구토, 피로감, 발열, 체중감소를 나타낸다. 이러한 양상은 호전과 악화를 반복하는 만성 경과를 밟게 된다. 일부에서는 심한 혈변과 전신증상을 동반하는 전격성 경과를 밟기도 한다. 신체검사에서는 복부 압통, 직장수지검사에서 피와 점액이 묻어나오는 소견을 보일 수 있다.
② 검사실소견: 빈혈, CRP, ESR, 혈소판 등 급성기 반응물질의 상승. pANCA (perinuclear antineutrophil cytoplasmic antibody)가 약 60-70%에서 양성이다.
③ 내시경소견: 직장으로부터 근위부로 연속적으로 병변이 나타나는 것이 전형적이다. 병변의 범위는 직장, 좌측대장, 전대장이 가능하고, 전대장염의 일부에서는 말단회장부위에 염증을 동반하기도 한다(backwash ileitis). 일부 환자에서는 충수개구부 염증(appendiceal orifice inflammation)이 동반되기도 하며 이는 다른 병변과 건너뛰기 양상으로 관찰되기도 한다. 궤양성 대장염에서 병변의 특징은 점막의 부종, 미만성 발적, 과립상, 유약성, 접촉출혈, 궤양 등이고 염증이 심해지면 자발출혈의 소견을 보인다. 장기간 염증이 지속된 경우. 관해에 이르면 활동성 염증은 사라지나, 염증성 거짓폴립(inflammatory pseudopolyp)이 관찰되며, 섬유화, 반흔에 의하여 대장이 단축되거나 좁아지는 모양을 보일 수 있다.
④ 조직학적 소견: 염증이 점막 및 점막하조직에 국한되고, 염증세포의 침윤, 음와구조의 변형 및 파괴(crypt distortion), 음와농양(crypt abscess), 술잔세포(goblet cell)의 소실 등의 소견을 보인다.

⑤ 영상소견: 근래에 잘 시행하지는 않지만 바륨관장(barium enema)의 초기 소견은 미세과립상 점막소견이며, 진행함에 따라 점막비후 및 궤양이 관찰된다. 만성인 경우 haustration이 소실되고, 국소적 협착 및 염증성 거짓폴립이 관찰된다.

⑥ 합병증: 대량출혈, 천공, 협착, 대장암 발생, 독성 거대결장(toxic megacolon: 급성 복통, 복부 팽만, 발열, 빈맥, 탈수 등의 소견을 보이고 단순복부사진에서 가로결장의 직경이 6 cm 이상으로 늘어난 경우)

⑦ 궤양성 대장염 활동도 지수: 궤양성 대장염의 활동도를 보다 객관적으로 평가하기 위하여 혈변, 배변 횟수, 복통, 전신상태, 내시경 소견 등을 포함한 Mayo score가 사용되고 있다(참고문헌: Schroeder KW et al, N Engl J Med 1987;317:1625-1629).

(2) 크론병(Crohn's disease)

① 임상양상: 가장 흔한 증상은 만성적, 반복적인 복통과 설사이다. 또한 체중감소, 미열 등이 동반된다. 소장 점막이 광범위하게 침범되는 경우 흡수 장애로 영양 결핍이 초래되기도 하지만 지방변은 매우 드물다. 합병증으로 장관 협착에 따른 증상 및 미세 천공에 따른 복막염의 증상과 징후가 발생하기도 한다. 대장을 침범한 경우는 드물게 혈변이 나타나기도 하는데, 궤양성 대장염에서보다는 빈도가 낮다. 크론병에서는 인접 장기 및 피부와의 누공이 잘 발생하는데 소장-소장, 소장-대장, 장-방광, 장-질, 장-피부 누공 등 다양한 누공이 발생한다. 특히 잘 낫지 않고 재발하는 항문주위 누공이 첫 임상상으로 나타날 수 있다. 크론병은 궤양성 대장염과는 달리 대장뿐 아니라 입에서 항문까지 모든 장관을 침범할 수 있으며, 식도, 위, 십이지장을 침범하기도 한다.

② 검사실소견: 궤양성 대장염과 마찬가지로 빈혈, CRP, ESR, 혈소판 등 급성기 반응물질의 상승을 보일 수 있다. ASCA (anti-Saccharomyces cerevisiae antibody)가 약 60-70%에서 양성이다. 그러나 ASCA 양성이 크론병에 진단적이지는 않고, 불량한 예후와 관련이 있는 것으로 보고되고 있다. ASCA와 ANCA 결과를 조합하여 궤양성 대장염과 크론병의 감별 진단에 도움을 얻을 수도 있다.

③ 내시경소견: 대장내시경에서 궤양성 대장염과 비교할 때 직장 침범의 빈도는 낮고 아프타 궤양, 세로 궤양, 조약돌 모양상(cobblestone appearance)이 비연속적으로 나타나는 것이 특징이다. 점막하 조직의 비후 및 섬유화로 인한 장관 협착이나 누공 등이 관찰되기도 한다. 상부위장관 내시경 및 캡슐 내시경에서도 궤양성 병변을 관찰할 수 있다.

④ 조직학적 소견: 궤양성 대장염의 병변은 점막 및 점막하층에 국한되는 것과 비교하여 크론병은 대장의 전층을 침범한다. 비건락 육아종(noncaseating granuloma)이 진단에 도움을 주지만, 이는 일부 환자에서만 관찰되고, 다른 질환에서도 관찰될 수 있다.

⑤ 영상소견: 소장 촬영에서 아프타 궤양, 세로 궤양, 조약돌 모양의 점막을 관찰할 수 있다. 전산화 단층촬영에서는 침범 부위의 미만성 비후, 누공, 농양 등을 보인다. 최근에는 CT enterography와 MR enterography가 자주 시행된다.

⑥ 합병증: 누공, 천공, 협착, 흡수 장애, 출혈 등이 동반될 수 있다.

⑦ 크론병 활동도 지수: 크론병의 활동도를 평가하기 위한 크론병 활동성 지수(Crohn's disease activity index: 설사 또는 무른변 횟수, 복통, 전신 안녕감, 지사제 복용 여부, 장 외 침범, 체중 감소, 복부 종괴, 빈혈 여부를 종합하여 계산. 참고문헌: Best WR et al., Gastroenterology 1976;70:439-444) 및 Harvey-Bradshaw index(참고문헌: Best WR, Inflamm Bowel Dis 2006;12:304-310)가 주로 사용되고 있다.

(3) 장외 침범

염증성 장질환 환자의 약 1/3에서 장관 외 침범이 발생할 수 있다. 이에는 장질환의 활동도 와 관련이 있는 말초 관절염(peripheral arthritis), 결절홍반(erythema nodosum), 상공 막염(episcleritis), 구강 내 아프타 궤양(aphthous ulceration in oral cavity) 등이 있고, 장질환의 활동도와 관련이 불명확한 괴저농피증(pyoderma gangrenosum), 포도막염(uveitis), 일반적으로 장질환의 활동도와 무관한 강직성 척추염(ankylosing spondylitis), 원발성 경화 담관염(primary sclerosing cholangitis) 등이 있다.

2) 치료

(1) 궤양성 대장염

궤양성 대장염의 치료 목표는 임상적 관해를 유도하고 스테로이드 사용 없는 관해를 유지 함으로써 삶의 질을 향상시키고 유지하며, 대장암 발병 위험을 최소화하는 것이다. 이에 더하여 최근에는 점막 치유(mucosal healing)을 치료 목표로 하자는 주장이 제기되고 있 다. 일반적으로 궤양성 대장염의 치료는 병변의 범위와 임상적 중증도에 따라 결정하게 된다.

(2) 크론병

전통적인 크론병의 치료 목표는 관해의 유도와 유지, 크론병 및 크론병 치료 관련 합병 증 최소화, 그리고 삶의 질 향상과 유지라고 할 수 있다. 이에 더하여 최근에는 점막 치유 (mucosal healing)를 치료 목표로 하자는 주장이 제기되고 있다. 크론병은 주된 치료는 약 물 치료이지만, 경과 중 반복적 장절제술이 필요한 경우가 있다. 그렇지만 크론병은 수술적 치료로 완치는 불가능하고 수술 후에도 지속적인 재발 예방 치료가 필요하다. 아직 크론병 의 완치방법은 없고, 현재까지 효과가 입증된 치료방법들 중 임상적 상황에 맞는 적절한 치 료약제 선택이 필요하다. 흡연이 진행경과에 악영향을 미치는 것으로 알려져 있으므로 모 든 환자는 금연이 추천된다.

(3) 치료 약제의 종류

① 5-ASA (5-aminosalicylates)

② Glucocorticoids

③ Antibiotics

④ Immunomodulators (Azathioprine & 6-MP, Methotrexate, Cyclosporine)

⑤ Biologic agents (infliximab, adalimumab, golimumab, vedolizumab, ustekinumab)

⑥ Small molecules (tofacitinib)

(4) 염증성 장질환에서 수술

일차적으로는 내과적 치료에 반응이 불충분하거나 없는 경우, 약제의 부작용이나 불내성으로 지속적인 투여가 불가능한 경우 적응이 된다. 또한 독성 거대결장, 천공, 협착으로 인한 장폐쇄, 누공, 농양 형성, 조절되지 않는 출혈, 병발한 악성종양 등이 수술의 적응이 된다. 궤양성 대장염에서는 total proctocolectomy with ileal pouch-anal anastomosis를 주로 시행하고, 크론병에서는 병변에 따라 resection and anastomosis, strictureplasty, total proctocolectomy, ileostomy 등을 시행한다. 크론병의 수술 후 재발에는 metronidazole, azathioprine, 6-MP, infliximab이 효과가 있는 것으로 알려져 있다.

2. 급성 중증 궤양성 대장염의 치료

1) 환자 평가

(1) CBC, ESR, CRP, Chemical battery, BUN/P, electrolytes, Mg

(2) Stool samples: *C. difficile* test, culture for bacterial pathogen

(3) Baseline abdominal X-ray: perforation이나 abdominal sepsis가 의심되면 CT 검사

(4) Sigmoidoscopy with biopsies (No bowel preparation, no colonoscopy)

① 내시경 중증도, *C. difficile* infection, CMV colitis 평가 목적으로 입원하면 곧바로 시행

② Second look sigmoidoscopy: 스테로이드에 실패한 경우 CMV infection과 수술 위한 disease activity 재평가를 위해 시행 고려

(5) LTBI W/U

① History, chest X-ray, PPD, IGRA

② Infliximab 사용에 대비하여 입원하면 곧바로 시행

2) 치료 원칙

(1) Fluid and electrolyte: hypokalemia가 나타나지 않도록 주의(4 mEq/L 이상 으로 유지)

(2) Anemia 교정

① Transfusion: Hb이 10 g/dL 미만이면 고려

② Iron supplement: 경구 투여는 가능하면 피하고 IV로 투여

(3) Diet

① Bowel rest가 관해유도에 도움이 되는 것은 아니며 적절한 영양섭취가 중요

② 식사에 의해 복통, 혈변 등이 악화되지 않는다면 식사 허용

③ TPN은 경구 섭취가 어렵고 영양이 나쁜 경우에만 시행

(4) Prophylaxis for thromboembolic complications: low molecular weight heparin

(5) 항콜린제, opiates, 또는 지사제는 독성거대결장의 위험성을 증가시키므로 사용 을 피한다.

(6) Empiric antibiotics의 routine use는 권장되지 않는다.

3) 스테로이드

(1) IV corticosteroids가 first-line medical therapy: up to 60 mg/day of methylprednisolone

(2) 3-5일 내에 호전을 보이지 않으면 second-line medical therapy 또는 수술을 고려

4) Medical rescue therapy: cyclosporine 또는 infliximab으로 시행

(1) Cyclosporine: 2 mg/kg/day로 시작하여 blood level을 보면서 용량을 조절. IV cyclosporine에 반응이 있으면 경구 투여로 바꾸고 AZA/6-MP도 투여하기 시작

(2) Infliximab: 우리나라는 0, 2, 6주에 standard dose (5 mg/kg)를 사용하는 것 만 가능. 외국보고에서는 accelerated induction 시도(예: 10 mg/kg로 시작하여 3-5일 후 반응이 없으면 다시 10 mg/kg 투여하고 다시 3-5일 후 반응이 없으면 수 술. 반응이 있으면 2, 6주에 10 mg/kg 투여하고 이후 blood level에 따라 4주 또는 8주 간격으로 유지요법)

(3) Infliximab이나 cyclosporine에 대한 반응여부 평가는 5-7일 이내에 시행

(4) Cyclosporine과 infliximab 중 한가지에 실패한 경우 다른 한가지를 이어서 사용

하는 것은 바람직하지 않음.

(5) Infliximab과 cyclosporine의 efficacy는 비슷하다. 그러나 부작용이 적고, 사용이 간편하며, 유지요법으로 사용하기 적합하다는 점에서 많은 의사들이 infliximab을 선호한다.

5) 수술

(1) Systemic toxicity나 toxic megacolon을 보이는 경우에는 신속하게 외과 의뢰

(2) 일차적인 스테로이드 치료에 실패하여 infliximab이나 cyclosporine 사용을 고려하는 경우에는 동시에 surgical consult도 해놓는다.

(3) Infliximab이나 cyclosporine에 5-7일 이내에 반응을 보이지 않는 경우는 poor outcome을 보이므로 수술이 바람직하다.

(4) 수술방법: acute severe UC에서는 three stage surgery가 procedure of choice

① 1st stage: Subtotal colectomy and ileostomy

② 2nd stage: Proctectomy and IPAA

③ 3rd stage: Ileostomy closure

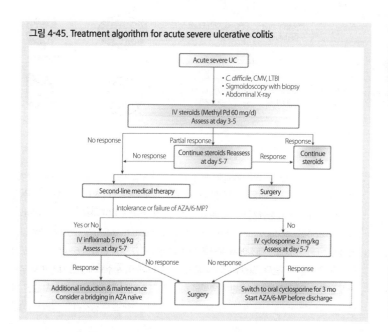

그림 4-45. Treatment algorithm for acute severe ulcerative colitis

3. 5-ASA 사용 방법

1) Aminosalicylate의 분류

표 4-77. Aminosalicylate의 분류

	Name	Formulation and delivery mechanism		Sites of delivery
Azo-bond	Sulfasalazine (Zopyrin)	Sulfapyridine carrier	⬡ = ●	Colon
	Balsalazide (Colazal)	Aminobenzoyl-alanine carrier	⬡ = ●	
	Olsalazine (Dipentum)	5-ASA dimer	● = ●	
Delayed release	Mesalamine (Asacol)	Coated with Eudragit S: release at pH>7	⬭	Distal ileum-colon
	Mesalamine (Salofalk)	Coated with Eudragit L: release at pH>6	⬭	Ileum-colon
Sustained release	Mesalamine (Pentasa)	Ethylcellulose microgranules: time- and pH-dependent	⬤	Stomach-colon

Aminosalicylates는 5-aminosalicylic acid (5-ASA)를 치료 성분으로 갖고 있는 약물의 총칭으로 경증 또는 중등증 염증성 장질환의 치료에 가장 널리 쓰여온 약제이다. 수많은 aminosalicylate 중에서 sulfasalazine은 가장 처음 개발되어 사용되어 온 약제이다. Sulfasalazine은 sulfapyridine과 5-aminosalicylic acid (5-ASA)가 azo-bond로 결합되어 있는데, 이 결합은 대장에서 세균에 의해 분리되며 그 결과 방출된 5-ASA가 국소적인 치료 효과를 나타낸다. Sulfapyridine은 5-ASA가 중도에 흡수되지 않고 대장까지 무사히 도달할 수 있도록 해주는 운반체 역할을 하는데, 그 자체의 치료 효과는 확실치 않은 반면 sulfasalazine의 부작용은 대부분 sulfapyridine 성분 때문으로 생각된다. 따라서 80년

대 들어 sulfapyridine 성분을 배제한 새로운 aminosalicylate가 개발되어 사용되고 있다. 새로운 aminosalicylate의 제조방법은 5-ASA를 코팅하여 상부 위장관에서 흡수되지 않도록 한 mesalamine (mesalazine) 제제와 5-ASA를 sulfapyridine 이외의 다른 운반체와 azo-bond로 결합시킨 제제로 나눌 수 있다.

2) Aminosalicylate의 적응증

(1) Ulcerative colitis

① Mild to moderate disease

② Maintenance of remission

(2) Crohn's disease

① Mild to moderate disease

- Effect of sulfasalazine: yes
- Effect of mesalazine: yes or no

② Maintenance of medically induced remission

- Effect of sulfasalazine: no
- Effect of mesalazine: yes or no

③ Prevention of post-op recurrence

- Effect of sulfasalazine: no
- Effect of mesalazine: yes or no

3) 경증-중등증 궤양성 대장염에서 aminosalicylate의 사용

(1) Proctitis or left-sided colitis

① Topical aminosalicylate가 1차 치료제로 사용된다. 왜냐하면 이 상황에서는 oral aminosalicylate나 topical steroid보다 치료 효과가 더 좋기 때문이다. 그러나 oral aminosalicylate나 topical steroid와 함께 사용하면 치료 효과가 더 높아진다.

② Proctitis에서는 대개 topical aminosalicylate 단독으로 치료를 시작하고, left-sided colitis에서는 oral aminosalicylate를 같이 쓰는 수가 많다.

(2) Extensive colitis

① Oral aminosalicylate로 치료를 시작하지만 이때도 topical aminosalicylates를 함께 사용하는 것이 좋다.

4) 중증 궤양성 대장염에서 aminosalicylate의 사용

① 금식 상태가 아니고 그 동안 별문제 없이 경구 aminosalicylate를 사용해오던 환자라면 스테로이드를 정맥 주사하는 동안에도 계속해서 경구 aminosalicylate를 사용할 수 있다. 그러나 이럴 때 경구 aminosalicylate를 같이 쓰는 것이 더 도움이 된다는 증거는 없다.

② Aminosalicylate를 사용한 적이 없는 환자에서는 aminosalicylate의 부작용으로 인한 소화기 증상과 궤양성 대장염의 증상이 혼동될 수 있으므로 사용을 보류한다.

③ Aminosalicylate의 사용을 보류하였다면 증상이 호전되어 스테로이드를 경구 투여로 바꿔서 점차 줄여갈 때 투여하기 시작한다.

④ Topical aminosalicylate는 국소 스테로이드와 달리 중증 궤양성 대장염 환자에서 연구되어 있지 않다. 또한 이런 상황에서는 국소 스테로이드보다 못할 것(less well tolerated)으로 생각된다.

5) 관해기 궤양성 대장염에서 aminosalicylate의 사용

① Sulfasalazine은 관해에 도달하면 대개 관해유도를 위하여 사용했던 용량을 줄여서 사용한다. Sulfasalazine과 달리 mesalamine은 부작용이 적으므로 관해유도에 사용한 용량을 관해 상태에서도 계속 사용할 수 있다. 특히 관해에 도달한 지 얼마 되지 않았거나 용량을 줄인 후 재발한 환자에서는 관해유도 용량을 계속 사용한다.

② Distal colitis에서 관해 도달 후에도 topical aminosalicylate를 매일 사용하는 것이 효과 면에서는 바람직하다. 그러나 사용이 불편하므로 사용 간격을 늘린다든지 경구 제제로 바꾼다든지 하는 방법이 필요할 수도 있다.

6) Aminosalicylate의 용량

① Oral mesalamine을 관해유도 목적으로 사용할 때는 대개 2 g/d 이상의 용량을 권장한다.

② 모든 제형에 대해 multiple times per day dosing 보다 once-daily dosing이 권장된다.

③ 서로 다른 aminosalicylates의 작용 부위는 5-ASA의 전달 기전에 따라 다소 차이가 있지만 5-ASA의 함량이 같다면 치료 효과는 큰 차이가 없는 것으로 생각된다.

④ Topical mesalamine을 관해유도 목적으로 사용할 때는 1 g과 4 g은 비슷한 효과를 보인다.

표 4-78. Aminosalicylate의 제형별 용량

제형	종류(단위 용량)	작용 부위	관해유도 용량	관해유지 용량
Oral	Zopyrin (500 mg)	대장	3-6 g/d	2-4 g/d
	Colazal (750 mg)	대장	6.75 g/d	3-6 g/d
	Asacol (400 mg)	원위 회장-대장	2.4-4.8 g/d	0.8-4.8 g/d
	Salofalk (250 mg)	회장-대장	1.5-3 g/d	0.75-3 g/d
	Pentasa (500 mg)	위-대장	2-4 g/d	1.5-4 g/d
	Mezavant (1200 mg)	원위 회장-대장	2.4-4.8 g/d	2.4-4.8 g/d
Suppository	Salofalk (250 mg)	직장	0.75-1.5 g/d	0.5-1 g/d
	Asacol (500 mg)			
	Pentasa (1 g)			
Enema	Salofalk (2 g/30 mL)	직장-비장굽이	1-4 g/d	1 g/d 또는 2-4 g every 1-3d
	Salofalk (4 g/60 mL)			
	Asacol (4 g/100 mL)			

7) Molar ratio of aminosalicylates

(1) Sulfasalazine과 같은 prodrug은 5-ASA뿐만 아니라 다른 성분도 갖고 있으므로, 서로 다른 aminosalicylates를 비교할 때는 5-ASA의 양으로 비교하여야 한다.

(2) 5-ASA의 양
  ① 5-ASA 1 g in mesalamine 1 g
  ② 5-ASA 0.4 g in sulfasalazine 1 g
  ③ 5-ASA 0.36 g in balsalazide 1 g

(3) Equimolar doses of 5-ASA compounds
  ① Mesalamine 2.4 g = Balsalazide 6.75 g = Sulfasalazine 6 g
  ② Mezavant 2 T = Asacol 6 T = Colazal 9 C = Zopyrin 12 T

8) 부작용

① Sulfapyridine 성분은 엽산의 흡수를 방해하므로 sulfasalazine을 사용할 때는 1 mg/d의 엽산을 보충해 준다.

② Sulfasalazine은 정자의 숫자나 운동성을 감소시켜 male infertility를 초래할 수 있지만 약을 끊으면 3개월 이내에 회복되며, 여자의 생식 기능에는 영향을 미치지 않는다.

③ Mesalamine에서도 headache, anorexia, nausea, dyspepsia 등이 가장 흔한 부작용이다.

④ Nephrotoxicity에 대해 주기적인 renal function 모니터링(serum creatinine)이 필요하다.

표 4-79.

	Sulfapyridine component	5-ASA component
Dose dependent	Headache Anorexia, nausea, dyspepsia Folate deficiency anemia Male infertility	Nephrotoxicity
Dose independent	Anaphylaxis Rash, toxic epidermal necrolysis Agranulocytosis, autoimmune hemolysis, aplastic anemia, leukopenia	Worsening colitis Pancreatitis Hepatitis Pneumonitis

4. 스테로이드 사용 방법

1) Preparations and indications

- No role in maintaining remission of UC or CD
- No role in the treatment of perianal CD
- Bioavailability: oral prednisolone 평균 70% 이상; hydrocortisone enema 15–30%
- Clipper SR tab: 임부금기 약품, 태약독성 유발 가능성 높음, FDA 임신카테고리[C], 4주 이상의 투여는 추천되지 않는다[고시].
- Entocort enema soln : 1일 1회 4주용법[고시]

2) Locally active steroids

(1) Low systemic bioavailability due to high first-pass metabolism in liver
흡수되면 간을 통과할 때 90%가 대사되어 버리므로 systemic bioavailability가 낮아 전신적 부작용이 적다.

(2) 제형

표 4-80. Locally active steroid의 종류

	Topical	Oral	Oral
상품명(용량)	Entocort (2.3 mg/115 mL) 	Clipper (5 mg/Tab) 	Cortiment (9 mg/Tab)
투여 또는 도달 방법	Enema	Colonic-release	현재 국내 시판 안 됨
적응증	Distal UC	Mild to moderate UC	

3) Relative anti-inflammatory and mineralocorticoid activity

표 4-81. 스테로이드의 항염증 및 당질코르티코이드 효과 비교

Generic name	Anti-inflammatory activity	Mineralocorticoid activity
Hydrocortisone	1	++
Prednisolone	4	+
Methylprednisolone	5	+/-

4) 초기 사용량 및 용법

(1) Oral corticosteroids

① Prednisolone (systemic) 40-60 mg

② Budesonide (non-systemic) 9 mg(현재 국내 시판 안 됨)

③ Beclomethasone (non-systemic) 5 mg

(2) Parenteral corticosteroids

① Methylprednisolone 40-60 mg

② Hydrocortisone 300-400 mg

(3) Oral Pd를 하루 1번 투여하는 것은 2번에 나누어 투여하는 것에 비해 비슷한 효과를 보이는 반면에 부작용은 더 적다. 그렇지만 divided dosing이 필요한 경우도 있는데 첫째, nocturnal bowel movement가 있는 경우, 둘째, severe colitis에서 intravenous corticosteroids를 사용하다가 oral corticosteroids로 바꾸는 transition period에 divided dosing을 사용할 수 있다.

(4) Parenteral corticosteroids를 사용할 때는 continuous infusion과 bolus intravenous dosing 간에 효과 면에서 차이가 없다.

(5) Parenteral corticosteroids를 사용할 때는 hydrocortisone보다 methylprednisolone을 선호하는 의사가 많은데 그 이유는 methylprednisolone이 minimal mineralocorticoid effect를 보이기 때문이다.

5) 경구 스테로이드의 감량 요령

(1) Initial dosage: prednisolone 40-60 mg/d 또는 0.8-1 mg/kg

• No tapering prior to clinical remission

• Generally 2 to 4 weeks

(2) Tapering down to 20 mg/d: 5-10 mg/week

(3) Tapering below 20 mg/d: 2.5-5 mg/week

① 우리나라 환자는 체구가 작은 것을 감안하여 대개 prednisolone 40 mg 또는 그 이하로 시작한다. 특히 증상이 별로 심하지 않고 과거에 스테로이드에 빠른 반응을 보였다면 20-40 mg의 용량으로 시작이 가능할 것으로 보인다.

② 감량 속도는 스테로이드에 대한 반응의 속도와 정도에 따라 조절이 가능하다.

③ Parenteral corticosteroids 의 경우에도 경구 스테로이드와 마찬가지로 감량한다.

6) 경구 beclomethasone 용법

5 mg/d for 4 weeks, then 5 mg/eod for 4 week, 증상에 따라 3일에 한 번 투여하는 방식으로 천천히 줄여나갈 수도 있다.

7) 국소 budesonide enema 용법

증상 악화 시 1회/일로 2-4주 사용 후 중단

8) 부작용(Systemic steroids ≫ Locally active steroids)

(1) Early effects: cosmetic effects (acne, moon face, edema, skin striae), sleep and mood disturbance, dyspepsia or glucose intolerance

(2) Effects associated with prolonged use [usually >12 weeks, but sometimes less] : cataract, osteoporosis, avascular necrosis, myopathy and opportunistic infection

① 장기 투여 시 Osteoporosis 예방을 위해 Calcium/Vit D 투여를 고려할 수 있다.

② 일반적으로 *Pneumocystis jiroveci* pneumonia (PCP) 예방은 권고되지 않는다.

(3) Effects during withdrawal: adrenal insufficiency, pseudo-rheumatism (myalgia, malaise and arthralgia), increased intracranial pressure

5. 염증성 장질환에서의 빈혈: 진단 및 치료

1) 언제 빈혈에 대한 Screening 검사를 해야 하나?

(1) CBC, serum ferritin, CRP

① Remission or mild: every 6-12 months

② Outpatients with active disease: at least every 3 months

(2) Serum folate, vitamin B12

① In patients at risk for vit B12 or folate deficiency (e.g. small bowel disease)

② At least annually, or if macrocytosis is present in the absence of thiopurine use

2) 빈혈이 발견되었을 때 추가 검사는?

(1) Minimum: CBC, CRP, Ferritin, Iron, TIBC, Transferrin saturation, Reticu-locyte count

(2) Additional: Blood cell morphology and CBC, Vitamin B12, Folate, Trans-ferrin, Haptoglobin, LDH, Creatinine

3) 주로 사용하는 경구 철분제는 무엇이며, 투여 용량은?

(1) 주로 사용하는 철분제

Feroba (ferrous sulfate, 256 mg TAB, Fe^{++} 80 mg)

Bolgre cap (iron acetyltransferrine, 200 mg CAP, Fe^{+++} 40 mg)

Bolgre soln (iron acetyltransferrine, 10 mL PK, Fe^{+++} 40 mg, 보험기준 확인필요)

Norferro cap (ferrous sulfate, 613.3 mg CAP, Fe^{++} 100 mg, 자체 비급여)

(2) 투여 방법: 일반 성인의 경우 100-200 mg elementary iron 매일 투여

4) 주로 사용하는 주사 철분제를 무엇이며, 투여 용량은?

(1) Venoferrum (Iron hydroxide sucrose, 5 mL AMP, Fe^{+++} 100 mg)

투여 방법: 일반 성인의 경우 Venoferrum 10 mL (200 mg iron)을 N/S 150 mL에 희석하여 30분 이상 IV 투여, 1주일에 2-3회

(2) Ferinject (Ferinject inj, Ferric hydroxide carboxymaltose, 10 mL VIA, Fe 500 mg)

① 자체비급여(158,400원)

② 투여방법: 일반 성인의 경우 Ferinject 10-20 mL (500-1,000 mg iron)을 N/S 150 mL에 희석하여 15분 이상 IV 투여, 1주일에 1회

빈혈은 IBD 환자의 가장 흔한 전신적 합병증 중 하나이다. 따라서 어느 정도의 빈혈을 당연한 것으로 간주하고 특별한 검사나 치료를 하지 않는 잘못을 범하기 쉽다. 그러나 IBD 환자에서 빈혈의 원인은 다양하므로 적절한 검사가 필요하며, 아울러 빈혈을 적절히 치료해 주어야 삶의 질을 향상시킬 수 있다. 특히 iron deficiency는 fatigue나 shortness of breath와 같은 빈혈에 특이적 증상 외에도 다양한 장애를 일으킬 수 있고 특히 mucosal regeneration에도 영향을 미치므로 iron deficiency가 있으면 IBD의 병변 치유에 장애가 올 수도 있다. 하지만 IBD 환자에서 빈혈의 원인을 판정하는 것은 여러 요인으로 인하여 쉽지 않은 경우가 종종 있으며, 치료 역시 어려움을 겪는 수가 드물지 않으므로 IBD 환자에서의 빈혈의 진단 및 치료와 관련된 문제점들을 정확히 알고 있어야 한다.

5) 빈혈의 빈도: 6-74%(평균 17%)

6) 빈혈의 원인

(1) Common

① Iron deficiency (most common)

② Anemia of chronic disease (2nd most common)

(2) Occasional

① Folic acid deficiency

② Vitamin B12 deficiency

③ Drug-induced (sulfasalazine, azathioprine/6-MP)

(3) Exceptional

① Hemolytic anemia

② Myelodysplastic syndrome

③ Aplasia (often drug-induced)

④ Inborn hemoglobinopathies or disorders of erythropoiesis

7) 빈혈의 screening

(1) CBC, serum ferritin, CRP

① Remission or mild: every 6-12 months

② Outpatients with active disease: at least every 3 months

(2) Serum folate, vitamin B12

① In patients at risk for vit B12 or folate deficiency (e.g. small bowel disease or resection)

② At least annually, or if macrocytosis is present in the absence of thiopurine use

그림 4-46. 소화흡수에서 위장관 부위별 역할

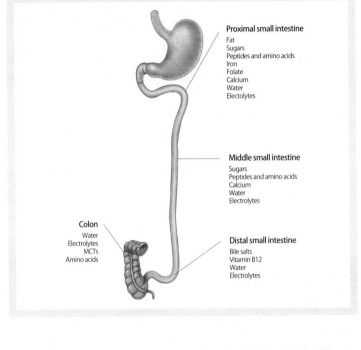

Proximal small intestine
Fat
Sugars
Peptides and amino acids
Iron
Folate
Calcium
Water
Electolytes

Middle small intestine
Sugars
Peptides and amino acids
Calcium
Water
Electrolytes

Colon
Water
Electrolytes
MCTs
Amino acids

Distal small intestine
Bile salts
Vitamin B12
Water
Electrolytes

8) 빈혈의 workup(2019년 서울아산병원 기준): Hb이 정상보다 낮을 때 시행

표 4-82. 서울아산병원 염증성 장질환 센터 빈혈 평가항목

Minimum workup	Additional workup*
CBC	Blood cell morphology and CBC
CRP	Vitamin B12
Ferritin	Folate
Iron	Transferrin
TIBC	Haptoglobin
Transferrin saturation	LDH
Reticulocyte count	Creatinine

* Additional workup은 minimum workup에서 빈혈의 원인이 밝혀지지 않았거나 치료해도 반응이 없을 경우에 시행한다.
* Workup을 충분히 해도 빈혈의 원인이 명확하지 않을 경우 hematologist에게 자문을 구해야 한다.

9) 빈혈 진단의 문제점

(1) Serum ferritin

① Acute phase reactant이므로 iron deficiency가 있어도 염증이 함께 있으면 증가할 수 있다.

② 따라서 염증이 없는 사람에서는 serum ferritin이 30 ug/L 미만(AMC는 10 ug/L 미만)이면 iron deficiency를 시사하지만, 염증이 있는 경우에는 기준치가 100 ug/L까지 높아질 수 있다.

③ Anemia of chronic disease의 진단 기준은 serum ferritin >100 ug/L이고 transferrin saturation <16%이다. Serum ferritin이 30-100 ug/L이면 IDA와 ACD가 겹쳐 있을 가능성이 있다.

④ IV iron 제제를 사용한 뒤 8주까지는 ferritin이 body iron store를 적절하게 반영하지 못한다(ferritin 합성이 증가되어 부적절하게 높게 측정됨).

표 4-83. Degree of iron deficiency evaluated by serum ferritin or transferrin saturation in adults

	Serum ferritin (ug/L)	Transferrin saturation (%)
Depleted iron stores in quiescent IBD	<30	<16
Depleted iron stores in active IBD	<100	<16
Adequate iron stores	>100	16-50
Potential iron overload	>800	>50

Transferrin saturation = (Iron/TIBC)×100

(2) MCV

① Iron deficiency가 있으면 MCV가 감소하여 microcytic anemia가 생긴다.

② 반면에 azathioprine을 사용 중이거나 vitamin B12 또는 folic acid deficiency가 있으면 macrocytic anemia가 생긴다.

③ 따라서 iron deficiency가 있어도 azathioprine을 사용 중이거나 vitamin B12 또는 folic acid deficiency가 함께 있으면 MCV의 감소가 나타나지 않을 수도 있다.

(3) IBD 환자에서는 serum ferritin이나 MCV 수치에 의해 iron deficiency를 판정하는 것이 쉽지 않은 경우가 있으므로, 빈혈이 iron deficiency에 의한 것인지 여부가 불확실한 경우에는 iron supplementation을 4주 정도 시행하고 반응여부를 살펴볼 수 있다.

10) 빈혈 치료의 목표

Hb 수치(남자 >13 g/dL, 여자 >12 g/dL)와 iron store를 정상화하고, 환자의 삶의 질을 향상

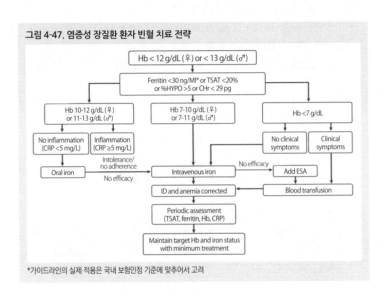

그림 4-47. 염증성 장질환 환자 빈혈 치료 전략

*가이드라인의 실제 적용은 국내 보험인정 기준에 맞추어서 고려

11) Iron supplementation 제형(2018년 서울아산병원 기준)

표 4-84. 서울아산병원 철분제 제형

Route	약품명	성분	제형	철분 함유량	가격 (원)	보험
Oral	Feroba	Ferrous sulfate	256 mg TAB	Fe^{++} 80 mg	71	급여
	Bolgre cap	Iron acetyltransferrine	200 mg CAP	Fe^{+++} 40 mg	404	급여
	Bolgre soln	Iron acetyltransferrine	10 mL PK	Fe^{+++} 40 mg	572	보험 인정 기준 확인
	Ferromax soln	Ferric hydroxide	5 mL PK	Fe^{+++} 100 mg	248	
	Norferro cap	Ferrous sulfate	613.3 mg CAP	Fe^{++} 100 mg	990	자체 비급여
IV	Venoferrum inj	Iron hydroxide sucrose	5 mL AMP	Fe^{+++} 100 mg	4,972	보험 인정 기준 확인
	Ferex inj	Iron hydroxide sucrose	10 mL AMP	Fe^{+++} 200 mg	8,643	
	Monofer inj	Iron (isomaltoside)	2 mL AMP	Fe^{+++} 200 mg	43,900	자체 비급여
	Ferinject inj	Ferric hydroxide carboxymaltose complex	10 mL VIA	Fe 500 mg	158,400	

(1) 경구 철분제

① 투여 방법: 일반 성인의 경우 100–200 mg elementary iron 매일 투여

② 구역, 복부 불편감, 설사 등의 부작용 때문에 경구 복용이 어려운 경우가 발생할 수 있음

③ Bolgre soln 및 Ferromax soln 보험인정 기준

- 일반 환자: serum ferritin 12 ng/dL or transferrin saturation 15% 미만으로 타 경구
  철분제제 투여 시 위장장애가 있을 때
- 임신 중 철결핍성 빈혈(Hb 10 g/dL 이하, 위장장애 있을 때)

(2) 주사 철분제

① 철분 총 필요량 계산

- 과거 Ganzoni's formula를 사용

  Total iron deficit (mg) = Weight (kg) × [target Hb − actual Hb] × 0.24 + 500

- 현재 더 간편한 계산법을 사용

  Ferinject에서 개발된 후 다른 주사 철분제에도 적용하고 있음

표 4-85. 혈색소 및 체중에 따른 철분 총 필요량

Hemoglobin g/dL	Body weight <70 kg	Body weight ≥70 kg
10–12 [women] 10–13 [men]	1,000 mg	1,500 mg
7–10	1,500 mg	2,000 mg

② Venoferrum 및 Ferex 보험인정 기준

- 일반환자: Hb 8 g/dL 이하이면서 경구투여가 곤란한 환자로 serum ferritin 12 ng/mL
  미만 or transferrin saturation 15% 미만인 경우

③ Venoferrum 실제 사용

- 투여 방법: 일반 성인의 경우 Venoferrum 10 mL (200 mg iron)을 N/S 150 mL에 희
  석하여 30분 이상 IV 투여, 1주일에 2–3회
  - 전통적으로 Ganzoni's formula를 사용하여 철분 총 필요량을 계산한 뒤 1일 최대허용
    량을 초과하지 않도록 분할 투여
  - 일반 성인의 경우 1회 5–10 mL (100–200 mg iron)
- 5 mL당 최대 N/S 100 mL에 희석(더 낮은 농도로 희석하지 말 것, N/S에만 희석),
  100 mg은 15분 이상, 200 mg은 30분 이상, 300 mg은 1시간 30분 이상 투여
- 최대 1회 투여량: 1주일에 1회 철로서 7 mg/kg, 철로서 500 mg 초과 금지
- 임신 첫 3개월에는 투여하지 않고, 임신 2기 및 3기에 유익성이 잠재적 위험성을 상회한
  다고 판단하는 경우 투여 가능

④ Ferinject 실제 사용

- 투여방법: 일반 성인의 경우 Ferinject 10-20 mL (500-1,000 mg iron)을 N/S 150 mL 에 희석하여 15분 이상 IV 투여, 1주일에 1회
  - '철분 총 필요량 계산 2)'을 참고하여 계산한 뒤 1주일에 1회씩 1-3회에 걸쳐 Hb 반응 보아가며 투여
  - 국내 약전: '체중 <35 kg: 총 철 투여량이 500 mg을 초과하지 말 것'
  - 2011년 Gastroenterology 논문 및 Uptodate.com: 67 kg 이하의 체중에서 1회 투 여량을 500 mg을 초과하지 말 것이라고 언급되어 있음
- 10 mL 당(500 mg) N/S 100 mL 이하에 희석하여 15분 이상 투여, 20 mL (1,000 mg) 은 N/S 250 mL 이하에 희석 (2 mg 철/mL보다 낮은 농도로 희석되어서는 안됨)
- 최대 1회 투여량: 1일 철로서 1,000 mg (20 mL) 또는 체중 kg당 철로서 20 mg (0.4 mL) 초과하지 말 것
- 임신 첫 3개월에는 투여하지 않고, 임신 2기 및 3기에 유익성이 잠재적 위험성을 상회한 다고 판단하는 경우 투여 가능

⑤ 주사 철분제 적응증

- Severe anemia (generally defined as hemoglobin level <10 g/dL)
- Need of quick recovery in mild anemia
- Intolerance to oral iron
- Failure of oral iron
- Severe intestinal disease activity

⑥ 주사 철분제 부작용

- Infusion site pain, bitter taste, temporary hypotension, fever, increase in diarrhea
- Anaphylactic reaction

12) VitB12 및 Folate 제형(2018년 12월 서울아산병원 기준)

표 4-86. 서울아산병원 Vitamine B12 및 Folate 제형

Route	약품명	성분	제형	함유량	용법/용량	가격(원)	보험
Oral	Folic acid	Folic acid	1 mg TAB	1 mg	1T qd	13	급여
	Folda	Folic acid	5 mg TAB	5 mg	1l qd	47	급여
	Mecobalamin	Mecobalamin	0.5 mg TAB	0.5 mg	1T tid	50	급여
IM	Actinamide inj	Cobamamide	2 mL AMP	1,000 mcg	500-1,000 mcg /day IM	1,148	급여

(1) Vit B12 및 Folate 실제 사용

① Vit B12 투여방법: Actinamide 1,000 mcg을 2-3주에 걸쳐 4-6회 IM, 이후 3개월마다 한 번씩 actinamide 1,000 mcg씩 IM하거나, 혹은 mecobalamin 1-2 mg/day를 2-3회로 나누어 복용

② Folate 투여방법: Folic acid를 4달동안 매일 5 mg 투여

13) 빈혈 치료와 관련된 제반 문제점

(1) 염증성 장질환에서 철분제 보충 기간

장에서 하루에 흡수할 수 있는 elemental iron은 10-20 mg에 불과하다. 또한 흡수되지 않은 iron salts가 mucosal ulceration과 접촉하면 oxidative stress를 유도하여 local inflammation을 유발할 수 있다(일반인은 oral iron therapy 때 주로 변비를 호소하지만 IBD 환자는 종종 배변 횟수의 증가를 호소하기도 한다). 따라서 고용량으로 단기간에 치료하려는 시도보다는 하루 elemental iron 100-200 mg 정도의 저용량으로 수개월에 걸쳐 치료하는 것이 바람직하다.

(2) 경구철분제의 문제점

① 흡수되지 않은 철분염(iron salt)이 장점막 독성을 띠어 염증성 장질환을 악화시킬 우려가 있음.

② 질병활성도가 높거나 장절제술을 받은 경우 소장에서 철분 흡수가 심하게 저하될 수 있음.

③ 환자들이 복용을 어려워하는 경우가 종종 있음(부작용으로 인한 투약 중단율은 경구철분제는 21%, 주사제는 4.5%).

(3) 수혈 후 철분 보충

IDA가 있다면 수혈을 하여 Hb이 정상치로 올라가더라도 철분 보충은 필수적이다.

(4) Folic acid 및 Vitamin B12 보충

Folic acid나 vitamin B12 deficiency가 있으면 빈혈뿐 아니라 homocysteine level 상승과 관련이 있고 따라서 thromboembolism의 risk가 높아진다.

Sulfasalazine은 folic acid absorption을 방해하므로 sulfasalazine을 사용할 때는 folic acid 1일 1 mg을 보충해 준다.

6. IBD in pregnancy

1) Fertility

수술을 받은 적이 없고, 관해상태에 있는 UC와 CD 여자 환자의 fertility rate는 일반인과 차이가 없다. 그러나 active disease(특히 CD)가 있으면 fertility가 감소한다. 또한 수술

(IPAA, proctectomy, permanent ostomies)을 받은 여자 환자에서는 나팔관의 inflam-mation과 scarring으로 인해 fertility가 감소한다. 수술로 인한 fertility 감소는 abdominal surgery보다는 IPAA와 같은 pelvic surgery에서 더 현저하고, IPAA도 laparoscopic surgery보다는 open surgery를 할 경우 fertility 감소가 더 현저하다(한편 남자 환자에서는 pelvic surgery를 받은 경우 retrograde ejaculation이나 erectile dysfunction이 나타날 수 있다. 그러나 sexual function은 수술 후 전반적으로 차이가 없거나 오히려 향상될 수도 있다. 수술이 남성에서의 fertility rate에 미치는 영향에 대해서는 연구되어 있지 않다.).

2) Contraception

Oral contraceptive를 사용하면 IBD, 특히 CD의 발병 risk가 증가한다. Oral contraceptive가 IBD의 activity를 증가시키지는 않지만 venous thromboembolism (VTE)의 risk를 증가시킬 수 있다. 따라서 estrogen을 포함하지 않는 contraception이 선호되지만, VTE의 과거력이나 가족력이 없고 VTE의 다른 위험인자가 없다면 low-dose estrogen contraceptive pill이 option이 될 수 있다.

3) Pregnancy outcome

IBD 환자에서는 다음과 같은 adverse pregnancy outcome의 risk가 증가한다. Premature delivery (<37 weeks of gestation), low birth weight (LBW) (<2,500 g), small for gestational age, spontaneous abortion, cesarean delivery.

4) Constipation during pregnancy

변비는 임신 중에 흔히 나타나는 문제인데, 철분을 함유한 비타민이 변비를 더 악화시킬 수 있고 특히 IBD 환자에서는 변비가 복통을 악화시킬 수 있다. 따라서 임신 중에도 stool softners (eg, docusate sodium, senna, bisacodyl, polyethylene glycol 3350)의 사용이 가능하다는 것을 알리고, 아울러 물을 많이 마시도록 교육해야 한다. 그러나 castor oil은 자궁수축을 유발하므로 사용해서는 안된다.

5) Mode of delivery

IBD 환자에서 출산할 때 cesarean delivery를 할 지 아니면 vaginal delivery를 할 지 결정은 obstetric indication에 초점을 맞춰야 하며 대부분의 IBD 환자는 vaginal delivery를 할 수 있다. 그러나 active perianal disease가 있으면 cesarean delivery를 해야 하며, IPAA를 받은 경우도 cesarean delivery의 relative indication이다. 한편 AGA는 과

표 4-87. 임신 중 염증성 장질환 약제 사용 주의 사항

Medication[1]	During pregnancy	During lactation[2]
Mesalamine	• Low risk • Rectal 5-ASA가 조산을 일으킨다는 증거는 없다. 그러나 실제적으로 일부 임산부는 사용하는데 어려움을 겪는다.	Low risk[3]
Sulfasalazine	• Low risk • Folate를 2 mg/day로 투여한다.	Low risk[4]
Corticosteroids	• Low risk • 과거에 언급되었던 cleft lip/palate의 위험성 증가는 최근의 메타분석에서는 없었다. • 급성악화 시 사용 가능하지만, 지속 사용시 조산, 저체중아, 임신성 당뇨병, 신생아의 부신기능저하증의 위험도를 높일 수 있으므로 유지요법은 하지 않는다.	Low risk[5]
Thiopurines	• Low risk • 조산의 위험도가 높아지지만 아마도 투약보다는 IBD 자체와 관련이 있어 보이며, 선천성 기형의 위험도를 증가시키지는 않는다. • Thiopurine을 사용 중에 임신한 경우에는 지속사용을 권고하지만, 임신 중에 처음 시작하는 것은 권고되지 않는다. • Anti-TNF와 함께 사용하는 경우 출생 후 infant의 감염위험이 증가하므로 병합요법 중인 환자에서는 thiopurine을 중단하도록 한다.	Low risk
Methotrexate	• Contraindicated(임신에 앞서 최소 3개월 전에 중단한다.)	Contraindicated[6]

Anti-TNF agents	• Low risk
	• 임신 중에 지속적으로 사용이 가능하며, 재발의 위험성이 낮은 특별한 경우에만 임신 22-24주에 중단한다.[7]
	• 마지막 투여시기(before EDC)
	  – Adalimumab: 2-3 wk (1-2 wk if weekly dosing)
	  – Golimumab: 4-6 wk
	  – Infliximab: 6-10 wk
	• 임신 중 또는 출산 직후에 몸무게에 따라 투여 용량을 정한다면 임신 전 몸무게를 이용하여 계산할 것을 권고한다.
	• 감염의 증거가 없고 dosing interval이 적당하다면 biologics는 vaginal delivery 후 24시간, cesarean delivery 후 48시간 후에 다시 시작할 수 있다.
		Low risk

Vedolizumab Ustekinumab	• Limited data (low risk) • 마지막 투여시기(before EDC): 6-10 wk (4-5 wk if every 4-week dosing)	Limited data (low risk?)
Tofacitinib	• Limited data (consider other options)	Limited data (not advised)
Metronidazole Ciprofloxacin	• Avoid first trimester • Metronidazole preferred	Avoid[8]

[1] 임신 전에 새로운 투약이 필요한 경우라면 최소한 3개월 이상 안정적으로 사용이 가능한 것을 확인 후 임신하도록 한다.
[2] 모유수유는 disease flare의 risk를 증가시키지 않으며, 일부 연구에서는 재발을 막는 효과가 있을 가능성을 제시하였다. 또한 모유 수유를 하면 offspring에서 early-onset IBD의 발생을 막는 효과가 있다는 연구결과도 있다.
[3] Mesalamine의 모유 배출로 인하여 infant diarrhea가 생기는지 여부를 모니터한다.
[4] Sulfasalazine의 sulfapyridine moiety가 부작용을 일으키는지는 알 수 없지만 hemolytic and antimicrobial property를 갖고 있으므로 모유수유시에는 다른 5-ASA가 sulfasalazine보다는 선호된다.
[5] 스테로이드 투약 1-2시간 동안 수유를 피하면 infant에게 스테로이드의 노출을 더 줄일 수 있지만 그럴 필요는 없다.
[6] MTX는 모유에 낮은 농도로 발견되며 임상적인 중요성은 없을 것으로 보이지만 아직 데이터가 부족하므로 모유 수유 중에는 MTX의 복용을 권고하지 않는다.
[7] Certolizumab을 제외한 biologics를 임신 third trimester에 사용한 환자에서 태어난 infant에서는 live vaccine을 **적어도 첫 6개월 동안에는** 피하도록 권고한다.
[8] Amoxicillin/clavulanic acid는 모유수유 중에 사용할 수 있다.

거에 rectovaginal fistulas가 있었던 경우에도 수술 부위를 보호하기 위하여 cesarean delivery를 권고하며, ECCO는 active rectal involvement가 있는 경우에도 cesarean delivery의 indication으로 권고한다. 더불어 ECCO는 장차 pouch surgery를 받을 risk 가 특별히 높은 환자는 출산방법에 대한 상담이 필요하다고 권고한다. Cesarean delivery 후 ileus가 생길 수 있는데 early feeding이 ileus의 risk를 줄일 수 있다. IPAA 환자에서 cesarean delivery 때 pouch를 manipulation하면 ileus의 risk가 증가할 수 있다.

7. 성인 염증성 장질환 환자의 예방접종

표 4-88. 성인 염증성 장질환 환자의 예방접종(사백신)

백신	항체 검사	대상환자	투약 용법	약품명	경로
사백신(면역억제 상태와 관계없이 투여 가능. 그러나 접종 효과를 극대화하기 위해서는 면역억제 치료를 시작하기 최소 2주 전에 접종)					
인플루엔자	No	모든 환자	• 매년 1회 접종(10-12월 권장) • 환자와 같이 생활하는 가족도 접종		IM
A형간염	Yes	모든 환자	• 2회 접종(0, 6개월)	Vaqta pfs inj (성인용) [1 mL]	IM
B형 간염	Yes	모든 환자	• 3회 접종(0, 1, 6개월) • 마지막 접종 후 1-2개월째 anti-HBs 항체 검사 • 항체 역가가 10 mIU/mL 미만 이며 재접종[1]	Euvax B pfs inj (성인용) [1 mL]	IM
폐렴구균	No	모든 환자	• 접종력이 없다면 우선 PCV13을 접종한 뒤 8주[2] 후 PPSV23을 접종한다(1차 PPSV23). 만약 PPSV23을 먼저 접종한 적이 있다면 최소 1년 후 PCV13을 접종한다. • 1차 PPSV23을 접종한 뒤 5년 후 2차 PPSV23 접종을 실시한다. • 65세 이전에 2차 PPSV 접종을 했다면 2차 PPSV23 접종 후 5년 이상 경과하고 65세 이상이 되었을 때 3차 PPSV23 접종을 실시한다.	PCV13: Prevenar13 inj (성인용) [0.5 mL] PPSV23: Prodiax 23 pfs inj [0.5 mL]	IM
인유두종 바이러스 (HPV)	No	11-26세 환자 (여성 및 남성)	• 3회 접종(0, 2, 6개월)[3]	Gardasil 9 pfs inj [0.5 mL]	IM
파상풍/ 디프테리아/ 백일해(DPT)	No	모든 환자	• Tdap으로 1회 접종 이후 10년 마다 Td 1회[4]	Tdap: Boostrix pfs inj [0.5 mL] Td: TD vaccine inj [0.5 mL]	IM
수막구균	No	고위험 환자	• 2회 접종(0, 2개월)[5]	Menveo inj [1 set]	IM

표 4-89. 성인 염증성 장질환 환자의 예방접종(생백신)

백신	항체검사	대상환자	투약 용법	약품명	경로
생백신(면역억제 상태면 투여 금기.[6] 따라서 면역억제 치료를 시작하기 4-12주 전에 접종하거나, 면역억제 치료 종료 후 3개월 이상 경과 후 접종)					
홍역/볼거리/풍진(MMR)	Yes	항체음성 환자	• 2회 접종(4주 이상 간격) • 면역억제 치료를 시작하기 최소 6주 전 접종완료	Priorix inj [0.5 mL]	SC
수두 (Varicella; Chicken pox)	Yes	항체음성 환자	• 2회 접종(4-6주 간격) • 면역억제 치료를 시작하기 최소 1달 전 접종완료	Suduvax inj [0.7 mL]	SC
대상포진	No	50세 이상 환자	• 1회 접종[7] • 면역억제 치료를 시작하기 최소 1달 전 접종	Zostavax inj [0.65 mL]	SC

[1] 3회 접종 후에도 항체가 생기지 않는 경우에는 다음과 같은 option이 있다.
  1) 일반 용량으로 3회(0, 1, 6개월) 추가 투여(AMC Liver and IBD center에서 채택).
  2) 일반 용량 또는 2배 용량으로 1회만 추가 투여(질병관리본부에서는 일반 용량으로 1회 접종을 하고(4차) 1개월 뒤에 항체검사를 실시하여 anti-HBs ≥ 10 mIU/mL이면 종료하고, < 10 mIU/mL이면 접종일정에 따라 2회 더 접종(5, 6차) 하는 방안을 제시).
  3) 2배 용량으로 3회 추가 투여.
  총 6회의 접종 후에도 적절한 항체가 형성되지 않으면 완전 무반응자로 간주하고 더 이상의 접종을 권장하지 않는다.
  일부 전문가는 면역억제 치료를 받는 환자에서 1-2년마다 anti-HBs Ab level을 측정하여 10 mIU/mL 미만일 경우 재접종할 것을 주장한다.

[2] 면역억제 상태의 환자에서는 8주 이후, 정상면역 상태의 환자에서는 12개월 이후 접종으로 세분하기도 한다.

[3] 15세 미만이고 면역억제 상태가 아니라면 2회 접종(0, 6개월)도 가능.

[4] 소아에서 접종을 한적이 없으면 Tdap을 1회 접종한 후에 Td를1, 6개월에 2회 접종하고 이후 10년마다 Td를 접종한다. Td 대신에 Tdap을 접종해도 문제는 없다.

[5] IBD 환자의 수막구균 접종은 일반인에서의 지침과 같다. 미국은 대학 기숙사 거주자, 군인 신병, 면역억제 환자(예: complement deficiency, HIV, asplenia, etc)에서 2회 접종을 권유하며, 일반 16-23세 인구에 대해서는 clinical decision에 근거하여 접종여부를 결정할 것을 권유한다. 우리나라 질병관리본부는 위험군에 대해 1회(정상면역이나 노출위험 있는 경우) 또는 2회(해부학적 또는 기능적 무비증, 보체결핍, HIV 감염인) 접종을 권유하며, 대학 기숙사 거주자는 위험군에서 삭제하였다.

[6] 수두와 대상포진 백신은 low-level immunosuppression인 환자에게 접종의 금기는 아니다. IDSA는 다음과 같은 경우를 low-level immunosuppression으로 정의한다: prednisone (< 20 mg/day for ≥ 14 days), methotrexate (< 0.4 mg/kg/week), azathioprine (< 3.0 mg/kg/day), 또는 6-mercaptopurine (< 1.5 mg/kg/day).
  수두나 대상포진 백신을 맞은 가족에서 피부발진이 생기면 면역억제 상태의 IBD 환자는 가족과 접촉을 피해야 한다.

[7] 미국은 생백신 대신에 recombinant vaccine인 shingrix를 2회 접종(0, 2개월)할 것을 권고하며, 이미 생백신을 맞은 환자도 shingrix를 맞을 것을 권고한다.

05

신장내과

Ⅰ 신장 질환의 증상 접근 및 신장 검사법

1. 혈뇨(Hematuria)

1) 정의
소변 현미경검사의 고배율(high power field) 시야에서 2-5개 적혈구 관찰

2) 진단 방법
(1) Dipstick test
  ① 혈색소(hemoglobin)의 pseudo-peroxidase activity를 이용
  ② 결과 해석
  • 위양성: 탈수, 운동, hemoglobinuria, myoglobinuria, oxidizing agent (povidone, hypochlorite), bacteriuria
  • 위음성: Vitamin C 복용, acidic urine (pH<5)
(2) 소변 현미경검사: >2 RBC /HPF
  ※ Dipstick 양성이지만 소변 현미경검사에서 적혈구 발견되지 않는 경우
  ① Hemoglobinuria
  ② Myoglobinuria
  ③ 소변 내의 적혈구 용혈(채취 후 장시간 경과 후 검사한 경우 등)

3) 감별 진단 및 접근
(1) 고립성 혈뇨(isolated hematuria)
  ① 소변 검사에서 단백뇨, cast 등의 다른 이상 소견 없이 혈뇨만 관찰

② 원인: 결석, 종양, 결핵, 외상, 일부 사구체 질환(IgA nephritis, hereditary nephritis, thin basement membrane disease 등)

(2) 육안적 혈뇨(gross hematuria)

① blood clot을 동반한 경우 CT 등 영상 검사로 post-renal source 감별 필요

(3) 혈뇨가 확실히 있다고 말할 수 있는 경우(significant hematuria)

① 3번의 소변검사에서 모두 >3 RBC/HPF

② 1번의 소변검사에서 >100 RBC/HPF

③ 육안적 혈뇨

(4) 농뇨(pyuria)와 세균뇨(bacteriuria) 동반: 요로감염 의심(육안적 혈뇨 동반 가능)

표 5-1. 사구체와 비사구체성 혈뇨의 감별

Urinary Finding	Glomerular	Non-glomerular
Color	Dark	Fresh red
Clot	−	+
Red cell cast	+	−
Proteinuria (>500 mg/day)	+	−
Dysmorphic RBC	>75%	<25%

그림 5-1. 혈뇨의 진단 접근

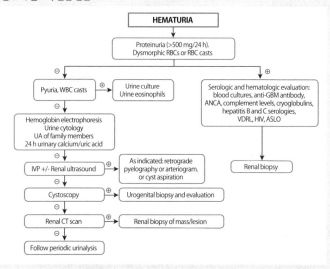

2. 단백뇨(Proteinuria)

1) 정의

표 5-2. 단백뇨의 정의

	24hr Albumin (mg/24h)	Albumin/Cr ratio (mg/g)	Dipstick Proteinuria	24hr Protein (mg/24h)
Normal	8-10	<30	–	<150
Microalbuminuria	30-300	30-300	-/trace/1+	–
Proteinuria	>300	>300	trace-3+	>150

2) 진단검사

(1) Dipstick test
- 소변 속의 단백질 중 알부민(albumin)에만 반응 → 위음성: 다발성 골수종(Bence-Jones protein)

(2) 24시간 소변검사
- 24시간 소변 크레아티닌으로 적절한 소변 수집여부 확인
  (남자) 20-25 mg/kg/24hr, (여자) 15-20 mg/kg/24hr
- Spot urine protein (or albumin)/creatinine ratio = mg/g day of proteinuria (or albuminuria)

(3) 요단백 전기영동, 면역전기영동
- 사구체성, 세뇨관성, 범람성 단백뇨 감별

3) 단백뇨의 분류

(1) 기능적 또는 일시적 단백뇨(functional or transient proteinuria)
- 유발 인자: 심한 운동, 고열, 심부전, 정신적 스트레스, 수면
- 일반적으로 <1 g/day

(2) 기립성 단백뇨(orthostatic proteinuria)
- 정상 신기능의 젊은 사람에서 장시간 기립 시 관찰
- 주로 <1 g/day, 예후 양호, 정기적인 요검사 필요

(3) 지속성 단백뇨(sustained proteinuria)
- 1-2 g/day 이상의 단백뇨 지속, 주로 사구체 질환 관련

그림 5-2. 단백뇨의 진단 접근

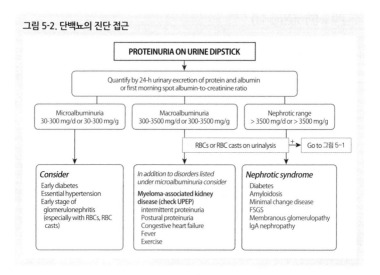

3. 신기능 평가

1) GFR 측정방법

(1) 방사선 동위원소 측정법

51Cr-EDTA, 99m Tc-DTPA, 123 I- iothalamate

(2) 크레아티닌 청소율(Creatinine clearance)

근위세뇨관에서 크레아티닌이 일부 분비되어 신기능을 overestimation 할 수 있음

(3) eGFR (estimated GFR)

표 5-3. 신기능 계산 공식

Cockcroft-Gault 공식

$$Ccr\ (ml/min) = \frac{(140-age) \times lean\ body\ weight(kg)}{72 \times plasma\ Cr\ (mg/dl)}\ (\times 0.85:\ 여자)$$

MDRD 공식

eGFR (mL/min/1.73 m²) = 186.3 × Cr (e$^{-1.154}$) × age (e$^{-0.203}$) × (0.742 if female) × (1.21 if black)

CKD-EPI 공식

eGFR = 141 × min (Cr/k, 1)^a × max (PCr/k, 1)$^{-1.209}$ × 0.993^{age} × 1.018 (if female) × 1.159 (if black)
k = 0.7 for females or 0.9 for males, a = −0.329 for females or −0.411 for males
min = the minimum of PCr/k or 1, max = the maximum of PCr/k or 1

*MDRD와 CKD-EPI 공식에서는 체중(weight)이 고려되지 않음에 주의

(4) Cystatin C

① A member of the cystatin superfamily of cysteine protease inhibitors

② 유핵세포에서 비교적 일정하게 생산됨.

③ 나이, 성별, 인종, 당뇨, 흡연, 체내 염증 등에 의한 영향 받음.

4. 신장 조직 검사(Kidney biopsy)

1) 신장 조직 검사의 적응증

표 5-4. 신장 조직검사의 적응증

Nephrotic Syndrome
Routinely indicated in adults; in prepubertal children only if clinical features atypical of minimal change disease
Acute kidney injury
Indicated if obstruction, reduced renal perfusion, and acute tubular necrosis have been ruled out. Systematic Disease with Renal Dysfunction
Indicated in patients with small vessel vasculitis, anti-glomerular basement membrane disease, and systemic lupus erythematosus those with diabetes only if atypical features present
Non-nephrotic Proteinuria
May be indicated if proteinuria >1 g/24h
Isolated Microscopic Hematuria
Indicated only in unusual circumstances
Unexplained Chronic Renal Failure
May be diagnostic, e.g., identify IgA nephropathy even in "end-stage kidney"
Familial Renal Disease
Biopsy of one affected member may give diagnosis and minimize further investigation of family members
Renal Transplant Dysfunction
Indicated if ureteral obstruction, urinary sepsis, renal artery stenosis, and toxic calcineurin inhibitor levels are not present.

2) 생검 시 유의점

① 신생검을 실시하기 전에 일반 혈액 검사를 시행하고, 출혈시간(bleeding time), PT, aPTT를 시행한다.

② 신생검 후 출혈 합병증이 있을 수 있으므로 24시간동안 절대 안정을 요하며 검사 후 1-2주일간은 심한 운동은 피한다.

표 5-5. Strategies to Prevent Bleeding After Kidney Biopsy

- Assess personal and family history for bleeding diathesis

- Stop anticoagulants before the scheduled procedure
  - Stop aspirin at least 1 wk before procedure
  - Stop nonsteroidal anti-inflammatory agents several days before (to ensure 4–5 half-lives have elapsed)
  - Stop warfarin and consider switch to heparin in advance of procedure
  - Stop heparin before procedure

- Check complete blood count and coagulation parameters before biopsy
  - Complete blood count
  - Platelet count
  - Prothrombin time, partial thromboplastin time
  - Bleeding time (controversial)

- Check kidney function
  - Use equation to estimate GFR

- Consider administration of ddAVP for abnormal bleeding time and/or low GFR
  - 0.3 μg/kg given in 50 mL of saline over 15–30 min immediately before procedure

- Control blood pressure on day of procedure
  - May give oral agents before procedure to decrease blood pressure

3) 금기

(1) 신장 상태에 따른 금기

① 다발성 신낭종

② 단독신(solitary kidney)

③ 급성 신우염/신주위 농양

④ 신장 종양(신세포암은 심한 출혈을 유발)

(2) 환자 상태에 따른 금기

① 교정할 수 없는 출혈 소인이 있을 때

② 조절되지 않은 심한 고혈압

③ 협조가 불가능한 환자

④ 수신증

4) 합병증

① 출혈(현미경적 혈뇨 60-80%, 심한 출혈에 의한 저혈압 1-2%, 지혈이 필요한 수술 0.1-0.4%, 사망 0.1%)

② 동정맥루 형성

③ 고혈압 발생

④ 요로감염

5. Renal scintigraphy

1) 방사선 의약품

① 99mTc-DTPA: glomerular filtration agent, 사구체 여과율 측정에 이용

② MAG3, OIH: tubular tracer, infant, young children, renal impairment 환자에서 유용

③ DMSA: cortical agent, 신장 집합계, 배후 연조직은 나타나지 않고, 신피질만 관찰됨.

  → UTI 후 renal sequelae (scar change) 등을 보는데 유용

2) 정상소견

① 관류기(angiographic phase): 대동맥 조영 후 2-4초 이내에 신장 관류

② 실질기(parenchymal phase): time to peak 3-6분

③ 배설기(excretory phase)

3) Captopril scan

① Renovascular hypertension에서 renal angioplasty 후 고혈압의 호전 가능성 평가에 유용

② DTPA, MAG3 모두 이용 가능

③ ACEI는 4-7일 전 사용 중단

④ 촬영 전 60분에 captopril 25-50 mg 복용

표 5-6. Choice of radionuclide in renal imaging

Glomerular filtration rate	99mTc-DTPA
Glomerular filtration rate with renal impairment	99mTc-MAG3, 131I-OIH
Effective renal plasma flow	99mTc-MAG3, 131I-OIH
Renal scarring	99mTc-DMSA, 99mTc-GH
Renal pseudotumor	99mTc-DMSA
Upper renal tract obstruction	99mTc-DTPA
Upper renal tract obstruction with renal impairment	99mTc-MAG3

Ⅱ 수액요법의 기본

1. 수액요법

1) 유지 수액요법

환자 개개인의 질환, 상태에 따라 달리하나, 신장, 간, 심장 기능이 정상이고, 이전에 수분, 전해질의 소실이 없는 사람이 일시적으로 금식을 하여야 하는 경우 기본적으로 필요로 하는 수분, 전해질은 다음과 같다.

(1) 수분 ≒ 30 mL/kg/day
(2) 전해질
  • Na^+ 50-150 mEq/day
  • K^+ 20-50 mEq/day
  • Carbohydrate 100-150 g/day
  70 kg 남자의 경우 공복시 하루 80 g의 체단백질 소실이 일어나는데 100 g 이상의 dextrose를 공급하면 체단백 분해를 50% 줄일 수 있다.

2) 이전에 수분, 전해질 손실이 있었다면 그에 대한 적절한 보충도 필요하다.

2. 체액의 구성

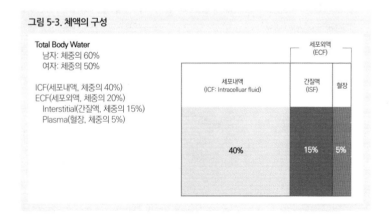

그림 5-3. 체액의 구성

Total Body Water
남자: 체중의 60%
여자: 체중의 50%

ICF(세포내액, 체중의 40%)
ECF(세포외액, 체중의 20%)
  Interstitial(간질액, 체중의 15%)
  Plasma(혈장, 체중의 5%)

세포외액 (ECF)

세포내액 (ICF: Intracelluar fluid) — 40%

간질액 (ISF) — 15%

혈장 — 5%

3. 흔히 사용되는 수액제제 구성

표 5-7. 흔히 사용되는 수액제제 구성(단위 mEq/L)

IV solution	pH	Na	Cl	Lactate	K	Ca
Normal saline	4.5–8.0	154	154			
Half saline		77	77			
Ringer's lactate	5.0–7.0	130	109	28	4	3
3% saline		513	513			

4. 투여 수액의 체내 분포

그림 5-4. 수액 종류에 따른 체내 분포

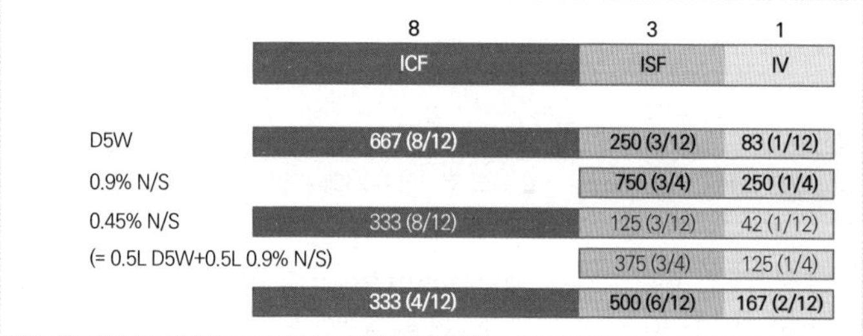

Ⅲ 전해질 이상

1. 저나트륨혈증(Hyponatremia)

1) 발생기전
저나트륨혈증은 ① 수분의 상대적 과다, ② 삼투압에 의해 세포내에서 세포밖으로 체내 수분의 이동, ③ 검사상의 문제(pseudohyponatremia) 등으로 발생한다.

2) 증상(진성 저나트륨혈증)
세포 밖 삼투압이 낮으므로 수분이 세포내로 이동하여 세포의 부종과 이에 따른 기능장애(특히 중추신경세포)를 초래한다. 증상은 오심, 권태, 기면, 경련, 혼수 등으로 대부분 혈청 나트륨 농도가 120 mEq/L 이하로 떨어져야 나타나기 시작하나 빠른 속도로 혈청 나트륨 농도가 떨어지면 그 전에도 나타날 수 있다.

3) 진단
혈청 나트륨(Na^+) 농도가 낮으면 다음의 검사를 동시에 시행한다.

(1) 혈장 삼투질 농도(plasma osmolarity) (정상치: 280-295 mOsm/kg)
① 낮으면 진성 저나트륨혈증(true hyponatremia)이다.
② 정상이면 고지질혈증, 고단백혈증.
③ 높으면 만니톨 투여, 고혈당 등에 의한 가성 저나트륨 혈증(pseudohyponatremia)이며, 신부전에서는 요소질소 농도가 높아 높게 측정된다.
(2) 요 삼투질 농도(urine osmolality)
① 100 mOsm/kg 이하: 일차성 다음증
② 100 mOsm/kg 이상: 신장으로 수분 배설에 장애가 생기는 여러 질환
(3) 요 나트륨(urine sodium) 농도
① 15 mEq/L 이하: 심부전, 간경화증 등 유효혈장량이 감소한 경우, 일차성 다음증
② 20 mEq/L 이상: SIADH, 신부전, 부신부전증(adrenal insufficiency), 현재 이뇨제를 사용하고 있을 때, 구토(소변으로 잉여의 HCO_3^-가 배설되면서 Na^+를 끌고 나간다), 삼투성이뇨제(mannitol, glucose)

그림 5-5. 저나트륨혈증의 진단적 접근

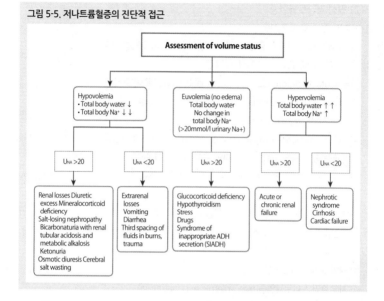

※ Thiazide는 hyponatremia를 잘 일으키나 furosemide는 그렇지 않은 이유?

Loop 이뇨제는 수질의 헨레고리의 thick ascending limb에서 NaCl 흡수 억제로 수질(medulla) 내 간질 삼투압이 정상적으로 높게 형성되는 것을 방해한다. 따라서, volume depletion이 유발되어 항이뇨호르몬(ADH) 농도가 증가해도 ADH의 반응이 감소하여 수분 재흡수 능력이 떨어지게 된다. 하지만, thiazide는 cortex에 위치하는 distal tubule에 작용하여 ADH의 기능이 유지되며, 약물 자체가 수질의 수분 투과성과 재흡수를 증가시켜 수분 저류(water retention)을 유발한다. 또한 thiazide 자체의 나트륨 및 칼륨 분비능과 결합되어 혈장보다 고농도의 나트륨 및 칼륨이 소변으로 배설되게 되며, 이는 수분 섭취와 상관없이 저나트륨혈증을 유발할 수 있다.

4) 저나트륨혈증의 치료

(1) 가성 저나트륨혈증

① 혈청 삼투질 농도가 정상인 경우 치료할 필요가 없다.

② 혈청 삼투질 농도가 높은 경우(고혈당, 만니톨 투여 시) 혈청 나트륨 농도를 더 올리면 삼투질 농도가 더욱 높아져 오히려 위험하다. 따라서 원인을 교정하는 것이 중요하다.

(2) 진성 저나트륨혈증

① 치료 전 주요 고려 사항

- 저나트륨혈증에 의한 증상의 유무와 정도에 따라 치료 방법 결정
  - 두통, 오심/구토, 의식 저하, 경련 등
  - Acute symptomatic hyponatremia: 3% NaCl 투여 고려
  - Chronic hyponatremia: 심한 전신 증상 동반 가능성 낮음
- 만성 저나트륨혈증(duration >48hr)의 치료
  - ODS (osmotic demyelination syndrome) 발생 가능성 높음
  - 교정 속도: <8-10 mmol/24hr, <18 mmol/48hr
- 치료 방법에 상관없이 저나트륨혈증의 교정 속도 예측 어려움 → 자주 serum Na level 측정
- 저칼륨혈증(hypokalemia) 동반된 경우
  - 칼륨 보충은 hypertonic saline (3% NaCl) 투여 없이도 저나트륨혈증을 과도하게 교정되게 할 수 있어 주의

② 원인에 따른 치료 방법

- 체액결핍 저나트륨혈증(hypovolemic hyponatremia)
  - Normal saline 투여로 체액 부족을 교정하면 항이뇨호르몬 분비가 억제되어 저나트륨혈증이 교정
  - K^+ 결핍이 동반되어 있으면 같이 교정
- 체액과다 저나트륨혈증(hypervolemic hyponatremia)
  - 수분 섭취 제한
  - 증상(+) or 심한 저나트륨혈증 → loop 이뇨제, 3% NaCl
  - 바소프레신 길항제(vaptan)
- SIADH (syndrome of inappropriate antidiuretic hormone)
  - 주요 원인: 폐질환, 중추신경계 질환, 악성 종양, 약물(SSRI) 등
  - 검사 소견
    ⓐ Hypoosmolality
    ⓑ Urine osmolality >100 mosmol/kg
    ⓒ Urine Na^+ >40 mEq/L
    ⓓ 정상 신장, 부신, 뇌하수체, 갑상선 기능, 정상 산염기 균형
  - 치료
    ⓐ 원인 질환 교정, 수분 섭취 제한
    ⓑ 3% saline, loop 이뇨제, 바소프레신 길항제(vaptan)

ⓒ 요 삼투질 농도 <400 mOsm/kg → 수분 섭취제한 및 식이 조절로 교정 가능

ⓓ 요 삼투질 농도 >600-700 mOsm/kg → loop 이뇨제 필요한 경우가 많음

예) 60 kg 여자가 혈청 나트륨 농도가 108 mEq/L이고 의식 장애를 동반한 경우

Na^+ 결핍량 = 0.5×60×(120-108) = 360 mEq

513/1000 = 360/x 에서 x ≒ 720 cc

0.5 mEq/L/hr로 올리고자 하므로 12 mEq/L÷0.5 = 24시간에 걸쳐 준다.

∴ 720 cc IV over 24hr via infusion pump (3% saline 투여 시 투여속도를 정확히 해야 한다.) → 2-4시간마다 혈청 나트륨 농도 측정하여 속도 조절

2. 고나트륨혈증(Hypernatremia)

1) 고나트륨혈증 환자에 대한 접근 방법

고나트륨혈증은 거의 대부분 수분의 소실에 의해 발생하며 많은 경우 다소의 염분 소실도 동반되어 있다.

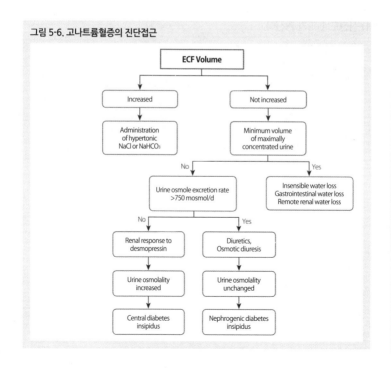

그림 5-6. 고나트륨혈증의 진단접근

2) 치료

(1) 수분결핍량 = 0.5(여자의 경우 0.4) × 체중 × [(Na$^+$/140) − 1]

① 체내 수분량은 체중의 60%(여자의 경우 50%)이지만 수분이 결핍된 고나트륨혈증 환자에서는 이보다 10% 낮춘 값을 사용 → 48-72시간에 걸쳐 서서히 교정한다.

② 혈청 Na$^+$ 농도가 시간당 0.5 mEq/L씩 낮아지게 하며, 첫 24시간에 12 mEq/L 이상 교정되지 않게 한다.

(2) 중추성 요붕증(central DI)

① ddAVP nasal spray 하루 1-2회(하루 5-20 μg)

5-10 μg을 밤에 주고 반응 보아서 낮 시간에 추가한다.

② Aqueous vasopressin 0.25-0.5 mL을 3-4시간마다 피하주사

(3) 신성 요붕증(nephrogenic DI)

Thiazide 이뇨제, 저염저단백 식이

3. 저칼륨혈증(Hypokalemia)

1) 심전도: U파가 커진다.

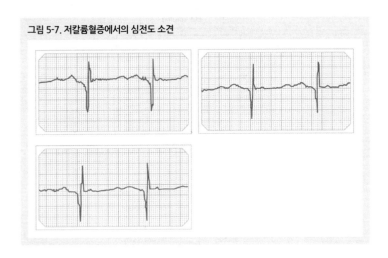

그림 5-7. 저칼륨혈증에서의 심전도 소견

2) 감별진단

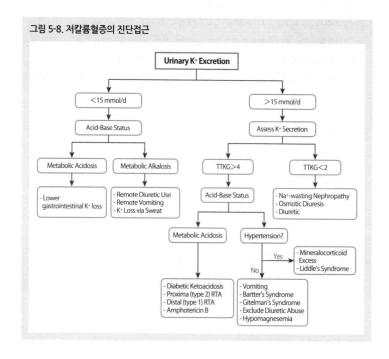

그림 5-8. 저칼륨혈증의 진단접근

3) 치료

(1) K^+ 결핍양: 3 mEq/L - 200-400 mEq, 2 mEq/L - 400-800 mEq

(2) KCl제제

① K-contin (KCON) 1 T = 8 mEq K^+

② K^+의 정맥주사

2M KCl 10-20 cc ⎤
N/S (또는 half saline) 1 ℓ ⎦ mix IV

(주의) D5W에 혼합할 경우: 인슐린 분비 자극 → K^+ 세포내로 이동 → 혈청 K^+ 농도가 일시적으로 감소

(3) K^+ 투여 속도: 신부전 환자에서는 K^+가 너무 증가하지 않도록 주의

① K^+ 3.0-3.5 mEq/L → KCl 60-80 mEq/day 경구 투여

② 심한 증상 또는 저칼륨혈증 정도가 심할 때

40-60 mEq 경구 투여 시 급격하게 1.0-1.5 mEq/L 상승하나 이것은 곧 세포내로 들어가므로 일시적이다. ∴ serum K^+ 모니터 요함

③ 정맥 주사 시: <10-20 mEq/hr, <40 mEq/L, 60-80 mEq/day

* 저칼륨혈증으로 생명에 위험한 부정맥이 발생했을 때는 150-180 mEq/L 농도까지 높여 최대 40-100 mEq/h로 줄 수 있는데 이때는 대퇴정맥(femoral vein)으로 준다.

(주의: 중심정맥으로는 투여하면 안 된다 ∵ 국소 K^+ 농도 증가로 심장에 치명적 영향) 또한 심전도 모니터가 꼭 필요하다.

4. 고칼륨혈증(Hyperkalemia)

그림 5-9. 고칼륨혈증에서의 심전도 소견

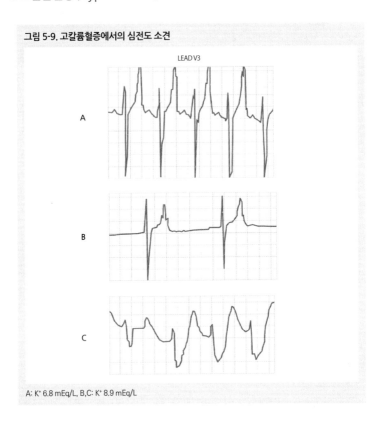

A: K^+ 6.8 mEq/L, B,C: K^+ 8.9 mEq/L

1) 긴급한 치료가 필요한 상황

① 혈청 K^+ 농도가 7 mEq/L이상인 경우

② 심한 증상: 마비, 이상감각 등 신경증상, 구토, 장마비 등 소화기 증상

③ 고칼륨혈증의 심전도 변화가 있는 경우:

- T파가 뾰족하게 높아진다(특히 흉부유도에서 뚜렷하다) P파가 없어지고, PR간격은 길어진다.
- QRS가 넓어진다.
- 심하면, 심실세동, asystole.

2) 고칼륨혈증의 치료

표 5-8. 고칼륨혈증의 치료

약제 또는 치료방법	작용 기전	용량	작용 시작	효과 지속 시간
Calcium gluconate (10%)	세포막 길항	10-20 mL IV 2-3분, (1Ⓐ=20 mL)	1-3분	30-60분
Sodium bicarbonate (8%)	세포내로 이동	50-100 mEq IV (1Ⓐ=20 mL=20 mEq)	5-10분	2시간
Insulin + glucose	세포내로 이동	RI 20units+ D50W 100 cc IV over 1 시간	15-30분	4-6시간
Albuterol (salbutamol)	세포내로 이동	0.5 mg IV in D5W over 10-15min or 10-20 mg by nebulized inhaler over 10분	15-30분	
양이온 교환수지(kalimate)	배설	25-50 g 경구 또는 직장	1-2시간	4-6시간
혈액, 복막 투석	배설		수분 내 시작	투석종료까지

Ⅳ 산 염기 대사 이상(Acid-Base Imbalance)

1. 용어

1) $H^+ = 24 \times \dfrac{PCO_2}{HCO_3^-}$

2) pH 7.2 → H^+63 nanomole/L, pH 7.4 → H^+40 nanomole/L

3) 음이온차(anion gap) = $Na^+ - (Cl^- + HCO_3^-)$ (정상: 10-12)

4) Osmolar gap = measured Osm - {2Na + glucose (mg/dL)/18 + BUN (mg/dL)/2.8}
   ① 정상: 10 mOsm/kg
   ② >15-20 → 비정상적인 삼투질이 존재함을 의미

5) 요 음이온차(urine anion gap) = (u-Na^+ + u-K^+) - u-Cl^-
   의미: 요 암모늄 배설의 간접 지표로 대사성 산증의 경우 -20~-50 mEq/L의 음의 값이며, 신부전, 제1형 및 제4형 신세뇨관성 산증에서는 양의 값이다.

6) e' battery의 total CO_2의 의미: 정맥혈에 강산을 넣으면 다음의 반응이 우측으로 진행하여 CO_2가 발생하고 이것을 발색반응을 이용하여 측정한다.
   $H^+ + HCO_3^- → H_2CO_3 → H_2O + CO_2$
   total CO_2는 $[HCO_3^-]$ + dissolved $[CO_2]$ + $[H_2CO_3]$인데, $[H_2CO_3]$는 무시할 만큼 양이 적으므로 $[HCO_3^-]$ + 0.03$[PCO_2]$로 대략 $[HCO_3^-]$를 의미한다.

2. 동맥혈과 정맥혈의 혈액가스 검사 정상치

표 5-9. 동맥혈과 정맥혈의 혈액가스 정상치

	pH	PCO_2	HCO_3^-
동맥혈	7.37-7.43	36-44	22-26
정맥혈	7.32-7.38	42-50	23-27

3. 산염기 대사의 단순 및 복합 장애

1) 산염기 상태이상의 의심: $CO_2(HCO_3^-)$나 $[Cl^-]$ 농도 이상이 있을 때

2) 산염기 대사이상의 특징

표 5-10. 산염기 대사이상의 특징

	pH	일차장애	보상반응
대사성 산증	↓	↓ $[HCO_3^-]$	↓ PCO_2
대사성 알칼리증	↑	↑ $[HCO_3^-]$	↑ PCO_2
호흡성 산증	↓	↑ PCO_2	↑ $[HCO_3^-]$
호흡성 알칼리증	↑	↓ PCO_2	↓ $[HCO_3^-]$

3) 산염기 대사 장애에 따른 호흡성 및 신성 보상작용

표 5-11. 산염기 대사 장애에 따른 호흡성 및 신성 보상작용

	일차 변화	보상반응	기간	한계
대사성 산증	↓ $[HCO_3^-]$	$[HCO_3^-]$ 1 meq/L 감소시 PCO_2 1.2 mmHg 감소	12-24시간	10 mmHg
대사성 알칼리증	↑ $[HCO_3^-]$	$[HCO_3^-]$ 1 meq/L 증가시 PCO_2 0.7 mmHg 증가	12-24시간	55 mmHg
호흡성 산증 급성	↑ PCO_2	PCO_2 10 mmHg 증가시 $[HCO_3^-]$ 1 meq/L 증가	수분내	30 mEq/L
만성		PCO_2 10 mmHg 증가시 $[HCO_3^-]$ 3.5 meq/L 증가	3-5일	45 mEq/L
호흡성 알칼리증 급성	↓ PCO_2	PCO_2 10 mmHg 감소시 $[HCO_3^-]$ 2 meq/L 감소	수분내	18 mEq/L
만성		PCO_2 10 mmHg 감소시 $[HCO_3^-]$ 5 meq/L 감소	3-3일	12-15 mEq/L

4. 대사성 산증(Metabolic Acidosis)

1) 진단

① pH↓, HCO_3^-↓ 이면 대사성 산증

② 음이온차를 계산한다.

- ↑음이온차: 신부전, 유산증, 케톤산증 ∴ 당, BUN/Cr, 케톤 측정
- 정상 음이온차
- → K^+ 정상 또는 ↑ : 저알도스테론혈증, posthypocapnia, HCl 주입

  K^+ 정상 또는 ↓ : 설사, 신세뇨관성 산증, ureteral diversions (ileal bladder 등)

③ 고음이온차 대사성 산증에서는 △AG/△HCO_3^-를 계산해 본다.

단순한 고음이온차 대사성 산증에서는 1-2인데, 1 이하이면 정상 음이온차 대사성 산증이 혼합된 경우이고, 2 이상이면 대사성 알칼리증이 동반된 경우이다.

④ 보상의 적절여부 판정

혈중 HCO_3^- 농도가 1.0 mEq/L 감소할 때마다 PCO_2는 1.2 mmHg씩 감소하여 최하 10 mmHg까지 내려갈 수 있으나 만성 대사성 산증에서 15-20 mmHg 이하로 유지되는 경우는 드물다. → 호흡성 산증 또는 알칼리증의 동반 여부 판정

2) 정상 음이온차 대사성 산증의 비교

표 5-12. 정상 음이온차 대사성 산증의 비교

Findings	Type I RTA	Type II RTA	Type IV RTA	Diarrhea
Normal AG Metabolic Acidosis	Yes	Yes	Yes	Yes
U-pH	>5.3	Variable	<5.3	Variable
% of bicarbonate excreted	<10	>15	<10	<10
Serum K^+	Low	Low	High	Low
Fanconi Syndrome	No	Yes	No	No
Stones/Nephrocalcinosis	Yes	No	No	No
Daily Acid Excretion	Low	Normal	Low	High
Urine AG	Positive	Variable*	Positive	Negative
Daily Bicarbonate Replacement Need	<4 mmol/kg	>4 mmol/kg	<4 mmol/kg	Variable

* Positive when bicarbonaturia is present & u-pH is >5.3.

3) Type IV RTA

(1) 원인

① Hyporeninemic hypoaldosteronism

* Diabetic nephropathy, chronic tubulointerstitial nephropathies

② Aldosterone 생성 억제 약제 – NSAID, ACEI, trimethoprim, heparin

③ Tubular resistance to aldosterone

* Aldosterone치는 정상이어도 집합관 등 원위부 세뇨관 손상으로 H^+, K^+ 분비가 안되는 경우
  - Obstructive uropathy
* Spironolactone: a competitive inhibitor of the aldosterone receptor
* Amiloride triamterene: 원위부 세뇨관에서 Na^+ 재흡수를 차단하여 aldosterone 효과를 감소시킴.

(2) 치료

① Hyperkalemia가 acidosis의 주요 원인이므로 hyperkalemia를 교정

* 저 potassium 식이
* Aldosterone 분비 혹은 작용을 억제하는 모든 약을 피해야 한다.
* Fludrocortisone 0.1-0.2 mg/day(고혈압, 심부전 환자에서는 이를 악화시킬 수 있으므로 염분섭취를 자유롭게 하고 furosemide를 사용하여 K^+ 배설을 증가시킬 수 있다.)
* Ion exchange resin (kayexalate, kalimate)

② Alkali 보충: 1-3 mEq/kg/day

4) 대사성 산증의 치료

원인질환과 대사성산증의 정도, 진행속도 등에 따라 치료가 다르다.

(1) 원인에 따른 치료 원칙

① 신장에서 산 배설 장애 또는 중탄산염 재형성(regeneration) 장애

* 만성 신부전: HCO_3^- 20-24 mEq/L유지되도록 중탄산염 보충
* 원위 세뇨관성 산증: 중탄산염 30-60 mEq/day 투여

② 체외로 중탄산염 소실

* 위장관을 통한 중탄산염 소실: 중탄산염 투여
  HCO^- 결핍량 = 0.6×체중×(목표 HCO^- – 측정된 HCO^-)
  pH가 7.1 이하로 떨어지면 즉시 치료를 해야 하고 혈장 HCO^- 농도를 16 mEq/L로 올릴 수 있는 양을 12-24시간에 걸쳐준다.

- 유기산(organic acid)의 축적
  ⓐ 유산증(lactic acidosis): 조직관류(tissue perfusion) 개선
    중탄산염 정맥투여: 도움이 되는지 논란이 있으나 혈청 HCO_3^-를 8-10 mEq/L, pH를 7.10 이상으로 유지하는 것이 목표이다.
  ⓑ 당뇨병성 케톤산증: 인슐린
    중탄산염 정맥투여: pH가 6.95 이하이면 반드시 주고, 7.15 이상이면 투여하지 않는다.

③ Salicylate, Methanol, Ethylene glycol: 혈액투석으로 제거한다.

(2) 중탄산염 투여경로

① 경구 투여
- Sodium Bicarbonate 1 g 하루 3회로 시작하여 조절
- Shohl's solution: sodium citrate와 citric acid의 혼합물 (1 mL: 1 mEq HCO_3^-)

② 정맥 투여
- 제제: Sodium Bicarbonate
- 투여 농도: 50-150 mEq/L

(3) 심한 산증시 중탄산염 투여량

심한 산증의 초기치료 목표는 pH를 7.2 {$[H^+]$=63 nM}로 올리는 것이다.

〈예시〉
___

$63 = 24 \times \dfrac{PCO^2}{[HCO_3^-]} \rightarrow HCO_3^- = 24 \times PCO2 ≒ 0.4\ PCO^2$

HCO_3^- 결핍량 = $\underline{0.5 - 0.6} \times$ 체중 $\times$ (목표 HCO_3^- − 측정된 HCO_3^-)
  └ 0.7 (혈청 $HCO_3^- < $8-10 mEq/L일 때)

계산양을 수시간(1-4시간)에 걸쳐 정맥주사한다.

증례) 70 kg, pH 7.10, PCO_2 20 mmHg, HCO_3^- 6 mEq/L

  $63 = 24 \times 20/x$ $x = 8\ mEq/L$

그러나, 산증을 교정하면 호흡에 의한 보상이 덜해지면서 PCO_2도 올라가므로 20 → 25 mmHg로 된다고 가정하면

  $63 = 24 \times 25/x'$ $x' = 10\ mEq/L$

∴ HCO_3^- 결핍량 = $0.7 \times 70 \times (10-6) = 196\ mEq$
  즉, HCO_3^- 196 mEq를 수시간(1-4시간)에 걸쳐 정맥주사한다.
  HCO_3^- 투여 시 15분내 전체 세포외액에 분포하고 2-4시간 후 세포내액 및 뼈 완충제와 평형을 이룬다.
∴ HCO_3^- 투여직후 pH를 측정하면 최후 결과를 과대평가할 수 있다.
  주의: 1) 저칼슘혈증, 저칼륨혈증, 고나트륨혈증 및 체액 과다, overshoot alkalosis, paradoxical CSF acidosis
        2) 칼슘염과 bicarbonate는 같은 IV line으로 주지 않는다(∵ 침전될 수 있다.).
___

5. 대사성 알칼리증(Metabolic Alkalosis)

1) 원인

구토, 경비위액제거(nasogastric suction), 이뇨제, 저칼륨혈증, 알칼리 투여 등

2) 감별진단

(1) 요 Cl^- 농도: 대사성 알칼리증에서 요 Na^+ 농도보다 체액양을 더 잘 반영한다.

표 5-13. 요 Cl⁻ 농도에 따른 감별진단

<15 mEq/L	>20 mEq/L
구토 또는 경비위액제거 이뇨제(late) Cl⁻ 섭취부족	염류 코르티코이드 과잉 이뇨제(early) 알칼리투여 심한 저칼륨혈증(<2.0 mEq/L)

3) 치료

(1) 원칙

① 체액량, Cl^-, K^+ 결핍 시 HCO_3^- 재흡수가 증가하므로 이를 교정한다.

② 기저 질환을 치료하여 계속되는 H^+ 소실을 막는다.

(2) 요 Cl^- 농도에 따른 치료

① Saline 반응형(구토, 이뇨제)

• Normal saline 또는 half saline

② Saline 저항형

• 심부전, 간경변증, 신증후군 등 부종을 동반한 질환에서 이뇨제 사용으로 인한 대사성 알칼리증: saline 투여는 부종을 증가시키므로 적응증이 되지 않고, 가능하면 이뇨제를 줄이거나 끊고, acetazolamide (250-375 mg qd 또는 bid) 경구 또는 정맥 투여, 투석을 고려할 수 있다.

• 염류 코티코이드 과잉

– 칼륨 보존 이뇨제(K^+ sparing diuretics), 부신선종의 수술적 치료

– 저칼륨혈증 교정

• 심한 저칼륨혈증(K^+<2.0 mEq/L)

칼륨을 보충해 줌으로써 saline에 대한 반응도 회복될 수 있다.

• 신부전(경비위액제거에 의한 위산의 소실에 의해 발생): 혈액투석

Ⅴ 급성 신손상(Acute kidney injury)

1. 정의, 단계 및 분류

1) 정의: 다음 기준 중 하나를 만족하는 경우 급성 신손상으로 정의

① 48시간 내에 혈청 크레아티닌(serum creatinine)이 0.3 mg/dL 이상 증가

② 1주일 이내에 혈청 크레아티닌이 1.5배 증가

③ 6시간 동안 소변량 <0.5 mL/kg/h

2) 단계

표 5-14. 급성 신손상의 단계

Stage	Serum creatinine	Urine output
1	기존값의 1.5-1.9배 증가 또는 0.3 mg/dL 이상 증가	6-12시간 동안 <0.5 mL/kg/h
2	2.0-2.9배 증가	12시간 이상 <0.5 mL/kg/h
3	3배 이상 증가, ≥4.0 mg/dL, 또는 신대체요법 시작	24시간 이상 <0.3 mL/kg/h 또는 12시간 이상 무뇨

3) 분류

그림 5-10. 주요 원인에 따른 급성 신손상의 분류

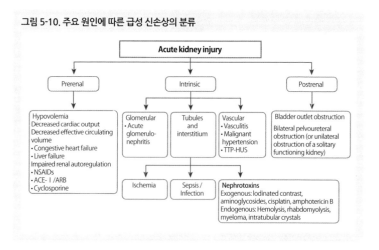

2. 감별 진단

1) 기존 신기능 감소 여부 확인

① 과거 혈청 크레아티닌

② 영상검사에서 양측 신장 크기(만성콩팥병: 신장 크기 감소)

③ 빈혈, 고인산혈증, 저칼슘혈증, 부갑상선기능항진증

만성콩팥병의 증거이나 급성 신손상이 지속되면 발생 가능

2) 원인 감별

Prerenal, intrinsic renal, postrenal

표 5-15. 급성 신손상의 원인감별

Index	Prerenal Azotemia	Oliguric Acute Kidney Injury
BUN/P_{Cr} ratio	>20:1	10–15:1
Urine sodium U_{Na+} meq/L	<20	>40
Urine osmolality, mosmol/L H_2O	>500	<350
Fractional excretion of sodium$_a$	<1%	>2%
Urine/plasma creatinine U_C/P_{Cr}	>40	<20
Urinalysis (casts)	None or hyaline/granular	Muddy brown

*FENa= 100 x (urine Na x serum creatinine)/(serum Na x urine creatinine)
(Harrison's Priniciples of Internal Medicine, 20th Ed. Chapter 48)

3) Prerenal AKI가 아님에도 FENa <1%인 경우

① 패혈증(sepsis)

② 횡문근 융해증(rhabdomyolysis)에 의한 급성 신손상

③ 용혈(hemolysis)과 관련된 급성 신손상

④ 요로폐색(obstructive uropathy) 초기

⑤ 급성 사구체 신염

⑥ 조영제 관련 급성 신손상(contrast related AKI)

4) Prerenal AKI 임에도 FENa >1%인 경우

① 기존 만성콩팥병(chronic kidney disease) 환자

② 이뇨제 사용

③ 최근 수액 정맥 투여

④ Glucosuria, bicarbonaturia

※ BUN/Cr ratio(정상 10-20:1)

(1) BUN/Cr ratio 증가

① 요소(urea) 생산 증가

  - 단백질 섭취 증가, 소화관내 출혈

  - catabolic state: 발열, steroid 투여, 패혈증

② 탈수($\because$요소 재흡수 증가)

(2) BUN/Cr ratio 감소

① 요소 생산 감소: 단백질 결핍, 심한 간질환

② 크레아티닌에 비해 요소제거가 많은 경우: post-dialysis

③ 크레아티닌 생성 증가: 횡문근 융해증

④ 크레아티닌 배설 감소: cimetidine, trimethoprim

3. 급성 신손상의 임상상, 예방 및 치료

1) 요검사(urinalysis)가 정상인 급성 신손상

(1) 신전성 급성 신손상(prerenal azotemia)

① 증상: 갈증, 기립시 현기증

② 신체징후: 기립성 저혈압, 빈맥, skin turgor 감소, 점막 건조, axillary sweating 감소, 요량 감소, 체중 감소

③ 병력: 체액 감소(출혈, 소화관이나 요로를 통한 수액 소실, insensible loss, 3rd-space loss 등), 심박출량 감소(심부전, positive pressure ventilator 등), 혈관 수축(패혈증, 간 경화증 등) 약(ACE 억제제, NSAID 등)

④ FE_{Na} <1%, U_{Na} <20mEq/L, BUN/Cr 비 증가(>20)

(2) 요로 폐색(obstructive uropathy)

① 요로 폐색 교정후 신기능 회복 여부; 폐색 정도, 기간에 좌우된다.

  • 1-2주: 신기능은 회복됨.

  • >12주: 흔히 비가역적 손상을 남긴다.

② 폐색후 이뇨(postobstructive diuresis)
- 기전: 과잉체액에 의한 나트륨 이뇨(saline diuresis), 요소 배설에 따른 삼투성 이뇨 등 정상 생리적인 요인과 세뇨관 손상에 따른 sodium 또는 수분 재흡수 장애 등 병적인 요인으로 발생한다.
- 치료: 과잉체액이 배설되어 정상체액 상태가 된 후에도 이뇨가 지속되면 체액 부족을 예방하기 위해 수액을 보충한다. 요 Na^+은 대략 80 mEq/L이므로 0.45% NaCl을 요배설량의 75% 정도로 투여하면서 체중, 전해질 검사 등을 하면서 투여량을 조절한다. 수일-1주(드물게 수 개월) 후 대부분 저절로 좋아지는데, 이 이후에도 다뇨(polyuria)가 지속된다면 수액 투여가 과도하기 때문일 가능성이 있다.

(3) 다발성 골수종에서의 myeloma cast nephropathy
① 급성 신손상의 기전: 세뇨관내 light chain과 Tamm-Horsfall mucoprotein의 co-precipitation에 의한 cast 형성에 따른 세뇨관 폐색, 세뇨관에 대한 직접 독성 작용
② 급성 신손상 유발인자: 고칼슘혈증, 탈수, 요로감염, 방사선 조영제, 신독성 약물(aminoglycoside, 소염진통제, ACE억제제, bisphosphonate)
③ 치료: 수액공급등 유발인자 교정, 요 알칼리화(산성에서는 Tamm-Horsfall mucoprotein의 solubility 감소 → alkali 투여로 u-pH>7.0), 다발성 골수종 자체에 대한 치료

2) 심혈관 조영 후 발생한 급성 신손상

(1) 방사선 조영제(radiocontrast dye)에 의한 급성 신손상
① 신부전 발생기전: 신 혈관 수축, 조영제의 직접 독성 작용(reactive oxygen species)
② 위험군: 기저 신부전 환자, 체액 부족, 심부전, 당뇨병성 신병증(DM nephropathy, s-cr>4-5: >50% risk), 다발성 골수종, 65세 이상
③ Dye 사용 24-48시간 후 핍뇨가 생겨 진단되거나 비핍뇨성이지만 혈청 Cr치가 상승하여 진단
④ 일부 환자는 FENa <1%
⑤ 경한 비핍뇨성 신부전의 경우 : S-Cr 3-5일에 peak, 10-14일에 정상 심한 핍뇨성 신부전: S-Cr 5-10 일에 peak, 14-21일에 정상
⑥ 예방(표 5-16)

(2) 콜레스테롤 색전에 의한 급성 신손상(atheroembolic renal disease)
① 발생: 큰 혈관의 내막으로부터 atheromatous plaque이 떨어져 나가 작은 혈관을 막거나, 표면에 노출된 콜레스테롤 결정들이 흘러나와 혈류를 따라가다가 더 작은 혈관을 막음.
② 죽상반이 가장 심한 부위: 복부대동맥, 특히 신동맥 기시부 상부
③ 유발 요인: 동맥조영, 동맥확장술, 혈관수술 등 procedure, 항응고제나 혈전용해제 투여,

또는 저절로 발생하기도 함.

④ 임상상: 색전이 다량 발생하면 발열, 뇌경색, 급성 신손상, 장 경색에 따른 복통, 장출혈, 패혈증 등 심한 임상상을 나타내지만, 색전이 심하지 않은 경우 수주에 걸쳐 서서히 Cr 증가함. 하지의 livedo reticularis, blue toes/eosinophilia (25-50%), hypocomplementemia (드물게).

⑤ 진단: livedo reticularis 부위 생검

⑥ 치료: 발가락 허혈부위 통증조절, 신부전 심하면 투석, statins 등

표 5-16. Preventive Strategies for RCN

Stop drugs that increase risk of RCN or lactic acidosis 48h before procedures when possible
• Nonsteroidal anti-inflammatory agents • Aminoglycosides • Amphotericin B • Metformin*
Administer intravenous fluid at 1 mL/kg/h for 6-12h before the radiographic contrast procedure
• Use 0.9% normal saline or sodium bicarbonate, 154 mEq/L • Watch for volume overload in those with CKD stage 4 or congestive heart failure
N-Acetylcysteine, 600 mg, orally twice daily the day before and day of radiographic contrast procedure
Minimize radiographic contrast volume
• <30 mL if possible
Consider iso-osmolar or nonionic radiographic contrast material
Consider hemofiltration in people with serum creatinine level >2 mg/dL

* Withhold metformin until the measure or estimate of GFR is greater than 40 mL/min/1.73 m^2 to reduce risk of lactic acidosis.

3) 항균제 사용 후 발생한 급성 신손상

(1) Aminoglycoside 신독성

① 위험군: 고령, 만성 신부전, 간질환, 탈수, 고 용량 투여, 신독성 물질 병행 사용

② 사구체여과 후 근위세뇨관에 재흡수, 축적되어 발생하므로 보통은 7일 이상 투여한 후 Cr이 증가하나, 탈수, 저혈압 등이 있는 환자에서는 투약 시작 1-2일 후에도 Cr이 증가할 수 있다.

③ 대부분 비핍뇨성이다(원위세뇨관 손상 → 농축 장애).

④ 요중 Mg 소실 → 저마그네슘혈증 → 저칼륨혈증, 저칼슘혈증

⑤ FENa >1%

⑥ 보통은 약 중지 후 3주내 혈청 Cr치가 기저치로 회복된다.

⑦ 예방: divided dose보다 once-daily dose가 독성을 줄일 수 있는 것으로 보고됨.

(2) Amphotericin B 독성

① 기전: 세뇨관 손상(세포막 투과성 증가)과 신혈관 수축.

② 소변으로 칼륨, 마그네슘 소실에 따른 저칼륨혈증, 저마그네슘혈증, 제1형 신세뇨관 산증, 신성 요붕증에 의한 다뇨.

③ 투여량 0.5 mg/kg/day, 누적투여량 600 mg 이하에서는 신부전 위험은 낮다. 투약을 중단하면 보통 가역적이나, 누적투여량 3 g 이상에서는 비가역적인 신손상도 발생한다.

④ 예방책: 생리식염수 주사에 의한 volume expansion, liposomal amphotericin B (ambisome)

(3) Acyclovir에 의한 급성 신손상

① Bolus로 정맥투여 시 곧 소변으로 배설되는데 solubility가 낮아 세뇨관내에서 결정체를 형성하고 세뇨관 폐쇄, 간질염증 초래 등으로 발생

② 주사 후 곧 신부전이 발생하고, 오심, 측복통, 복통 등 발생

③ 혈청 Cr은 8 mg/dl까지도 올라갈 수 있으나 투약 중단 4-9일 내 완전 회복된다.

④ 치료: 수액(hydration) 및 loop 이뇨제 투여 - 세뇨관내 결정을 소변으로 배출시키는 효과 기대

⑤ 예방: 투약 전 hydration, 정맥 투여시 천천히 주사(1-2시간에 걸쳐), 경구투여로는 급성 신손상이 잘 발생하지 않는다.

4) 횡문근 융해증(rhabdomyolysis)에 의한 급성 신손상

(1) 원인

외상에 의한 근육 손상, alcoholism, 경련(seizure), HMG-CoA reductase 억제제(statins), phosphate 또는 potassium 결핍

(2) 발생기전

① Myoglobin이 Tamm-Horsfall mucoprotein과 세뇨관 내 침전 → 세뇨관 폐색

② 요산 결정 침전

③ 동반된 체액 결핍, 신허혈

④ Myoglobin, 분해산물(ferrihemate)의 신독성

(3) 임상상

① Myoglobinuria

② CK ↑↑(보통 100,000 unit/ml 이상이고, 2,000 이하에서 Cr 증가는 드물다.)

③ BUN↑ 보다 Cr ↑↑가 크다.

④ 흔히 FENa <1%(세뇨관 폐색 때문에)

⑤ Ca↓, P↑

⑥ K^+ ↑ ↑

⑦ AST 증가(many hundreds of U/L), ALT 증가(a few hundreds of U/L)

(4) 치료

① 수액 및 알칼리투여로 요량100-200 mL/hr, u-pH >7.0 되도록 한다.

　요 알칼리화는 heme pigment의 solubility 증가, myoglobin, hemoglobin

　→ Globin + ferrihemate(신독성이 더 크다)로의 전환을 줄인다. 그러나, calcium-phosphate 침전을 일으킬 수 있다.

② Furosemide 정주하여 핍뇨 → 비핍뇨로 전환해 본다.

③ 고칼륨혈증 교정

④ Ca^{++}은 증상이 있지 않으면 보충하지 않는다. 특히 P↑ 때 ∵ 심한 metastatic calcification.

⑤ 조기에 혈액투석 고려(hypercatabolic)

⑥ Compartment syndrome → Fasciotomy

5) 항암제 투여 후 발생한 급성 신손상

(1) Cisplatin

① 신세뇨관에 독성작용(특히 Cl^-가 적을 때)

② 투약 3-5일 후 점진적인 비핍뇨성 신부전(헨레고리, 집합관 손상으로 요농축 장애로 인해)

③ 급성 신손상은 가역적일 수 있으나 투약이 반복되면 비가역적 손상을 남긴다.

④ 요중 마그네슘 소실 → 저마그네슘혈증(>1/2 cases)

⑤ 예방: Vigorous hydration (N/S 250 mL/hr)(이유: Cl^- 농도가 높으면 highly reactive platinum compound 형성이 줄고, 신세뇨관의 cisplatin 흡수가 적다.)

(2) Tumor lysis syndrome

① 기전

　• Acute uric acid nephropathy

　• Hyperphosphatemia (lymphoma ∵ lymphoblast-high phosphate content)

② Acute uric acid nephropathy

　• Tubule 내 uric acid 침전으로 ARF 발생

　• 혈청 uric acid 보통 15 mg/dl 이상 되어야 발생(다른 ARF; 12 이하)

　• Spot urine의 uric acid/creatinine ratio >1(다른 ARF; 0.6-0.75 이하)

　• 치료

　　- Allopurinol

　　- Hydration (+lasix)(요량 >2.5 L/day) + 알칼리 투여로 요 알칼리화(u-pH>7) (alkali urine에서 uric acid가 좀 더 soluble한 urate salt로 되어 침전↓ 요알칼리화 시

　　문제점; calcium phosphate 침전의 위험이 있다.)
　　– 혈액투석으로 요산 제거
③ Hyperphosphatemia
　• 세뇨관내 calcium phosphate 침전으로 ARF 발생
　• 치료
　　– Hydration
　　– Acetazolamide (a potent phosphaturic agent)
　　– Hemodialysis (phosphate 제거)

4. 급성 신손상의 치료 원칙

① 가역적인 원인 질환이 있는지 확인하고 이에 대해 치료한다.
② 정상체액 상태를 만들고 유지한다.
③ 핍뇨성 신손상 → 비핍뇨성 신손상으로의 전환을 시도한다.
　수액 투여로 유효 순환량이 충분히 보충되어도 요량이 증가하지 않을 때 이뇨제(furose-
　mide)를 투여해 본다. 비핍뇨성 신손상이 핍뇨성 신손상에 비해 예후가 좋다는 증거는 없
　으나 충분한 요량이 확보되면 영양공급이나 이후의 수액치료를 쉽게 할 수 있다.
④ 적절한 영양 공급
　• 식이 단백 섭취 제한(0.8-1 g/kg/d)
　• 탄수화물(>100 g/d)
　• 장기간 지속되거나 hypercatabolic 상태이면 enteral 도는 parenteral nutrition
⑤ 감염예방을 위해 침습적인 line 삽입, 시술은 최소화한다.
⑥ 신독성이 있는 약 사용은 피하고, 신장으로 배설되는 약은 적절히 감량한다.
⑦ 급성 신손상의 합병증(체액과다에 의한 폐부종, 고칼륨혈증 등 전해질 이상, 대사성 산증
　등) 발생 여부를 감시하고 치료한다.
　• 체액 과다: 염분(salt <1-2 g/day), 수분(<1 L/d) 섭취 제한, 이뇨제(loop diuretics
　　± thiazide), 투석
　• 저나트륨혈증: 수분 섭취 제한(<1 L/d), 저장성 수액 투여 제한
　• 고칼륨혈증: 식이 K 섭취 제한, potassium 결합 이온 교환수지, glucose+insulin,
　　sodium bicarbonate, beta-agonist, calcium guconate 등(전해질 이상 부분 참조)
　• 대사성 산증: sodium bicarbonate(HCO_3^- >15 mEq/L, pH>7.2 유지)
　• 고인산혈증: 식이 인 섭취 제한(<800 mg/d), 인 결합제(calcium acetate, calcium
　　carbonate, sevelamer)

- 저칼슘혈증: 증상 없으면 calcium carbonate 500 mg 1일 3회 경구 투여, 증상 있으면 calcium gluconate(10% 10-20 mL iv)
- 고마그네슘혈증: magnesium포함 제산제 중단
- 고요산혈증: uric acid가 15 mg/dl 이하이면 치료가 필요 없다.
⑧ 필요시 신대체 치료(투석 등)를 시행한다.

그림 5-11. 핍뇨환자의 진단접근

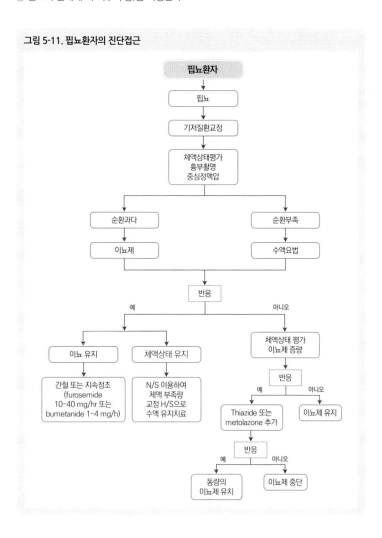

5. 신대체 치료(투석 등)의 적응증

1) 전통적인 적응증

① 내과적 치료에 반응하지 않는 심한 고칼륨혈증(K >6.5 mEq)

② 내과적 치료에 반응하지 않는 심한 대사성 산증(HCO_3^- >10 mEq/L)

③ 이뇨제에 반응하지 않는 폐부종

④ 요독증: 의식 장애, 경련과 같은 중추신경계 증상, 심낭염

⑤ 진행성 고질소혈증(BUN >100 mg/dL, 혈청 Cr >10 mg/dL)

2) 예방적 적응증

① 임박한 산염기 도는 전해질 장애

② 핍뇨가 발생한 상태에서 투약 또는 영양 공급을 위한 다량의 수액 투여가 필요한 경우

③ 조기에 회복될 가능성이 적은 중등도 또는 심한 신부전

④ 패혈증 또는 systemic inflammatory response syndrome에서의 급성 신손상

6. 지속적 신대체요법(Slow continuous therapy)

1) 종류

① CVVHD (continuous venovenous hemodialysis)

② CVVHF (continuous venovenous hemofiltration)

③ CVVHDF (continuous venovenous hemodiafiltration), slow continuous ultrafil-
tration

2) 장점

① 저혈압 발생이 적다.

② 고질소혈증, 산염기 및 전해질장애 교정이 더 용이하다.

③ 체액과다 시 수액 제거가 용이하다(폐부종, acute respiratory distress syndrome).

④ 필요시 주사제, 영양제 등 다량의 수액 투여가 가능하다.

Ⅵ 만성 신부전(Chronic Kidney Disease)

1. Chronic Kidney Disease 정의(KDIGO 2013)

CKD is defined as abnormalities of kidney structure or function, present for >3 months, with implications for health.

표 5-17. 만성 신부전의 기준

Criteria for CKD (either of the following present for >3 months	
Markers of kidney damage (one or more)	Albuminuria (AER ≥30 mg/24 hours; ACR ≥30 mg/g [≥3 mg/mmol]) Urine sediment abnormalities Electrolyte and other abnormalities due to tubular disorders Abnormalities detected by histology Structural abnormalities detected by imaging History of kidney transplantation
Decreased GFR	GFR <60 mL/min/1.73 m² (GFR categories G3a–G5)

Abbreviations; CKD, chronic kidney disease; GFR, glomerular filtration rate.

2. Chronic kidney disease의 major outcome

① Loss of kidney function

② Development of cardiovascular disease

3. Chronic kidney disease의 evaluation과 treatment

1) 평가

① Diagnosis (type of kidney disease)

② Comorbid conditions

③ Severity, assessed by level of kidney function

④ Complications, related to level of kidney function

⑤ Risk for loss of kidney function

⑥ Risk for cardiovascular disease

2) 치료

① Specific therapy, based on diagnosis

② Evaluation and management of comorbid conditions

③ Slowing the loss of kidney function

④ Prevention and treatment of cardiovascular disease

⑤ Prevention and treatment of complications of decreased kidney function

⑥ Preparation for kidney failure and kidney replacement therapy

⑦ Replacement of kidney function by dialysis and transplantation, if signs and symptoms of uremia are present.

4. CKD staging

그림 5-12. 만성 신부전의 단계

Prognosis of CKD by GFR and Albuminuria Categories: KDIGO 2012			Persistent albuminuria categories Description and range		
			A1	A2	A3
			Normal to mildly increased	Moderately increased	Severely increased
			<30 mg/g <3 mg/mmol	30-300 mg/g 3-30 mg/mmol	>300 mg/g >30 mg/mmol
G1	Normal or high	≥90			
G2	Mildly decreased	60-89			
G3a	Mildly to moderately decreased	45-59			
G3b	Moderately to severely decreased	30-44			
G4	Severely decreased	15-29			
G5	Kidney failure	<15			

*Green: low risk (if no other markers of kidney disease, no CKD); Yellow: moderately increased risk; Orange: high risk; Red, very high risk.

표 5-18. Management Guidelines-Dietary Protein Restriction in CKD

GFR (mL/min)	Protein (g/kg/day)	Phosphorus (g/kg/day)
>60	Protein restriction not usually recommended	no restriction
25–60	0.6 g/kg/day including ≥0.35 g/kg/day of HBV	≤10
5–25	0.6 g/kg/day including ≥0.35 g/kg/day of HBV or	≤10
	0.3 g/kg/day supplemented with EAA or KA	≤9
<60 (nephrotic)	0.8 g/kg/day (plus 1 g protein/g proteinuria) or	≤12
	0.3 g/kg/day supplemented with EEA or KA (plus 1 g protein/g proteinuria)	≤9

*HBV: high biologic value protein, EAA: essential amino acid supplement, KA: ketoanalogue supplement

5. 보존적 치료

1) 식이요법
① 당질과 지방은 제한하지 않음
② Energy requirement: 35 kcal/kg per day

2) 수분 및 전해질 관리
(1) 수분 제한
신부전 환자에서 요농축 및 희석능력이 감소되어 있어도 구갈 기전이 남아있어 수분을 제한할 필요는 없으나 신부전이 진행된 경우에는 불감 손실과 소변량을 합한 정도로 수분을 제한함
(2) 염분 제한
고혈압, 부종, 심부전시에 염분제한 및 이뇨제 투여(GFR이 20 mL/min 이하면 thiazide는 효과가 없다. → furosemide 사용)
(3) 저칼륨 식이
(4) 산염기 조절
혈청 HCO_3^- 22 mEq/L 이하로 감소하면 $NaHCO_3$ 보충(2 mEq/kg/day, 3-4분, 식후 1시간 뒤 내복)

3) 고혈압

표 5-19. Management Guidelines for BP control in CKD

Target BP in CKD	130/80–85 mmHg
With proteinuria (1 g/day)	125/75 mmHg (MAP 92 mmHg)
Recommanded medications	Diuretics to achieve normovolemia In diabetic nephropathy or CKD with proteinuria: ACE inhibitor or angiotensin receptor antagonist alone or in combination with diuretics
	In other causes of CKD, Calcium entry blocker, alpha or Beta blocker considered as alternative

4) 빈혈의 관리

(1) Chronic Kidney Disease에서 빈혈에 대한 initial evaluation (KDIGO guideline)

- Complete blood count (CBC)
- Absolute reticulocyte count
- Serum ferritin level
- Serum transferrin saturation (TSAT)
- Serum vitamin B12 and folate levels

(2) Chronic Kidney Disease에서 빈혈 치료 Guidelines

① Erythropoietin

- 시작 용량: 50–150 units/kg per week(주당 2–3회에 나누어서) Target Hct/Hb 33–36%/11–12 g/dL
- 적절한 교정 속도: increase Hct by 4–6% over 4 week period (achieve goal value within 2–3 months)

② Darbepoetin alfa

- 시작 용량: 0.45 μg/kg per week IV or SC, 0.75 μg/kg per 2 weeks IV or SC
- Target Hb ≤12 g/dL
- 적절한 교정 속도: increase Hb by 1–2 g/dL over 4 weeks

③ Iron

- 검사: transferrin saturation (TSAT), serum ferritin
- TSAT <20%, ferritin <100 μg/L: iron 50–100 mg IV twice per week for 5 weeks (또는 for 10 successive dialysis sessions로 투여). 철분 수치가 계속 낮을 경우 같은 방법으로 한 cycle 더 투여.
- 철분 지표는 정상이나 아직 Hct/Hb가 낮은 경우, IV iron을 위와 같이 투여: monitor Hct/Hb, TSAT and ferittin

- TSAT>50% and/or ferritin>800 ng/mL: 철분 투여를 중단함.
- 교정이 잘 안되는 경우

  Inadequate dialysis, uncontrolled hyperparathyroidism, aluminium toxicity, chronic blood loss or hemolysis and associated hemoglobinopathy, malnutrition, chronic infection, multiple myeloma or another malignancy.

그림 5-13. 만성 신부전에서 빈혈의 치료

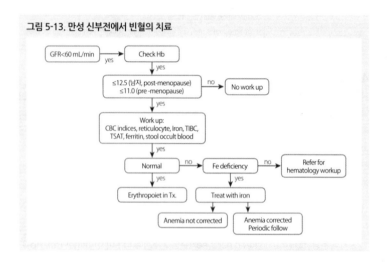

5) 신성 골이형성증의 관리

(1) Calcium, Phosphorus, i-PTH의 target range

① Corrected calcium: 8.4-9.5 mg/dL

② Phosphorus: 3.5 to 5.5 mg/dL

③ i-PTH: UNL의 2-9배 안으로 유지(본원 기준 대략 150-600 pg/mL)

④ 25- OH vitamin D: >30 ng/mL

(2) 칼슘, 인의 조절(Phosphate-binding compounds)

① Calcium acetate (contains 25% elemental Ca^{2+})

② Calcium carbonate (contains 40% elemental Ca^{2+})

③ Sevelamer carbonate (no calcium/metal)

→투석 환자에서 인 제한 식이요법에도 불구하고 혈중 인이 5.5 mg/dL 이상인 경우 보험이 되고, 혈중 인이 4 mg/dL 이상인 경우 유지요법도 보험이 됨.

④ Lanthanum carbonate (no calcium)

→ 투석 환자에서 인 제한 식이요법에도 불구하고 혈중 인이 5.6 mg/gL 이상인 경우 보험
이 되고 혈중 인이 4 mg/dL 이상인 경우 유지요법도 보험이 됨.

⑤ Calcium-based phosaphate binder보다는 칼슘이 포함되지 않는 제제의 사용을 권장
하는 추세(serum calcium level도 고려 필요)

(3) 부갑상선 항진증의 management

① Corrected calcium level은 9.5 mg/dL 미만, phosphorus는 5.5 mg/dL 미만으로 조
절한 다음 iPTH가 300 pg/mL 이상인 경우 active vitamin D를 사용

② Calcitriol (Bonky®): 1, 25(OH)$_2$D$_2$

- PO: 시작 용량: 0.25 mcg daily or 0.5 mcg three times/wk

  용량 범위: 0.25-1 mcg daily

- 증량은 4-8주 간격으로 한다.

- IV: 0.5 mcg/day 3 times/week (may require from 0.5-3 mcg/day given 3 times/wk)

③ Alfacalcidol (Onealfa®): 1-α-vitamin D3, 0.5 mcg-1 mcg qd

④ Paracalcidol (Zemplar®): 19-Nor-1,25(OH)$_2$D$_2$

- PO: 용량; 1-2 mcg daily or 2-4 mcg on a thrice-weekly regimen, 용량조절;
  1 mcg increments on the daily schedule, or by 2 mcg on the thrice-weekly
  schedule

- IV: 0.04-0.1 mcg/kg or give dose in mcg equal to biPTH/40 or iPTH/80 three
  times per week

⑤ Calcimimetics: Cinacalcet (Sensipar®): hypocalcemia 유발

- PO: 시작 용량: 30 mg qd

- 용량 조절: 매 4주마다, 30 mg qd to 180 mg qd

⑥ Corrected Ca >10.2 mg/dL, P >6.0 mg/dL, i-PTH <150 pg/mL 시 Vitamin D
제제 투여 중단한다.

6) 고지혈증 관리

표 5-20. Managing Dyslipidemia in CKD Stages 1 to 4

Measurement	Complete lipid profile Total cholesterol, HDL-C, triglycerides, LDL non-HDL-C*
Frequency	Annually or 2-3 mo after change in treatment or Clinical status†
Goal	LDL-C <100 mg/dL; <70 mg/dL is a Therapeutic option Statins are preferred therapy

*Non-HDL-C = total cholesterol - HDL-C.
†Change in albuminuria/proteiuria or GFR.

표 5-21. Dosing Adjustments of Medicines to Treat Lipid Disorders in CKD

Class	Drug	Recommended Adult Dosing Range	Dose in CKD
Statins	Atorvastatin	10–80 mg daily	No dosage adjustment needed
	Fluvastatin	20–80 mg daily	Dose adjustments not needed for mild to moderate kidney disease Use caution in patients with severe kidney disease Fluvastatin not studied at doses >40 mg in these patients
	Lovastatin	Immediate release: 10–80 mg daily in a single dose or divided doses Extended release: 10–60 mg daily in a single dose	In patients with CCr <30 mL/min, doses >20 mg daily should be used cautiously
	Pravastatin	10–40 mg daily	No dosage adjustment needed
	Rosuvastatin	5–40 mg daily	No dose modification necessary for patients with mild to moderate kidney disease CCr <30 mL/min/1.73 m², not on hemodialysis, initiate dosing at 5 mg daily and do not exceed 10 mg daily
	Simvastatin	5–80 mg daily	Initiate therapy at 5 mg daily in patients with severe kidney disease
Fibric acid derivatives	Gemfibrozil	1,200 mg daily in 2 divided doses before meals	Decrease dose or consider alternative therapy in patients with SCr >2 mg/dL
	Fenofibrate	54–160 mg daily	Initiate therapy at 54 mg daily and assess the effects on kidney function and lipid concentrations Minimize doses in patients with CCr <50 mL/min as rate of drug clearance is greatly reduced.
Other	Ezetimibe	10 mg daily	No dosing adjustments needed

Abbreviations: CCr, creatinine clearance; SCr, serum creatinine.

7) Uremia 환자에서 bleeding time의 교정

표 5-22. Uremia 환자에서 bleeding time의 교정

Agent	Usual dose	Onset	Peak action	Duration
Cryoprecipitate	10 u over 30min	<4 h	4–12 h	12–18 h
IV DDAVP	0.3 μg/kg in 50 mL saline	<1 h	1–4 h	4–8 h
Intranasal DDAVP	3 μg/kg	Same ?	Same ?	Same ?
IV estrogen	0.6 mg/kg/day for 5 days	6 hr	Day 5–7	Day 14

VII 투석 치료(Renal replacement therapy)

1. 말기 신질환의 원인

① Diabetes mellitus
② Hypertension
③ Glomerulonephritis
④ Polycystic kidney disease
⑤ Obstructive uropathy

2. 말기 신질환에서 투석의 적응증

① Uremic syndrome
　혈액 내 nitrogenous wastes가 축적되어, symptom이나 sign을 나타내는 상태로
　nausea, vomiting, fatigue, urine like odor, pericardial friction rub, foot or wrist
　drop, tremor asterixis, multifocal myoclonus, seizure 등(uremic pericarditis,
　pleuritis, motor neuropathy, encephalopathy)
② Conservative measure에 반응 없는 hyperkalemia
③ Medical therapy에 저항성인 acidosis
④ Bleeding diathesis
⑤ Creatinine clearance <10 mL/min/1.73 m^2
⑥ Intractable volume overload
⑦ Hyperphosphatemia refractory to treatment with phosphorus binders
⑧ Anemia refractory to erythropoietin & iron treatment

3. 투석 방법의 선택

표 5-23. Contraindications to dialysis modalities Absolute and relative contraindications to hemodialysis and peritoneal dialysis

	Contraindications to dialysis modalities	
	Absolute	Relative
Peritoneal dialysis	• Loss of peritoneal function producing inadequate clearance • Adhesions blocking dialysate flow • Surgically uncorrectable abdominal hernia • Abdominal wall stoma • Diaphragmatic fluid leak • Inability to perform exchanges in absence of suitable assistant	• Recent abdominal aortic graft • Large polycystic kidneys • Ventriculoperitoneal shunt • Intolerance of intra-abdominal fluid • Large muscle mass • Morbid obesity • Severe malnutrition • Skin infection • Bowel disease • Carriage of S. aureus
Hemodialysis	• No vascular access possible	• Difficult vascular access • Needle phobia • Cardiac failure • Coagulopathy

4. 도관 삽입

1) 혈액투석

① Arteriovenous fistula (AVF): creation 후 대략 6주 경과 후 사용 가능

② Arteriovenous graft (AVG)

- Creation 후 약 1-3주 경과 후 사용 가능
- AVF보다 조금 일찍 사용 가능

③ Central venous catheter: subclavian catheter인 경우 venous stenosis의 발생 때문에 jugular vein이 선호 됨.

2) 복막투석

Catheter insertion 후 local inflammation 반응을 일으킨 후 fibrous & granulation tissue화 되는데 한 달이 걸림.

5. 혈액투석(Hemodialysis)

1) 원리

(1) Diffusion(확산)

투석막을 사이에 두고, 혈액측과 투석액측 사이에 존재하는 물질의 농도 차이에 의한 물질의 이동

① 이동 속도: concentration gradient, membrane surface area, mass transfer coefficient (MTC)에 의해 결정

② MCT: 사용하는 투석막의 porosity와 thickness, 이동하는 molecule의 크기에 의해 결정

③ 크기가 클수록 제거되는 물질의 양이 줄어듦.

(2) Convection(대류)

막 사이의 정수압 차이에 의한 수분 이동에 따라, 물질의 이동

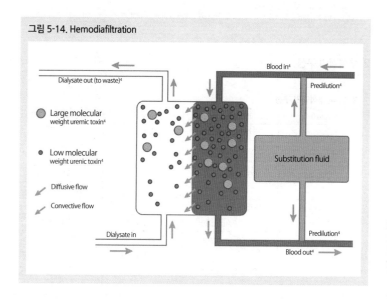

그림 5-14. Hemodiafiltration

그림 5-15. Circuit for hemodialysis

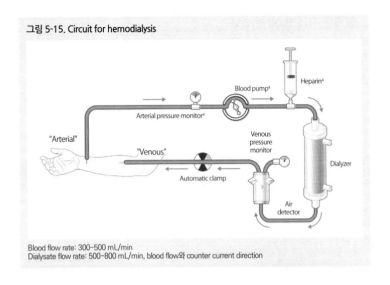

Blood flow rate: 300~500 mL/min
Dialysate flow rate: 500~800 mL/min, blood flow와 counter current direction

2) 투석액의 구성

표 5-24. 투석액의 구성

Solute (HD)	Bicarbonate diasylate	Solute (PD)	Physioneal (PD-2)
Sodium	137–143 (mEq/L)	Sodium	132 (mEq/L)
Potassium	0–4.0 (mEq/L)	Potassium Chloride	0 (mEq/L) 96 (mEq/L)
Chloride	100–111 (mEq/L)	Calcium	2.5 (mEq/L)
Calcium	0–3.5 (mEq/L)	Magnesium	0.5 (mEq/L)
Magnesium	0.75–1.5 (mEq/L)	D,L–Lactate	40 (mEq/L)
Acetate	2.0–4.5 (mEq/L)	Bicarbonate	15 (mEq/L)
Bicarbonate	30–35 (mEq/L)	Glucose (g%)	25 (mEq/L)
Glucose	0–0.25 (mg/dL)	1.5 2.5 4.25 pH	7.4

HD: hemodialysis, PD: peritoneal dialysis

3) Adequacy of dialysis: dialysis dose의 측정
투석 동안 감소된 BUN을 계산하여 측정

(1) URR (urea reduction ratio)
Pre BUN-post BUN/pre BUN × 100, 65% 이상이 목표
(2) Kt/V (K: urea clearance, t: time, V: volume of urea distribution)
Single pool Kt/V >1.2

4) 혈액 투석 중 합병증
(1) 저혈압
① 원인: excessive ultrafiltration, impaired vasoactive response, osmolar shift, food ingestion, impaired cardiac reserve, diastolic dysfunction, Anti-HTN drug 사용, 빈혈, warm dialysate 사용에 의한 vasodilatation
② 처치: discontinuing ultrafiltration, isotonic saline 100-250 mL 또는 salt poor albumin 주입, 투석일 항고혈압제 중단, 투석 중 음식 섭취 제한, a- agonist (midodrine) 복용, cooling of the dialysate
(2) 근 경련
① 원인: 명확하지는 않으나, aggressive volume removal이나 low sodium dialysate와 연관된 경우가 많음
② 처치: reducing volume removal, higher sodium dialysate 사용, quinine sulfate (260 mg 2h before treatment)
(3) Cardiovascular disease로 인한 사망
① 말기 신부전 환자의 사망 원인 중 가장 흔하고, 약 50% 차지
② 요인: inadequate treatment of HTN, hyperlipidemia, homocystinemia, anemia, calcium phosphorus product 증가로 인한 coronary artery calcification

5) Continuous renal replacement therapy
(1) 장점: homodynamically better tolerable, biochemical abnormality의 gradual correction, fluid removal 용이, technically simple
(2) 종류
① CAVH/D (continuous arteriovenous hemodiafiltration)
- Clearance rate: 10-15 mL/min
- Systemic arterial pressure를 이용하여 hemofiltration 시행

그림 5-16. CAVHDF

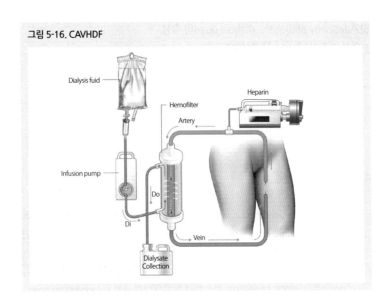

그림 5-17. CVVHDF

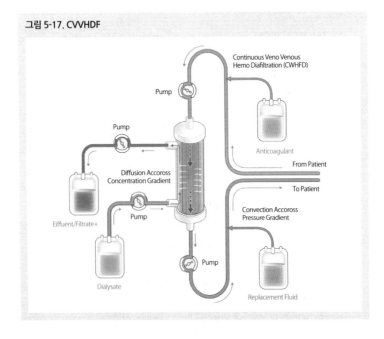

② CVVH/D (continuous venovenous hemodiafiltration)
- Clearance rate: 30-40 mL/min
- Arterial acess가 필요 없어 덜 위험, larger vein에 double lumen catheter 삽입 후 시행.
- Hemofiltration 위한 pump 필요(blood flow: 150-180 mL/min)
- Anticoagulation: heparin; 200-1,600 U/h, citrate; calcium chelation으로 효과

6. 복막투석(Peritoneal dialysis)

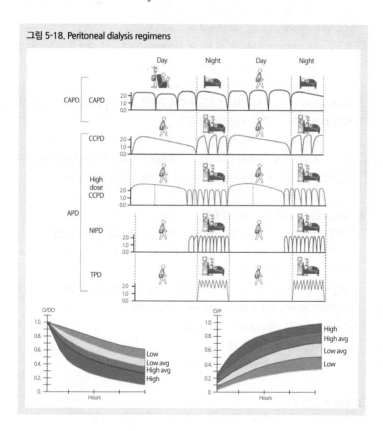

그림 5-18. Peritoneal dialysis regimens

① 2 L의 dextrose-containing solution을 peritoneal cavity에 2-4시간 동안 저류
② 혈액 투석과 유사하게 복막을 사이에 두고 convective clearance와 diffusive clearance를 통해 물질의 이동이 발생함

③ Peritoneal solute transport rate: 환자에 따라 다르고, infection (peritonitis) 유무, B-blocker나 calcium channel blocker 등의 약제 사용, position과 exercise와 같은 physical factors에 의해 영향을 받음

1) Forms of PD

① CAPD (continuous ambulatory peritoneal dialysis)

환자의 손으로 daytime에 3-4회 복막액 교환, nighttime dwell은 bed에서 이뤄지고, 밤 사이 복강 내에 저류 시킨 후 아침에 복막액 교환

② CCPD (continuous cyclic peritoneal dialysis)

Automated cycler를 통해 주로 밤 사이에 4-5회 복막액을 교환. 수면 중 교환이 일어나고, 아침에는 복막액 교환없이 복강 내에 daytime 동안 저류

③ NIPD (night intermittent peritoneal dialysis)

Automated cycler로 밤 10시간 동안 복막액 교환을 하고, 아침에는 복막액을 완전히 비워 daytime에는 복강을 dry한 상태로 유지.

④ TPD (tidal peritoneal dialysis)

첫 투석액 주입시 최대한 많은 복막액을 주입 후 다음 투석액 교환 시 일부는 교환, 일부는 복강 내에 저류시켜 복막을 통한 diffusive clearance가 지속적으로 일어나게 함.

2) Peritoneal equilibrium test (PET)

① 복막의 특성은 사람마다 다르기 때문에 PD 시작한 지 2개월 내에 PET을 시행함.

② 2.5% dextrose solution 2 L를 4시간 동안 dwell 후 4시간 째 plasma와 dialysate 내의 Cr의 농도 비교(D/P Cr at 4 hour)

③ High transporter: D/P Cr >0.81, solute removal이 투석 초기에 일어나고, 시간이 지날수록 Glucose 흡수에 따라 Ultrafiltration이 저하 됨.

→ NIPD or CAPD without nighttime dwell로 전환

④ Low transport: D/P Cr <0.5

⑤ High-average/low-average: 0.5 <D/P Cr <0.81

3) Adequacy of PD

① Weekly KT/V >2.0, creatinine clearance 65 L/week/1.73 m^2

② Suboptimal clearance values시: 교환 횟수 증가, 1회 교환 시 투석액 증량, CAPD + CCPD 병행

4) CAPD peritonitis

ISPD peritonitis guideline 참고

(1) 증상

복통, 구토, 복막 배출액의 혼탁, 미열

(2) 진단

주증상인 복통과 혼탁한 투석액을 보이며 투석액 유입 후 4시간 이상 지난 투석액(적어도 50 mL 이상의 sample이 필요)의 백혈구 수가 100/mm³ 이상이고 이 중 적어도 50% 이상이 PMN일 때 세균성 복막염으로 진단, 투석액 Gram stain 결과에 따라 항생제 선택. 투석액 내 Amylase 농도가 50 IU/L 이상이면 복부 내 병리기전에 의한 감염 고려해야 함.

(3) Initial management of CAPD peritonitis

① CAPD (continuous-dosing method)

- Drain abdomen and obtain cell count and culture from drainage bag.
- Loading dose: infusion 2 L of 1.5% dextrose dialysis solution containing: 500 mg ceftazidime + 1,000 mg cefazolin + 1,000 units/L heparin, allow to dwell 3 hr.
  In patients who appear septic, administer loading doses IV (i.e. ceftazidime 1,000 mg, cefazolin 1,000 mg) rather than IP
- Maintenance dose: continue regular CAPD schedule using normal exchange volume.
  Add 125 mg/L ceftazidime+125 mg/L cefazolin+1,000 units/L heparin to each dialysis solution bag

표 5-25. Incidence of oraganisms isolated in patients with peritonitis

Organism	(%)
Bacteria	80-90
Staphylococcus epidermidis	30-45
Staphylococcus aureus	10-20
Streptococcus species	5-10
Coliforms	5-10
Klebsiella and Enterobacter	5
Pseudomonas	3-8
Others	<5
Mycobacterium tuberculosis	<1
Candida and other fungi	<1-10

표 5-26. CAPD peritonitis의 치료

	Urine output <100 mL/day	Urine output >100 mL/day
Cefazolin or Cephalothin	1 g/bag daily or 15 mg/kg BW/bag	20 mg/kg BW/bag
Ceftazidime	1 g daily in long dwell	20 mg/kg BW/bag once a day
Gentamicin Tobramycin Netilmycin	0.6 mg/kg BW/bag once a day	Not recommended

② CAPD (intermittent-dosing method)

- 위와 같음
- Maintenance dose: continue regular CAPD schedule, using normal exchange volume administer 1,000-1,500 mg/L ceftazidime, 1,000 mg/L cefazolin to one exchange/day only (e.g. the long nocturnal exchange; the other exchanges contain no antibiotics) 만약 fibrin이나 blood가 dialysate에 존재하면 heparin 추가

(4) 24-48 hr 후에 culture 결과에 따른 definite Tx.

① Gram 양성균이 배양된 경우

표 5-27. Gram 양성균이 배양된 경우의 치료

Enterococcus	S.aureus	Other (CNS)
Stop cephalosporins Start ampicillin 125 mg/l each bag Consider adding aminoglycoside	Stop ceftazidime or aminoglycoside Continue cefazolin Add rifampin 600 mg/d p.o	Stop ceftazidime or aminoglycoside cefazolin
If ampicillin resistant start vancomycin or clindamycin If VRE consider Synercid (Linezolid)	If MRSA start vancomycin or clindamycin	If MRSA and clinically not responding start vancomycin or clindamycin
Treat for 2 weeks	Treat for 3 weeks	Treat for 2 weeks

② Gram 음성균이 배양된 경우

표 5-28. Gram 음성균이 배양된 경우의 치료

Single Gram-negative organism	Pseudomonas Stenotrophomonas	Multiple Gram-negatives and/or anaerobes
Adjust antibiotics to sensitivity >100 mL urine Ceftazidime <100 mL urine Aminoglycoside	Continue Ceftazidime and add: <100 mL urine Ciprofloxacin: 500 mg bd oral or Piperacillin: 4 g IV 12 hourly Aztreonam:Load 1 g/l Maint 250 mg/l IP each bag	Continue cefazolin and ceftazidime Add Metronidazole 500 mg 8 hourly oral, IV or rectally If no change in clinical status consider surgery
Treat for 2 weeks	Treat for 3 weeks	Treat for 3 weeks

③ Multiple Gram-negative organisms and/or anaerobes: 총 21일간 사용

- Continue cefazolin and ceftazidime, Add metronidazole 500 mg q 8 hr PO or IV
- If no improvement, consider surgical intervention

(5) 균배양 음성인 경우

① 임상적 호전(+): discontinue ceftazidime or aminoglycoside; continue cephalo-sporin

② 96시간 후에도 임상적 호전(-): gram stain과 culture를 다시 시행

→ 배양 양성: 적절한 항생제 14일간 사용

→ 배양 음성: continue antibiotics; consider infrequent pathogens, consider catheter removal

(6) 항균제 사용에도 임상 양상의 호전 없다면 exit site or tunnel infection, catheter colonization 등 고려

Ⅷ 신장이식(Kidney transplantation)

1. 신장이식의 종류

1) 생체 신장이식(living donor kidney transplantation)
- 혈연(living related) 또는 비혈연(living-unrelated)로 구분
- 공여자(donor)와 수여자(recipient)의 혈액형이 불일치해도 탈감작 후 이식 가능

2) 뇌사자 신장이식(deceased donor kidney transplantation)
생체공여자가 없을 경우, 투석을 시작한 이후 국립장기조직혈액관리원(KONOS)에 이식 등록 후 순서에 따라 시행

2. 생체 공여자(Donor) 선정 기준

표 5-29. 생체 공여자 선정 기준

절대적 금기	상대적 금기
18세 미만 나이	나이 18-21세
정신 질환	사구체여과율이 같은 나이 평균 사구체여과율 2×표준편차(SD) 미만
조절되지 않는 고혈압, end organ damage 동반한 고혈압	고혈압을 가진 젊은 사람
당뇨	당뇨 전단계(prediabetes)인 젊은 사람
BMI >35	BMI >30
악성 종양(치료 후에도 무병기간 필요)	미세알부민뇨 또는 단백뇨
반복적인 요로결석	출혈 경향, thrombosis 또는 embolism의 병력
강요에 의한 공여 결정	요로결석
지속적인 감염증	전이성 악성 종양의 병력

3. 생체 공여자 검사

표 5-30. 생체 공여자 검사

수술 전 검사	CBC, BUN, phosphorus, chemical battery, electrolyte battery, lipid battery, coagulation battery, fasting glucose, HbA1c, syphilis reagin, ABO/Rh typing, Chest PA, EKG, pulmonary function test, echocardiography, brain MRI (60세 이상 권고)
면역학적 검사	HLA-A,B,C, HLA-DQB1, HLA-DRB1
감염 검사	HAV Ab (IgG & IgM), HBsAg, HBsAb, HBcAb (IgG), Anti-HCV, HCV RNA, CMV DNA, CMV Ab (IgG & IgM), EBV Ab battery, EBV DNA, HIV Ag/Ab
신장 검사	U/A with micro, spot urine albumin/creatinine ratio, 24hr urine protein and creatinine, urine culture, urine cytology, kidney dynamic CT, renal scan (DMSA), measured GFR (DTPA)
암 검사	EGD, colonoscopy, mammography(여성), PSA(남성)

4. 수여자(Recipient) 검사

표 5-31. 수여자(Recipient) 검사

수술 전 검사	CBC, BUN, phosphorus, chemical battery, electrolyte battery, lipid battery, coagulation battery, HbA1c, syphilis reagin, ABO/Rh type, TSH, free T4, D-dimer, iron, TIBC, ferritin, intact PTH, U/A with micro, spot urine protein/creatinine ratio, EKG, pulmonary function test, echocardiography, myocardial SPECT, VCUG (voiding cystourethrography), brain MRA (60세 이상 또는 ADPKD 환자), ABI test
면역학적 검사	HLA-A,B,C, HLA-DQB1, HLA-DRB1, luminex PRA (HLA class I & II), isoagglutinin titer (혈액형 불일치)
감염 검사	HAV Ab(IgG & IgM), HBsAg, HBsAb, HBcAb(IgG), Anti-HCV, HCV RNA, CMV DNA, CMV Ab (IgG & IgM), EBV Ab battery, EBV DNA, HIV Ag/Ab, Tb interferon gamma test, urine culture, x-ray (PNS, mastoid, chest PA)
암 검사	EGD, colonoscopy, 복부CT, urine cytology, mammography (여성), PSA (남성)

5. 면역학적 검사

1) HLA (human leukocyte antigen) typing
- 공여자와 수여자 모두에서 HLA antigen 검사 시행하여 비교
- HLA antigen의 일치도가 높을수록 이식 신장의 장기 생존율이 높음
- HLA mismatch 계산법
  예) Donor HLA Ag: A2/A2, B15/B19, DR 4/DR10
      Recipient HLA Ag: A2/A7, B11/B21, DR 1/DR4
      → HLA mismatch 개수: A 0개, B 2개, DR 1개

2) HLA antibody test

공여자 특이항체(DSA, donor specific antibody): 수여자(recipient)의 혈액 내 존재하는 HLA antibody 중, 공여자의 HLA antigen에 반응하는 antibody로 항체매개성 거부반응(antibody mediated rejection)의 주된 원인임

(1) Crossmatch test (교차반응검사)

① 보체의존성 세포독성 교차반응검사(complement-dependent cytotoxicity crossmatch, CDC-XM)

- 공여자의 림프구와 수여자의 혈청을 섞고 보체를 첨가하여 반응시킴
- 공여자의 림프구가 보체 반응에 의해 파괴(cell lysis)되는지 평가
- Dilution된 수여자의 혈청에도 반응이 있다면 DSA 농도가 높다고 판단

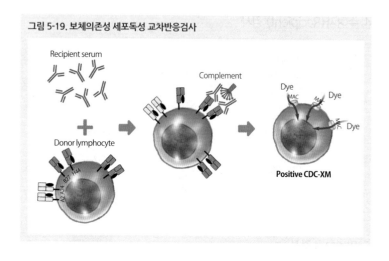

그림 5-19. 보체의존성 세포독성 교차반응검사

② 유세포분석 교차반응검사(flow cytometry crossmatch, FCXM)

- 공여자의 림프구와 수여자의 혈청을 반응시킨 후, 형광물질이 tagging된 DSA에 대한 2차 항체와 T-cell과 B-cell에 각각 반응하는 단클론항체를 첨가함
- 유세포 분석기를 통과하면서 laser에 반응하는 형광물질에서 나오는 신호를 인식하여 DSA를 측정
- CDC-XM에 비해 민감도 높음

그림 5-20. 유세포분석 교차반응검사

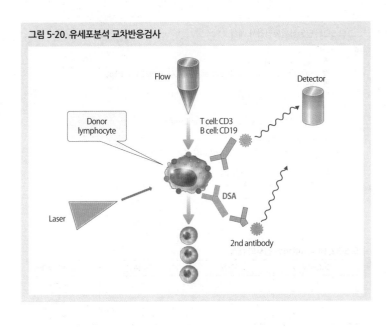

(2) Panel reactive antibody (PRA)
- Recipient의 전반적인 HLA antibody의 존재 여부를 확인하는 방법
- 공여자가 정해지기 전에 일반 대중 전체에 대한 antigenicity 확인 가능
- PRA의 해석
  - <10%: non-sensitized
  - 11-50%: sensitized
  - >50%: highly sensitized
- 본원에서는 시행하지 않으며, 아래의 SABA 검사로 대체함

(3) 단일항원동정검사(single antigen bead assay, SABA)
- 공여자의 림프구가 아닌, microbead에 단일 항원(single antigen)을 붙여서 만든 인공적인 bead를 사용하여 FCXM과 유사하게 검사
- 인공 bead를 사용하므로 공여자 정해지지 않은 상태에서 검사 가능
- 'Luminex PRA'로도 불림
- 검출된 HLA antibody 중 donor antigen에 반응하는 antibody를 DSA로 보고함(다음 결과 예시 참조)

그림 5-21. 단일항원동정검사 예시

- Specimen : Serum (SST)
- Test Method: Luminex, single antigen bead (LABcreen, One Lambda)
- Indication of Test
  1. (*) Solid organ Transplantaion
  2. (　) HSCT
  3. (　) Blood Transfusion (e.g. Platelet Transfusion)

- HLA antibody (MFI) identified
  - DQ8(3890), DQ9(3413), DQB1*04:01(2059), DQ7(1805)

- Donor specific antibody (DSA)
  - DQ9(3413), DQ7(1805)

표 5-32. HLA antibody 검사의 해석

CDC-XM	FCXM	SABA	거부반응 위험성
+	+	+	Very high
−	+	+	High
−	−	+	Medium
−	−	−	Low

6. 신이식 시 고위험군

① 재이식: 첫 번째 이식 시 거부반응으로 6개월 이내에 이식신의 기능을 소실한 경우
② 교차 반응 양성
③ PRA >50%

7. 신장 이식 전 수혈

신이식 예정 환자에서는 수혈에 의해 이식 후 거부반응에 관계하는 HLA antibody 형성 위험이 있으므로 가능하면 수혈을 하지 않는다.

8. 탈감작(Desensitization)

- 혈액형 불일치 또는 교차반응 양성 수여자에게 이식 전 시행
- 혈액형 불일치 이식에서는 isoagglutinin titer, 교차반응 양성 환자에서는 SABA로 측정된 DSA titer를 기반으로 프로토콜을 구성
- 방법: rituximab, plasmapheresis, intravenous immunoglobulin, anti-thymocyte globulin 등의 치료를 병합.

그림 5-22. 혈액형 불일치 환자에서의 탈감작 프로토콜

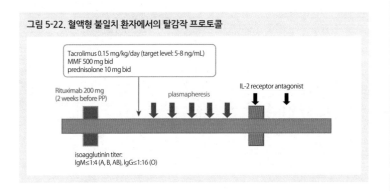

9. 면역 억제제

1) 유도 면역억제 치료(Induction immunosuppressive therapy)
- 이식 직후에 발생할 수 있는 거부 반응을 예방하기 위해 전후로 투여
- 일반적인 경우 IL-2 receptor antagonist 인 basiliximab을 사용하며, 고도로 감작된 경우 anti-thymocyte globulin을 사용

2) 유지 면역억제 요법(Maintenance immunosuppression)
- 목적: 이식 신장의 장기 생존율을 높이고, 부작용을 최소화
- 흔히 사용되는 면역 억제제의 조합: calcineurin inhibitor (tacrolimus 또는 cyclosporine) + steroid + anti-metabolite (mycophenolated mofetil, MMF 또는 azathioprine)
- 이식 후 감염, 악성 종양 등 발생 시 mTOR inhibitor (sirolimus) 투여 고려

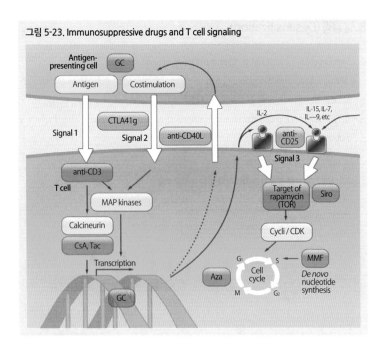

그림 5-23. Immunosuppressive drugs and T cell signaling

3) 약물 상호작용

표 5-33. Calcineurin inhibitor (cyclosprorine, tacrolimus) 농도에 영향을 주는 약물

Calcineurin inhibitor 혈청 농도 상승	Calcineurin inhibitor 혈청 농도 하강
Calcium channel blockers: diltiazem, verapamil, nifedipine Antifungal agents: ketoconazole, Fluconazole, itraconazole Macrolide antibiotics: clarithromycin, erythromycin Prokinetics: cisapride, metoclopramide Grapefruit juice (자몽주스)	Anticonvulsants: phenytoin, phenobarbital, carbamazepine, rifampin, rifabutin, isoniazid

10. 이식 신장 기능 저하

표 5-34. Differential diagnosis of renal allograft dysfunction

<1 Week after transplantation
Acute tubular necrosis
Hyperacute/accelerated rejection
Urologic Obstruction, Urine leak
Vascular thrombosis
1~12 Weeks after transplantation
Acute rejection
Calcineurin inhibitor toxicity
Volume contraction
Urologic Obstruction
Infection: pyelonephritis, viral infections
Interstitial nephritis
Recurrent disease
>12 Weeks after transplantation
Acute rejection
Volume contraction
Calcineurin inhibitor toxicity
Urologic Obstruction
Infection: pyelonephritis, viral infections
Chronic allograft nephropathy
Recurrent disease
Renal artery stenosis
Post-transplantation lymphoproliferative disorder

1) 거부 반응의 치료

(1) 급성 세포성 거부 반응(acute T-cell medicated rejection)

Steroid pulse therapy, Anti-thymocyte globulin

(2) 급성 항체성 거부 반응(acute antibody-mediated rejection)

Rituximab, plasmapheresis, intravenous immunoglobulin, bortezomib

(3) 만성 항체성 거부 반응(chronic antibody-mediated rejection)

급성 항체성 거부 반응 치료와 비슷하나 치료에 대한 반응 낮음. Tocilizumab 사용 가능

IX 당뇨병성 신증(Diabetic nephropathy)

1. 진행단계

그림 5-24. 당뇨병성 신증의 단계

사구체고혈압/과여과	진단 후 수 일 –수 주 이내
미세 알부민뇨	사구체고혈압 발생 5년 후
현증 단백뇨	미세 알부민뇨 발생 5–10년 후(당뇨 발생 10–15년 후)
말기 신부전	현증 단백뇨 발생 5–10년 후

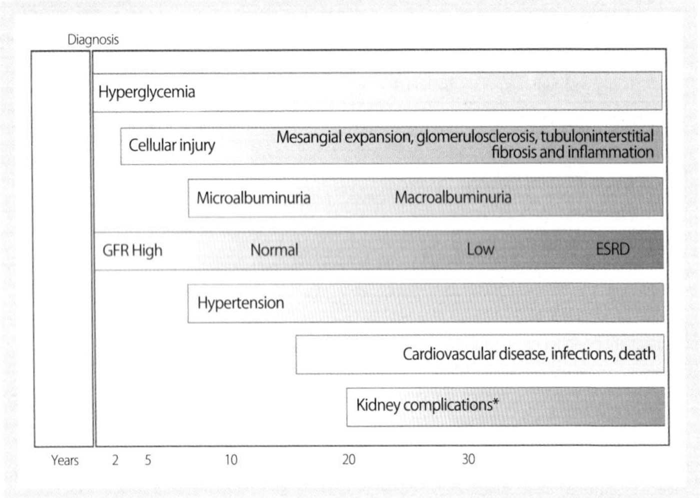

2. 진단

당뇨병성 신증에 대한 screening: type 1 DM은 진단 5년 후, type 2 DM은 진단 시부터 매년 시행함.

Screening 검사: urinary albumin-creatinine ratio (ACR) in a spot urine sample serum creatinine and estimated GFR

1) 미세 알부민뇨와 현증 알부민뇨의 정의

표 5-36. Definitions of Abnormalities in Albumin Excretion

Category	Spot Collection (mg/g creatinine)	24-Hour Collection (mg/24 h)	Timed Collection (μg/min)
Normoalbuminuria	<30	<30	<20
Microalbuminuria	30-300	30-300	20-200
Macroalbuminuria	>300	>300	>200

*Because of variability in urinary albumin excretion, at least 2 specimens, preferably first morning void, collected within a 3- to 6-month period should be abnormal before considering a patient to have crossed 1 of these diagnostic thresholds. Exercise within 24 hours, infection, fever, congestive heart failure, marked hyperglycemia, pregnancy, marked hypertension, urinary tract infection, and hematuria may increase urinary albumin over baseline values.

2) 당뇨병성 신병증에 합당한 소견

① Macroalbuminuria

② Microalbuminuria: in the presence of diabetic retinopathy in type 1 DM of at least 10 years duration

3) 당뇨병성 신병증이 아닌 다른 신질환을 의심해야 할 경우

① 당뇨병성 망막증이 없는 경우

② Low or rapidly decreasing GFR

③ Rapidly increasing proteinuria or nephritic syndrome

④ Refractory hypertension

⑤ Presence of active urinary sediment

⑥ Signs or symptoms of other systemic disease

⑦ >30% reduction in GFR within 2-3 months after initiation of an ACE inhibitor or ARB

4) Screening for microabluminuria

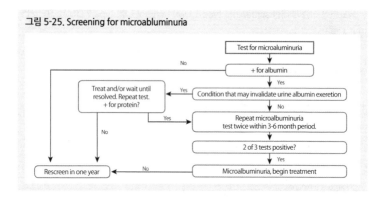

그림 5-25. Screening for microabluminuria

3. 치료

1) 혈당 조절

① ADA guideline: HbA1c <7.0%

② Preprandial capillary glucose 90-130 mg/dL

③ Peak postprandial capillary glucose <180 mg/dL

2) 혈압 조절

① 단백뇨가 없는 경우 <130/80 mmHg

② 단백뇨가 있는 경우 <125/75 mmHg를 목표로 한다.

③ 고혈압이 있는 CKD stage 1-4 환자들은 ACE inhibitor 혹은 ARB를 반드시 사용해야 하고, 대개의 경우 이뇨제의 병합 치료가 필요함.

3) 식이 단백 제한

CKD stage 1-4 환자에서 0.8 g/kg/day의 단백질 섭취를 추천함.

4) 지질 개선

CKD stage 1-4 환자에서 Target LDL cholesterol <100 mg/dL로 하여, ≥100 mg/dL 인 환자들은 statin을 사용함.

표 5-37. Dosing adjustments by CKD stage for drugs used to treat hyperglycemia

Class	Mechanism of Action	Examples of Drugs	Renal Clearance	Use in Nondialysis CKD
Biguanides	Inhibits hepatic glucose production and increases insulin sensitivity	Metformin	Excreted unchanged in urine	Contraindicated
Sulfonylureas	Binds to SU receptor in β-cells and increases calcium influx followed by insulin release	Gliclazide, Glipizide, Glimepiride, Glyburide	More than 90% metabolized in liver to weakly active or inactive metabolites and excreted in urine and feces	May be used
Meglitinides	Binds to SU receptor (different from SU site) and increases calcium influx followed by insulin release	Nateglinide, Repaglinide	Metabolized by liver (100%) and excreted in urine (10%) and feces (90%)	May be used
Thiazolidinediones	Decreases peripheral insulin resistance, thus increasing insulin sensitivity	Pioglitazone	Metabolized by liver to weakly active metabolites; excreted in urine (15%) and feces (85%)	May be used; no dose adjustments necessary; caution around edema/heart failure
GLP-1 receptor agonists	Binds to the pancreatic GLP-1 receptor and promotes insulin secretion, decreases glucagon secretion, gastric emptying, and appetite	Exenatide, Liraglutide	Metabolized by kidney, excreted in urine	Not recommended for patients with moderate or severe kidney failure
DPP-4 inhibitors	Blocks DPP-4, which inactivates endogenous incretins	Saxagliptin, Sitagliptin, Linagliptin	Excreted mostly unchanged in urine and feces (linagliptin metabolized and excreted in feces)	Dose adjustments necessary for saxagliptin and sitagliptin
SGLT-2 inhibitors	Inhibits proximal tubular glucose reabsorption	Dapagliflozin	Metabolized by liver to active metabolites; excreted in urine and feces	Limited clinical experience: less A1c lowering in CKD but kidney and cardiovascular benefits extended to patients with CKD

표 5-37. Dosing adjustments by CKD stage for drugs used to treat hyperglycemia

Class	Use in Dialysis	Advantage	Disadvantage
Biguanides	Contraindicated	Long-term safety; low costs; weight neutral	Risk of lactate acidosis in CKD patients; gastrointestinal side effects
Sulfonylureas	Glipizide may be used: use glimepiride and glyburide with caution	Long-term safety; low costs	Hypoglycemia; weight gain
Meglitinides	No data for patients with renal clearance less than 20 mL/min	Rapid onset of action and short acting	Few long-term safety data; weight gain
Thiazolidinediones	May be used: no dose adjustments necessary; caution around edema/heart failure	Low-risk hypoglycemia	Pioglitazone is associated with increased risk of bladder cancer Rosiglitazone withdrawn from the market because of increased cardiovascular risk
GLP-1 receptor agonists	Not recommended for patients with moderate or severe kidney failure	Reduced rate of death from cardiovascular causes, nonfatal myocardial infarction, or nonfatal stroke (LEADER Trial)	Long-term safety data not yet known
DPP-4 inhibitors	Dose adjustments necessary for saxagliptin and sitagliptin	Weight neutral; low risk of hypoglycemia	No proven cardiovascular benefits, possible risk of heart failure with saxagliptin
SGLT-2 inhibitors	No clinical experience; not recommended	Reduced cardiac end points (death from cardiovascular causes, nonfatal myocardial infarction, or nonfatal stroke) and kidney end points (doubling of serum creatinine, ESRD and kidney death) (EMPA-REG Trial)	Increased risk of urinary or genital tract infections

X   사구체 질환(Glomerular disease)

1. 사구체 질환의 임상 양상

1) 사구체 질환의 임상 양상 분류

① 무증상 혈뇨 및 단백뇨: 단백뇨 150 mg to 3 g/day, hematuria >2RBC/HPF

② 신증후군

③ 만성 사구체 신염: Hypertension, renal insufficiency, proteinuria often >3 g/day, shrunken smooth kidneys

④ 급성 진행성 사구체 신염: Renal failure over days/weeks, Proteinuria <3 g/day, hematuria, red cell casts, Blood pressure often normal, may have other features of vasculitis

2) 사구체 질환의 양상에 따른 감별 진단

표 5-38. 사구체 질환의 감별 진단

일반적 특징	Nephrotic	Nephritic
발병	Insidious	Abrupt
부종	++++	++
혈압	Normal	Raised
경정맥압	Normal/Low	Raised
단백뇨	++++	++
혈뇨	May/may not occur	+++
Red cell casts	Absent	Present
혈청 알부민	Low	Normal/slightly reduced

3) 연령과 요검사 소견에 따른 호발 사구체 질환의 빈도

표 5-39. 연령과 요검사 소견에 따른 사구체 질환

요검사 소견	15세 미만	15-40세	40세 초과
Nephrotic pattern	Minimal change disease Focal glomerulosclerosis	Focal glomerulosclerosis Minimal change disease Membranous nephropathy Diabetes mellitus Preeclampsia PSGN (late stage)	Membranous nephropathy Diabetes mellitus Minimal change disease primary amyloidosis benign nephrosclerosis PSGN(late stage)
Nephritic pattern –Focal disease	Benign hematuria IgA nephropathy HS purpura Mild PSGN	IgA nephropathy SLE Hereditory nephritis	IgA nephropathy
–Diffuse disease	Hereditory nephritis PSGN MPGN	SLE, MPGN RPGN, PSGN	RPGN, vasculitis PSGN

4) 시행하는 검사

① 혈청학적 검사: FANA and anti–ds DNA, ANCA, ASO, cryoglobulin, rheumatoid factor, serum and urine electrophoresis, C3/C4/CH50, HBsAg/Ab, anti HCV, anti HIV, anti GBM antibody

② 신장 초음파: two kidney 존재 여부, 폐색이나 해부학적 이상 유무, 신장의 크기 Large kidney (>14 cm): diabetes, HIV, amyloidosis, multiple myeloma, infection Small kidney (<9 cm): chronic renal disease

③ 신장 조직 검사

2. 이차적인 원인에 의한 사구체 신질환

1) Minimal change

① 약제: NSAIDs, rifampin, interferon α

② Hodgkin's disease and other lymphoproliferative malignancy, HIV infection

2) Focal segmental glomerulosclerosis

① Intravenous drug abuse , HIV infection, DM, Fabry's disease, Sarcoidosis, Charcot- Marie-Tooth disease

② As consequence of sustained glomerular capillary hypertension

③ Congenital oligonephropathies: unilateral renal agenesis, oligomeganephronia
　Acquired nephron loss: surgical resection, Reflux nephropathy, Glomerulonephritis
　or tubulointerstitial nephritis

④ Other adaptive responses: sickle cell nephropathy, Obesity with sleep apnea
　syndrome, familial dysautonomia

⑤ After focal segmental glomerulonephritis, Lithium treatment, heroin use

3) IgA nephropathy

① Chronic liver disease with involvement of biliary tree GI: Coeliac disease, Crohn's
　disease, adeno ca.

② Respiratory: idiopathic interstitial pneumonitis, obstructive bronchiolitis, adeno
　ca. skin: dermatitis herpetiformis, mycosis fungoides, leprosy

③ Eye: episcleritis, anterior uveitis

④ 기타: ankylosing spondylitis, relapsing polychondritis, Sjogren's syndrome,
　monoclonal IgA gammopathy, schistosomiasis, Tuberculosis

4) Membranous nephropathy

① 종양: 15% of cases, proportion increasing with age

② 약제: gold, penicillamine, captopril, NSAIDs, probenecid, trimethadione, chlor-
　methiazole, mercury

③ 감염: hepatitis B and C, syphilis, quartan malaria, leprosy, filariasis, enterococcal
　endocarditis, schistosomiasis, hydatid disease

④ Systemic lupus erythematosus, rheumatoid arthritis, Sjorgren's disease, Hashi-
　motos's disease, Graves' disease, mixed connective tissue disease, primary
　biliary cirrhosis, ankylosing spondylitis

⑤ Sickle cell disease

5) Mesangiocapillary glomerulonephritis

① Tumours and chronic lymphatic leukaemia Infections-endocarditis, hepatitis B,
　schistosomiasis Mixed essential cryoglobulinaemia

② Systemic lupus erythematosus

3. 무증상 단백뇨의 Management

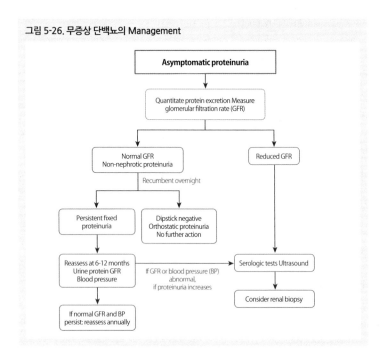

그림 5-26. 무증상 단백뇨의 Management

4. 신증후군(Nephrotic syndrome)

1) 정의

Adult >3.5 g/day; child >40 mg/h/m^2, hypoalbuminuria <3.5 g/dL, edema, hypercholesterolemia, lipiduria

2) 관련된 합병증

① Hypercoagulability: coagulation protein의 변화, platelet aggregability 증가, hemoconcentration

② 고지혈증: LDL, VLDL, Lipoproteina의 hepatic synthesis 상승, HDL의 urinary loss 증가

③ 기타: Vitamin-D binding protein의 urinary loss 증가, thyroid-binding globulin의 urinary loss가 증가

④ Infection 증가: 어린이 pneumococci에 의한 원발성 복막염, 부종 부위에서의 봉와직염

⑤ Renal vein thrombosis(특히 membranous nephropathy): 8%의 신증후군에서 존재

⑥ 신증후군에서 급성 신손상이 동반되는 경우

- Prerenal failure due to volume depletion, ATN due to volume depletion and/or sepsis
- Intrarenal edema, renal vein thrombosis, transformation of underlying glomerular disease (e.g crescentric nephritis superimposed on membranous nephropathy), adverse effect of drug therapy, acute allergic interstitial nephritis secondary to various drugs, including diuretics, hemodynamic response to NSAIDs, ACEI and ARB

3) 치료

(1) 단백뇨

① 식이요법

- 저단백식이 0.8-1.0 g/kg/day이고 renal failure가 동반되면 0.6-0.8 g/kg/day 이때 혈청 알부민치나 다른 영양에 관한 지표를 잘 살펴야 함.
- 저염식과 병행(60-80 mmol/day)

② Angiotensin converting enzyme inhibitor: normal BP에서도 사용

- BP를 감소시키는 효과는 몇 시간 이내에 나타나고 Proteinuria를 낮추는 효과는 28일까지 나타남(NEJM 1998 APRIL23 P1202).

(2) 부종의 조절

① 하루 sodium intake을 3 g 정도로 하여 negative sodium balance(요중 sodium 배설량 10 mmol)

② Loop diuretics

- Furosemide 정주 시 40 mg, 경구 시 80 mg로 시작 이후 80 mg, 160 mg, 240 mg으로 doubling
- 신부전이 심한 경우(GFR <20) 360-400 mg까지 증량
- Diuretics 치료 저항성 edema: salt poor albumin 6 g + furosemide 30 mg (1 g: 5 mg) 사용
  → 알부민과 furosemide가 결합을 하여 신장으로 잘 도달되고 단백뇨가 배설되는 경로로 나와 furosemide의 역할이 세뇨관 내에서 더 용이해지기 때문

- Loop diuretics로 잘 치료되지 않으면 thiazide를 추가
- 저칼륨혈증이 문제가 되는 환자에서 triamterene, amiloride, spironolactone이 유용

그림 5-27. 사구체 신염에서의 부종의 조절

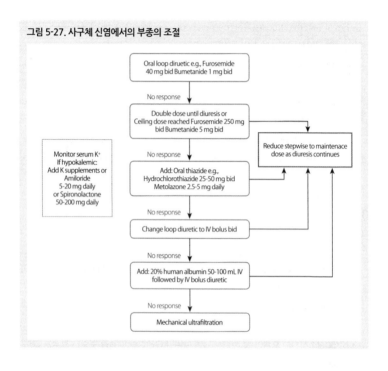

(3) 고지혈증 치료

5. 사구체 질환에 따른 Management

1) 미세 변화 신질환(Minimal change disease)

그림 5-28. 미세 변화 신질환의 치료

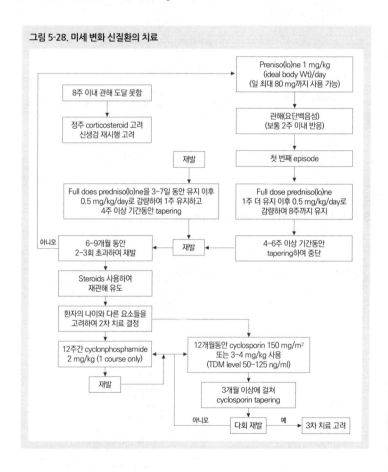

2) 국소성 분절성 사구체 경화증(Focal segmental glomerulosclerosis)
① 미세 변화 신질환에 비해 혈뇨, 고혈압, GFR 감소, 비선택적 단백뇨가 임상 특징
② 소수에서만 자연관해가 일어나고 대부분 5~20년에 걸쳐서 말기 신질환으로 진행함. 중증의 지속적인 단백뇨가 있으면 그 진행 확률이 높음.

그림 5-29. 국소성 분절성 사구체 경화증의 치료

| Subnephrotic proteinuria without symtoms | → | • Optimal BP control(<125/75 mmHg)
• Therapy with ACE inhibitor/ARB
• Therapy with statins
• Avoid high-protein diet |

| Nephrotic syndrome, symptomatic, high risk or complications of nephrotic syndrome | → | • Optimal BP control (<130/80 mmHg)
• Therapy with ACE inhibitor/ARB
• Therapy with statins
• Avoid high-protein diet
+
Predniso(lo)ne 1 mg/kg/day or 2 mg/kg qod for 6-8 weeks with subsequent taper of dose and continued therapy until remission or up to 6 months |

| Alternative therapy or for steroid-resistant patients | → | Oral cyclosporine 4-6 mg/kg/day for 4-6 months
Oral cyclophosphamide 2 mg/kg/day for 2-4 months
Oral mycophenolate mofetil 1-1.5 g bid for 4-6 months |

3) 막성 신병증(Membranous nephropathy)

(1) 임상 특징

표 5-40. Classification and Causes of Membranous Naphropathy

		Primary	
		Anti–PAL2R associated (70–80%) / Idiopathic (20–30%)	
Secondary	Autoimmune diseases		Infections
Autoimmune diseases	Class V lupus nephritis		Rheumatoid arthritis Autoimmune thyroid disease IgG4–related systemic disease Anti–GBM and ANCA–Associated crescentic glomerulonephritis
Infections	Hepatitis B		Hepatitis C virus (HCV) Human immunodeficiency virus (HIV) Syphillis Schistosomiasis
Malignancy	Solid tumors (colon, stomach, lung, prostate)		Non-Hodgkin lymphoma Chronic lymphocytic leukemia (CLL) Melanoma
Drugs or toxins	Nonsteroidal anti–inflammatory drugs and cyclooxygenase–2 (COX–2) inhibitors		Mercury–containing compounds Gold salts D-penicillamine, bucillamine
Miscellaneous			Sarcoidosis Anticationic bovine serum Albumin
		Alloimmune	

Graft–versus–host diseas following hematopoietic stem cell transplantation
De novo membranous nephropathy in renal allograft
Fetomaternal alloimmunization to neutral endopeptidase

무증상성 요이상으로부터 심한 신증후군까지 일으키며 만성 신부전으로 진행하기도 함. 외국 보고에 의한 임상 경과는 환자의 5-20%는 단백뇨의 자연 관해, 25-40%는 부분 관해 (단백뇨 <2 g/day)를 보이며, 말기 신부전의 발생은 5년에 14%, 10년에 35%, 15년에 41%에서 발생한다고 함. 진행성 신질환의 위험 인자로는 진단시의 신기능 장애와 고혈압, 신증후군, 남자, 신생검 소견에서 간질 변화 또는 초점성 경화, 요중 보체 활성화 산물의 배설 증가 등임.

(2) 막성 신병증의 치료(Disease specific treatment)

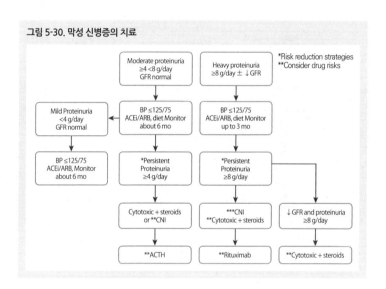

그림 5-30. 막성 신병증의 치료

4) 특발성 막증식성 사구체 신염(Membranoproliferative glomerulonephritis)의 치료

① Non-nephrotic proteinuria, normal renal function: follow with 3-month visits

② Nephrotic or impaired renal function: 6-month course of corticosteroid with/without cytotoxic agents (cyclophosphamide) or other drugs used: cyclosporine, tacrolimus, MMF

③ Rapidly progressive renal failure with diffuse crescents: treat as for idiopathic RPGN

④ In the presence of chronic renal failure or nephrotic proteinuria: ACE inhibitors

5) IgA 신병증(IgA nephropathy)

상기도 감염을 동반하는 간헐적인 육안적 혈뇨로 나타나거나, 지속적인 현미경적 혈뇨와 단백뇨로 나타나고, 일부에서는 신증후군 또는 만성 신부전으로 발현됨. 서서히 진행되어 20년 내에 약 30%의 환자들이 말기 신부전으로 진행됨. 이의 주된 위험인자로는 1일 1.5-2.0 g 이상의 지속적인 단백뇨, 진단시의 신기능 저하, 고혈압, 노령, 남자, 육안적 혈뇨가 없는 경우와 조직학적 소견 등임.

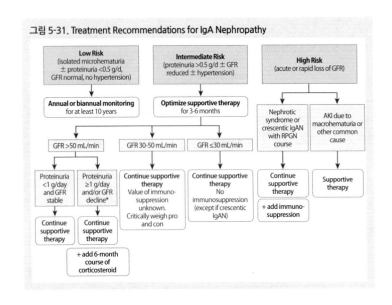

그림 5-31. Treatment Recommendations for IgA Nephropathy

6) 낭창성 신염(Lupus nephritis)

SLE환자의 40-85%에서 신증상을 나타내며, 90%의 환자는 신생검으로 신질환이 증명됨. 낭창성 신염은 다양한 면역 복합체의 사구체 침착에 의한 여러 종류의 사구체신염의 발생이 특징이며, 세뇨관 간질과 혈관에 염증을 동반하기도 함. 임상 증상은 경미한 소변 이상에서부터 신기능 저하와 심한 신증후군까지 다양함. 정확한 진단과 예후 판정 및 치료를 위해 신생검을 시행하여야 함. 그 외 SLE환자에서는 혈전성 미세혈관병증으로 급성 신기능장애를 유발하는 항 인지질 항체 증후군이 드물게 발생함.

(1) 낭창성 신염의 분류

표 5-41. The new ISN/RPS classification (2004)

Class	Definition
I	Minimal mesangial LN Normal glomeruli by LM, but mesangial immune deposits by IF
II	Mesangial proliferative LN Mesangial hypercellularity with mesangial immune deposits
III	Focal LN III (A): Purely active lesions: focal proliferative LN III (A/C): Active and chronic lesions: focal proliferative and sclerosing LN III (C): Chronic inactive lesions with glomerular scars: focal sclerosing LN
IV	Diffuse LN IV−S (A) or IV−G (A): Purely active lesions: diffuse segmental (S) or global (G) proliferative LN IV−S (A/C) or IV−G (A/C): Active and chronic lesions: diffuse segmental and global proliferative and sclerosing LN IV−S (A/C) or IV−G (A/C): inactive with glomerular scars: diffuse segmental or global sclerosing LN
V	Membranous LN
VI	Advanced slerosing LN 90% of glomeruli globally sclerosed without residual activity

(2) Proliferative lupus nephritis의 치료

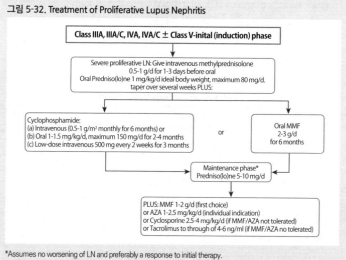

그림 5-32. Treatment of Proliferative Lupus Nephritis

Class IIIA, IIIA/C, IVA, IVA/C ± Class V-inital (induction) phase

Severe proliferative LN: Give intravenous methylprednisolone 0.5-1 g/d for 1-3 days before oral
Oral Predniso(lo)ne 1 mg/kg/d ideal body weight, maximum 80 mg/d. taper over several weeks PLUS:

Cyclophosphamide:
(a) Intravenous (0.5-1 g/m² monthly for 6 months) or
(b) Oral 1-1.5 mg/kg/d, maximum 150 mg/d for 2-4 months
(c) Low-dose intravenous 500 mg every 2 weeks for 3 months

or

Oral MMF 2-3 g/d for 6 months

Maintenance phase*
Predniso(lo)ne 5-10 mg/d

PLUS: MMF 1-2 g/d (first choice)
or AZA 1-2.5 mg/kg/d (individual indication)
or Cyclosporine 2.5-4 mg/kg/d (if MMF/AZA not tolerated)
or Tacrolimus to through of 4-6 ng/ml (if MMF/AZA no tolerated)

*Assumes no worsening of LN and preferably a response to initial therapy.

(3) Membranous lupus nephritis의 치료

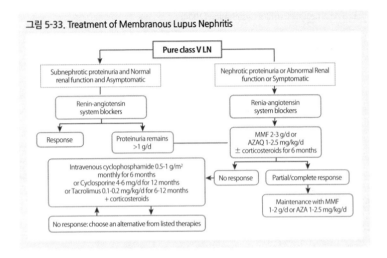

그림 5-33. Treatment of Membranous Lupus Nephritis

6. 급속 진행성 사구체 신염(Rapidly progressive glomerulonephritis)

① 형태학적으로는 glomeruli 50% 이상을 침범하는 crescent formation, 임상적으로는
수 주에서 수 개월 내에 말기 신부전으로 진행하는 사구체 질환.

② 조기에 진단 및 치료가 이루어져야 신기능을 보존할 수 있음.

③ Nephritic syndrome 또는 RPGN의 감별진단

표 5-42. Differential Diagnostic Features of Small-Vessel Vasculitis

Features	Microscopic Polyangiitis	GPA (Wegener)	EGPA (Churg-Strauss)	IgA Vasculitis (HSP)	Cryoglobu-linemic Vasculitis
Vaculitis signs and symptoms	+	+	+	+	+
IgA-dominant immune deposits	–	–	–	+	–
Cryoglobulins in blood and vessels	–	–	–	–	+
ANCAs in blood	+	+	+	–	–
Necrotizing granulomas	–	+	+	–	–
Asthma and eosinophilia	–	–	+	–	–

④ 반월상 사구체신염의 면역형광 현미경적 검사에 의한 감별
- Granular(+): immune complex GN
- Linear(+): Anti-GBM Ab GN, Goodpasture's syndrome
- Pauci-immune: 혈청 검사에서 흔히 ANCA(+)이며, Wegener's granulomatosis, microscopic polyangiitis, Churg-Strauss syndrome, idiopathic crescentric GN 등이 원인임.

⑤ 치료
- Methylprednisolone 0.5-1 g iv over 1h 3 days 후 prednisone + cyclophosphamide 경구 투여.
- Anti GBM ds: emergency plasmapheresis(일반적으로 1-2주)

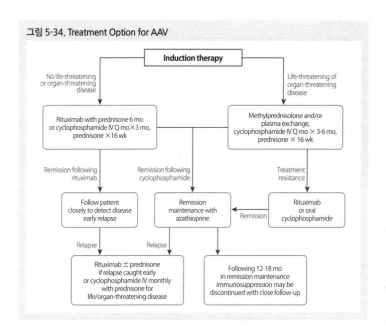

그림 5-34. Treatment Option for AAV

XI 요세관간질성 신염(Tubulointerstitial nephritis)

1. 급성 간질성 신염

간질의 염증성 반응과 급격한 신기능 저하를 동반함

여러가지 tubule cell 손상과 동반한 간질의 부종과 mononuclear cell이 간질에 침착됨

1) 급성 간질성 신염의 원인

표 5-43. 급성 간질성 신염의 원인

Drugs
Antibiotics (β-lactams, sulfonamides, quinolones, vancomycin, erythromycin, minocycline, rifampin, ethambutol, acyclovir)
NSAIDs
Diuretics (thiazides, furosemide, triamterene)
Anticonvulsants (phenytoin, phenobarbital, carbamazepine, valproic acid)
Miscellaneous (captopril, H2 receptor blocker, omeprazole, mesalazine, indinavir, allopurinol)

Infection
Bacteria (Streptococcus, Staphylococcus, Legionella, Salmonella, Brucella, Yersinia, Corynebacterium diphtheriae)
Viruses (Epstein-Barr virus, cytomegalovirus, Hantavirus, HIV)
Miscellaneous (Leptospira, Rickettsia, Mycoplasma)

Idiopathic
Tubulointerstitial nephritis -uveitis syndrome
Anti-tubule basement membrane disease
Sarcoidosis

2) 급성 간질성 신염의 임상 양상

(1) 전신적 증상

발열, 발진, 관절통, 혈뇨를 동반한 옆구리 통증(variable)

(2) 간질과 세뇨관 손상과 관련된 임상 양상

표 5-44. 간질과 세뇨관 손상과 관련된 임상 양상

Defect	Cause(s)
Reduced GFR	Obliteration of microvasculture and obstruction of tubules
Fanconi syndrome	Damage to proximal tubular reabsorption of glucose, amino acids, phosphate and bicarbonate
Hyperchloremic acidosis	1. Reduced ammonia production 2. Inability to acidify the collecting duct fluid (distal renal tubular acidosis) 3. Proximal bicarbonate wasting
Tubular or small-molecular-weight proteinuria	Failure of proximal tubule protein resorption
Polyuria, Isothenuria	Damage to medullary tubules and vasculture
Urinary sediment	Erythrocytes, leukocytes (eosinophil), leukocyte casts
Hyperkalemia	Potassium secretory defects including aldosterone resistance
Proteinuria	<1 g/day, rarely >1 g/day (NSAIDs)
Salt wasting	Distal tubular damage with impaired sodium reabsorption

(3) 임상 양상

저절로 낫는 경우에서 투석까지 시행하는 핍뇨성 신부전까지 다양함.

(4) 치료

유발 약제 중단, 보존적 치료, 스테로이드는 심한 신기능 저하에서 daily dose steroid를 2-3주 정도 사용하고 tapering해서 사용해 볼 수 있음.

① 혈청 Cr 상승이 경미하거나 3-5일 내에 회복을 보이기 시작하면 치료는 요하지 않음.

② 심하고 지속적인 신기능 저하를 보이면 신생검이 필요하고 스테로이드에 급속한 반응이 예상되거나 AIN이 강력히 의심되고 신생검이 여의치 않은 경우 2-3주의 선험적 스테로이드(1 mg/kg/day or 2 mg/kg qod, 심한 경우 methylprednisolone 충격요법 3일 후 시작)를 사용함. NSAIDs에 의한 AIN에 대한 효과는 분명치 않으나 약제 중단 후 1-2주 이상 지속되면 스테로이드를 고려할 수 있음.

③ 2-3주의 스테로이드 치료 후에도 호전을 보이지 않으면 신생검으로 확진된 경우에 cyclophosphamide (CTX; 2 mg/kg/d)나 그 외 MMF 같은 면역 억제제가 제한적으로 사용될 수 있음. CTX는 4-6주 이상 사용할 수 있음.

④ 대개 2-3개월 후 혈청 Cr이 이전 수준으로 회복되면 감량함.

⑤ 순환 항체 침착에 의한 경우 혈장 교환술이 고려될 수도 있음.

⑥ 간질성 섬유화, 세뇨관 위축을 보이고 급성 염증이 거의 없는, 진행된 만성 병변은 면역 억제 요법 대상이 아님.

2. 만성 간질성 신염

세뇨관과 간질의 반흔 형성, tubule의 위축, 간질의 섬유화, 대식세포와 임파구 침윤

1) 만성 간질성 신염의 원인

(1) Hereditary renal disease

Polycystic kidney disease, medullary cystic disease, medullary sponge kidney

(2) Exogenous toxin

Analgesic nephropathy, lead nephropathy, miscellaneous nephrotoxins (e.g. lithium, cyclosporine, heavy metals, slimming regimens with Chinese herb)

(3) Metabolic toxins

Hyperuricemia, hypercalcemia, miscellaneous metabolic toxins (e.g. hypokalemia, hyperoxaluria, cystinosis, Fabry's disease)

(4) Autoimmune disorders

Sjogren's syndrome

(5) Neoplastic disorders

Leukemia, lymphoma, multiple myeloma

(6) Miscellaneous disorders

Sickle cell nephropathy, chronic pyelonephritis, chronic urinary tract obstruction, vesicoureteral reflux, radiation nephritis, Balkan nephropathy, secondary to glomerular and vascular disease

2) 만성 간질성 신염의 임상 양상

신기능 장애는 초기엔 사구체 기능 이상(단백뇨, 부종, 고혈압 등)은 드물고 세뇨관 기능 이상이 현저함. 세뇨관 기능 이상은 유발 원인 및 세뇨관 손상 부위에 따라 달라짐. 진행하면 GFR이 저하되고 더 진행되어 사구체 경화증이 진행되면 단백뇨, 부종, 고혈압 등이 보이고 다른 원인에 의한 말기 신부전과 감별이 어려움. 신부전이 서서히 진행되므로 현저하게 진행될 때까지 만성 간질성 신염이 진단되지 않는 경우가 있음.

3) 만성 간질성 신염의 원인에 따른 치료

(1) ADPKD

→ 고혈압 등 신 및 신외 증세 조절, 일반적인 신부전 진행 억제 치료

(2) 독성 물질(analgesic nephropathy, NSAID)

→ 약제 중단 혹은 감량, 탈수 피함, 동반 증세 및 질환 치료

(3) 항암제(cisplatin, nitrosoureas)

→ 적극적인 충분한 수분 공급

(4) 면역 억제제(cyclosporine, FK-506)

→ 감량, 고혈압, 고칼륨혈증 교정

(5) 중금속(lead, cadmium)

① 납: ≥50 μg/dL 성인은 노출원에서 <40 μg/dL 될 때까지 격리, 70-80 μg/dL chelation (CaNa2EDTA)

② 리튬: 정기적인 신기능 평가, 감량, amiloride

③ 한약: 보존 요법, 스테로이드

(6) 대사 이상

① 고요산 혈증 → 요량 증가 및 요알칼리화, allopurinol

② 고칼슘 혈증 → 혈청 칼슘 및 원인 질환 교정

③ 기타(저포타슘 혈증, 고수산혈증, cystinosis, Fabry's disease) → 고수산 음식 피함, 수분 공급, Neutral P, K, citrate, 고칼슘뇨 동반 시 thiazide

(7) 면역학적 이상

전신성 홍반성 루푸스, 쉐그렌 증후군, 거부 반응 → 스테로이드 등 면역 억제 요법

(8) 종양

백혈병, 임파선종, 다발성 골수종 → 원인 질환의 치료

(9) 감염 → 감염 치료

(10) 만성 신우 신염

→ 감염 및 선행 요인 치료

(11) 요로 폐색

→ 원인 질환 및 부위에 따른 교정

(12) 방광 요로 역류

→ VUR 1,2의 경우 내과적 치료, 내과적으로 치료 어려운 반복적인 증상성 신우신염, 현저한 요관 역류 및 요관 확장을 보이는 소아, 내과적 치료에 순응도가 낮은 경우에 수술함.

(13) 방사선 신염

→ 조사량을 최소화(<20-30 Gy), 고혈압 조절(ACE inhibitor), 보존 요법

XII 신혈관성 고혈압(Renovascular Hypertension)

1. 신혈관성 고혈압을 시사하는 임상 양상

30세 이전이나 50세 이후에 생긴 고혈압, 치료되던 본태성 고혈압이 악화되는 경우, 본태성 고혈압에서 신기능이 갑자기 나빠지는 경우, 고혈압 치료 중 급성 신부전이 생긴 경우, flash pulmonary edema, 점차적으로 신기능이 악화되는 경우

2. 신혈관성 고혈압을 시사하는 검사소견

고혈압 + K↓ + total CO_2↑

1) 고혈압 환자인데 thiazide 이뇨제로 치료받는 경우인지 확인한다.

2) 혈압약 투약없이 상기 소견이면 renin/aldosterone을 측정

renin↓, aldosterone↑ : primary aldosteronism
renin↓, aldosterone↓ : licorice 등 aldosterone이 아닌 mineralocorticoid excess
renin↑, aldosterone↑ : 신혈관성 고혈압, reninoma 등의 가능성에 대한 추가 검사를 시행한다.

3. 진단

표 5-45. Relative value of imaging methods for evaluating the renal vasculature.

Methods	Images of Vessels	Tissue Perfusion	Function (GFR)	Advantages	Disadvantages
Contrast angiography	+++	++	±	Nephrography estimates volume of viable tissue; the gold standard	Risk of catheter-induced injuries and contrast nephropathy
Captopril renography	−	+++	++	Change in GFR might estimate reversibility of the lesion; widely avaible, noninvasive; totally normal renogram effectively excludes significant vascular disease	
Duplex ultrasonography	++	++	−	Precise measurement of flow velocity, suitable for serial studies, relatively inexpensive	Produces little functional information, is not suitable for accessory vessels
Magnetic resonance angiography	++	++	±	Nontoxic in advanced renal failure	Accuracy limited to proximal vessels, angiography produces little functional information, not suitable for accessory vessels
Spiral computed tomographic angiography	+++	+	±	Provision of three types of images, examination of venous structures, might be useful for evaluating transplant donors	High contrast requirement

*The available techniques vary in their ability to image the renal vessels, assess tissue perfusion, and measure glomerular filtration rate (GFR).

4. 치료

① 약물치료

ACEI, ARB, dihydropyridine class of calcium channel blockers

② Percutaneous transluminal renal angioplasty and stenting (PTRA)

완치 또는 호전율 → fibromuscular disease 80-90%, artherosclerotic renovascular disease 60-70%

③ 외과적 revascularization

완치 또는 호전율 → FMD 90%, artherosclerotic RVD 80%

06

심장내과

I 고혈압

1. 고혈압의 기준과 분류

1) 고혈압의 기준

정상 혈압은 수축기혈압과 이완기혈압 모두 120 mmHg과 80 mmHg 미만일 때로 정의한다. 수축기혈압 120-139 mmHg 또는 이완기혈압 80-89 mmHg일 때를 고혈압 전단계로 분류한다. 특히 2기 고혈압 전단계는 향후 고혈압으로 발전 가능성이 높아 적극적인 예방이 필요하다. 고혈압은 혈압의 높이에 따라 제 1기 고혈압과 제 2기 고혈압으로 분류하며 수축기혈압 140 mmHg 이상 또는 이완기혈압 90 mmHg 이상으로 정의한다.

2) 고혈압의 분류

표 6-1. 혈압의 분류(2018 대한고혈압학회 임상 진료 지침)

혈압분류		수축기혈압		이완기 혈압
정상혈압*		<120	그리고	<80
고혈압 전단계	1기	120-129	또는	80-84
	2기	130-139	또는	85-89
고혈압	1기	140-159	또는	90-99
	2기	≥160	또는	≥100
수축기 단독고혈압		≥140	그리고	<90

*심혈관질환의 발병위험이 가장 낮은 최적 혈압

2. 혈압의 측정

1) 혈압 측정의 원칙

고혈압의 진단, 치료, 예후 평가에 있어서 가장 기본이 되는 것은 정확한 혈압 측정이다. 혈압은 측정 환경, 측정 부위, 임상 상황에 따라 변동성이 크기 때문에 여러 번 측정해야 하며 표준적인 방법으로 측정해야 한다. 청진기를 사용한 진료실에서의 혈압 측정이 현재로서는 표준방법이나, 진료실에서 전통적인 수은 혈압계보다는 자동혈압계를 사용하도록 권고하는 나라들도 있으며, 수은에 의한 환경오염의 가능성으로 전 세계적으로 수은 혈압계 사용은 감소되고 있는 추세이다.

표 6-2. 혈압 측정 방법(2018 대한고혈압학회 임상 진료 지침)

진료 시 고려해야 할 점
1) 혈압 측정 30분 전에는 카페인 섭취, 알코올 섭취, 흡연을 삼가도록 한다.
2) 혈압 측정 전 적어도 3–5분 앉은 상태로 안정한 후 상지의 위팔에서 혈압을 측정한다. 등받이에 등을 기대고, 다리를 꼬지 않은 상태에서 발이 바닥에 닿게 앉는다. 상지의 위팔이 심장의 높이가 되도록 높이를 조절하고, 팔을 책상 위에 힘이 들어가지 않게 약간 구부려 얹어 놓은 상태에서 측정한다. 혈압은 수은 혈압계 또는 국제적으로 인증된 자동 혈압계 또는 aneroid 혈압계를 사용하도록 한다.
3) 2분 정도의 시간 간격을 두고 2회 이상 측정하여 평균을 낸다. 처음 측정할 때에는 양팔의 혈압을 모두 측정한다. 정상적으로 10 mmHg 이내 범위의 양팔의 혈압 차이는 있을 수 있으나, 양 팔 간의 수축기 혈압의 차이가 20 mmHg 혹은 이완기 혈압의 차이가 10 mmHg 이상이면 대동맥 축착증과 상지동맥 질환의 가능성을 확인해야 한다.
4) 커프의 표준적인 크기는 너비 12–13 cm, 길이 35 cm이나, 팔에 비해 커프가 작은 경우에는 혈압이 높게 측정된다. 따라서 너비는 위팔 둘레의 40% 정도, 길이는 위팔 둘레의 80–100%를 덮을 수 있는 공기주머니를 가진 커프를 선택해야 한다
5) 위팔동맥의 박동이 사라지고 나서 30 mmHg 정도 더 올린 후에 서서히 감압한다. 매 박동마다 2 mmHg 정도로 서서히 하강하여 측정하고, 수축기 혈압은 분명한 심박동음이 들리기 시작하는 Korotkoff 음 1기, 이완기 혈압은 심박동음이 사라지는 Korotkoff 음 5기로 정의한다. 만약 0 mmHg까지 감압하였는데도 심박동음이 들리는 경우(임신, 동맥–정맥 단락, 만성 대동맥판 폐쇄부전)에는 심박동음이 갑자기 작아지는 시기를 이완기 혈압으로 정한다.
6) 혈압 측정 시 30초 정도 맥박수를 측정하여 같이 기록하고, 심방 세동 등 부정맥의 가능성을 확인한다.

2) 가정혈압 및 활동혈압의 측정

활동성혈압이나 가정혈압 측정을 통해 백의 고혈압을 배제하고, 가면 고혈압을 의심할 수 있으며, 기존 진료실 혈압보다 고혈압 환자의 심혈관 질환 발생을 예측하는데 유용하고, 약물의 반응 평가가 용이하여 의료 경제적 측면에서 유용성이 높다. 또한 환자의 순응도와 치료의 적극성을 높일 수 있다.

표 6-3. 가정혈압 및 활동혈압에서의 고혈압의 기준(2018 대한고혈압학회 임상 진료 지침)

	수축기 혈압(mmHg)	이완기 혈압(mmHg)
진료실 혈압	≥140	≥90
24시간 활동혈압 일일 평균 혈압 주간 평균 혈압 야간 평균 혈압	≥130 ≥135 ≥120	≥80 ≥85 ≥70
가정 혈압	≥135	≥85

3. 고혈압 환자의 검사

1) 고혈압의 병력과 이학적 검사

표 6-4. 고혈압의 병력과 이학적 검사(2018 대한고혈압학회 임상 진료 지침)

병력	이학적 검사
위험인자 　고혈압, 당뇨, 고지혈증 및 심혈관질환의 가족력, 흡연 　식사 습관, 비만, 활동량, 성격	
이차성 고혈압 　다낭신: 신질환의 가족력 　신실질 질환: 신질환, 요로감염증, 혈뇨, 진통제 과다 복용 　신동맥 협착 　갈색세포종: 발작성 발한, 두통, 흥분 　알도스테론증: 근피로, 연축 　대동맥 협착, 대동맥염 　약물: 피임약, 감초, 코카인, 진통소염제, 스테로이드	신비대 복부 잡음 신경섬유종증의 피부 소견 가슴부위 잡음, 대퇴동맥 맥박 감소 쿠싱증후군의 소견
표적장기 손상 　대혈관: 동맥류, 동맥경화증의 진행, 대동맥박리 　심장: 폐부종, 심근경색, 관상동맥질환, 좌심실비대 　뇌혈관: 뇌출혈, 혼수, 경련, 의식장애, 일과성뇌허혈, 뇌졸중 　신장: 혈뇨, 신부전, 단백뇨 　망막: 유두부종, 출혈, 삼출, 동맥의 눌림	맥박의 소실, 감소, 비대칭, 한랭사지 심첨부 위치, 제 3,4 심음, 폐 수포음 경동맥 잡음, 안저검사, 운동감각 장애

2) 기본 검사

① 헤모글로빈, 헤마토크릿, 나트륨, 칼륨, 크레아티닌, 계산된 사구체여과율, 요산

② 공복 혈당과 공복 지질 검사(총콜레스테롤, LDL 콜레스테롤, HDL 콜레스테롤, 중성지방)

③ 소변검사: 단백뇨, 혈뇨, 임의뇨 중 알부민/크레아티닌 비(단백뇨가 명백한 경우 단백뇨/
크레아티닌 비시행)

④ 12-유도 심전도

⑤ 흉부 X-선 촬영

3) 표적 장기 손상의 평가

기본 검사실 검사에서 이상소견이 있다면 당화혈색소, 단백뇨 양, 가정 혹은 24시간 활동
혈압, 심장초음파, 부정맥이 있을 경우 24시간 생활 심전도, 경동맥 초음파, 복부 초음파,
발목-위팔 혈압 지수 측정, 맥파전달속도 측정, 안저 검사를 시행한다.

4. 고혈압 관리의 일반원칙

1) 목표 혈압

표 6-5. 임상양상에 따른 목표혈압(2018 대한고혈압학회 임상 진료 지침)

	수축기 혈압	이완기 혈압	권고 등급
일반적인 치료 목표	<140 mmHg	<90 mmHg	I
심뇌혈관, 관상동맥질환 자	<140 mmHg	<90 mmHg	I
노인성 고혈압 80세 미만 80세 이상	<140 mmHg <150 mmHg	<90 mmHg <90 mmHg	IIa IIa
임신성 고혈압	<150 mmHg	<100mmHg	IIa
당뇨병 환자	<140 mmHg	<85 mmHg	I
뇌졸중 일차 예방	<140 mmHg	<90 mmHg	I
만성 콩팥병 환자 단백뇨 동반	<140 mmHg <130 mmHg	<90 mmHg <80 mmHg	I IIa

2) 고혈압 관리와 생활요법

고혈압 관리에서 건강한 식사습관, 운동, 금연, 절주 등과 같은 비약물치료 또는 생활요법
은 혈압을 감소시키는 효과가 뚜렷하기 때문에 모든 고혈압 환자에게 중요할 뿐 아니라, 고
혈압 전단계 혈압인 사람에게도 고혈압 진행의 예방을 위하여 적극적으로 권장해야 한다.

표 6-6. 생활요법에 따른 혈압 감소 효과(2018 대한고혈압학회 임상 진료 지침)

생활요법	혈압감소 효과 수축기/확장기혈압(mmHg)	권고 사항
소금섭취 제한	-5.1/-2.7	하루 소금 6 g 이하
체중감량	-1.1/-0.9	매 체중 1 kg 감소
절주	-3.9/-2.4	하루 1잔 이하(10 g/day 알코올)
운동	-4.9/-3.7	하루 30-50분, 일주일에 5일 이상
식사조절	-11.4/-5.5	채식 위주의 건강한 식습관

5. 고혈압의 약물 요법

1) 고혈압 약물 치료의 적응증

표 6-7. 고혈압 약물 치료의 적응증(2018 대한고혈압학회 임상 진료 지침)

약물 치료 시작 시 고려해야 할 점

• 2기 고혈압 또는 고위험(표적장기 손상, 심뇌혈관질환) 1기 고혈압은 생활습관 개선을 시작함과 동시에 항고혈압제를 투여할 것을 권고한다(권고 등급 I).
   – 2기 고혈압에서는 진단 초기에 1개 이상의 고혈압 약제의 병합을 통한 빠른 혈압 조절이 도움이 될 수 있다.
   – 백의 효과에 의해 진료실 혈압이 실재 혈압보다 높게 측정될 수 있으며, 이 혈압을 기준으로 병합 요법을 시행할 경우 오히려 과다한 강압에 의한 부작용을 일으킬 수 있어 주의해야 한다.
 • 심뇌혈관질환이나 표적장기 손상이 없는 1기 고혈압은 수개월간의 생활습관 개선 후 목표혈압 이하로 혈압 조절이 안된다면 약물치료를 시작할 것을 권고한다(권고 등급 I).
   – 약제 사용 후 어지럼증, 활력 감소 등 저혈압 의심 증상이 있을 경우는 기립성 저혈압 여부를 확인한다.
 • 노인 환자에서는 적어도 수축기 혈압을 150 mmHg 이하로 낮추는 것은 심혈관 사건 발생 감소에 도움이 된다.
   – 수축기 단독 고혈압의 경우 1차적으로 수축기 혈압을 150 mmHg 이하로 낮추도록 하고, 이후 이완기 혈압이 70 mmHg 이상인 범위에서는 일반 고혈압과 마찬가지로 140 mmHg 이하로 낮추도록 한다.
 • 이완기 혈압이 70 mmHg 이하로 낮아지는 상황에서는 어지럼증, 흉통 등 기립성 저혈압, 협심증 증상 발생 여부에 주의하며 혈압을 낮추도록 한다.

2) 고혈압 약물 선택의 일반 지침

고혈압의 1차 약제는 안지오텐신 전환효소 억제제(ACEi), 안지오텐신 수용체 차단제(ARB), 칼슘 통로 차단제(CCB), 티아지드계 이뇨제, 베타 차단제를 사용하도록 권고한다(권고 등급 I). 표적장기 손상이 없는 1기 고혈압은 단일제로 시작하여 2–3개월 후 목표혈압 이하로 조절이 안되면 약제를 추가하는 병용요법을 고려한다.

3) 고혈압 약제의 병용요법

적절한 병용요법은 안지오텐신 전환효소 억제제(또는 안지오텐신 수용체 차단제)/칼슘 통로 차단제, 안지오텐신 전환효소 억제제(또는 안지오텐신 수용체 차단제)/티아지드계 이뇨제, 칼슘 통로 차단제/티아지드계 이뇨제를 고려한다(그림 6-1).

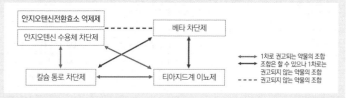

그림 6-1. 권고되는 적절한 고혈압 약제 병용요법(2018 대한고혈압학회 임상 진료 지침)

4) 고혈압 약제의 선택

베타 차단제는 심부전증, 심근경색증, 관상동맥질환에서 심혈관질환의 발생을 유의하게 감
소시켜 주는 효과가 입증된 약물이나 55세 이상의 고혈압 환자들에서 뇌졸중 예방효과가 상
대적으로 적은 것으로 보고되고 있다. 또한 인슐린 저항성을 증가시켜 혈당상승, 이상지질혈
증 등이 발생할 확률이 높은 약물이다. 3세대 베타 차단제는 혈당이나 지질대사에 유리한 작
용기전을 가지고 있으나 고혈압 환자를 대상으로 한 대규모 임상연구에서 효능이 입증되지
않았다. 약제에 선택에 있어서는 절대적 금기 사항(표 6-8)을 살피고 회피하는 것이 우선이
며, 상대적 금기는 약물의 득과 실을 고려하여 선택하도록 한다. 환자의 상태에 따라 이득이
되는 상황(표 6-9)과 약물의 대표적인 부작용(표 6-10)을 고려하여 약물 선택을 한다.

표 6-8. 고혈압 약제의 절대적/상대적 금기(2018 대한고혈압학회 임상 진료 지침)

약물	절대적 금기	상대적 금기
티아지드계 이뇨제	통풍	대사증후군, 내당능장애, 임신, 고칼슘혈증, 저칼륨혈증
칼슘 통로 차단제	없음	빈맥증, 울혈성 심부전증
베타 차단제	천식, 2,3도 방실차단	대사증후군, 내당능장애, 운동선수, 만성 폐쇄성 호흡기 질환
안지오텐신 전환효소 억제제	임신, 혈관부종, 고칼륨혈증, 양측 신동맥 협착증	가임기 여성
안지오텐신 수용체 차단제	임신, 혈관부종, 고칼륨혈증, 양측 신동맥 협착증	가임기 여성
알도스테론 차단제	급성 신부전증, 고칼륨혈증	

표 6-9. 특정 약제의 사용이 우선적으로 추천되는 임상 상황(2018 대한고혈압학회 임상 진료 지침)

특수 적응증	약제
단백뇨, 신기능장애	안지오텐신 전환효소 억제제. 안지오텐신 수용체 차단제
무증상 죽상동맥경화증	칼슘 통로 차단제, 안지오텐신 전환효소 억제제
심실비대	칼슘 통로 차단제, 안지오텐신차단제, 안지오텐신 전환효소 억제제
심근경색증	베타 차단제, 안지오텐신 전환효소 억제제, 안지오텐신 수용체 차단제
협심증	베타 차단제, 칼슘 통로 차단제
심부전증	베타 차단제, 안지오텐신 전환효소 억제제, 안지오텐신 수용체 차단제, 이뇨제, 알도스테론 차단제
대동맥류	베타 차단제
말초혈관질환	안지오텐신 전환효소 억제제, 칼슘 통로 차단제
수축기 단독 고혈압	이뇨제, 칼슘 통로 차단제
대사증후군	안지오텐신 전환효소 억제제, 안지오텐신 수용체 차단제, 칼슘 통로 차단제
당뇨병	안지오텐신 전환효소 억제제, 안지오텐신 수용체 차단제
임신	베타 차단제, 메틸도파(Methyldopa, 국내 가용하지 않음), 칼슘 통로 차단제

표 6-10. 고혈압 약제의 대표적인 부작용(2018 대한고혈압학회 임상 진료 지침)

약물	부작용
티아지드계 이뇨제	통풍, 고요산혈증, 저칼륨혈증, 고칼슘혈증, 이상지질혈증, 내당능장애, 발기장애
베타 차단제	천식, 방실차단, 서맥, 이상지질혈증, 내당능장애, 발기장애
칼슘 통로 차단제	말초부종, 두통, 안면홍조, 잇몸비대
안지오텐신 전환효소 억제제	고칼륨혈증, 양측 신동맥 협착증에서 투약 시 급성 신부전증, 이상미각, 백혈구 감소증, 혈관부종, 발진
안지오텐신 수용체 차단제	고칼륨혈증, 양측 신동맥 협착증에서 투약 시 급성 신부전증, 이상미각, 백혈구 감소증, 혈관부종, 발진
알도스테론 차단제	급성 신부전증, 고칼륨혈증, 여성형 유방(남성의 경우)

6. 이차성 고혈압

1) 이차성 고혈압의 임상양상

이차성 고혈압은 전체 고혈압의 5-10% 정도를 차지하며, 적절한 치료 시 치료가 가능하거나 혈압 개선 효과와 함께 심혈관계 질환을 예방할 수 있으므로 관심을 가지고 진단하여야 한다.

표 6-11. 이차성 고혈압을 의심해야 하는 경우

40세 이전에 심혈관 질환, 신장질환, 당뇨병 등이 없이 고혈압이 발견된 경우

청소년기 이전에 발생한 고혈압

갑자기 심한 고혈압이 발생한 경우

3가지 이상의 혈압 약제를 최고 용량으로 사용함에도 불구하고 혈압 조절이 불량한 경우

신체 진찰에서 다음의 이상 소견
  -복부 종괴(다낭성 신증)
  -복부 잡음(신혈관성 고혈압)
  -부정맥(원발성 알도스테론증에 의한 심한 저칼륨혈증 시)
  -중심비만/다모증(쿠싱증후군)
  -기립성 저혈압(갈색 세포종)

2) 원인질환과 선별검사

표 6-12. 이차성 고혈압 원인질환의 임상양상 및 일차 선별검사 방법(2018 대한고혈압학회 임상 진료 지침)

원인질환	임상적 특징			1차진단
	임상증상	신체검사	검사소견	
신장질환	요로감염 혹은 협착의 과거력, 진통제 남용, 가족력, 혈뇨 동반	복부내 종양 촉진 (다낭성 신장질환 경우)	1) 요검사상 단백질, 적혈구 혹은 백혈구 검출 2) 사구체 여과율 감소	신장 초음파
신혈관성 고혈압	갑작스런 발병, 3가지 이상의 약제에도 반응하지 않은 저항성 고혈압	복부잡음 청진	복부 초음파상 신장 길이가 1.5 cm 이상 차이가 나는 경우	신장 도플러 초음파
알도스테론증	근력감퇴, 조기 발병, 고혈압의 가족력, 40세 이전에 뇌졸중 과거력	부정맥(아주 심한 저칼륨혈증에서 발생)	저칼륨혈증	레닌, 알도스테론 혈중 검사(저칼륨혈증 교정 및 레닌-알도스테론 시스템에 영향을 미치는 약제 중단 이후)
쿠싱 증후군	체중 증가, 다뇨, 다음	중심비만, 월상안, 자색선조, 다모증	고혈당	24시간 소변 코티솔 측정
갈색세포종	두통, 심계항진, 발한, 창백, 심한 혈압의 변화	기립성 저혈압	부신우연종	24시간 소변 메타네프린 측정, 혈중 유리 메타네프린 측정

7. 임신성 고혈압

1) 임신성 고혈압의 분류

① 임신 중 만성 고혈압: 임신 20주 이전에 이미 고혈압이 있거나 고혈압 약을 복용하고 있는 경우

② 임신성 고혈압: 임신 20주 이후에 새로운 고혈압이 진단되었으나 단백뇨가 없는 경우

③ 전자간증: 임신 20주 이후에 고혈압이 진단되고 동시에 단백뇨(24시간 요단백이 300 mg 이상 또는 요 단백/크레아티닌 비가 300 mg/g 이상)가 동반된 경우

④ 수유기 고혈압의 약제 선택은 임신성 고혈압과 동일하게 적용한다.

⑤ 분만 후에는 혈압을 140/90 mmHg 미만으로 조절한다.

2) 혈압의 목표

① 혈압이 160/110 mmHg 이상인 중증의 고혈압의 경우 약물치료를 권고한다.

② 목표 혈압은 150/100 mmHg 미만으로 조절하며 이완기혈압은 80 mmHg 미만으로 낮추지 않도록 고려한다.

3) 고혈압 치료의 적응증과 약물의 선택

① 임신 중 유용한 항고혈압제: Nifedipine, Labetalol(특수 의약품 신청을 통해 사용 가능), Hydralazine, Methyldopa(국내 없음)

② 안지오텐신 전환효소 억제제 또는 안지오텐신 수용체 차단제는 선천성 기형의 위험이 증가하므로 권고하지 않는다.

③ 임신을 계획하고 있다면 고혈압 약을 변경하도록 권고해야 한다.

④ 베타 차단제 중 Atenolol은 태아성장장애를 초래할 수 있으므로 필요할 경우 가능한 임신 후반기에 사용하는 것을 고려할 수 있다.

⑤ 이뇨제는 체액 감소를 유발할 수 있으므로 신중히 고려해야 한다.

8. 고혈압의 응급

1) 고혈압성 응급의 치료

고혈압성 응급은 심한 고혈압(>180/120 mmHg)에 의해 표적장기손상이 진행하는 상황이다.

• 표적장기손상: 고혈압성뇌병증, 뇌출혈, 급성심근경색, 폐부종을 동반한 급성좌심실부전, 불안정성협심증, 박리성 대동맥류, 자간증, 고혈압성신손상.

반드시 입원하여 지속적인 혈압측정과 함께 즉각적인 혈압강하를 하도록 고려하고 초기(첫 수분-1시간 이내) 혈압강하 정도는 평균동맥혈압의 25% 이상을 초과하지 않도록 한다. 이후 상태가 안정적이면 2-6시간 내에 160/100-110 mmHg를 목표로 혈압을 조절한다. 지나친 혈압강하는 신장, 뇌 및 심근에 허혈을 유발할 수 있으므로 주의해야 하며, 출혈뇌졸중(지주막하출혈, 뇌내출혈), 대동맥박리증, 폐부종 등에서는 예외적으로 혈압을 빨리 떨어뜨려야 한다.

2) 주사 혈압 강하제

표 6-13. IV 항고혈압제

Drug	Onset	Duration	Adverse effects	Role
Vasodilator				
Hydralazine (Bolus 10–20 mg IV)	10–20 min	1–4 hours	Sudden precipitous drop in blood pressure, tachycardia, flushing, headache, vomiting, aggravation of angina	Labetalol and nicardipine are generally preferred choices for treatment of eclampsia.
Nicardipine (Infusion: 5–15 mg/hour)	5–15 min	1–4 hours	Tachycardia, headache, dizziness, nausea, flushing, local phlebitis, edema	Most hypertensive emergencies, including pregnancy induced. Avoid use in acute heart failure.
Nitroglycerin (Infusion: 5–100 mcg/min)	2–5 min	5–10 min	Hypoxemia, tachycardia (reflex sympathetic activation), headache, vomiting, flushing, methemoglobinemia, tolerance with prolonged use	Potential adjunct to other IV antihypertensive therapy in patients with coronary ischemia (ACS) or acute pulmonary edema.
Nitroprusside (Infusion: 0.25–10 mcg/kg/min)	0.5–1 min	1–10 min	Elevated ICP, decreased cerebral blood flow, reduced coronary blood flow in CAD, cyanide and thiocyanate toxicity, nausea, vomiting, muscle spasm, flushing, sweating	In general, nitroprusside should be avoided due to its toxicity. Nitroprusside should be avoided in patients with AMI, CAD, CVA, elevated intracranial pressure, renal impairment, or hepatic impairment.
Adrenergic inhibitors (Avoid use in acute decompensated heart failure.)				
Esmolol (loading dose: 250–500 mcg/kg Infusion: 25–300 mcg/kg/min)	1–2 min	10–30 min	Nausea, flushing, bronchospasm, first-degree heart block, infusion-site pain; half-life prolonged in setting of anemia	Perioperative hypertension.
Labetalol (Initial bolus: 20 mg IV Infusion: 0.5–2 mg/min)	5–10 min	2–4 hours	Nausea/vomiting, paresthesias (eg, scalp tingling), bronchospasm, dizziness, nausea, heart block	Most hypertensive emergencies including myocardial ischemia, hypertensive encephalopathy, pregnancy, and postoperative hypertension.

Ⅱ 심부전

1. 심부전의 정의

심부전은 심장의 혈액 충만과 박출에 장애를 유발하는 심장의 구조적 혹은 기능적 이상으로 인하여 폐와 전신의 부종과 울혈, 관류 이상에 의한 호흡곤란 등의 증상이 발생하는 임상 증후군이다.

2. 심부전의 역학과 예후

심부전의 이환율과 유병률은 증가하고 있는데 이는 인구의 노령화 및 산업화 사회에서 고혈압, 고지혈증, 당뇨병의 증가와 허혈성 심질환 환자의 장기 생존률 증가에 영향을 받고 있다. 국내 심부전 유병률은 2015년 기준으로 1.6%이지만 증가속도를 고려할 때 2040년에는 3.35%가 될 것으로 예상된다. 급성심부전으로 입원 시 사망은 약 5%이며 이후 퇴원 후 1년 사망률이 18%, 3년 사망률이 35%로 예후가 매우 불량하다.

3. 심부전의 용어 정리

① 만성 심부전: 일정기간 이상 심부전의 증상과 징후를 보일 때
② 만성 안정형 심부전: 한달 이상 증상과 징후가 잘 조절될 때
③ 대상성 심부전: 호전되어 일정기간 증상이 없는 경우
④ 급성 심부전: 갑자기 악화되어 입원이 필요하거나 적극적인 약물치료가 필요한 경우
⑤ 새로 진단된(de novo) 심부전: 처음으로 심부전 증상이 발생하여 심부전이 진단된 경우

4. 심부전의 분류

1) American College of Cardiology/American Heart Association (ACC/AHA)

심부전의 점진적인 진행을 일련의 연속적인 흐름으로 강조하는 staging system으로 분류하였다. Stage A와 B는 앞에서 언급한 심부전의 정의에는 맞지 않으나 심부전이 발생할 가능성이 높은 상태로 이때부터 예방적인 치료를 시행할 것을 강조하기 위하여 분류에 포함되었다.

표 6-14. ACC/AHA stages of heart failure

Stage A	no structural heart disease with high risk for developing heart failure
Stage B	structural heart disease without symptoms of heart failure
Stage C	structural heart disease with past or current symptoms of heart failure
Stage D	end-stage heart failure who require specialized advanced treatment

2) 좌심실 박출률에 따른 심부전의 분류

좌심실 박출률에 따라 크게 박출률 감소 심부전(Heart failure with reduced ejection fraction, HFrEF)과 박출률 보존 심부전(Heart failure with preserved ejection fraction, HFpEF)으로 분류하는데, 최근에는 경계형 심부전과 개선형 심부전이라는 분류가 추가되었다.

이 때, 박출률 보전 심부전이나 경계형 심부전을 진단하기 위해서는 심부전의 증상과 징후가 있으면서 BNP (>35 pg/mL)나 NT-proBNP (NT-proBNP>125 pg/mL)가 상승해 있어야 하고 심초음파상 이완기 장애를 보여주는 구조적(Left atrial volume index (LAVI) ≥ 34 mL/m^2 혹은 left ventricular mass index (LVMI) ≥ 115 g/m^2 for males and ≥ 95 g/m^2 for females) 혹은 기능적 이상 소견을 동반해야 한다(E/e' ratio ≥ 13 & mean e' septal and lateral wall <9 cm/s)(표 6-15).

표 6-15. 좌심실 박출률에 따른 심부전의 분류

박출률 감소 심부전(HFrEF)	좌심실 박출률(LVEF) 40% 미만
박출률 보존 심부전(HFpEF)	좌심실 박출률(LVEF) 50% 이상
박출률 경계형 심부전(HFmrEF)	좌심실 박출률(LVEF) 40-49%
박출률 개선형 심부전(HFiEF)	좌심실 박출률 40% 이하에서 초과로 회복

표 6-16. 박출률 보전 심부전과 경계형 심부전을 진단

Type of HF		HFrEF	HFmrEF	HFpEF
CRITERIA	1	Symptoms±Signs[a]	Symptoms±Signs[a]	Symptoms±Signs[a]
	2	LVEF <40%	LVEF 40-49%	LVEF ≥50%
	3	–	1. Elevated levels of natriuretic peptides[b]; 2. At least one additional criterion: i) relevant structural heart disease (LVH and/or LAE) ii) diastolic dysfunction	1. Elevated levels of natriuretic peptides[b]; 2. At least one additional criterion: i) relevant structural heart disease (LVH and/or LAE) ii) diastolic dysfunction

BNP = B-type natriuretic peptide; HF = heart failure; HFmrER=heart failure with mid-range ejection fraction; HFpEF = heart failure with preserved ejection fraction; HFrEF = heart failure with reduced ejection fraction; LAE = left atrial enlargement; LVEF = left ventricular ejection fraction; LVH = left ventricular hypertrophy; NT-proBNP = N-terminal pro-B type natriuretic peptide.
[a] Signs may not be present in the early stages of HF (especially in HFpEF) and in patients treated with diuretics.
[b] BNP>35 pg/ml and/or NT-proBNP>125 pg/mL.

다만, 박출률 보전 혹은 경계형 심부전을 진단함에 있어서는 진단 기준에 부합한다 하더라도 이에 대한 특이적인 치료가 없기 때문에 관련된 동반질환에 의한 증상인지를 감별하고 먼저 치료해 봐야 한다.

5. 심부전의 진단적 접근

정의에서 알 수 있듯이 심부전을 진단하기 위해서는 일반적으로 다음 세 가지의 요건이 충족되어야 한다. 1) 심부전에 합당한 증상과 징후 2) 증상과 징후를 일으킬 수 있는 부종, 울혈 및 관류 이상 3) 부종, 울혈 및 관류 이상을 유발하는 심장의 구조적 혹은 기능적 이상

1) 심부전의 증상과 징후

표 6-17. 심부전의 증상과 징후

증상		징후	
전형적	비전형적	특이적	비특이적
호흡곤란	야간 기침	경정맥압 상승	말초부종
좌위호흡	천명	간-경정맥압 확장	폐비빔소리(crepitus)
발작성 야간 호흡곤란	체중 증가(2 kg/주)	제3심음	폐기저부 타진 시 둔탁음
운동능력 감소	체중 감소	심첨박동 전위	빈맥
피로감	포만감	심잡음	불규칙한 맥박
발목 부종	식욕저하		빈호흡
	착란		간비대
	우울		복수
	두근거림		Cachexia
	실신		

2) 부종과 울혈 및 관류 이상의 평가

부종과 울혈 및 관류 이상은 증상과 징후 외에도 Chest X-ray, BUN/Cr, LFT, BNP, NT-proBNP를 통해서 평가할 수 있다.

다만, BNP나 NT-proBNP의 경우 negative predictive value는 높으나 specificity가 낮아 심부전을 배제할 수 있으나 단독으로 심부전을 진단할 수는 없다(표 6-18).

표 6-18. BNP 해석 시 주의가 필요한 경우

높은 BNP 수치를 보이지만 심부전이 없는 경우	심부전 환자에서 낮은 BNP 수치를 보이는 경우
1. 고령 2. 빈혈 3. 신부전 4. 급성 관동맥증후군 5. 일부 호흡기질환 　(수면무호흡증, 심한 폐렴, 폐고혈압) 6. 세균성 패혈증 7. 심한 화상	1. 비만(BMI >30 kg/m²) 2. 급격히 진행된 폐부종(1-2시간 이내) 3. 좌심실 상방의 원인으로 인한 심부전 　(급성 승모판폐쇄부전, 승모판 협착증) 4. 안정되고 증상이 없는 심부전

3) 심장의 구조적 혹은 기능적 이상

심장의 구조적 혹은 기능적 이상은 BNP, NT-proBNP, ECG, Chest X-ray, 심초음파를 통해서 평가할 수 있다. 이러한 심부전의 진단을 개괄적으로 그림 6-2와 같이 정리할 수 있다.

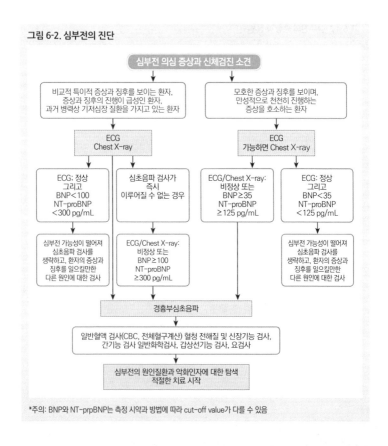

그림 6-2. 심부전의 진단

*주의: BNP와 NT-prpBNP는 측정 시약과 방법에 따라 cut-off value가 다를 수 있음

심부전이 진단되고 나면 그 다음 단계로는 심부전의 원인질환(표 6-19)을 확인하고 악화
인자(표 6-20)를 찾기 위한 검사를 시행해야하며 이는 환자의 동반 증상과 위험인자에 따
라 달라질 수 있으므로 종합적인 병력청취와 신체검진이 필요하다.

표 6-19. 심부전의 원인

- 허혈성심장질환(Ischemic heart disease, IHD)
- 심장판막질환(Valvular heart disease)
- 선천성심장병(Congenital heart disease)
- 심근증(Cardiomyopathy, CMP)
    - Pregnancy related CMP or Peripartum CMP
    - Stress induced CMP
    - Alcoholic CMP
    - Idiopathic dilated CMP
    - Hypertrophic CMP
    - Restrictive CMP
    - ARVD
- 고혈압성 심부전(Hypertensive HF)
- 심근염(Acute Myocarditis)
- Infiltrative disease
- Tachycardia induced CMP
- Thyroid disease related HF
- Toxic agent e.g.g (Chemotherapy)
- 원인 미상

표 6-20. 심부전의 악화요인

- Acute coronary syndromes/ischemia
- Severe hypertension
- Atrial or ventricular tachyarrhythmia (including atrial fibrillation)
- Bradyarrhymia (including conduction block)
- Infection
- Pulmonary emboli
- Renal failure
- Anemia or bleeding
- Medications (e.g. NSAIDs, Toxic agent including chemotherapeutic agents)
- Noncompliance (high salt diet, medication etc.)
- Excessive alcohol or illicit drug use
- Endocrine abnormalities (e.g., diabetes mellitus, hyperthyroidism, hypothyroidism)
- Recent addition of negative inotropic drugs (e.g., verapamil, nifedipine, diltiazem, beta blockers)
- 기타
- 원인미상

6. 심부전의 주요 증상의 감별진단

1) 호흡곤란의 감별진단

표 6-21. 호흡곤란의 감별진단

심장	heart failure, coronary artery disease/myocardial infarction, arrhythmia, pericarditis
폐	chronic obstructive lung disease, asthma, pneumonia, pneumothorax, pulmonary embolism, pleural effusion, restrictive lung disease, diaphragm palsy
정신과적문제	panic attacks, hyperventilation, pain, anxiety
상기도	epiglottitis, foreign body, croup, etc
근골격계 장애	neuromuscular disorders
기타	obesity, anemia, metabolic acidosis, medications

2) 전신부종의 감별진단

표 6-22. 전신부종의 감별진단

- Heart failure
- Renal failure/nephrotic syndrome
- Liver disease (cirrhosis)
- Pulmonary hypertension/sleep apnea
- Venous insufficiency
- Medications: Calcium channel blockers, Clonidine, Hydralazine, Minoxidil, Methyldopa, Steroids,
- Estrogen, Progesterone, Testosterone, NSAIDs, Pioglitazone, Lobeglitazone, Monoamine oxidase inhibitors, Trazodone
- Pelvic compression (tumor/lymphoma)
- Sodium/fluid overload
- Lymphedema
- Thyroid disease/myxedema
- Venous thrombosis
- Light chain disease

7. 급성 심부전의 치료적 접근 방법

급성 심부전은 심부전 증상이 빠르게 발현되거나 급속히 악화되어 신속한 치료를 필요로 하는 경우이다. 이러한 급성 심부전에서는 특이적인 치료제가 있는 것은 아니고 그 원인을 파악해서 해결하고 혈역학적으로 안정화 시키기 위한 약제를 사용하는 것이 필요하다. 대표적인 원인으로 급성 관동맥 증후군, 고혈압성 응급증, 빈맥/서맥, 전도장애, 구조적 손상, 급성폐색전증 등이 있다(표 6-20).

　　최근에는 이러한 급성심부전을 임상양상에 따라 그림 6-3와 같이 분류하여 그 분류에 따라 그림 6-4과 같은 적절한 혈역학적인 안정화를 위한 치료를 할 것을 권하고 있다.

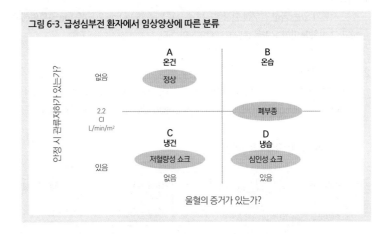

그림 6-3. 급성심부전 환자에서 임상양상에 따른 분류

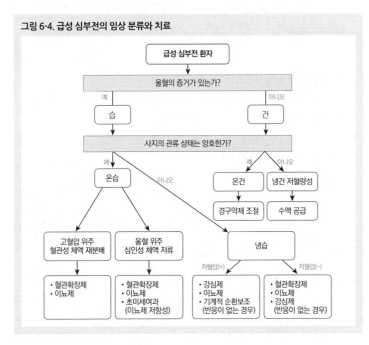

그림 6-4. 급성 심부전의 임상 분류와 치료

8. 급성 심부전의 약물 치료

1) 이뇨제

수분 저류가 있는 급성 심부전 환자에서는 주사용 loop diuretics 20-40 mg을 투여해야
하고 그 반응에 따라 용량을 증량해서 투여해야 한다.

2) 주사용 혈관확장제

주사용 혈관확장제는 수축기 혈압 90 mmHg 이상인 환자에서 증상 개선을 위해 도움이 될
수 있다(예: IV nitroglycerin 10 ug/min or IV isosorbide dinitrate 1 mg/hr으로 시작).

표 6-23. 주사용 혈관확장제 용량과 부작용

종류	용량	주된 부작용	기타
니트로글리세린	10-20 μg/min으로 시작 200 μg/min까지 증량	저혈압, 두통	지속 사용 시 내성
질산 이소소르비드	1 mg/h로 시작 10 mg/h까지 증량	저혈압, 두통	지속 사용 시 내성
니트로프루시드	0.3 μg/kg/min으로 시작 5 μg/kg/min까지 증량	저혈압, 티오시안산염 독성	빛 과민성
네시리타이드	2 μg/kg 정맥 일시 주사 + 0.01 μg/kg/min으로 지속투여	저혈압	

3) 주사용 강심제 및 혈관수축제

저혈압, 주요 장기 관류 부전 혹은 쇼크가 동반된 환자에서 심박출량을 증가시키고, 혈압을
높여 조직의 혈액 순환을 호전시키기 위해 사용할 수 있다.

표 6-24. 주사용 강심제 및 혈관 수축제

약제	부하용량	주입속도	기대효과
도부타민	없음	2-20 μg/kg/min	베타수용체를 통한 심근수축력 증가
도파민	없음	<3 μg/kg/min 3-5 μg/kg/min >5 μg/kg/min	신장혈관확장 효과 베타수용체를 통한 심근수축력 증가 베타수용체를 통한 심근수축력 증가 알파수용체를 통한 혈관수축
밀리논	10-20분에 걸쳐 12 μg/kg 주입	0.375-0.75 μg/kg/min	심박출량 및 심박수 증가 전신 및 폐혈관저항 감소
레보시멘단	10분에 걸쳐 12 μg/kg 주입	0.1 μg/kg/min 0.05로 감소시키거나 0.2로 증가 시킬 수 있음	칼슘감수성을 높여 심근수축력 증가 ATP의 칼륨채널을 통한 혈관확장 효과
노르에피네프린	없음	0.2-1.0 μg/kg/min	혈관수축
에피네프린	심폐소생술 시 3-5분마다 1 mg 주사	0.05-0.5 μg/kg/min	혈관수축

4) 항부정맥 약물

심방세동이 동반된 경우 digoxin이나 amiodarone의 사용을 고려할 수 있다.

9. 급성 심부전 환자에서 기계적 순환보조장치와 수술적 치료

약물치료에 불응하는 급성 심부전 혹은 심인성 쇼크 환자에서는 제외형 생명구조장치를 사용해야 한다. 또한 아래의 경우에는 수술적 치료가 환자의 예후를 향상시킬 수 있으므로 이에 대한 감별진단이 중요하다.

표 6-25. 급성 심부전환자에서 수술적 치료를 고려해야 하는 경우

- 다혈관 관상동맥질환이 있는 심근경색증 환자에서의 심인성 쇼크
- 심실중격파열
- 심실외벽파열
- 기존 심장판막질환을 가진 환자에서의 급성 악화
- 인공판막 부전 또는 혈전증
- 심낭 안쪽으로 파열된 대동맥류 또는 대동맥박리
- 허혈성 유두근파열 또는 기능 이상, 점액성 건삭파열, 심내막염, 외상으로 유발된 급성 승모판 역류
- 심내막염, 대동맥박리, 폐쇄성 흉부외상으로 유발된 급성 대동맥판 역류
- 발살바동파열
- 기계적 순환보조를 시행하는 심부전 환자의 급성 악화
- 혈역학적으로 불안정하고 혈전용해제 치료가 불가능한 폐색전증

10. 만성 심부전의 약물 치료

만성 심부전에서는 생존률을 개선시키기 위해서 반드시 처방해야 하는 약물로 레닌-앤지오텐신-알도스테론계통 차단제와 베타 차단제가 있다. 하지만 이는 모두 LVEF가 40% 이하로 감소한 Heart failure with reduced EF (HFrEF) 환자에 해당되며 현재까지 LVEF 50% 이상인 Heart failure with preserved EF (HFpEF)에서 생존률을 개선하거나 예후를 호전시킬 수 있는 것으로 확인된 약제는 없다. 최근에는 HFrEF 환자에서는 ARBs나 ACEIs 대신 Angiotensin Receptor Neprilysin inhibitor (ARNI) 사용이 추천되기도 하며 beta-blocker를 사용하지 못하거나 사용함에도 불구하고 심박수가 빠른 환자에서는 Ivabradine 사용이 추천된다(그림 6-5).

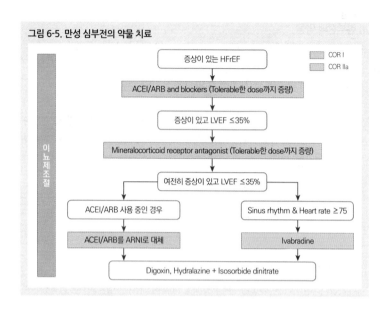

그림 6-5. 만성 심부전의 약물 치료

1) Angiotensin converting enzyme inhibitors

HFrEF 환자에서는 금기증이 없는 한 반드시 사용을 고려해야 한다. 사용할 수 있는 약제와 용량은 표 6-26와 같다.

표 6-26. Angiotensin converting enzyme inhibitors 용량

앤지오텐신 전환효소 억제제	시작 용량	목표 용량
캅토프릴	6.25 mg 1일 3회	50 mg 1일 3회
에날라프릴	2.5 mg 1일 2회	10–20 mg 1일 2회
포시노프릴	5–10 mg 1일 1회	40 mg 1일 1회
리시노프릴	2.5–5 mg 1일 1회	20–40 mg 1일 1회
페린도프릴	2 mg 1일 1회	8–16 mg 1일 1회
라미프릴	1.25–2.5 mg 1일 1회	10 mg 1일 1회
트란돌라프릴	0.5 mg 1일 1회	4 mg 1일 1회

2) Angiotensin receptor blockers

HFrEF 환자에서 ACEI를 사용하지 못하는 경우에는 ARB를 대신 사용할 수 있다. 사용할 수 있는 약제와 용량은 표 6-27과 같다.

다만, ACEI와 ARB 를 사용함에 있어서는 고칼륨혈증, 신부전, 저혈압 발생을 주의해야 하며, 임신을 한 환자에서는 사용해서는 안된다.

표 6-27. 심부전에서 사용 가능한 Angiotensin Receptor Blockers와 그 용량

앤지오텐신 수용체 길항제	시작 용량	목표 용량
칸데사르탄	4-8 mg 1일 1회	32 mg 1일 1회
발사르탄	40 mg 1일 2회	160 mg 1일 2회
로자탄	50 mg 1일 1회	150 mg 1일 1회

3) Beta-blockers

HFrEF 환자에서는 금기증이 없는 한 반드시 사용을 고려해야 한다. 효과가 인정된 약제와 용량은 표 6-28과 같다.

표 6-28. 심부전에서 사용 가능한 Beta-Blockers와 그 용량

약품명	초기 용량	최대 용량	기존 연구에서 사용된 평균 용량
비소프롤롤	1.25 mg 1일 1회	10 mg 1일 1회	8.6 mg 1일 1회
카르베딜롤	3.125 mg 1일 2회	25 mg 1일 2회 (50 mg 1일 2회, 85kg 이상에서)	37 mg 1일 1회
지속형 메토프롤롤	12.5-25 mg 1일 1회	200 mg 1일 1회	159 mg 1일 1회
네비볼롤	1.25 mg 1일 1회	10 mg 1일 1회	7.7 mg 1일 1회

4) Aldosterone antagonists

EF 35% 이하이면서 ACEI/ARB+beta-blocker를 사용하는 환자들에서는 금기증이 없다면 aldosterone antagonist를 추가해야 한다. EF가 35-40% 환자에서도 당뇨나 심부전이 있으면서 심근경색이 있었던 환자에서는 ACEI/ARB+beta-blocker와 함께 aldosterone antagonist를 사용해야 한다. 용량 사용에 주의가 필요하고 Hyperkalemia 발생에 주의가 필요하다.

표 6-29. Aldosterone antagonists 용량

약품명	사구체여과율 예측치 >50 mL/min/1.73m²		사구체여과율 예측치 30-49 mL/min/1.73m²	
	초기 용량	유지 용량	초기 용량	유지 용량
스피로놀락톤	12.5-25.0 mg 1일 1회	25 mg 1일 1회, 혹은 2회	12.5 mg 1일 혹은 2일 1회	12.5-25.0 mg 1일 1회
에플레레논	25 mg 1일 1회	50 mg 1일 1회	25 mg 2일 1회	25 mg 1일 1회

5) Angiotensin Receptor Neprilysin Inhibitor (Entresto, 엔트레스토)

HFrEF (LVEF≤40%)에서 NYHA class II, III의 증상이 있으면 엔트레스토를 사용하는 것이 기존의 ACEI나 ARB를 사용하는 것보다 환자의 생존률을 높일 수 있다. 하지만, 국내 보험 기준에서는 ACEI나 ARB를 1개월 이상 사용하고 안정적인 경우에 본 약제로 변경하는 것에 대해 급여를 인정하고 있다. 50 mg bid에서 200 mg bid까지 사용할 수 있으며 가능한 최대 용량을 사용하도록 권고하고 있다. 본 약제의 사용시 주의 사항은 ACEI와 유사하나 혈압을 더 많이 감소시킬 수 있다는 점에서 주의가 필요하다. 그리고 ACEI 사용하다가 엔트레스토로 전환할 때는 혈관부종의 위험 때문에 36시간의 간격을 두고 투약할 것을 권고한다.

6) Ivabradine (Procoralan, 프로코라란)

Beta-blocker를 사용할 수 없거나 사용함에도 불구하고 동율동이면서 심박동수가 75회 이상인 LVEF 35% 이하의 심부전 환자에서 사용할 경우 재입원이나 사망률 감소를 기대할 수 있다. 5mg bid나 7.5 mg bid로 처방한다. 다만, 심방세동의 위험이 증가한다는 메타분석 보고가 있어 주의가 필요하다.

11. 만성 심부전의 시술/수술적 치료

1) 제세동기 삽입(Implantable cardioverter defibrillator, ICD)

아래와 같은 기준에 해당되는 심부전 환자에서는 환자의 급사를 예방하기 위해서 제세동기 삽입을 고려해야 한다.

표 6-30. 제세동기 요양급여 적용 기준 (국민건강보험)

심부전
1. 심근경색 발생 후 40일 경과한 허혈성 심부전으로 적절한 약물치료에도 불구하고 아래에 해당하며 1년 이상 생존이 예상되는 경우
1) 박출률(Ejection Fraction, EF) ≤30%
2) 박출률(EF) 31~35%로 NYHA 기능등급 II, III의 증상을 보이는 경우
3) 박출률(EF) ≤40% 환자로 비지속성 심실빈맥이 있으며 임상전기생리학적검사에서 혈역동학적으로 의미있는 심실세동이나 지속성 심실빈맥이 유발되는 경우
2. 비허혈성 심부전으로 3개월 이상의 적절한 약물치료에도 불구하고 NYHA 기능등급 II, III의 증상을 보이는 박출률(EF) ≤35%인 환자에서 1년 이상 생존이 예상되는 경우

2) 심장재동기화 치료(Cardiac resynchronization therapy, CRT)

아래와 같은 기준에 해당되는 심부전 환자에서는 증상을 호전시키고 심기능을 개선시키기 위해 심장재동기화 치료를 고려해야 한다.

표 6-31. 심장재동기화 치료 요양급여 적용 기준(국민건강보험)

CRT는 심실을 재동기화함으로써 심부전을 개선시킬 수 있는 근거가 있는 경우에 시행함을 원칙으로 하되, 다음에 해당하는 경우에는 요양급여(일부 본인부담)을 인정하며, 동 기준 이외에 시행한 경우 시술료 및 치료재료 요양급여 비용은 전액 본인이 부담함.

CRT-P (CRT-Pacemaker):
3개월 이상의 적절한 약물치료에도 불구하고 증상이 지속되는 아래의 심부전 환자

1) 동율동(sinus rhythm)의 경우
   가) QRS duration ≥130 ms인 좌각차단(LBBB)으로 박출률(EF) ≤35%이고, NYHA 기능등급 Ⅱ-Ⅲ 또는 거동이 가능한 기능등급 Ⅳ에 해당하는 경우
   나) QRS duration ≥150 ms인 비좌각차단(non-LBBB)으로 박출률(EF) ≤35%이고, NYHA 기능등급 Ⅲ 또는 거동이 가능한 기능등급 Ⅳ에 해당하는 경우

2) 영구형 심방세동(permanent atrial fibrillation)의 경우
   가) QRS duration ≥130 ms로 박출률(EF) ≤35%이고, NYHA 기능등급 Ⅲ 또는 거동이 가능한 기능등급 Ⅳ에 해당하는 경우
   나) 박출률(EF) ≤35%인 환자에서 심박수 조절을 위해 방실결절차단술(AV junction ablation)이 필요한 경우

3) 기종의 심박동기(pacemaker)나 심율동 전환제세동기(ICD)의 기능향상이 필요한 경우
   – 박출률(EF) ≤35%이고, NYHA 기능등급 Ⅲ 또는 거동이 가능한 Ⅳ 환자에서 심조율의 비율이 40% 이상인 경우

4) 심박동기(pacemaker)의 적응증에 해당하는 경우
   – 박출률(EF) ≤40%인 환자에서 심조율의 비율이 40% 이상으로 예상되는 경우(3개월 이상의 적절한 약물치료가 없는 경우도 인정 가능함)

*CRT-D (CRT-Defibrillatior)는 CRT-P와 ICD 기준에 모두 적합한 경우에 인정하되, 상기 1)가)에 해당하면서 NYHA 기능등급 Ⅱ인 경우에는 QRS duration ≥130 ms인 좌각차단(LBBB)이고 박출률 ≤30%인 경우 인정함

3) 심장이식과 좌심실보조장치(LVAD)

적절한 약물치료와 시술/수술적 치료에도 불구하고 호전이 되지 않은 환자의 경우 심장이식을 고려할 수 있다(표 6-32). 또한 심장이식의 1번과 2번의 적응증이 되지만 바로 이식을 받기 어렵거나 심장이식의 금기증이 있는 경우에는 좌심실보조장치를 고려할 수 있다. 이 때 LVEF로만 심장이식이나 좌심실보조장치를 고려하지 않는다는 점을 유념해야 한다.

표 6-32. 심장이식의 적응증

1. 지속적인 정맥내 수축 촉진제나 기계적 순환 보조가 필요한 비가역적 심인성 쇼크 환자
2. 최선의 치료에도 불구하고 지속적으로 NYHA class Ⅳ의 증상을 호소하는 심부전 환자
   (LVEF <20%; 심폐운동부하검사상 최대 산소 소모량 (VO$_2$max) ≤12-14 mL/kg/min 혹은 최대 산소 소모량 VO$_2$max <50% predicted, 혹은 VE/VCO$_2$ Slope >35)
3. 일상 활동이 어려운 협심증 환자로 재개통 수술이 가능하지 않은 경우
4. 증상이 있는 반복적인 심실 부정맥이 다른 치료에 반응하지 않는 경우

Ⅲ 부정맥(Arrhythmia)

1. 좁은 QRS-파 빈맥

1) 좁은 QRS파 빈맥의 감별진단

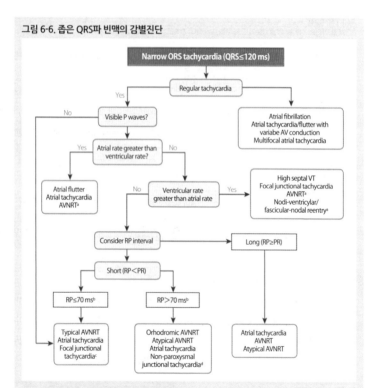

그림 6-6. 좁은 QRS파 빈맥의 감별진단

Differential diagnosis of narrow QRS tachycardia.
[a] Rare casuses.
[b] Arbitrary number based on the VA interval for which data exist. An interval of 90 ms may also be used for surface ECG measurements if P waves are visible.
[c] It may also present with AV dissociation.
[d] It may also present with a short RP. AVNRT, atrioventricular nodal reentrant tachycardia; AVRT, artrioventricular reentrant tachycardia; AP, accessory pathway.

2) 좁은 QRS-파 빈맥의 adenosine에 대한 반응

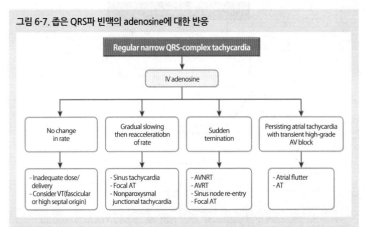

그림 6-7. 좁은 QRS파 빈맥의 adenosine에 대한 반응

AT, atrial tachycardia; AV atrioventricular; AVNRT, atrioventricular nodal reciprocating tachycardia; AVRT, atrioventricular reciprocating tachycardia; IV, intravenous; QRS, ventricular activating on ECG; VT, ventricular tachycardia.

3) 발작성 상심실성 빈맥의 조기 종료방법(acute termination of PSVT)

① 미주신경 자극법(Vagal maneuver)

② 방실 결절 차단제(표 6-33)

표 6-33. 방실 결절 차단 약물

Drug	Dose	Side effects	Favoring condition
Adenosine	6 → 12 mg IV push	Facial flushing, chest discomfort, bronchospasm, atrial fibrillation, polymorphic VT	Hypotension, heart failure
Verapamil	5 mg IV over 2 min → 5-7.5 mg after 5-10 min	Hypotension, heart failure	Poor venous access, Bronchospasm aminophylline IV
Diltiazem	20 mg IV over 2 min → 25-35 mg after 5 min	Hypotension	

그림 6-8. 기본적인 치료 알고리즘

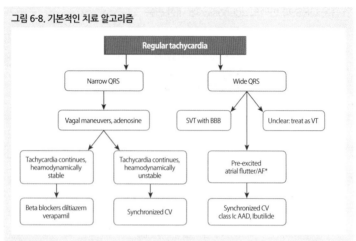

Narrow QRS tachycardia는 adeosine이 일차적인 치료가 될 수 있으나 Wide QRS의 경우 VT와의 감별이 힘들고 Pre-excited tachycardia의 경우 AV nodal blocker 사용시 부정맥 악화 가능성이 있어 DC cardioversion 등을 적극적으로 고려한다.

4) 방실결절회귀성 빈맥 AV nodal reentrant tachycardia (AVNRT)

(1) 분류(표6-34)

표 6-34. 방실 결절 회귀성 빈맥의 분류

		Anterograde limb	Retrograde limb
Typical AVNRT	Slow/fast AVNRT	Slow pathway	Fast pathway
Atypical AVNRT	Fast/slow AVNRT	Fast pathway	Slow pathway
	Slow/slow AVNRT	Slow pathway	Slow pathway

(2) 심전도 유형(표6-35)

표 6-35. 방실 결절 회귀성 빈맥의 심전도 유형

Typical AVNRT	No P wave visible during tachycardia or Pseudo S in inferior leads or pseudo R in V1
Atypical AVNRT	RP>PR

그림 6-9. 방실결절 회귀성 빈맥의 12-lead 심전도

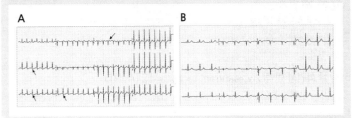

A. 빈맥동안에 pseudo-'r'파가 V1(arrow)에서 나타나고 pseudo-S파(arrow)가 leads II, III, and aVF에서 보여진다.
B. 이 파는 정상 동율동 동안의 QRS파와 비교해 볼 때 더 분명해진다.

그림 6-10. 방실결절 회귀성 빈맥의 기전

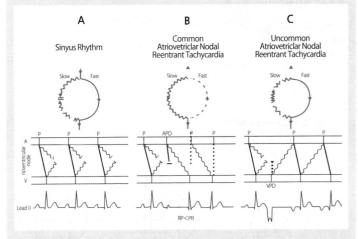

A. 정상 동율동의 발생을 보여주는 것으로 동방결절에서 발생된 흥분이 방실결절의 빠른 방실 결절로를 통해 심실로 전달된다.
B. 회귀성 흥분이 느린 방실 결절로(Slow pathway, SP)를 통한 전향성 전도의 결과로 심실을 흥분시킴과 동시에 빠른 방실 결절로(Fast pathway, FP)들을 통한 역행성 전도의 결과 심방이 같이 흥분됨을 보여준다.
C. 역행성 전도의 지연으로 인해 심방의 활성이 심실보다 약간 뒤에 발생한 것을 보여준다. 즉, 빠른 방실결절로를 통해 전향성 전도가 일어나고 느린 방실결절로를 통해 역행성 전도가 일어나 비전형적인 방실결절 회귀성 빈맥이 발생함을 보여준다.

(3) 급성기 치료: 발작성 상심실성 빈맥의 종료편을 참조할 것

(4) 장기적 치료

① 고주파 심도자 절제술: slow pathway의 절제 및 변형(modification)

② 항부정맥제: verapamil, diltiazem, beta-blockers, class IC AAD

5) 방실 회귀성 빈맥: AV reentrant tachycardia (AVRT)

(1) 방실 부전도로(accessory atrioventricular pathway) 불현성(concealed) AV bypass tract

심실에서 심방으로만 전도가 가능 발현성(manifest) AV bypass tract: 심방에서 심실로 전도 가능

(2) 분류(표 6-36, 그림 6-11)

표 6-36. 방실 회귀성 빈맥의 분류

	Anterograde limb	Retrograde limb	ECG manifestion
Orthodromic AVRT	AV node–His	AV bypass tract	Narrow QRS or BBB Retrograde P >70 ms from R
Antidromic AVRT	AV Bypass tact	His–AV node	Wide QRS tachy

그림 6-11. 방실 회귀성 빈맥의 기전

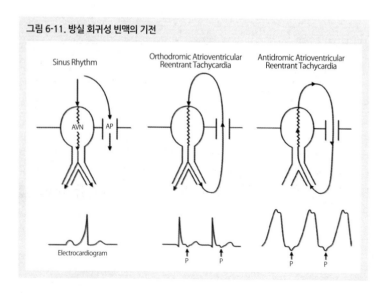

(3) 급성기 치료

  PSVT의 종료 편을 참조할 것

(4) 장기간 치료

  고주파 심도자 절제술 또는 약물적 치료(class IV, II or class IC AAD)

(5) WPW (Wolf-Parkinson-White) 증후군: 조기흥분과 빈맥

① WPW 증후군의 위험도 분류(급사의 고위험률)

  다발성 부전도로, 심방세동시 가장 짧은 RR 간격 <250 ms, 엡스타인 기형(Ebstein's anomaly)

② 조기흥분 빈맥: 심방세동을 동반한 조기흥분, 심방조동을 동반한 조기흥분, 역방향 방실 회귀성 빈맥(antidromic AVRT)

  심방세동을 동반한 조기흥분 → 즉시 심장율동전환, 방실 결절 차단제는 사용금지

③ 정상 동율동 동안 12-lead 심전도를 이용한 부전도로 위치 결정

  부전도로의 위치를 결정하기 위한 다양한 알고리즘 들이 있으나 아래의 Arruda 등이 제안한 알고리즘이 가장 널리 사용되고 있다.

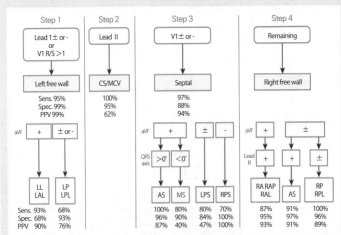

그림 6-12. Algorithm to localize accessory pathway in preexcitation syndrome

Mapping algorithm for localization of accessory pathway in the preexcitation syndrome using the morphology of the delta wave on the electrocardiogram.

R/S: R–S wave ratio; +: positive delta wave; ±: isoelectric delta wave; −: negative delta wave; Sens: sensitivity; Spec: specificity; PPV: positive predictive value; LL: left (L) lateral; LAL: L anterolateral; LP: L posterior; LPL: L posterolateral; LPS: L posteroseptal; RA: right (R) anterior; RAP: R anterior paraseptal; RAL: R anterolateral; RL: R lateral; RPL: R posterolateral; RP: R posterior; AS: R anteroseptal; MS: midseptal; RPS: R posteroseptal; CS/MCV coronary sinus/middle cardiac vein; %: percent.

2. 넓은 QRS-파 빈맥

Wide QRS tachycardia에서는 supraventricular tachycardia aberrancy와 VT의 감별이 중요하다. 일반적으로 Brugada 또는 Vereckei가 제시한 algorithm들이 많이 쓰인다.

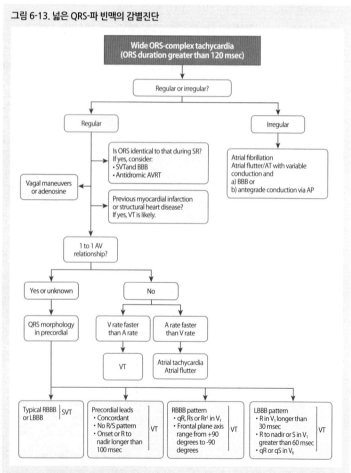

그림 6-13. 넓은 QRS-파 빈맥의 감별진단

Algorithm for diagnosis of wide-QRS tachycardia AP = accessory pathway; AT = atrial tachycardia; AVRT = AV reentrant tachycardia; LBBB = left bundle branch block; RBBB = right bundle branch block.

1) Brugada algorithm

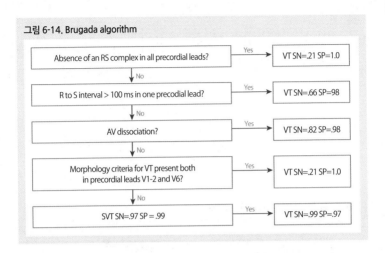

그림 6-14. Brugada algorithm

Absence of an RS complex in all precordial leads?	Yes →	VT SN=.21 SP=1.0
↓ No		
R to S interval > 100 ms in one precodial lead?	Yes →	VT SN=.66 SP=98
↓ No		
AV dissociation?	Yes →	VT SN=.82 SP=.98
↓ No		
Morphology criteria for VT present both in precordial leads V1-2 and V6?	Yes →	VT SN=.21 SP=1.0
↓ No		
SVT SN=.97 SP = .99	Yes →	VT SN=.99 SP=.97

- 1단계 및 2단계 V1부터 V6까지의 전 흉부 leads에서 RS 형태의 파가 존재하는지를 본다. 존재하지 않으면 VT일 확률이 높다.
→ 만약 존재하면 그 중 한 개의 lead에서라도 R에서 S까지의 간격이 100 msec을 넘으면 VT일 확률이 높다(그림 6-15).
- 3단계 A와 V의 dissociation이 있는지 확인한다(V의 수보다 A가 적을 때를 말함).
→ dissociation이 있으면 VT일 확률이 높다.
AV dissociation이 잘 안 보일 경우,
- 4단계 그래도 잘 모르겠거나 다시 확인할 때, V1과 V6를 본다.
- V1이 (+)면 RBBB type(그림 6-16)
  ① V6에서 R/S <1 → VT
  ② V6에서 R/S >1 → SVT
- V1이 (-)면 LBBB type(그림 6-16)
  ① V6에서 Q가 존재 → VT
  ② V6에서 Q가 존재하지 않음 → SVT

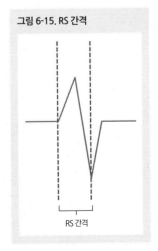

그림 6-15. RS 간격

RS 간격

그림 6-16. VT와 SVT의 BBB 패턴

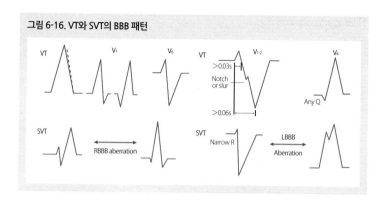

2) Vereckei의 새로운 aVR algorithm

그림 6-17. New aVR algorithm

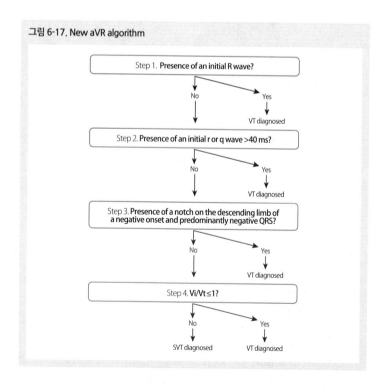

그림 6-18. Vi/Vt의 측청 방법

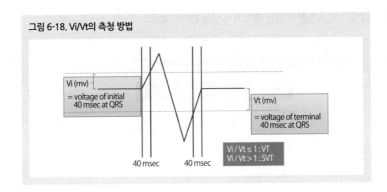

- 그밖에 도움이 되는 소견들
  ① Negative concordance in precordial leads
  ② Capture or fusion beat
  ③ QRS width >140 msec
  ④ QRS axis < − 30°(no mans land)

3) 심실빈맥(Ventricular tachycardia)

(1) 분류
  ① 지속성 심실빈맥 vs 비지속성 심실빈맥
  ② 단형(monomorphic) vs 다형(polymorphic) 심실빈맥[정상 QT 간격 with 연장된 QT 간격(torsade de pointes)]
  ③ 구조적 심질환을 가진 환자와 구조적 심질환을 가지지 않은 환자(idiopathic VT)

(2) 심실빈맥이 있었던 환자에서 치료 방침을 결정하기 위해 다음 상황을 확인해야 한다.
  ① 기저 구조적 심장질환을 확인(좌심실기능 그리고/또는 우심실기능, 심근경색증의 유무, 남아있는 심근허혈의 존재유무)
  ② 약물 복용력(digoxin 등)
  ③ 급성심근허혈/경색유무
  ④ 연관된 내과외적 질환들을 확인한다.

4) 환자의 접근

혈역학적 안정성 유무 및 구조적 심장질환의 존재 여부에 따라 치료 방침이 달라진다.
흔한 구조적 심장 질환으로는 심근경색증, 확장성 심근병증, 비후성 심근병증 등이 있다.

5) 구조적 심질환이 있는 환자에서 심실 빈맥의 접근

그림 6-19. Management of Sustained Monomorphic VT

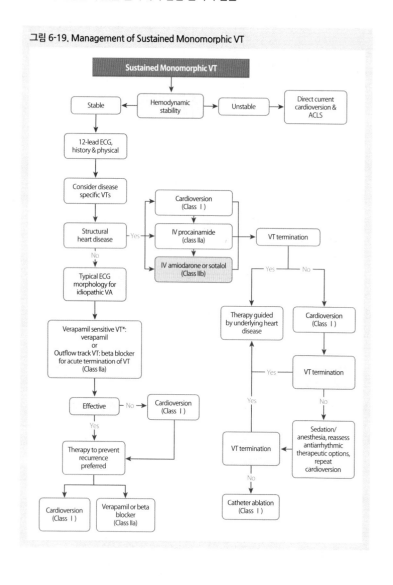

(1) 단기적 치료

① 혈역학적으로 불안정한 지속적 심실 빈맥의 경우 일단 DC cardioversion 또는 defibrillation을 시행한다

② Beta-blocker Amiodarone 또는 sotalol 등의 항부정맥제를 고려해 볼 수 있으며 이에 반응하지 않을 경우 Catheter ablation도 고려할 수 있다.

(2) 장기적 치료

① ICD (implantable cardioverter-defibrillator): 제세동기 1차 및 2차적 예방의 적응증에 따라 시행할 수 있다.

② Amiodarone or sotalol

③ 구조적 심장 질환에 대한 적절한 내과적 치료

6) 구조적 심장질환이 없는 환자에서의 심실빈맥(idiopathic VT)의 접근

구조적 심질환이 없는 특발성 심실 빈맥은 급성 심장사 또는 ICD가 필요한 경우는 드물다. 대부분의 경우 outflow tract 또는 left posterior fascicle에서 기원하며 적절한 항부정맥제 또는 catheter ablation을 통해 치료할 수 있다.

표 6-37. 구조적 심장질환이 없는 환자에서의 심실빈맥의 분류

Sites of origin	Prevalence	Mechanism	ECG findings
1. Outflow tract VT			
RVOT	70–80% of idiopathic VT	DAD-related triggered activity	LBBB inferior axis Delayed R wave transition (at or after V3, or later than sinus rhythm) V2 transition ratio[a] <0.6
LVOT, aortic cusps, AMC	16% of outflow tract VT	DAD-related triggered activity	LBBB inferior axis Early R wave transition V2 transition ratio ≥0.6 Sometimes presents with >1
2. Fascicular VT			
Verapamil-sensitive VT	10–15% of idiopathic VT	Macro-reentry	Relatively narrow QRS LPF: RBBB, LAD LAF: RBBB, RAD

표 6-38. 구조적 심장질환이 없는 환자에서의 심실빈맥의 치료

Sites of origin	Presentation	Medication therapy	Ablation target
1. Outflow tract VT			
RVOT	Excercise-induced sustained VT Non sustained VT PVCs Cardiomyopathy	Adenosine β-Blocker Verapamil/diltiazem IA, IC, III AAD	1) Presystolic signal 2) Perfect pace match with short S-QRS 3) QS at unipolar
LVOT, aortic cusps, AMC	Same as RVOT	Adenosine β-Blocker Verapamil/diltiazem IA, IC, III AAD	1) Presystolic signal 2) Perfect pace match with short S-QRS 3) QS at unipolar (except cusp or great vessel foci)
2. Fascicular VT			
Verapamil-sensitive VT	Same as RVOT	Verapamil	1) During VT: diastolic potential, anterograde Purkinje potential 2) During sinus: diastolic potential or linear lesion at mid-inferiorseptum, perpendicular to the long axis of LV

(1) 다형 심실빈맥의 접근

① QT prolongation의 여부에 따라 초기 치료 접근이 달라진다. QT prolongation이 있는 경우 Torsade de pointes로서 마그네슘이 초기 치료가 되며 QT prolongation이 없는 경우에는 항부정맥 치료 및 기저질환, 특히 심근경색 등에 대한 치료들이 중요하다

② QT prolongation 없이 다형 심실빈맥을 초래할 수 있는 상황: 급성심근허혈/경색, 약물, 전해질 불균형(저칼륨혈증)의 유무 확인

③ QT prolongation이 있는 다형 심실빈맥 → Torsade de pointes(그림 6-20)

그림 6-20. Torsade de pointes의 심전도

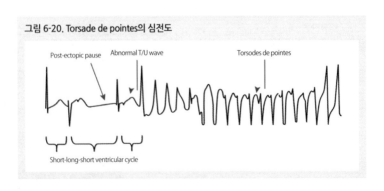

Post-ectopic pause   Abnormal T/U wave   Torsodes de pointes

Short-long-short ventricular cycle

④ QT-절 연장의 원인
- 후천적 QT-절 연장
  - 약물
    - ⅰ) 심장질환에 이용되는 약물

      Quinidine, procainamide, disopyramide, sotalol, ibutilide, azimilide, amiodarone, phenylamine, bepridil
    - ⅱ) 심장외질환에 이용되는 약물

      Erythromycin, grepafloxacin, moxifloxacin, pentamidine, amantadine, chloroquine, trimethoprim, sulfamethoxazole, phenothiazines, haloperidol, tricycic antidepressants, terfenadine, astemizole, ketoconazole, itraconazole, probucol, ketanserin, cisapride, papaberine, tacrolimus, arsenic trioxide
  - 전해질장애: 저칼륨혈증, 저마그네슘혈증, 저칼슘혈증
  - 독소: Cocaine, organophosporus compounds
  - 중증 서맥

    Sick sinus syndrome, high-grade atrioventricular block, 갑상선 기능 저하증, 저체온증
  - 다른 원인

    Subarachnoid hemorrhage, stroke, myocardial ischemia, protein-sparing fasting, autonomic neuropathy, human immunodeficiency virus disease
- 선천적 긴 QT-절 증후군
⑤ Torsade de pointes (Tdp)의 치료
- 마그네슘 주입 및 전해질 교정
- 2 gram IV bolus In patients with pulseless cardiac arrest → over 1-2 minutes
- In patients without cardiac arrest → over 15 minutes
- Continuous infusion at a rate of 3 to 20 mg/min
- Do not exceed 20 g/day in ESRD patients
- Isoproterenol 주입(HR: 100-110 bpm) 또는 일시적 심실조율
- QT prolongation의 원인 치료
⑥ 선천성 긴 QT 증후군의 치료
- 베타 차단제
- 인공 심박동기 삽입술
- 제세동기

3. 심방세동(Atrial fibrillation)

아래 내용들은 2018년 대한부정맥학회 심장세동 진료지침을 기반으로 작성되었다(Korean Circ J 2018;48:1033).

1) 분류

Paroxysmal: 7일(대부분 24시간) 이내에 자발적으로 소실

Persistent: 7일 이상 지속되며 cardioversion으로 동율동으로 회복됨

Permanent: 동율동 전환에 실패한 경우나 시도하지 않는 경우

2) 기본적인 임상 평가 및 접근

표 6-39. 심방세동 환자에서 기본적인 임상적 평가

1. History and physical examination, to define
   - The presence and nature of symptoms associated with AF
   - The clinical type of AF(first episode, paroxysmal, persistent, or permanent)
   - The onset of the first symptomatic attack or date of discovery of AF
   - The frequency, duration, precipitating factors, and modes of termination of AF
   - The response to any pharmacological agents that have been administered
   - The presence of any underlying heart disease or other reversible conditions (eg, hyperthyroidism or alcohol consumption)

2. Electrrocardiogram, to identify
   - Rhythm(verify AF)
   - LV hypertrophy
   - P-wave duration and morphology or fibrillatory waves
   - Preexcitation
   - Bundle-branch block
   - Prior MI
   - Other atrial arrhythmias
   - To measure and follow the RR, QRS, and QT intervals in conjucntion with antiarrhythmic drug therapy

3. Chest radiograph, to evaluate
   - The lung parenchyma, when clinical findings suggest an abnormality
   - The pulmonary vasculature, when clinical findings suggest an abmnormality

4. Echocardiogram, to identify
   - Valvular heart disease
   - Left and right atrial size
   - LV size and function
   - Peak RV pressure(pulmonary hypertension)
   - LV hypertrophy
   - LA thrombus(low sensitivity)
   - Pericardial disease

5. Blood tests of thyroid function
   - For a first episode of AF, when the ventricular rate is difficult to control, or when AF recurs unexpectedly after cardioversion

AF indicated atrial fibrillation; LV, left ventricular; MI, myocardial infarction; RV, right ventricular; LA, left atrial; and AV, atrioventricular.

표 6-39. 심방세동 환자에서 기본적인 임상적 평가(계속)

Additional testing
 – One or several tests may be necessary

1. Exercise testing
 – If the adequacy of rate control is in question (permanent AF)
 – To reproduce exercise-induced AF
 – To exclude ischemia before treatment of selected patients with a type IC antiarrhythmia drug

2. Holter monitoring or event recording
 – If diagnosis of the type of arrhythmia is in question
 – As a means of evaluating rate control

3. Transesophageal echocardiography
 – To identify LA thrombus(in the LA appendage)
 – To guide cardioversion

4. Electrophysiological study
 – To clarify the mechanism of wide–QRS–complex tachycardia
 – To identify a predisposing arrhythmia such as atrial flutter or paroxysmal supraventricualr tachycardia
 – Seeking sites for curative ablation or AV conduction block/modification

AF indicated atrial fibrillation; LV, left ventricular; MI, myocardial infarction; RV, right ventricular; LA, left atrial; and AV, atrioventricular.

정리하면 (1) 혈전색전증 예방을 위한 항응고 치료 여부 결정 (2) 증상 조절을 위한 Rhythm and rate control 여부 결정 (3) 심혈관계 합병증 및 위험인자의 조절이 타겟이 된다.

그림 6-21. Acute and chronic AF management

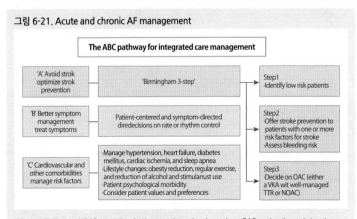

AF=atrial fibrillation; NOAC=non, vitamin K antagonist oral anticoagulant; OAC=oral anticoagulation therapy; TTR=time

3) 혈전색전증의 위험도 분류와 혈전색전증의 방지

표 6-40. CHA$_2$DS$_2$-VASc score에 따른 비판막성 심방세동 환자의 뇌졸중 발생율

(A) The risk factor-based approach expressed as a point based scoring system, with the acronym CHA$_2$DS$_2$-VASc (NOTE: maximum score is 9 since age may contribute 0, 1, or 2 points)

CHA$_2$DS$_2$-VASc risk factor	points
Congestive heart failure Signs/symptoms of heart failure or objective evidence of reduced left-ventricular ejection fraction	+1
Hypertension Resting blood pressure >140/90 mmHg on at least two occasions or current antihypertensive treatment	+1
Age 75 years or older	+2
Diabetes mellitus Fasting glucose >125 mg/dl (7 mmol/L) or treatment with oral hypoglycaemic agent and/or insulin	+1
Previous stroke, transient ischaemic attack, or thromboembolism	+2
Vascular disease Previous myocardial infarction, peripheral artery disease, or aortic plaque	+1
Age 65-74 years	+1
Sex category (female)	+1

(B) Adjusted stroke rate according to CHA2os2-VASc score

CHA2DS2-VASc score	Patients (n=73,538)	Stroke and thromboembolism event rate at one-year follow-up(%)
0	6,369	0.78
1	8,203	2.01
2	12,771	3.71
3	17,371	5.92
4	13,887	9.27
5	8,942	15.26
6	4,244	19.74
7	1,420	21.50
8	285	22.38
9	46	23.64

CHA$_2$ DS$_2$-VASc: Congestive heart failure, Hypertension, Age(≥75) (doubled), Diabetes, Stroke (doubled), Vascular disease, Age (65-74), Sex.

그림 6-22. 비판막성 심방세동에서 위험도에 따른 항혈전 치료법

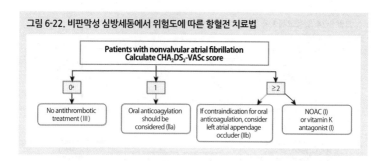

그림 6-23. 신장 기능에 따른 NOAC의 표준 용량

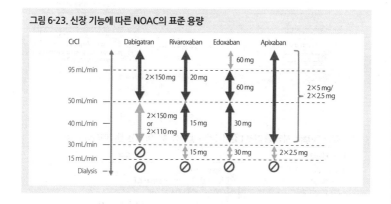

표 6-41. 한국인에서 추천되는 Dose reduction criteria 및 용량

Drug	Dose reduction criteria	Dose
Dabigatran	Creatinine clearance 30–50 mL/min P-glycoprotein inhibitors* Clopidogrel, aspirin, NSAIDs Increased bleeding risk[†] Age 75 years or more	Dabigatran 110 mg b.i.d
Rivaroxaban	Age 80 years or more Creatinine clearance 15–50 mL/min	Rivaroxaban 15 mg q.d
Apixaban	At least 2: 1) age 80 years or more, 2) body weight 60 kg or less, 3) creatinine ≥1.5 mg/dL	Apixaban 2.5 mg b.i.d
Edoxaban	P-glycoprotein inhibitiors* Body weight 60 kg or less Creatinine clearance 15–50 mL/min[§]	Edoxaban 30 mg q.d.

*b.i.d .. bis in die (twice a day or twice daily); NOAC, non-vitamin K antagonist oral anticoagulant; NSAID = non-steroidal anti-inflammatory drug; q.d., quaque die (once a day or once daily).
*P-glycoprotein inhibitors: amiodarone, verapamol, dronedarone, etc.: [†]Increased bleeding risk: coagulopathy, thrombocytopenia, platelet dysfunction, recent major trauma or biopsy, infective endocarditis; [§]Should be used with caution in patients with significant renal impairment (creatinine clearanve 15–29 mL/min).

그림 6-24. 항응고제 사용 중 발생하는 출혈에 대한 대처 권고안

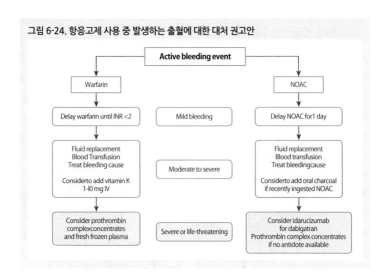

표 6-42. Warfarin 사용 중 INR이 길어지거나 활동성 출혈이 있는 환자에서의 치료방법

Clinical setting	Action
INR >5.0 but <9.0 (no bleeding)	– Stop warfarin – Give 1.0-2.5 mg vitamin K1 – Measure INR in 6-12 hr – Restart warfarin at reduced dose once INR is <5.0
INR >9.0 (no bleeding)	– Stop warfarin – Give 5 mg vitamin K1 – Measure INR in 6-12 hr – Restart warfarin at reduced dose once INR is <5.0 – Clotting factor replacement if high risk of bleeding (age >70 yr, previous bleeding episode)
Major bleeding (any level of INR)	– Stop warfarin – Give 5 mg vitamin K1 – Clotting factor replacemnt – Measure INR as required – Assess need to restart warfarin

4) 심박동 수 조절

(1) 빠른 심실 반응을 동반하는 심방세동 환자에서 박동 수 조절을 위한 약물
(표 6-43)

표 6-43. 심방세동 환자에서의 박동수 조절을 위한 약물

Drug	Acute rate control (IV)	Long-term rate control (PO)	Adverse effect	Comments
Beta-blockers				
Bisoprolol	Not available	1.25–10 mg q.d. or split 3.125–25 mg b.i.d.	Bradycardia, AV block, and hypotension.	Bronchospasm is rare. In cases of asthma, recommend beta-1 selective agents. Contra-indicated in acute HF and a history of severe
Carvedilol	Not available	8–64 mg q.d. (ER)	Lethargy, headache, peripheral edema, upper respiratory tract symptoms, gastrointestinal upset, bronchospasm, and dizziness.	
Metoprolol	Not available	12.5–100 mg b.i.d. 25–200 mg q.d. (ER)		
Nebivolol Esmolol	Not available 500 mcg/kg IV bolus over 1 minutes, then 50–250 mcg/kg/min	1.25–10 mg q.d. or split		
Calcium-channel blockers				
Diltiazem	0.25 mg/kg IV bolus over 2 minutes, then 5–15 mg/h	60–120 mg t.i.d.	Bradycardia, AV block, and hypotension.	Use with caution in combination with beta-blockers. Reduce dose with hepatic impairment and start with smaller dose in renal impairment. Contra-indicated in left ventricular failure with pulmonary congestion or LVEF <40%.
Verapamil	0.075–0.15 mg/kg IV bolus over 2 minutes, then 5 mcg/kg/min	90–180 mg q.d or b.i.d (ER) 40–120 mg t.i.d. 120–480 mg q.d (ER)	Dizziness, malaise, lethargy, headache, hot flushes, gastrointestinal upset, and edema.	
Cardiac glycosides				
Digoxin	0.25 mg IV with repeated dosing to a maximum of 0.75–1.5 mg over 24 hours	0.0625–0.25 mg q.d.	Gastrointestinal upset, dizziness, blurred vision, headache, and rash. In toxic states (serum levels >2 ng/mL), digoxin is proarrhythmic and can aggravate HF, particularly with coexistent hypokalemia.	High plasma levels associated with increased risk of death. Check renal function before starting and adapt dose in patients with CKD. Contra-indicated in patients with accessory pathways, ventricular tachycardia and hypertrophic cardiomyopathy with outflow tract obstruction.
Specific indications				
Amiodarone	300 mg IV over 1 hour, then 10–50 mg/hr over 24 hours (preferably via central venous catheter).	100–200 mg q.d.	Hypotension, bradycardia, nausea, QT prolongation, pulmonary toxicity, skin discoloration, thyroid dysfunction, corneal deposits and cutaneous reaction with extravasation.	Suggested as adjunctive therapy in patients where heart rate control cannot be achieved using combination therapy.

*AF=atrial fibrillation; AV=atrioventricular; b.i.d.=twice a day or twice daily; CKD=chronic kidney disease; ER=extended release; HF=heart failure; IV=intravenous; LVEF=left ventricular ejection fraction; PO=per os; q.d.=once a day or once daily; t.i.d.=3 times a day.

(2) 목표 심박동수 도달을 위한 약제의 선택(target heart rate)

LV ejection fraction 40%를 기점으로 1차 약제를 선택할 수 있다.

심실박동수는 안정시 110 beat per minute 정도를 목표로 하나 증상이 조절되지 않는다면 더 엄격한 조절이 필요할 수 있다.

혈역학적으로 불안정하거나 심각하게 심박출량이 저하된 경우 amiodarone을 선택적으로 사용할 수 있다.

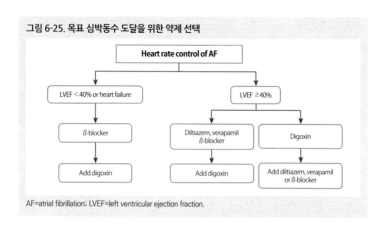

그림 6-25. 목표 심박동수 도달을 위한 약제 선택

AF=atrial fibrillation; LVEF=left ventricular ejection fraction.

5) 동율동 전환술

(1) 화학적 전환술(chemical cardioversion), 직류 전환술(DC cardioversion), 전극도자 절제술(Catheter ablation) 또는 MAZE 수술 등의 방법이 있으며 환자의 기저질환 및 부정맥 상태에 따라 적절히 선택하여 치료할 수 있다. 동율동 전후에는 항상 적절한 항응고 치료 및 심박수 조절이 선행되어야 한다.

급성기 동율동 전환을 위해서는 본원에서는 IV codarone (150 mg over 10 minute → 1 mg/min for 6 hours → 0.5 mg/min continuous infusion) 또는 IV propafenone (2 mg/kg over 10 minute)를 사용할 수 있다. 심방조동으로 전환되며 빠른 심실 박동, 서맥, 혈압 강하 등의 다양한 합병증이 있을 수 있어 CCU 또는 병동 치료실에서 심전도 감시 하에 시행한다.

만성기 유지 치료를 위해서는 구조적 심질환이 없는 경우 다양한 Class 1 c 또는 III 약제들이 사용될 수 있으며, 구조적 심질환이 있는 경우 amiodarone이 일반적으로 사용된다.

표 6-44. 급성기 동율동 전환을 위한 항부정맥제 종류

Drug	Route	Dosage	Risks
Amiodarone	Oral	Oral 600–800 mg daily in divided doses to a total load of up to 10 g, then 200 mg q.d. as maintenance	Gastrointestinal upset, constipation, bradycardia/AV block, hypotension, QT prolongation, torsades de pointes (rare), phlebitis (IV), increased INR
	IV	150 mg over 10 minutes, then 1 mg/min for 6 hours, then 0.5 mg/min for 18 hours or change to oral dosing	
Flecainide	Oral	200–300 mg	Atrial flutter with 1:1 AV conduction, ventricular proarrhythmia, hypotension
Propafenone	Oral	450–600 mg	Atrial flutter with 1:1 AV conduction, ventricular proarrhythmia, hypotension

*AAD=antiarrhythmic drug; AV=atrioventricular; INR=international normalized ratio; IV=intravenous; q.d.=once a day or once daily.

그림 6-26. 급성기 동율동 전환을 위한 항부정맥제 선택

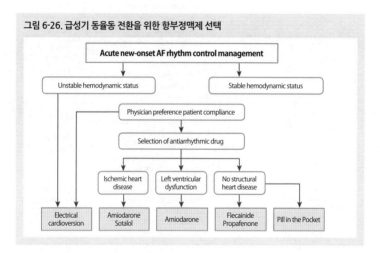

표 6-45. 만성기 동율동 유지를 위한 항부정맥제 종류

Drug	Dose	Contraindications and precautions	Warning signs warranting discontinuation
Amiodarone	400–600 mg daily in divided doses for 2–4 weeks; maintenance typically 100–200 mg q.d.	Caution: SA or AV node dysfunction, infranodal conduction disease, prolonged QT interval, liver disease, lung disease Inhibits most CYPs and P–glycoprotein: increases warfarin, statins, and digoxin concentration	QT prolongation >500 ms
Dronedarone	400 mg b.i.d.	Contraindication: NYHA class III or IV HF, permanent AF, concomitant therapy with QT–prolonging drugs or powerful CYP3A4 inhibitors (e.g., verapamil, diltiazem, azole antifungal agents), CrCl <30 ml/min. Caution: liver disease inhibits CYP3A, CYP2D6, P–glycoprotem: increases concentration of digitalis, beta–blockers, and of some statins.	QT prolongation >500 ms
Flecainide	50–200 mg b.i.d. (usually 50–100 mg b.i.d.)	Contraindication: CAD, HF, CrCl <50 ml/mm Caution: SA or AV node dysfunction, infranodal conduction disease, atrial flutter, liver disease. CYP2D6 inhibitors (e.g., quinidine, fluoxetine, tricyclics) increase plasma concentration.	QRS duration increases 25% above baseline
Pilsicainide	50 mg t.i.d.	Contraindicated: IHD, reduced LVEF. Caution: SA or AV node dysfunction, infranodal conduction disease, atrial flutter, renal impairment	QRS duration increases 25% above baseline
Propafenone	Immediate release: 150–300 mg t.i.d. Extended release: 225–425 mg b.i.d. (usually 225–325 mg b.i.d.)	Contraindication: IHD, reduced LVEF Caution: SA or AV node dysfunction, infranodal conduction disease, atrial flutter, liver disease, renal impairment, asthma CYP2D6 inhibitors (e.g. quinidine, fluoxetine, tricyclics) increase plasma concentration Increases concentration of digitalis and warfarin	QRS duration increases 25% above baseline
Sotalol	40–160 mg b.i.d.	Contraindication: HF, significant LV hypertrophy, prolonged QT interval, hypokalemia, hypomagnesemia, asthma, CrCl <50 ml/min	QT interval >500 ms, QT prolongation by 60 ms upon therapy initiation

*AAD=antiarrhythmic drug; AF=atrial fibrillation; AV=atrioventricular; b.i.d.=twice a day or twice daily; CAD=coronary artery disease; CrCl, creatinine clearance; CYP2D6=cytochrome P450 2D6; CYP3A4=cytochrome P450 3A4; HF=heart failure; IHD=ischemic heart disease; LVEF=left ventricular ejection fraction; NYHA=New York Heart Association; q.d.=once a day or once daily; SA=sinoatrial.

그림 6-27. 만성기 동율동 유지를 위한 항부정맥제의 선택

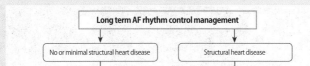

AF=atrial fibrillation.

(2) 직류 심율동 전환(direct current cardioversion)
- 48시간 이상 지속된 경우는 경식도 심초음파를 시행하여 좌심방내 혈전이 없는 것을 확인 한 후에 시행하거나 혹은 3주 이상 항응고 치료를 시행한 후에 실시한다.
- 전기적 동율동전환: 심방 세동의 경우 Biphasic 150-200 J의 에너지를 사용하며 심방 조동의 경우 50-100 J 정도의 에너지를 사용한다.

(3) 전극도자절제술(radiofrequency catheter ablation)
폐정맥-좌심방 접합부가 심방세동의 발생 및 유지에 기여함이 밝혀진 이후 폐정맥-좌심방 접합부를 전기적 단절을 시키는 전극도자절제술이 널리 사용되고 있다. 폐정맥-좌심방 접합부에 대한 전기적 단절(pulmonary vein isolation)이 기본적으로 시행되며, 지속성 심방세동의 경우 추가적인 선형절제술이 시행된다. 일반적으로 시행되는 경우들은 증상이 있는 발작성 또는 지속형 심방세동에서 항부정맥제가 듣지 않거나 항부정맥제의 부작용으로 약제를 유지하기 힘든 경우 들이다. 전통적으로 전극도자절제술은 증상 조절을 위한 목적으로 사용되어 왔으나 최근에는 특히 심한 심부전이 있는 환자들에서는 전극도자절제술이 심기능회복 및 생존률 향상에 도움이 된다는 보고들이 있어 보다 적극적으로 시도되고 있다.

그림 6-28. pulmonary vein isolation을 시행한 3차원 electroanatomic map

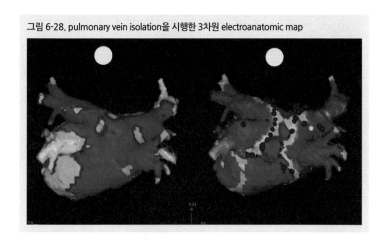

3차원 electroanatomic map을 이용하여 pulmonary vein isolation을 시행한 환자이다. 붉은 점들이 LA-pulmonary vein가 만나는 지점을 절제한 부분이다.

그림 6-29. pulmonary vein isolation을 시행 후 추가적인 선형절제술을 시행한 환자의 3차원 electroanatomic map

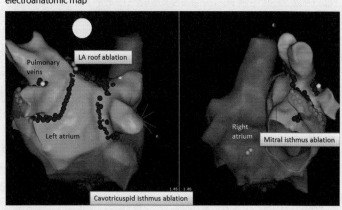

지속형 심방세동의 경우 Roof나 Mitral isthmus 또는 Cavotricuspid isthmus와 같은 부위에 추가적인 선형 절제술(linear ablation)을 시행하게 된다.

그림 6-30. 냉각풍선도자절제술

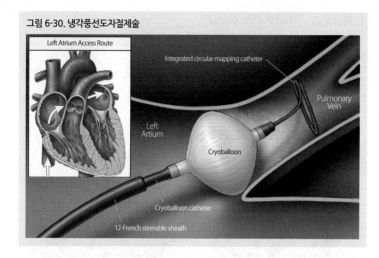

최근 위와같이 풍선을 이용한 냉각풍선도자절제술도 시행하고 있다.

시술 후 monitoring

1) 혈관 합병증 – 항응고제 사용으로 지혈이 어려울 수 있어 충분한 기계적 압박이 필요하다.

2) 저혈압 - 긴급히 심초음파를 시행하여 심낭압전을 확인하며 소량이라도 심낭천자가 필요하다.

3) 뇌졸중 - 시술 후 가능한 중단없이 항응고제를 지속 투여해야 한다.

4) 심방 조동 및 세동의 재발 - 심방 조동 및 세동이 재발할 경우 기존에 복용하던 항부정맥제
또는 amiodarone 등을 다시 사용해볼 수 있다.

4. 심방조동: Atrial flutter (AFL)

1) 협부(Isthmus) 의존성 심방조동 = 전형적(Typical) 심방조동(그림 6-31)

(1) 시계반대방향 심방조동 = counterclockwise (CCW) AFL or 시계방향 심방조동
= clockwise (CW) AFL

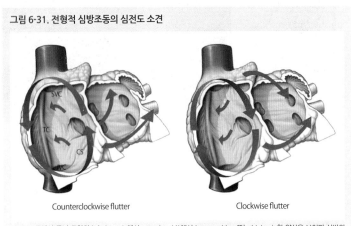

그림 6-31. 전형적 심방조동의 심전도 소견

Counterclockwise flutter · Clockwise flutter

II, III, aVF에서 톱니 모양의 inferior axis에서 negative, V1에서 late-positive 또는 biphasic한 양상을 보이며 심방의 박동수는 보통 300 bpm 전후이다.

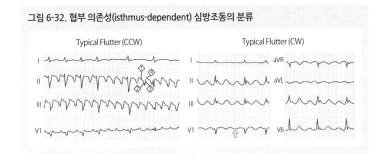

그림 6-32. 협부 의존성(isthmus-dependent) 심방조동의 분류

Typical Flutter (CCW) · Typical Flutter (CW)

2) 협부(Isthmus) 비의존성 심방조동 = 비전형적(Atypical) 심방조동

심방조동의 발생이 협부에 의존하지 않는 심방조동을 모두 일컫는 말로 대부분의 경우
과거 심방세동에 대한 전극도자절제술 또는 MAZE 수술을 시행한 후에 발생한다.

3) 심방조동의 치료

기본적인 항응고 치료, 맥박수 조절 및 동율동 전환의 원칙은 심방세동에서의 항응고제 및 항부정맥제 사용 기준과 동일하게 적용한다.

전형적인 심방세동(typical flutter)는 arrhythmia circuit이 일정하며 cavo-tricuspid isthmus ablation을 통해 비교적 쉽게 재발을 막을 수 있다. 그러나 flutter가 있는 환자에서는 심방 세동 및 다른 유발점(trigger)들이 있을 가능성이 있어 이에 대한 감시가 필요하다.

5. 실신(Syncope)

*아래의 내용들은 가능한 2018년 국내 부정맥학회에서 출간한 실신의 평가 및 치료에 대한 지침들을 반영하였다(International Journal of Arrhythmia 2018;19(2):126-144).

1) 실신의 정의

뇌혈류량 감소로 인한 일시적 의식 소실로 정의된다. 실신은 발생기 즉각적이며, 지속시간이 짧고 회복이 자발적으로 이루어지는 것을 특징이라고 한다.

2) 일시적 의식소실의 분류(Classification of transient loss of consciousness)

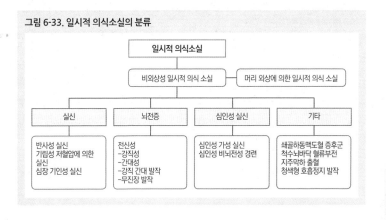

그림 6-33. 일시적 의식소실의 분류

3) 실신의 분류

표 6-46. 실신의 분류

반사성(신경 매개성) 실신(reflex or neurally mediated syncope)

반사성 실신은 일시적인 체내 자율신경계의 부적절한 반사에 의해 혈관 확장, 서맥 혹은 일시적인 동정지로 발생하며 실신의 원인 중 가장 흔하며 예후는 양호하다.

- 혈관 미주 신경성 실신(vasovagal syncope, WS)은 미주 신경 반사에 매개되어 발생하는 실신이다. 미주 신경성 실신은 서있거나 꼿꼿하게 앉아 있는 상황에서 발생하며, 흔히 유발 요인(약물, 통증이나 감정적 스트레스 등)을 가지고 있으며 전형적인 증상(피로감, 발한, 열감, 메스꺼움과 창백함)을 동반한다.
- 목동맥굴 증후군(carotid sinus syndrome)은 목동맥굴 (carotid sinus)의 과민성과 연관된다. 목동맥굴 증후군은 특정 상황에서 실신이 발생하고, 목동맥굴 압박 시 서맥(3초 이상 동정지) 혹은 수축기 혈압이 50 mmHg 이상 감소가 있거나, 서맥과 혈압 저하가 같이 발생한 경우 진단할 수 있다.
- 상황 실신(situational syncope)은 기침, 연하, 배변 등과 같은 특정 상황과 연관된 반사에 의해 발생하는 경우이다.

기립성 저혈압은 기립 자세에서 수축기 혈압이 20 mmHg 이상 혹은 이완기 혈압이 10 mmHg 이상 감소하거나, 수축기 혈압이 90 mmHg 미만으로 저하되면서 증상을 유발하는 경우로 정의한다.

- 즉각 기립성 저혈압(Immediate OH)은 기립 후 15초 이내에서 일시적으로 혈압이 감소하여 실신이나 전-실신을 유발한다.
- 전형적 기립성 저혈압(Classic OH)은 기립 후 3분 이내에 수축기 혈압이 20 mmHg 이상 혹은 이완기 혈압이 10 mmHg 이상 감소하는 경우이다.
- 지연형 기립성 저혈압(Delayed OH)은 기립 3분 이후에 수축기 혈압이 20 mmHg 이상(누운 자세에서 고혈압을 가진 환자에서는 30 mmHg 이상) 혹은 이완기 혈압이 10 mmHg 이상 감소하는 경우이다.
- 신경 기인성 기립성 저혈압(Neurogenic OH)은 자율신경계의 기능 이상을 가진 환자에서 유발 요인(특히 탈수 혹은 약물)에 의하여 저혈압이 발생하는 경우이다.

심장 기인성 실신(cardiac syncope)

심장 기인성 실신은 부정맥이나 기질적 심질환에 의해 발생하며 적절한 치료를 하지 않을 시 예후가 불량하다.

- 서맥: 동기능 부전(빈맥 서맥 증후군)이나 방실 전도 장애
- 빈맥: 상심실성 혹은 심실성 빈맥

또한 심박출량에 영향을 주는 질환들(대동맥판 협착증, 관상동맥질환, 비후성 심근증, 심근질환, 심외막질환/심근눌림증 및 관상동맥 기형) 및 심폐 혈관 순환에 영향을 미치는 질환들(폐색전증, 대동맥 박리증 및 폐동맥 고혈압)에 의한 경우도 심장 기인성 실신에 포함된다.

체위 기립성 빈맥 증후군(postural orthostat1c tachycardia syndrome)

체위 기립성 빈맥 증후군 진단 기준은 다음과 같다.

1) 기립 시에 증상(특히 머리가 텅빈 느낌, 두근거림, 전신 쇠약감, 시야 장애, 운동 능력 저하 및 피로감)을 자주 호소하고,
2) 누운 자세에 기립자세로 변경할 때 10분 이내에 심박수가 분당 30회 초과 증가하거나 분당 120회 초과하여 빨라지나(12에서 19세의 경우 분당 40회 이상) 하나,
3) 수축기 혈압이 20 mmHg 이상 감소하지는 않아야 한다.

4) 실신환자의 접근

기본적으로 실신환자의 접근은 (1) 정말로 의식을 잃었는지? (2) 실신이 맞는지? (3) 위험도에 따른 진단 및 치료의 결정의 순서로 진행된다.

그림 6-34. 실신 환자의 접근

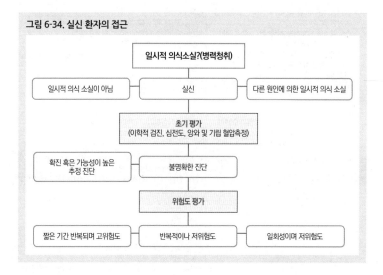

5) 위험도 분류

표 6-47. 실신 환자의 위험도 분류

저위험도	고위험도

• 신경인성(반사성) 실신의 특징적 전조 증상을 동반한 경우
• 스트레스를 유발하는 시각, 청각, 후각 혹은 촉각의 자극 후의 실신
• 혼잡한 장소 혹은 더운 장소에서 발생한 실신
• 식사 중 혹은 식사 후에 발생한 실신
• 기침 혹은 배변에 의해 자극된 실신
• 고개를 돌리거나 목동맥굴 자극(면도 혹은 넥타이 매는 중)에 의한 실신
• 기립 후 발생한 실신
	• 주(主) 기준
	  –새롭게 발생한 흉통, 호흡곤란, 복통 혹은 두통
	  –운동 중, 혹은 누운 상태에서 발생한 실신
	  –갑작스런 두근거림 후 발생한 실신
	• 부(部) 기준(구조적 심질환이나 비정상적 심전도와 동반된 경우에만)
	  –전조 증상이 없거나 10초 이내의 전구 증상이 있는 경우
	  –젊은 나이에 급사한 가족력
	  –앉아 있던 중 발생한 실신

• 저위험군의 임상적 특징을 보이면서 수년간 같은 형태로 반복되는 실신 • 구조적 심질환 없이 발생한 실신	• 구조적 심질환이나 관상동맥 질환이 동반된 경우
• 이학적 검진에서 정상 소견	• 그 원인을 알 수 없는 90 mmHg 이하의 수축기 혈압 • 직장 검사에서 장출혈 의심 • 체력 단련 없이 각성 상태에서 분당 40회 미만의 지속성 서맥 • 수축기 심잡음

• 심전도 검사에서 정상	• 주(主) 기준
	  –심근 허혈 소견
	  –Mobitz 2형의 이도 방실 차단
	  –3도 완전 방실 차단
	  –느린 심방 세동(분당 40회 미만)
	  –동성 서맥(분당 40회 미만)
	  –각차단, 방실 내 전도 장애, 심실 비후 혹은 허혈성 심질환 가능성이 있는 Q파
	  –지속성 혹은 비지속성 심실 빈맥
	  –인공 심박동기 혹은 제세동기의 기능 장애
	  –1형의 브루가다 양상
	  –교정 QT 460 ms 이상
	
	• 부(部) 기준
	  –Mobitz 1형의 이도 방실 차단 혹은 현저한 일도 방실 차단
	  –각성 상태에서 분당 40회 미만 동서맥 혹은 3초 이상 동정지
	  –발작성 상심실성 빈맥 혹은 심방세동
	  –조기 흥분 QRS 파형
	  –짧은 교정 QT간격(340 ms 이하)
	  –비전형적 브루가다 양상
	  –우측 전흉부 전극에서 관찰되는 T파 역위 및 엡실론 파형 (epsilon wave)

6) 초기 평가 이후의 치료 결정

기본적으로 저위험 실신 환자(반사성 또는 기립성저혈압)의 경우 응급실에서 다른 검사 없이 바로 퇴실이 가능하나 고위험 환자군은 반드시 입원하여 추가적인 평가를 필요로 한다. 양 분류에 속하지 않는 환자는 응급실에서 또는 외래에서 추가적인 검사들을 진행할 수 있다.

그림 6-35. 응급실에서 위험도 분류에 따른 치료 흐름도

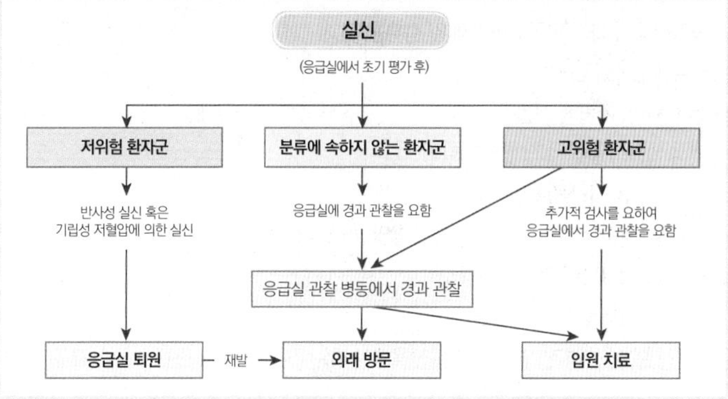

7) 초기 평가 시 확인해야 할 병력

(1) 발작직전의 상황(circumstances just prior to attack)

- 자세 (앙와위, 앉은 자세 또는 서있는 자세)
- 활동(앙와위, 운동 중 또는 운동 후)
- 상황(배뇨, 배변, 기침 또는 음식을 삼킬 때)
- 선행요인(붐비거나 따뜻한 장소, 오래 서있기, 식후)
- 유발인자(공포, 심한 통증, 목 움직임)

(2) 발작의 시작(onset of attack)

- 구역/구토증, 발한, 저온감, 땀, 전구증상, 목과 어깨의 통증

(3) 발작(목격자 증언)

- 피부색(창백, 청색증)
- 의식소실의 지속시간
- 움직임(긴장간대발작; tonic-clonic seizure etc)
- 입술을 깨문다

(4) 발작의 종료(end of attack)

- 구역/구토증, 발한, 저온감, 의식혼탁, 근육통, 피부색, 상처

(5) 배경

- 실신의 횟수와 지속시간
- 부정맥발생을 일으키는 가족력
- 심장질환의 존재

- 신경질환의 병력[파킨슨병, 간질, 발작수면증(narcolepsy)]
- 내과적 병력(당뇨)
- 약물복용의 과거력(항고혈압제 및 항우울제)

(6) 노인에서의 실신

- 흔한 원인: 기립성 저혈압, 경동맥 과민증, 심부정맥, 신경매개성 실신
- 약물 복용력을 정확하게 알아본다.
  - 실신 발생 시간을 확인
  - 동반질환(파킨슨병, 당뇨, 빈혈, 고혈압, 허혈성심질환, 울혈성 심부전) 확인
  - 신경학적 및 운동능력의 평가
  - 인지기능의 정상 여부 결정

(7) 심장 또는 신경계와 연관된 실신을 암시하는 임상적 및 심전도 특성(표 6-48)

표 6-48. 심장 또는 신경계와 연관된 실신의 특성

신경 매개성(반사성) 실신(neurally mediated syncope)
• 보통 40세 이전에 발생하는 반복적인 실신 • 장시간 기립 상태 • 혼잡한 장소 혹은 더운 장소 • 고개를 돌리던 중 혹은 목동맥굴 자극 • 스트레스를 유발하는 시각, 청각, 후각 혹은 촉각의 자극 • 식사 중 • 실신 이전 자율 신경의 항진: 창백, 발한 혹은 구토감 • 심장질환의 기왕력이 없음
• 기립 중이거나 기립 후 • 운동 후 기립 상태 • 저혈압을 유발할 수 있는 혈압 강하제나 이뇨제 복용 • 장기간 기립자세 • 식사 후 저혈압 • 자율 신경계 질환이나 파킨슨병
심장 기인성 실신(cardiac syncope)

• 운동 중 혹은 누운 상태
• 젊은 나이에 급사의 가족력
• 부정맥에 의한 실신 가능성을 제시하는 심전도 소견:
  -이섬유속 차단 (bifascicular block)
  -심실내 전도지연
  -Mobitz 1형의 이도 방실 차단 혹은 현저한 일도 방실 차단
  -심박동수에 영향을 주는 약물의 사용 없이 발생한 서맥(분당 40-50회) 혹은 느린 심방 세동(분당 40-50회)
  -비지속성 심실빈맥
  -조기흥분 ORS 파형(Pre-excited ORS complexes)
  -긴 QT 간격 혹은 짧은 QT 간격
  -조기 재분극(early repolarization)
  -V1-V3 전극에서 보이는 1형의 브루가다 양상(Brugada pattern)
  -우측 전흉부 전극에서 관찰되는 T파 역위 및 엡실론 파형(epsilon wave)
  -비후성 심근증을 의심할 수 있는 좌심실 비후의 소견
• 갑작스런 두근거림 후 실신
• 구조적 심질환이나 관상동맥 질환

*환자와 목격자에게 정확하고 자세한 병력을 청취하는 것이 여러 가지 검사를 하는 것보다 더 중요하다.

6. 심장돌연사(Sudden cardiac arrest)

1) 돌연사의 정의(Definition)
① 급성 증상발생 1시간 이내에 갑작스런 의식소실을 동반한 심장으로 인한 자연사
② 이전에 존재하는 심장질환의 여부에 관계없고, 사망의 시간과 형태를 예측할 수 없을 때

2) 소생술 후의 평가(Evaluation after resuscitation)
① 저산소증으로 인한 뇌 손상의 중증도 결정
② 심각한 신경학적 손상 없이 심실세동/심실빈맥으로부터 소생한 환자들에게 자세한 신체검사/병력청취 및 완벽한 심장검사 시행
 • 심장초음파(echocardiography)
 • 운동부하검사(exercise treadmill test)
 • 심장 자기공명영상 검사(cardiac MRI)
 • 도보 중 심전도 감시장치(ambulatory ECG monitoring, Holter monitoring)
 • Signal average ECG (SAECG)
 • 관상동맥 조영술(coronary angiography) with or without ergonovine provocation

3) 12-lead ECG
Q-파, 좌심실 긴장(strain)을 동반한 좌심실 비대, QT 연장, epsilon-파, Brugada sign 유무 확인

4) 치료
일시적 또는 가역적이지 않은 요소에 의해 야기 되어진 심실세동/심실빈맥으로 인한 심정지의 경우 → ICD(제세동기) 삽입이 근간이 되며 amiodarone, sotalol, beta-blocker 등이 보조적으로 사용될 수 있다.

5) 국내 ICD 삽입의 적응증

표 6-49. 국내 ICD 삽입의 적응증

가. 일시적이거나 가역적인 원인에 의한 것이 아닌 심실세동이나 심실빈맥에 의한 심정지가 발생한 경우

나. 구조적 심질환이 있는 환자에서 자발성 지속성 심실빈맥이 발생한 경우

다. 구조적 심질환이 없는 자발성 지속성 심실빈맥 환자에서 다른 치료 방법으로 조절되지 않는 경우

라. 원인을 알 수 없는 실신 환자에서 임상적으로 연관되고 혈역동학적으로 의미있는 지속성 심실빈맥이나 심실세동이 임상전기생리학적검사에 의해 유발되는 경우

마. 급성 심근경색 48시간 이후
  1) 가역적인 원인에 의한 것이 아닌 심실세동 또는 혈역동학적으로 불안정한 심실빈맥이 발생한 경우
  2) 재발성 지속성 심실빈맥이 발생한 경우

바. 심부전(Heart Failure)
  1) 심근경색 발생 후 40일 경과한 허혈성 심부전으로 적절한 약물치료에도 불구하고 아래에 해당하며 1년 이상 생존이 예상되는 경우
    가) 심구혈률(Ejection Fraction, EF) ≤30%
    나) 심구혈률(EF) 31-35%로 NYHA class Ⅱ, Ⅲ의 증상을 보이는 경우
    다) 심구혈률(EF) ≤40% 환자로 비지속성 심실빈맥이 있으며 임상 전기생리학적검사에서 혈역동학적으로 의미있는 심실세동이나 지속성 심실빈맥이 유발되는 경우
  2) 비허혈성 심부전으로 3개월 이상의 적절한 약물치료에도 불구하고 NYHA class Ⅱ, Ⅲ의 증상을 보이는 심구혈률(EF) ≤35%인 환자에서 1년 이상 생존이 예상되는 경우

사. 실신이 있고 Type 1 ECG pattern을 보이는 부루가다 증후군(Brugada syndrome) 환자에서 충분한 평가(evaluation)로도 실신의 원인을 알 수 없는 경우

아. 비후성 심근병증
  1) 아래의 급성 심장사(Sudden Cardiac Death)의 위험인자가 1개 이상인 경우
    가) 좌심실 벽두께 30 mm 이상(단, 16세 미만 환자는 Z-score ≥6을 포함)
    나) 비후성심근병증에 의한 급사의 가족력
    다) 6개월 내에 한 번 이상의 원인미상의 실신
  2) 아래의 급성 심장사(Sudden Cardiac Death)의 부가적 위험인자 중 1개 이상을 동반한 비지속성 심실빈맥(Non-sustained Ventricular Tachycardia, NSVT) 또는 비정상적인 운동혈압반응(abnormal blood pressure response with exercise)이 있는 경우
    가) 30세 미만
    나) 자기공명영상에서 지연조영증강
    다) 좌심실유출로 폐색
    라) 과거의 실신
    마) 좌심실류
    바) 좌심실구혈율 50% 미만

자. Long QT syndrome 환자에서 충분한 베타 차단제 치료에도 불구하고(약물치료를 지속할 수 없는 경우 포함) 실신이 재발하거나 지속성 심실빈맥이 발생한 경우

차. 팔로네징후(Tetralogy of Fallot, TOF) 환자에서 아래의 급성 심장사 위험인자 중 2개 이상에 해당하는 경우
  1) 좌심실 기능 저하
  2) 비지속성 심실빈맥
  3) QRS 간격>180 ms
  4) 임상전기생리학적검사에서 지속성 심실빈맥이 유도되는 경우

카. 카테콜라민성 다형성 심실빈맥(Catecholaminergic Polymorphic Ventricular Tachycardia, CPVT) 환자에서 베타 차단제 복용 중에 실신을 하였거나 지속성 심실빈맥을 보이는 경우

타. 심장 사르코이드증(Cardiac sarcoidosis), 거대세포심근염(Giant cell myocarditis), 샤가스병(Chagas disease)이 진단된 환자에서 급성 심장사의 예방 목적인 경우

6) 국내 CRT 삽입술의 적응증

아래의 항목에 해당될 경우에는 ICD에 더하여 심장의 수축 기능이 더 좋아질 수 있도록 도와줄 수 있는 CRT를 적극적으로 고려해야 한다.

표 6-50. 국내 CRT 삽입술의 적응증

가. CRT-P (CRT-Pacemaker)
3개월 이상의 적절한 약물치료에도 불구하고 증상이 지속되는 아래의 심부전 환자
1) 동율동(Sinus Rhythm)의 경우
  가) QRS duration ≥130 ms인 좌각차단(LBBB)으로 심구혈률(EF) ≤ 35%이고 NYHA class Ⅱ, Ⅲ 또는 거동이 가능한 class IV에 해당되는 경우
  나) QRS duration ≥150 ms인 비 좌각차단(NON-LBBB)으로 심구혈률(EF) ≤35%이고 NYHA class Ⅲ 또는 거동이 가능한 class IV에 해당되는 경우
2) 영구형 심방세동(Permanent atrial fibrillation)의 경우
  가) QRS duration ≥130 ms으로 심구혈률(EF) ≤35%이고 NYHA class Ⅲ 또는 거동이 가능한 class IV에 해당되는 경우
  나) 심구혈률(EF) ≤35%인 환자에서 심박수 조절을 위해 방실결절차단술(AV junction ablation)이 필요한 경우
3) 기존의 심박동기(Pacemaker)나 심율동 전환 제세동기(ICD)의 기능 향상이 필요한 경우
  – 심구혈률(EF) ≤35%이고 NYHA class Ⅲ 또는 거동이 가능한 class IV 환자에서 심조율의 비율이 40% 이상인 경우
4) 심박동기(Pacemaker)의 적응증에 해당하는 경우
  – 심구혈률(EF) ≤40%인 환자에서 심조율의 비율이 40% 이상으로 예상되는 경우(3개월 이상의 적절한 약물치료가 없는 경우에도 인정 가능함.)
나. CRT-D (CRT-Defibrillator)는 CRT-P와 ICD 기준에 모두 적합한 경우에 인정하되, 상기 가)(1)에 해당되면서 NYHA class Ⅱ인 경우에는 QRS duration ≥130 ms인 좌각차단(LBBB)이고 심구혈률(EF) ≤30%인 경우에 인정함.

7) 심장내 전기 삽입술과 관련된 합병증

① 장치 주머니 혈종 → 혈종 제거

② 감염 → 장치제거

③ 기흉, 혈흉 → 흉관삽입

④ 쇄골하 동맥의 손상

⑤ 심장파열, 심낭압전 → 심낭천자 또는 응급수술 전극선의 이동 → 전극선 교정술, 전극선 파열 → 새 전극선 삽입

7. 서맥(Bradycardia)

1) 서맥의 심전도 표현

그림 6-36. 동기능 장애와 관련된 심전도

Sinus bradycardia
Normal P-wave axis with heart rate of <60 beats per minute
Every P wave followed by a QRS complex

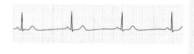

Sinus arrest
Normal P-wave axis
Every P wave followed by ORS complex Pauses of >3 seconds without atrial activity

Sinoatrial exit block
Normal P-wave axis
Progressive shortening of PP interval until one P wave fails to conduct (second degree, type I) 0 sinus pause is an exact multiple ofthe baseline PP interval (second degree, type II [shown])

Tachycardia-bradycardia syndrome
Alternating periods of atrial tachyarrhythmias and bradycardia

그림 6-37. 방실전도장애와 관련된 심전도

Fi rst-degree atrioventricular block
PR interval of >0.2 second
Every P wave followed by a ORS complex

Second-degree atrioventricular block , Mobitz type I (Wenckebach block)
Progressive lengthening of PR interval and shortening of RR interval until a P wave is blocked PR interval after blocked beat is shorter than preceding PR interval

Second-degree atrioventricular block , Mobitz type II
Intermittently blocked P waves
PR interval on conducted beats is constant

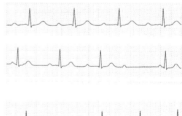

Second-degree, high-grade atrioventricular block
Conduction ratio of 3:1 or more
PR interval of conducted beats is constant

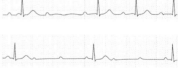

Third-degree atrioventricular block
Dissociation of atrial and ventricular activity atrial rate is faster than ventricular rate, which is of junctional or ventricular origin

2) 서맥이 의심되는 홀터 검사 또는 입원중 원격 모니터링 등을 통해 서맥과 증상의 연관성에 대한 평가가 필요하다.

3) 서맥의 응급치료(Emergency treatment of bradycardia)
 (1) 약물적 치료(pharmacologic treatment)
 ① Atropine: 0.5-1.0 mg q 3-5min
 ② Dopamine: 5-20 mcg/kg/min(저혈압을 동반한 서맥인 경우)
 ③ Isoproterenol 2-10 mcg/min
 (2) 일시적 심박조율(temporary pacing)
 일반적으로 infrahisian block에서 위의 약물적 치료에 반응하지 않을 경우 시행한다. 경피적(transcutaneous) 또는 경정맥(transvenous) 접근이 이용된다.

4) 영구형 심박동기(Permanent pacemaker implantation)
 일반적으로 sick sinus syndrome은 서맥 관련 증상 여부에 따라 영구형 심박동기 여부를 결정한다. Mobitz type II 이상의 Atrioventricular block은 가역적일 가능성이 적고 급사의 위험성이 있어 대부분의 경우 영구형 심박동기가 필요하다.

5) 국내 영구형 심박동기의 적응증

표 6-51. 국내 영구형 심박동기의 적응증

1. 동기능 부전(Sinus Node Dysfunction)
 가. 증상을 동반한 서맥이나 증상을 동반한 동휴지가 각성상태에서 입증된 경우
 나. 증상을 동반한 심박수변동 부전(chronotropic incompetence)이 있는 경우
 다. 의학적 상태로 인하여 투여가 필요한 약물에 의해 증상을 동반한 서맥이 각성상태에서 입증된 경우
 라. 서맥과 관련된 임상적으로 의미 있는 증상은 있지만 증상과 서맥과의 관련성이 검사에서 입증되지 않았을 때 각성상태에서 심박수가 40회/분 미만인 경우
 마. 원인을 알 수 없는 실신 환자에서 임상전기생리학적검사 시 유의한 동기능 이상이 발견되거나 유발된 경우

2. 방실차단(Atrioventricular Block)
 가. 3도 또는 2도 2형 방실차단
 나. 각성상태에서 증상이 없는 심방세동에서 5초 이상의 무수축 심정지가 증명된 경우
 다. 방실차단 부위와 관계 없이 서맥으로 인한 증상이 있는 2도 방실차단
 라. 심근허혈 소견이 없이 운동 중 발생한 2도 또는 3도 방실차단
 마. 긴(long) PR 간격을 보이는 1도 또는 2도 방실차단으로 방실 부조화로 인한 심박동기 증후군이나 혈역학적 증상이 있는 경우
 바. 무증상의 2도 방실차단에서 임상전기생리학적검사 결과 차단부위가 His속 내부 또는 그 아래인 경우

표 6-51. 국내 영구형 심박동기의 적응증(계속)

3. 만성 2섬유속차단(Chronic Bifascicular Block)
가. 만성 2섬유속차단에서 각차단이 교대로 발생하는 경우

나. 만성 2섬유속차단에서 실신, 현기증의 원인이 임상전기생리학적검사를 포함한 진단적 검사로도 심실 빈맥과 같은 다른 원인은 배제되고 방실차단에 의한 것으로 판단되는 경우

다. 만성 2섬유속차단에서 증상이 없더라도 임상전기생리학적검사에서 HV간격이 100 ms 이상이거나, pacing에 의해 His속 아래 부분의 방실차단이 유도되는 경우

4. 급성 심근경색과 관련된 방실차단(AV Block in Acute Phase of Myocardial Infarction)
가. 급성 심근경색 이후 3도 방실차단이 지속되는 경우

나. 급성 심근경색 이후 각차단을 수반한 2도 2형 방실차단이 지속되는 경우

다. 급성 심근경색 이후 2도 2형 방실차단 또는 3도 방실차단이 일시적으로 발생하더라도 각차단이 새로 발생한 경우

5. 목동맥굴 과민증후군(Hypersensitive carotid syndrome)
목동맥굴 압박을 하는 특정 상황에서 실신이 재발한 병력이 있고 목동맥굴 압박에 의해 3초 이상의 심실 무수축과 함께 실신이 유발된 경우

6. 긴 QT 증후군(Long QT syndrome)
QT 간격이 연장되었거나 또는 연장되지 않았더라도 심전도상 동휴지-의존성 지속성 심실빈맥이 발생한 경우

7. 소아, 청소년 및 선천성 심질환에서의 서맥성 부정맥
일반적인 사항은 성인 적용기준에 준하여 적용토록 함

가. 연령에 따른 심박수가 부족한 동서맥(age-inappropriate sinus bradycardia)으로 인한 증상이 있는 경우

나. 복잡 선천성 심기형에서 각성시 심박수가 40회/분 미만이거나 심실 휴지기가 3초 이상인 경우

다. 복잡 선천성 심기형에서 동서맥 또는 이탈박동으로 인한 방실조화(AV synchrony) 소실에 의한 혈역학적 부전이 있는 경우

라. 선천성 3도 또는 고도 2도 방실차단인 1세 이하의 영아에서 각성시 심박수가 55회/분 미만인 경우

마. 선천성 3도 또는 고도 2도 방실차단이 동반된 선천성 심기형이 있는 1세 이하의 영아에서 각성 시 심박수가 70회/분 미만인 경우

바. 무증상의 선천성 3도 방실차단이 있는 1세 이상 소아에서

   (1) 각성상태시 심실 박동수가 50회/분 미만

   (2) 심실 휴지기가 평상시 심박동수 주기의 2배 이상으로 발생한 경우

   (3) 심실기능저하, QTc 연장, 복잡 심실 기외 수축, 넓은 심실 이탈 박동이 보이는 경우

사. 선천성 심질환과 동서맥이 있는 환자에서 심방내 재입성 기전 빈맥(intra-atrial reentrant tachycardia)의 재발을 방지하기 위한 경우

아. 선천 심기형으로 수술 받은 환자에서 각차단을 동반한 일시적 완전 방실차단을 보이는 경우

8. 원인 불명 실신
가. 40세 이상의 반복적이고 예상하기 어려운 반사성 무수축성 실신환자(reflex asystolic syncope)에서, 증상을 동반한 유의한 동휴지나 방실차단이 기록된 경우. 다만, 기립경사테이블검사(Tilt Table Test)에서 유발되는 경우는 제외함.

나. 실신의 병력이 있는 환자에서 증상과 상관없이 6초 이상의 심실 휴지기가 발견된 경우

다. 각 차단이 있으며, 임상전기생리학적검사에서 HV 간격이 70 ms 이상 또는 2도 이상의 방실차단이 증명된 경우

라. 원인이 불분명한 실신이 재발한 병력이 있고 목동맥굴 압박에 의해 6초 이상의 심실 휴지가 유발된 경우

Ⅳ 고지질혈증

1. 개요

동맥경화증 예방을 위해 가장 중요한 것은 죽상경화 위험인자에 대한 조절이며, 대표적인 위험인자는 표 6-52과 같다. 당뇨, 말초동맥질환 등의 동맥경화성 질환들은 관상동맥질환 (coronary heart disease, CHD)에 준하는 위험인자로 간주된다(표 6-53).

표. 6-52. LDL 콜레스테롤 외의 죽상경화의 위험인자

Cigarette smoking
Hypertension (BP ≥140/90 mmHg or on antihypertensive medication)
Low HDL cholesterol (<40 mg/dl)*
Family history of premature CHD
– CHD in male first degree relative <55 years / CHD in female first degree relative <65 years
Age (men ≥45 years; woman ≥55 years)

표. 6-53. CHD에 준하는 위험인자(CHD risk equivalents)

Diabetes
Other clinical forms of atherosclerotic disease (peripheral arterial disease, abdominal aortic aneurysm, and symptomatic carotid artery disease)

2. 진단

1) 선별대상

① 심뇌혈관질환, 고혈압, 당뇨병이 있는 경우 지질검사 시행을 권고한다.
② 다음과 같은 심뇌혈관질환 위험인자를 가진 경우 지질검사 시행을 권고한다.
　흡연, 비만(복부 비만), 만성콩팥병, 류마티스관절염 등과 같은 자가면역 만성 염증성 질환, 가족성 고지혈증의 가족력, 조기 관상동맥질환의 가족력
③ 모든 성인은 심뇌혈관질환 위험인자가 없더라도 지질검사 시행을 고려할 수 있다.

2) 진단방법

① 심뇌혈관질환 발생 위험을 평가하기 위하여 총콜레스테롤, 중성지방, HDL-C 및 LDL-C 측정을 권고한다. 각 지질의 정상 및 이상수치는 표 6-54와 같다.

② 총콜레스테롤, LDL-C, HDL-C는 식후 변동이 현저하지 않으므로 혈액 채취 시 반드시 공복 상태일 필요는 없으나 중성지방은 최소 12시간의 공복이 필요하다.

③ 중성지방이 400 mg/dL 이하인 경우 총 콜레스테롤 및 HDL-C, 중성지방을 통해 LDL-C 수치의 계산이 가능하다.

LDL-cholesterol = Total cholesterol - (HDL cholesterol + Triglyceride/5)

만일 중성지방이 400 mg/dL 이상인 경우에는 LDL-C 수치의 직접적인 측정이 이루어져 야 한다.

④ 이차성 고지혈증의 가능성이나 치료 중 안전성 확인을 위해 공복혈당, 갑상선 기능검사, 혈청 크레아티닌(eGFR), 혈압, 약물력, 질병력 조사를 고려할 수 있다.

표 6-54. 지질의 NCEP 분류

혈중농도 (mg/dL)	분류	혈중농도 (mg/dL)	분류
총 콜레스테롤		HDL 콜레스테롤	
<200	Desirable	<40	Low
200-239	Borderline	>60	High
≥240	High		
중성지방		LDL 콜레스테롤	
<150	Normal	<100	Optimal
150-199	Borderline	100-129	Near or above optimal
200-499	High	130-159	Borderline high
≥500	Very high	160-189	High
		≥190	Very high

3. 치료

1) 국내치료지침

2018년 개정된 국내 가이드라인은 LDL 콜레스테롤의 증가 이외에 죽상경화의 다른 위험인자 여부를 중요시한다. 위험 수준에 따라 초고위험군, 고위험군, 중등도 위험군, 저위험군으로 분류하며, 각각의 군에서 목표 LDL-C 농도, 비약물요법 및 약물요법을 시작하는 농도를 제시하였다(표 6-55).

표 6-55. 위험도 및 LDL 콜레스테롤 농도에 따른 치료의 기준

위험도	LDL 콜레스테롤 농도(mg/dL)					
	<70	70-99	100-129	130-159	160-189	≥190
초고위험군[1] 관상동맥질환 죽상경화성 허혈뇌졸증 및 일과성 뇌허혈발작 말초동맥질환	생활습관 교정 및 투약고려	생활습관 교정 및 투약시작	생활습관 교정 및 투약시작	생활습관 교정 및 투약시작	생활습관 교정 및 투약시작	생활습관 교정 및 투약시작
고위험군 경동맥질환[2] 복부동맥류 당뇨병[3]	생활습관 교정	생활습관 교정 및 투약고려	생활습관 교정 및 투약시작	생활습관 교정 및 투약시작	생활습관 교정 및 투약시작	생활습관 교정 및 투약시작
중등도 위험군[4] 주요위험인자 2개 이상	생활습관 교정	생활습관 교정	생활습관 교정 및 투약고려	생활습관 교정 및 투약시작	생활습관 교정 및 투약시작	생활습관 교정 및 투약시작
저위험군[4] 주요위험인자 1개 이하	생활습관 교정	생활습관 교정	생활습관 교정	생활습관 교정 및 투약고려	생활습관 교정 및 투약시작	생활습관 교정 및 투약시작

1) 급성심근경색증은 기저치의 LDL 콜레스테롤 농도와 상관없이 바로 스타틴을 투약한다. 급성심근경색증 이외의 초고위험군의 경우에 LDL 콜레스테롤 70 mg/dL 미만에서도 스타틴 투약을 고려할 수 있다.
2) 유의한 경동맥 협착이 확인된 경우
3) 표적장기손상 측은 신혈관질환의 주요 위험인자를 가지고 있는 경우 환자에 따라서 위험도를 상향조정할 수 있다.
4) 중등도 위험군과 저위험군의 경우는 수주 혹은 수개월간 생활습관 교정을 시행한 뒤에도 LDL 콜레스테롤 농도가 높을 때 스타틴 투약을 고려한다.

2) 고지질혈증 치료 10계명(2018년 미국심장학회 가이드라인)(그림 6-38)

2018년 개정된 미국 심장학회 가이드라인은 보다 적극적인 LDL-C 목표 및 치료 전략을 제시하였다.

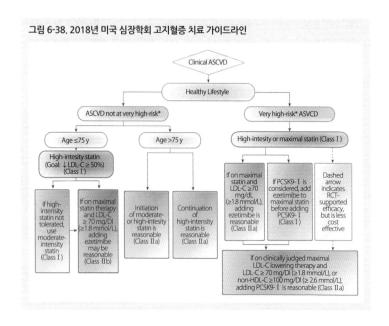

그림 6-38. 2018년 미국 심장학회 고지혈증 치료 가이드라인

① 건강한 생활을 하는 것이 가장 중요하다.

② 임상적으로 atherosclerotic cardiovascular disease (ASCVD)가 있는 경우, 스타틴을 최대한 사용하여 LDL-C을 최대한 조절하는 것이 중요하다.

③ 초고위험군에서는 LDL-C은 치료목표는 70 mg/dL 이하이며, 스타틴으로 목표에 도달하지 못한 경우 비스타틴치료 병합요법을 고려한다(표 6-56).

④ LDL-C 농도가 190 mg/dL 이상인 경우 고용량 스타틴을 권장하며, LDL-C의 치료목표는 100 mg/dL로 한다.

⑤ 40-75세의 당뇨환자에서는 LDL-C이 70-189 mg/dL이면 중등도 스타틴을 권장한다.

⑥ 40-75세 환자의 primary prevention은 전방위적인 위험성을 분석하여 statin 치료를 고려한다(흡연, 고혈압, LDL-C 농도, HbA 1c (if indicated), calculated 10-year risk of ASCVD, 약제 사용 시의 부작용 및 경제적 부담을 고려).

⑦ 40세 이상이면서 당뇨가 없고, LDL-C 70 mg/dL 이상이면서 10 year ASCVD risk 7.5% 이상이면 중등도 스타틴을 권장한다. 이때 기타 위험도 및 coronary artery calcium (CAC)을 고려한다.

⑧ 40세 이상이면서 당뇨가 없고, LDL-C 70 mg/dL 이상이면서 10 year ASCVD risk 7.5-19.9%(intermediate risk)이면 risk enhancing factor를 체크한다(표 6-57).

⑨ 40세 이상이면서 당뇨가 없고 LDL-C 70 mg/dL 이상이면서 10 year ASCVD risk 7.5-19.9%(intermediate risk)이면서 risk enhancing factor들이 불분명하면 Coronary artery calcium score (CAC)를 체크한다. CAC가 0이라면 당뇨, 조기 심장질환 가족력이 없고 현재 흡연중이 아니라면 스타틴을 사용하지 않을 수 있다.

⑩ 스타틴을 쓰거나 변경하면 4-12주 안에 확인하고, 이외에는 3-12달마다 확인한다.

표 6-56. Very High-Risk* of Future ASCVD Events

Major ASCVD Events
• Recent ACS (within the past 12 mo)
• History of MI (other than recent ACS event listed above)
• History of ischemic stroke
• Symptomatic peripheral arterial disease (history of claudication with ABI <0.85, or previous revascularization or amputation (S4.1-39))

High-Risk Conditions
• Age ≥65 y
• Heterozygous familial hypercholesterolemia
• History of prior coronary artery bypass surgery or percutaneous coronary intervention outside of the major ASCVD event(s)
• Diabetes mellitus
• Hypertension
• CKD (eGFR 15-59 ml/min/1.73 m^2) (S4.1-15, S4.1-17)
• Current smoking
• Persistently elevated LDL-C (LDL-C ≥100 mg/dl [≥2.6 mmol/L]) despite maximally tolerated statin therapy and ezetimibe
• History of congestive HF

*Very high risk includes a history of multiple major ASCVD events or 1 major ASCVD event and multiple high-risk conditions.
ABI indicates ankle-brachial index; ACS, acute coronary syndrome; ASCVD, atherosclerotic cardiovascular disease; CKD, chronic kidney disease; eGFR, estimated glomerular filtration rate; HF, heart failure; LDL, low-density lipoprotein cholesterol; and MI, myocardial infarction.

표 6-57. Risk-Enhancing Factors for Clinician-Patient Risk Discussion

Risk-Enhancing Factors

- Family history of premature ASCVD (males, age <55 y; females, age <65 y)
- Primary hypercholesterolemia (LDL-C, 160-189 mg/d [4.1-4.8 mmol/L]; non-HDL-C 190-219 mg/dL [4.9-5.6 mmol/L])*
- Metabolic syndrome (increased waist circumference, elevated triglycerides [>175 mg/dL], elevated blood pressure, elevated glucose, and low HDL-C [<40 mg/dL in men; <50 in women mg/dl) are factors; tally of 3 makes the diagnosis)
- Chronic kidney disease (eGFR 15-59 mL/min/1.73 m² with or without albuminuria; not treated with dialysis or kidney transplantation)
- Chronic inflammatory conditions such as psoriasis, RA, or HIV/AIDS
- History of premature menopause (before age 40 y) and history of pregnancy-associated conditions that increase later ASCVD risk such as preeclampsia
- High-risk race/ethnicities (e.g., South Asian ancestry)
- Lipid/biomarkers: Associated with increased ASCVD risk
  - Persistently* elevated, primary hypertriglyceridemia (≥175 mg/dl);
  - If measured:
    ✓ Elevated high-sensitivity C-reactive proteirn (≥2 .0 mg/L)
    ✓ Elevated Lp(a): A relative indication for its measurement is family history of premature ASCVD. An Lp(a) ≥50 mg/dl or ≥125 nmol/L constitutes a risk-enhancing factor especially at higher levels of Lp(a).
    ✓ Elevated apoB ≥130 mg/dl: A relative indication for its measurement would be triglyceride ≥200 mg/dl. A level ≥130 mg/dl corresponds to an LDL-C >160 mg/dl and constitutes a risk-enhancing factor
    ✓ ABI <0.9

*Optimally, 3 determinations.

3) 생활습관 개선: 약물치료와 함께 생활습관의 개선이 필요하다. 식이요법, 운동요법 및 금연이 이루어져야 한다.

4) 약제

(1) 스타틴(HMG CoA reductase inhibitor): 고지혈증 치료의 근간이 되는 약제

① Potency of statins

표 6-58. Potency of statins

	High Intensity	Moderate Intensity	Low Intensity
LDL-C lowering	≥50%	30-49%	<30%
Statins	Atorvastatin (40 mg) 80 mg Rosuvastatin 20 mg (40 mg)	Atorvastatin 10 mg (20 mg) Rosuvastatin (5 mg) 10 mg Simvastatin 20-40 mg	Simvastatin 10 mg
		Pravastatin 40 mg (80 mg) Lovastatin 40 mg (80 mg) Fluvastatin XL 80 mg Fluvastatin 40 mg BID Pitavastatin 1-4 mg	Pravastatin 10-20 mg Lovastatin 20 mg Fluvastatin 20-40 mg

② 부작용

- 간손상(1%): 스타틴 투약 전 간기능 검사를 시행하고 투약 후 6주와 12주에 다시 검사를 시행하며 이상이 없을 시에는 이후부터 6개월마다 반복 시행할 것을 권장한다. 간효소 수치가 3배 이상 상승되었을 때 투약 중단을 권고한다.

- 근병증(0.1%): 투약 후 근육통, 근무력감을 호소하면서 CK 수치가 정상치의 10배 이상 증가하는 경우 근육병증으로 진단하여 투약을 중단을 권고한다. 환자의 안전을 위해 증상이 없더라도 의사의 판단에 따라 추적검사를 할 수 있다.

(2) Cholesterol absorption inhibitors (ezetimibe, recommended dose 10 mg/day)

LDL-C 낮추기 위해 스타틴을 최대 용량을 사용했음에도 불구하고 목표 LDL-C에 도달하지 못하였을 때 병합요법으로 사용할 수 있다. 간손상의 부작용이 발생할 수 있다.

(3) Proprotein convertase subtilisin/kexin type 9 (PCSK-9) inhibitor

LDL receptor의 작용하는 약물로 LDL-C을 최대용량으로 사용함에도 불구하고 목표 LDL-C에 도달하지 못하였을 때와 가족성 고지질혈증에서 사용할 수 있다. 주사제제로 불편함이 있으나 최근 발표된 연구에서는 스타틴과 병합치료하였을 때 초고위험군환자에서 생존율을 향상시키는 고무적인 성적을 보여주었다. 현재 승인받은 약제는 evolocumab (140 mg SC q2Weeks or 420 mg SC q1Month), alirocumab (75 mg SC q2Weeks or 300 mg SC q4Weeks, 2020년 현재 국내 미승인)이 있다.

(4) 기타 약제

중성지방을 조절하기 위해 Fibrate 제제 및 omega-3 제제를 사용해볼 수 있다. 특히 현재 국내에는 없으나 n-3 PUFAs (icosapent ethyl)은 REDUCE-IT trial에서 심혈관계 사망을 포함한 허혈성 사건을 줄이는 것을 보여주었다.

5) 고중성지방혈증

혈중 중성지방 농도가 500 mg/dL 이상으로 상승되는 경우 급성췌장염의 위험이 증가한다고 알려져 있으며, 이 경우는 중성지방을 증가시킬 수 있는 이차적인 원인(체중증가, 음주, 탄수화물 섭취, 만성 콩팥병, 당뇨병, 갑상선 기능저하증, 임신, 에스트로겐, 타목시펜, 글루코르티코이드의 투약력) 및 지질대상의 이상을 일으킬 수 있는 유전적인 문제가 있는지 확인하는 것이 필요하다. 이차적인 원인이 없거나 교정 후에도 지속적으로 500 mg/dL 이상으로 중성지방 농도가 확인되는 경우 췌장염 예방을 위해 약물치료를 권고한다. ASCVD의 고위험군에서는 중성지방이 200 mg/dL 이상이면 치료를 권고한다. 치료는 스타틴을 기본으로 하며, 목표치에 도달하지 않을 경우 Fibrate 제제 및 omega-3 제제 혹은 n-3 PUFAs (icosapent ethyl, 2020년 현재 국내 미승인)를 병합해서 사용해볼 수 있다.

V 급성 대동맥 증후군

1. 정상 대동맥의 구조와 정의

1) 대동맥의 구조와 명칭(그림 6-39)

급성 대동맥 증후군을 다루기 앞서 대동맥의 구조와 명칭에 대해 정확히 이해해야 하며, 이는 의료진 간의 의사소통 및 치료 범위 결정에 매우 중요한 역할을 한다.

그림 6-39. 정상 대동맥의 구조와 명칭

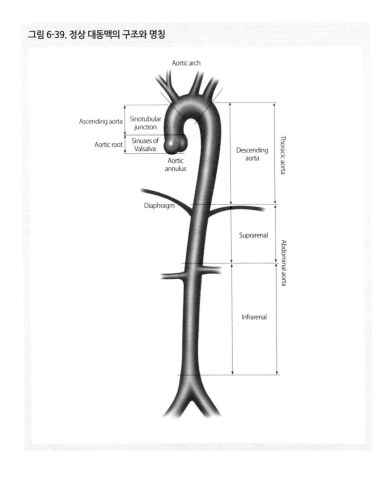

그림 6-39. 정상 대동맥의 구조와 명칭(계속)

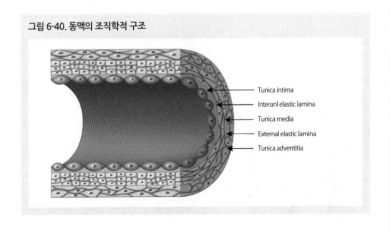

Right common carotid artery

Left common carotid artery

Costocervical artery   Coeliac axis

Left gastric artery

Vertebral artery

Thyrocervical trunk

Hepatic artery

Splenic artery

Right subclavian artery

Left subclvian artery

Right renal artery

Inferior mesenteric artery

Innominate artery

Internal thoracic artery

Superior mesenteric artery

Aortic artery

Bifurcation and iliac vessels

2) 조직학적 구조

① Intima는 대동맥의 안쪽 층으로서 쉽게 손상된다.

② Media는 대동맥의 주요 구조적인 층으로써 elastic tissue와 smooth muscle로 이루어져 있다. 이러한 구조는 심장 박동에 따른 압력의 차이를 견딜 수 있는 tensile strength와 elasticity를 가지고 있다.

③ Adventitia는 가장 바깥의 얇은 층으로써 대동맥을 우리 몸 안에 지지하는데 도움을 주며, vasa vasorum을 통해 대동맥 벽의 바깥 반에 영양분을 공급하게 된다.

그림 6-40. 동맥의 조직학적 구조

Tunica intima

Interanl elastic lamina

Tunica media

External elastic lamina

Tunica adventitia

2. 급성 대동맥 증후군의 분류

급성 대동맥 증후군은 1) classic aortic dissection, 2) aortic intramural hematoma, 3) penetrating atherosclerotic aortic ulcer (PAU)로 나눌 수 있다.

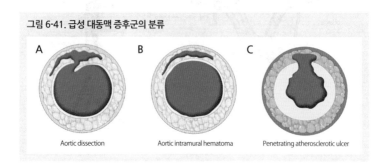

그림 6-41. 급성 대동맥 증후군의 분류

A	B	C
Aortic dissection	Aortic intramural hematoma	Penetrating atherosclerotic ulcer

1) Aortic dissection

(1) 대동맥 박리의 분류

대동맥 박리의 분류에 따른 치료와 예후가 다르기 때문에 구조에 의한 분류 및 시간경과에 따른 분류에 대한 이해가 필요하다. 상행 대동맥을 침범한 경우와 그렇지 않은 경우 치료의 선택이 달라지며, 시간 경과에 따라 예후가 달라지며 통상적으로 급성 대동맥 박리는 증상 발생으로부터 2주 이내를 의미하며, 만성 대동맥 박리는 2주 이상 경과하였을 경우로 분류한다.

표 6-59. 구조에 따른 분류(DeBakey and Stanford Classification)

Type A (I, II), Type B (III)	TYPE	DESCRIPTION
		DeBakey Classification
	I	Dissection originates in the ascending aorta and extends at least to the aortic arch and often to the descending aorta (and beyond).
	II	Dissection originates in the ascending aorta and is confined to this segment.
	III	Dissection originates in the descending aorta, usually just distal to the left subclavian artery, and extends distally.
		Stanford Classification
	A	Dissection involves the ascending aorta (with or without extension into the de.scending aorta).
	B	Dissection does not involve the ascending aorta.

표 6-60. 증상의 시작으로부터 시간 경과에 따른 분류

CLASS DESCRIPTION	TAD GUIDELINES	IRAD CLASSIGICATION	ESC GUIDELINES
Acute: <14 days	Acute: <14 days	Hyperacute: <24 hours	Acute: <14 days
Chronic: >14 days	Subacute: <2–6 weeks Chronic: >6 weeks	Acute: 2–7 days Subacute: 8–30 days Chronic: >30 days	Subacute: 14–90 days Chronic: >90 days

TAD, Thoracic Aortic Diseases; IRAD, International Registry of Acute Aortic Dissection; ESC, European Society of Cardiology.

(2) 대동맥 박리의 원인과 침범에 따른 후유증

특히 Type A dissection 발생 시 41–76%의 환자에서 대동맥 판막 역류(Aortic regurgitation)이 동반될 수 있으며, 이는 급성 대동맥 판막 역류증으로 나타나므로, 청진상 심첨부에서 이완기 심잡음이 들리거나, 혈압 저하, 심부전이 동반된 경우에는 심초음파검사를 통해 판막 역류 여부를 확인해야 한다.

표 6-61. 대동맥 박리의 위험 요소

- Hypertension
- Heritable or genetic thoracic aortic disease and syndromes
  - Marfan syndrome
  - Loeys–Dietz syndrome
  - Familial thoracic aortic aneurysm syndromes
  - Vascular Ehlers–Danlos syndrome
  - Turner syndrome
- Congenital diseases/syndromes
  - Bicuspid aortic valve
  - Coarctation of the aorta
  - Tetralogy of Fallot
- Atherosclerosis
  - Penetrating atherosclerotic ulcer
- Trauma, blunt or iatrogenic
  - Catheter/guidewire
  - Intra-aortic balloon pump
  - Aortic/vascular surgery
  - Motor vehicle accident
  - Coronary artery bypass grafting/aortic valve replacement/TAVR
  - Thoracic endovascular aneurysm repair (TEVAR)
- Cocaine/methamphetamine use
- Inflammatory/infectious diseases
  - Giant cell arteritis
  - Takayasu arteritis Behçet disease
  - Aortitis
  - Syphilis
- Pregnancy (with underlying aortopathy)
- Weightlifting (with underlying aortopathy)

TAVR, Transcatheter aortic valve replacement

표 6-62. 대동맥 박리의 기관별 후유증

Cardiovascular	Cardiac arrest Syncope Aortic regurgitation Congestive heart failure Coronary ischemia Myocardial infaction Cardiac tamponade Pericarditis
Pulmonary	Pleural effusion Hemothorax Hemoptysis (from an aortotracheal or bronchial fistula)
Renal	Acute renal failure Renovascular hypertension Renal ischemia or infarction
Neurologic	Stroke Transient ischemic attack Paraparesis or paraplegia Encephalopathy Coma Spinal cord syndrome Ischemic neuropathy
Gastrointestinal	Mesenteric ischemia or infarction Pancreatitis Hemorrhage (from aortoenteric fistula)
Peripheral vascular	Upper or lower extremity ischemia
Systemic	Fever

(3) 진단

진단 방법은 각 병원의 경험과 임상적인 접근성을 고려하여 선택되어야 한다. 다음은 각 진단 방법의 차이를 정리한 것이다.

여러 방법을 통해 다음의 사항을 영상검사에서 확인해야 한다.

표 6-63. Comparison of imagine modalities in aortic dissection

Factor	Angiography	CT	MRI	TEE
Intimal tear definition	++	+	+++	++
False lumen thrombus +/Involvement of branch	+++ +++	++ +	+++ ++	+ +
vessels	–	++	+++	+++
Pericardial effusion	+++	–	–	++
Coronary involvement	+++	–	+	+++
AI presence	88	83-94	98	98-99
Overall sensitivity (%)	95	87-100	98	77-97

① Classic aortic dissection인지 아니면 aortic intramural hematoma 또는 PAU인지 확인한다.

② Dissection의 위치(Type A or Type B)

③ Dissection의 범위, entry site와 reentry site, False lumen patency, thrombosis

④ Dissection의 합병증

- Type A: aortic regurgitation, coronary a. involvement, pericardial effusion, hemopericardium
- Aortic rupture, or leakage
- Branch vessel involvement
- Malperfusion
- Aneurysmal enlargement

(4) 치료(그림 6-42)

대동맥 박리에서 사망은 intimal flap보다는 박리의 진행으로 인한 혈관 합병증이나 파열 때문이다. Type A대동맥 박리는 즉각적인 외과적 치료가 필요하며 Type B대동맥 박리의 치료는 controversial 하지만 일반적으로 내과적 치료가 우선으로 인정되고 있다. 이 경우 수술적 치료는 박리에 의한 합병증이나 치료 실패 때 고려할 수 있다.

① 내과적 치료

초기 사망률이 시간당 1%에 달하므로 진단과 동시에 중환자실 모니터링 및 효과적인 내과적 치료를 시작하는 것이 필수적이다. 약제 치료의 목적은 수축기 혈압을 낮추는 것과 통증 조절(morphine)이다.

- 목표: 수축기 혈압 100-120 mmHg, 맥박수 60-80/min
- 수술 예정이면 nitroprusside+esmolol, 내과적 치료가 결정된 경우는 labetalol
- Nitroprusside: Initial 0.5 μg/min/kg → 5분 간격으로 0.2 μg/min/kg씩 titration (up to 10 μg/min/kg)
- Esmolol: loading (0.5 mg/kg) → 50 μg/kg/min infusion (upto 200 μg/kg/min)
- Labetalol: 20-80 mg loading → infusion (1-4 mg/min)

그림 6-42. 대동맥박리의 치료 알고리즘

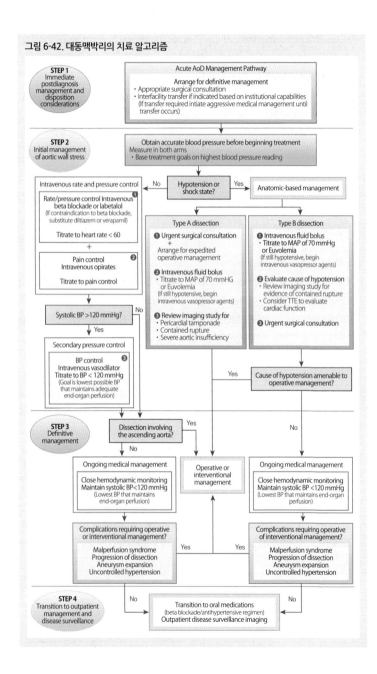

② 수술적 치료

표 6-64. Surgical versus medical therapy for aortic dissection

Medical Therapy	Surgical Therapy
Uncomplicated type III dissection	Acute, type I or II dissection
Stable, lone arch dissection	Acute, complicated type III dissection End organ dysfunction Rupture/impending rupture Aortic insufficiency Associated with Marfan syndrome
Stable, chronic dissection (more than 2 wk after onset of symptoms)	Retrograde extension into the ascending aorta

③ 흉부 대동맥 스텐트 삽입술(thoracic endovascular aortic repair, TEVAR)

표 6-65. Surgical versus medical therapy for aortic dissection

- Rupture
- Impending rupture
- Malperfusion
- Hemorrhagic pleural effusion
- Refractory pain

- Refractory hypertension
- Aneurysmal dilation(>55 mm)
- Rapid increase in diameter
- Recurrent symptoms

*Or open surgical repair ii anatomy is urosuitable for TEVAR.

2) Intramural hematoma (IMH)

대동맥 내막의 박리없이 medial layer에 혈종이 발생한 경우를 intramural hematoma (IMH)라고 하며, 영상 검사에서 circular or crescentic thickening이 5 mm 이상일 경우 의심한다. Western cohort 보다 Asian study에서 더 높은 유병률을 보이며, Ascending aorta 30%, Arch 10%, Descending aorta 60~70%를 침범한다. 분류는 내동맥 박리와 마찬가지로 Type A 또는 Type B로 분류되며, IMH의 위치가 adventitia에 가까울수록 pleural effusion, periaortic hematoma가 동반될 위험이 높으며, aortic rupture의 risk도 증가한다. Type A IMH가 발생했을 때, 치료 전략은 병원마다 다를 수 있으며, frank dissection으로의 진행, hemopericadium, rupture로 인한 응급 수술 등의 합병증이 발생할 수 있으므로, 환자의 상태를 살피면서 medical therapy, repeated imaging study, careful observation을 요한다. Type B dissection의 경우 medical treatment만으로 complete resolution을 50%에서 기대할 수 있으며, dissection으로 진행(5%), localized dissection 또는 Ulcerlike projection으로 진행(25%), rupture(4%), or late aneurysm formation(27%)

등의 complication을 보일 수 있다(그림 6-43).

그림 6-43. Type B Intramural hematoma의 경과

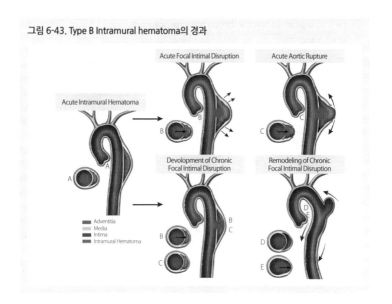

3) Penetrating Atherosclerotic Aortic Ulcer (PAU)

Ahterosclerotic lesion이 internal elastic lamina에서 media까지 침범한 경우를 말하며, IMH와 밀접한 연관이 있다. PAU는 psuedoaneurysm, aortic rupture 또는 late aneurysm을 초래할 수 있다. Aortic ulcer는 aortic arch나 abdominal aorta 보다는 descending aorta에 호발하며, 급성 대동맥증후군의 약 2-7%를 차지한다. 전체 PAU case의 25%는 우연히 발견되는 경우도 있고, PAU의 자연 경과에 대해서는 아직 잘 모르지만, PAU가 IMH나 distal embolization, aortic rupture, pseudoaneurysm, aortic dissection, saccular aneurysm을 초래할 수 있다.

Ascending aorta를 침범했을 경우 수술적 치료를 요할 수 있으며, Type B PAU의 경우 약물 치료 및 serial imaging study를 통해 사이즈 증가를 monitoring해 볼 수 있다. 합병증 발생과 관련된 위험요소로는 대동맥 벽 두께의 증가, 궤양의 size가 좌우 15-20 mm 이상, 깊이 10 mm 이상 되는 경우, aortic hematoma가 증가하는 경우, pleural effusion이 증가하는 경우를 들 수 있다. 수술의 위험도가 높거나 segment가 짧을 경우에는 TEVAR도 치료의 옵션이 될 수 있으며, 그 예후에 대해서는 좀더 연구가 필요하다.

VI 허혈성 심질환(Ischemic heart desease)

1. 안정형 협심증 혹은 만성 관동맥 증후군(Stable angina, chronic coronary syndromes)

1) 병력 및 신체검사

(1) 흉통과 징후

면밀한 병력청취가 협심증 진단의 초석이며, 신체 검진이나 진단적 검사가 진단에 도움을 준다. 병력에서 심혈관 질환의 과거력과 위험인자(심혈관 질환의 가족력, 고지혈증, 당뇨, 고혈압, 흡연력, 다른 위험인자들)를 반드시 확인해야 한다.

병력 청취 시에는 위치(location), 특징(character), 기간(duration), 운동과의 연관성(relationship to exertion), 악화 또는 완화 인자(exacerbating or relieving factors) 등을 반 드시 확인해야 한다. 협심증으로 인한 흉통은 좌측 가슴이나, 흉골 하방의 통증이 대부분 이나 명치 부위나 좌측 턱 하방, 치아 또는 견갑골 하방에서 느껴지기도 한다. 흉통의 특징은 주로 누르거나, 뻐근하거나, 쥐어짜고, 타는 듯한 통증이며, 숨찬 증상(shortness of breath), 피곤한, 아찔함, 오심, 불안함, 죽을 것 같은 느낌이 동반되기도 한다. 숨찬 증상이 단독 증상으로 나타나서 다른 질환과 구별하기 어려운 경우도 있다. 기간은 대부분 10분 이내로 발생하며, 몇 초 이내로 발생하는 흉통은 협심증과 무관할 가능성이 많다. 운동 시에 흉통이 악화되는 노작성 흉통이 특징적이며, 빨리 걷거나 계단을 오를 때 흉통이 발생하거나 악화되며, 쉬면 몇 분 안에 흉통이 사라지는 것이 특징적이다. 설하 질산염(sublingual nitrates)에 흉통이 완화되는 것도 특징적이며, 증상은 호흡이나 자세와 무관한 경우가 대부분이다.

전형적 흉통, 비전형 흉통 및 비심인성(non-cardiac) 통증에 대한 정의는 표 6-66과 같다.

표 6-66. 흉통의 임상적 분류

전형적 흉통(3가지 모두 해당될 때)
1. 특징적인 양상 및 기간 동안 흉골 하부의 통증
2. 운동시나 정신적 스트레스에 의해 유발
3. 니트로글리세린에 의해 호전
비전형적 흉통
위 사항 중 2가지에 해당할 때
심장외 요인에 의한 흉통
위 사항 중 해당 사항이 없거나 1가지에 해당할 때

흉통의 분류, 성별 및 연령에 따라 pretest probability를 확인하고 이에 따른 적절한 검사를 시행하여 진단에 이를 수 있다(진단 파트 참조). 전형적인 안정형 협심증으로 진단될 경우 증세의 중증도에 따라 CCS class I-IV로 분류할 수 있다(표 6-67).

표 6-67. Canadian Cardiovascular Society (CCS) 분류에 따른 협심증의 분류

Class I	걷기, 계단오르기 등과 같은 일상 생활에서 협심증이 유발되지 않으나 스트레스, 평상시 보다 심한 활동에 의해 협심증이 유발되는 경우
Class II	일상 생활에 약간의 장애가 있는 경우 빠르게 걷거나 층계를 오를 때, 언덕을 올라갈 때, 식사 후나 추울 때나 감정적 스트레스 하에서 또는 깨어난 후 몇 시간 내에 걷거나 층계를 오를 때 흉통 발생. 정상 상태 및 정상 속도로 두 블록 넘게 걷거나 보통 층계를 한 층 넘게 오르는 것임.
Class III	뚜렷하게 일상 생활에 장애가 있는 경우 정상 속도 및 정상 상태에서 1-2 블록을 걷거나 층계를 한 층 올랐을 때 흉통 발생.
Class IV	흉부 불편감 없이 어떠한 신체 활동도 할 수 없음. 흉통 증상이 휴식 때에도 있을 수 있음.

(2) 신체 검진

안정형 협심증 환자 대부분은 신체 검사에서 특이소견이 없다. 안정형 협심증이 의심되는 환자에서는 반드시 정확한 신체 검사를 통해 심낭염, 심장판막증이나 비후성 심근병증 등의 비허혈성 심장질환이나 심장 이외의 다른 부위에서 발생한 흉통을 배제해야 한다. 그 외에 경동맥, 복부대동맥 및 말초동맥의 질환에 대한 평가도 병행되어야 한다. 또한 허혈을 유발하거나 악화시킬 수 있는 여러 조건들을 고려하여야 한다(표 6-68).

표 6-68. 허혈을 유발하거나 악화시킬 수 있는 상태

산소 요구량이 증가하는 경우	산소 요구량이 감소하는 경우
비심인성 　고온증 　갑상선 항진증 　교감신경계 약물 독성(예: 코카인) 　고혈압 　불안 　동정맥루 **심인성** 　비후성 심근병증 　대동맥 판막 협착증 　확장증 심근병증 　상심실성 빈맥	**비심인성** 　빈혈 　저산소증 　　폐렴 　　천식 　　만성 폐쇄성 폐질환 　　폐고혈압 　　간질성 폐섬유화증 　　폐쇄성 수면 무호흡증 　겸상적혈구병 　교감신경계 약물 독성(예: 코카인) 　과다점도 　다혈구증 　　백혈병 　　혈소판 증다증 　　과감마글로불린혈증 **심인성** 　대동맥 판막 협착증 　비후성 심근병증

2) 진단

협심증의 진단에 도움이 되는 비침습적 검사는 심전도, 흉부단순촬영, 심장초음파, 운동부하검사(Treadmill test), 핵의학검사, 관상동맥 컴퓨터 단층촬영(Coronary CT) 등이 있으며 침습적 검사로 관상동맥 조영술이 있다.

(1) 심전도/흉부단순 촬영/심장 초음파

협심증이 의심되는 증상을 가진 모든 환자에서 12유도 심전도를 시행해야 한다. 안정형 협심증 환자의 50% 이상이 정상 심전도 소견을 보이지만, 고위험군이거나 다혈관질환인 경우 이상 소견이 관찰될 수 있으며 다른 부정맥을 감별할 수도 있다. 심전도에서 ST분절의 하강이나 상승 소견을 잘 살펴보아야 하며 빈맥성 부정맥, 방실결절차단, 각차단 등의 소견이 있는 경우 관상동맥 질환이 동반되어 있을 가능성이 높다.

흉부 단순 촬영을 통해 심실, 심방의 확장 여부 및 심낭 삼출, 폐부종 등의 소견을 확인할 수 있으며, 상부 종격동이 커진 경우 대동맥류나 박리를 시사하는 소견일 수 있다.

심장 초음파는 심장 기능과 구조에 대한 중요한 정보를 제공한다. 많은 환자가 정상 좌심실 수축기능(ejection fraction, EF, %)을 보이며, 좌심실 기능이 떨어지거나 국소 심실벽 운동 장애가 있다면 허혈성 심실환의 가능성이 높다. 과거 급성심근경색의 과거력이 있다면 지배 관상동맥 혈관의 영역에 따라 심실 운동장애를 확인할 수 있다. 좌심실 이완기능 장애는 허혈성 심질환의 초기 징후이거나 미세혈관 장애의 증거일 수 있다.

(2) 비침습적 기능 및 구조 검사

비침습적 기능검사(Non-invasive functional tests)는 심근 허혈 진단에 도움을 준다. 운동부하 심전도에서 심전도 변화, 도부타민 부하 심초음파, Cardiac MR에서 심근의 국소 운동장애, Myocardial SPECT, PET, contratst Echocardiography나 contrast Cardiac MR에서 관류 장애가 확인되면 심근 허혈을 진단할 수 있다. 비침습적 검사는 혈류 장애를 유발하는 심각한 심혈관 질환을 진단하는데 있어, 분획혈류예비력(fractional functional reserve, FFR) 같은 침습적 검사에 못지않은 높은 정확도를 보인다.

비침습적 구조적 검사로는 조영제를 통하여 심혈관을 시각화하는 심혈관 조영 CT가 있으며, 높은 민감도 및 음성예측도를 보여, 낮은 pre-test probability를 가진 환자 혹은 응급실 환자에서 심혈관 질환을 배제하는데 매우 유용하다. 다만 CT나 심혈관 조영검사에서 확인되는 50-90%의 협착은 기능적으로 심한 협착이 아닐 가능성이 있어 기능 검사를 통하여 평가해야 한다. CT에서 석회화 정도인 Agaston score가 400 이상이면 고위험군으로 보고 심혈관 조영 검사를 고려할 수 있다.

(3) 침습적 심혈관 조영검사

심장돌연사로부터 생존한 협심증 환자나 또는 의심환자, 비침습적 검사 결과 사이에 불일
치를 보이거나 비침습적 검사에서 고위험군으로 확인된 경우, 심혈관 질환에 대한 임상적
가능성(clinical likelihood)이 높은 경우, 안전이 우선인 특정 직업군에서 진단적 목적으로
심혈관 조영검사를 시행할 수 있다. 다혈관 질환이나 50-90%의 협착을 보이는 경우 반드
시 침습적 기능 평가인 분류혈류예비력(FFR) 검사가 필요하다.

(4) Pre-test probability의 평가 및 임상적 심혈관질환 가능성(clinical likelihood of CAD) 평가

허혈성 심질환의 pre-test probability는 연령, 성별, 증상의 양상에 따라 평가할 수 있다
(표 6-69). 임상적 심혈관질환 가능성(clinical likelihood of CAD)(그림 6-44) 평가에서
심혈관 질환 가능성이 높거나, pre-test probability가 매우 높거나(>30%), 기능성 평가
에서 양성 소견이 확인되면, 심혈관 조영술을 시행하여 심혈관 질환을 확진하는 것이 좋다.
pre-test probability가 15% 보다 높다면, 비침습적 검사인 운동부하검사나 운동부하 심
초음파, 핵의학검사(SPECT) 등의 기능적 평가를 먼저 시행한다.

Pre-test probability가 중간 정도(5-15%)라면 임상적 심혈관질환 가능성 평가를 통해 재
분류하여 심혈관 질환 가능성이 높다면 비침습적 기능성 평가를 시행하고, 가능성이 낮다면
심혈관 조영 CT를 통하여 심혈관 질환을 배제한다. pre-test probability가 낮다면(<5%)
음성예측도가 높은 심혈관 조영 CT를 통하여 심혈관 질환이 없음을 배제할 수 있다.

표 6-69. 심혈관 질환의 pre-test probability

	Typical		Atypical		Non-anginal		Dyspnoea	
Age	Men	Women	Men	Women	Men	Women	Men	Women
30-39	3%	5%	4%	3%	1%	1%	0%	3%
40-49	22%	10%	10%	6%	3%	2%	12%	3%
50-59	32%	13%	17%	6%	11%	3%	20%	9%
60-69	44%	16%	26%	11%	22%	6%	27%	14%
70+	52%	27%	34%	19%	24%	10%	32%	12%

CAD = coronary artery disease; PTP = pre-test probability.

그림 6-44. 심혈관 질환의 임상적 가능성 평가(clinical likelihood evaluation)

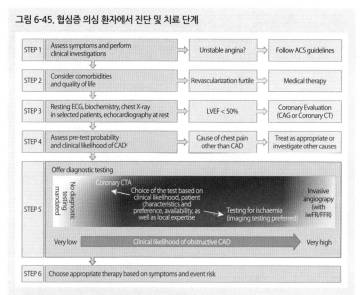

Pre-test probability based on sex, age and nature of symptoms

Decreases likelihood
· Normal exercise ECG
· No coronary calcium by CT
  (Agatston score = O)

Increases likelihood
· Risk factors for CVD
  (dyslipidaemia, diabetes, hypertension,
  smoking, family history of CVD)
· Resting ECG changes
  (Q-wave or ST-segment/T-wave changes)
· LV dysfunction suggestive of CAD
· Abnormal exercise ECG
· Coronary calcium by CT

Clinical likelihood of CAD

(5) 협심증이 의심되는 환자의 진단 및 치료 과정

진단과 치료 과정은 크게 6단계로 이루어진다(그림 6-45).

그림 6-45. 협심증 의심 환자에서 진단 및 치료 단계

STEP 1	Assess symptoms and perform clinical investigations	⇒	Unstable angina?	⇒	Follow ACS guidelines
STEP 2	Consider comorbidities and quality of life	⇒	Revascularization furtile	⇒	Medical therapy
STEP 3	Resting ECG, biochemistry, chest X-ray in selected patients, echocardiography at rest	⇒	LVEF < 50%	⇒	Coronary Evaluation (CAG or Coronary CT)
STEP 4	Assess pre-test probability and clinical likelihood of CAD	⇒	Cause of chest pain other than CAD	⇒	Treat as appropriate or investigate other causes

STEP 5 — Offer diagnostic testing

No diagnostic testing mandated — Coronary CTA — Choice of the test based on clinical likelihood, patient characteristics and preference, availability, as well as local expertise → Testing for ischaemia (imaging testing preferred) — Invasive angiography (with iwFR/FFR)

Very low — Clinical likelihood of obstructive CAD — Very high

| STEP 6 | Choose appropriate therapy based on symptoms and event risk |

ACS = acute coronary syndrome; BP = blood pressure; CAD = coronary artery disease; CTA = computed tomography angiography; ECG = electrocardiogram; FFR = fractional flow reserve; iwFR = instantaneous wave-free ratio; LVEF = left ventricular ejection fraction.

첫번째, 환자의 증상과 징후를 평가하고 불안정 협심증이나 급성관동맥 증후군 여부를 확인한다. 두번째, 불안정 협심증이나 다른 급성관동맥 증후군이 아닌 환자는 전반적 상태와 삶의 질을 평가하여 향후 치료에 영향을 미칠 동반질환을 평가하고, 증상을 유발할 만한 다른 질환의 여부를 확인한다. 세번째, 기본 검사와 심실 기능 평가를 시행한다. 네번째, 관상동맥 질환의 임상적 가능성 평가(clinical likelihood evaluation)를 시행하며, 다섯째, 이 결과에 따른 진단적 검사를 시행한다. 여섯째, 관상동맥 질환이 확진되면, 환자의 예후 판정(event risk evaluation)을 시행하여 향후 치료 방침을 결정하게 된다. 표 6-70과 같이 예후 판정에서 고위험으로 확인되면 중재시술을 통한 교정이 필요하다.

표 6-70. 협심증으로 진단된 환자에서 각 검사에서 불량한 예후 환자군

Exercise ECG	Cardiovascular mortality >3% per year according to Duke Treadmill Score
SPECT or PET perfusion imaging	Area of ischemia ≥10% of the left ventricle myocardium
Stress echocardiography	≥3 of 16 segments with stress-induced hypokinesia or akinesia
CMR	≥2 of 16 segments with stress perfusion defects or ≥3 dobutamine-induced dysfunctional segments
Coronary CTA or ICA	Three-vessel disease with proximal stenosis, LM disease, or proximal anterior descending diseas
Invasive functional testing	FFR ≤0.8, iwFR ≤0.89

CTA = computed tomography angiography; CMR = cardiac magnetic resonance; ECG = electrocardiogram; FFR = fractional flow reserve; ICA = invasive coronary angiography; iwFR = instantaneous wave-free ration (instant flow reserve); LM = left main; PET = positron emission tomography; SPECT; single-photon emission computed tomography.

3) 치료

협심증 치료의 기본 원칙은 (1) 약물을 통해 간접적으로 심장의 부담을 덜어주어 산소 요구량을 감소시키거나, (2) 직접적으로 좁아지거나 막힌 혈관을 풍선카테터, 스텐트 등의 시술로 열어주는 것이다. (3) 병의 정도가 심한 경우에는 관상동맥 우회술이라고 하는 수술을 받아야 한다. 불안정 협심증의 경우는 심근경색증으로 진행이 가능하기 때문에 보다 빨리 심혈관 조영술 등의 적극적인 진단 및 치료가 필요하다.

(1) 약물 치료

협심증 환자의 약물 치료를 요약하면 아래 그림 6-46과 같다. 일반적으로 한두개의 협심증 약물과 심혈관 질환 예방약물로 치료를 시작하게 된다.

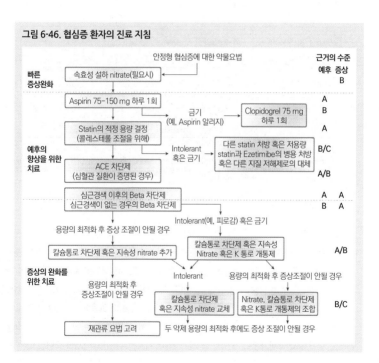

그림 6-46. 협심증 환자의 진료 지침

안정형 협심증에 대한 약물요법

근거의 수준
예후 증상

빠른 증상완화

속효성 설하 nitrate(필요시) — B

예후의 향상을 위한 치료

Aspirin 75-150 mg 하루 1회 — A
금기(예, Aspirin 알러지) → Clopidogrel 75 mg 하루 1회 — B

Statin의 적정 용량 결정(콜레스테롤 조절을 위해) — A
Intolerant 혹은 금기 → 다른 statin 처방 혹은 저용량 statin과 Ezetimibe의 병용 처방 혹은 다른 지질 저해제로의 대체 — B/C

ACE 차단제(심혈관 질환이 증명된 경우) — A/B

심근경색 이후의 Beta 차단제 — A A
심근경색이 없는 경우의 Beta 차단제 — B A

증상의 완화를 위한 치료

용량의 최적화 후 증상 조절이 안될 경우

Intolerant(예, 피로감) 혹은 금기

칼슘통로 차단제 혹은 지속성 nitrate 추가

칼슘통로 차단제 혹은 지속성 Nitrate 혹은 K 통로 개통제 — A/B

용량의 최적화 후 증상조절이 안될 경우

Intolerant

용량의 최적화 후 증상조절이 안될 경우

칼슘통로 차단제 혹은 지속성 nitrate 교체

Nitrate, 칼슘통로 차단제 혹은 K통로 개통제의 조합 — B/C

재관류 요법 고려

두 약제 용량의 최적화 후에도 증상 조절이 안될 경우

① 협심증 약물(antianginal drugs)

단계적인 약물 사용이 권고되며, 환자의 특성에 따라 일차 약제를 선택하고, 이후 약제에 반응이 없거나 약하면 다음 단계의 약물을 사용해볼 수 있다(그림 6-47). 일반적으로 베타 차단제 혹은 칼슘 차단제를 단독 혹은 병합하여 치료를 시작하며, 반응에 따라 2차 약제들을 사용해볼 수 있다. 약을 시작한 후 2-4주 뒤에 반응 평가를 시행한다.

그림 6-47. 환자 특성에 따른 항협심증 약물 사용 지침

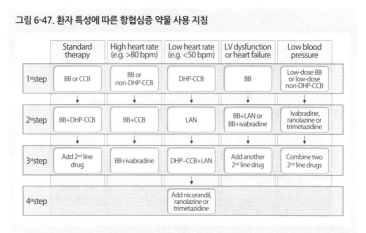

	Standard therapy	High heart rate (e.g. >80 bpm)	Low heart rate (e.g. <50 bpm)	LV dysfunction or heart failure	Low blood pressure
1ˢᵗ step	BB or CCB	BB or non-DHP-CCB	DHP-CCB	BB	Low-dose BB or low-dose non-DHP-CCB
2ⁿᵈ step	BB+DHP-CCB	BB+CCB	LAN	BB+LAN or BB+ivabradine	Ivabradine, ranolazine or trimetazidine
3ʳᵈ step	Add 2ⁿᵈ line drug	BB+ivabradine	DHP-CCB+LAN	Add another 2ⁿᵈ line drug	Combine two 2ⁿᵈ line drugs
4ᵗʰ step			Add nicorandil, ranolazine or trimetazidine		

BB=beta-blocker; bpm = beats per minute; CCB = calcium channel blocker; DHP-CCB = dihydropyridine calcium channel blocker; HF = heart failure; LAN = long-acting nitrate; LV = left ventricular; non-DHP-CCB = non-dihydropyridine calcium channel blocker

• 질산염 제제

작용기전은, 첫째 혈관 특히 정맥을 확장시켜 심실 전부하와 심실 긴장도를 줄여 심근 산소요구량를 감소시키고, 둘째 심외막 관동맥을 확장하고 허혈부위로 측부 순환혈류를 증진하여 산소부족 현상을 개선시키는 것이다. 지속적인 투여시 24-48시간이 지나면 질산염 내성이 발생하여 효과가 없어지는데 이를 피하기 위하여 하루에 10-12시간 정도의 nitrate-free or nitrate-low interval이 필요하다. 서방정의 형태는 베타 차단제나 칼슘 차단제의 일차 약제가 효과가 없을 때 2차 약제로 사용될 수 있다. 약제를 중단할 때는 서서히 감량해야 하며 갑자기 중단하면 rebound로 흉통이 악화될 수 있다. 비후성 심근병증이나 중증 대동맥 협착에서의 사용과 PDE inhibitors (sildenafil, tadalafil or vardenafil) 혹은 riociguat과 병용은 금기이다.

- Nitroglycerin

  설하정, 분무제, 연고제, 경피용 패취 제제 등이 있다. 급성 흉통의 완화와 예방에 효과적이며, 구강점막 흡수를 통해 유효 혈중농도를 가장 빠르게 유도할 수 있다. 보통 0.3-0.6 mg을 투여하며, 흉통이 완화되지 않을 경우 5분 간격으로 0.3 mg씩 더 투여하되 15분 이내에 1.2 mg을 넘지 않도록 한다. 예방 목적으로도 투여할 수 있으며 신체 활동 전에 투여하면 약 40분까지 협심증 예방 효과가 지속된다.

- Isosorbide dinitrate

  경구 투여시간에 의한 초회 통과효과(hepatic first-pass effect)때문에 혈중 농도 변화가 심하지만, 현재 널리 이용되고 있는 약제 중 하나로 효과는 6시간 정도 지속된다.

- Isosorbide 5-mononitrate

  초회 통과효과가 없는 장점이 있으며 혈장농도는 복용 후 30분에서 2시간에 최고치에 도달하며 반감기는 4-6시간이다. 부작용은 대부분 혈관 확장에 의한 두통, 안면 홍조, 저혈압이다. 저혈압은 대부분은 심하지 않지만 노인에 있어서는 간혹 저혈압과 동반된 역설적 서맥이 발생할 수 있으므로 주의를 요한다.

- 베타 차단제

단독 또는 다른 항협심증 약물과 병용 투여 시 흉통 빈도를 줄이고 심근경색 재발과 심혈관 사망률을 감소시킨다. 심박수를 감소시켜 이완기를 상대적으로 증가시켜 관동맥을 통한 심근 관류를 증가시키고, 운동 시 심근 수축력과 혈압 상승을 감소시켜 심근 산소 소모량을 줄임으로써 심근 허혈을 개선한다. 심박수는 55-60회/분 정도로 조절하고 운동시에는 허혈 발생과 관련된 심박동수의 75%를 넘지 않도록 한다. 약제를 중단할 때는 서서히 중단하고, 갑자기 약을 중단해서는 안된다. Veraparmil, diltiazem과 병용할 때 심부전이 악화되고, 심한 서맥, 방실 차단이 유발될 수 있다. 단순 이형 협심증(variant angina)에서는 효과가 없고 관상동맥 연축을 일으킬 수 있기 때문에 사용해서는 안된다.

  - 금기증: 심한 서맥, 고도 방실차단, 동결절 기능부전, 중증 심부전증, 기관지 천식, 만성 폐쇄성폐질환, 심한 우울증, 말초혈관 질환
  - 부작용: 서맥, 방실전도장애, 심근수축력 저하, 기관지 수축, 우울증, 피로감, 권태, 악몽, 간헐성 파행 악화, 발기부전, 사지 냉감 및 피부 발진

- 칼슘채널차단제

칼슘차단을 통한 심근 수축 억제와 혈관 확장작용에 의해 증상을 호전시킨다. 심근의 산소 요구량을 감소시키고 산소 공급량을 더 증가시키는데, 특히 변이형 협심증과 관상동맥

의 확장능이 감소된 환자에서 칼슘채널차단제의 효과가 크다. 협심증 환자에서 사망률 감소나 주요 합병증 발생의 감소의 효과는 없다.

– Dihydropyridine

혈관 선택성이 강하여 혈관 확장 작용이 강하고 심근 수축력과 방실 전도계에 대한 부정적인 효과가 없어 경도의 좌심실 부전, 동기능장애증후군, 방실 전도장애가 있는 경우에도 투여가 가능하다. 속효성 nifedifine은 강력한 혈관 확장 작용으로 보상성 빈맥을 유발하여 고정된 관동맥 협착이 심한 경우에는 오히려 협심증을 악화시킬 수 있어, 서방형이나 지속형 dihydropyridine 제제 사용이 권장되고 있다. 혈관 확장에 따른 두통, 어지러움, 홍조, 심계항진, 저혈압, 다리부종 등의 부작용이 있으며 prazocin과 병용시 저혈압을 일으킬 수 있으므로 유의해야 한다.

– Non-dihydropyridine

특정 환자에서 선택적으로 베타 차단제와 병합하여 사용될 수 있지만 서맥과 심부전의 증후 등을 면밀히 관찰하면서 조심스럽게 사용되어야 한다.

A. Verapamil

혈관 확장 이외에 심근 수축력 감소, 심박동수 감소로 심근 산소 요구량을 감소시킨다. 방실 전도 장애, 울혈성 심부전이 있는 환자에서는 금기이다.

B. Diltiazem

혈관 확장능이 nifedifine보다는 약하지만 심근 수축력과 심장 전도계에 관한 효과는 verapamil 보다 약하여 부작용 빈도가 낮다. 초기 30-60 mg을 하루에 3회 투여하며 하루 300-360 mg까지 최대량을 늘릴 수 있다.

• 기타 협심증 약물

– Molsidomine: Syndomine 제제로 질산염과 비슷한 약리작용을 가지지만, 질산염에서 보이는 내성은 없다. 2 mg 하루 3회 복용한다.

– Trimetazidine: 대사성 약물로 당 대사 활성도를 높여 항협심증 효과를 보이는 것으로 알려져 있다. 2차 약제로 병용하여 사용할 수 있으며, 20 mg 하루 3회 투약한다.

– Nicorandil: ATP-sensitive potassium channel opener와 nitrate의 복합체로서, nitrate처럼 NO 기전을 통하여 심외막 관동맥을 확장시키고, K channel을 열어 미세 관동맥을 확장시킨다. 내성이 없으며 하루 10-30 mg을 2-3회 나누어 경구 투여한다. 2차 협심증 약제로서 사용한다.

– Ranolazine: Late inward sodium current의 선택적 차단제이다. 부작용은 어지러움, 오심, 변비가 있고, QTc를 연장시키기 때문에 QT가 연장된 환자에서나, QT를 연장시키는 약물과의 병용은 주의해야 한다. 일차 약제 및 질산염에 내성을 보이는 환자에서

2차 약제로 사용할 수 있다.

- Ivabradine: 맥박을 늦추는 효과를 보이며, 2차 약제로 사용된다. 2.5-5 mg bid로 시작하며, 7.5mg bid까지 증량할 수 있다.

② 이차 예방 약제

• 항혈소판제제

- 아스피린(Aspirin)

아스피린은 혈소판의 cyclooxygenase를 억제하여 thromboxane A2 합성을 막음으로써 항혈전 효과를 나타낸다. 아스피린은 안정형 협심증 환자에서 심혈관 질환을 33% 감소시키는 일차예방 효과를 가지고 있으며, 불안정형 협심증에서도 심근경색증 발생 위험을 감소시킨다. 급성 및 만성 허혈성 심질환 환자에서 금기사항이 없는 한 하루 100-200 mg씩 투여해야 한다.

- 경구 P2Y12 억제제

경구 P2Y12 억제제는 adenosine diphosphate (ADP)가 P2Y12 혈소판 수용체에 결합하여 혈소판을 활성화하는 것을 선택적으로 차단한다. Clopidogrel, prasugrel은 thienopyridine 유도체로서 대사를 통한 활성화 단계가 필요하며, P2Y12 수용체 결합을 비가역적으로 억제한다. Ticagrelor는 가역적으로 ADP를 억제하고, 대사를 통한 활성화 과정이 필요하지 않다.다. 높은 정도의 P2Y12 억제 효과를 보이며, clopidogrel 보다 약제 효과가 빠르지만, 호흡곤란 부작용이 발생하기도 한다.

- 이중항혈소판제 사용 기간

관동맥 스텐트 시술 후에는 아스피린과 P2Y12 억제제의 복합 요법을 일정 기간 사용할 것을 권고하고 있다. 이중 항혈소판제의 사용 기간은 관상동맥 질환의 상태와 사용된 스텐트 및 치료방법, 동반질환 등에 따라 달리한다. 안정형 협심증에서 중재술을 시행한 경우 비약물 방출 스텐트를 사용한 경우는 최소 1개월, 약물 방출 스텐트를 사용한 경우는 6개월을 사용해야 한다. 급성관동맥 증후근으로 중재술이나 관상동맥우회수술을 한 경우에는 12개월 간의 이중항혈소판제 치료가 필요하다. 다만 출혈위험이 높은 환자의 경우, 안정형 협심증의 경우 약물방출 스텐트로 치료했을 때 이중항혈소판제 기간을 3개월로, 급성관동맥 증후군의 경우에는 6개월로 줄일 수 있다(그림 6-48). 심방세동이 있고 항응고치료 동반이 필요한 경우, 출혈 위험에 주의하여 항혈전치료를 시행한다. 혈전색전증 위험도(CHADS-VASC score), 출혈 위험도(HAS-BLED score), 시술 시 급성관동맥증후군 여부 등에 따라 1개월 혹은 6개월간 삼중항혈전제 치료를 시행한 후 이중항혈소판제 치료로 전환한다. 스텐트 삽입 후 1년이 경과하면 항응고치료만으로 유지해 볼 수 있다.

그림 6-48. 이중항혈소판제 사용 기간 알고리즘

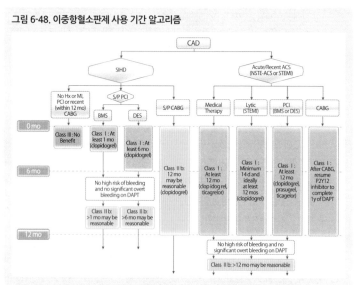

ACS indicates acute coronary syndrome; BMS, bare metal stent; CABG, coronary artery bypass graft surgery; CAD, coronary artery disease; DAPT, dual antiplatelet therapy; DES, drug-eluting stent; Hx, history; lytic, fibrinolytic therapy; NSTE-ACS, non–ST-elevation acute coronary syndrome; PCI, percutaneous coronary intervention; SIHD, stable ischemic heart disease; S/P, status post; and STEMI, ST-elevation myocardial infarction.

• 안지오텐신 전환효소 억제제 및 안지오텐신 II 수용체 차단제, 알도스테론 차단제

안지오텐신 전환효소 억제제는 심실수축기능이 저하된 환자 및 혈관질환 환자, 고위험 당뇨환자에서 심혈관계 사망이나 심근경색증, 뇌졸중과 심부전 등의 합병증을 감소시킨다. 안지오텐신 II 수용체 차단제는 고혈압 환자, 안지오텐신 전환 억제제에 대한 적응증이 있는 약제에 대한 부작용이 있는 경우(기침 등), 심부전 환자, 이전에 심근경색이 있었던 환자로 심근 수축기능이 40% 이하인 경우 사용할 수 있다.

알도스테론 차단제인 spironolactone과 eplerenone은 심부전 환자에서 안지오텐신 전환효소 억제제와 베타 차단제를 최적 용량을 사용함에도 증상이 있을 경우 추가 사용이 가능하다. 신기능 저하 고칼륨혈증 환자에서 주의해야 한다.

• 지질강하제

관상동맥질환이 확인된 환자는 LDL 수치와 무관하게 심혈관계 초고위험군으로 분류되어 스타틴 치료가 필요하다. LDL 수치는 기저 수치보다 50% 이상 감소시키고, 55 mg/dL 이하로 낮출 것이 권고되며, 2년 내에 2번의 심혈관 합병증이 발병된 경우 40 mg/dL

그림 6-49. 이중항혈소판제 사용 기간 알고리즘

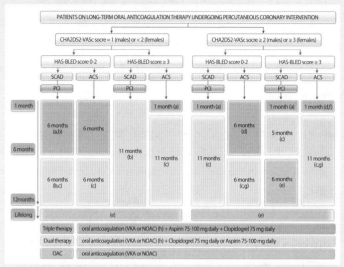

ACS: acute coronary syndrome; NOAC: non-vitamin K antagonist oral anticoagulant; PCI: percutaneous coronary intervention; OAC: oral anticoagulation; SCAD: stable coronary artery disease; VKA: vitamin K antagonist

로 낮출 것이 권고된다. 목표수치에 도달하지 못할 경우 ezetimibe를 추가할 수 있으며, PCSK9 억제제인 evolocumab이나 alirocumab을 추가로 사용할 수 있다.

(2) 관상동맥 재관류요법

허혈 증상 호전 및 예후 향상을 위해 혈류 제한이 있는 관상동맥의 협착 부위를 물리적으로 치료해 주는 것으로 관상동맥우회수술과 관상동맥중재술이 있다. 재관류요법은 통증을 완화하고, 협심증 약물 사용을 줄이고, 운동능력을 향상시키며, 삶의 질을 향상시킨다.

① 관상동맥우회로술

관상동맥우회수술은 대부분 정중 절개 및 심폐 체외 순환을 요하고, 최근에는 기존의 방법에 비해 덜 침습적인 형태의 우회술을 시행하는데 이식 혈관의 장기 재협착율, 증상 개선 및 사망율이 기존 방법과 유사하게 양호한 것으로 보고되고 있다. 관상동맥우회로술이 권고되는 대상군은 좌주간관상동맥질환, 증상이 있는 삼혈관질환, 좌심실 구혈율이 50% 미만의 3혈관질환, 당뇨가 동반된 다혈관질환 환자군이다.

② 관상동맥중재술

약물 용출 스텐트의 개발과 사용으로 스텐트 시술 후에 단기 재협착률을 줄일 수 있게 되었으며 장기 추적 결과를 위한 연구들이 진행되고 있다. 관상동맥중재술은 비침습적 검사에서 고위험군으로 분류되거나, 90% 이상의 아주 심한 협착 병변이 있거나, 약물치료에도 불구하고 증상이 조절되지 않는 안정형협심증 환자들에 대한 치료로 권고되고 있다.

2. 변이형 협심증

혈관 연축에 의해 가역적인 관상동맥 협착이 발생하는 질환이다. 흉통이 안정 시에 발생하고, 대부분 밤중이나 새벽에 발생하고, 음주와 연관성이 높은 비전 형적인 흉통을 호소한다. 환자 연령대가 낮고, 흡연을 제외하면 일반적인 협심증에 비하여 심혈관계 위험인자를 덜 가지고 있다.

1) 진단

안정시 흉통과 함께 일시적인 ST분절의 상승을 보이면 진단할 수 있다. 대개는 자발적으로 해소되어 심전도 변화를 기록으로 남기기가 어렵다. 24시간 활동 심전도 검사가 진단에 도움이 되나, 이 검사로도 실패할 경우에는 1주 이상의 심전도 모니터 검사가 필요할 수도 있다. 관상동맥 질환을 배제하기 위한 심혈관 조영 CT나 심혈관 조영 검사가 필요하며, 아세틸콜린이나 에르고노빈을 통한 약물 유발 심혈관 조영검사가 진단에 도움을 준다. 검사 중에 일부 환자에서 심실빈맥/심실세동 또는 서맥의 부정맥이 발생하기도 하며(각각 3.2%과 2.7%), 자발적 경련에서 발생되는 빈도(7%)와 비슷하다. 본 원에서는 에르고노빈을 이용한 약물 부하 심혈관조영술 혹은 심초음파를 통해 변이형 협심증을 진단하고 있다. 유발 심혈관조영술에서 흉통이 유발되거나, 허혈성 심전도의 변화가 확인되고, 관상동맥의 심한 혈관수축이 확인되면 양성으로 판정한다. 약물부하 심초음파에서는 에르고노빈 투약 후 가역적으로 발생하는 국소적벽운동이상을 통해 변이형협심증을 진단한다.

2) 치료

칼슘차단제(Diltiazem 90-180 mg SR BNP(아침/자기 전))와 질산염 서방정(Isoket 40-120 mg SR BNP(아침/자기 전))이 중요 치료제이며, 자기전에 투약하는 것이 증상 조절에 효과적이다. 심혈관 위험인자의 교정과 생활 습관 교정, 특히 금주, 금연이 매우 중요하다.

3. 불안정형 협심증/비ST분절 상승 심근경색

　　#급성관동맥증후군(Acute coronary syndrome, ACS)은 급성으로 악화된 심근허혈
(myocardial ischemia)로 인한 임상적인 증상과 사건을 망라하는 용어로 사용되며 불안정
형 협심증(unstable angina, UA)과 급성심근경색(acute myocardial infarction, AMI)을 포
함한다. UA와 AMI는 관동맥 내의 동맥경화 죽상종 또는 혈전형성 및 이로 인한 혈류장애라
는 공통적인 병태생리학적 기전을 가지지만 혈류장애의 정도 및 이로 인한 심근손상(cardio-
myocyte necrosis) 유무가 다르다. 즉, UA는 안정시 또는 운동시 심근허혈이 있으나 심근손
상이 없는 상태를 의미한다. 반대로 AMI는 심근허혈의 증상 및 징후를 동반한 심근손상으로
정의한다. 심근손상은 cardiac troponin 수치의 상승 또는 감소를 측정함으로써 알 수 있는데,
high-sensitivity troponin (hs-cTn)이 임상에 도입되면서 AMI의 진단이 20% 가량 상승한
반면 UA의 진단은 감소하였다. AMI는 패혈증, 신부전 등의 비심장성 질환과 연관이 있는 비
허혈성 심근손상 (non-ischemic myocardial injury)과는 원인과 치료가 다르기 때문에 구별
되어야 한다. 심근경색은 심전도 소견에 따라 크게 지속적 ST분절 상승을 보이는 ST분절상승
급성심근경색(STEMI)과 비ST분절상승 심근경색(NSTEMI)으로 구분하는데, 즉각적인 재관
류 치료 여부를 결정하는 데에 있어 중요한 분류법이다.

1) NSTE-ACS환자들의 주요 임상 증상들

표 6-71. NSTE-ACS 환자들의 주요 임상 증상

Class	Presentation
Rest angina	Angina occurring at rest and prolonged, usually greater than 20 min
New-onset angina	New-onset (de novo) angina (CCS class II or III severity)
Increasing angina	Previously diagnosed angina that become distinctly more frequent, longer in duration, or lower in threshold(i.e.. increased by 1 or more CCS class to at least CCS class III severity)

2) ACS 의심 환자들의 초기평가

　　초기평가는 증상, 혈역학적 징후 등의 임상상태에서 도출된 ACS 가능성평가(low likeli-
hood and/or high likelihood feature), 12-lead 심전도, 그리고 초기/추적 시의 cardiac
troponin수치를 근거로 한다. 초기 그리고 추적 시의 cardiac troponin은 정량적인 수치로
평가하여야 하며, 초기 수치 또는 추적시의 절대변화가 크면 클수록 심근경색일 가능성은
높다. High-sensitivity troponin을 근거로 MI 여부를 판단할 때에는 반드시 심근허혈을
의심할만한 증상과 징후가 있는지 등 충분한 임상적인 고려가 뒷받침되어야 한다.

그림 6-50. ACS가 의심되는 환자의 초기 평가 및 감별진단

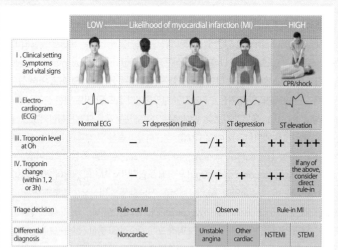

ACS가 의심되는 환자의 초기평가는 임상상황, 심전도, 초기 troponin 수치 및 추적 시의 troponin의 변화에 근거하여 이루어진다. 최종 감별진단의 box크기는 급성 흉통으로 응급실을 내원하는 환자의 최종 진단 비율과 비례한다.

그림 6-51. NSTE-ACS에서 high-sensitivity troponin assay를 이용한 0h/3h ruleout algorithm

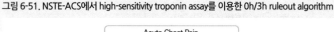
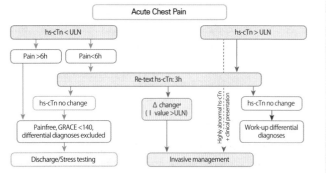

GRACE = Global Registry of Acute Coronary Events score; hs-cTn = high sensitivity cardiac troponin; ULN = upper limit of normal, 99th percentile of healthy controls.
a: Δ change, dependent on assay. Highly abnormal hsTn defines values beyond 5-fold the upper of normal.

3) NSTE-ACS의 위험도 분류

NSTE-ACS 환자를 위험도에 따라 분류하는 것은 임상적으로 매우 중요하며 고위험 인자를 가지고 있을수록 빠른 관동맥조영술과 이에 따른 조기 중재시술이 유용하다.

표 6-72. NSTE-ACS의 위험도 분류에 따른 위험인자들

Very-high-risk criteria

• Haemodynamic instability or cardiogenic shock
• Recurrent or ongoing chest pain refractory to medical treatment
• Life-threatening arrhythmias or cardiac arrest
• Mechanical complications of MI
• Acute heart failure
  – Recurrent dynamic ST-T wave changes
  – Particulary with intermittent ST-elevation

High-risk criteria
• Rise or fall in cardiac troponin compatible with MI • Dynamic ST- or T-wave changes (symptomatic or silent) • GRACE score >140

Intermediate-risk criteria
• Diabetes mellitus • Renal insufficiency (eGFR<60 ml/min/1.73 m²) • LVEF<40% or congestive heart failure • Early post-infarction angina • Prior PCI • Prior CABG • GRACE risk score >109 and <140

Low-risk criteria
• Any characteristics not mentioned above

4) UA/NSTEMI의 치료전략

NSTEMI의 치료 전략은 크게 routine invasive와 selective invasive strategy (또는 ischemia-guided strategy)로 나누어진다. Routine invasive strategy의 경우 timing에 따라 immediate(<2h), early(<24h), delayed invasive strategy(<72h)로 구분하며 위험도 분류에 따라 표 6-73과 같이 전략을 선택하는 것이 일반적이다. 임상실제에서는 특히 immediate PCI가 권고되는 환자를 분류하는 것이 중요하다.

표 6-73. Timing of invasive strategy

Immediate invasive (within 2 h)	With at least one very high-risk criterion
Early invasive (within 24 h)	With at least one high-risk criterion
Delayed invasive (within 72 h)	With at least one intermediate-risk criterion

Selective invasive (ischemia-guided) strategy는 증상의 재발이 없고, 표 6-74의 risk criteria에 해당사항이 없는 low-risk ischemic event가 예상되는 환자들을 대상으로 하는 전략이다. 이 경우 non-invasive stress test (preferably with imaging)을 시행하여 inducible ischemia 여부를 확인 후에 invasive strategy 여부를 결정하는 것을 권고한다. 급성 관동맥증후군(UA/NSTEMI)에서 위험도에 따른 치료방침을 요약하면 아래와 같다.

표 6-74. NSTE-ACS에서 침습적인 치료전략이 필요한 위험인자

Very-high-risk criteria	Intermediate-risk criteria
• Hemodynamic instability or cardiogenic shock • Recurrent or ongoing chest pain refractory to medical treatment • Life-threatening arrhythmias or cardiac arrest • Mechanical complications of MI • Acute heart failure • Recurrent dynamic ST-T wave changes, particulary with intermittent ST-elevation	• Diabetes mellitus • Renal insufficiency (eGFR<60 ml/min/ 1.73 m²) • LVEF<40% or congestive heart failure • Early post-infarction angina • Prior PCI • Prior CABG • GRACE risk score >I 09 and <140
High-risk criteria	Low-risk criteria
• Rise or fall in cardiac troponin compatible with MI • Dynamic ST- or T-wave changes (symptomatic or silent) • GRACE score >140	• Any characteristics not mentioned above

그림 6-52. 초기 위험평가를 근거로 NSTE-ACS의 치료 전략과 시기를 결정하는 과정

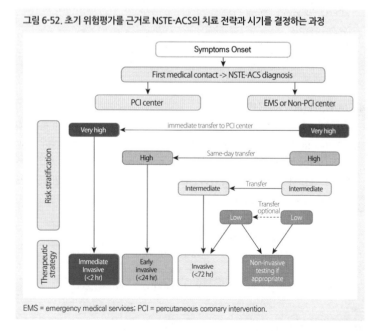

EMS = emergency medical services; PCI = percutaneous coronary intervention.

5) 약물 치료

급성 관동맥증후군에서의 약물 치료를 간단하게 요약하면 아래와 같다.

그림 6-53. NSTE-ACS에서 사용되는 항혈전치료제들

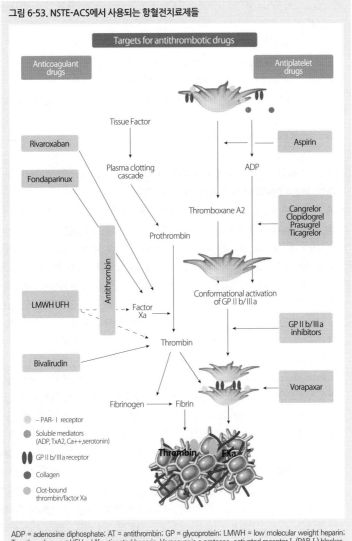

ADP = adenosine diphosphate; AT = antithrombin; GP = glycoprotein; LMWH = low molecular weight heparin; Tx = thromboxane; UFH = Ulfractionated heparin. Vorapaxar is a protease-activated receptor I (PAR I) blocker.

(1) 항혈전치료제

관동맥 내 혈전 형성은 급성 관동맥 증후군의 병태생리에서 주요 역할을 하므로 혈전에 대한 치료는 급성 관동맥 증후군 치료의 근간을 이루게 되며, 다음과 같은 치료를 통해 혈전 형성을 감소시키거나 혈전의 용해를 촉진시킬 수 있다. 아래와 같이 크게 3가지로 구분할 수 있다.

- 항혈소판 제제(Antiplatelet agent): 아스피린, ADP 수용체 길항제(clopidogrel, ticagrelor, prasugrel, cangrelor), GP IIb/IIIa 수용체 차단제
- 항트롬빈 제제(Anti-thrombin agent): 헤파린 및 저분자량 헤파린, 히루딘(hirudin), bivalirudin
- 혈전용해제(Fibrinolytic agents): urokinase, t-PA.

① Aspirin: 응급실에서는 150-300 mg의 plain aspirin (non-enteric-coated formulation)의 loading이 권유되며 이후 100 mg qd로 유지한다.

② ADP 수용체 길항제: 혈소판 억제능이 강한 prasugrel [에피언트] 또는 ticagrelor [브릴린타]를 aspirin과 병합하여 사용하며, 금기이거나 출혈 위험이 높을 경우 clopidogrel을 사용한다. Prasugrel의 경우 loading dose 60 mg 이후 10 mg qd, ticagrelor의 경우 laoding dose 180 mg 이후 90 mg bid, clopidogrel의 경우 300-600 mg loading dose 이후 75 mg qd의 용량으로 유지한다. Prasugrel은 stroke 또는 TIA의 과거력이 있거나, 연령 75세 이상인 경우에는 금기이며 체중 60 kg 이하이면 유지용량을 5 mg qd로 감량 유지한다. Prasugrel과 ticagrelor는 권고 용량에서 clopidogrel과 비교하여 혈소판 억제능이 상당히 강하기 때문에 환자 개개인의 출혈위험을 고려하여 사용을 결정하는 것이 좋겠다.

③ GP IIb/IIIa recepter blocker: 급성 관동맥증후군은 관상동맥 경화반의 파열, 혈소판 응집에 이은 혈전 형성이 주 병리 기전이므로, 혈소판 응집의 최종 경로인 혈소판의 GP IIa/IIIb 수용체를 직접적으로 차단하여 혈소판의 응집 및 혈전 형성을 억제하는 약물들이 개발되었으며, 혈소판의 활성화가 중요한 역할을 하는 여러 임상적 상황 중 특히 NSTE-ACS 또는 STEMI에서 관상동맥 중재술을 하는 경우에 효과적이었다. 하지만, 반대로 출혈의 위험도 유의하게 높이기 때문에 P2Y12 inhibitor가 적극적으로 사용되는 현재에는 관상동맥중재술 중 혈전으로 인한 부작용이 있는 경우에 정주 또는 관동맥 내 투여를 고려하며 관동맥의 해부학적인 구조를 모를 때에는 사용하지 않는다. 국내에는 Abciximab(클로티냅) 또는 tirofiban(아그라스타트)와 같은 약제가 있다. Abciximab은 GP IIb/IIIa 수용체에 대한 단클론항체(monoclonal antibody)로서 GP IIb/IIIa 수

용체와 견고한 결합을 이루어 혈소판의 작용을 차단하며, 치료 중단 후 천천히 유리되어 24-48시간 후에 혈소판의 기능이 회복된다. Tirofiban은 섬유소원(fibrinogen)의 3개 peptide 서열과 유사한 구조를 가진 GP IIb/IIIa에 대한 non-peptide 차단제로 GP IIb/IIIa에 대한 차단효과는 비교적 빨라 5분이면 효과가 나타나며, 약효 중단 후 약 4-6시간이면 혈소판의 기능이 회복된다.

④ 헤파린 및 저분자량 헤파린(Heparin and Low-molecular-weight heparin): 헤파린은 항트롬빈(antithrombin)과 결합하여 트롬빈(thrombin)을 억제하여 항응고 효과를 나타내며, 불안정형 협심증 및 ST분절 상승이 없는 급성 심근경색증의 치료에 있어 표준적인 항트롬빈 치료로 적용되고 있다. 통상적으로 급성 관동맥 증후군에서 헤파린은 2-5일간 투여되며 특별한 경우를 제외하고 성공적인 PCI 이후에는 중단한다. 본원에서는 성인 기준 3,000 IU을 bolus로 사용한다. 이후 800 IU/hr의 유지용량으로 투여하되 AMC 성인 herapinization protocol에 따라 aPTT (target 50-75)를 검사하면서 주입속도를 조절한다(AMIS 처방화면참조).

저분자량 헤파린은 헤파린에 비해 보다 강력한 Xa인자에 대한 억제효과(anti-Xa activity)를 보인다. 저분자량 헤파린은 헤파린에 비해 예측 가능한 항응고 효과를 보이고, 혈소판 감소증 발생의 빈도가 낮다. 또한, 체중에 비례한 용량으로 간편하게 피하로 투여할 수 있으며, 혈액 검사를 통한 효과의 감시가 필요 없다. 현재 개발되어 있는 저분자량 헤파린들은 반감기 등의 약리학적 특성에서만 차이를 보일 뿐, 정맥 혈전증에 대한 예방 및 치료효과는 각 약제간 유사한 것으로 알려져 있다. 저분자량 헤파린에 비해 헤파린은 보다 쉽게 항응고효과를 중화시킬 수 있으므로, 24시간 내에 관상동맥 우회수술이 예상되는 환자에서는 헤파린의 사용이 선호된다.

⑤ 직접적 트롬빈 저해제(Direct thrombin inhibitors): 트롬빈 직접 억제제인 bivalirudin은 헤파린과 비교하여 사망, 심근경색증 및 긴급 관동맥재개통술 등의 지표로 평가한 임상적 효과는 차이를 보이지 않으면서 출혈성 합병증을 감소시키는 결과를 보여주었다. 최근까지의 여러 연구를 종합하면 bivalirudin은 헤파린과 GP IIb/IIIa 수용체 차단제에 비해 안전성은 우월하면서, 임상적 효과 측면에서는 유사한 결과를 보인다고 할 수 있다. 2019년 현재 아직 국내에 시판되지 않았다.

(2) 기타 다른 약제들

기타 다른 협심증 약제들은 안정형 협심증에서의 사용과 유사하다.

① Nitrate: 정주 nitrate가 설하정 보다 증상 조절과 ST depression 완화에 더 효과적이다. 증상 조절 이외에 예후를 호전시킨다는 증거는 없다. 성공적인 revascularization 시행 후 다른 부위에 남겨진 협착이 없을 때는 지속적으로 사용할 필요가 없다.

② β-blocker: 모든 협심증 치료의 근간이 되는 중요한 약제로 특별한 금기증이 없는 한 조기 사용이 추천된다. 다만, cardiogenic shock의 발생 위험이 높은 경우(i.e., age >70 years, heart rate >110 beats/min, systolic BP <90 mmHg)에 β-blocker의 사용은 shock이나 사망의 위험을 높일 수 있기 때문에 조기사용은 지양하여야 한다. 관동 맥 연축으로 인한 증상이 확인된 환자에게는 사용하지 않는 것이 바람직하다.

③ Ca antagonist: β-blocker를 쓸 수 없는 경우에 사용될 수 있다. 또한 관동맥 확장 성형 술 후 발생할 수 있는 관동맥 연축을 예방하기 위하여 적어도 시술 후 1개월간은 사용하는 것이 원칙이다. 그러나 이차적 예방효과는 없는 것으로 알려져 있어 잔여 협착이 없는 환 자에게 장기적인 사용은 불필요하다.

④ ACEI/ARB: 급성관동맥 증후군에서 좌심실 부전이 있는 경우 생존률을 높이며 심부전을 예방하는 효과가 있어 금기가 없는 한 반드시 사용하여야 한다. 그러나 좌심실의 기능이 정상이거나 심근경색이 아닌 불안전성 협심증에서의 유용성은 이견이 있다. 초기 사용시 급격한 저혈압을 유발할 가능성이 있으므로 저용량에서 차차 증량한다.

⑤ Statin: 단순한 lipid lowering effect 외의 anti-inflammatory effect를 통한 plaque stabilization에 기여한다. 금기가 없는 모든 환자에서 high-intensity statin (atorvastatin 40 또는 80 mg, rosuvastatin 20 mg)이 가급적 이른 시기에 사용 되어야 한다. 기저 LDL 수치 기준으로 최소 50% 이상 감소시키면서 LDL 수치를 <70 mg/dL로 낮추는 것 이 권고사항이었지만, 2019 ESC guideline에서는 <55 mg/dL까지 떨어뜨릴 것을 권 고하고 있다. Maximally tolerated statin으로 목표치에 도달하지 못하면 ezetimibe를 추가하거나, PCSK9 inhibitor 사용을 고려할 수 있다.

6) 관동맥 재관류 요법

불안정형 협심증이나 비ST분절 상승 심근경색에서 경피적 관동맥 중재술이나 관동맥우회 술에 의한 관동맥 재관류의 목적은 심근 허혈 상태를 개선시키고 급성심근경색과 사망으로 의 진행을 방지하는데 있다. 경피적 관동맥 중재술은 관동맥우회술과 비교하면 빠른 재관 류, 낮은 뇌졸중 위험 및 심폐기작동에 의한 악영향에서 자유롭다는 장점이 있는 반면, 관 동맥우회술은 다혈관질환에서 완전 재개통(complete revascularization)의 가능성을 높 인다는 장점이 있다. 어떠한 방법을 선택하느냐는 안정형 협심증 환자와 동일한 기준으로 선택하는 것이 합리적이다. 대부분의 단일혈관질환의 경우 경피적관동맥중재술로 치료가 이루어지고 있으며 다혈관질환인 경우 임상상황, 관상동맥질환의 중증도 및 병변의 특성을 고려하여 Heart Team에서 신중한 결정을 하여야 한다.

4. ST분절 상승 급성 심근경색

1) 개요

(1) 정의

ST분절 상승 급성 심근경색증(STEMI)은 관상동맥에 있는 죽상동맥경화반의 균열이나 파열 등에 의해 유발되는 혈전 때문에 혈류가 차단되어 전벽성 심근 허혈에 의한 ST절의 상승이 관찰되고 궁극적으로 심근 괴사에 이르는 질병이다. 심부전, 쇼크 및 심실부정맥 등의 합병증으로 사망에 이르게 되는 질환으로 조기에 재관류가 시행되면 이들 합병증의 발생을 감소시킬 수 있다.

(2) 병태생리

얇은 섬유막을 가진 죽상반의 파열과 지질핵의 혈액 내 노출이 관상동맥 내 혈전 형성의 가장 주된 병인으로 알려져 왔다. 하지만 명백한 죽상반의 파열 없이 내막 표면의 미란과 이에 따른 이차적인 혈전형성이 급성 심근경색을 유발하는 것으로 알려지면서 혈전형성에 관여하는 죽상반의 특성에 대한 다양성(heterogeneity)이 확인되었다. 혈전형성에는 죽상반 자체의 병변 외에도 여러 혈역학적 요인, 호르몬 및 생리적 요인들이 복합적으로 작용함이 알려져 있다. 또한 관상동맥내 죽상반의 크기나 협착 정도보다는 죽상반의 구성(composition)과 취약성(vulnerability)이 급성 심근경색의 발생에 있어 더 중요함이 인식되었다. 최근 들어 취약성 죽상반을 조기에 발견하고 치료하고자 하는 시도가 있었으며, 이러한 병변에 대한 체계적인 연구가 이 질환의 예방 및 치료에 중요한 역할을 담당할 것으로 보인다.

2) 진단

급성 심근경색은 급성 심근허혈의 증상 또는 징후를 동반한 심근손상으로 정의하는데, 이 중 전형적인 흉통에 동반된 심전도상의 ST분절의 상승과 뒤이은 심근효소의 상승이 있는 경우 ST분절 상승 심근경색으로 진단할 수 있다.

표 6-75. ST분절 상승 심근경색의 진단

Definition of ST elevation:

2 contiguous leads에서 ≥1 mm의 새로운 ST분절의 상승이 관찰되는 경우. 단, V2-V3의 경우 다음의 cut-point가 적용된다; 40세 이상 남자의 경우 ≥2 mm, 40세 미만의 남자의 경우 ≥2.5 mm, 여자의 경우 나이에 관계없이 ≥1.5 mm

ECG findings indicating STEMI equivalent:

new onset LBBB, V1-V4 중 2개 이상의 lead에서 ST depression (posterior MI), ST depression or T wave inversions in the precordial leads with coexistent ST elevation (>1 mm) in lead aVR (Left main coronary artery or proximal LAD occlusion)

(1) 증상 및 증후

협심증과 비교하여 급성 심근경색의 흉통은 통증의 강도가 심하며, 통증의 기간도 30분 이상 지속된다. 또한 휴식이나 설하 nitroglycerin으로 통증이 호전되지 않는다. 신체 검사에서는 혈역학적인 불안정성이나 폐부종 등의 동반증상 여부를 확인하여 심근경색에 의한 기계적 합병증의 발생 여부를 확인하는 것이 중요하다. 내원시 이러한 신체 검사의 소견에 따라서 위험도를 분류한 것이 Killip classification이다.

표 6-76. Killip classification과 병원내 사망률

Killip class	Hospital mortality
I. No heart failure	3%
II. Mild CHF, rales, S3 gallop, congestion on Chest X-ray	17%
III. Pulmonary edema	38%
IV. Cardiogenic shock	81%

CHF: congestive heart failure

(2) 심전도의 변화

관상동맥이 폐쇄되면 초기에 일시적으로 upright T파가 나타날 수 있으며, 응급실에서 초기에 관찰되는 변화는 ST절의 상승이다. 이후에 Q파(>40 milliseconds)와 inverted T파가 나타난다. 급성 심근경색과 비슷한 심전도 소견을 보일 수 있는 질환으로 조기흥분증후군(pre-excitation syndrome), 심낭염, 심근염, 심근병증, 만성 폐쇄성 호흡기질환, 폐색전증 등이 있다. 따라서 급성 심근경색이 의심되는 경우에 이러한 질환들을 감별하여야 한다. 심전도에서 급성 하벽 경색증이 있는 경우에 우흉부 심전도를 기록하여 V4R 유도에서 1 mm 이상의 ST분절 상승이 관찰되면 우심실 경색을 진단할 수 있다.

(3) 심근효소의 상승

심근경색 시 손상된 심근에서 유리되는 심근 효소는 종류에 따라 상승되거나 정상화되는 시간이 달라 그 특성을 이해하면 급성 심근경색의 진단 및 추적관찰에 도움이 된다.

표 6-77. 급성심근경색의 진단에 사용되는 심근효소의 특징

Marker	Initial elevation	Peak elevation	Return to normal	Most common sampling schedule
Myoglobin	1–4 hrs	6 hrs	24 hrs	Frequent: 1–2 hr after CP
Troponin I	3–12 hrs	24 hrs	5–10 days	Once at least 12 h after CP
Troponin T	3–12 hrs	12–48 hrs	5–14 days	Once at least 12 h after CP
CK-MB	3–12 hrs	24 hrs	48–72 hrs	Every 6–12 h (×3)

다만, ST분절상승심근경색의 경우 심근효소의 측정과정이 재관류치료를 지연시켜서는 안 되고, 심근효소수치의 상승여부로 재관류치료여부를 결정하여서는 안된다.

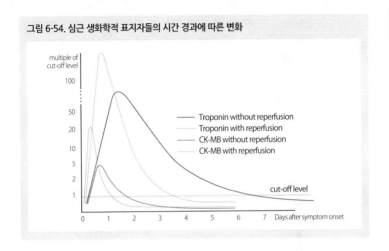

그림 6-54. 심근 생화학적 표지자들의 시간 경과에 따른 변화

(4) 비침습적 심장영상

심초음파로 국소 벽운동장애(regional wall motion abnormality)를 확인함으로써 진단과 원인 혈관을 감별하는데에 도움을 줄 수 있다. 특히 후벽경색인 경우에는 심전도의 변화가 관찰되지 않을 수 있으므로, 임상 양상이 급성 심근경색을 의심하게 하는 경우에 도움이 된다. 급성심근경색의 합병증인 심실중격결손증이나 급성승모판역류증 등을 진단하는 데에도 도움이 된다. 이외에 급성 심근경색과 비슷한 증상을 보일 수 있는 심낭염, 심근염, 대동맥박리증, 폐동맥색전증의 감별진단에 도움이 된다.

3) 치료

(1) 재관류요법

ST분절상승심근경색에서 제일 중요한 치료는 빠른 재관류치료(reperfusion therapy)이다. ST분절상승심근경색 진단 후 재관류치료 전략에 따른 목표소요시간을 요약하면 그림 6-55와 같다. 재관류치료는 크게 혈전용해요법(fibrinolysis)와 일차적 관동맥중재술(primary PCI)로 나누어진다. ST분절상승심근경색 때에는 증상 발생 12시간 이내이며 지속적인 ST분절 상승이 있을 때 재관류치료가 이루어진다면 사망률의 감소효과를 기대할 수 있다. 모든 경우에 Primary PCI가 fibrinolysis보다 추천되며 fibrinolysis는 primary PCI를 시행할 수 없는 제한적인 경우에 한해 시행할 수 있다. 증상 발생 12시간 이후라도 허혈의 증상이 지속되거나, hemodynamic instability가 있거나, life-threatening arrhythmia 등이 있다면 primary PCI를 시행하여야 한다. ST분절상승심근경색 발생 12-48시간이면서 심근 허혈이 계속 진행되는 증거가 없을 때에 재관류 치료가 도움이 되는지에 대한 명확한 근거는 없다. 48시간이 지났으며 증상이 없는 환자에서 infarction-related artery에 대한 PCI는 도움이 되지 않는다.

그림 6-55. 재관류치료 전략 선택에 따른 목표 소요시간

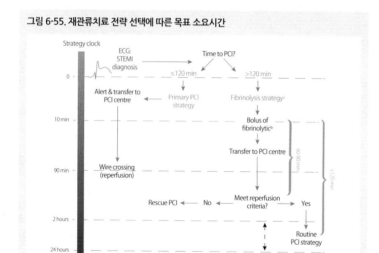

STEMI diagnosis is the time 0 for the strategy clock. The decision for choosing reperfusion strategy in patients presenting via EMS (out-of-hospital setting) or in a non-PCI center is based on the estimated time from STEMI diagnosis to PCI-mediated reperfusion.

ª If fibrinolysis is contraindicated, direct for primary PCI strategy regardless of time to PCI.
ᵇ 10 min is the maximum target delay time from STEMI diagnosis to fibrinolysis bolus administration.

① 일차적 관동맥 중재술(primary PCI)

Early hours of STEMI에서 PCI의 역할은 primary PCI, PCI combined with pharmacological reperfusion therapy (facilitated PCI), and 'rescue PCI' after failed pharmacological reperfusion 등이 있으나 본원의 기본 방침은 primary PCI이다. 본원 심장내과에서는 STEMI 환자에 대한 신속진료시스템을 운영하고 있으며 응급실 환자는 STEMI Activation system을 이용하고, 병동 환자는 CCU 당직 전공의에게 연락하여야 한다.

② 혈전용해요법(fibrinolysis)

혈전용해제는 FMC (first medical contact) 120분 이내 PCI가 불가능할 경우 contra-indication이 없다면 즉시 투여되어야 한다. 흉통이 발생한 후 12시간 이내에 투여시 급성심근경색의 사망률을 줄일 수 있으며 특히 1시간 이내에 투여하면 사망률을 50%까지 감소시킬 수 있다. 12시간 이후부터 24시간까지는 일부 효과를 기대할 수 있으며, 특히 흉부 불쾌감이 지속되거나 Q파가 생성되지 않으면서 ST절이 계속 상승되어 있는 경우에 유용하다. 어떤 종류의 약제를 사용할 것인가 보다는 얼마나 빨리 재관류를 시행하느냐가 사망률을 줄일 수 있는 관건이다. 혈전 용해제의 종류에 따른 사용방법과 금기증은 표 6-78, 79과 같다.

표 6-78. 혈전용해제와 사용방법

Recombinant tissue-type plasminogen activator (rt-PA, alteplase)
1) BW>67 kg: 15 mg(NS 50 ml mix) bolus → 50 mg (NS 100 ml mix) IV infusion over 30 min → 35 mg (NS 100 ml mix) IV infusion over the next 60 min
2) BW≤67 kg: 15 mg(NS 50 ml mix) bolus → 0.75 mg/kg (upto 50 mg)(NS 100 ml mix) IV infusion over 30 min → 0.5 mg/kg (upto 35 mg) (NS 100 ml mix) IV infusion over the next 60 min

Urokinase
150만 IU (NS 100 ml mix iv) → 30분 후 2만 IU/kg (NS 100 ml mix iv : total 300만 IU 이하)

표 6-79. 혈전용해제의 금기사항

Contraindications
– Previous hemorrhagic stroke at any time, strokes or cerebrovascular events within 1 year – Known intracranial neoplasm – Active internal bleeding (does not include menstrual bleeding) – Suspected aortic dissection

Caution/relative contraindications
– Severe uncontrolled hypertension on presentation (blood pressure >180/110 mmHg) – History of prior cerebrovascular accident or known intracerebral pathology not covered in contraindications – Current use of anticoagulants in therapeutic doses (INR 2-3); known bleeding diathesis – Recent trauma (within 24 weeks) including head trauma or traumatic or prolonged (>10 min) CPR or major surgery (within 3 weeks) – Noncompressible vascular punctures – Recent (within 2 to 4 weeks) internal bleeding – For streptokinase/anistreplase; prior exposure (especially within 5 days-2 years) or prior allergic reaction – Pregnancy – Active peptic ulcer – History of chronic severe hypertension

(2) 재관류요법 이외의 일반적인 치료

① 산소는 저산소증이 있는 환자(SaO$_2$<90% or PaO$_2$<60 mmHg)에게 투여한다. 저산소증이 없는 환자에게 routine oxygen 투여는 권고되지 않는다.

② 통증 소실 때까지 금식한다.

③ 약물

• 항혈소판제: Aspirin은 금기가 없는 모든 환자에서 사용하며 loading dose 300 mg 이후 100 mg qd로 유지한다. Primary PCI를 시행하는 환자에서는 potent P2Y12 inhibitor인 prasugrel [에피언트] 또는 ticagrelor [브릴린타]를 aspirin과 병합하여 사용하는 것이 권고되며, 금기일 경우 clopidogrel을 사용한다. Prasugrel의 경우 loading dose 60 mg 이후 10 mg qd, ticagrelor의 경우 loading dose 180 mg 이후 90 mg bid, clopidogrel의 경우 loading dose 600 mg 이후 75 mg qd의 용량으로 유지한다. Prasugrel은 stroke 또는 TIA의 과거력이 있거나, 연령 75세 이상인 경우에는 금기이며 체중 60 kg 이하이면 유지용량을 5 mg qd로 감량 유지한다. Prasugrel과 ticagrelor는 권고 용량에서 clopidogrel과 비교하여 혈소판 억제능이 상당히 강하기 때문에 환자 개개인의 출혈위험을 고려하여 사용을 결정하는 것이 좋겠다. Fibrinolysis를 할 경우에는 clopidogrel을 사용한다.

• 질산염제: 고혈압이나 심부전이 있는 급성기 환자에서 도움이 되며, 저혈압, RV infarction, 중증의 aortic stenosis, 또는 phosphodiesterase inhibitor를 48 hr 이내에 사용한 경우에는 주의하여야 한다. 1-4 mcg/kg/min의 유지용량으로 사용할 수 있다. Routine use가 환자의 예후를 호전시킨다는 증거는 없다.

• 베타 차단제: STEMI 이후 가급적 빠른 시간 내에 사용할 것이 권고 되지만 acute heart failure, hemodynamically instability, bradycardia, heart block이 있는 경우에는 routine하게 사용하지 않아야 한다. 저용량으로 시작하여 증량하는 것이 안전하다.

• Morphine iv: 1-5 mg, 흉통이 계속되면 5-15분마다 반복 투여 가능.

• ACE 억제제 또는 ARB: Captopril, Lisinopril, Ramipril, Varsartan, Losartan 등이 임상 연구에서 LV dysfunction이 있을 때 생존률을 높이며 심부전을 예방하는 것으로 되어 있다. 특별한 금기가 없으면 증상 발현 24시간 이내에 저용량으로 시작하여야 한다.

• 스타틴: 금기가 없는 모든 환자에서 high-intensity statin (atorvastatin 40 또는 80 mg, rosuvastatin 20 mg)이 가급적 이른 시기에 사용되어야 한다. Baseline LDL 수치 기준 reduction of at least 50% with LDL goal of <70 mg/dL이 권고사항이었지만, 2019 ESC guideline 기준으로 <55 mg/dL까지 떨어뜨릴 것을 권고하고 있다. Maxiamally tolerated statin으로도 목표치에 도달하지 못하면 ezetimibe를 추가하거나, PCSK9 inhibitor 사용을 고려할 수 있다.

4) 급성 심근경색의 합병증

(1) 급성 심근경색 후 발생할 수 있는 저혈압의 원인들

급성 심근경색의 치료에 대한 꾸준한 발전에도 불구하고 심인성 쇼크의 예후는 매우 불량하다. 따라서 심인성 쇼크(cardiogenic shock)라고 단정짓기 전에 교정 가능한 저혈압의 원인을 즉각적으로 발견 하고 치료하는 것은 매우 중요한 일이다. 이는 심근경색증 후 발생한 저혈압이 심인성 쇼크의 결과일 수도 있지만 즉시 교정이 가능한 원인임에도 불구하고 적절히 치료하지 못해 지속되는 저혈압은 심인성 쇼크의 원인이 될 수도 있기 때문이다. 심근경색증 후 발생할 수 있는 저혈압의 원인들로는 다음과 같은 것들이 있다(표 6-80).

표 6-80. Cause of hypotension during acute myocardial infarction

- Pain, nausea, and vomiting
- Factitious hypotension
- Drug
  Analgesics
  Tranquilizers
  Nitrates
  Diuretics
- β-blocking agents
- Calcium-blocking agents
- Antihypertensive agents
- Antiarrhythmia agents
- Hypovolemia
- Arrhythmias
  Tachyarrhythmias
  Bradyarrhythmias
- Cardiac structural damage
  Pump failure
  Rupture ventricular septum
  Acute papillary muscle damage and mitral
  Regurgitation
  Left ventricular aneurysm (true and false)
  Free wall rupture
  Right ventricular infarction
  Tamponade
- Inappropriate Vasodilatation
- Miscellanous
  Pulmonary and systemic embolism
  Pneumothrax
  Bleeding
  Septicemia

(2) 심근경색증 후 쇼크 증후군에 대한 정의 및 분류

① 쇼크증후군의 정의

심인성 쇼크는 과도한 심박출량 및 혈압의 감소로 인하여 조직 관류를 적절하게 유지하지 못하는 상태를 말하며, 산소와 영양소 공급 및 대사 산물의 제거가 광범위하게 저하된 임상 증후군을 말한다. 이 증후군은 일반적으로 수축기 혈압 <90 mmHg이고, 핍뇨, 의식저하, 차가운 피부와 같은 중요 장기의 순환 부전 징후가 나타날 때 진단할 수 있다. 이러한 쇼크 증후군은 일반적으로 (1) 현저한 심박출계수의 감소가 특징인 심한 좌심실 수축부전, (2) 심한 우심실 수축부전, (3) 급성 승모판 폐쇄부전, 급성 심실 중격 결손, 심장 파열과 같은 기계적인 합병증에 의하여 발생한다. 빈도면에서 좌심실 출력 부전(pump failure)로 인한 경우가 85%, 급성 심실 중격 결손이나 승모판 폐쇄부전에 의한 경우가 8%, 우심실부전에 의한 경우가 2%, 기타 다른 동반된 질환에 의한 경우가 5% 정도로 알려져 있다.

② 쇼크증후군의 분류

- 심인성 쇼크(cardiogenic shock = pump failure)
- 기계적 합병증에 의한 쇼크(shock from mechanical complications)
- 급성 유두근 파열(acute papillary muscle rupture)
- 급성 심실 중격 결손(acute ventricular septal rupture)
- 심장 파열(cardiac free wall rupture)
- 폐부종을 동반하지 않는 쇼크 증후군
  - 우심실 경색(right ventricular infarction)
  - 혈액량 감소 쇼크(hypovolemic shock)

③ 쇼크증후군의 진단

ST분절 상승 급성심근경색 후 발생한 쇼크는 초응급 상태로 신속한 진단 및 평가가 필수적이며, 초기 검사로 흉부 X선, 심전도, 동맥혈 가스분석, 전해질, 일반 혈액검사 등을 즉시 시행하고 동맥도자를 통한 지속적인 동맥압 측정, 지속적 심전도 모니터링, Foley catheter를 이용한 정확한 소변량 측정 등이 반드시 필요하다. 이러한 임상적인 판단 외에도 여러 가지 진단 기법들로 인하여 혈역학적 교란의 정도, 좌심실 및 우심실의 국소적 및 포괄적 기능부전의 정도, 기계적합병증의 유무와 부위 등을 진단할 수 있다.

이러한 진단법으로는 Swan-Ganz 카세터를 이용한 폐동맥 쐐기압 측정, 심초음파 및 도플러 기법, radioisotope 좌심실 조영술, 좌심도자술 및 관상동맥 조영술 등이 있다. 현재는 심초음파 및 도플러 기법이 급성 심근경색 후의 기계적 합병증의 진단에 있어서 과거 심도자술의 역할을 대치하고 있다.

심근경색과 관련되어 발생한 쇼크증후군의 감별진단에 유용한 진단기법을 정리하면 표 6-81과 같다.

표 6-81. 쇼크증후군의 감별진단에 유용한 진단 기법

진단 기법	유용성
Swan-Ganz 카세터	1. 혈액량 감소 쇼크(hypovolemic shock)와 심인성 쇼크의 감별 2. 급성 승모판 부전, 심실 중격 결손, 우심실 경색, 심낭 압전 등을 진단 3. 예후를 평가 4. 적절한 치료의 선택 및 치료에 대한 반응 평가
좌심도자술 및 관상동맥 조영술	1. 좌심실 부전의 정도, 크기, 모양 등을 판단 2. 급성 승모판 부전의 중증도를 평가 3. 심실 중격 결손에 의한 좌우 단락을 진단 및 평가 4. 심실류의 진단 5. 심장 파열의 진단
심초음파 및 도플러	1. 국소적 및 광범위한 심실 기능의 평가 2. 유두근 파열 및 급성 승모판 부전의 진단 3. 급성 심실 중격 결손을 진단 4. 심실류의 진단 5. 심근 경색의 크기 및 좌심실 재형성을 판단 6. 우심실 경색 및 PFO를 통한 우좌 단락의 평가 7. 심낭 압전의 진단 및 치료 8. 심장 파열의 진단
핵의학적 심실 조영술 (Radionuclide Ventriculography)	1. 국소적 및 광범위한 심실 기능의 평가 2. 경색의 크기 및 심실 재형성을 판단 3. 우심실 경색의 진단 4. 심실 중격 결손에 의한 좌우 단락을 진단 및 평가 5. 심실류의 진단 6. 아급성 심장 파열에서 심낭내 출혈 여부를 판단

④ 쇼크증후군의 치료

ⅰ) 심인성 쇼크(Cardiogenic Shock, Pump Failure)

심인성 쇼크은 생존한 상태로 병원에 내원한 급성 심근경색 환자들의 가장 흔한 사망 원인으로 과거 20년 동안의 눈부신 의학 발전에도 불구하고, 일단 심인성 쇼크가 진단되면 사망률이 50%에 달하는 매우 심각한 질환이다. 심인성 쇼크의 주된 병태생리는 광범위한 심근 괴사에 의한 심근 수축력 저하이다. 심한 심근 수축력 저하는 심박출량 및 혈압을 감소시키고 체혈관저항(systemic vascular resistance, SVR)를 증가시킨다. 이는 관상동맥으로의 혈액 공급을 감소시켜 결과적으로 심근 괴사, 심근 수축력 저하가 더욱 진행하는 악순환의 경과를 가지게 된다. 심인성 쇼크의 진단에 필요한 기준은 아래 표와 같다.

표 6-82. Cardiogenic shock의 정의(혹은 criteria)

Shock due to severe depression of systolic cardiac performance

1. Systolic blood pressure <90 mmHg
2. Cardiac index <2.5 L/min/m^2
3. LVEDP (left ventricular end-diastolic pressure) >18 mmHg
4. Systemic vascular resistance >2,100 dynes-sec/cm^{-5}
5. Urine output <20 ml/hr

표 6-83. Cardiogenic shock의 치료

Recommendations	Class[a]	Level[b]
Immediate PCI is indicated for patients with cardiogenic shock if coronary anatomy is suitable. If coronary anatomy is not suitable for PCI, or PCI has failed, emergency CABG is recommended.	I	B
Invasive blood pressure monitoring with an arterial line is recommended.	I	C
Immediate Doppler echocardiography is indicated to assess ventricular and valvular functions, loading conditions, and to detect mechanical complications.	I	C
It is indicated that mechanical complications are treated as early as possible after discussion by the Heart Team.	I	C
Oxygen/mechanical respiratory support is indicated according to blood gases.	I	C
Fibrinolysis should be considered in patients presenting with cardiogenic shock if primary PCI strategy is not available within 120 min from STEMI diagnosis and mechanical complication have been ruled out.	IIa	C
Complete revascularization during the index procedure should be considered in patients presenting with cardiogenic shock.	IIa	C
Intra-aortic balloon pumping should be considered in patients presenting with haemodynamic instability/cardiogenic shock due to mechanical complications.	IIa	C
Haemodynamic assessment with pulmonary artery catheter may be considered for confirming diagnosis or guiding therapy.	IIb	B
Ultrafiltration may be considered for patients with refractory congestion, who faile to respond to diuretic-based strategies.	IIb	B
Inotropic/vasopressor agents may be considered for haemodynamic stabilization.	IIb	C
Short-term mechanical support[c] may be considered in patients in refractory shock.	IIb	C
Routine intra-aortic balloon pumping is not indicated.	III	B

CABG=coronary artery bypass graft surgery; ECLS=extracorporeal life support; ECMO=extracorporeal membrane oxygenation; PCI =percutaneous coronary intervention; STEMI=ST-segment elevation myocardial infarction.
[a] Class of recommendation.
[b] Level of evidence
[c] Percutaneous cardiac support devices. ECLS, and ECMO.

ii) 급성 유두근 파열(acute papillary muscle rupture)

유두근의 파열은 흔하지는 않으나 급성 심근경색의 치명적인 합병증 중 하나이며 하벽 심근경색에 의한 후내측(posteromedial) 유두근의 파열이 전외벽 경색에 의한 전외측 (anterolateral) 유두근의 파열보다 흔하다. 급성 심실중격결손이 광범위한 심근경색에 의한 합병증이라면 유두근 파열은 상대적으로 작은 경색부위에 의해서도 유발이 될 수 있다. 심근경색 환자에서 쇼크이 발생하면서 갑작스런 전수축기성 심잡음이 발생하였을 때 반드시 감별 진단하여야 하며 색도플러 심초음파를 통해 심실중격천공과 감별이 가능하다. 기계적으로 대동맥 압력을 낮추는 대동맥 내 풍선펌프(IABP)와 체혈관을 낮추는 sodium nitroprusside나 nitrogen 정주는 유두근 파열에 의한 심한 승모판 폐쇄부전의 양을 줄일 수 있어 급성 심근경색에 의한 심한 승모판 역류를 동반한 환자의 일시적인 처치에 성공적으로 사용될 수 있다. 일시적인 승모판 역류증인 경우는 약물 치료만으로 가능하며 재관류 요법으로 경색부위를 줄이고 유두근 손상을 최소화 시켜 승모판 역류증의 진행을 막을 수 있다. 하지만 중증의 역류(III-IV도)나 심부전 증세, 유두근간(trunk)의 파열인 경우 수술을 시행하여야 한다.

iii) 급성 심실중격 결손(acute ventricular septal rupture)

급성 심실중격 결손은 심근경색증 환자의 0.2%에서 발생하며 고령, 고혈압, 전벽 경색, 측부혈관이 미발달된 경우, 혈전 용해제 투여를 투여한 환자에서 발병 빈도가 높다. 전벽경색에 의한 중격결손은 심첨부에 많은 반면, 하벽경색에 의한 중격결손은 심저부 중격에 호발하고 예후가 더 좋지 않다. 중격 결손의 크기에 따라 좌우 단락의 양과 혈역학적 교란의 정도가 결정되며, 좌심실 기능과 중격 결손의 크기가 예후와 가장 밀접한 관련이 있는 인자이다. 갑작스럽게 발생한 전수축기성 잡음과 thrill이 동반되는 것이 특징이며 수시간에서 수일 내에 양측 심실부전(biventricular heart failure)이 발생할 수 있다. 일반적으로 색도플러 심초음파를 통하여 진단이 가능하며 위치와 크기, 심부전 정도, 단락의 양을 알아볼 수 있다. 기계적 환기 요법 등으로 인하여 경흉부 심초음파 영상이 좋지 않은 경우에는 경식도 초음파가 진단에 더욱 민감하다. 심근경색증 후 발생한 심실중격결손의 응급 수술은 과거 폐부종이나 심인성 쇼크가 있는 환자에서만 시행되었으나 ACC/AHA의 최근 지침은 임상적인 상태에 관계없이 발견 즉시 수술하는 것을 원칙으로 하며 이것만이 생존율을 높일 수 있는 유일한 방법으로 알려져 있다.

iv) 심장 파열(cardiac free wall rupture)

심장 파열은 급성 심근경색의 기계적 합병증 중 가장 치명적이고 대부분의 환자에서 사망을 초래하는 합병증이다. 일반적으로 심장 파열은 심근 전층을 침범하는 심근경색증 후에 발생하여 hemopericardium과 심낭압전을 유발한 후 사망을 초래한다. 심장 파열은 대부분 1주일 이내에 발생하며 이는 여러 가지 병리학적 및 생리학적 인자들이 작용하여 이 기간 동안 심근경색 부위가 가장 취약하기 때문이다. 즉 경색 부위에 반흔이 아직 형성되지 않은 상태에서 심실 크기는 증가되고 경색부위는 얇아지면서 국소적인 힘이 취약한 부위에 더 크게 작용하여 심장파열을 유발하게 된다. 고령, 고협압, 협심증의 병력이 없는 경우, 광범위한 Q파 경색, 스테로이드와 비소염성 진통제의 사용 등이 위험인자이다. 일반적으로 전벽 및 측벽 경색일 경우에 흔하고, 경색 중심부 보다는 경색 부위와 정상 심근의 경계 부위에 호발한다. 급성 심장 파열은 즉각적인 사망을 초래하며, 아급성 형태의 심장 파열은 오심, 저혈압, 심막염 형태의 흉부 불편감을 호소하며 심장 초음파로 심장 파열에 의한 hemopericardium과 심낭 압전을 진단 할 수 있다. 즉각적인 수술만이 유일한 치료 방법이다.

ⅴ) 우심실 경색(right ventricular infarction)

하벽 경색이 있는 환자의 대략 1/3에서 우심실 경색을 동반한다. 경증이나 무증상의 우심실 부전부터 심인성 쇼크을 초래하기까지 다양한 임상 양상을 보이며 경정맥 확장, Kussmaul's sign, 간비대 등의 우심실부전의 징후를 보이게 된다. 하벽 경색에 동반된 우심실 경색의 진단에 있어 우측 흉부유도 심전도(right precordial lead, CR4R)는 진단에 필수적이며 이 부위에서 1 mm 이상의 ST절 상승 소견은 민감도 70%, 특이도 100%의 진단적 유용성을 보인다(그림 6-56).

그림 6-56. 우심실 경색의 심전도

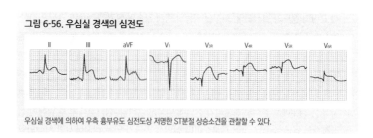

우심실 경색에 의하여 우측 흉부유도 심전도상 저명한 ST분절 상승소견을 관찰할 수 있다.

이 중 V4R lead의 ST절 상승이 가장 진단율이 높은 것으로 알려져 있다. 심초음파는 우심실 경색의 진단에 매우 유용한 검사이며 우심실 확장, 우심실 벽운동 소실, 비정상적인 심실중격 운동 등이 특징적 소견이다.

치료는 단시간 내에 충분한 수액을 보충하여 우심실의 전부하를 유지하고 적절한 방실 조율(atrioventricular synchrony)을 유지하며 필요시 강심제를 사용하여야 한다. 조기에 적극적인 혈관재개통술 역시 필수적이다. 하벽 심근경색증과 동반된 우심실 심근경색증은 병원 사망률이 30%에 달한다.

5) 급성 심근경색의 심근손상 정도를 예측하는 요인

관상동맥의 폐쇄부위와 정도에 따라서 임상적 양상 및 심근 손상 정도가 달라지며 이를 좌우하는 인자들로는 (1) 이환된 혈관 부위, (2) 완전 폐쇄 여부, (3) 폐쇄의 기간, (4) 측부 순환 발달 정도, (5) 이환된 심근의 산소 요구도, (6) 혈전을 초기에 자연 분해시키는 내인성 인자, (7) 폐쇄된 혈관이 계통되었을 때 심근 관류의 정도 등에 의하여 결정된다.

Ⅶ 판막 질환

1. 승모판 협착증(Mitral Stenosis, MS)

1) 원인

류마틱열에 의한 경우가 거의 대부분이다. 류마틱열의 심장 침범은 판막의 immobility, thickening 및 commissural fusion을 유발하며 이후 calcification 및 subvalvular fusion을 초래한다. 그 밖에 퇴행성 석회화, 선천성 승모판 협착증, 심내막염, 수술 후 협착, 전신 질환(유암종, 루푸스 등)이나 좌심방 점액종(myxoma) 등도 원인이 될 수 있다.

2) 병태생리

① 정상 승모판구 면적(mitral valve area, MVA)은 4-6 cm^{2}이다. 승모판구 면적이 2.0 cm^2 이하로 감소하면 좌심방의 압력이 증가하게 되고 좌심방과 좌심실 사이에 이완기 압력 차이(pressure gradient)가 발생하며 서서히 좌심방 용적, 폐정맥압, 폐동맥 쐐기압이 커져 폐울혈이 발생한다.

② 높은 좌심방압은 심방세동을 유발하게 된다.

③ 심하지 않은 승모판 협착증 환자는 안정 시 무증상이지만 운동이나 심방 세동시 이완기 충만 시간(diastolic filling time)의 감소로 인해 좌심방압이 증가하면서 증상이 발생할 수 있다.

④ 장기간 지속되는 중증 승모판 협착증은 이차성 폐동맥 고혈압 및 이로 인한 삼첨판 폐쇄 부전 및 우심실 기능 부전을 초래한다.

⑤ 승모판 폐쇄부전이 없는 순전한 승모판 협착증의 경우 좌심실 기능은 대개 보존되나 일부에서는 좌심실 기능 부전이 있으며 이는 대개 류마틱 심장염이나 전부하(preload)의 감소에 의한다.

⑥ 승모판 협착증의 중증도 평가는 판막의 해부학적 요소, 혈역학적 요소, 판막의 폐쇄가 좌심방과 폐순환에 미치는 결과, 그리고 환자의 증상을 고려하여 결정된다. MVA ≤1.5 cm^{2}이면 중증으로 평가하며, 대개 승모판막을 통한 평균 압력 차이가 5-10 mmHg 이상으로 나타난다. 그러나 평균 압력 차이는 심박수와 혈류양에 영향을 많이 받기 때문에 주의를 요한다. 2014년 개정된 AHA/ACC 가이드라인에 따른 승모판 협착증의 중증도는 표 6-84와 같다.

표 6-84. 승모판 협착증의 중증도(2014년 AHA/ACC 가이드라인)

Stage	Definition	Valve Anatomy	Valve Hemodynamics	Hemodynamic Consequences	Symptoms
A	At risk of MS	• Mild valve doming during diastole	• Normal transmitral flow velocity	• None	None
B	Progressive MS	• Rheumatic valve changes with commissural fusion and dia-stolic doming of the mitral valve leaflets • Planimetered MVA >1.5 cm²	• Increased transmitral flow velocities • MVA >1.5 cm² • Diastolic pressure half-time <150 ms	• Mild-to-moderate LA enlargement • Normal pulmonary pressure at rest	None
C	Asymptomatic severe MS	• Rheumatic valve changes with commissural fusion and diastolic doming of the mitral valve leaflets • Planimetered MVA ≤1.5 cm² • (MVA ≤1.0 cm² with very severe MS)	• MVA ≤1.5 cm² • (MVA ≤1.0 cm² with very severe MS) • Diastolic pressure half-time ≥150 ms • (Diastolic pressure half-time ≥220 ms with very severe MS)	• Severe LA enlargement • Elevated PASP >30 mmHg	None
D	Symptomatic severe MS	• Rheumatic valve changes with commissural fusion and diastolic doming of the mitral valve leaflets • Planimetered MVA ≤1.5 cm²	• MVA ≤1.5 cm² • (MVA ≤1.0 cm² with very severe MS) • Diastolic pressure half-time ≥150 ms • (Diastolic pressure half-time ≥220 ms with very severe MS)	• Severe LA enlargement • Elevated PASP >30 mmHg	• Decreased exercise tolerance • Exertional dyspnea

LA indicates left atrial; LV, left ventricular; MS, mitral stenosis; MVA, mitral valve area; and PASP, pulmonary artery systolic pressure.

3) 예후 및 임상양상

① 승모판구 면적이 2.0 cm^{2}에 도달하기 전 약 10-20년간은 무증상인 경우가 많다.

② 무증상인 경우 10년 생존률이 80% 이상이지만 MS로 인한 심각한 증상이 있는 경우 10년 생존률은 15% 이하로 감소된다.

③ 심한 폐동맥 고혈압이 생기면 생존률은 평균 3년 이하이다.

④ 증상은 좌심방압의 상승과 연관된 호흡곤란이나 운동 능력 감소로 나타나지만 중증으로 진행할 때까지 환자가 자각하지 못하는 경우도 흔하다. 운동이나 갑상선 항진증, 임신 등과 같이 stroke volume이 증가하는 상황이 생기면 증상이 악화될 수 있다.

⑤ 병이 진행함에 따라 기좌호흡(orthopnea)이나 발작성 야간 호흡곤란(PND)이 생기며, 기관지 정맥의 확장에 의한 객혈이나 저박출 증상(피로감, 운동 유발 협심증 등)이 나타날 수 있다.

⑥ 심방세동이 병발된 경우의 약 1/3에서 색전증을 볼 수 있고, 이로 인해 승모판 협착증이 뒤늦게 발견되는 경우도 있다.

4) 이학적 소견

청진상 제1심음의 항진, 이완기 개방음(opening snap), diastolic rumbling murmur 등이 들릴 수 있다.

5) 진단

심초음파가 질환의 중증도 판단에 필수적이다. Leaflet thickening, calcification, mobility, subvalvular thickening에 대해 각각 1-4점으로 점수를 매긴 echo score를 계산하여 8점 이하인 경우 경피적 승모판막 확장술로 좋은 결과를 기대할 수 있으며 경우에 따라 그 이상에서도 시도해 볼 수 있다. 경식도 초음파는 좌심방내 혈전 유무를 평가하는데 유용하다.

6) 치료

(1) 내과적 치료

① 증상이 없는 진행성 승모판 협착증(MVA>1.5 cm^2, T1/2<150 ms)인 경우 특별한 치료는 필요없이 경과 관찰할 수 있으며, 주기적인 심초음파 검사를 통해 intervention의 적절한 시기를 결정하는 것이 중요하다.

② 울혈 증상의 경우 이뇨제가 치료의 근간이다.

③ 심방세동 및 빠른 심실 반응인 경우는 디곡신, 베타 차단제, 칼슘통로차단제로 심박수를 조절한다.

④ 항응고요법의 적응증(표 6-85)

표 6-85. Indications of Anticoagulation in Patients with Mitral Stenosis

Indication (2014 AHA/ACC and 2017 ESC guidelines)	Class
Atrial fibrillation (paroxysmal, persistent, or permanent)	I
Prior embolic events, even in sinus rhythm	I
LA thrombus	I
Enlarged LA (M-mode diameter >50 mm or LA volume >60 mL/m²)	IIa
Dense spontaneous echo contrast	IIa

⑤ 지속성 심방세동이 동반된 중등도 이상의 승모판 협착증 환자에서는 vitamin K antago-
nist가 권장되며, NOAC의 효과에 대해서는 아직 확립되지 않았다.

(2) 경피적 승모판막 풍선 확장술(Percutaneous Mitral Baloon Valvotomy, PMV
or PMBV)

① 적응증(그림 6-57)

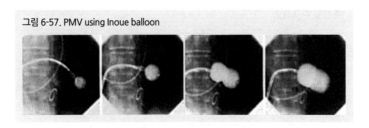

그림 6-57. PMV using Inoue balloon

중등도 이상의 승모판 협착증에서 적절한 내과적 치료 후에도 증상이 있는 경우가 주 적응
증이며, 전제는 판막의 형태가 시술에 적합하고 좌심방 혈전이나 중등도 이상의 승모판 폐
쇄부전이 없어야 한다. 단, 증상이 심하면서 수술의 위험이 너무 큰 환자에서는 판막의 형
태가 시술에 덜 적합하더라도 시술을 먼저 시도해 볼 수 있다(IIb). 증상이 없는 경우는 대
개 시술이 필요없으나 중등도 이상의 폐동맥 고혈압이 있거나, 전신 색전증의 위험이 높거
나, 임신을 원하는 경우 등에 시술을 시행할 수 있다.

② 시술전 확인 사항: PT (INR), echo score, MR degree, LA thrombi

③ 효과: Mean PG를 감소시키고, 승모판구 면적을 1.0 → 1.5-2 cm² 정도로 증가시킨다. 에코 스코어가 8점 이하일 때 시술 성공률은 80-90%, 9점 이상일 때는 40-60% 정도의 성공률을 보이는 것으로 보고되고 있다.

④ 합병증: perforation(1%), tamponade(<5%), systemic embolism(1%), MR(2%), residual ASD(20%), arrhythmia, death(0.5%)

⑤ 재협착: 승모판구 면적이 처음 얻은 면적의 50% 이상 좁아지는 경우를 말하며 5년 이내 에 7-24%, 7년 이내에 대략 40% 정도에서 발생한다.

(3) 수술적 치료

Valvotomy (open or closed commissurotomy), 판막 수선술(valve repair), 판막 치환 술(valve replacement, MVR)

표 6-86. Recommendations for MS intervention (2014 AHA/ACC guideline)

Recommendations	COR
PMBC is recommended for symptomatic patients with severe MS (MVA ≤1.5 cm², stage D) and favorable valve morphology in the absence of contraindications	I
Mitral valve surgery is indicated in severely symptomatic patients (NYHA class III/IV) with severe MS (MVA ≤1.5 cm², stage D) who are not high risk for surgery and who are not candidates for or failed previous PMBC	I
Concomitant mitral valve surgery is indicated for patients with severe MS (MVA ≤1.5 cm², stage C or D) undergoing other cardiac surgery	I
PMBC is reasonable for asymptomatic patients with very severe MS (MVA ≤1.0 cm², stage C) and favorable valve morphology in the absence of contraindications	IIa
Mitral valve surgery is reasonable for severely symptomatic patients (NYHA class III/IV) with severe MS (MVA ≤1.5 cm², stage D), provided there are other operative indications	IIa
PMBC may be considered for asymptomatic patients with severe MS (MVA ≤1.5 cm², stage C) and favorable valve morphology who have new onset of AF in the absence of contraindications	IIb
PMBC may be considered for symptomatic patients with MVA >1.5 cm² if there is evidence of hemodynamically significant MS during exercise	IIb
PMBC may be considered for severely symptomatic patients (NYHA class III/IV) with severe MS (MVA ≤1.5 cm², stage D) who have suboptimal valve anatomy and are not candidates for surgery or at high risk for surgery	IIb
Concomitant mitral valve surgery may be considered for patients with moderate MS (MVA 1.6-2.0 cm²) undergoing other cardiac surgery	IIb
Mitral valve surgery and excision of the left atrial appendage may be considered for patients with severe MS (MVA ≤1.5 cm², stages C and D) who have had recurrent embolic events while receiving adequate anticoagulation	IIb

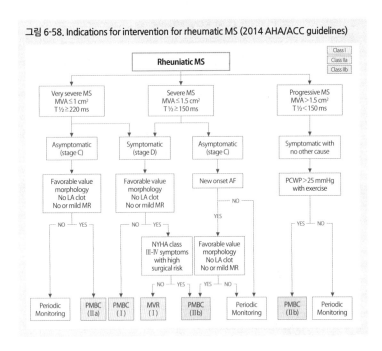

그림 6-58. Indications for intervention for rheumatic MS (2014 AHA/ACC guidelines)

2. 승모판 역류(Mitral regurgitatiton, MR)

1) 원인

과거에 가장 많은 원인이었던 류마티스성 심질환은 감소추세이며 myxoid degeneration (eg. Mitral valve prolapse, MVP)이 가장 흔한 원인이다. 그 외 감염성 심내막염, 결체 조직 질환, mitral annular calcification 등이 있으며 chordae tendinae rupture, papillary muscle dysfunction or rupture, leaflet perforation 등에 의해 급성 승모판 역류가 생길 수 있다.

2) 병태 생리

① 승모판 역류는 급성, 만성 보상성(chronic compensated), 만성 비대상성(chronic decompensated)의 3기로 구분할 수 있다.

② 수축기에 좌심방으로 혈액이 역류되어 전방 심박출량(forward stroke volume)이 감소

하므로 이를 보상하기 위하여 좌심실 크기를 늘려서 심박출량을 유지하게 된다. 동시에 좌심방도 역류 혈액량에 적응하여 커지면서 좌심방 압력이 떨어지므로 심한 활동에도 호흡곤란을 느끼지 않고 지낼 수 있다. 이러한 보상 상태로 수년간 지내다가 결국 좌심실 수축력이 감소되면 전방 심박출량이 감소하고 좌심방 압력이 증가한다. 따라서 비가역적인 좌심실 손상이 오기 전에 판막을 교정하는 것이 치료의 목표이다.

3) 병력 및 이학적 소견

① 급성 승모판 역류인 경우 MR의 중증도에 따라 증상이 결정된다. 대부분 노작성 호흡곤란, 기침, 피로감, 하지 부종 등의 심부전 증상을 호소한다.

② 심첨부에서 짧은 수축기 잡음이 들릴 수 있다. Acute MR에서는 좌심방벽의 compliance가 높지 않으므로 좌심실과 좌심방 사이 압력차이가 높지 않아 심잡음이 작거나 없을 수 있다. Chronic MR인 경우 LV decompensation이 시작되면서 증상이 나타난다. Early A2에 의해 S2 splitting이 청진될 수 있고 심첨부에서 전수축기 잡음(holosystolic murmur)이 청진된다.

4) 진단

① 심전도에서 좌심방 확장, 좌심실 비대, 심방세동이 있을 수 있고, 하벽 심근경색과 연관되는 승모판 역류인 경우 하벽 전극에서 Q파를 볼 수도 있다.

② 흉부X선 사진에서 좌심방 및 좌심실의 확장소견이 있을 수 있다.

③ 심초음파를 통해 좌심방, 좌심실의 크기와 기능을 알 수 있고, 역류의 정도를 판단할 수 있다.

표 6-87. Assessment of MR severity

Echocardiographic indicators of Severe MR
2D evidence of disruption of mitral valve apparatus (flail MV, papillary muscle rupture) Central jet MR >40% LA or holosystolic eccentric jet MR
Regurgitant volume ≥60 mL
Regurgitant fraction ≥50%
Effective regurgitant orifice ≥0.40 cm²
PISA radius ≥10 mm at aliasing velocity 30–50 cm/sec Vena contracta width ≥7 mm
Pulmonary vein systolic flow reversal

5) 치료

(1) Acute MR

혈압이 괜찮으면 IV nitropurusside나 nitroglycerin을 사용하여 후부하를 줄여주어야 한다. 폐울혈이 심하거나 심인성 쇼크(cardiogenic shock)이 있는 경우 수술까지의 bridge therapy로서 IABP가 필요할 수 있다. 응급 수술이 필요한 정도가 아니면 ACE 억제제나 hydralazine으로 후부하를 감소시켜 줄 수 있으며 flail leaflet이나 valvular rupture 등 증상이 있는 acute severe primary MR의 경우 응급 수술이 필요하다.

표 6-88. 2017 AHA/ACC guidelines for Chronic Primary MR Intervention

Indication	Class
Mitral valve surgery is recommended for symptomatic patients with chronic severe primary MR and LVEF greater than 30%.	I
Mitral valve surgery is recommended for asymptomatic patients with chronic severe primary MR and LV dysfunction (LVEF 30% to 60% and/or left ventricular end-systolic diameter [LVESD] ≥40 mm).	I
Mitral valve repair is recommended in preference to MVR when surgical treatment is indicated for patients with chronic severe primary MR limited to the posterior leaflet.	I
Mitral valve repair is recommended in preference to MVR when surgical treatment is indicated for patients with chronic severe primary MR involving the anterior leaflet or both leaflets when a successful and durable repair can be accomplished.	I
Concomitant mitral valve repair or MVR is indicated in patients with chronic severe primary MR undergoing cardiac surgery for other indications	I
Mitral valve repair is reasonable in asymptomatic patients with chronic severe primary MR with preserved LV function (LVEF >60% and LVESD <40 mm) in whom the likelihood of a successful and durable repair without residual MR is greater than 95% with an expected mortality rate of less than 1% when performed at a Heart Valve Center of Excellence.	IIa
Mitral valve surgery is reasonable for asymptomatic patients with chronic severe primary MR and preserved LV function (LVEF >60% and LVESD <40 mm) with a progressive increase in LV size or decrease in ejection fraction (EF) on serial imaging studies.	IIa
Mitral valve repair is reasonable for asymptomatic patients with chronic severe nonrheumatic primary MR and preserved LV function (LVEF >60% and LVESD <40 mm) in whom there is a high likelihood of a successful and durable repair with 1) new onset of AF or 2) resting pulmonary hypertension (pulmonary artery systolic arterial pressure >50 mmHg).	IIa
Concomitant mitral valve repair is reasonable in patients with chronic moderate primary MR when undergoing cardiac surgery for other indications.	IIa
Mitral valve surgery may be considered in symptomatic patients with chronic severe primary MR and LVEF less than or equal to 30%.	IIb
Transcatheter mitral valve repair may be considered for severely symptomatic patients (NYHA class III to IV) with chronic severe primary MR who have favorable anatomy for the repair procedure and a reasonable life expectancy but who have a prohibitive surgical risk because of severe comorbidities and remain severely symptomatic despite optimal GDMT for heart failure (HF).	IIb
MVR should not be performed for the treatment of isolated severe primary MR limited to less than one half of the posterior leaflet unless mitral valve repair has been attempted and was unsuccessful.	III

** 수술 전 치료

① 신속한 후부하 감소 + ② 이뇨제

- Normotensive: nitroprusside (XNIPR; Initial 0.25 μg/kg/min → titrate 0.5-10 μg/kg/min)

- BP가 낮은 경우: nitroprusside + dobutamine 병합 + IABP

(2) Chronic MR

증상이 있는 중등도 이상의 승모판 역류 환자는 수술적인 치료가 필요하다. 무증상의 중증 승모판 역류 환자에서 수술시기에 대해서는 논란이 많다. 수술적인 방법은 승모판 수선술 (mitral valve repair)이 가능한지 여부 및 심실 기능에 따라 달라진다.

표 6-89. 2017 AHA/ACC guidelines for Secondary MR Intervention

Indication	Class
Mitral valve surgery is reasonable for patients with chronic severe secondary MR who are undergoing CABG or AVR.	IIa
It is reasonable to choose chordal-sparing MVR over downsized annuloplasty repair if operation is considered for severely symptomatic patients (NYHA class III to IV) with chronic severe ischemic MR and persistent symptoms despite GDMT for HF.	IIa
Mitral valve repair or replacement may be considered for severely symptomatic patients (NYHA class III to IV) with chronic severe secondary MR who have persistent symptoms despite optimal GDMT for HF.	IIb
In patients with chronic, moderate, ischemic MR undergoing CABG, the usefulness of mitral valve repair is uncertain.	IIb

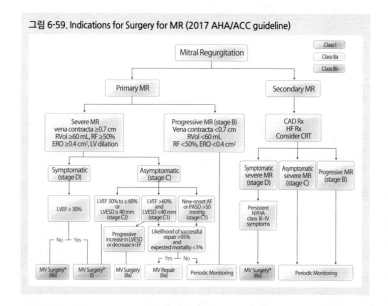

그림 6-59. Indications for Surgery for MR (2017 AHA/ACC guideline)

3. 대동맥 판막 협착증(Aortic stenosis, AS)

1) 원인

선천적 원인으로는 이첨 대동맥판(bicuspid aortic valve), 후천적으로는 퇴행성(가장 흔함) 및 류마티스성이 대표적이다. 비판막성 협착으로는 subaortic membrane, supravalvular stenosis, 비후성 심근병증(HCMP)의 좌심실 유출로 폐쇄(LVOT obstruction)가 있다. 퇴행성과 류마티스성의 구별은, 퇴행성의 경우 주로 노인층에서 보게 되며 판막의 비후와 석회화가 심하나 commissure는 비교적 유지되는데 반해, 류마티스성은 commissural fusion이 특징적이고 승모판의 류마티스성 침범이 거의 동반된다.

2) 병태생리

정상 대동맥판구 면적(aortic valve area)은 3–4 cm^2 정도이다. 대동맥판구 면적이 좁아져도 장기간의 잠복기를 거치면서 보상 기전으로 좌심실이 비후되어 심박출량을 유지하게 되며, 대동맥판막을 중심으로 좌심실과 대동맥 사이에 압력 차이가 발생한다. 결국에는 좌심실의 탄성이 감소하고 확장기말 압력이 증가하여 폐동맥 쐐기압이 상승하면서 운동시 호흡곤란이 일어나고, 심근의 산소 요구량은 증가하면서 심장 관류압은 감소하여 심근 허혈 증상이 유발되며, 심박출량 감소로 실신도 일어난다. 또한 이완기 심실 충만에 심방의 역할이 커져서, 심방세동이 발생할 경우 증상이 급격히 악화된다. 일단 증상이 발생하면 치료를 하지 않을 경우 대개 2–3년 이내에 사망한다.

3) 병력

Classic symptom은 angina, syncope, exersional dyspnea이다.

4) 청진

우측 상부 흉골연에서 harsh systolic ejection murmur가 들린다. 협착증의 정도가 심해질수록 systolic murmur의 peak가 늦어진다. S2의 paradoxical splitting이 있을 수 있으며 중증 협착증에서는 A2가 소실될 수 있다.

5) 진단

심전도에서 80%의 환자에서 LAE, 85%에서 LVH 소견을 보인다.

AS가 의심되는 모든 환자에서 심초음파를 시행하여야 한다. 판막의 비후와 석회화, cusp의 수, 동반된 대동맥판 폐쇄부전증이나 승모판 질환, aortic valve area (AVA), pressure gradient (PG) 등의 평가가 필요하다.

표 6-90. Degree of aortic stenosis and pressure gradient and valve area

	Peak velocity (m/sec)	Mean PG (mmHg)	AVA (cm²)
Aortic Sclerosis	≤2.5		
Mild	2.6-2.9	<20	>1.5
Moderate	3.0-3.9	20-39	1.0-1.5
Severe	≥4.0	≥40	<1.0

6) 치료

치료방침은 판막구 면적이나 압력 차이보다는 기본적으로 증상의 유무에 따라 결정된다. 중증 협착증은 거의 대부분 대동맥판막 치환술(aortic valve replacement, AVR)이 필요하다. 일반적으로 중증 협착증에서 증상이 있거나, 중증 협착증 환자가 관상동맥우회로술(CABG)나 상행 대동맥 또는 다른 판막 수술을 할 때 수술을 시행한다. 증상이 없는 중증 협착증 환자는 관상동맥 질환의 예방, 정상율동의 유지, 혈압 조절 등에 초점을 두면서 첫 증상이 나타날 때에 내원할 것을 교육하여야 한다(그림 6-60).

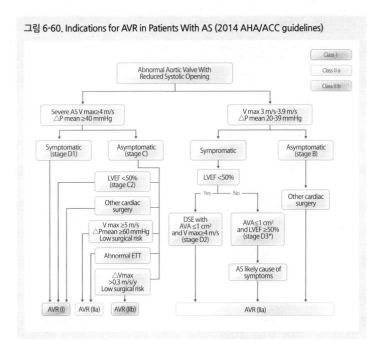

그림 6-60. Indications for AVR in Patients With AS (2014 AHA/ACC guidelines)

*Transcatheter Aortic Valve Replacement (TAVR)

2002년에 처음 시행되었고 국내에서는 2009년 KFDA 승인 이후 서울아산병원에서 현재까지 500례 이상 시행되었으며 좋은 결과를 보여주고 있다. Transfemoral 또는 transapical approach로 catheter를 통해 bioprosthetic valve를 diseased native aortic valve에 implant하게 된다. High surgical risk 또는 multiple comorbid disorders를 가진 severe, symptomatic AS 환자가 대상이 된다 (표 6-91).

표 6-91. 2017 AHA/ACC guidelines for Choice of Surgical or Transcatheter Intervention

Indication	Class
For patients in whom TAVR or high-risk surgical AVR is being considered, a heart valve team should collaborate to provide optimal patient care.	I
Surgical AR is recommended for symptomatic and asymptomatic patients with severe AS who meet an indication for AVR when surgical risk is low or intermediate.	I
Surgical AVR or TAVR is recommended for symptomatic patients with severe AS and high risk for surgical AVR, depending on patient-specific procedural risks, values, preferences.	I
TAVR is recommended for symptomatic patients with severe AS and a prohibitive risk for surgical AVR who have a predicted post-TAVR survival greater than 12 months.	I
TAVR is a reasonable alternative to surgical AVR for symptomatic patients with severe AS and an intermediate surgical risk, depending on patient-specific procedural risks, values, and preferences.	IIa
Percutaneous aortic balloon dilation may be considered as a bridge to surgical or TAVR in severely symptomatic patients with severe AS	IIb
TAVR is not recommended in patients in whom existing comorbidities would preclude the expected benefit from correction of AS	III

4. 대동맥 판막 폐쇄부전증 (Aortic regurgitation, AR)

1) 원인

Rheumatic heart disease, bicuspid aortic valve, infective endocarditis, senile degeneration, collagen vascular disease, Marfan syndrome, aortic dissection, tertiary syphilis.

2) 병태생리

이완기에 좌심실로 혈액이 역류되어 압력과 용적 과부하를 유발하고, 심박출량을 유지하기 위한 주된 보상기전은 좌심실 확장이다. 급성 대동맥판 폐쇄부전증에서는 좌심실의 보상성 확장이 일어날 시간이 없으므로 좌심실 박출량 감소, 좌심실 확장기말 압력(LVEDP) 상승, 폐부종이 생긴다. 만성 대동맥판 폐쇄부전증의 경우 장기간 증상이 거의 없는 상태에서 비가역적인 좌심실 부전으로 진행할 수 있다.

3) 치료

원인을 밝히고, 혈역학적 안정을 도모하며, 적절한 수술 시기를 잡는 것이 중요하다. 급성 대동맥판폐쇄부전증일 때에는 수술이 필수적이다. 만성 환자에서는 내과적인 치료가 중요하다. 증상이 있고 좌심부전이 있는 심한 AR환자에서 수술을 하지 못하는 경우 angiotensin-converting enzyme (ACE) inhibitors/angiotensin-receptor blockers (ARBs) and beta blockers를 사용한다. 또한 수축기 혈압이 140 mmHg가 넘는 경우 혈압조절을 해줘야하며 무증상이면서 좌심부전이 없고, 고혈압이 있는 환자에서도 역시 혈관확장제가 dihydropyridine calcium channel blockers or ACE inhibitors/ARBs 도움이 된다.

증상이 없고 좌심부전이 없는 만성 대동맥판 폐쇄부전 환자에서 수술의 시기는 논란의 여지가 있다. 일반적으로 NYHA class II 이상의 증상이 있으면 수술을 고려하며 증상이 없더라도 ejection fraction <50% and LV end-systolic dimension >50 mm이면 수술을 고려한다(표 6-92).

표 6-92. 2014 AHA/ACC guidelines of Recommendations for AR Intervention

Indication	Class
Symptomatic severe AR patients regardless of LV systolic function	I
Asymptomatic chronic severe AR patients with LV systolic dysfunction (EF<50%)	I
Chronic severe AR patients undergoing cardiac surgery for other indications	I
Asymptomatic severe AR patients with normal LV systolic function (EF≥50%) but with severe LV dilatation (LVESD>50 mm)	IIa
Moderate AR while undergoing other cardiac surgery	IIa
Asymptomatic chronic severe AR patients with normal LV systolic function (EF≥50%) but with progressive severe LV dilation (LVEDD>65 mm) if surgical risk is low	IIb

4) 예후

만성 대동맥판 폐쇄부전증 환자의 예후는 대체적으로 수년간은 양호하다. 약 75%의 환자가 5년 이상 생존하며 10년 생존율은 50% 정도이다. 그러나 일단 증상이 나타나면 급성 악화가 가능하고 급사하는 경우도 생길 수 있다. 수술적 치료를 받지 않는 경우, 협심증이 발생하면 대개 4년 이내에, 심부전이 발생하면 2년 이내에 사망한다. 무증상이라도 좌심실 기능이 비가역적으로 저하될 수 있으므로 그 전에 수술적 시기를 잡는 것이 필요하다.

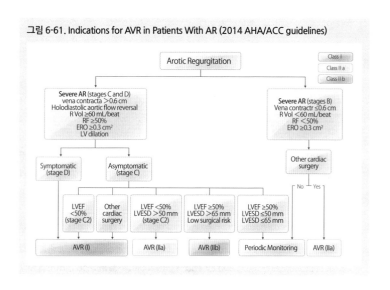

그림 6-61. Indications for AVR in Patients With AR (2014 AHA/ACC guidelines)

5. 인공 판막

1) 기계 판막(Mechanical valve)

현재 가장 널리 이용되는 판막은 bileaflet tilting disc 형태로 내구성이 좋으나 평생 항응고제 요법이 필요한 단점이 있다.

2) 조직 판막(Tissue valve)

항응고제 사용이 필요없다는 장점이 있으나 기계 판막에 비하여 내구성이 떨어지는 단점이 있다.

(1) 동물 조직 판막

돼지나 소의 대동맥판막이나 심낭을 처리하여 만든 것으로 CE (Carpentier-Edwards) 판막 등이 있다.

(2) 인간 조직 판막

① 동종 판막(homograft): 뇌사자나 심장이식술을 받은 환자에서 적출된 심장에서 얻을 수 있으며 동물 조직 판막처럼 항응고제 사용이 필요없으면서 그보다 내구성이 좋은 장점이 있으나 구하기가 어렵다는 단점이 있다.

② 자가 판막(autograft): 환자 자신의 조직을 적출하여 다른 부위에 이식하는 것으로 폐동
맥판을 적출하여 대동맥판에 이식하는 등의 방법이 임상에 응용되고 있다.

그림 6-62. St. Jude mechanical prosthetic valve (left) and Bioprosthetic (tissue) valve (right)

3) 인공판막 환자에서의 항응고제 요법

① 승모판에 링이 삽입되거나 조직 판막이라도 수술 후 첫 3개월간은 인공판막이 내피세포
　로 덮이기 전까지는 항응고제 요법이 필요하며 3개월 후에는 아스피린 사용을 권장하고
　있다.

② INR은 좌심방이 크고 심방세동이 동반되거나 혈전증의 병력이 있는 경우 2.5-3.5로 약
　간 높게 유지하고, 대동맥 기계판막이거나 좌심방이 작고 심방세동이 없는 승모판막의 경
　우 2.0-3.0 정도로 유지하는 것이 일반적이다.

③ 항응고요법 중 비심장 수술(non-cardiac surgery), 침습적인 시술이나 치과 치료시

- Patients at low risk of thrombosis (bileaflet mechanical AVR + no risk factors*):
　와파린은 시술 48-72 h 진 중단(INR 1.5 이하로 되도록)하고 시술 24시간 이내에 재복
　용 한다(Heparin 불필요).

- Patients at high risk of thrombosis (any mechanical MVR or mechanical AVR +
　any risk factor): 와파린 중단 후 INR이 2.0 이하로 떨어지면 IV UFH을 사용(대게 수술
　48 h 진)하고 시술 4-6 h 전에 중단한다. 시혈에 문제가 없다면 최대한 빨리 헤파린과 와
　파린을 다시 사용하여 INR therapeutic range가 되면 헤파린을 중지한다.

* Risk factors: atrial fibrillation, previous thromboembolism, LV dysfunction, hypercoagu-
　lable conditions, older-generation, thrombogenic valves, mechanical tricuspid valves,
　or more than 1 mechanical valve.

Ⅷ 비후성 심근병증(Hypertrophic cardiomyopathy, HCM)

1. 개요

비후성 심근병증은 원인을 설명할 수 없고 심실의 확장을 동반하지 않은 심근의 비후로 정의된다. 약 60%에서는 심근섬유분절 단백 유전자의 변이에 의한 우성 유전 질환이 원인이 되며, 임상적으로는 반드시 obstruction을 동반하는 것이 아니기 때문에(약 70%에서 dynamic obstruction 존재) 과거에 사용하던 idiopathic hypertrophic subaortic stenosis, hypertrophic obstructive cardiomyopathy, 그리고 muscular subaortic stenosis 등의 용어는 부적절하다.

2. 임상 양상

조직학적으로는 myocardial hypertrophy & myocyte disarray가 특징이고, 심실내에서 가장 흔하게 침범하는 부위는 septum, apex, mid-ventricle이다. 이환률은 500명당 1명으로 알려져 있으며 가족성인 경우가 많다. 임상적으로 이완기 심부전 및 부정맥, 심장돌연사가 나타난다. 35세 이하의 젊은 육상 선수에서 sudden cardiac death (SCD)의 가장 흔한 원인이다.

1) 심부전

호흡곤란이 가장 흔한 증상이며, 돌발야간호흡곤란, 피로 등의 증상이 나타날수 있는데, 심실 이완 부전에 의한 높은 좌심실내 이완기 압력과 dynamic LV outflow tract obstruction이 주요 원인 기전이다. 심박수를 상승시키는 상황이나 preload의 감소, diastolic filling time의 감소, LV outflow tract obtruction 증가(ie, 운동이나 빈맥), compliance의 악화(ie, ischemia) 등에 의해 위 증상들이 악화된다.

2) 심근 허혈

명백한 원인이 밝혀져 있지 않지만 공급과 수요간 불균형이 중요한 기전으로 인정되고 있다. 그외 다른 인자들은 다음과 같다.

① Small vessel coronary disease with decreased vasodilator capacity

② Elevated myocardial wall tension as a consequence of delayed diastolic relaxation time and obstruction to LV outflow

③ Decreased capillary to myocardial fiber ratio

④ Decreased coronary perfusion pressure

3) 부정맥

심방세동이 가장 흔하며, 약 25%에서 동반된다.

4) 실신

주로 부적절한 cardiac output에 의한 뇌혈류 감소로 인한다.

5) 급사

HCM 환자의 연간 사망률은 1~6%이다. 모든 HCM 환자가 급사의 위험에 있는 것은 아니다. 급사 환자의 22%에서는 증상이 없으며, 젊은 환자들에서 많다고 알려져 있다. 60%는 활동을 하지 않을 때 나타나며 나머지는 심한 신체적 활동 도중에 나타난다.

(1) High risk group for sudden cardiac death

① A personal history of ventricular fibrillation, sustained VT, or SCD events

② A family history of SCD events

③ Unexplained syncope

④ Documented NSVT defined as 3 or more beats at greater than or equal to 120 bpm on ambulatory (Holter) ECG

⑤ Maximal LV wall thickness greater than or equal to 30 mm

⑥ Abnormal blood pressure response during exercise

(2) Potential risk modifiers

① LVOT obstruction

② Late gadolinium enhancement on cardiac MR

③ LV apical aneurysm

④ Genetic mutations

3. 진단

1) 심전도

대부분의 환자에서 심전도 변화가 있으나 어떠한 소견도 HCM의 진단을 확신할 수는 없다.

표 6-93. Electrocardiographic findings in hypertrophic cardiomyopathy

Evidence of right and left atrial enlargement Q wave in the inferolateral leads
Voltage criteria for large negative precordial T waves (associated with Japanese variant)
Left axis deviation
Short PR interval with slurred upstroke

2) 심초음파

(1) Diagnostic features

① Typically characterized by asymmetrical septal hypertrophy

② Unexplained maximal wall thickness ≥15 mm in any myocardial segment

③ Septal/posterior wall thickness ratio >1.3 in normotensive patients, or >1.5 in hypertensive patients

④ Wall thickness ≥13 mm with a family history of HCM

⑤ Systolic anterior motion of mitral valve with or without septal contact

⑥ Small LV cavity

⑦ Mid-systolic closure of aortic valve

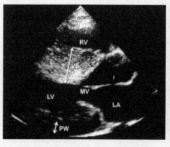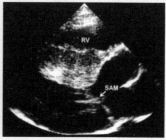

(2) Definition of dynamic left ventricular outflow tract (LVOT) obstruction

① Basal obstruction: pressure gradient ≥30 mmHg at rest

② Labile obstruction: pressure gradient <30 mmHg at rest and ≥30 mmHg with physiologic provocation (exercise, Valsalva, and standing)

③ Nonobstructive: pressure gradient <30 mmHg at rest and with provocation

④ 약물에 반응하지 않는 심한 증상을 보이는 환자에서 pressure gradient ≥50 mmHg (at rest or with provocation)에서 septal reduction therapy를 고려한다.

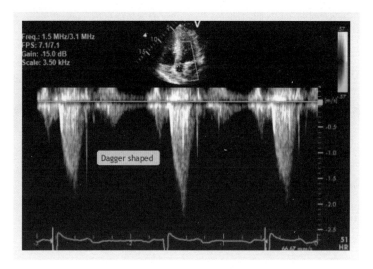

4. 치료

수축기, 이완기 부전 및 심근허혈, 부정맥 등에 의해 유발되는 심부전의 예방과 치료, 그리고 급사의 예방이 가장 중요하다.

1) 약물적 치료

생존률 향상이 증명되지는 않았지만 베타 차단제가 LV outflow obstruction 유무와 관계 없이 치료의 근간이 된다. 베타 차단제는 어떤 보고에서 약 70%의 환자에서 협심증, 호흡곤란, 실신에 효과가 있었다고 보고하고 있다. 알파차단 효과를 같이 가지고 있는 carvedilol이나 labetalol 등은 first line agent로 사용되어서는 안된다. 천식이나 고도의 심차단, 비대상성 심부전 환자에서는 금기이다.

베타 차단제에 금기가 있는 환자에서는 verapamil이나 diltiazem과 같은 nondihydro-pyridines 계열의 칼슘차단제가 second line agent로 고려될 수 있다. Class IA 항부정맥제인 disopyramide 역시 베타 차단제나 칼슘 차단제의 대안이 될 수 있다.

2) 비약물적 치료

① Surgery: septal myectomy (Morrow procedure), extended septal myectomy, concomitant mitral valve surgery(11-20%)

② Alcohol septal ablation: alternative to myectomy in selected patients

③ Dual-chamber pacing

④ 급사 고위험군에서 vigorous physical activity 금지, ICD insertion

⑤ 감염성 심내막염 예방을 위한 routine antibiotic prophylaxis는 추천되지 않는다.

IX 심낭 질환(Pericardial disease)

1. 정상 심낭

심낭은 심장표면을 둘러싸는 장측 심막(visceral pericardium)과 그 바깥을 감싸는 단단한 섬유층의 벽측 심막(parietal pericardium)의 두 개의 막으로 구성되어 있다. 정상적으로 두 막 사이에는 약 50 mL 이하의 심낭액이 존재하며 이는 심막 사이의 윤활유 역할을 한다. 정상적인 심낭은 팽창성이 있어 이완기때 심실의 확장을 방해하지 않으며, 호흡변화에 따른 흉강 내의 압력 변화를 심장으로 전달하여 정맥 환류(venous return) 등에 영향을 주게 된다.

2. 급성 심낭염(Acute pericarditis)

심막의 급성 염증으로 흉통, 심막 마찰음(friction rub), 특징적인 심전도 이상을 특징으로 하는 임상 증후군으로서 감염성 또는 비감염성의 다양한 원인에 의해 발생하는데, 특발성 또는 바이러스성인 경우가 많고(85~90%), 우리나라에서는 결핵, 악성종양에 의한 경우가 흔하다.

1) 원인(표 6-94)

(1) 바이러스성 심낭염

가장 흔한 바이러스는 Coxackie B와 Echovirus 이다. 흉통이 나타나기 전 급성상기도 감염 증상이 선행하고 회복기에 바이러스 항체 역가가 4배 이상 상승시 진단에 도움이 될 수 있으나 실제 검사를 시행하는 예는 드물다. 대부분 저절로 호전되나 가끔 심근염, 반복적인 심낭염, 심낭 삼출 및 드물게 심장 압전으로 진행하기도 한다.

(2) 세균성 심낭염

대개 staphylococci, pneumococci 또는 streptococci에 의한 폐렴이나 농흉의 합병증으로 발생한다. 발병 빈도는 매우 낮으나 병의 경과가 빠르고 심낭 압전이 잘 동반되어 사망에 이르게 되므로 빠른 진단 및 치료가 중요하다. 발열, 오한, 발한, 호흡곤란이 주증상이며 흉통이나 심낭 마찰음은 없는 경우가 있다.

(3) 결핵성 심낭염

발열과 함께 심낭 삼출이 있는 모든 환자에서 의심을 해야 한다. 폐결핵 환자의 1~2%에서 심낭 침범이 있다. 임상적으로 의심된다면 입원해서 다제 항결핵제 치료를 시작하는 것이 좋다. 삼출액내 ADA의 상승(≥40 U/L)이 진단에 도움이 될 수 있다.

(4) 요독성 심낭염

원인은 불분명하나 신대체요법이 필요한 환자에서 많이 발생하며 심낭 삼출액의 양이 많은 것이 특징이다.

표 6-94. Etiology of Pericardial Disease (modified 2015 ESC guideline)

감염성	바이러스성	Coxackie B, echovirus, adenovirus, CMV, EBV, HBV, HIV
	세균성	Mycobacterium tuberculosis, Staphylococci, Pneumococci, Streptococci, Mycoplasma, Lyme disease, Hemophilus influenzae, Neisseria meningitidis
	곰팡이성	Histoplasma spp, Aspergillus spp, Blastomyces spp, Candida spp
비감염성	면역성	전신 자가면역성-염증성 질환(루푸스, 쇼그렌 증후군, 류마티양 관절염, 피부경화증), 유육종증, 혈관염, 혼합성결체질환
	종양성	Breast, lung, lymphoma, leukemia, mesothelioma, fibrosarcoma, lipoma
	외상성	Blunt and penetrating, post-CPCR, postmyocardial infarction syndrome, postpericardiotomy syndrome
	약물성	루푸스양 증후군(Procainamide, hydralazine, isoniazide, cyclosporin), 항암제(doxorubicin, daunorubicin, 5-fluorouracil, methysergide)
기타		요독성, 갑상선기능저하증, 아밀로이드증, 대동맥 박리증

2) 진단

급성 심낭염은 다음 기준 중 두 가지 이상을 만족할 때 진단 내릴 수 있다.

(1) 심낭 흉통(pericarditic chest pain)

흉골의 뒤쪽에서 발생하는 날카롭고 심한 통증. 목, 어깨, 견갑골로 방사될 수 있다. 특징적으로 눕거나 기침 및 크게 숨을 들이쉴 때 통증이 심해지고, 앞으로 구부리면 감소된다.

(2) 심낭 마찰음(pericardial friction rubs)

장측 심막과 벽측 심막이 염증으로 인해 서로 마찰시 들리는 잡음으로 흉골의 좌하부에서 청진기의 diaphragm으로 듣는다. 환자가 앞으로 몸을 숙이고 숨을 들이쉬면 더 잘 들리며 scratchy, grating, high-pitched sound 이다.

(3) Widespread ST-elevation or PR depression on ECG

급성 심낭염의 진단에서 심전도 소견은 매우 중요하다. 심전도는 시간에 따라 변하는데, 초기 급성 심낭염에서 ST elevation은 concave, upward 양상으로 limb lead와 precordial lead의 대부분에서 관찰되며 PR-segment depression이 관찰될 수 있고 급성 심근경색보다 R-wave의 크기변화가 적다는 점이 특징적이다(그림 6-63).

흉통 발생 수일 후 ST분절은 기저선으로 떨어지고 T파는 flat 해진다. 후기(수 일~수 주 후)에는 T파의 역위가 나타났다가 서서히 정상화된다. 초기 급성 심낭염의 심전도와 감별해야 할 비교적 흔한 상황으로는 젊은 남자에서 흔히 보이는 Early repolarization과 급성 심근경색 등이 있다. 급성 심낭염의 ST분절 상승이 Early repolarization에서 보다 훨씬 커서 V6에서의 ST/T ratio>0.25도 급성 심낭염을 시사하는 소견이라는 보고가 있다. 그 밖에도 ST-segment 상승을 초래할 수 있는 여러 가지 상황은 그림 6-54과 같다.

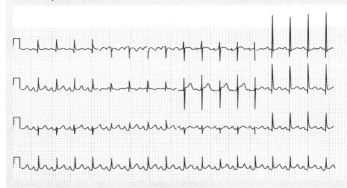

그림 6-63. ECG of early phase of acute pericarditis, showing widespread ST elevation and PR depression.

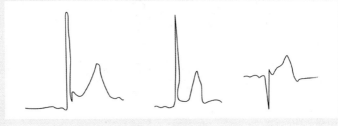

그림 6-54. Acute pericarditis (left), Early repolarization (center), and acute myocardial infarction (right)

(4) 심낭 삼출액(new or worsening)

급성 심낭염은 심초음파로 진단하는 질환은 아니며 심낭 삼출이 동반되지 않은 경우 심초음파는 대개 정상이다. 하지만 질병이 1주일 이상 오래 지속되거나, 혈역학적 이상이 동반될 경우, 심낭의 두께에 대한 정보가 필요할 때, 반복적인 심낭염, 최근에 개흉술을 받은 경우, 노인, 심낭 삼출이 의심되는 경우 등에는 검사를 시행해야 한다.

3) 치료

원인 질환을 확인하고 이를 치료하는 것이 중요하다. 대개 항염증제로 대증적 치료를 하며 심낭 삼출이나 기타 합병증 발생 여부를 관찰한다. 특발성 급성 심낭염의 대부분은 합병증 없이 낫고 약물치료에 잘 반응하며, 약물 선택은 환자의 약물에 대한 금기나 부작용에 대한 이전 병력을 고려하고, 수반되는 다른 기저질환 및 임상의의 판단에 의해 결정한다.

(1) Exercise restriction

증상이 없어지고 CRP, ECG와 심초음파가 정상소견을 보일 때까지 안정을 취한다.

(2) 비스테로이드성 소염제

아스피린(500-1000 mg po tid)나 Ibuprofen(600 mg po tid) 또는 indomethacin (25-50 mg po tid)을 증상이 사라질 때까지 투여한다(표 6-95).

표 6-95. 급성 심낭염에서의 비스테로이드성 소염제 치료 방법

Drug	Usual initial dose (with possible range)	Length of treatment	Tapering
Aspirin	500–1,000 mg every 6–8 hours (1.5–4 g/day).	FIRST uncomplicated episode: 1–2 weeks.	Decrease the total daily dose by 250–500 mg every 1–2 weeks.
Ibuprofen	600 mg every 8 hours (range 1,200–2,400 mg).	RECURRENCES: 2–4 weeks up to several months. The optimal length of treatment is debatable, and CRP should be considered as a marker of disease in activity to guide management and treatment length. The need for gradual tapering (every 1–2 weeks and only if the patient is asymptomatic and CRP is normal) is recommended by this Task Force.	Decrease the total daily dose by 200–400 mg every 1–2 weeks.
Indomethacin	25–50 mg every 8 hours: start at lower end of dosing range and titrate upward to avoid headache and dizziness.		Decrease the total daily dose by 25 mg every 1–2 weeks.
Naproxen	500–1,000 mg daily every 12 hours; if tolerated well and clinically indicated, may increase to 1,500 mg daily of naproxen base for limited time period (<6 months). Dosage expressed as naproxen base; 200 mg naproxen base is equivalent to 220 mg naproxen sodium.		Decrease the total daily dose by 125–250 mg every 1–2 weeks.

(3) 콜히친(colchicine)

저용량 콜히친(0.5 mg)을 약물치료에 대한 반응을 높이고 재발을 예방하기 위해 비스테로이드성 소염제와 함께 투여한다.

(4) 스테로이드

아스피린 또는 NSAID 사용이 금기이거나 치료에 반응하지 않는 환자에서 두 번째 옵션으로 사용될 수 있다. 고용량 대신 저용량 또는 중등 용량(프레드니손 0.2-0.5 mg/kg)을 사용하며, 초기 용량은 증상이 해결 될 때까지 유지하고 CRP 정상화 후 감량한다.

(5) 세균성

　경험적 항생제 사용 및 심낭 삼출액의 즉각적인 배액

(6) 결핵성

　다제요법 항결핵제(+/- 스테로이드) 투여

(7) 요독증

　투석을 시작하거나 늘린다.

3. 심낭 삼출(Pericardial effusion)

　무증상에서부터 심낭 압전(pericardial tamponade)까지 다양한 임상상이 존재한다. 나타나는 증상은 삼출액의 양이나 발생 속도 및 양상에 따라 다르다. 많은 양의 삼출이 있는 환자에서 무증상일 수도 있으며, 적은 양이라도 빠르게 발생하면 심낭 압전까지 일으킬 수 있다. 팽창되지 않은 심낭에는 200 cc 이하의 액체만이 모일 수 있으나, 서서히 발생하는 경우에는 혈역학적인 변화없이 2 L까지도 삼출액이 모일 수 있다.

1) 임상진단

　서서히 발생하는 심낭 삼출은 주로 무증상이며, 때때로 지속적인 둔한 흉통이나 압력을 느낀다. 심낭 삼출의 물리적인 식도 압박에 의한 연하 곤란, 폐 압박 및 무기폐에 의 한 호흡 곤란 등이 발생할 수 있고, 횡격막 신경(phrenic nerve) 압박에 의한 딸꾹질, 주위 복부 기관의 압박에 의해 오심, 복부 팽만감 등을 느낄 수 있다.

2) 원인

　급성 및 만성 심낭염을 일으킬 수 있는 모든 원인이 심낭 삼출을 만들 수 있다. 많은 양의 만성적인 심낭 삼출의 흔한 원인으로는 악성 종양, 요독증, 감염, 갑상선 기능 저하증, 울혈성 심부전, 신증후군, 간경변증, 임신, 심장수술 및 약물 등이 있다.

3) 심전도

　Low voltage (≤5 mm in all limb leads, ≤10 mm in V1-6), electrical alternans

　※심전도상 저전압은 그 밖에도 비만, 갑상선 기능 저하증, 만성 폐쇄성 폐질환, 기흉, 흉막 삼출, 아밀로이드증, 심근염 등 여러 상황에서 나타날 수 있으므로 심낭삼출의 특징적인 소견은 아니다.

4) 흉부 X선

　심비대(대개 250 cc 이상의 삼출), 급성 심낭 압전의 경우 정상일 수도 있다.

5) 심초음파

심낭삼출의 진단에 가장 정확하고 민감한 검사로서 대개 50 cc 이상의 심낭삼출은 심주기 동안 벽측 심막과 장측 심막 사이의 echo-free space로 나타난다. 삼출액이 많으면 심장 전체가 심낭안에서 흔들리게 되고('swinging heart') 이로 인해 심전도상 electrical alternans가 생길 수 있다.

6) 치료: 발생 원인, 삼출의 양 및 혈역학적 중요성에 따라 다르다.

(1) 심낭천자(pericardiocentesis) or 수술적 배액

심낭 압전이나 약물적 치료에 반응하지 않는 증상이 있는 중등도 이상의 삼출, malignancy 나 unknown bacterial에 의한 심낭 삼출에 경우에 심낭천자를 고려할 수 있다.

(2) 심근염에 의한 심낭 삼출의 경우에는 심낭염의 치료인 아스피린, NSAID 또는 콜히친의 사용이 권고된다.

4. 심낭 압전(Pericardial tamponade)

심낭 삼출이 급격히 발생하거나 절대적으로 많은 양이 발생할 경우 심낭내 압력을 증가시켜 심장을 압박하여 이완기 충만을 방해하고 심박출량을 저하시키는 것을 말한다.

1) 원인

심낭염을 일으킬 수 있는 모든 질환. 일반적으로 심낭염, 악성 종양, 결핵성 등의 경우에 심낭 압전이 흔히 볼 수 있다.

표 6-96. Causes of cardiac tamponade

Common causes	Uncommon causes
• Pericarditis • Tuberculosis • Iatrogenic (invasive procedure-related, post-cardiac surgery) • Trauma • Neoplasm/malignancy	• Collagen vascular diseases (systemic lupus erythematosus, rheumatoid arthritis, scleroderma) • Radiation induced • Postmyocardial infarction • Uraemia • Aortic dissection • Bacterial infection • Pneumopericardium

2) 진찰소견

경정맥 확장, 저혈압, 빈맥, paradoxical pulse, 호흡곤란

3) ECG

Tachycardia, low voltage, electrical alternans, ST elevation (in case of acute peri-carditis)

4) 심초음파로 진단 및 혈역학적 중요도를 평가한다.

Pericardial effusion; diastolic RA & RV collapse, inspiratory increase of right-sided flow, IVC plethora

5) 치료: pericardiocentesis or surgical pericardiotomy (window operation)

(1) 정맥 수액 공급으로 적절한 혈관내 용적을 유지하고, 필요하면 강심제도 사용한다.

＊이뇨제, nitrate 등 preload를 감소시킬 수 있는 약제는 절대 금기.

(2) 심낭 천자(pericardiocentesis)

Risk of major complication: 1.5-6.5%(대개 5% 이하) Cardiac perforation, coronary artery laceration, air embolism, pneumothorax, arrhythmias, puncture of the peritoneal cavity or abdominal viscera. 빈도는 낮더라도 심각한 합병증이 생길 수 있으므로 CPCR이 가능한 환경에서 시행하는 것이 원칙이다.

(3) 수술적 배액이 고려되는 상황은

① 심장 수술 후 발생한 압전(loculated effusion인 경우가 많으므로)

② 이물질에 의한 압전

③ 원인이 불분명하면서 혈역학적으로 안정시 진단과 치료를 겸해서 시행

5. 교착성 심낭염(Constrictive pericarditis)

어떠한 원인이든 심낭염의 마지막 단계로서 심낭이 섬유화되고 두꺼워져 발생한다. 심장은 섬유화, 석회화된 두꺼운 심낭에 의해 둘러싸이며 장측 심막과 벽측 심막은 들어붙게 되어 심실의 이완기 충만의 장애와 심장내 압력의 증가를 유발한다. 이로 인해 정맥압이 증가하게 되어 우/좌심실 부전의 증상과 징후가 나타나게 된다.

1) 원인

교착성 심낭염은 거의 모든 심낭 질환 과정 후에 발생할 수 있지만, 바이러스성 및 특발성 심낭염에 의한 경우는 낮고(1%), 면역성 또는 종양성의 심내막염의 경우는 중등도이며(3-5%), 세균성 심낭염 특히 화농성의 경우가 가장 높다(20-30%). 과거에는 결핵성 심낭염이 압축성 심낭염의 가장 흔한 원인이었으나 최근 서구에서는 결핵의 유병률이 감소하면

서 이로 인한 교착성 심낭염의 발병률도 매우 낮아졌다.

2) 병태생리

심막의 비후는 심실의 이완기 충만을 감소시키고 이완기압을 상승시켜 궁극적으로는 네 개의 방실의 이완기압을 거의 같게 만든다(diastolic pressure equalization). 심실의 이완기 초기에는 저항없이 충만이 이루어지다가 심실이 비후되고 굳어진 심막에 도달하는 이완기 1/3 지점부터는 이완기 충만이 갑자기 감소되어 심실 압력 곡선에서 plateau로 나타난다(dip and plateau; square root sign). 정상에서는 흡기시 흉곽내 압력이 감소하면 정맥 환류(venous return)가 증가하여 정맥압은 감소하고 우심실 박출량은 증가한다. 그러나 압축성 심낭염에서는 흡기시 우심실의 이완기 충만이 감소하여 중심 정맥압은 상승한다(Kussmaul's sign).

3) 임상 소견 및 검사 소견

(1) 진찰소견

경정맥 확장, Kussmaul's sign, 간종대, 말초 부종, 복수, pericardial knock 등

(2) 흉부 X선, CT/MRI

심막 비후 및 석회화를 진단하는 데는 심초음파보다 낫다. 그러나 심막 비후나 석회화가 심하지 않아도 중증 교착성 심낭염의 발생이 가능하다는 점을 기억해야 한다.

(3) 심초음파

심막 비후 및 석회화, 승모판 혈류의 호흡주기 변화(mitral inflow respiratory variation), septal bouncing(심실 조기 이완기 충만이 급격하게 이루어지는데 심막의 제한으로 양심실의 상호 의존성이 증가하여 심실 중격이 급격히 이동), 하대정맥 울혈(IVC plethora), 호기시 간정맥의 이완기 혈류 역류(diastolic flow reversal)의 증가

(4) 심도자

End-diastolic pressure equalization (RV, LV, RA, LA, PV), square root sign, Discordance of LV and RV systolic pressures (due to exaggerated ventricular interdependence).

4) 치료

궁극적 치료는 심막 절제술(pericardiectomy)이다. 심하지 않은 증상을 동반한 환자에서는 이뇨제나 저염식 등의 내과적 치료를 시도해 볼 수 있으나 대부분 궁극적으로 심막 절제술을 필요로 한다. 수술 후 90% 이상의 환자에서 증상의 호전을 기대할 수 있다. 문제는 높은 수술 사망률(5-20%)인데, 수술 전 상태가 나쁜 경우 위험도가 더 커지므로, 적절한 수

술 시기의 결정이 중요하다. 일반적으로 심근 위축, 심장 악액질(cardiac cachexia), 심낭 석회화 이전에 시행하는 것이 좋다고 알려져 있다.

5) 심낭염후 일시적 교착성 생리(Transient Constrictive Phase of Acute Pericarditis)

급성 심낭염 환자의 약 7~10%에서는 심낭 삼출이 소실된 후에도 심낭에 염증성 변화, 비후 및 탄성도 감소가 한동안 남아서 교착성 생리(constrictive physiology)를 보일 수 있다. 이로 인해 교착성 심낭염과 유사한 호흡곤란, 경정맥 확장, 말초 부종, 복수 등의 증상이 2~3개월 정도 지속되다 호전되는 양상을 보인다. 치료는 급성 심낭염에서처럼 세균성이나 결핵성이 아닌 한, 비스테로이드성 소염제나 스테로이드를 사용한다.

6) 감별 진단

심장 질환으로는 제한성 심근병증, 삼첨판 폐쇄부전증, 심장외 질환으로는 신증후군, 상대 정맥 협착, 악성 복수 등과 감별해야 한다. 제한성 심근병증과의 감별은 표 6-97과 같다.

표 6-97. Constrictive pericarditis vs. restrictive cardiomyopathy: a brief overview of features for the differential diagnosis (Modified from Imazio et al.)

Diagnostic evaluation	Constrictive pericarditis	Restrictive cardiomyopathy
Physical findings	Kussmaul sign, pericardial knock	Regurgitant murmur. Kussmaul sign may be present. S3 (advanced).
ECG	Low voltages. non-specific ST/T changes, atrial fibrillation.	Low voltages, pseudoinfarction, possible widening of QRS, left-axis deviation, atrial fibrillation.
Chest X-ray	Pericardial calcifications (1/3 of cases).	No pericardial calcifications.
Echocardiography	• septal bounce. • Pericardial thickening and calcifications. • Respiratory variation of the mitral peak E velocity of >25% and variation in the pulmonary venous peak D flow velocity of >20% • Colour M-mode flow propagation velocity (Vp) >45 cm/sec. • Tissue Doppler: peak e' >8.0 cm/s.	• Small left ventricle with large atria. possible increased wall thickness. • E/A ratio >2, short DT. • Significant respiratory variations of mitral inflow are absent. • Colour M-mode flow propagation velocity (Vp) <45 cm/sec. • Tissue Doppler: peak e' <8.0 cm/s.
Cardiac Catheterization	'Dip and plateau' or 'square root' sign, right ventricular diastolic, and left ventricular diastolic pressures usually equal, ventricular interdependence (i.e. assessed by the systolic area index >1.1).	Marked right ventricular systolic hypertension (>50 mmHg) and left ventricular diastolic pressure exceeds right ventricular diastolic pressure (LVEDP>RVEDP) at rest or during exercise by 5 mmHg or more (RVEOP <1/3 RVSP).
CT/CMR	Pericardial thickness >3-4 mm, pericardial calcifications (CT), ventricular interdependence (real-time cine CMR).	Normal pericardial thickness (<3.0 mm). myocardial involvement by morphology and functional study (CMR).

X 심장 종양

- 심장을 침범하는 가장 흔한 종양은 metastatic tumor.
- 원발성 심장 종양의 3/4은 benign이며, 그 중 절반은 점액종(myxoma)이다.
- 악성 원발성 종양은 육종(sarcoma)이 가장 흔하다.
- 심장 종양의 임상상은 종류보다는 심장 내에서의 위치에 따라 특징적인 양상을 보인다.

1. 점액종(Myxoma)

① 대부분 좌심방에서 발생하며, 여성에서 더 흔하다.

② Mimic mitral stenosis(갑자기 발생하거나 체위에 따른 변화를 보임), tumor embolism. 10%에서 가족력이 있다.

③ 크기에 관계없이 수술하며, 수술 후 재발율은 1~5% 정도이다.

2. 육종(Sarcoma)

① 악성 원발성 종양의 95%를 차지하며, 대부분 right sided heart에서 발생하고, rapid growth 한다.

② 진단 당시 대부분 extensive spread 상태로 median survival 1년 미만이다.

07

알레르기내과

알레르기내과
Allergy

Ⅰ 응급실에 혈관부종 또는 후두부종으로 왔을 때

1. 임상적 상황

혈관부종은 혈관확장을 일으키는 물질에 의해 일시적으로 피부 또는 점막이 부어오르는 현상이다. 혈관확장에 의해 혈관의 투과도가 증가하여 진피, 피하지방, 또는 점막하 조직에 혈장이 새어나가 부어오르게 되며 pitting edema는 관찰되지 않는 것이 특징이다. 특히 얼굴, 혀, 인후두에 발생했을 경우 기도를 막을 가능성이 높아져서 응급상황에 대비해야 한다. 후두부종으로만 발현했을 경우 호흡곤란, 목소리 변화, 쉰 목소리, stridor 등 임상적 증상으로 진단하고 응급조치를 해야 한다. 기도를 침범하지 않더라도 심한 복통으로 발현하는 경우도 있다. 이 경우 내과적 상황임에도 불구하고 응급수술 대상으로 오진할 수 있기 때문에 과거력을 물어보고 얼굴, 목, 사지의 혈관부종과 복통이 동반되었던 적이 있는지 확인해야 한다.

2. 감별 진단

표 7-1. 혈관부종의 초기 검사

초기 포함해야 할 검사
CBC with diff count
ESR
Chemical battery
CRP
Total IgE
C4
ANA
(아나필락시스가 의심된다면) Tryptase

감별진단의 가장 큰 목적은 응급 치료제를 선택하고 반응을 예측하기 위함이다. 표 7-2 및 표 7-3을 보며 아나필락시스로 대표되는 히스타민 매개 반응은 응급치료로서 스테로이드 및 항히스타민제에 잘 반응하고 에피네프린도 도움이 될 수 있지만 브라디키닌 매개 반응은 이러한 치료제들이 도움이 거의 안되고 브라디키닌 수용체 억제제인 Icatibant 또는 차선책으로 신선동결혈장을 투여해야 하기 때문에 초기 감별진단이 매우 중요하다.

표 7-2. 혈관부종의 감별진단

Types	Characteristics
Histamine-mediated (with urticaria) 대부분의 사례	Allergy to food, venom, latex, medication
	Acute or chronic spontaneous urticaria
	Urticaria/angioedema associated with cold urticaria, vasculitis, exercise, episodic angioedema, vibration-induced, drug reaction
Bradykinin-mediated (without urticaria) 드물다	Type I HAE: defective C1-INH level/function
	Type II HAE: defective C1-INH function
	Type III HAE: normal C1-INH
	Acquired C1-INH deficiency: Type I associated with increased catabolism of C1-INH (lymphoproliferative disorder, autoimmune disease); Type II associated with autoantibody to C1-INH
	ACEi-mediated angioedema
	Medication associated: dipeptidyl peptidase-IV inhibitor (gliptins for diabetes mellitus), angiotensin II receptor blockers, recombinant tissue plasminogen activator, sirolimus, tacrolimus, everolimus
Idiopathic (unknown etiology)	Histaminergic
	Nonhistaminergic

HAE, hereditary angioedema; C1-INH, C1 inhibitor; ACEi, angiotensin-converting enzyme inhibitor.

표 7-3. 혈관부종의 2가지 임상형 특징

Features	Histaminergic	Non-histaminergic
Onset	Minutes	Hours
Duration	12-24 hours	48-72 hours
Hypotension	Common	Atypical
Urticaria/Flushing/Pruritus	Common	Atypical
Bronchospasm/Wheezing	Common	Atypical
Laryngeal edema	Possible	Possible
Abdominal pain	Possible	Possible
Therapy with epinephrine, antihistamines, corticosteroid	Effective	Not effective

대부분의 사례들은 히스타민 매개 반응이기 때문에 이에 따른 치료를 빨리 시작하는 것이 중요하고 치료 반응이 없거나 과거력에서 치료에 반응하지 않았다면 브라디키닌 매개 반응을 감별진단해야 한다.

아나필락시스가 의심되는 소견은 "아나필락시스가 발생했을 때" 장에 설명되어 있다. 간략히 말하자면, 피부가려움증, 두드러기, 홍조 등의 피부 증상이 대부분 동반되며 구토나 설사가 동반될 수 있고 심한 경우 저혈압이 동반되기도 한다. 또한 약물이나 음식물 섭취 후 30분 이내에 증상이 발생하면 아나필락시스 가능성이 높다. 원인이 불명확한 특발성 혈관부종도 에피네프린, 항히스타민제, 전신스테로이드 치료에 반응할 수 있다.

브라디키닌 수용체 억제제를 투여할 대상은 대부분 병력으로 확인해야 한다. 환자의 병력상 가족력이 있거나 과거에도 반복된 응급치료에 반응을 하지 않았을 경우 유전성/후천성 혈관부종을 의심해 봐야 한다. 유전성혈관부종은 초기 검사에서 C4가 감소해 있는 것이 특징적이다. 특히 lymphoproliferative disorder가 있는 경우도 후천성 혈관부종을 의심해 본다. ACEi 복용의 부작용으로서 혈관부종이 발생하므로 반드시 약물 복용력을 확인해야 한다. ACEi 외에도 dipeptidyl peptidase-IV inhibitor (gliptins for diabetes mellitus), angiotensin II receptor blockers, recombinant tissue plasminogen activator, sirolimus, tacrolimus 등도 원인이 될 수 있다. 이러한 경우 히스타민 매개 반응이 아니기 때문에 일반적인 항히스타민제/스테로이드/에피네프린 치료는 효과가 없고 Icatibant만 효과가 있다. 단, Icatibant는 유전성혈관부종 외에는 보험이 되지 않아서 100만 원이 넘기 때문에 투여에 신중해야 한다.

3. 응급 치료

1) 기도 확보

환자의 목소리가 변하거나 쉰 목소리가 나며 stridor가 들리면 후두부종을 의심해야 한다. 혀의 부종이나 후두 부종이 발생하면 응급상황으로 판단하고 기도를 확보할 준비를 해야 한다. 혀나 입천장이 부었다면 우선 목안을 관찰하여 인두에 호흡을 할 정도의 구멍이 있는지 확인해야 한다. 기도삽관 등이 후두 상부에서 접근하는 기도확보 방법이 실패할 가능성도 있으므로 cricothyrotomy나 tracheostomy를 할 수 있도록 미리 도움을 요청해야 한다.

2) 약물 치료

그림 7-1에 단계별 치료를 도식화하였다.

그림 7-1. Approach to patients with angioedema

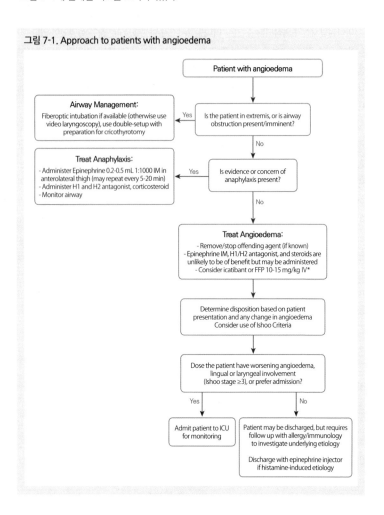

표 7-4에 중환자실 치료가 필요할 지를 예측할 수 있는 Ishoo criteria 자료를 제시하였다.

표 7-4. Predicting airway compromise based on anatomic location of angioedema

Ishoo Stage	Site	Frequency	Discharge	Inpatient	ICU	Intervention
I	Face, Lip	31%	48%	52%	0%	0%
II	Soft palate	5%	60%	40%	0%	0%
III	Tongue	32%	26%	7%	67%	7%
IV	Larynx	31%	0%	0%	100%	24%

초기 감별진단이 애매하다면 우선 에피네프린, 항히스타민제, 전신스테로이드제를 투여한다. 브라디키닌 매개 반응인 경우에는 이 약제들이 뚜렷한 치료 효과가 없지만 정확한 감별진단이 되기 전까지 최소한 해가 되지는 않기 때문에 빨리 투여해 볼 수 있다.

환자의 증상이 명백하게 히스타민 매개 반응이거나 알레르기 반응이라면 아나필락시스에 준하여 에피네프린, 항히스타민제, 전신스테로이드 치료를 시행한다. 피부에만 국한된 히스타민 매개 반응이라면 경구스테로이드와 항히스타민제를 처방하여 귀가시켜도 된다.

발생 빈도는 매우 드물지만 브라디키닌 매개 반응인 경우 Icatibant (Firazyr)를 30 mg (3 mL) 피하주사로 투여한다. 1회 피하주사 치료에도 불구하고 혈관부종, 후두부종, 또는 복통의 임상적 증상이 상당히 감소하지 않는다면 6시간 후에 추가로 투여한다. 24시간 내 최대 3회까지 투여할 수 있다. 신선동결혈장도 브라디키닌 매개 반응에 도움이 되지만 감염의 위험도 있고 일부 증상이 역설적으로 악화될 수도 있어서 Icatibant로 치료하는 것이 바람직하다. 단, Icatibant는 유전성혈관부종에서만 보험 적용이 되어 10만 원 정도의 비용만 소요되지만 그 외에는 100만 원 정도의 비용이 청구되므로 환자에게 응급상황 및 비용에 대해 상의한 후 투여해야 한다. 유전성혈관부종으로 확진되지 않았거나 Icatibant 치료에 동의하지 않는다면 신선동결혈장을 투여한다.

3) 미래 계획

히스타민 매개 반응이라면 원인을 확인하는 것이 중요하다. 원인을 밝히지 못하는 경우가 더 많지만 기도가 막힌 과거력이 있다면 아나필락시스에 준하여 휴대용 에피네프린주사 (Jext)를 귀가 시 처방하여 휴대하고 다니도록 해야 한다. 그리고 알레르기내과 외래에서 추가 검사를 하도록 안내한다. Jext 휴대용 에피네프린 주사는 유효기간이 1년이기 때문에 장기적으로 꾸준히 외래를 방문하도록 예약을 해주어야 한다.

Ⅱ 두드러기 또는 가려움증이 생겼을 때

1. 임상적 상황

병원 내에서 가려움증은 흔한 증상이다. 약물에 의한 부작용으로 가렵거나 약물 알레르기로 인해 두드러기가 발생하여 가려울 수 있다. 다양한 내분비, 대사, 종양, 간질환, 신장질환 등에서 가려움증이 발생하기도 한다. 환자를 처음 봤을 때 가장 중요한 점은 두드러기나 피부염이 동반되었는지 여부이다. 그리고 피부에 발진이 있다면 두드러기와 두드러기가 아닌 피부 발진을 구분하는 것이 중요하다. 두드러기라면 24시간 이내에 완전히 사라지고 다른 위치에 새로 생긴다. 반면 두드러기가 아닌 발진은 한번 생긴 이후 24시간 넘게 같은 자리에 지속되면서 서서히 옅어지며 수일에 걸쳐서 사라진다. 이 구분이 중요한데 두드러기라면 항히스타민제 반응이 높지만 두드러기가 아니라면 항히스타민제에 대한 반응할 가능성이 매우 낮기 때문이다. 이미 페니라민이나 세티리진 같은 항히스타민제를 사용해 보고 조절이 안되어 응급실에 오거나 협진의뢰가 오는 경우가 많기 때문에 항히스타민제에 반응하지 않을 가능성이 충분히 많다는 것을 염두해 두고 접근해야 한다. 항히스타민제는 히스타민에 의한 가려움증에만 듣지 모든 가려움증을 해결하는 약이 아니다. 피부에 보이는 발진이 없다면 전신질환이나 정신적인 원인을 감별해야 한다. 두드러기나 피부염이 동반된 가려움증은 몸에 코티솔 분비가 가장 낮은 밤부터 새벽에 나빠지기 때문에 야간 증상을 잘 조절해 주어야 한다.

표 7-5. 두드러기 및 가려움증 초기 검사

초기 포함해야 할 검사
CBC with diff count
ESR
CRP
Total IgE
Cr, BUN, E'
LFT
LDH
Fasting glucose
TSH

2. 감별 진단

감별 진단에서 가장 중요한 3가지는 다음과 같다.
1) 피부의 질환인지 아니면 전신적/정신적 질환의 증상인지 감별
2) 원인이 현재 투약하는 약물의 부작용인지 확인
3) 고용량 2세대 항히스타민제 치료에 반응하는지 확인

치료제 투여 후 반응을 보고 감별할 수도 있다. 피부의 염증성 질환이라면 스테로이드나 다른 면역조절제에 반응할 가능성이 매우 높다. 또한 낮보다는 코티솔이 감소하는 밤이나 새벽에 증상이 악화되고 발진도 더 올라올 수 있다. 2세대 항히스타민제에 반응한다면 두드러기나 히스타민 분비를 매개로 하는 증상일 가능성이 높다.
우선 가려움증이 있다면 아래 도표를 따라서 감별진단을 한다.

그림 7-2. 가려움증 환자 초기 접근 방법

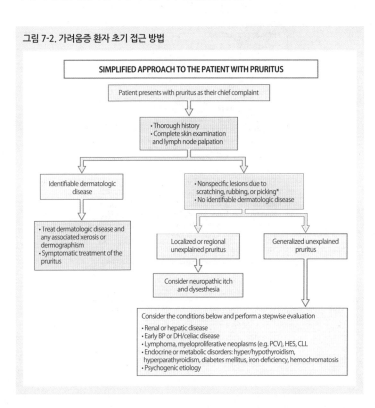

피부질환 중 가려움증이 발생할 수 있는 상황은 다음과 같다.

표 7-6. Primary dermatologic conditions associated with pruritus

Cause	Dermatologic disease
Inflammation	• Atopic dermatitis • Allergic or irritant contact dermatitis • Seborrheic dermatitis, especially of the scalp • Stasis dermatitis • Psoriasis • Parapsoriasis • Pityriasis rubra pilaris • Lichen planus • Urticaria, dermographism • Mastocytosis • Papular urticaria, urticarial dermatitis • Drug eruptions, e.g. morbilliform • Polymorphous light eruption, actinic prurigo, chronic actinic dermatitis • Bullous diseases, e.g. DH, BP • Polymorphic eruption of pregnancy (PEP) • Eosinophilic folliculitis • Dermatomyositis • Prurigo pigmentosa • Lichen sclerosus • Graft-versus-host disease
Infestation/ bites & stings	• Scabies • Pediculosis • Arthropod bites
Infections	• Bacterial infections, e.g. folliculitis • Viral infections, e.g. varicella • Fungal infections, e.g. inflammatory tinea • Parasitic infections, e.g. schistosomal cercarial dermatitis
Neoplastic	• Cutaneous T-cell lymphoma, e.g. mycosis fungoides, Sezary syndrome
Genetic/nevoid	• Darier disease and Hailey-Hailey disease • Ichthyoses, e.g. Netherton, Sjögren-Larsson, and peeling skin syndromes • Pruriginosa subtype of dominant dystrophic EB • Porphyrias, e.g. porphyria cutanea tarda and erythropoietic protoporphyria • Inflammatory linear verrucous epidermal nevus (ILVEN) • Large/giant congenital melanocytic nevi, occasionally, especially in bulky lesions with neural differentiation
Other	• Xerosis, eczema craquele • Primary cutaneous amyloidosis (macular, lichenoid) • Postburn pruritus • Scar-associated pruritus • Fiberglass dermatitis

BP, bullous pemphigoid; DH, dermatitis herpetiformis; EB, epidermolysis bullosa.

감별진단 초기에 반드시 빨리 판단해야 하는 것은 다음과 같다.

1) **약물 알레르기인가?** 특히 즉시형 과민반응으로 나타나는 두드러기는 다음 투여 때에는 아나필락시스로 나타날 수 있다. Stevens-Johnson syndrome, toxic epidermal necrolysis, DRESS (drug reaction with eosinophilia and systemic symptom) syndrome 등과 같은 중증피부유해반응 알레르기 질환은 초기에 빨리 진단하지 않으면 사망율이 높아질 수 있다.

2) **옴과 같은 감염질환인가?** 옴 자체는 중한 병은 아니지만 전염력이 높아서 입원 환자에게 옴이 진단된다면 주위 환자, 접촉한 의료진 모두 격리하고 치료를 해야 하기 때문에 초기에 빨리 진단하고 치료해야 한다. 가족에 가려움증이 있는 사람이 있거나 요양병원에 있었거나 가족 중 요양병원을 출입하는 사람이 있다면 가능성이 높아진다. 반드시 피부과에 연락해서 빠른 진단을 받게 한다.

3) **조직검사가 필요한가?** 드물지만 림프종이 피부질환으로 발생할 수 있으며 다른 악성종양이 피부전이를 하는 경우가 있다. 혈관염이 동반되는 전신질환을 진단하기 위해 피부조직검사를 치료 전에 시행해야 하는 경우도 있다. 조직검사가 필요하거나 애매한 경우 피부과에서 조직검사를 받도록 연락한다.

피부질환은 없으면서도 가려움증이 발생할 수 있는 상황은 다음과 같다.

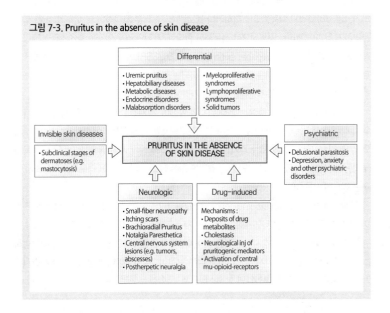

그림 7-3. Pruritus in the absence of skin disease

병원 입원 환자에게는 약물에 의한 가려움증이 흔하기 때문에 약물 복용력을 우선 잘 파악해야 한다. 약물 중 흔하게 가려움증을 일으키는 약은 다음과 같다.

- Opioids
- Quinolones
- Penicillin 계열
- TMP/SMX
- Statins
- NSAIDs
- Hydroxychloroquine
- Paclitaxel
- Tamoxifen

특히 tramadol을 포함한 opioid 계열 약제에 의한 가려움증은 병동 입원 환자에서 매우 흔하다.

3. 치료

일반적으로 가려움증이 있다면 아래 방법들을 고려한다. 특히 보습제 사용, 뜨거운 샤워 피하기, 비누/바디워시 사용을 최소화하거나 물로만 씻기, 피부 자극적인 옷 피하기, 손톱 짧게 관리하기 등 피부관리는 공통적으로 적용해야 한다. 대표적인 경구 약제는 항히스타민제(가급적이면 졸립지 않은 2세대), gabapentin, pregabalin, SSRI, mirtazapine 등이 대표적인 치료 약물이다. 항히스타민제는 히스타민이 분비되는 일부 상황을 제외하고는 효과가 없다. 오히려 만성통증 등 신경계에 작용하는 약제가 가려움증에 도움이 된다.

두드러기에 의한 가려움증에는(특정 위치의 발진이 24시간 이내에 완전히 사라지고 다른 위치에 새로 생기는 증상이 반복) 2세대 항히스타민제를 가장 먼저 사용한다. 페니라민 주사와 같은 1세대 항히스타민제는 주사로 줄 수 있다는 장점이 있지만 졸음, 입마름, 섬망 등의 부작용이 발생할 수 있고 히스타민 차단 효과도 2세대보다 적기 때문에 경구제를 복용하지 못하는 경우에 사용한다.

Fexofenadine, desloratadine, levocetirizine, rupatadine, bepotastine, ebastine 등이 대표적인 2세대 항히스타민제이다. 이 중에서 fexofenadine이 가장 졸음이 적다. 일상 용량의 항히스타민제에 반응하지 않는다면 최대 4배까지 안전하게 증량할 수 있다. 고용량 항히스타민제 치료에 반응을 하지 않으면서도 피부 발진이 24시간 이내에 발생했다가 사라지면서 다른 위치에 생기길 반복한다면 항히스타민제-저항성 두드러기일 가능성이 높고 omalizumab (Xolair) 투여해야 한다. 고용량 항히스타민제에 반응이 없으면서 피부 발진도 두드러기 양상이 아니라면 병인기전에서 히스타민이 전혀 관여하지 않을 가능성이 높기 때문에 항히스타민제는 중단하고 다른 질환을 감별해야 한다. 위에서 언급했듯이 전형적인 두드러기를 제외한 피부 가려움증 대부분은 항히스타민제에 잘 듣지 않는다.

표 7-7. General measures for the treatment of pruritus and dysesthesia.

Skin care

- Twice daily application of a moisturizing cream or ointmen
- Warm (not hot) baths/showers ≤ once daily, with minimal use of a mild soap/non-soap cleanser, and followed immediately by moisturizer application; especially in winter, consider limiting use of soap to odorous regions such as the axillae and anogenital area
- Avoid wool and other rough fabrics
- Keep nails cut short

Topicals

- Anti-inflammatory agents: corticosteroids, calcineurin inhibitors

Systemic medications

- Antihistamines: especially if there is a component of dermographism or urticaria; otherwise limited efficacy
- Neuromodulators: gabapentin, pregabalin
- Antidepressants: SSRIs (e.g. fluoxetine, paroxetine, sertraline, venlafaxine), tricyclics (e.g. amitriptyline. doxepin), mirtazapine

Psychological approaches

- Behavior modification therapy, biofeedback
- Support groups

1) Opioid에 의한 가려움증

용량을 줄이거나 2세대 항히스타민제를 일반적인 용량의 2-4배 정도를 추가하는 것이 도움이 될 수 있다. 항히스타민제로 조절이 안된다면 mixed agonist/antagonist opioid modulator인 nalbuphine 주사제가 도움이 된다. 경구제가 없기 때문에 피하나 근육 주사로 반복 3-6시간마다 반복 투약한다. Gabapentin이나 pregabalin도 도움이 될 수 있다. 통증을 조절하기 위해 opioid가 반드시 들어가야 하는 환자들이 있기 때문에 통증이 발생하는 것을 감수하고 약을 줄이는 것보다는 nalbuphine, pregabalin 등의 약제를 병용 투약하는 것이 환자의 삶의 질을 높일 수 있다.

2) Cholestasis에 의한 가려움증

표 7-8. Treatment options for hepatic or cholestatic pruritus (항히스타민제 도움 안됨)

1st line	Cholestyramine*	• 4~16 g po daily • Improvement may be temporary • Only FDA-approved medication for cholestatic pruritus
1st line for ICP	Ursodeoxycholic acid (ursodiol)*	• 13~15 mg/kg or 1 g po daily
2nd line	Rifampin*	• 300~600 mg po daily (depending upon serum bilirubin level) • Increases hepatic metabolism of bile salts
3rd line	Naloxone*	• 0.2 mcg/kg/min iv infusion, preceded by 0.4 mg iv bolus (continue treatment with oral naltrexone) • μ-opioid receptor antagonist
	Naltrexone*	• 25 mg po twice daily [day 1], then 50 mg po daily • μ-opioid receptor antagonist
4th line	Sertraline*	• 50~100 mg po daily • Selective serotonin reuptake inhibitor

Additional medical options

Phototherapy	• Especially broadband- or narrowband-UVB • Can be used in combination with other treatments for an additive effect
Bright light therapy Ondansetron	• 10000 lux reflected toward the eyes for up to 60 minutes twice daily • 4~8 mg iv or 4~24 mg po daily (equivocal effects in controlled studies) • 5-HT$_3$ receptor antagonist
Paroxetine	• 10~20 mg po daily • Selective serotonin reuptake inhibitor
Phenobarbital	• 2~5 mg/kg po daily

Procedural interventions

Nasobiliary drainage	• Quick relief of pruritus; possible complications include cholangitis and pancreatitis
Other methods to removal putative circulating pruritic factors	• Plasmapheresis, plasma separation and anion absorption • Extracorporeal albumin dialysis (e.g. MARS [molecular adsorbents recirculating system])

*Benefit confirmed in controlled clinical trials.
ICP: Intrahepatic cholestasis of pregnancy

3) Uremia에 의한 가려움증

표 7-9. Therapeutic ladder for renal pruritus (항히스타민제 도움 안됨)

Systemic medications and phototherapy

First-line for persistent moderate-to-severe pruritus
- Gabapentin (100-300 mg po[†])
- Pregabalin (25-75 mg po[†])
- UVB broadband or narrowband phototherapy

Second-line for persistent moderate-to-severe pruritus
- Naltrexone (25-100 mg po daily)

Additional options
- Montelukast (10 mg po daily)
- Sertraline (25-100 mg po daily)
- Pentoxifyline (600 mg iv[†])
- Erythropoietin (36 U/kg sc three times a week)
- Cholestyramine (4-16 g po daily in divided doses

[†]Typically administered post hemodialysis; daily or every other day administration of gabapentin/pregabalin has also been reported.

4. 미래 계획

환자에게 보습제를 장기적으로 바르도록 권장한다. 특히 염증성 발진이 있다면 피부장벽 손상으로 수주 이상 피부건조증이 지속될 가능성이 높다. 아침 저녁으로 크림 타입의 보습제를 추천해 준다. 끈적거림이 불편하다고 호소하면 로션 타입의 보습제를 사용해도 괜찮지만 보습 효과는 크림보다는 떨어진다는 것을 설명해 준다.

약물이 원인이라면 원인이 되는 약을 끊고 재투여 해보는 약물유발시험을 시행해야 확진할 수 있고 안전한 대체 약제도 찾아야 하기 때문에 시간이 오래 걸릴 수 있다. 해당 과 외래에서 찾거나 알레르기내과 외래에서 찾도록 스케줄을 잡는다.

정신적인 원인이 있다면 정신건강의학과 치료가 도움이 될 수 있다.

Ⅲ 비염 및 부비동염이 발견됐을 때

1. 임상적 상황

비염/부비동염은 매우 흔하게 발생하는 질환이다. 급성상기도질환에서 동반되기도 하고 원래 비염이 있던 환자에게 조절이 안돼서 급성 악화의 증상으로 나타날 수 있다.

부비동염을 병원 내에서 발견하게 되는 흔한 증상이나 징후는 아래와 같다.

- 코가 막히고 답답하다
- 코가 끈적하게 나오거나 후비루가 심하다
- 얼굴이나 이마가 얼얼하거나 속으로 통증이 있다
- 냄새가 잘 안 맡아진다
- 기침이 많이 나온다
- 가래가 목에 계속 낀다
- 면역저하 환자에서 원인 모르게 열이 난다

급성 부비동염은 12주 이내에 대부분 해결된다. 12주 이상 지속되는 만성 비염/부비동염은 퇴원 이후에도 지속적인 치료가 필요하기 때문에 적절한 계획을 세워주는 것이 중요하다. 부비동염의 진단은 아래와 같이 시행한다.

표 7-10. European Position Paper on Sinusitis and Nasal Polyposis (EPOS) Definition of Acute and Chronic Rhinosinusitis With and Without Nasal Polyps

Inflammation of the nose and the paranasal sinuses characterized by two or more symptoms – any of which may be first or second:
- Nasal blockage/obstruction/congestion
- Nasal discharge (anterior/posterior nasal drip)
- Facial pain/pressure
- Reduction or loss of smell

and either

Endoscopic signs– one or more of the following:
- Polyps
- Mucopurulent discharge primarily from middle meatus
- Edema/mucosal obstruction primarily in middle meatus

and/or

Computed tomography changes:
- Mucosal changes within the ostiomeatal complex and/or sinuses

Acute Rhinosinusitis:
- <12 weeks
- Complete resolution of symptoms

Chronic Rhinosinusitis With and Without Nasal Polyposis:
- >12 weeks
- Without complete resolution of symptoms

From Fokkens WJ, Lund VJ, Mullol J, et al. EPOS 2012: European position paper on rhinosinusitis and nasal polyps 2012. A summary for otorhinolaryngologists. Rhinology 2012;50: 1–12.

아래의 상황은 부비동염이 심하여 부비동벽을 넘어 주위 조직까지 염증이 침범하거나 종양이 의심되는 상황이므로 특별히 감별하여 초기에 응급치료를 해야 한다.

표 7-11. Warning symptoms of complications in ARS requiring immediate referral/hospitalization

Periorbital edema/erythema
Displaced globe
Double vision
Ophtalmoplegia
Reduced visual acuity
Severe unilateral or bilateral frontal headache
Frontal swelling
Signs of meningitis
Neurological signs
Reduced consciousness

2. 감별진단

급성 부비동염의 대부분은 바이러스 상기도 감염이다. 하지만 세균성 부비동염은 따로 구분하여 진단을 해야 하기 때문에 임상적인 진단을 초기에 잘 해야 한다. 바이러스성 상기도 감염은 증상 발생 이후 2-3일 이후에 가장 증상이 심하며 5일 이후부터는 대부분 증상이 감소하기 시작하고 7-10일 정도면 기침을 제외한 대부분의 증상이 사라진다. 반면에, 급성 세균성 부비동염은 코막힘과 동반된 누런 콧물이 있거나 얼굴의 얼얼한 통증, 압박감, 얼굴/이마 안이 꽉 찬 느낌 등이 발생할 때 의심하고 이러한 증상들이 10일 이상 지속되거나 증상이 좋아지기 시작한 시점부터 10일 이내에 다시 악화될 때 진단한다.

표 7-12. 부비동염의 초기 검사

초기 포함해야 할 검사	약물 치료에 반응하지 않을 때 필요한 검사
CBC with diff count ESR CRP Total IgE 비내시경 (이비인후과 또는 알레르기내과) (option) Simple PNS x-ray	OMU CT (조영제 사용하지 않음)

부비동염 증상이 12주 이상 지속되면 만성 비염/부비동염을 의심한다. 만성적인 증상이 지속되면 이비인후과에 의뢰하여 비내시경으로 구조적 이상, 비용종(polyp) 동반 여부 등을 확인해야 한다. 표 7-13과 같이 다양한 질환들이 만성 부비동염의 원인이 될 수 있으므로 감별진단을 해야 한다.

표 7-13. 만성 비부비동염의 감별진단

Differential Diagnosis of Chronic Rhinosinusitis

Infectious rhinitis: viral upper respiratory tract infections
Allergic rhinitis: seasonal, perennial, occupational
Nonallergic rhinitis: vasomotor rhinitis, nonallergic rhinitis with eosinophilia syndrome, aspirin sensitivity
Rhinitis medicamentosa
Rhinitis secondary to pregnancy, hypothyroidism
Atopic rhinitis
Anatomic abnormalities: severe septal deviation, foreign body
Nasal polyps
Inverted papilloma, benign and malignant tumors
Cerebrospinal fluid leak, meningoencephaloceles
Mucoceles
Wegener granulomatosis
Cocaine abuse
Specific or topical infections
Fungal sinus disease
Ophthalmologic or neurologic diseases

만성 부비동염이 있을 때 알레르기비염, 비용종, 천식의 동반여부를 확인하는 것이 매우 중요하다. 그리고 만성 비염/부비동염이 의심된다면 그림 7-4 도표 순서로 검사를 진행하게 된다.

그림 7-4. 만성 부비동염의 임상적 접근 방법

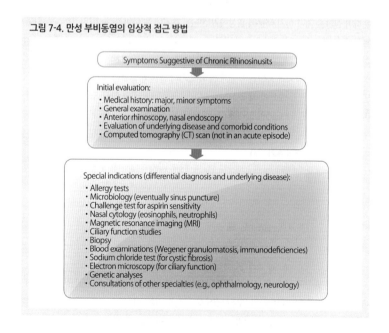

Symptoms Suggestive of Chronic Rhinosinusits

Initial evaluation:
• Medical history: major, minor symptoms
• General examination
• Anterior rhinoscopy, nasal endoscopy
• Evaluation of underlying disease and comorbid conditions
• Computed tomography (CT) scan (not in an acute episode)

Special indications (differential diagnosis and underlying disease):
• Allergy tests
• Microbiology (eventually sinus puncture)
• Challenge test for aspirin sensitivity
• Nasal cytology (eosinophils, neutrophils)
• Magnetic resonance imaging (MRI)
• Ciliary function studies
• Biopsy
• Blood examinations (Wegener granulomatosis, immunodeficiencies)
• Sodium chloride test (for cystic fibrosis)
• Electron microscopy (for ciliary function)
• Genetic analyses
• Consultations of other specialties (e.g., ophthalmology, neurology)

3. 치료

급성 및 만성 부비동염 환자에게는 원인과 상관 없이 아래 2가지 치료는 공통적으로 대부분의 환자에게 안전하게 시행할 수 있다.

1) 생리식염수 세척
2) 비강분무스테로이드

생리식염수 코세척은 중이염이 있는 경우를 제외하고는 대부분의 환자에게 매우 안전하게 사용할 수 있어서 증상에 상관없이 부비동염이 의심된다면 환자에게 적극 추천해 준다. 약국이나 의료기상점에서 매우 쉽게 구매가 가능하다. 과거에 사용하던 50 mL 주사기 보다는 최근에 나오는 150 mL 이상 (보통 250 mL) 용량의 눌러서 식염수를 짜낼 수 있는 플라스틱 병 형태가 효과가 좋다. 비강분무스테로이드도 부비동 입구의 부종을 감소시켜서 부비동 환기를 증가시키고 분비물 제거에 도움을 줄 수 있다. 또한 점막의 섬모 운동을 증가시키고 세균양을 줄여 점막 염증을 감소시킬 수 있다. 비강분무스테로이드 역시 부작용이 거의 없고 급성감염증에 사용해도 문제가 없기 때문에 환자에게 적극 추천해 준다. 스테로이드 국소 사용이 비강내 감염의 위험을 증가시킬 수 있다는 오해를 할 수 있는데 이는 전혀 사실이 아니다. 오히려 불필요한 부종을 감소시켜서 증상 개선에 도움이 된다.

1) 급성 세균성 부비동염의 치료

급성 세균성 부비동염의 치료는 그림 7-5 도표와 같이 접근한다.

급성 세균성 부비동염의 초기 치료는 아래와 같은 대증적 치료로 시작한다.

• 생리식염수 코세척(150 mL 이상 들어가는 플라스틱 병)
• NSAID
• 비강분무스테로이드

면역력이 정상이고 부비동염의 합병증의 위험이 적을 것으로 판단되는 환자는 환자에게 잘 설명한 후 항생제를 사용하지 않고 watchful waiting을 할 수 있다. 7일 이내에 증상이 더 악화되거나 7일이 지나도 증상이 비슷하게 지속될 경우에는 항생제를 사용해야 한다. 이렇게 watchful waiting을 할 경우에는 매일 증상의 변화를 잘 관찰해야 하기 때문에 환자가 상황을 잘 이해하고 있어야 한다. 초기 항생제는 amoxicillin/clavulanate를 사용한다. Amoxicillin/clavulanate를 사용하지 못한다면 levofloxacin 500 mg을 사용한다.

그림 7-5. 급성 부비동염의 임상적 접근 방법 및 치료

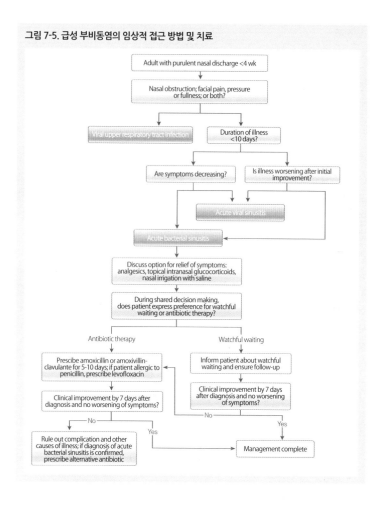

표 7-14. Recommended Antibiotics for the Treatment of Acute Bacterial Sinusitis in Adult

Clinical Scenario and Antibiotic Options	Comment
Initial therapy in a patient who is not allergic to β-lactam penicillin	
Amoxicillin–clavulanate (500 mg of amoxicillin and 125 mg of clavulanate orally there times a day for 5–10 days, or 875 mg of amoxicillin and 123 mg of clavulanate orally twice a day for 5–10 days)	Amoxicillin–clavulanate is recommended when bacterial resistance is likely (in smokers, patients who have recently received antibiotics, health care providers, and areas where there is a high rate of community resistance), if the patient's infection is severe or protracted, if the patient is older than 65yr, or if he or she has a coexisting condition (diabetes, an immunocompromised state, or chronic cardiac, hepatic, or renal disease)
Initial therapy in a patient who is allergic to β-lactam penicillin	
Clindamycin (300 mg orally three times a day for 10 days) plus cefixime (400 mg orally once a day for 10 days) or cefpodoxime (200 mg orally two times a day for 10 days)	Macrolide antibiotics and trimethoprim-sulfamethoxazole are not recommended because of high rates of resistance (40–50%) by *Streptococcus pneumonia*
Levofloxacin (500 mg orally once a day for 5–10 days)*	
Moxifloxacin (400 mg orally once a day for 5–10 days)*	
Therapy in patient who had initial treatment failure with antibiotics	
Amoxicillin–clavulanate (2,000 mg of amoxicillin and125 mg of clavulanate orally twice a day for 10 days) if the patient is not allergic to penicillin	The antibiotic used in a patient who has had treatment failure should be different from the antibiotic used as initial therapy
Levofloxacin (500 mg orally once a day for 10 days)*	
Moxifloxacin (400 mg orally once a day for 10 days)*	

*The Food and Drug Administration has advised that the serious side effects associated with fluoroquinolone antibacterial drugs generally outweigh the benefits for patients with sinusitis. Fluoroquinolones should be reserved for patients with sinusitis who do not have alternative treatment options.

2) 만성부비동염의 치료

만성부비동염 치료의 핵심은 꾸준한 비강분무스테로이드의 사용과 생리식염수코세척이다.
또한 급성 악화 시 급성세균성부비동염처럼 항생제 치료가 필요한데 환자의 비용종이 있는
경우에는 경구 prednisolone 0.5 mg/kg를 5-10일 정도 같이 사용하면 더 빠른 호전을
보일 수 있다. IgE가 낮고 비용종이 없는 만성부비동염 환자의 증상이 조절이 잘 안되 자주
악화가 된다면 azithromycin, roxithromycin과 같은 macrolide를 12주 정도 장기적으로
사용해 볼 수 있다.

그림 7-6. 만성 부비동염의 임상적 접근 방법 및 치료

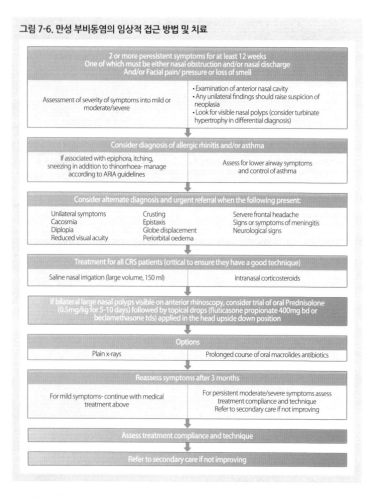

4. 미래계획

꾸준히 비강분무스테로이드를 뿌리고 생리식염수코세척을 시행함에도 불구하고 항생제가 필요할 정도로 잦은 악화가 반복된다면 endoscopic sinus surgery를 시행 여부를 결정하기 위해 이비인후과에 의뢰를 한다. 약물로 조절이 안되는 경우 초기에 수술을 결정하는 것이 더 좋겠다. 단, 약물 치료로도 조절이 잘되는 만성부비동염은 수술 결과와 약물치료 결과의 예후가 같기 때문에 수술을 할 필요는 없다.

만성부비동염은 천식이나 알레르기가 동반되는 경우가 많고 경과 관찰 중 새로 발생할 수 있기 때문에 환자에게 천식 증상이 발생하면 새로 검사를 받도록 설명해 줘야 한다. 알레르기 비염이 동반된 환자는 알레르겐 특이 면역치료를 받도록 권장한다. 3-5년 지속되는 면역치료이기 때문에 환자가 잘 설명을 듣고 치료를 받을 수 있도록 알레르기내과에 의뢰를 한다.

Ⅳ 천식 악화로 응급실에 왔을 때

1. 임상적 상황

효과가 좋은 흡입제들이 개발되고 많이 사용 되면서 최근에는 천식 조절이 외래 기반으로 잘 되어 급성 악화로 응급실에 방문하는 환자 수가 줄어들었다. 따라서 응급실에 오게 되는 천식 악화 환자들은 호흡기계 바이러스 감염과 동반된 중증 급성 악화이거나 새롭게 천식이 발생하여 첫번째 악화로 오는 경우가 상대적으로 많아졌다. 과거력이 없더라도 천명음이 동반된 호흡곤란 환자가 응급실에 오면 임상적으로 천식을 의심해야 하며 기도삽관 등 응급치료가 필요한 중증 환자인지 아닌지를 초기에 판단하는 것이 매우 중요하다. 또한 아나필락시스 때 동반되는 호흡곤란/천명음의 치료는 epinephrine 근주가 필요한 경우도 있어서 정확한 진단이 필요하다. Cardiac asthma도 비슷한 임상양상을 보일 수 있으므로 감별진단이 중요한 상황이다.

2. 감별진단

표 7-15. 천식의 초기 검사

초기 포함해야 할 검사	응급치료가 끝난 후 시행할 검사
CBC with diff count ESR CRP Chest PA O2 saturation ABGA (중증 악화인 경우) 폐기능: Flow-volume curve (천식알레르기검사실)	FeNO (Fraction of exhaled nitric oxide) Simple PNS X-ray (waters view) 폐기능: Flow-volume curve (천식알레르기검사실)

표 7-16. Differential diagnosis of asthma in adults, adolescents and children 6-11 years

Age	Symptoms	Condition
6-11 years	Sneezing, itching, blocked nose, throat-clearing Sudden onset of symptoms, unilateral wheeze Recurrent infections, productive cough Recurrent infections, productive cough, sinusitis Cardiac murmurs Pre-term delivery, symptoms since birth Excessive cough and mucus production, gastrointestinal symptoms	Chronic upper airway cough syndrome Inhaled foreign body Bronchiectasis Primary ciliary dyskinesia Congenital heart disease Bronchopulmonary dysplasia Cystic fibrosis
12-39 years	Sneezing, itching, blocked nose, throat-clearing Dyspnea, inspiratory wheezing (stridor) Dizziness, paresthesia, sighing Productive cough, recurrent infections Excessive cough and mucus production Cardiac murmurs Shortness of breath, family history of early emphysema Sudden onset of symptoms	Chronic upper airway cough syndrome Inducible laryngeal obstruction Hyperventilation, dysfunctional breathing Bronchiectasis Cystic fibrosis Congenital heart disease Alpha1-antitrypsin deficiency Inhaled foreign body
40+ years	Dyspnea, inspiratory wheezing (stridor) Dizziness, paresthesia, sighing Cough, sputum, dyspnea on exertion, smoking or noxious exposure Productive cough, recurrent infections Dyspnea with exertion, nocturnal symptoms Treatment with angiotensin converting enzyme (ACE) inhibitor Dyspnea with extertion, non-productive cough, finger clubbing Sudden onset of dyspnea, chest pain Dyspnea, unresponsive to bronchodilators	Inducible laryngeal obstruction Hyperventilation, dysfunctional breathing COPD* Bronchiectasis Cardiac failure Medication-related cough Parenchymal lung disease Pulmonary embolism Central airway obstruction
All ages	Chronic cough, hemoptysis, dyspnea; and/or fatigue, fever, (night) sweats, anorexia, weight loss	Tuberculosis

표 7-17. Specialized investigations sometimes used in distinguishing asthma and COPD

	Asthma	COPD
Lung function tests		
DLCO Arterial blood gases	Normal (or slightly elevated) Normal between exacerbations	Often reduced May be chronically abnormal between exacerbations in more severe forms of COPD
Airway hyperresponsiveness (AHR)	Not useful on its own in distinguishing asthma from COPD, but higher levels of AHR favor asthma	
Imaging		
High resolution CT Scan	Usually normal but air trapping and increased bronchial wall thickness may be observed	Low attenuation areas denoting either air trapping or emphysematous change can be quantitated; bronchial wall thickening and features of pulmonary hypertension may be seen
Inflammatory biomarkers		
Test for atopy (specific IgE and/or skin prick tests)	Modestly increases probability of asthma; not essential for diagnosis	Conforms to background prevalence; does not rule out COPD
FeNO	A high level (>50 ppb) in non-smokers is associated with eosinophilic airway inflammation	Usually normal. Low in current smokers.
Blood eosinophilia	Supports diagnosis of eosinophilic airway inflammation	May be present in COPD including during exacerbations
Sputum inflammatory cell analysis	Role in differential diagnosis is not established in large populations	

DLCO: diffusing capacity of the lings for carbon monoxide; FeNO: franctional concentration of exhaled nitic oxide; IgE: immunoglobulin E

3. 치료

표 7-18. 천식 치료의 핵심 요약

치료의 핵심
• 악화 초기에 벤토린(salbutamol) 네뷸라이저를 심한 곤란이 호전될 때까지 지속적으로 시행한다. 환자가 호흡곤란이 지속되는 상황에서 1-2회 정도만 치료하고 중단하면 안된다.
• 전신스테로이드를 반드시 투여한다. Methylprednisolone을 최소 40 mg (경구 또는 정맥) 투여한다.
• 퇴원 시 Methylprednisolone 8-10T 정도를 5일 처방 후 외래 예약을 한다. 중증 악화 후에 응급실 퇴실시키는 경우 2일 이내에 외래에 방문하도록 한다
• 기존에 사용하던 ICS(흡입스테로이드)를 응급실 퇴실 후 계속 사용하도록 하며 원래 사용하던 약이 아니라면 formoterol이 포함된 흡입스테로이드제를 처방한다.
• 퇴원 후 기관지확장제로서 formoterol 또는 salbutamol(벤토린)을 소지하고 있어야 한다.
• 발열, 화농성 가래, 폐렴이 없다면 항생제는 필요 없다.

- **산소**: 산소포화도는 93-95%를 목표로 산소를 nasal cannula 또는 mask로 투여한다.
- **벤토린 네뷸라이저**: 초기에는 환자의 호흡곤란이 호전될 때까지 지속적으로 네뷸라이저를 시행한다. 지속적인 치료가(continuous nebulization) 간헐적 치료보다(intermittent nebulization) 초기 응급치료에 더 효과적이다. 즉, 1-2회 시행하고 호전이 없다고 중단하지 말고 호전될 때까지 지속적으로 벤토린 네뷸라이저를 시행하는 것이 좋다. 이후 어느정도 환자의 호흡곤란이 호전된 후에는 환자가 호흡곤란이 있다고 호소할 때 on-demand로 흡입하게 한다.
- **아트로벤트 네뷸라이저**: 중증 천식 악화로 내원한 경우 벤토린 네뷸라이저와 함께 투약하면 호흡곤란 개선에 도움이 될 수 있다.
- **전신스테로이드**: 모든 천식 악화 때 투여해야 하며 재악화를 방지하기 위해 가장 중요한 약제이다. 응급실에 와서 네뷸라이저만 시행 후 스테로이드 투약 없이 퇴원한다면 대부분 재악화로 응급실에 다시 올 수 있으므로 반드시 전신스테로이드를 투약해야 한다. 초기에 methylprednisolone 40 mg을 경구 또는 정맥으로 투여하며 퇴원 시 methylprednisolone (4 mg tab) 8-10T를 오전에 복용하도록 5일 치를 처방한다.
- **Epinephrine**: 아나필락시스나 혈관부종과 동반된 중증 천식 악화일 때 근주로 투여해 볼 수 있다. 아나필락시스와 동반된 천식 악화는 점막 부종이 기관지와 후두에 발생할 수 있기 때문에 벤토린 네뷸라이저만으로는 치료 효과가 부족할 수 있다. epinephrine을 허벅지 가측 중앙에 0.3-0.5 mg 근주로 투여하는 것이 도움이 될 수 있다. 하지만 일반적인 천식 악화에서는 투여하지 않으며 정맥 투여는 금기이다.
- **아미노필린**: 아미노필린은 천식 악화 때 응급치료제로 사용하지 않는다.

그림 7-7. 급성 천식 악화의 치료

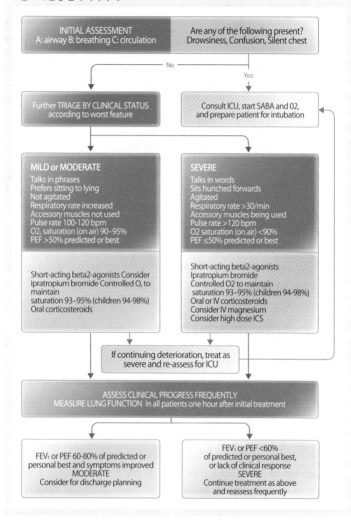

4. 미래 계획

응급실에서 응급 치료 후 퇴실 시키는 경우 빠른 시일 내에 외래 진료 예약을 해 주는 것이 필요하다. 호산구성 천식인지 아닌지를 감별하기 위해 FeNO 검사가 도움이 된다. 알레르기 비염이 동반된 환자인 경우 장기적으로 비염치료를 적극적으로 함께 받아야 천식 조절을 잘 할 수 있다. 알레르겐 피부시험으로 흔한 흡입 항원에 대한 알레르기가 있는지 파악하는 것이 장기적으로 도움이 되며 집먼지진드기 등에 대한 알레르기가 명확한 경우 면역 치료를 시행할 수 있다. 장기적으로 꾸준히 흡입스테로이드를 사용하고 비염이 동반된 환자는 비염 치료를 함께 받는 것이 천식 악화 예방에 가장 중요하다는 것을 환자에게 설명해 주어야 한다.

표 7-19. 응급실 퇴원 천식 악화 환자의 처방 예

전형적인 퇴원 처방
1. Methylprednisolone 8T qd (8AM)
2. H2Rc antagonist or PPI
3. 원래 사용하던 흡입 스테로이드제
4. 기관지 확장제 (formoterol기반 흡입제 또는 벤토린 둘 중에 하나는 필수)
5. 원래 사용하던 흡입 스테로이드제가 없다면 formoterol이 포함된 ICS/LABA 복합제인 Symbicort Turbuhaler 160/4.5, Symbicort Rapihaler, Duoresp Spiromax, Foster Nexthaler 흡입제 중 하나를 증상에 따라 1일 최대 8회 (2puff q6–12hr) 흡입할 수 있도록 처방한다.
6. 화농성 가래, 명백한 sinusitis, 폐렴, 발열 등이 동반된 경우 amoxicillin/clavulanate 또는 levofloxacin 처방

V 심한 기침 또는 만성 기침이 발생할 때

1. 임상적 상황

기침은 매우 흔하게 발생한다. 환자가 기침으로 병원을 찾게 되는 이유는 아래와 같다.

- 결핵, 폐암 등 중한 병이 걱정되어
- 기침 후 구토
- 흉통
- 창피함(엘리베이터, 지하철, 식당 등)
- 일상 대화가 어려움
- 요실금(특히 여성)
- 수면장애 및 만성피로
- 우울증
- 발작성 기침 후 의식소실
- 갈비뼈 골절

기침이 심한 경우 구토, 흉통, 갈비뼈 골절, 의식소실까지 동반될 수 있다. 기침을 오래하면 평상시 사용하지 않는 흉벽과 복벽의 근육을 과도하게 사용하게 되어 흉부 또는 복부의 근육통과 갈비뼈 관절의 심한 통증을 유발할 수 있다. 노인 여성에게는 기침 후 발생하는 요실금과 이로 인한 사회생활 장애가 가장 큰 문제이다.

2. 감별진단

기침의 원인은 시기적으로, 해부학적으로 다양하기 때문에 정확한 원인을 찾기가 쉽지 않다. 전체 기침 환자의 많게는 10-20% 정도는 원인도 불확실하면서 치료에도 잘 반응하지 않는다. 결국, 가장 가능성이 높아 보이는 원인에 대한 검사를 시행하여 원인치료를 하거나 확진 없이 empirical하게 치료를 해야하는 경우가 많다. 만성기침의 해부학적 원인이 오래 지속되며 후두의 신경병증이 발생하여 기침 과민성이 유발되고 이로 인해 만성기침이 생기게 된다. 따라서 원인치료도 중요하지만 기침 자체를 마약성 진해제나 gabapentin, pregabalin 등 신경계에 작용하는 약제를 사용해야 하는 경우도 종종 있다. 원인 감별 중 somatic cough나 tic 등 신경정신적인 원인으로 기침을 할 수 있음을 인지하고 감별하는 것이 중요하다.

표 7-20. 기침의 초기 검사

초기 포함해야 할 검사	원인 감별을 위한 추가 검사
CBC with diff count Chemical battery ESR CRP Chest PA PFT with BDR	Simple PNS X-ray (Waters view) MBPT FeNO Induced sputum analysis (eosinophil count)

표 7-21. 기침의 시기별 흔한 원인

Acute	<3 weeks	Common cold Exacerbation of lung disease (e.g., asthma) Acute environmental exposure Acute cardiopulmonary disease
Subacute	3-8 weeks	Postinfectious cough Pertussis infection Exacerbation of underlying lung disease (e.g., asthma, COPD, bronchiectasis)
Chronic	>8 weeks	Medications (ACEIs or sitagliptin) Smoking/chronic bronchitis Underlying lung disease UACS (upper airway cough syndrome) Asthma NAEB (nonasthmatic eosinophilic bronchitis) GERD (Gastroesophageal reflux disease)

표 7-22. 기침의 해부학적 위치에 따른 원인

Intrathoracic Causes	
Lungs and Airways Asthma Nonasthmatic eosinophilic bronchitis Chronic bronchitis Bronchiectasis ACEIs Sitagliptin Inhaled medications Chronic exposure to environmental and occupational irritants Bronchogenic and metastatic carcinoma Bronchial carcinoid Foreign body or endobronchial suture Broncholith Infectious and noninfectious bronchiolitis Chronic infectious pneumonias (e.g., bacterial, tuberculous, fungal, parasitic) Chronic infectious tracheobronchitis (as in tuberculosis or aspergillosis) Chronic interstitial lung disease (e.g., sarcoidosis, HSP, IPF, asbestosis) Pulmonary vasculitis (as in granulomatosis with polyangiitis) Sjögren syndrome with xerotrachea Relapsing polychondritis	**Pleura** Chronic effusion **Diaphragm** Transvenous pacemaker stimulation **Mediastinum** Neural tumors Thymoma Teratoma Lymphoma Metastatic lymphadenopathy Intrathoracic goiter Bronchogenic cyst **Cardiovascular** Mitral stenosis Left ventricular failure Pulmonary thromboembolism Enlarged left atrium Vascular ring Aberrant innominate artery Aortic aneurysm Pericardial stimulation by transvenous pacemaker
Extrathoracic Causes	
Head and Neck Rhinitis and sinusitis Nasal polyps Rhinolith Oropharyngeal dysphagia Laryngeal disorders (e.g., vocal fold dysfunction, laryngomalacia) Postviral vagal neuropathy Recurrent aspiration Elongated uvula Chronically infected tonsils Neurilemmoma of vagus nerve Neuroma of internal laryngeal nerve Ascending palatine artery aneurysm Osteophytes of cervical spine Mammomonogamus (Syngamus) laryngeus infection Thyroiditis	**Upper Gastrointestinal** Gastroesophageal reflux disease Esophageal cyst or diverticulum Tracheoesophageal fistula **Central Nervous System** Somatic cough Tic disorders Gilles de la Tourette syndrome

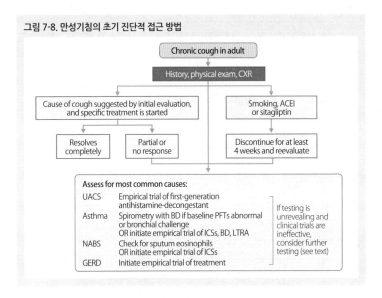

그림 7-8. 만성기침의 초기 진단적 접근 방법

3. 치료

치료의 단계를 도식화 하였다. 흡연을 한다면 금연하고 ACEI, Sitagliptin(자누비아)의 복용한다며 약을 끊고 4주 이상 기다려 보는 것이 선행되어야 한다. 가장 흔한 만성기침의 원인은 상기도기침증후군(upper airway cough syndrome)이기 때문에 특별히 다른 질환이 의심되는 상황이 아니라면 먼저 이에 대해 약을 써 볼 수 있다.

1) 기침 외에 아무 증상이 없는 경우

후비루는 정상적으로 1일 1.5 L 정도 있음에도 아무 느낌이 없을 수 있기 때문에 기침 외에 환자가 어떠한 증상도 없다면 우선 1세대 항히스타민제를 사용해 볼 수 있다. 특히 기침 초반에 부비동염 증상이 있었던지, 평상시 비염이 있었거나 현재 Waters view에서 부비동염이 보인다면 상기도기침증후군 가능성이 더 높겠다. 최근에는 인후두의 신경병증으로 신경이 예민해져서 후비루를 느끼는 것이지 후비루 자체가 기침과 무관하다고 주장하는 연구 결과도 있다. 아무튼, 1세대 항히스타민제는 후비루를 줄이기도 하지만 항콜린효과로 인해 기침 신경 자극을 감소시켜서 기침을 억제할 수 있기 때문에 병인기전과 무관하게 도움이 되는 환자들이 있다고 볼 수 있다.

FeNO 검사에서 결과 수치가 50 ppb 이상 매우 높다면 다른 증상이 없더라도 흡입스테로이드를 사용해 볼 수 있다. PPI는 역류 증상이 동반되지 않는 한 무증상 기침 환자에게 empirical하게 사용하지 않는다.

그림 7-9. 비특이적 만성 기침 환자의 임상적 접근 방법 및 치료

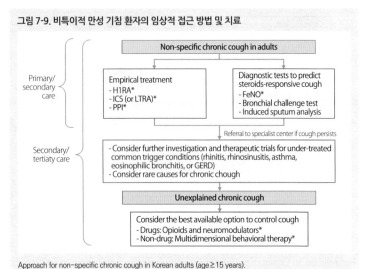

Approach for non-specific chronic cough in Korean adults (age ≥ 15 years).
Decision for empirical treatment and diagnostic tests may depend on clinical and instrument settings. Patients with chronic cough unresponsive to empirical trials or specific treatment should be referred to specialist centers for further diagnostic tests and therapeutic trials. If cough is still unexplained, H1RA, histamine–1 receptor antagonist; ICS, Inhaled corticosteroids; PPI, proton–pump inhibitors; GRED, gastroesophageal reflux disease. Asteriks(*) indicates the drug (or test) of interest in the present guidelines.

2) 천명음이 동반되거나 새벽에 기침으로 인해 잠에서 자주 깨는 경우

천식을 의심해야 한다. 검사는 MBPT(메타콜린기관지유발시험), PFT with BDR(기관지확장제반응), FeNO(호기산화질소검사)를 시행한다. MBPT 또는 BDR 양성이면 ICS/LABA를 사용한다. FeNO가 50 ppb 이상이라면 천식이나 호산구성기관지염을 의심하고 역시 흡입스테로이드를 사용한다. 흡입제를 사용하기 어렵다면 montelukast(싱귤레어)를 사용해 볼 수 있으나 효과는 흡입제보다 작다. 천식이면서 기침이 매우 심하다면 천식 급성 악화 기준으로 methylprednisolone 4 mg 8-10T qd 용량으로 5-7일 정도 사용해 볼 수 있다.

표 7-23. 만성기침의 처방 예

상기도기침증후군 의심 처방 예

1. Antihistamine 단독 또는 Antihistamine + decongestant
   A. Chlorpheniramine 1T bid 또는 tid
   B. Triprolidine 2.5 mg/Pseudoephedrine 60 mg 1T bid 또는 tid
   C. (위의 약들이 너무 졸립다면)
      Ebastine 10 mg/Pseudoephedrine 120mg 1C qd (오전)
      Triprolidine 2.5 mg/Pseudoephedrine 60 mg 0.5T hs (자기 전)
2. Intranasal corticosteroid spray
   A. Mometasone, fluticasone, ciclesonide, triamcinolone, budesonide 등
3. 생리식염수 코세척

천식 의심 처방 예

1. Inhaled corticosteroid / Long-acting beta2 agonist (초기는 고용량 처방)
   A. Budesonide 최소 640 mcg/day 이상 (심비코트160 기준 4회이상)
   B. Beclomethasone 최소 400 mcg/day 이상 (포스터 기준 4회 이상)
   C. Fluticasone propionate 1,000 mcg/day (세레타이드500 기준 2회)
   D. Fluticasone furoate 200 mcg/day (렐바200 기준 1회)
2. (흡입스테로이드를 사용하지 못하는 상황 – 효과는 작음)
   Antileukotriene
   A. Montelukast
   B. Pranlukast
3. 현재 기침이 매우 심하다면
   Systemic corticosteroid
   A. Methylprednisolone 8-10T qd 5일
4. 반드시 비염/부비동염 동반여부 확인 및 치료(상기도기침증후군 처방 예 참조)

호산구성 기관지염 의심 처방 예(Induced sputum analysis에서 호산구 2% 이상 또는 FeNO 50 ppb 이상)

1. Inhaled corticosteroid (초기 고용량)
   A. Budesonide 최소 800 mcg/day 이상 (풀미코트200 기준 4회이상)
   B. Fluticasone propionate 1,000 mcg/day (후릭소타이드500 기준 2회)
   C. Fluticasone furoate 200 mcg/day (아뉴이티200 기준 1회)
2. (흡입스테로이드를 사용하지 못하는 상황 – 효과는 작음)
   Antileukotriene
   A. Montelukast
   B. Pranlukast
3. 현재 기침이 매우 심하다면
   Systemic corticosteroid
   A. Methylprednisolone 8-10T qd 5일
4. 반드시 비염/부비동염 동반여부 확인 및 치료(상기도기침증후군 처방 예 참조)

기침이 매우 심하거나 조절 안될 때 추가할 수 있는 약제

1. Codeine 20 mg 1T tid
2. Dihydrocodeine 60 mg (디코데 서방정) 1T qd 또는 bid
3. 시럽 제제(dihydrocodeine, chlorpheniramine, methylephedrine, ammonium chloride)
   A. 코푸시럽 20 mL tid
   B. 코대원포르테시럽 20 mL tid

3) 명백하게 위식도 역류 증상이 있는 경우

위식도 역류 증상이 있다고 해서 기침으로 연결되는 것은 아니다. 하지만 증상이 명백하다면 PPI를 고용량으로 사용해 볼 수 있다. 기존에 알려진 것보다 위식도역류(GERD)나 인

후두역류(LPR)로 인한 만성기침의 유병률은 더 낮다고 보고되기 때문에 단순히 인두 이물감이 있다고 하여 PPI를 empirical하게 사용하는 것은 추천되지 않는다. 인두 이물감은 만성기침환자에서 역류 없이 흔히 보는 증상이다. 단, 상기도기침증후군에 대해서 empirical하게 치료해 보고 천식/호산구성기관지염에 대해 흡입스테로이드 치료 후 반응이 없을 때 empirical하게 PPI를 사용해 볼 수 있다. PPI로 조절이 부족하면 prokinetics를 추가 사용할 수 있다.

4) 기침이 매우 심하거나 조절이 안되는 경우

마약성 기침약을 사용해야 한다. 교과서적으로는 morphine을 사용하는 것이 가장 권장된다. 하지만 보험 급여기준 상 우리나라에서는 코데인 또는 디히드로코데인을 많이 사용한다. 2가지 약제 모두 CYP2D를 통해 morphine으로 대사된다. 하지만 CYP2D 유전자 변이가 많고 개인별 대사의 차이가 커서 일부 환자의 경우 일상 용량에서도 혈중농도가 매우 높아져서 심한 오심, 구토, 어지러움 등이 발생할 수 있으므로 초기에 저용량으로 시작해서 증량하는 것이 바람직하다. Morphine을 처방할 수 있는 기침 환자는 morphine을 처방하는 것이 더 바람직하다. 코데인 20 mg 1T tid가 기본 처방이지만 부작용이 발생하는 환자도 있고 1알에도 잘 반응하는 환자도 많아서 우선 1T qd 또는 bid로 시작하는 것이 좋다. 디히드로코데인 60 mg 서방정은 지속시간이 길어서 증상 개선 효과에 장점은 있으나 부작용도 더 오래 갈 수 있다. 따라서 코데인 일상 용량에 부작용이 없는 환자에게 처방하는 것이 좋겠으며 1T qd로 시작해서 bid로 증량한다.

4. 미래계획

만성기침은 후두 신경이 매우 과민하게 병적 상태로 변했기 때문에 발생한다. 따라서 단순하게 위의 치료를 했다고 해서 금방 호전되지 않고 수개월 치료를 해야 호전되는 경우가 많다. 따라서 외래 진료를 통해 장기적으로 관리를 받을 수 있도록 하고 증상이 수개월 지속될 수 있음을 설명한다. 후두의 신경병증이 심하면 수개월에서 수년동안 코데인을 사용해야 하는 경우도 있다. 코데인의 장기적 사용이 우려되는 경우 gabapentin, pregabalin, amitriptyline 등을 사용하기도 한다.

후두신경병증을 일으키는 원인의 대표가 비부비동염, 천식, 기관지염, 위식도역류증이기 때문에 이러한 동반질환들도 장기적인 관리가 필요하다.

단순한 기침만이 아니라 요실금, 우울증, 수면장애, 흉부통증 등도 잘 관리하여 환자의 삶의 질을 장기적으로 개선시켜줘야 하는 것이 중요하다.

Ⅵ 혈중 호산구 수치가 높을 때

1. 임상적 상황

호산구가 증가하는 상황은 자주 보게 되지만 관심을 가지고 보지 않는 한 모르고 넘어가는 경우가 많다. 대부분의 호산구 증가증은 경한 경우가 대부분이고 흔한 알레르기, 아토피 질환이 있는 경우에 동반되기도 해서 대부분 추가 검사나 치료가 필요하지 않다. 하지만 약물 알레르기, 혈액질환, 부신기능저하증, 기생충 감염, 과호산구증가증 등 다양한 질환에 동반되는 경우 호산구증가증을 기반으로 감별진단을 통해 빠른 진단 및 치료의 단서가 될 수 있어서 호산구 결과를 잘 눈여겨 보는 것이 좋다. 즉, 호산구증가증 자체로 특정 질환을 진단하기 어렵고 치료 반응을 보기도 쉽지 않지만 호산구증가증을 계속 놓치지 않고 관찰하다 보면 흔히 놓칠 수 있는 여러 질환들을 조기에 진단할 수도 있다.

호산구는 %로 나오는 결과를 백혈구 개수와 곱하여 절대수로 평가한다. 호산구 절대수가 500-1,500/mcL인 경우 호산구증가증이라고 한다. 1,500/mcL 이상으로 증가된 경우 과호산구증가증(hypereosinophilia)이라고 한다. 전체 백혈구 개수가 5,000/mcL인 경우 호산구가 7%일 때 호산구가 증가되어 있어 보여도 절대수는 350/mcL이기 때문에 호산구증가증은 아니다. 일반적으로 대부분의 건강한 사람은 호산구 수치가 300/mcL를 잘 넘지 않는다.

호산구 수치가 매우 높은 경우 혈관내피세포를 손상시켜서 혈전의 경향을 증가시킨다. 또한 호산구성 염증은 세포독성이 높고 섬유화를 잘 일으키기 때문에 장기에 염증을 일으키는 경우 비가역적인 손상을 일으킨다. 따라서 증상이 있는 호산구증가증은 초기에 감별진단을 하고 빨리 치료를 하는 것이 좋다.

2. 감별진단

표 7-24. 호산구증가증의 초기 검사

초기 포함해야 할 검사		
CBC with diff count	Anti Toxocara Ab	PFT with BDR
Blood smear	Anti Chlornochis sinensis Ab	Chest PA
Chemical battery	Anti Paragonimus Ab	Chest CT
ESR	Anti Sparganum Ab	Simple PNS x-ray
CRP	Anti Cysticercus Ab	
Total IgE		
Troponin I		
Vitamin B12		
ANCA		
ANA		

호산구가 1,500/mcL 이상인 과호산구증가증이 1-2주 이상 재검사에서도 지속되는 경우, 특정 장기에 호산구 염증이 발생하거나 짧은 기간 내에 호산구가 빠르게 증가하는 경우, 호산구 수치가 5,000/mcl 이상인 경우 즉시 검사를 통해 원인을 파악하고 감별진단을 한다. 하지만 우연히 발견된 호산구증가증(500-1,500/mcL)에 동반된 특별한 증상이 없고 반복된 CBC에서 더 증가하지 않는다면 일반적으로 특별한 검사나 치료는 필요하지 않다.

호산구증가증은 아래 표와 같이 너무나 다양한 원인이 있기 때문에 바로 감별진단하기가 쉽지 않다. 따라서 알레르기내과, 혈액내과, 감염내과 등과 상의하여 원인을 찾는 것이 중요하다.

표 7-25. Eosinophil-Associated Diseases and Disorders

I	Allergic and Immunologic Disorders A. Atopic and related diseases B. Primary immunodeficiency C. Other immunodysregulatory syndromes D. Organ transplantation
II	Rheumatologic Disorders
III	Dermatologic Disorders
IV	Pulmonary Disorders
V	Gastrointestinal Disorders
VI	Medication- and Toxin-Related Eosinophilia
VII	Infectious Diseases A. Helminth infections B. Protozoal infections (only Isospora and Sarcocystis) C. Ectoparasite infestation D. Fungal infections E. Human immunodeficiency virus infection
VIII	Hematologic and Neoplastic Disorders A. Myeloid neoplasms B. Myeloproliferative disorders C. Lymphoma D. Leukemia E. Solid tumors F. Idiopathic hypereosinophilic syndrome* G. Hypereosinophilia of undetermined significance*
IX	Other A. Cholesterol embolism B. Hypoadrenalism C. Radiation D. Serositis

단, 중추신경계 증상이 있거나 심장 증상이 있는 경우(Troponin I 증가) 혈전/색전증으로 인한 증상이 발생하면 빠른 협진과 고용량 스테로이드 치료가 응급으로 필요하다.

우리나라에서는 개회충(toxocara) 감염을 감별하기 위해 최근 수개월 이내에 익히지 않은 소 간 또는 내장 섭취력, 익히지 않은 닭, 뱀, 다른 동물의 생고기, 또는 사슴피 음용력 등을 조사해야 한다. 폐흡충증과 간흡충증 감염 가능성을 확인하기 위해 민물고기나 민물 패류 또는 갑각류를 날것으로 섭취한 병력도 중요하다. 간흡충증은 익히지 않은 미나리를 섭취할 때도 감염될 수 있다.

표 7-26. Types and Causes of Pulmonary Eosinophilia

I	Drug- and toxin-induced eosinophilic lung diseases
II	Helminth and fungal infection-related eosinophilic lung diseases A. Transpulmonary passage of larvae (i.e., Löffler syndrome): Ascaris, hookworm, Strongyloides B. Pulmonary parenchymal invasion: mostly helminths, paragonimiasis C. Heavy hematogenous seeding with helminths: trichinellosis, disseminated strongyloidiasis, cutaneous and visceral larva migrans, schistosomiasis D. Tropical pulmonary eosinophilia: filaria E. Allergic bronchopulmonary aspergillosis
III	Chronic eosinophilic pneumonia
IV	Acute eosinophilic pneumonia
V	Eosinophilic granulomatosis with polyangiitis (formerly Churg-Strauss syndrome)
VI	Asthma
VII	Other: neoplasia, rare hypereosinophilic syndromes, bronchocentric granulomatosis

표 7-27. Eosinophilia and Drug Reactions

Drug Reaction	Examples
Cytokine-mediated response	Granulocyte macrophage colony – stimulating factor, interleukin 2
Pulmonary infiltrates	Nonsteroidal antiinflammatory drugs
Pleuropulmonary response	Valproic acid, dantrolene
Interstitial nephritis	Semisynthetic penicillins, cephalosporins, linezolid
Necrotizing myocarditis	Ranitidine, carbamazepine
Hepatitis	Semisynthetic penicillins, tetracyclines, herbal products
Hypersensitivity vasculitis	Allopurinol, phenytoin
Gastroenterocolitis	Nonsteroidal antiinflammatory drugs
Asthma, nasal polyps	Aspirin
Eosinophilia-myalgia syndrome	l-Tryptophan contaminant
Asymptomatic	Ampicillin, penicillins, cephalosporins
Drug rash with eosinophilia and systemic symptoms (DRESS)	Anticonvulsants, minocycline, nevirapine

3. 치료

호산구증가증 자체는 치료할 필요는 없다. 하지만 특정 장기에 호산구염증이 동반되거나 호산구가 빠르게 증가하거나 혈중 호산구 개수가 5,000/mcL 이상이라면 초기 검사와 환자의 증상/장기 중심으로 추가 검사를 빠르게 시행하여 감별진단을 시행한 후 원인에 따라 치료를 시작한다.

치료는 워낙 다양한 질환의 감별진단 후 시행해야 한다. 중추신경계, 심장, 혈전/색전증 등이 아니라면 응급치료가 필요하지는 않기 때문에 정확한 진단을 하도록 노력한다. 호산구증가증이 있는 경우 피부 발진이 있다면 반드시 조직검사를 시행하여 호산구가 증가했는지, 호산구성 혈관염이 있는지를 파악한다.

그림 7-10. 호산구증가증의 임상적 접근 방법 및 치료

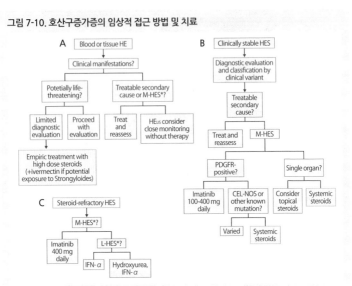

Proposed approach to treatment of hypereosinophilic syndroems (HES). **(A)** Presumed HES. **(B)** Clinically stable HES. **(C)** Glucocorticoid-resistant HES.
*Genetic abnormality known to cause clonal eosinophilia or four or more of the following: dysplastic eosinophils, serum B12 >737.8 pM (100 pg/mL), serum tryptase >12 ng/mL, anemia and/or thrombocytopenia, splenomegaly, bone marrow cellularity >80%, myelofibrosis, spindle-shaped mast cells >25%. CEL-NOS, Chronic eosinophilic leukemia – not otherwise specified; HE, hypereosinophilia; HEₑₛ, hypereosinophilia of undetermined significance; IFN, inter feron, L-HES, lymphoid-variant hypereosinophilic syndrome; M-HES, myeloid-variants hypereosinophlic syndrome; PDGFR, platele-derived growth factor receptor. (from: Klion AD. How I treat hypereosinophilic syndroms. Blood 2015;126:1069–77).

장기염증이 동반되거나 호산구가 5,000/mcL을 넘는 경우는 가능한 빨리 검사를 진행한 후 전신스테로이드를 고용량으로 사용한다.

병력상 기생충 감염의 가능성이 있고 Total IgE도 증가되어 있다면 기생충에 대한 경험적 치료를 검사 중이라도 먼저 할 수 있다. Albendazole 400 mg bid 5-7일, praziquantel 600 mg tab을 25 mg/kg 용량으로 1일 3회 2일 동안 처방한다(보통 2.5T tid).

약물 알레르기가 의심되면 의심되는 모든 약을 끊어야 하며 대부분 1주 내로 감소 추세로 돌아선다. 하지만 DRESS syndrome의 경우 약을 끊어도 수주 동안 감소하지 않고 오히려 증가하는 경우도 있어서 해석에 주의해야 한다.

호산구성식도염이나 위장관염이라면 역시 내시경으로 조직을 확보한 후에 치료를 한다.

증상이 있는 과호산구증가증 대부분은 전신스테로이드 치료를 한다. 일반적으로는 진단을 위한 검사를 마무리하면 methylprednisolone 1 mg/kg로 치료를 시작한다.

4. 미래 계획

대부분의 호산구증가증은 치료가 필요 없거나 저절로 호전되는 경우가 많다. 또한 감별진단 과정도 오래 걸릴 수 있고 치료 후에도 반응이 천천히 나타나고 호산구증가증이 오래 지속될 수 있으므로 외래에서 지속적인 경과관찰을 해야 한다. 초기 감별진단이 안되고 스테로이드 치료에도 반응하지 않거나 호산구가 계속 증가한다면 매우 드물지만 악성혈액질환을 의심해야 하기 때문에 주의깊은 관찰이 필요하다. 알레르기내과, 혈액내과 외래를 예약해서 지속적인 관리를 받도록 해야 한다.

Ⅶ 호산구성 육아종 다발혈관염이 의심될 때

1. 임상상황

호산구증가증이 발견되었을 때 천식이 동반되었는지 항상 확인하는 것이 중요하다. 그 이유는 호산구성 육아종 다발혈관염(Eosinophilic Granulomatosis with Polyangiitis, EGPA)을 감별진단하기 위해서이다. 과거에는 처그스트라우스증후군(Churg Strauss Syndrome, CSS)이라고 했다. EGPA는 기본적으로는 호산구성 혈관염이다. 초기 수년동안에는 호산구증가 없이 천식 또는 부비동염/비염을 앓다가 호산구증가증과 조직의 호산구염증이 발생한다. 이후 전신의 혈관염으로 발전하게 된다.

아래 표에 EGPA의 주요 소견을 정리하였다. 호산구가 증가된 상황에서 심장, 폐, 신장, 피부, 위장관, 또는 신경계에 이상소견이 있거나 천식, 부비동염을 진단되거나 흉부촬영에서 이상소견, ANCA 양성소견, 또는 혈관염이 증명된다면 EGPA를 의심해 봐야 한다. 중추신경계나 심장에 호산구성 혈관염이 발생하면 심각한 휴유증을 남기거나 사망에 이를 수 있으며 말초신경, 신장 등에도 비가역적인 손상을 일으켜서 사지 마비가 되거나 투석을 받게 될 수도 있다. 따라서 초기에 정확하게 진단하고 신속하게 전신 스테로이드 치료를 받는 것이 중요하다.

표 7-28. 호산구성 육아종 다발혈관염의 임상적 특징(진단 기준은 아님)

Masi et al. Arthritis Rheum. 1990 (American College of Rheumatology)	
At least four of six criteria: 1. Asthma 2. >10% blood eosinophilia 3. Mononeuropathy (including multiplex) or polyneuropathy 4. Nonfixed pulmonary infiltrates on chest radiograph 5. Paranasal sinus abnormalities 6. Extravascular eosinophils	임상 진단 기준은 아님. 혈관염이 확진된 환자에게 EGPA를 다른 혈관염과 구별하여 연구하기 위한 기준임.
Wechsler et al., NEJM. 2017 (RCT of mepolizumab for EGPA)	
Asthma and eosinophilia (blood eosinophil level of 10% or an absolute eosinophil count of more than 1000 cells per cubic millimeter), and the presence of two or more of the following: 1. Histopathological evidence of eosinophilic vasculitis, perivascular eosinophilic infiltration, or eosinophil-rich granulomatous inflammation 2. Neuropathy 3. Pulmonary infiltrates 4. Sinonasal abnormality 5. Cardiomyopathy 6. Glomerulonephritis 7. Alveolar hemorrhage 8. Palpable purpura 9. Positive ANCA	임상 진단 기준은 아님. EGPA의 임상연구에 enrol criteria로 사용된 기준임. 천식과 호산구증가증 2가지는 필수임. 1-4번까지는 위의 기준과 같음. 5-9번까지 새로 추가된 기준임.

2. 감별진단

90%의 환자에서는 폐의 침윤이 동반되며 비부비동염 비용종은 50%의 환자에서 발견된다. 신경증상으로는 mononeuritis multiplex가 가장 흔하며 foot drop이 자주 발생한다. 피부와 위장관 증상도 흔한 증상이다. 대략 1/3의 환자에서 심장이나 심낭의 염증이 발견되고 전체 사망하는 환자의 50%는 결국 심장 염증에서 기인하기 때문에 Troponin I와 EKG를 초기 검사에 시행해야 한다. 중추신경계 침범은 상대적으로 드물지만 뇌경색 또는 뇌출혈로 인해 사망할 수 있으므로 주의해야 한다. ANCA는 40% 정도에서 양성이며 대부분 myeloperoxidase에 대한 항체이다. 진단적 가치는 떨어지지만 hyperglobulinemia로 인해 albumin/globulin ratio가 역전되는 현상과 Total IgE가 상승되는 소견이 자주 발견된다. 아래 표에 EGPA를 크게 2 가지 군으로 나누어 설명하였다.

초기에 피부나 위장관에 증상이 있다면 반드시 조직검사를 하는 것이 진단에 도움이 된다. 하지만 혈관염 소견은 진행된 EGPA에서는 나타나지만 초기 EGPA에서는 전형적인 혈관염은 나타나지 않고 호산구 염증만 나타나기 때문에 혈관염 자체는 진단에 필수 조건이 아니다.

표 7-29. EGPA의 초기 검사

초기 포함해야 할 검사		
CBC with diff count Blood smear Chemistry ESR CRP Total IgE Troponin I ANCA ANA	EKG Chest PA Chest CT Simple PNS x-ray PFT with BDR MBPT FeNO EMG/NCV	피부에 염증: 조직검사 위장관 증상: 내시경 및 조직검사

표 7-30. EGPA의 2가지 임상적 아형의 특징

	Group 1	Group 2
Genetic association	HLA-DQA1, HLA-DRB1 (shared with ANCA-associated vasculitis)	GPA33, IL-5 (shared with asthma)
MPO-ANCA	Positive	Negative
Glomerulonephritis	Frequent	Less frequent
Neuropathy	Frequent	Less frequent
Heart failure	Less frequent	Frequent
Rituximab response	Better	Worse
Mepolizumab response	Lack of data	Good

3. 치료

초기 치료의 핵심은 중증도를 파악하여 Cyclophosphamide를 추가할지 정하는 것이다. 아래 표에서 5개의 항목으로 구성된 five factor score (FFS)가 높을수록 사망률이 높아지기 때문에 점수가 2점 이상으로 높다면 초기에 Cyclophosphamide 치료를 고려해야 한다. 대부분 초기에는 고용량 전신스테로이드 치료를 함께 투여해야 한다. 재발율이 높기 때문에 장기적인 유지요법을 시행해야 하는데 장기적은 스테로이드 치료는 부작용이 높아서 다른 치료제를 추가하게 된다. ANCA 양성인 경우 Rituximab 또는 Azathioprine 유지 치료의 재발 예방율이 ANCA 음성인 경우보다 높다. 이 2가지 치료 중에서는 Rituximab의 장기적인 효과가 Azathioprine보다 더 높다고 알려져 있다. 최근에는 anti-IL5 antibody (Mepolizumab, Reslizumab 등)에 반응이 매우 좋다고 보고되었다. 특히 ANCA 음성인 경우 반응이 좋았고 ANCA 양성인 경우에도 도움이 될 것으로 생각되지만 아직 근거는 불충분하다.

최근 연구 결과 초기부터 Mepolizumab을 사용할 수 있고 특히 ANCA negative인 경우에 더 추천된다.

표 7-31. EGPA의 치료

The revised five factor score by French Vasculitis Study
Age>65 years Presence of symptomatic cardiac insufficiency Presence of severe gastrointestinal involvement (bowel perforation, bleeding and pancreatitis) Presence of renal insufficiency (creatinine>1.7 mg/dL). Absence of ear, nose, and throat symptom
FFS가 1점 이하인 경우 (Methylprednisolone 단독)
• Oral Prednisone: 1 mg/kg daily for 3 weeks, then tapering 5 mg every 10 days to 0.5 mg/kg. Then taper 2.5 mg every 10 days to the minimal effective dosage, or until definite withdrawal *Or* • Intravenous methylprednisolone pulse (15 mg/kg) followed by oral prednisone as above
FFS가 2점 이상인 경우 (Methylprednisolone + Cyclophosphamide)
• Three consecutive Methylprednisolone pulses (15 mg/kg) on day 1 to 3 plus oral Prednisone (see above) *Plus* • Either 12 Cyclophosphamide pulses (600 mg/m²) every 2 weeks for 1 month then every 4 weeks after that *Or* • Short-course of Cyclophosphamide (oral 2 mg/kg) for 3 months or 6 Cyclophosphamide pulses (600 mg/m²) every 2 weeks for 1 month, then every 4 weeks after that, followed by Azathioprine 2 mg/kg for 1 year or more

4. 미래계획

외래에서 장기적으로 전신스테로이드, anti-IL5 monoclonal antibody, Rituximab, Azathioprine, Cyclosporine 등으로 유지요법을 시행해야 한다. Cyclophosphamide를 사용하는 환자는 외래에서 치료를 받게 한다. 혈관염 뿐만 아니라 병의 중증도에 따라 천식 악화도 자주 발생할 수 있고 근골격계 마비 증상, 신경통, 부비동염 등도 증상 조절을 해야 하기 때문에 꾸준한 경과관찰이 필요하다. 정리 하자면, 재발방지를 위한 유지요법, 천식 조절, 통증 조절, 마비에 대한 재활이 주된 치료가 되겠다. 알레르기내과에 협진의뢰를 하여 장기적인 치료를 받을 수 있도록 해야 한다.

Ⅷ 아나필락시스가 발생했을 때

1. 임상상황

아나필락시스는 전신에 발생하는 알레르기 반응으로서 병원에서는 주로 약물 사용 후 발생한다. 피부, 호흡기, 심장혈관계, 소화기 중 2가지 계통 이상에서 동시에 증상이 발생하면 아나필락시스를 의심해 볼 수 있다. 저혈압은 1/3 정도에서만 발생하기 때문에 저혈압이 반드시 아나필락시스에 필수 징후가 아님을 명심해야 한다. 저혈압이 발생하는 경우는 특별히 anaphylactic shock이라고 부른다. 가장 흔한 원인은 항생제, NSAID, 요오드화조영제, 항암제이며 수술장에서 사용하는 근이완제도 주요 원인 약이다. 항암제 중에는 Cisplatin과 Paclitaxel이 가장 흔하다. 하지만 모든 약제가 아나필락시스를 일으킬 수 있기 때문에 정확한 병력 청취 및 분석을 통해 원인을 찾아야 향후 재발을 막을 수 있다.

표 7-32. 아나필락시스의 증상 및 징후

Signs/Symptoms		Approximate Percentage of Cases
Cutaneous	Urticaria Angioedema Flushing Pruritis Other rash	80-90%
Respiratory	Rhinorrhea, congestion Stridor Dysphonia Shortness of breath Chest tightness Wheezing Cyanosis	70%
Cardiovascular	Chest pain Tachycardia Bradycardia Hypotension Dysrhythmias Cardiac arrest	45%
Gastrointestinal	Abdominal pain Nausea, vomiting Diarrhea	45%
Central Nervous System	Sense of impending doom Altered mental status Dizziness Confusion Headache	15%

　　아나필락시스를 일으켰던 대부분의 약제들을 다음에 반드시 사용해야 한다면 탈감작요법 (desensitiziation)으로 안전하게 사용할 수 있다. 따라서 정확한 진단 및 계획을 통해 환자에게 중요한 약제를 탈감작요법으로 다시 사용할 수 있는 기회를 주는 것도 중요하겠다.

표 7-33. 아나필락시스의 흔한 원인

	Comment/Findings
Drugs	Antibiotics are arguably the most common cause of drug-induced anaphylaxis. Anesthetic drugs (particularly neuromuscular blocking agents), NSAIDs, and most recently biologics are increasing in importance.
Radiocontrast media	Adverse reactions to nonionic contrast media (lower osmolar) occur with a frequency of 1–3%.
Foods	As many as 4% of children and 1% of adults have food allergy. In addition to natural exposures, anaphylaxis can occur during diagnostic oral food challenges.
Venoms	Potentially life-threatening systemic reactions to insect stings occur in an estimated 0.4–0.8% of children and 3% of adults.
Latex	Although the incidence of sensitization to latex had dropped because of decreased use of latex in the health care setting, many latex-allergic patients must be managed carefully, particularly in regard to medical interventions.
Allergen-specific immunotherapy	Subcutaneous allergen-specific immunotherapy has a small risk of anaphylaxis (approximately 0.2% per injection). Although reactions are typically mild, severe reactions are possible, and guidelines should be followed carefully.
Physical triggers	Exercise-induced anaphylaxis is not uncommon but is most likely related to the prior (0–4 hours) ingestion of an allergenic food.
Idiopathic anaphylaxis	Cause remains unidentified in as many as two-thirds of adults presenting to an allergist/immunologist for evaluation of anaphylaxis.

2. 감별진단

표 7-34. 아나필락시스의 초기 검사

CBC with diff count Chemistry ESR CRP Total IgE (현재 아나필락시스 증상이 있는 경우) Tryptase	(베타락탐 항생제 알레르기가 의심되는 경우) Penicilloyl G specific-IgE (ImmunoCap) Penicilloyl V specific-IgE (ImmunoCap) Ampicilloyl specific-IgE (ImmunoCap) Amoxicilloyl specific-IgE (ImmunoCap) Cefaclor specific-IgE (ImmunoCap) (음식물 알레르기가 의심되는 경우) 특정 음식에 대한 specific-IgE (ImmunoCap) Skin prick test – 음식항원 (호흡곤란이 동반된 경우) PFT MBPT

아나필락시스를 진단할 수 있는 확실한 기준은 없지만 감별진단의 가능성을 높여줄 수 있는 기준은 제시되어 있다.

1) 두드러기 혈관부종 등 전신 피부-점막 증상이 급속도로 발생하면서 호흡기능 저하 증상이나 저혈압(쇼크) 관련 증상 둘 중 최소 1개 이상이 발생한 경우
2) 원인의심 알레르겐 혹은 자극-물질에 노출된 직후 급속히 발생하는 피부-점막 증상, 호흡기능 저하 증상, 저혈압 관련 증상, 지속되는 소화기 증상(복통 등) 중 2개 이상이 발생한 경우
3) 과거에 원인으로 진단된 알레르겐에 노출된 후 수분에서 수시간 경과 후 혈압저하가 발생한 경우

표 7-35. 병력에 따라 아나필락시스를 의심할 수 있는 증상들

병력	의심할 수 있는 증상
미상	피부점막 + (호흡기 또는 심장혈관계 중 1개)
알레르기를 일으킬 가능성이 있는 물질에 노출된 상황	(피부, 소화기, 호흡기, 심장혈관계) 중 2개
과거에 환자가 알레르기 반응을 보였던 물질에 노출된 상황	저혈압(환자의 평상시 SBP에서 30% 이상 감소)

위의 기준은 "가능성"이 높다는 뜻이다. 초반에 빨리 의심을 해야 에피네프린을 투여하고 이후 원인을 찾아서 재발을 방지해야 하기 때문에 이러한 기준이 중요하다. 예를 들자면, 환자가 갑자기 피부에 두드러기가 발생하면서 호흡곤란이 발생했다면 천식이나 심부전보다는 아나필락시스 가능성이 더 높다. 방금 병원에서 약을 처방 받아 항생제를 복용했는데 30분 후 숨이 답답하면서 구토, 설사가 발생하면 약에 의한 위장관 부작용 가능성보다는 아나필락시스 가능성이 높다. 과거에 밀가루 알레르기가 있는 환자가 밀가루가 포함된 식사를 한 후에 혈압이 떨어져서 의식을 잃고 왔다면 역시 심근경색이나 패혈증보다는 아나필락시스 가능성이 더 높다고 할 수 있다.

하지만 위 기준은 가능성이 높다는 것이기 때문에 확실한 진단을 하기 위해서는 아나필락시스 증상이 있는 상황에서 tryptase의 측정이 필요하다. 두드러기나 혈관부종 등 피부 증상이 명확하여 아나필락시스 진단이 너무나 명확하면 불필요하다. 하지만 가능성이 있더라도 진단이 애매하면 향후 아나필락시스의 확진을 위해 tryptase를 반드시 측정해야 한다. 다음 그림에서 볼 수 있듯이 Tryptase는 증상 발생 후 가능한 빨리 (최대 4시간 이내) 혈액채취를 해야 진단적 가치가 있고 결과는 대략 2주 후에 나오게 된다. 비용도 대략 20만 원 정도 소요된다. 의료분쟁이 발생한 경우 tryptase의 결과가 있는 것이 중요하다. 아나필락시스는 의사가 예측하지 못하는 반응이고 환자의 factor로 발생하기 때문에 환자에게 해가 발생했을 때 적절한 처방

과 치료를 했고 tryptase 결과로 아나필락시스를 증명했다면 의사의 과실로 보기 어렵다.

혈관미주신경성실신(Vasovagal syncope)은 아나필락시스 쇼크와 감별해야 되는 가장 흔한 병이다. 혈관미주신경성실신은 부교감신경의 갑작스러운 상승으로 인해 심박수가 느려지고 심박출량이 감소하여 저혈압이 발생한다. 반면 아나필락시스 쇼크는 히스타민, PAF 등에 의해 자신의 말초혈액이 갑자기 확장되면서 filling pressure가 감소하여 저혈압이 발생한다. 이 때 심장은 저혈압을 보상하기 위해 심박수가 상승한다. 따라서 심박수를 기준으로 이 2가지를 감별할 수 있다. 단, 관상동맥질환 또는 당뇨가 있거나 노인에게는 빈맥이 없이 오히려 아나필락시스 때에도 서맥이 발생할 수 있어서 주의해야 한다.

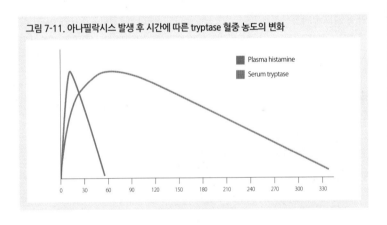

그림 7-11. 아나필락시스 발생 후 시간에 따른 tryptase 혈중 농도의 변화

3. 치료

표 7-36. 아나필락시스의 초기 대응의 핵심 요약

아나필락시스의 핵심
1. 아나필락시스 가능성 의심 (+대부분 빈맥 발생)
2. Epinephrine 0.3-0.5 mg IM (허벅지 가측 중앙)
3. 중증 아나필락시스인 경우 최대한 빨리 Tryptase 검사

치료의 핵심은 가장 빠른 시간 내에 에피네프린 투여하는 것이다. 특히 저혈압, 의식저하, 호흡곤란, 천명음, 인후두 부종이 발생한 경우에는 반드시 에피네프린을 투여해야 한다. 에피네프린은 0.3-0.5 mg을 허벅지 가측 중앙에 근주를 한다. 에피네프린 1 mg/mL 앰플의

1/3-1/2에 해당하는 용량이다. 에피네프린 근주는 매우 안전하며 에피네프린을 투여 안했을 때의 위험이 더 크기 때문에 진단만 확실하다면 망설이지 말고 빨리 투여해야 한다. 몸무게가 많고 혈압저하가 매우 심하거나 젊은 사람이라면 0.5 mg을 투여하되 몸무게가 적거나 노인인 경우에는 0.3 mg을 투여한다. 5분 후에 재평가를 한 후 증상이 지속되면 재투여하며 이후에도 5-15분마다 재평가를 하면서 재투여가 가능하다. 증상이 심하다고 IV shooting을 하면 절대로 안된다. CPR을 하는 상황에서는 IV shooting을 해야 하지만 심정지와 호흡정지가 없는 상황에서는 IM으로 투여해야 안전하다. IM으로 투여하는 이유는 안전하면서도 효과적이기 때문이다.

항히스타민제와 전신스테로이드는 아나필락시스 증상의 빠른 호전을 위해 투여한다. 하지만 이 2가지 약제는 증상개선에 도움이 되는 것이지 쇼크나 호흡곤란을 즉시 개선시킬 수 없기 때문에 에피네프린보다 선행되는 치료가 절대 아님을 명심해야 한다. 그림 7-12는 병원에서 사용할 수 있는 간단한 응급처치 프로토콜이다.

4. 미래 계획

표 7-37. 아나필락시스 환자의 미래 관리 계획

미리 계획의 핵심
• 원인을 정확하게 밝혀야 재발을 막을 수 있다.
• 원인을 밝히지 못하는 특발성 아나필락시스는 휴대용에피네프린 주사를 정기적으로 처방 받도록 해야 한다 (유효기간 1년).
• 아나필락시스를 일으킨 약물은 탈감작요법으로 안전하게 다시 투약할 수 있다.

아나필락시스의 원인을 명확하게 찾아야 재발을 막을 수 있다. 원인을 정확하게 찾지 않게 되면 결국 언젠가 재발의 확률이 높고 환자에게 해가 될 수 있다. 진단적 검사는 아나필락시스가 발생한 이후 바로 하면 위음성이 나올 수 있으며 최소 2주 이상 지나야 정확도가 높아진다. 대략 증상 발생 후 1달에서 3달 사이에 항원특이 IgE가 가장 높아지는 시점이기 때문에 이 때 검사를 진행하는 것이 가장 정확하다. 혈액검사나 피부시험으로 항원 특이 IgE 유무를 확인한다. 확진을 위해서는 약을 직접 환자에게 노출시키는 유발시험을 시행한다. 약물 알레르기인경우 대체할 수 있는 약을 선택해 주는 것도 매우 중요하다. 모든 과정은 알레르기내과 외래에서 진행하게 된다. 휴대용 에피네프린(Jext pen)은 유효기간이 1년이므로 매년 방문하여 재처방을 받도록 교육해야 한다. 그리고 항생제나 항암제와 같이 특정 상황에서 꼭 사용해야 하는 약제라면 탈감작요법으로 안전하게 투약할 수 있다. 따라서 환자에게 탈감작요법이라는 방법에 대해 미리 알려줘서 안심시키는 것이 중요하다.

그림 7-12. 병원 내에서 아나필락시스 발생 시 초기 접근 방법 및 치료

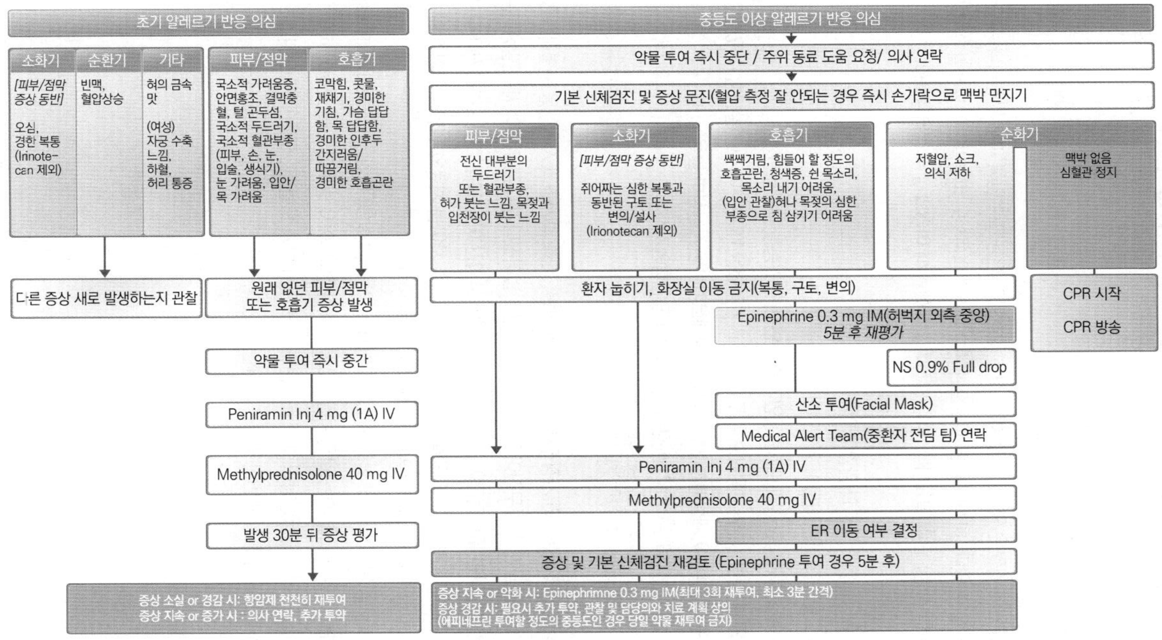

IX 약물 사용 후 피부 발진이 생겼을 때

1. 임상상황

병원에서 많은 약들을 사용하다 보면 알레르기 반응으로 인해 피부 발진이나 두드러기가 발생할 수 있다. 하지만 다른 피부질환이나 감염에 의해서도 피부발진이 발생할 수 있으므로 정확한 감별진단이 필요하다. 피부 발진이 발생했을 때 아래와 같은 질문을 해야 한다.

- 이상반응이 약물과 관련이 있는가?
- 그렇다면 어떤 약물이 원인인가?
- 예측 불가능한 알레르기반응인가 아니면 예측 가능한 부작용인가?
  구별 방법: 매우 고용량으로 투여한다고 가정했을 때 누구에게나 발생할 수 있다면 부작용, 일부 특이체질에게만 발생한다면 알레르기반응 가능성이 높음
- 반응이 약물 알레르기인 경우 즉시형인가 지연형인가?
- 대체할 수 있는 안전한 약물은 무엇인가?

약물이 의심된다면 가장 먼저 두드러기와 아닌 것, 즉 즉시형과 지연형을 구별하는 것이 중요하다. 발생한 피부 구진이 24시간 내에 저절로 없어졌다가 다른 위치에 새로 발생하는 과정이 반복된다면 두드러기이고 구진이 그 자리에 24시간 이상 그대로 있으면서 색이나 강도만 변한다면 지연형 피부 발진일 가능성이 높다. 이러한 차이는 치료와 원인을 찾기 위한 검사에도 중요한 단서가 되기 때문에 초기에 잘 파악해야 한다.

모든 염증은 cortisol 혈중 농도가 떨어지는 밤부터 새벽에 악화 된다. 따라서 피부 발진의 변화를 매일 비교할 때는 같은 시간대로 비교해야 한다. 어제 밤보다 오늘 오전에 피부 발진이 줄었다고 해서 임상양상이 호전된 것은 아니고 어제 밤과 오늘 밤, 또는 어제 오전과 오늘 오전을 비교해야 정확한 변화 양상을 판단할 수 있다.

표 7-38. 약물에 의한 피부발진의 초기 검사

초기 포함해야 할 검사	원인 감별을 위한 추가 검사
CBC with diff count (atypical lymphocyte 확인) ESR CRP Chemical battery Troponin I Coagulation panel D-dimer ANA ANCA Urinalysis EKG Chest PA	(간기능 악화 시) Serology for viral hepatitis (베타락탐 항생제 알레르기가 의심되는 경우) Penicilloyl G specific-IgE (ImmunoCap) Penicilloyl V specific-IgE (ImmunoCap) Ampicilloyl specific-IgE (ImmunoCap) Amoxicilloyl specific-IgE (ImmunoCap) Cefaclor specific-IgE (ImmunoCap) Skin biopsy

표 7-39. 다양한 약물 피부 이상반응

Clinical manifestation	Chronology	Morphology and localization
Urticaria	Immediate Minutes to two hours Rapid change and resolution of single lesions (<24 hours)	Urticarial wheals, pale swelling surrounded by erythematous border Pruritus Trunk, face, mucosae, or generalized
Angioedema	Immediate to delayed Minutes up to six hours Resolution 24 to 72 hours	Pale swelling Dysesthesia, pain Face, lips, eye lids, mucosa, male genitals
Maculopapular exanthem	Delayed Typically 6 to 24 hours Peak at 48 to 72 hours Resolution one week	Macules, papules Confluence, desquamation Trunk, proximal extremities, or disseminated
Fixed drug eruption	Delayed Typically 30 minutes to 8 hours Resolution 7 to 10 days	Erythematous or lilac macule or plaque, central bulla/erosion, permanent hyperpigmentation, burning, pruritus Fixed (identical site) Acral or mucosal localization
Pustular exanthem (AGEP)	Delayed Typically 6 to 12 hours up to 48 hours Resolution one week	Confluent erythema, pinpoint nonfollicular pustules, pruritus, massive desquamation Folds, trunk, or generalized
Vesicobullous exanthems	Delayed Typically 24 to 48 hours Resolution several weeks	Macules, bullae, epidermolysis, mucositis Initially painful skin Trunk, face, or generalized

2. 감별진단

병원 입원 환자에게 발생하는 대부분의 피부 발진은 약물 알레르기 가능성이 높다. 하지만 바이러스나 세균 감염, 자가면역질환, 혈액종양 질환들도 피부 발진을 일으킬 수 있고 피부건 조증으로 긁은 상처나 아토피피부염/접촉성 피부염도 발생할 수 있으므로 감별진단을 명확하게 해야 한다.

아래와 같은 질문들에 대한 답을 차트에 기록한다.

이러한 병력과 위의 혈액검사에서 absolute neutrophil count, eosinophil, lymphocyte, platelet, hemoglobin, LFT, Cr 등의 시간적 변화를 함께 분석해야 명확하게 파악할 수 있다. 특히 cytopenia, eosinophilia, atypical lymphocyte 존재 여부가 특히 중요하다.

- 증상과 징후는 무엇인가? 현재까지 파악된 이상반응은 무엇인가?
- 언제 반응이 일어났는가?
- 반응 때문에 환자에게 치료나 입원이 필요할 정도였는가?
- 약을 복용한 이유는 무엇인가?
- 약의 복용량과 경로(알고있는 경우).
- 환자가 과거에도 같은 약을 복용한 적이 있는가?
- 반응이 일어났을 때 환자가 다른 약물도 복용하고 있었는가? 이 중 최근 새로 복용하기 시작한 약이 있는가?
- 약물 복용 후 반응이 나타날 때까지 걸린 시간
- 이상반응에 대한 치료 과정 및 호전 여부(총 이상반응 기간 포함).
- 과거 이상반응 발생 이후 환자가 같은 약을 재복용한 적이 있는가? 그렇다면 증상이 재발하였는가?
- 원인 약과 같은 계열 또는 비슷한 구조의 약물을 복용한 적이 있는가? 이러한 약물 복용 후 이상반응이 나타났는가?

표 7-40. 약발진의 감별진단

Viral exanthems	
Measles (rubeola)	The "brick-red" maculopapular rash often begins on the head and neck area and spreads centrifugally. Patients also complain of fever, cough, coryza, and conjunctivitis. Koplik's spots, tiny punctate elevated white buccal mucosa lesions located adjacent to the lower molars, are pathognomonic of measles and can precede the rash by 24 to 48 hours.
Rubella	The rash resembles measles, but the patient does not appear to be sick; prominent postauricular, posterior cervical, and/or suboccipital adenopathy also assists in the diagnosis
Erythema infectiosum or "fifth disease" (human parvovirus B19)	Children, unlike adults, often develop a characteristic rash with a "slapped cheeks" appearance
Roseola infantum or exanthem subitum (human herpesvirus 6 or 7)	Primarily seen in infants and young children, is characterized by high fever for three to four days, followed by generalized maculopapular rash that spreads from the trunk to the extremities but spares the face
Infectious mononucleosis (Epstein-Barr virus or cytomegalovirus)	Maculopapular rash, usually occurring after administration of ampicillin, in older children, adolescents, or young adults with pharyngitis, fever, lymphadenopathy
HIV infection	A transient, maculopapular, nonpruritic rash, located on the trunk or face, may occur in the acute retroviral syndrome, two to four weeks after the primary HIV infection. Fever, sore throat, malaise, headache, lymphadenopathy, and mucocutaneous ulceration are accompanying symptoms.
Bacterial exanthems	
Scarlet fever	Coarse, sandpaper-like, erythematous, blanching rash, occurring most commonly in the setting of pharyngitis from group A streptococcus infection
Mycoplasma infection	Mild erythematous maculopapular or vesicular rash, most commonly accompanying respiratory tract infections. Rarely, erythema multiforme or Stevens-Johnson syndrome.
Maculopapular rash associated with autoimmune connective tissue disease	
Juvenile idiopathic arthritis and adult-onset Still disease	Evanescent, salmon pink maculopapular rash occurring with fever. The rash predominantly involves the trunk and extremities, but can also involve the palms, soles, and occasionally the face.
Acute cutaneous lupus erythematosus	Widespread morbilliform eruption often focused over the extensor aspects of the arms and hands. Typically precipitated or exacerbated by exposure to UV light.

3. 치료

즉시형 이상반응, 즉 아나필락시스, 두드러기, 혈관부종 등은 우선 항히스타민제로 치료한다. 페니라민(Chlorpheniramine)은 유일한 주사용 항히스타민제이기 때문에 가장 많이 사용되지만 이러한 1세대 항히스타민제는 부작용이 많고 히스타민 수용체 차단 효과가 2세대보다는 적기 때문에 환자가 경구복용이 가능하다면 2세대 항히스타민제를 투여하는 것이 더 추천된다.

항히스타민제 중 가장 졸림이 적은 항히스타민제는 Fexofenadine이다. 2세대 항히스타민제는 부작용이 매우 적기 때문에 일상용량의 4배까지 사용이 가능하다. 항히스타민제로 즉시형반응이 조절되지 않는다면 전신스테로이드를 추가한다. 경한 증상에는 Methylprednisolone 3-4T qd 정도, 중등도라면 0.5 mg/kg, 중증이라면 1 mg/kg 정도로 처방할 수 있다.

지연형 이상반응은 종류가 위의 표처럼 종류가 매우 다양하다. 하지만 대부분 전신스테로이드로 치료하게 된다. 경한 국소형 피부 발진의 경우 피부에 바르는 스테로이드로 치료한다. 하지만 전신에 퍼져있다면 전신 스테로이드를 처방해야 한다. 경한 증상에는 Methylprednisolone 3T-4T qd 정도, 중등도라면 0.5 mg/kg, 중증이라면 1 mg/kg 정도로 처방할 수 있다.

4. 미래 계획

원인약을 정확하게 찾아야 미래에 재발을 막을 수 있다. 따라서 알레르기내과와 협진하여 피부시험, 경구유발시험 등을 통해 원인약을 외래에서 찾도록 한다. 원인 약뿐만 아니라 이 환자가 다양한 상황에서 사용할 수 있는 안전한 대체약을 알려주는 것이 매우 중요하다.

X CT조영제 과민반응이 의심될 때

1. 조영제 과민반응(알레르기)이 맞는지 확인

표 7-41. 조영제에 의한 이상반응의 감별진단

	과민반응	생리적 반응(기타 유해반응)
경증	국소적인 두드러기·가려움증 국소적인 피부 부종 목(인후두) 가려움 코 충혈, 재채기, 콧물, 결막염	경미한 메스꺼움·구토 일시적인 화끈거림·열감·오한 두통, 어지러움, 불안, 맛의 변화, 경증고혈압 저절로 호전되는 혈관미주신경항진 반응
중등증	광범위한 두드러기·가려움증 광범위한 홍반 안면부종 목이 붓거나 쉼 저산소증이 없는 천명, 기도수축	지속되는 메스꺼움·구토 흉통 고혈압성 긴급증(hypertensive urgency) 치료가 필요한 혈관미주신경항진 반응
중증	호흡곤란을 동반한 심한 부종과 안면부종 저혈압을 동반한 심한 홍반, 그렁거림/저산소 증을 동반한 후두부종, 심한 저산소증이 있는 천명 기도수축, 아나필락시스 쇼크	부정맥 경련 고혈압성 응급증(hypertensive emergency) 치료에 반응하지 않는 혈관미주신경항진 반응

2. 어떤 형태의 과민반응인지 확인

표 7-42. 조영제단 과민반응의 시간에 따른 감별진단

반응 종류	발생 시간	알레르기반응 양상
Immediate	<1 hour	Urticaria, angioedema, anaphylaxis
Accelerated	1 to 72 hours	Urticaria and/or angioedema, delayed type maculopapular rash
Late	More than 72 hours	Delayed type maculopapular rash, DRESS syndrome, AGEP, SJS/TEN

3. 알레르기를 일으킨 CT조영제의 종류를 확인

표 7-43. 물리화학적 특성에 따른 요오드화 조영제의 구분

Ionic	Non-ionic	
	MONOMER	DIMER
MONOMER meglumine iothalamate (Conray®) **DIMER** Ioxaglate (Hexabrix®)	Iohexol (Omnipaque®, Bonorex®) Iopaidol (Iopamiro®) Iopromide (Ultravist®) Ioversol (OptirayID) Iopamidol (PamirayID) Iomeprol (Iomeron®) Iobitridol (Xenetix®)	Iodixanol (Visipaque®) Iotrolan (Isovist®)
High osmolality 1,600–2,000 mOsm/kg(plasma*6)	Low-osmolahty 600–844 mOsm/kg(plasama*2)	Iso-osmolality 290 mOsm/kg

4. 즉시형 과민반응의 치료

[VIII. 아나필락시스가 발생했을 때] 참조

5. CT조영제 과민반응 환자에서 조영제 재투여 시 전략

1) 전처치(premedication)

증증의 조영제 과민반응을 경험한 환자입니다.

다음의 전처치 약물을 처방하여 주십시오.

1) Prednisolone 50 mg po 3회 복용 (검사 13시간, 7시간, 1시간 전)
   Chlorpheniramine 4 mg I M 혹은 IV (검사 1시간 전)
or
2) Methylprednisolone 32 mg po 2회 복용 (검사 12시간, 2시간 전)
   Chlorpheniramine 4 mg I M 혹은 IV (검사 시간 전)
*경구투여가 불가능한 경우는 대신 Hydrocortisone 200 mg를 정주한다.

경미한 조영제 과민반응을 경험한 환자입니다.

다음의 전처치 약물을 처방하여 주십시오.

Chlorpheniramine 4 mg I M 혹은 IV (검사 1시간 전)

조영제 과민반응을 경험한 환자입니다(응급실).

다음의 전처치 약물을 처방하여 주십시오.

Hydrocortisone 200 mg IV (검사 전까지 4시간마다)
Chlorpheniramine 4 mg IV (검사 1시간 전)

---

2) 피내시험(Intradermal skin test)

알레르기내과에 의뢰하여 원인 조영제로 피내시험 시행 후 재투여할 대체 조영제 선택

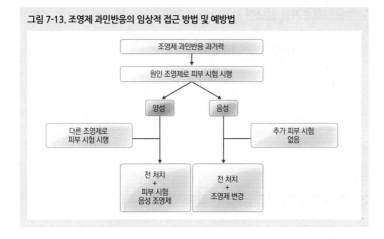

그림 7-13. 조영제 과민반응의 임상적 접근 방법 및 예방법

XI 약물알레르기 과거력이 있을 때

1. 약물알레르기를 일으킨 시점과 양상 확인

표 7-44. 약물알레르기의 시간에 따른 감별진단

반응 종류	발생 시간	알레르기반응 양상
Immediate	<1 hour	Urticaria, angioedema, anaphylaxis
Accelerated	1 to 72 hours	Urticaria and/or angioedema, delayed type maculopapular rash
Late	More than 72 hours	Delayed type maculopapular rash, DRESS syndrome, AGEP, SJS/TEN

2. 흔히 약물알레르기를 일으키는 약물인지 확인

- 아스피린 및 NSAIDs
- 항생제: penicillin, cephalosporin, sulfonamide 등
- 항전간제

  Carbamazepine, lamotrigine 등
- 항결핵제
- 근육이완제 및 마취제

  Neuromuscular blockers, eperisone 등
- 마약성 진통제
- CT조영제
- 항암제 → 알레르기내과에 탈감작 가능 여부 의뢰

  platin 계열, taxane 계열 등
- 기타: allopurinol, acetazolamide 계열, H2 blocker (ranitidine), PPI 등

3. 진단적 검사

1) 피부시험

① 즉시형 반응의 경우 약물에 의한 IgE mediated hypersensitivity를 평가하기 위해 skin prick test나 intradermal test를 시행할 수 있다.

② 지연형 반응의 경우 patch test 나 intradermal test 24-72시간 후의 지연형 반응 여부
를 확인해 보는 방법이 있다.

③ 양성인 경우 원인 약물일 가능성이 크지만, 음성이라도 완전히 배제할 수 없다.

2) 경구약물유발시험

① 과민반응의 원인으로 의심되는 약물을 직접 투여하여 반응을 유발함으로써 원인 약물을
정확히 진단하는 가장 좋은 방법이나, 반응 발생 시 위험성에는 유의해야 한다.

② 약물 유발시험은 저용량부터 시작(graded challenge)하는 것이 원칙이며 약물의 투여간
격은 이전에 나타났던 반응에 따라 결정한다(급성반응: 15-30분/ 지연반응: 24-48시간).

③ 알레르기내과 의뢰하여 정밀한 관찰 및 응급처치를 위한 준비가 완비된 상태에서 시행
한다.

④ 금기: 스티븐스-존슨 증후군(SJS), 독성표피괴사용해(TEN)

3) 혈액 검사

- Immunoassay capture test (ImmunoCAP)

현재 원내에서 penicilloyl G, penicilloyl V, ampicilloyl, amoxcilloyl, cefaclor 검사가
가능하다. skin test에 비하여 민감도는 48-54%로 낮으나 특이도는 95-100%로 높다.

4. 각론

1) 페니실린 계열 항생제에 대한 과민반응의 과거력이 있는 경우

가급적 페니실린, 세팔로스포린 계열 항생제의 사용을 금하고, 꼭 필요한 경우는 알레르기
전문의사의 판단에 따르거나 불가피한 경우 graded challenge*를 시행할 수 있다.

2) 세팔로스포린 계열 항생제에 대한 과민반응의 과거력이 있는 경우

가급적 페니실린, 세팔로스포린 계열 항생제의 사용을 금하고, 꼭 사용이 필요한 경우는 알
레르기 전문의사의 판단에 따르거나 불가피한 경우 graded challenge*를 시행할 수 있다.

* Graded challenge (자세한 시행 방법은 알레르기내과 문의) 본 용량의 1/100 용량 투약 → 본 용
량의 1/10 용량 투약 → 본 용량 투약(각 단계별로 투약 후 30-60분 간 과민반응 증상 여부 확인 후
다음 단계로 이행)

표 7-45. 유사 side chain 구조를 가진 세팔로스포린 계열 항생제 별 분류기[1]

구분	성분명
1	cefazolin, ceftezole
2[2]	cefaclor, cefadroxil, cefprozil, cephalexin, cephradine, cefamandole
3	cefditoren pivoxil, cefepime, cefotaxime, cefpodoxime, ceftizoxime, ceftriaxone, cefuroxime
4	cefoxitin[3], cefuroxime
5	cefdinir, cefixime
6	cefamandole, cefmetazole, cefoperazone/sulbactam, cefotetan

1) side chain 구조가 서로 유사할 경우 교차반응
2) amoxicillin, ampicillin과 side chain 유사
3) peniciilin G와 side chain 유사

그림 7-14. 베타락탐 항생제 알레르기의 과거력 유무에 따른 임상적 접근 방법

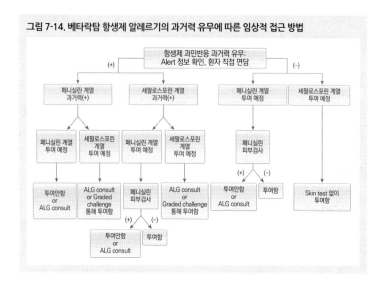

3) NSAID, 아스피린 즉시형 과민반응

비교적 안전한 약물: acetaminophen (Tylenol®), celecoxib (Celebrex®), etoricoxib (Arcoxia®), meloxicam (Mobic®)

알레르기내과에 의뢰하여 경구약물유발시험 후 대체가능한 약물을 확인한다.

XII 중증피부유해반응(SJS, TEN, DRESS)이 의심될 때

1. 임상상황

약물 알레르기 중 환자가 사망할 수 있는 경우는 아나필락시스, Stevens-Johnson syndrome (SJS), toxic epidermal necrolysis (TEN), drug reaction with eosinophilia and systemic symptom (DRESS) syndrome, drug-induced hypersensitivity syndrome (DIHS) 등이 있다. SJS와 TEN은 하나의 spectrum 내에 있으며 DRESS와 DIHS는 거의 같은 질환군이다. 의심되는 원인 약을 초기에 면밀히 파악하여 중단하고 향후 원인약을 정확하고 찾아내고 재사용 하지 않도록 하는 것이 장기적으로 매우 중요하다.

다음 표를 참고로 해서 피부가 벗겨진 정도가 10% 이내이면 SJS, 10%-30%이면 SJS/TEN overlap, 30% 이상이면 TEN이라고 진단한다. TEN의 경우 아래 SCORTEN 기준으로 점수가 높아질 수록 사망률이 높아지기 때문에 초기부터 적극적인 항생제 치료 및 충분한 수액공급이 필요하며 피부 드레싱을 화상환자에 준하여 적극적으로 해 주는 것이 예후에 매우 중요하다. 각막 손상으로 실명이 되지 않게 예방하는 것이 중요하며 구강, 호흡기, 위장관, 비뇨생식기계 점막의 손상, 천공, 협착, 출혈, 섬유화 등이 발생하고 후유증으로 남을 수 있어서 적극적으로 치료하고 장기적인 관리가 필요하다.

표 7-46. Cutaneous findings in severe bullous erythema multiforme and Stevens-Johnson syndrome/toxic epidermal necrolysis

Bullous erythema multiforme
Detachment less than 10 percent of BSA plus Typical targets or Raised, atypical targets
Stevens-Johnson syndrome
Detachment less than 10 percent of BSA plus Widespread macules or Flat, atypical targets
Overlap Stevens-Johnson syndrome/toxic epidermal necrolysis
Detachment between 10 and 30 percent of BSA plus Widespread macules or Flat, atypical targets
Toxic epidermal necrolysis
With spots
Detachment of greater than 30 percent of BSA plus Widespread macules or Flat, atypical targets
Without spots
Detachment greater than 10 percent of BSA with large epidermal sheets and Without any macules or targets BSA: body surface area.

표 7-47. 위치 별 피부 면적

Area*	Adult (%)
Head	4.5
Neck	1
Trunk	13
Upper arm	2
Forearm	1.5
Hand	1.25
Thigh	4.5
Leg	3.25
Foot	1.75
Buttock	2.5
Genitalia	1

DRESS syndrome의 경우 폐, 심장, 간, 췌장, 신장 등 다양한 장기의 심각한 염증 및 장기 부전이 발생하여 사망할 수 있으므로 초기에 적극적인 검사로 침범된 장기를 파악하고 치료해야 한다. DRESS syndrome의 경우 수개월 지속되고 자가면역질환 양상으로 발전할 수 있기 때문에 환자가 미리 장기적인 치료에 대비하도록 해야 한다.

DRESS syndrome 또는 DIHS는 약물알레르기로 인해 human herpesvirus (HHV)-6, HHV-7, Epstein-Barr virus (EBV), cytomegalovirus 등이 재활성화되어 발생하는 증후군이다. 그러다 보니 바이러스 장기 감염과 유사하게 폐장염, 간염, 췌장염, 신장염, 심근염 등이 발생할 수 있다. 또한 바이러스 감염의 특징인 lymphocyte 수의 변화가 크고 atypical lymphocyte가 발견되기도 하며 림프절 비대가 자주 발생한다. 림프절 비대가 발생하면 림프종과 감별해야 하며 피부염증이 동반되는 경우 특히 cutaneous T-cell lymphoma와 감별해야 한다. 중증인 경우 DIC가 발생할 수 있어서 severe sepsis와 감별해야 한다. 입원환자가 장기간 항생제를 사용하는 중 bilateral pneumonia, acute kidney injury, DIC, cytopenia, lymphadenopathy 등이 나타나면 우선 severe sepsis로 치료해야 하겠지만 이 증상들이 확률은 낮지만 항생제로 인한 DRESS syndrome의 증상으로서 발생한 경우에는 원인약을 끊지 않고 계속 사용하는 한 증상은 계속 나빠져서 사망할 수 있다. 따라서 낮은 가능성이라도 DRESS syndrome의 임상양상을 잘 숙지하고 감별하는 것이 중요하겠다.

DRESS syndrome의 경우 약물을 중단한 이후에도 수 주에서 수 개월 동안 증상이 나빠지면서 진행할 수 있기 때문에 원인 약과의 인과관계를 파악하는 것이 쉽지 않다. 따라서 오직 의심을 초기에 의심하고 항상 감별진단 항목에 포함시키는 것이 중요하다.

표 7-48. DRESS syndrome/Drug-induced hypersensitivity syndrome의 진단 기준

RegiSCAR inclusion criteria for DRESS syndrome	Japanese consensus group diagnostic criteria for DIHS
3 of the 4 starred(*) criteria are required for diagnosis	7 criteria are needed for diagnosis of DIHS or the first 5 criteria required for diagnosis of atypical DIHS.
1. Hospitalization 2. Reaction suspected to be drug-related 3. Acute Rash* 4. Fever >38 °C* 5. Lymphadenopathy in at least two sites* 6. Involvement of at least one internal organ* 7. Blood count abnormalities (lymphopenia or lymphocytosis*, eosinophilia*, thrombocytopenia*) 8. Severe nerve pain	1. Pruritic, macular erythema containing papules, pustules or vesicles (generally a Maculopapular rash), developing >3 weeks after starting suspected drug 2. Prolonged clinical symptoms 2 weeks after discontinuation of the suspected drug 3. Fever >38°C 4. Liver abnormalities (ALT >100 U/l) or other organ involvement 5. Leukocyte abnormalities 6. Leukocytosis (>11×103/uL) 7. Atypical lymphocytosis (>5%) 8. Lymphadenopathy 9. Human herpesvirus 6 reactivation

2. 감별진단

표 7-49. 중증피부유해반응의 초기 검사

초기 포함해야 할 검사	원인 감별을 위한 추가 검사
CBC with diff count (atypical lymphocyte 확인) ESR CRP Chemical battery Lipase Amylase Troponin I Coagulation panel D-dimer Antinuclear antibodies Serology for viral hepatitis	Chest CT Abdomen CT Lymph node biopsy Skin biopsy
Blood cultures	
Urinalysis EKG Chest PA	

임상적으로 DRESS syndrome과 SJS/TEN은 다른 질환이지만 구별이 잘 안가는 경우도 발생한다. DRESS syndrome에서도 점막의 염증이 발생할 수 있고 피부 염증이 심하며 일부 벗겨지고 진물이 나올 수 있다. SJS에서도 피부가 일부만 벗겨지고 점막 염증도 아주 심하지 않으면 DRESS syndrome과 구별이 어렵다. 또한 SJS에서도 eosinophilia가 동반되는 경우도 있다. SJS/TEN의 경우 각막을 침범하면 실명이 될 위험이 높기 때문에 초기에 안과 협진을 빨리 봐야 한다. 감별진단을 위해 이비인후과와 피부과 협진도 보는 것이 좋다.

표 7-50. 중증피부유해반응의 감별진단

Syndrome	Rash morphology	Localization	Timing
DIHS/DRESS	Maculopapular exanthem Erythroderma Facial edema	Generalized Mucosal involvement infrequent	2-8 weeks
SJS/TEN	Dusky red, coalescent macular exanthem Atypical target lesions Bullous lesions Epidermal necrosis (<10% in SJS, 10 to 30% in SJS/TEN, >30% in TEN) Nikolsky sign (ready removal of the epidermis with slight tangential pressure)	Disseminated Mucosal involvement nearly in all cases (stomatitis, conjunctivitis)	4 to 28 days

3. 치료

표 7-51. 중증피부유해반응의 임상적 특징

Syndrome	Internal organ involvement	Systemic signs	Laboratory findings
DIHS/DRESS	2-8 weeks Lymphadenopathy Hepatitis Pneumonitis Nephritis	Fever Malaise Fatigue	Eosinophilia, atypical lymphocytes Abnormal liver, renal function tests
SJS/TEN	Pneumonitis	Fever Malaise Fatigue Sore throat Dysphagia, photophobia	Lymphopenia Epidermal necrosis on skin biopsy with full thickness loss of epidermis

1) SJS/TEN

SCORTEN score가 3점 이상 되면서부터는 사망률이 50% 이상으로 증가한다. 4점 이상이면 사망률이 75%로 증가한다. 따라서 이러한 소견들이 있을 때 초기에 적극적인 치료가 필요하다.

대부분의 사망은 패혈증 때문에 발생하며 과도한 체액 손실이 발생함에도 충분한 수액치료가 되지 않아서 급성신손상 및 대사성산증이 발생하여 악화된다. 따라서 초기에 과도할 정도로 충분한 수액공급이 필요하며 화상환자에 준하여 광범위 항생제가 필요하다. 피부뿐만 아니라 구강/위장관/비뇨생식기계 점막 손상도 있기 때문에 이에 준하여 항생제를 사용해야 한다.

피부가 벗겨진 정도가 10% 이내라면 고용량 전신스테로이드를 사용한다. 하지만 30% 이상 벗겨진 경우 전신스테로이드는 감염의 위험을 높이고 피부 조직 상처 재생을 늦추기 때문에 금기이다. 10-30% 사이로 벗겨진 경우 상황에 따라 다르겠지만 가급적이면 전신스테로이드를 사용하지 않는 것이 좋다.

Cyclosporine 3-5 mg/kg 용량으로 투여했을 때 TEN의 치료 속도가 더 빠르고 사망률이 감소했다는 보고가 있다. Cyclosporine은 SJS/TEN 병리기전에 중요한 T cell 활성화를 억제하고 다른 면역세포에 대한 영향은 매우 적으며 상처치료에도 영향을 주지 않기 때문에 피부가 많이 벗겨진 경우 스테로이드 대신 사용할 수 있다. 일반적으로 100 mg bid 용량으로 투여하며 경구 점막이 심하게 벗겨져서 경구 섭취가 불가능한 경우 IV 로 투여할 수 있다.

최근에는 RCT에서 anti-TNF 치료제인 Etanercept의 효과가 SJS/TEN에서 매우 좋은 것으로 밝혀졌다. Etanercept가 전신스테로이드 대비 회복 속도가 더 빨랐고 사망률도 줄였다.

일반적으로 SJS/TEN의 경우 3주 이내에 대부분 회복이 되며 일부 국소적으로 잘 회복되지 않는 곳이 수개월 지속될 수는 있다.

표 7-52. SCORTEN score for Stevens-Johnson syndrome/toxic epidermal necrolysis

Independent prognosis factors	Weight	Score
Age	≥40 years	1
Malignancy*	Yes	1
Body surface area detached	≥10%	1
Tachycardia	≥120/min	1
Serum urea	>10 mmol/L	1
Serum glucose	>14 mmol/L	1
Serum bicarbonate	<20 mmol/L	1
SCORTEN#		7

*Malignancy: evolving cancer and hematological malignancies

표 7-53. SJS/TEN의 피부가 벗겨진 정도에 따른 치료

SJS/TEN 치료(10-30% 사이는 환자 상황에 따른 결정)	
BSA <10%	Methylprednisolone 1 mg/kg Cyclosporine 3-5 mg/kg (100 mg bid)
BSA >30%	Etanercept 25 mg SC twice weekly(몸무게가 65 kg 이상인 경우 50 mg 투여 가능)
화상에 준하는 드레싱	

2) DRESS syndrome

DRESS syndrome 또는 DIHS의 경우 의심되는 약을 모두 끊고 고용량 전신스테로이드를 빨리 사용하는 것이 중요한 치료이다. Methylprednisolone 1~2 mg/kg를 사용한다. DRESS syndrome은 염증이 발생한 장기에 따라 치료가 달라진다. Myocarditis에 의한 심부전/부정맥, pneumonitis에 의한 호흡부전, hepatitis에 의한 간부전, severe pancreatitis, nephritis에 의한 혈액투석 등 상황에 따라 적절한 치료가 필요하다. 기전에서 말했듯이 DRESS syndrome은 단순 약물 알레르기가 아니라 바이러스 활성화가 중요한 병인기전이다. 따라서 초기에 고용량 스테로이드를 사용하면서 면역억제를 시켰다가 약을 빨리 줄이면 면역세포들이 바이러스에 대한 염증을 반응을 과도하게 일으키는 immune reconstitution inflammatory syndrome (IRIS)이 발생하여 증상이 다시 빨리 악화될 수 있다. 따라서 스테로이드를 천천히 수 주 이상에 걸쳐서 줄여나가는 것이 중요하다.

표 7-54. DRESS syndromem의 치료

Methylprednisolone 1~2 mg/kg
각 장기 염증 증상에 따른 치료(심장, 폐, 췌장, 간, 신장, 피부 등)

4. 미래 계획

SJS/TEN 및 DRESS syndrome의 경우 원인 약을 정확하게 알아내고 교차반응이 가능한 유사구조 약제들의 재투여를 막기 위해 교육을 잘 해야 한다. 알레르기내과 외래에서 원인 약을 찾기 위한 검사를 진행하게 된다.

SJS/TEN의 경우 각막 손상으로 인한 실명을 주의해야 하기 때문에 안과 외래에서 지속적으로 눈 관리를 하도록 한다. 장기적으로 눈의 따가움, 건조증 등을 호소할 수 있다. 점막 염증이 심한 장기에 따라 해당과 외래에서 추적관찰을 한다. 점막 손상이 심한 경우 영구적인 기능 손상 및 협착이 발생할 수 있기 때문에 추가적인 시술이 필요할 수 있다.

DRESS syndrome은 수주에서 수개월 동안 호산구증가증 및 염증이 지속될 수 있으므로 외래에서 매우 천천히 전신스테로이드 또는 Cyclosporine을 줄이게 된다. 각 장기 별 손상 정도에 따라 각 해당과에서 지속적인 진료가 필요할 수 있다.

XIII 음식물 알레르기가 의심될 때

1. 임상상황

　성인에서 음식물 알레르기 유병율은 소아에 비해 낮다. 환자들이 확실하게 본인 증상이 음식물 알레르기라고 하더라도 아닐 가능성도 많기 때문에 정확한 감별진단이 필요하다. 특히 만성 두드러기가 발생하는 경우 음식이 원인일 가능성은 매우 낮다. 우리나라 환자의 경우 피부, 소화기 장애가 발생하면 음식 알레르기라고 생각하는 경우가 많으며 특히 단백질이 포함된 음식들을 지목하는 경우가 많다. 환자들이 의심하는 음식 재료가 1-2가지라면 오히려 확률이 높지만 다양한 음식을 원인으로 지목한다면 음식 알레르기 가능성은 낮다. 돼지고기, 소고기, 닭고기, 조개, 생선 먹으면 모두 다 알레르기가 생긴다고 호소하는 환자들을 종종 보게 되는데 이 경우 알레르기일 가능성은 매우 낮다. 이론적으로 생각해 보더라도 각각 종이 완전히 다르기 때문에 교차반응이 생길 가능성은 매우 낮기 때문이다.

　음식 항원에 대한 IgE는 흔하게 만들어지지만 IgE가 있다고 해서 증상이 발생하는 음식 알레르기가 있는 것은 아니다. 즉, 음식 IgE 검사들은 위양성이 매우 높기 때문에 검사 해석에 유의해야 한다. 따라서 환자가 IgE 검사에서 어떤 음식에 대한 알레르기가 있다고 하더라도 우선 위양성이 높다는 가정 하에 접근해야 하며 정확한 병력청취 및 경구유발시험을 통해서만 확진이 가능하다.

　특이한 상황의 알레르기를 진단하는 것도 중요하다. 음식 의존성 운동 유발성 아나필락시스는 특정 음식을 복용하고 운동을 할 때에만 증상이 발생하고 일상 생활에서 특정 음식 섭취 시 이상이 없어서 알기가 어렵다. 호산구성 식도염이나 위장관염 같이 IgE매개 반응이 아닌 경우 증상이 서서히 장기적으로 나타나서 역시 원인 음식을 알기가 쉽지 않다. 따라서 초기에 의심을 하고 병력청취를 정확하게 하고 의심되는 음식을 회피하면서 임상양상이 변하는지를 관찰하는 것이 중요하다.

2. 감별진단

표 7-55. 음식알레르기의 초기 검사

초기 포함해야 할 검사
CBC with diff count
Chemistry
ESR
CRP
Total IgE
특정 음식에 대한 specific-IgE (ImmunoCap) – 최대 6종까지
또는 MAST food allergen panel 62종
또는 Skin prick test – 음식항원
(밀가루 의존성 운동 유발 아나필락시스가 의심되는 경우)
Wheat specific-IgE
Gluten specific-IgE
rTri a 19 (ω-5 Gliadin) specific-IgE
(호흡곤란이 동반된 경우)
PFT
MBPT

성인에게 음식 섭취 후 불편함을 호소할 때 알레르기가 아닌 다른 원인일 가능성이 더 많다. 표 7-56에 감별해야 할 다양한 원인들을 열거하였다.

표 7-56. Classification of Food-Allergic Disorders Based on Pathophysiology

Disorder	IgE-Mediated Response	IgE- and Cell-Mediated Response	Non-IgE-Mediated Response
Generalized	Food-dependent exercise-induced anaphylaxis		
Cutaneous	Urticaria, angioedema, flushing, acute morbilliform rash, acute contact urticaria	Atopic dermatitis, contact dermatitis	Contact dermatitis, dermatitis herpetiformis
Gastrointestinal	Oral allergy syndrome, gastrointestinal anaphylaxis	Allergic eosinophilic esophagitis, allergic eosinophilic gastroenteritis	Food protein-induced allergic proctocolitis, food protein-induced enterocolitis syndrome, food protein-induced enteropathy, celiac disease, infantile colic
Respiratory	Acute rhinoconjunctivitis, acute bronchospasm	Asthma	Pulmonary hemosiderosis (Heiner syndrome)

진단검사의학 영역에서 음식에 대한 IgE가 있는지를 확인하기 위한 가장 정확한 검사는 ImmunoCAP 혈액검사이다. 각각의 음식 항원에 대한 specific-IgE 검사 처방을 하게 된다. 다른 항원특이 IgE를 검사하는 혈액검사로서 MAST가 있는데 62종을 한번에 검사할 수 있어서 편리하지만 정확도는 떨어진다. 일반적으로 환자가 의원에서 음식 알레르기 검사를 했다라고 하면 MAST 검사를 의미한다. 피부시험 역시 30종 이상을 할 수 있지만 ImmunoCAP보다는 정확도가 떨어진다.

Quality control이 되는 검사는 아니지만 실제 환자 맞춤별로 가장 정확한 IgE 검사는 prick-to-prick 검사이다. 즉, 신선한 음식을 주사침으로 찌르고 주사침 끝에 묻어 있는 항원을 피부에 다시 찔러서 검사하는 피부단자시험이다. 특이도가 매우 높기 때문에 이러한 검사에서 음성이 나오면 이 환자는 검사한 음식에 대한 IgE 반응이 없다고 이야기할 수 있다.

음식항원에 대한 IgE는 매우 흔하게 발생한다. 하지만 실제 음식을 먹으면 이상이 없는 경우가 대부분이다. 음식을 조리하면서 가열이나 처리과정에서 항원 단백질이 변성되기도 하고 섭취 후 위산과 소화효소에 의해 단백질 구조가 파괴되어 흡수가 될 때는 원래 음식의 항원성이 없어지기 때문이다. 또한 같은 항원에 대한 IgG나 IgA가 많은 경우 IgE에 반응하기 전에 이미 항원은 다른 항체와 반응하여 증상이 발생하지않게 된다. 어쨌든, 중요한 점은 IgE 검사에 양성이더라도 위양성이 대부분이기 때문에 반드시 임상양상에 맞춰서 해석해야 한다. 돼지고기 항원에 대한 IgE가 양성으로 나왔을 때 환자가 최근에도 돼지고기를 문제없이 잘 먹었다면 검사는 위양성이고 환자에게 돼지고기는 먹어도 된다고 이야기 해줘야 한다. 애매한 경우 경구유발시험을 시행하여 확진해야 한다.

IgE에 의한 즉시형 알레르기 반응분만 아니라 지연형 알레르기 반응도 발생할 수 있다. 특히 식도염, 위장염 등과 연관된 경우도 있고 장기적인 위장관계 불편을 호소할 수 있기 때문에 정확한 병력청취 후 음식 회피 및 유발시험 등으로 감별진단을 해야 한다. 표 7-57에 음식 알레르기와 연관된 다양한 질환들을 열거하였다.

병력청취만으로 진단하기 어려운 것이 음식 의존성 운동 유발성 아나필락시스이다. 밀가루가 가장 흔하나 다른 음식도 원인이 될 수 있다. 밀가루 음식을 섭취 후 4시간 이내에 격렬한 신체활동을 할 때 증상이 발생한다. 운동이 아니더라도 NSAIDs/아스피린 복용, 알코올 섭취, 심한 피로와 같은 상황이 겹칠 때에도 발생할 수 있으며 이러한 상황에서 격렬한 신체활동을 같이 했을 때 증상이 매우 심하게 발생할 수 있다. 따라서 정확한 진단을 한 후 환자에게 밀가루 음식을 회피하되 부득이하게 섭취한 경우 4시간 이내에 안정을 취하라고 교육해야 해야 한다. 밀가루의 성분인 Gluten 또는 rTri a 19 (ω-5 Gliadin)에 대한 IgE 검사가 양성이면 밀가루 의존성 운동 유발성 아나필락시스 가능성이 높다. 확진은 알레르기내과 외래에서 음식을 섭취 후 treadmill 운동을 시키는 유발시험을 해야 한다.

표 7-57. Nonallergic Adverse Reactions to Consider in the Differential Diagnosis of Food Allergy

Condition	Symptoms	Mechanism and Comments
Food Additives and Contaminants		
Sodium metabisulfite	Rare reports of bronchospasm in sensitive individuals	Antioxidant and preservative in food, also known as E223
Monosodium glutamate (MSG)	Chinese restaurant syndrome begins 15–20 min after the meal and lasts for about 2 h: symptoms include numbness at the back of the neck and gradually radiating to the arms and back, general weakness, and palpitations	Naturally occurring nonessential amino acid; flavor enhancer; in a DBPCFC study, objective reactions to MSG were observed in only 2 of 130 self-selected MSG–reactive adult volunteers
Accidental contaminants	Abdominal pain, diarrhea, nausea	Include heavy metals (e.g., mercury, copper), pesticides, antibiotics (e.g., penicillin), dust or storage mites
Infectious agents	Pain, fever, nausea, emesis, diarrhea	Include bacteria (e.g., Salmonella, Shigella, Escherichia coli, Yersinia, Campylobacter); parasites (e.g., Giardia, Trichinella); viruses (e.g., hepatitis, rotavirus, enterovirus)
Enzyme Deficiencies		
Lactose intolerance	Bloating, abdominal pain, diarrhea (dose dependent)	Lactase deficiency
Fructose intolerance	Emesis, poor feeding, jaundice, hypoglycemia, seizures	Hereditary fructose aldolase B deficiency; rare
Fructose malabsorption	Bloating, abdominal pain, diarrhea (dose dependent)	Deficiency of fructose carrier GLUT5 in the enterocytes in small intestines: 10% prevalence in Asia, up to 30% in Western Europe and Africa
Pancreatic insufficiency	Malabsorption	Deficiency of pancreatic enzymes, acquired or congenital (e.g., cystic fibrosis, Schwachman–Diamond syndrome)
Alcohol	Nasal congestion, flushing, vomiting	Polymorphism of the aldehyde dehydrogenase gene (ALDH), resulting in defi–ciency of ALDH, which metabolizes alcohol in the liver; common in Asians
Gallbladder or liver disease	Malabsorption	Deficiency of liver enzymes

표 7-57. Nonallergic Adverse Reactions to Consider in the Differential Diagnosis of Food Allergy(계속)

Condition	Symptoms	Mechanism and Comments
Physiologic Effects of Active Substances		
Caffeine	Tremors, cramps, diarrhea	Xanthine alkaloid acts as stimulant drug; found in seeds, leaves, and fruit of some plants, where it acts as a natural pesticide: consumed in coffee, tea, and drinks containing kola nut; yerba mate, guarana berry, or guayusa derivatives
Theobromine	Sleeplessness, tremors, restlessness, anxiety, increased urination, loss of appetite, nausea, vomiting	Bitter alkaloid in cocoa bean and tea leaves; elderly more susceptible
Tyramine	Migraine	Naturally occurring monoamine compound derived from tyrosine: acts as a catecholamine-releasing agent; pharmacologic effects in susceptible individuals; found in pickled, aged, smoked, fermented, or marinated foods (e.g., hard cheeses, tofu, sauerkraut, fava beans)
Histamine	Flushing, headache, nausea	Naturally occurring in fermented foods and beverages (e.g., fish, sauerkraut) due to a conversion from histidine to histamine performed by fermenting bacteria or yeasts: sake contains histamine in the 20–40 mg/L range and wines in the 2–10 mg/L range. Scombroid syndrome is triggered by ingestion of spoiled fish (tuna, mackerel, mahi-mahi) with high histamine content.
Serotonin	Flushing, diarrhea, palpitations	Monoamine neurotransmitter derived from tryptophan: found in nuts, mushrooms, fruits, and vegetables: highest values (25–400 mg/kg) in nuts of walnut and hickory genera: concentrations of 3–30 mg/kg found in plantain, pineapple, banana, kiwi, plums, and tomatoes
Gastrointestinal Disorders		
Gastroesophageal reflux disease	Nausea, emesis, abdominal pain, heartburn, dysphagia	Chronic symptom of mucosal damage caused by stomach acid refluxing into the esophagus
Peptic ulcer disease	Abdominal pain, bloating, loss of appetite, weight loss, melena	Ulcer of the gastrointestinal tract (commonly duodenum); 70–90% are associated with Helicobacter pylori infection

표 7-57. Nonallergic Adverse Reactions to Consider in the Differential Diagnosis of Food Allergy(계속)

Condition	Symptoms	Mechanism and Comments
Anatomic Defects		
Hiatal hernia	Abdominal pain, shortness of breath, nausea, emesis	Protrusion (or herniation) of the upper part of the stomach into the thorax through a tear or weakness in the diaphragm
Pyloric stenosis	Severe, nonbilious, projectile vomiting in the first few months of life	Stenosis due to hypertrophy of muscle around pylorus, which spasms when stomach empties: rare case reports of eosinophilic infiltrates in pylorus and reported resolution of muscle hypertrophy with hypoallergenic formula or steroids
Hirschsprung disease	Delayed passage of meconium, constipation, ileus, emesis	Failure of neural crest cells to migrate completely during fetal development of the intestine, causing aganglionosis: usually affects short segment of the distal colon
Tracheoesophageal fistula	Copious salivation associated with choking, coughing, vomiting, and cyanosis coincident with the onset of feeding in newborns and young infants	Congenital: failed fusion of tracheoesophageal ridges during third week of embryologic development Acquired: usually sequela of surgical procedures (e.g., laryngectomy)
Neurologic Disorders		
Auriculotemporal syndrome (Frey syndrome)	Facial flush in trigeminal nerve distribution associated with spicy foods	Neurogenic reflex, frequently associated with birth trauma to trigeminal nerve (forceps delivery)
Gustatory rhinitis	Profuse watery rhinorrhea associated with spicy foods	Neurogenic reflex
Conditions Confused With Food Reactions		
Panic disorder	Subjective reactions, fainting on smelling or seeing the food: tachycardia, perspiration, dyspnea, shivers, uncontrollable fear (fear of dying)	Psychological: anxiety disorder affects children and adults: usually leads to extensive medical testing: controlled with medications and behavioral therapy

3. 치료

음식 알레르기의 유일한 치료 방법은 원인 음식을 섭취하지 않는 회피요법이다. 따라서 정확한 원인 파악 및 회피할 수 있는 계획을 알레르기내과 전문의와 논의해서 짜야 한다.

구체적인 치료는 각 증상에 따라 모두 다르다. 각각의 증상 및 병리기전에 따른 치료를 해야 한다. 중요한 점은, MAST나 피부시험에서 나온 음식 항원 특이 IgE가 양성일 때 위양성일 가능성이 매우 높으므로 병력이나 경구유발시험에서 강력히 의심되지 않는 한 회피하라고 하지 말아야 한다. 음식 항원 특이 IgE가 양성이라고 음식을 회피하라고 하면 불필요하게 환자의 삶의 질이 떨어지고 영양 섭취 부족이 발생할 수 있다.

4. 미래 계획

아나필락시스의 경우 환자가 사망할 수 있으므로 적극적인 원인 진단을 해야 하고 항상 휴대용에피네프린(JEXT pen)을 가지고 다니도록 해야 한다. 특정 음식 섭취 후 천식이 발생하는 경우 천식의 진단 및 기관지 확장제를 휴대하도록 한다. 음식은 아무리 조심하더라도 완벽한 회피가 어려울 수 있기 때문에 이러한 응급약이 매우 중요하다는 것을 환자에게 강조해야 한다.

알레르기내과 외래에서 의심되는 음식에 대해 skin prick test, skin patch test, 음식유발시험 등 장기적으로 여러가지 재료에 대해 확인을 해 나가야 한다.

음식 알레르기 환자의 원인이 되는 음식을 정확하게 파악하는 것이 중요한 만큼 음식 알레르기가 아님에도 불구하고 음식을 탓하는 환자에게 음식이 문제가 없다는 믿음을 줘서 자유롭게 식사할 수 있게 해주는 것도 매우 중요하다. 의사들이 음식 IgE 검사의 높은 위양성 결과를 정확하게 오해없이 해석해 줘서 환자의 삶의 질을 높일 수 있도록 도와줘야 한다.

08

종양내과

I 종양학 총론

1. 암환자의 치료

암치료의 목적은 암전체를 제거하는 것이 일차 목표이고, 이를 달성하기 어려운 경우 증상의 감소, 삶의 질 개선, 생존기간 연장을 목표로 하는 고식적 치료를 시행하게 됨.

1) 국소치료(Localized cancer treatments)

수술, 방사선치료, 내시경적 절제술 등과 같이 암을 완전히 제거하거나 암과 관련된 국소부위 증상을 조절하기 위한 목적으로 하는 치료

2) 전신치료(Systemic cancer treatments)

(1) 작용기전에 따른 전신치료 분류

① 항암치료(Cancer Chemotherapy)

- 세포독성 항암제: 세포의 분열과 증식이 조절되지 않는 암세포의 특성을 이용한 치료제로 DNA, microtubule을 타깃으로 함.
- 표적치료제: 암세포를 직접적으로 죽이지는 못하지만 암세포가 되는 과정을 차단하거나 억제함으로써 결과적으로 암세포가 증식하는 것을 방해하고 암세포에만 선택적으로 작용하는 약제

② 생물학적 제제(Cancer biologic therapy)

Host-tumor interaction을 조절하는 약제로 항체-매개 치료 접근법(antibody-medicated therapeutic approaches), 종양 조절 항체(tumor-regulatory antibodies), 면역 조절 항체(immunoregulatory antibodies)가 있음.

특히 면역조절 항체는 종양의 면역반응을 억제하는 host-tumor interaction을 타깃으로 하고, 최근 암치료의 패러다임의 변화를 유도함.

그림 8-1. 종양 면역반응을 억제하는 tumor-host interaction

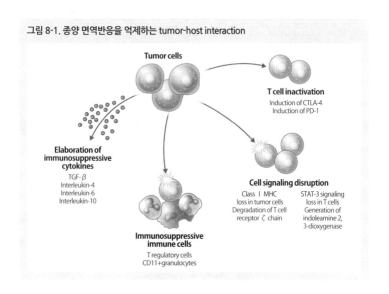

(2) 치료목적에 따른 항암치료의 분류

① 근원적 유도 화학요법(primary induction chemotherapy)

진행된 암종에 있어서 다른 적절한 대안 치료가 없을 경우 치료의 근원으로 사용하고자 시행되는 항암화학요법. 치료의도(intent)에 따라 완치목적 화학요법(curative chemo-therapy)과 고식적 화학요법(palliative chemotherapy)로 분류.

고식적 화학요법의 목적은 암으로 인한 증상을 완화시키고, 전반적인 삶의 질을 호전시키며, 종양 진행까지의 기간(time to progression)과 전체 생존기간을 연장하는 것.

② 보조 화학요법(adjuvant chemotherapy)

수술이나 방사선 등 근치적 국소치료 후 미세 잔류암을 제거하여 국소적 및 전신 재발을 줄여 전체 생존 기간을 연장하고자 시행하는 치료

③ 선행 화학요법(neoadjuvant chemotherapy)

일반적으로 전신 전이를 동반하지 않고 국소적으로 한정된 또는 국소 진행성 종양에서 수술 등과 같은 국소치료 만으로는 충분한 효과를 달성하기 어려울 경우 국소치료 이전에 암의 크기를 줄이고 기왕에 존재하는 미세 전신 전이암을 사멸하여 근치적 국소치료가 가능

하도록 하고 재발을 줄여 전체 생존 기간을 연장하고자 시행. 수술적 절제 범위를 줄임으로써 장기 보존의 효과를 얻을 수도 있으며 생체 내에서의 항암제 감수성에 대한 정보를 얻을 수도 있음.

④ 구출 화학요법(salvage chemotherapy)

다른 약제로 치료 후에 재발을 하였거나 치료에 반응이 없는 경우에 시행

2. 암환자 치료 결정을 위한 자기수행능력(Performance status) 지표

표 8-1. 암환자의 자기수행능력 지표

ECOG (Zubrod)		Karnofsky score
0	제한 없이 정상 활동 가능(증상이 없는 경우)	90, 100
1	신체적으로 격렬한 활동은 제한, 보행가능, 가벼운 일 가능	70, 80
2	보행가능, 자신을 돌보는 모든 일은 가능, 깨어 있는 시간의 50% 이상은 일을 할 수 없음.	50, 60
3	제한적으로만 자신을 돌볼 수 있음. 깨어 있는 시간의 50% 이상을 누워있거나 앉아 있다.	30, 40
4	완전히 무력, 자신을 전혀 돌볼 수 없음. 전적으로 침대나 의자에 누워 있어야 함.	10, 20
5	사망	

https://ecog-acrin.org/resources/ecog-performance-status

3. 종양 치료의 반응 평가(RECIST criteria 1.1)

1) Measurable lesion(계측가능 병변)

① CT 또는 MRI에서 장축의 길이가 10 mm 이상 병변

② 신체 검진에서 캘리퍼(caliper) 등의 도구로 측정시 10 mm 이상 병변

③ 흉부 X-선 검사에서 20 mm 이상의 병변(통기된 폐에 의해 분명하게 구분되는 경우)

④ 림프절의 경우, 단축의 길이가 15 mm 이상인 경우

2) Non-measurable lesion(계측불가능 병변)

① 계측 불가능 병변: 연수막의 병변(leptomeningeal disease), 복수, 흉수, 염증성 유방암(inflammatory breast lesion), 피부와 폐의 림프관 전이, blastic bone lesion 등

② 장경 10 mm 이상인 병변 또는 10 mm 이상, 15 mm 미만 크기의 림프절도 계측 불가능 병변으로 간주

3) 대상 병변(Target lesion)

① 각 장기 별로 최대 2개, 전체 5개까지 관련된 장기를 대표할 수 있는 모든 계측가능한 병
변을 대상 병변으로 한다.

② 대상 병변은 그 크기와 정확한 반복 계측의 적합성을 고려하여야 한다.

4) 비대상 병변(Nontarget lesion)

① 대상 병변이 아닌 병변은 비대상 병변으로 baseline에서 기록되어야 한다.

② 비대상 병변을 계측할 필요는 없지만, 추적 기간 동안 그 존재유무를 확인하여야 한다.

5) 반응 기준(Response criteria)

① 대상 병변에 따른 반응 기준(Definition of response criteria: target lesion)

표 8-2. 대상 병변에 따른 반응 기준

완전 반응(CR)	• 모든 대상 병변의 사라짐 • 임파절이 대상 병변이라면, short axis diameter가 10 mm 미만으로 감소되어야 한다(따라서, 이와 같은 경우 병변의 합은 0이 되지 않을 수도 있다).
부분 반응(PR)	• 대상 병변의 직경의 합이 처음 측정한 직경의 합을 기준으로 적어도 30%의 감소
안정 병변(SD)	• 대상 병변의 합이 부분 반응 이나 진행 병변 어디에도 속하지 않을 경우 (이 경우에도 가장 적을때의 직경의 합을 기준으로 한다)

진행 병변(PD)	• 대상 병변의 직경의 합이 가장 적을 때 직경의 합을 기준으로 적어도 20% 이상의
	  증가하면서, 절대 수치로 5 mm 이상의 증가가 있는 경우 또는 새로운 병변 확인
	  된 경우

② 비대상 병변에 따른 반응 기준(Definition of response criteria, non-target lesion)

표 8-3. 비대상 병변에 따른 반응 기준

CR	• 모든 비대상 병변의 사라짐 • 종양 표지 인자(tumor marker)의 정상화 • 임파절이 비대상병변이라면, short axis diameter가 10 mm 미만으로 감소되어 야 한다.
Non-CR/Non-PD	• 한 병변 이상의 비대상 병변이 지속되거나, 종양표지 인자가 정상수치보다 높게 지속되는 경우
PD	• 비대상 병변의 명백한 진행(Unequivocal progression)

6) Evaluation of Best overall response

표 8-4. Time point response: patients with target lesion

Target lesion	Non-target lesion	New lesion	Overall Response
CR	CR	No	CR
CR	Non-CR / non-PD	No	PR
CR	NE (Not evaluable)	No	PR
PR	Non-PD or NE	No	PR
SD	Non-PD or NE	No	SD
Not all evaluated	Non-PD	No	Inevaluable
PD	Any	Yes or No	PD
Any	PD	Yes or No	PD
Any	Any	Yes	PD

4. 종양 치료의 독성 평가

항암제 독성의 기준은 WHO, NCI-CTC, RTOG 등 다양한 기준이 있으나, 일반적으로 NCI-CTCAE (Common Toxicity Criteria Adverse Events)를 사용한다(https://ctep. cancer.gov/protocolDevelopment/electronic_applications/ctc.htm#ctc_50). 중증도에 따라 0-4로 분류하며 수가 증가할수록 중증도가 심하다. 치료 관련 사망은 5로 표시한다.

일반적으로, 1단계로 회복되어야 다음 항암 치료를 고려하며, 4단계 독성을 경험한 경우 다음 항암 치료 용량 또는 일정의 수정을 고려한다.

표 8-5. CTCAE grade

전형적	비특이적
Grade 1	경증; 증상이 없거나 경한 증상; 임상적 또는 진단적 관찰만 진행 Mild; asymptomatic or mild symptoms; clinical or diagnostic observations only; intervention not indicated.
Grade 2	중등증; 최소 또는 비침습적인 개입이 필요함 Moderate; minimal, local or noninvasive intervention indicated; limiting age appropriate instrumental ADL*.
Grade 3	중증; 생명에 위협을 주지는 않지만 심하고 중대한 AE; 입원 또는 입원 연장 Severe or medically significant but not immediately life-threatening; hospitalization or prolongation of hospitalization indicated; disabling; limiting self care ADL**.
Grade 4	생명을 위협하는 AE Life-threatening consequences; urgent intervention indicated.
Grade 5	AE로 인한 사망

Activities of Daily Living (ADL)
*Instrumental ADL refer to preparing meals, shopping for groceries or clothes, using the telephone, managing money, etc.
**Self care ADL refer to bathing, dressing and undressing, feeding self, using the toilet, taking medications, and not bedridden.

5. 차세대염기서열분석(Next generation sequencing) 기반 암유전자 패널

최근 암 진료는 정밀의료 즉, 정밀 진단에 근거한 치료로 정밀진단의 핵심은 NGS 기반의 암 유전자변이 프로파일 진단과 면역항암제 효능예측을 위한 동반진단임. 암 유전자의 변이의 종류는 매우 다양하여 단일 검사로 효과적으로 모든 변이를 진단하기에는 어려움이 있었지만, NGS 암패널 검사의 기술적 발전으로 한 번의 검사로 모든 변이를 진단하고, 동시에 면역치료제 선택을 위한 암의 변이부담까지도 검사할 수 있게 되었음. 국내에서는 2017년 4월부터 NGS 암패널 검사의 보험급여가 이루어졌음. 2019년부터는 고형암에서 진행성, 전이성, 재발성 암(또는 암병기 3기, 4기)에 본인부담률 50% 적용으로 설정되었음. 또한, 산정특례 암 환자 중 진행성, 전이성, 재발성 암(또는 암병기 3기, 4기) 이외의 경우 치료 등 의학적 타당성에 대한 의사 소견서를 첨부하여 90% 본인부담률을 적용할 수 있음.

서울아산병원에서는 시행할 수 있는 고형암 NGS panel은 OncoPanel, Solid malignant tumor [NGS]임.

II 유방암(Breast Cancer)

1. 역학

미국 및 유럽 여러 나라에서는 유방암이 여성암 중 발생률 1위로 알려져 있고, 한국의 경우에도 2016년 중앙암등록본부 통계에 따르면 우리나라에서 발생한 유방암은 21,839건으로 여성 암 1위이며 매년 증가추세이다. 미국의 경우 폐경 이후의 환자가 대다수인 반면, 한국은 50세 미만의 젊은 환자가 절반 이상을 차지하는 특징이 있다.

2. 증상

유방암의 증상은 다양하지만 유방종괴의 촉지가 가장 흔한 증상으로 알려져 있고, 통증을 동반하지 않는 경우가 더 많다. 촉지되는 유방 종괴가 모두 유방암은 아니지만, 진찰 및 검사로 확인이 필요하며 양성종양의 경우에도 주기적인 추적관찰을 요한다. 다른 증상으로는 유두 분비물, 유두 함몰, 유두 피부의 습진성 변화 등이 있다. 특히 염증성 유방암의 경우 피부의 부종 및 홍반 등이 동반된다.

3. 진단

유방 초음파 검사를 통하여 유방 종괴에 대한 조직 검사를 시행하고 주변 림프절 전이가 의심되는 경우에는 반드시 세침흡인 세포검사를 시행하여야 한다. 시행한 조직검사로 유방암의 조직아형을 평가하기 위해서 호르몬 수용체(ER, PR) 및 HER2 단백질 과발현의 유무를 필수적으로 확인해야 한다. 유방암으로 진단이 되었다면 흉부 CT, 복부 CT 및 골스캔 등의 전신 전이 유무에 대한 평가를 시행한다.

4. 치료

1) 조기 유방암

종양의 크기가 작아서 바로 수술을 하게 되는 경우를 제외하고는 최근 수술 전 항암치료를 먼저 시행하는 추세이다. 수술 전 항암요법은 유방보존술의 시행 가능성을 증가시키고, 항암치료에 대한 반응 평가의 목적으로 최근 시행되고 있으며, 대규모 임상연구에서 수술 후 보조 항암요법과 비교하여 치료의 결과에 차이가 없다는 것이 확인되었다. 특히 새로운 약제나 표적치료제를 수술 전 항암요법에 적용하여, 치료에 대한 종양반응 평가 및 수술 조직을 이용한 병리학적 완전 관해여부의 확인을 통해 치료제의 효능을 평가하는 데에도 이용될 수 있다. 따라서 최근 점차적으로 국소진행성 유방암분만 아니라 조기 유방암으로 그 적용의 범위가 확대되고 있다. 수술 전 항암요법에 사용하는 항암치료제는 임상연구를 통한 새로운 약제의 적용 대상이 아니라면, 수술 후 항암요법의 표준치료와 동일하다.

표 8-6. 유방암 환자의 보조 항암요법

	ER/PR+	ER/PR-
HER2+	Any N & tumor >1 cm Node (+) Node (−) & tumor 0.6 −1.0 cm pN1mi & tumor ≤0.5 cm: ± chemotherapy	Any N & tumor >1 cm Node (+) Node (−), 0.6−1.0 cm or tumor ≤ 0.5 cm & pN1mi: consider chemotherapy
HER2−	Node (+) − 4 (N2, N3): chemotherapy pN1mi or N1: ±chemotherapy consider multigene assay (MammaPrint test) Node (−) & tumor >0.5 cm: → consider 21− gene recurrence score assay*	Any N & tumor >1 cm Node (+) Node (−),0.6−1.0 cm or tumor ≤ 0.5 cm & pN1mi: consider chemotherapy

*Treatment based on 21-gene recurrence score assay results (OncotypeDxTM) >31: chemotherapy; 26-30: ± chemotherapy; <25: Hormone alone.

보조요법을 결정하기 위해서는 환자 및 종양의 특성에 근거한 재발위험도 평가가 필수적이며, 림프절 침범 정도, 원발 종양의 크기, 조직학적 분화도, 연령과 같은 예후인자와 ER/PR 호르몬 수용체 발현 및 HER2 증폭/과발현 등을 근거로 보조 항암요법을 선택해야 한다. 최근에는 OncotypeDxTM와 MammaPrint® assay와 같은 분자유전 검사가 상용화되어 전신보조요법 결정에 이용되고 있는데, 이러한 검사 결과를 이용하여 저위험군과 고위험군으로 환자를 분류하고, 항암화학요법이 필요 없는 환자를 선별하는 데 도움을 받고 있다.

표 8-7. 보조 항암요법 Regimen

Regimen	Dose	Schedule
CMF	Oral Cytoxan 100 mg/m² Methotrexate 40 mg/m² 5-Fluorouracil 600 mg/m²	Day 1-14 Day 1, 8 Day 1, 8 (every 4 week)
AC	Adriamycin 60 mg/m² Cytoxan 600 mg/m²	Day 1 Day 1 (every 3 week)
CAF	Cytoxan 600 mg/m² Adriamycin 60 mg/m² 5-Fluorouracil 600 mg/m²	Day 1 Day 1 Day 1 (every 3 week)
AC 4→T4 or AC4 → P12	AC 60 mg/m²×4 cycles → Docetaxel 75 mg/m²×4 cycles AC 60 mg/m²×4 cycles → Paclitaxel 80 mg/m² day×12 cycles	Day 1 (every 3 week) Day 1 (every week)
TC (additional Neulasta 6 mg: after 24 hours of chemotherapy)	Docetaxel 75 mg/m² Cytoxan 500 mg/m²	Day 1 Day 1 (every 3 week)
TAC (additional Neulasta 6 mg : after 24 hours of chemotherapy)	Docetaxel 75 mg/m² Adriamycin 50 mg/m² Cytoxan 500 mg/m²	Day 1 Day 1 Day 1 (every 3 week)

(1) 호르몬 수용체 양성 유방암

항호르몬요법은 호르몬 수용체가 존재하는 유방암의 경우에 에스트로겐이 호르몬 수용체와 결합하는 것을 막거나 에스트로겐 호르몬 합성 자체를 억제하여 암세포가 더 이상 성장하지 않도록 하는 치료이다. 항호르몬요법은 보조항암화학요법의 필요성 여부나 폐경 유무와 상관없이 유방암 세포에 호르몬 수용체가 있는 환자만 받게 된다. 표준 호르몬 요법은 보조항암치료가 끝난 후부터 폐경 전 환자에게는 타목시펜(Tamoxifen), 폐경 후 환자에게는 아로마타제 억제제(페마라, 아리미덱스)를 최소 5년간 복용하게 하는 것이다. 그러나, 최근에는 재발의 위험도가 높다고 판단되는 환자를 대상으로 타목시펜을 10년동안 복용하거나, 타목시펜 5년 사용 후에 폐경이 되었다면 아로마타제 억제제로 교체하여 5년을 더 투여하는 등 치료 기간을 연장하는 것이 추천되고 있다. 또한 폐경 전 유방암 환자에서도 난소기능억제를 통해 폐경을 유도한 후 폐경 후 환자와 같은 방법으로 치료하는 것이 좀 더 좋은 효과를 보이는 연구 결과가 있으므로 고위험 환자에게는 이러한 방법을 적용하고 있다.

(2) HER-2 과발현 유방암

유방암은 단순한 하나의 질병이 아니라 유방암의 아형에 따라서 치료에 대한 반응이나 예후가 상당히 다른 매우 이질적인 질환으로 인식하고 치료에 접근해야 한다. HER-2/neu

유전자의 증폭이나 HER-2 단백의 과발현은 유방암 환자의 20-30%에서 관찰되는데,
HER-2/neu가 과발현된 유방암은 더 악성도가 높고 타목시펜 및 특정한 타입의 항암화학
요법에 대한 반응이 상대적으로 낮은 것으로 알려져 있다. 따라서, HER-2가 과발현된 유
방암은 HER-2가 과발현되지 않은 유방암에 비하여 재발률과 사망률이 더 높은 불량한 예
후를 나타내는 것으로 보고되고 있다. 병리과에서 HER2 면역조직화학염색 방법으로 3+
이거나 2+인 경우에는 SISH 추가 검사로 유전자 증폭을 확인하는 것으로 진단한다.

그러나, 지난 수년간 많은 임상 연구 결과 HER2 과발현 조기 유방암은 HER2를 억제하
는 표적치료제를 적극적으로 추가하여 치료함으로써 재발률과 사망률을 유의하게 감소시
켜 예후를 유의하게 개선시킬 수 있었다. 현재 HER2 과발현 유방암에 대해서는 수술 후
보조항암치료와 더불어 HER2를 표적으로 하는 단일 항체인 허셉틴(Herceptin)을 매 3주
마다 1년간 투여하는 것이 표준요법으로 되어 있다. 수술 전에는 항암제와 허셉틴, 퍼제타
(Pertuzumab)의 두 가지 HER2 억제제를 모두 사용하는 것이 더 병리학적 완전 관해를 증
가시켜 효과적이므로 현재 이러한 치료가 널리 사용 중이다.

표 8-8. HER-2 과발현 유방암의 Regimen

Regimen	Dose	Schedule
[preop] TCHP (HER2+EBC) (additional Neulasta 6 mg: after 24 hours of chemotherapy)	Docetaxel 75 mg/m² Carboplatin AUC 6.0 Pertuzumab 840 mg (C1) → 420 mg (C2-C6) Herceptin 8 mg/kg (C1) → 6 mg/kg (C2-C6)×6 cycles	Day 1 Day 1 Day 1 Day 1 (every 3 week)
[preop or postop] AC ×4 → HT×4	AC 60 mg/m²×4 cycles → Herceptin 6 mg/kg + Docetaxel 75 mg/m² ×4 cycles [1st cycle; Herceptin 8 mg/kg loading dose] → Herceptin 6 mg/kg or Herceptin 600 mg (Subcutaneous) (total 1 year)	Day 1 (every 3 week)
[postop] TCH	Docetaxel 75 mg/m² Carboplatin AUC 6 Herceptin 6 mg/kg (1st cycle: loading dose 8 mg/kg) → Herceptin 6 mg/kg or Herceptin 600 mg (Subcutaneous) (total 1 year)	Day 1 (every 3 week)

2) 전이/재발 유방암

전이성 유방암은 일종의 만성 질환으로 인식되고 있으며, 중앙생존기간은 진단 후 2년 내외 정도로 알려져 있다. 그러므로, 암의 진행과 사망을 늦추고 암에 의한 증상을 완화시켜 삶의 질을 좀 더 향상시키기 위한 모든 형태의 치료법을 순차적으로 적용하는 것이 중요하다. 즉, 암에 의한 증상 유무, 호르몬 치료에 대한 반응도 및 폐경 상태, 암의 전이 정도, 심각한 합병증의 발병 위험성, 암의 진행 속도 등에 따라 치료 방침을 결정하는 것이다. 아울러, 새로 진단된 전이성 유방암 환자의 치료 결정을 위해서는 전이 부위에 대한 정확한 조직 검사와 영상 검사 시행 및 응급성 여부에 대한 평가가 이루어져야 한다. 적절한 약물 치료를 결정하기 위해서는 가능하다면 재발, 전이 부위에서 다시 조직 검사를 시행하여 호르몬 수용체와 HER2 발현 유무에 대한 검사를 시행해야 한다.

호르몬 수용체 양성 전이성 유방암에서는 증상을 유발할 정도의 심각한 내장 전이가 동반되지 않았다면 일반적으로 항호르몬 치료를 먼저 시작하고 모든 항호르몬제를 사용하고도 병이 진행된다면 항암치료를 시행하게 된다. 폐경 전 환자는 난소 억제를 위해 LHRH analogue를 주기적으로 투여하거나 양측 난소 절제술을 통해 폐경을 유도하여 아로마타제 억제제를 사용할 수 있다. 최근에는 CDK4/6 억제제를 아로마타제 억제제나 Fulvestrant와 같은 항호르몬제에 추가함으로써 무진행 생존률을 두 배 가까이 증가시키는 임상 연구 결과가 반복적으로 발표되어 우리나라에서도 사용 가능하다.

HER2 과발현 전이성 유방암에 대한 일차 표준요법은 PHD regimen (Perjeta, Herceptin, Docetaxel) 이며 타이커브와 젤로다(Tykerb+xeloda), T-DM1 (Ado-trastuzumab emtansine) 등의 HER2 억제제를 사용할 수 있다. 호르몬 수용체 음성, HER2 음성, 즉 삼중음성 유방암(Triple negative breast cancer (TNBC))은 알려진 표적이 없어 몇 가지 항암제를 순차적으로 사용하게 되는데, 최근에 면역항암제나 표적치료제 등 다양한 약제들이 개발되어 임상 연구가 활발히 진행되고 있으므로 가능하면 이러한 임상 연구에 환자를 등록하여 치료하는 것을 적극 고려해야 한다.

Ⅲ 폐암

1. 폐암의 병리유전학적 분류

① 크게 비소세포폐암(non-small cell lung cancer, NSCLC)과 소세포폐암(small-cell lung cancer, SCLC)로 나뉨
② 면역조직화학염색

Cytokeratin (CK): carcinoma (not lymphoma, sarcoma)
CD56/chromogranin/synaptophysin: neuroendocrine differentiation
Ki-67: cell proliferation index (50-100%)
TTF-1: lung origin (positive in 85-90% of SCLCs)

그림 8-2. 폐암의 병리유전학적 분류

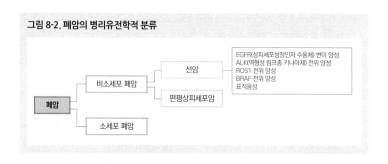

2. 진단 당시 확인해야 할 질병관련 증상

1) Central huge mass가 있는 경우

Hoarseness: vocal cord palsy, frequent aspiration이 있는 경우 ENT 협진
Hemoptysis: airway direct invasion으로 인한 tumor bleeding 여부
Dysphagia: direct esophageal compression
Facial swelling or both arms swelling: superior vena cava syndrome
Dyspnea: airway compression or cardiac tamponade
EKG abnormality: SA node direction invasion

2) Headache 또는 Focal neurologic deficits

폐암환자는 진단 당시 20%에서 뇌전이를 동반함, 중추신경계 전이의 경우 증상 동반 유무에 따라 치료가 결정됨.

3) Bone pain

뼈 전이가 동반된 경우 통증, 통증으로 인한 일상생활의 기능장애, simple X-ray에서 osteolytic lesion 여부에 따라 수술 또는 방사선치료 여부가 결정됨.

3. 비소세포폐암의 병기

표 8-9. 비소세포폐암의 병기

T	Primary Tumor
TX	Primary tumor cannot be assessed, or tumor proven by the presence of malignant cells in sputum or bronchial washings but not visualized by imaging or bronchoscopy
T0	No evidence of primary tumor
Tis	Carcinoma in situ Squamous cell carcinoma in situ (SCIS) Adenocarcinoma in situ (AIS): adenocarcinoma with pure lepidic pattern, ≤3 cm in greatest dimension
T1	Tumor ≤3 cm in greatest dimension, surrounded by lung or visceral pleura, without bronchoscopic evidence of invasion more proximal than the lobar bronchus (i.e., not in the main bronchus)
T1 mi	Minimally invasive adenocarcinoma: adenocarcinoma (≤3 cm in greatest dimension) with a predominantly lepidic pattern and ≤0.5 mm invasion in greatest dimension
T1a	Tumor ≤1 cm in greatest dimension. A superficial, spreading tumor of any size whose invasive component is limited to the bronchial wall and may extend proximal to the main bronchus also is classified as T1 a, but these tumors are uncommon.
T1b	Tumor >1 cm but ≤2 cm in greatest dimension
T1c	Tumor >2 cm but ≤3 cm in greatest dimension
T2	Tumor >3 cm but ≤5 cm or having any of the following features: (1) Involves the main bronchus, regardless of distance to the carina, but without involvement of the carina; (2) Invades visceral pleura (PL1 or PL2); (3) Associated with atelectasis or obstructive pneumonitis that extends to the hilar region, involving part or all of the lung
T2a	Tumor >3 cm but ≤4 cm in greatest dimension
T2b	Tumor >4 cm but ≤5 cm in greatest dimension
T3	Tumor >5 cm but ≤7 cm in greatest dimension or directly invading any of the following: parietal pleura (PL3), chest wall (including superior sulcus tumors), phrenic nerve, parietal pericardium; or separate tumor nodule(s) in the same lobe as the primary
T4	Tumor >7 cm or tumor of any size invading one or more of the following: diaphragm, mediastinum, heart, great vessels, trachea, recurrent laryngeal nerve, esophagus, vertebral body, carina; separate tumor nodule(s) in an ipsilateral lobe different from that of the primary

표 8-9. 비소세포폐암의 병기 (계속)

N	Regional Lymph Nodes
NX	Regional lymph nodes cannot be assessed
N0	No regional lymph node metastasis
N1	Metastasis in ipsilateral peribronchial and/or ipsilateral hilar lymph nodes and intrapulmonary nodes, including involvement by direct extension
N2	Metastasis in ipsilateral mediastinal and/or subcarinal lymph node(s)
N3	Metastasis in contralateral mediastinal, contralateral hilar, ipsilateral or contralateral scalene, or supraclavicular lymph node(s)

M	Distant Metastasis
M0	No distant metastasis
M1	Distant metastasis
M1a	Separate tumor nodule(s) in a contralateral lobe; tumor with pleural or pericardial nodules or malignant pleural or pericardial effusiona
M1b	Single extrathoracic metastasis in a single organ (including involvement of a single nonregional node)
M1c	Multiple extrathoracic metastases in a single organ or in multiple organs

	T	N	M		T	N	M
Occult	TX	N0	M0	Stage IIIA	T1a	N2	M0
Carcinoma					T1b	N2	M0
Stage O	Tis	N0	M0		T1c	N2	M0
Stage IA1	T1mi	N0	M0		T2a	N2	M0
	T1a	N0	M0		T2b	N2	M0
Stage IA2	T1b	N0	M0		T3	N1	M0
Stage IA3	T1c	N0	M0		T4	N0	M0
Stage 1B	T2a	N0	M0		T4	N1	M0
Stage IIA	T2b	N0	M0	Stage IIB	T1a	N3	M0
Stage IIB	T1a	N1	M0		T1b	N3	M0
	T1b	N1	M0		T1c	N3	M0
	T1c	N1	M0		T2a	N3	M0
	T2a	N1	M0		T2b	N3	M0
	T2b	N1	M0		T3	N2	M0
	T3	N0	M0		T4	N2	M0
				Stage IIIC	T3	N3	M0
					T4	N3	M0
				Stage IVA	AnyT	AnyN	M1a
					AnyT	AnyN	M1b
				Stage IVB	AnyT	AnyN	M1c

4. 소세포폐암의 병기

TNM staging system을 쓰기도 하지만, Veterans' Administration Lung Study Group (VALSG)의 병기를 더 흔하게 사용함(limited disease/extensive disease)

1) Limited-stage disease (LD): 1/3 of SCLC
One hemithorax
Stage I–III ($T_{any}N_{any}M0$)
Exclude T3-4 due to multiple lung nodules or large tumor/nodal volume (intolerable radiotherapy)

2) Extensive-stage disease (ED): 2/3 of SCLC
$T_{any}N_{any}M1a/b$

3) Controversial
Supraclavicular lymphadenopathy (ipsilateral or contralateral): ED>
Contralateral mediastinal lymphadenopathy: LD>

5. 비소세포폐암 진단 후 병기에 따른 치료 결정

1) Clinical stage IA/IB/IIA.IIB
① 수술적 절제가 우선
② 폐기능이 좋지 않거나 고령의 환자는 definitive radiotherapy including stereotactic ablative radiotherapy
③ 수술 후 pathologic node positive인 pathologic stage IIA 이상이거나 IB high risk (T>4 cm, lymphovascular invasion, wedge resection, poorly differentiated tumor, visceral, pleural involvement)인 경우 adjuvant chemotherapy를 시행

2) Clinical Stage IIIA
① Superior sulcus tumor 및 mediastinum invasion (T4): preoperative concurrent chemotherapy → Surgery
② N2 node 양성: Definitive concurrent chemoradiotherapy 혹은 induction chemo-therapy 이후 RT를 시행 → 반응이 있는 경우 수술

3) cN3: Concurrent chemoradiotherapy followed by immunotherapy

(PACIFIC trial, N Engl J Med 2017;377:1919-29; N Engl J Med 2018; 379:2342-2350)

① Definitive chemoradiotherapy 후 disease progression을 보이지 않은 환자를 대상으로 1년간 durvalumab 10 mg/kg Q2W 시행

② Median progression-free survival 16.8 months vs. 5.6 months

③ Overall survival hazard ratio 0.69

6. 비소세포폐암 4기 진단 후 필요한 분자유전학적 검사와 1차 고식적 항암 치료제의 결정

① ROS1 fusion, BRAF mutation은 본원에서는 주로 NGS report를 통해 1st line treatment 중 확인되는 경우가 많음.

② EGFR mutation, ALK fusion 여부가 1주 이내 확인되면 1st line palliative chemotherapy를 시행하거나, 임상연구참여를 결정하거나, 질병관련 증상이 없는 제한적인 경우 NGS결과를 기다릴 수 있음.

그림 8-3. 비소세포폐암 4기 진단 후 필요한 분자유전학 검사 및 그에 따른 1차 고식적 항암치료제의 결정

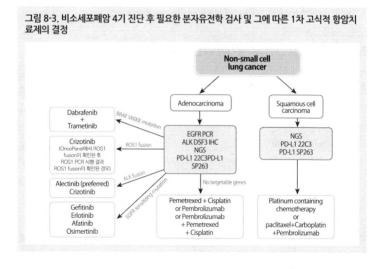

7. 비소세포폐암의 Emerging biomarkers

표 8-10. 비소세포폐암의 Emerging biomarker

Genetic Alteration	Available Targetd Agents
High-level MET amplification or Met exon 14 skipping mutation	Crizotinib
RET rearrangement	Cabozantinib Vandetanib
ERBB2 (HER2) mutation	Ado-trastuzumab emtansine
Tumor mutational burden (TMB)	Nivolumab+Ipilimumab Nivolumab

8. 소세포폐암 진단 후 병기에 따른 치료 결정

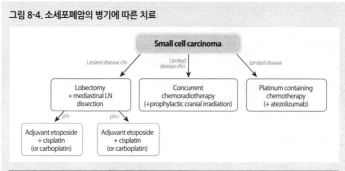

그림 8-4. 소세포폐암의 병기에 따른 치료

	LD-surgery	LD-CCRT[2]	ED[3]	ED EC+atezolizumab
PFS	–	16.6 months	5.2 months	5.2 months
OS	5-Y OS 52.7%	2-Y OS 51% 5-Y OS 31% Median OS 25 months	Median OS 9.1 months	1-Y OS 51.7% Median OS 12.3 months
ORR	–	–	57%	59.9%

EC, etoposide, carboplatin; ORR, overall response rate; OS, overall survival; PFS, progress-free survival

Ⅳ 위암

1. 역학

1) 세계
전체 암 발생률 중 5위, 사망률 3위. 발생률은 지역에 따른 편차가 크다(동아시아, 동유럽, 남아메리카에 높은 발생률).

2) 한국
갑상선 제외 암 발생률 1위, 사망률 4위(2016년 국가암정보센터 통계)

3) 위험인자
① Definite: high grade dysplasia, familial adenomatous polyposis, adenoma, Barrett's esophagus, intestinal metaplasia, chronic atrophic gastritis, H. pylori infection, Lynch syndrome II

② Probable: postgastrectomy, pernicious anemia, harmatoma

③ Possible: Peutz-Jeghers syndrome, Menetrier's disease, low socioeconomic status, tobacco, alcohol, high intake of salted, pickled, smoked foods, low intake of fruits and vegetables

2. 증상 및 징후

1) 증상
상복부 불편감 등 비특이적 증상이 대부분 체중 감소(62%), 복통(52%), 오심, 연하곤란, 흑색변, 조기충만감

2) 신체검진 소견(전이성 위암인 경우)

- Cachexia, malignant ascites (shifting dullness)
- Succussion splash: gastric outlet obstruction
- Virchow's node: left supraclavicular lymph node metastasis
- Sister Mary Joseph's node: periumbilical nodule
- Irish node: left axillary lymph node
- Krukenberg tumors: ovary metastasis
- Blumer's rectal shelf: mass in the cul-de-sac

3. 진단

병력 청취, 신체 검진, 일반혈액검사, 종양표지자(CEA, CA19-9, CA72-4), 위내시경 및 조직 검사, X-ray, 전산화 단층 촬영(흉부/복부/골반), 내시경적 초음파와 PET/CT는 경우에 따라 시행, 전이가 있는 경우 HER2 면역조직화학검사 시행[0-1+이면 negative, 2+이면 HER2 SISH 시행 후 HER2/CEP17 ratio 2.0 이상이면 positive, 3+이면 positive]

4. 치료

1) 수술
① 원위부에 국한된 위암: 위 원위부 절제술(distal gastrectomy)
② 원위부 이외의 부위: 대부분 위 완전 절제술(total gastrectomy)이 적용되고, 경우에 따라 드물게 근위부 절제술(proximal gastrectomy) 시행
③ 림프절 절제 범위: 동서양 공히 D2 림프절 절제가 표준

2) 보조 항암화학요법
① 일본 연구에서 D2 림프절 절제술 후 1년 간 S-1을 투여한 군에서 수술 단독 군에 비하여 유의한 재발 및 생존율의 향상을 발표(ACTS-GC trial)
② 우리나라가 주축이 되어 시행한 연구에서 D2 림프절 절제술 후 6개월 간 XELOX 투여한 군에서 수술 단독 군에 비하여 유의한 재발 및 생존율 향상을 발표(CLASSIC trial)
③ 상기 연구에 근거하여 병기 2-3기의 절제 가능한 국소 위암에서 근치적 절제술 후 S-1 또는 XELOX 보조 항암화학요법을 사용함

3) 수술 후 항암화학요법과 방사선 치료 병합 치료
미국에서는 위암에 대한 수술 후 보조적 치료로서 항암화학요법과 방사선 치료를 받는 것이 표준 치료의 일환으로 정립되었으나, 해당 치료 방법을 발표한 논문에서는 대다수의 환자가 D1 이하의 림프절 절제술을 받았기 때문에 D2 절제술을 시행하는 한국과 일본에서는 이 결과를 적용하기 어려움. 최근 국내 연구에서는 수술 후 방사선 치료 추가로 재발률 및 생존율을 향상시키지 못하는 것으로 확인됨(ARTIST trial).

4) 절제 불가능한 전이성 위암에 대한 항암화학요법
① 전체 생존기간과 환자들의 삶의 질을 증가시킴.
② 치료에 대한 반응은 1차 치료로 2가지 약제의 복합화학요법 시 40-50%로 단일 요법의

10-20%에 비해 반응률이 증가하고, 2제 병용 요법에 의한 중앙생존기간은 10-12개월 정도임.

③ 5-FU 또는 그 경구 유도체(capecitbine, S-1), 백금화합물(cisplatin, oxaliplatin), taxane (paclitaxel, doxetaxel), irinotecan이 위암에서 주로 사용되는 세포독성 항암제임.

④ 1차 항암제로는 이전에 항암제에 노출되지 않은 환자에서는 5-FU 또는 그 경구 유도체 중 하나와 백금화합물 중 하나를 조합한 2제 병용 항암제가 가장 흔하게 사용됨. 최근에는 편의성을 고려하여 5-FU 보다는 그 경구 유도체인 capecitabine 또는 S-1이 선호되고, oxaliplatin이 cisplatin 보다 치료 독성이 적고 편의성이 있어 선호됨.

⑤ HER2 positive인 경우 1차 치료제로서 capecitabine/5-FU + cisplatin 2제 병용요법에 HER2에 대한 표적치료제인 trastuzumab을 추가하는 경우 치료 성적을 향상시킬 수 있음(ToGA trial).

⑥ 1차 치료에 실패한 경우 2차 치료제로서 ramucirumab + weekly paclitaxel의 치료 성적이 가장 좋아 이전 치료제에 의한 말초신경병증이 문제되지 않는 경우 ramucirumab + weekly paclitaxel을 사용함(REGARD trial).

⑦ MSI-high인 경우 2차 이상의 치료제로 면역관문억제제인 pembrolizumab을 사용할 수 있고, MSI-high인 경우 면역관문억제제에 대한 반응률이 50-60%로 높음.

⑧ 3차 치료제까지는 항암제를 사용하는 것이 생존율을 향상시킬 수 있음. 최근 3차 치료제로서 면역관문억제제의 하나인 nivolumab이 효과가 있는 것으로 증명됨(ATTRACTION-02 trial).

5) 선행 항암화학요법

절제가능한 위암에서 수술 전 선행 항암화학요법을 시행할 경우 그렇지 않고 수술만 시행하는 경우와 비교하여 완전절제율 및 무재발 생존율, 전체 생존율을 증가시킨다는 3상 연구가 유럽에서 발표됨. 한국과 일본에서는 아직 선행 항암화학요법이 허가되어 있지는 않고, 임상 연구로 시도되고 있음. 최근 국내에서 시행된 3상 연구에서는 선행 항암화학요법을 추가하는 경우 기존 표준치료인 D2 절제술 + S-1 수술 후 항암화학요법만 시행하는 경우에 비해 무진행 생존율을 향상시킬 수 있음이 관찰되어 향후 국내에서도 수술 전 선행 항암화학요법이 표준치료로 도입될 가능성이 있음(RPODIGY trial).

6) 다른 보조적인 치료

위분문부의 폐색이 있는 경우 stent 나 gastrojejunostomy 등 diverting surgery가 삶의 질을 향상시킬 수 있음. 내시경적 지혈이 불가능한 종양의 출혈이 있거나 뼈전이로 인하여 통증이 있을 경우 방사선치료를 시행하기도 함.

V 대장암

1. 역학

① 세계: 발생률 3위, 사망률 2위(Globocan 2018)
② 국내: 발생률 2위, 사망률 3위(2016년 국가암등록통계)

2. 증상

비특이적 증상이 대부분
- 상행결장 – 피로, 통증, 빈혈 등
- 하행결장 – 경련성 통증, 장폐쇄, 천공 등
- 직장, S상 결장 – 혈변, 후중감 등

3. 검사

1) 조직학적 확진
① 대장내시경 또는 S자 결장경을 통한 내시경적 생검
② 임상적으로 장폐쇄가 의심되는 경우 내시경 진행여부는 담당 교수에게 확인할 것
③ 내시경적 생검이 어려운 전이암의 경우 전이부위(간, 폐, 림프절 등)에서의 생검 필요
④ 타병원에서 생검을 시행하였을 경우 조직 자문판독 필요
⑤ 전이암의 경우 표적치료제 선택을 위한 유전자검사가 필요하므로 타병원 조직 슬라이드
   10장 이상 또는 본원에서의 재생검이 필요함.
- Mutation analysis for KRAS, NRAS, BRAF
- 위의 mutation analysis는 암 유전자 패널 검사(Oncopanel)로 대신할 수 있음.
- EGFR IHC: Cetuximab 급여적용 위해 필요한 검사

2) 병기설정 검사
① Physical exam including digital rectal exam
② Routine lab including CEA
③ Abdomen-pelvis CT
④ Chest CT

⑤ Rectal MRI (Rectal cancer의 경우 필수: 종양 침윤의 깊이와 주변 림프절 전이 여부를 조사)

⑥ PET/CT는 임상적으로 필요하다고 판단할 때 시행하며, 모든 환자에서 routine으로 시행하지는 않는다.

⑦ 간 전이 절제수술을 고려하는 환자에서는 liver MRI를 촬영한다.

⑧ 신기능저하 환자에서는 chest CT non-contrast, abdomen MRI 및 필요시 PET-CT를 추가할 수 있다.

4. 치료

1) 결장암(비전이성)

① 전이가 없는 경우 결장암은 수술이 표준치료이며, 병리학적 병기가 2-3기일 경우 3-6개월간 보조화학요법을 시행한다. 일부 상부직장암 역시 결장암에 준하여 치료한다.

그림 8-5. 2-3기 결장암의 치료 여정

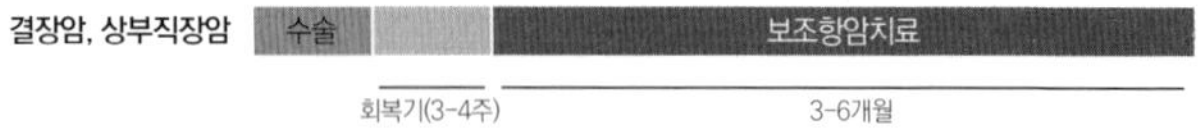

② 보조화학요법(2기): 고위험군(T4, lymphovascular invasion, perineural invasion, obstruction or perforation or unfavorable histology 등)에서 주로 투여. 5-FU/leucovorin (LF), capecitabine, FOLFOX를 고려할 수 있다.

③ 보조화학요법(3기): oxaliplatin을 포함한 2제 요법(FOLFOX, XELOX)이 표준치료이나, 전신수행능력이 불량하거나 노인의 경우 LF 또는 capecitabine 치료도 고려할 수 있다.

④ 보조화학요법으로는 표적항암제나 면역관문차단제를 사용하지 않는다.

⑤ Regimen
- LF (5-FU 375 mg/m^2, LV 20 mg/m^2 for 5 days q4 weeks for 6 cycles)
- Capecitabine 1250 mg/m^2 po bid D1-14, q3 weeks for 8 cycles
- FOLFOX (oxaliplatin 85 mg/m^2, levoleucovorin 200 mg/m^2, 5-FU bolus 400 mg/m^2, and 5-FU infusion 2400 mg/m^2 over 46 hrs) q2 weeks for 6-12 cycle
- XELOX (oxaliplatin 130 mg/m^2, Capecitabine 1000 mg/m^2 po bid D1-14, q3 weeks, for 4-8 cycles)

2) 직장암(비전이성)

① 임상병기 2-3기의 경우(cT3-4 또는 cN1-2) 골반 내 국소재발위험을 낮추기 위한 화학
방사선치료(50-50.4 Gy: 200 cGy씩 총 25-28 fractions)를 수술 전 또는 수술 후에 추
가하며, 보조항암치료는 수술 및 방사선치료를 종료한 후 4개월간 시행한다.

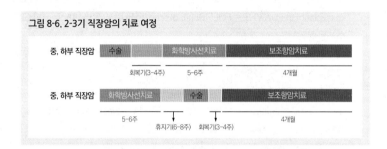

그림 8-6. 2-3기 직장암의 치료 여정

② 화학방사선치료는 capecitabine(825 mg/m^2 bid)을 방사선치료 기간 동안 주 7일 또는
주 5일간 투여하며, 또는 LF(4주마다 3일 투여, 방사선 기간동안 총 6회 투여)로 투여

③ 보조항암치료는
- ypStage 0-1의 경우 LF, capecitabine을 고려
- ypStage or pStage 2-3기의 경우 LF, capecitabine, FOLFOX를 고려할 수 있으며,
3기의 경우에는 FOLFOX를 선호

3) 전이성 결장암/직장암(4기 또는 재발암)

(1) 전이암에 대한 국소치료

① 전이성 대장암 중 전이병변 및 전이 장기의 갯수가 많지 않은 소위 oligometastatic
disease의 경우에는 수술, 고주파열치료, 정위적방사선치료 등의 국소치료를 고려할 수
있으며, 이 경우 20-50%에서 완치를 기대할 수 있다. 국소치료의 적응증을 결정하기 위
해서는 다학제 통합진료에서의 상의가 필요하다.

② 국소치료 후 재발위험을 줄이기 위한 보조항암치료는 FOLFOX 또는 XELOX가 표준이
며, 재발 및 진행 위험에 따라 표적항암제를 추가할 수 있다.

③ 국소치료를 처음부터 적용하기 어려우나 전이병변의 크기가 감소할 경우 추후 국소치료
를 적용할 가능성이 있다면 수술 전 화학치료(neoadjuvant chemotherapy)를 할 수 있
으며, 치료의 원칙은 완화적 항암치료와 동일하다.

(2) 완화적 항암치료

① 환자의 전신상태나 연령에 따라 달리 선택할 수 있으나, 비교적 전신상태가 양호한 환자에서의 표준치료는 아래와 같다.

② 1차요법: 2제 요법 + 표적항암제

- 2제 요법은 5-FU에 oxaliplatin 또는 irinotecan을 병합하여 사용하는 FOLFOX (oxaliplatin/5-FU/LV) 또는 FOLFIRI (irinotecan/5-FU/LV) 요법이며, 두 요법 모두 효과는 동등하다.

- 표적항암제는 bevacizumab 또는 cetuximab을 추가하며, 두 약제 역시 효과는 동등하다.

- KRAS, NRAS 변이가 있는 경우 cetuximab은 효과가 없어 금기이다.

- BRAF V600 변이가 있는 경우 또는 우측결장암의 경우 bevacizumab이 선호된다.

③ 2차요법: 2제 요법 + bevacizumab 또는 aflibercept

④ 3차요법: regorafenib 또는 Cetuximab (RAS wild-type)-비급여

⑤ 특수한 유전자 변이가 있는 경우의 치료

- Microsatellite instability -high (MSI-H): 전이성 대장암 중 2-5%를 차지하며 면역관문차단제에 대한 반응이 양호하여 Pembrolizumab 또는 nivolumab을 고려할 수 있다(비급여).

- BRAF mutant, HER2 amplified subtype: 각각 BRAF inhibitor인 vemurafenib 또는 encorafenib, anti-HER2 antibody인 trastuzumab에 기반한 병합요법의 효과가 알려져 있으나 아직 약제 허가 및 급여 적용이 미비하다.

⑥ 대장암에서 사용되는 표적항암제

- Bevacizumab: circulating VEGF (vascular endothelial growth factor)를 표적으로 하는 humanized IgG1 monoclonal antibody. 단독으로는 치료효과가 없으며 세포독성항암제와의 병용요법만 가능하다. 고혈압, 단백뇨, 동맥혈전색전증 등의 부작용이 있다. 상처 회복을 지연시키거나 장파열을 일으키는 문제가 있어 수술 및 스텐트 시술 전후 4-6주 이내에는 투여 금기.

- Cetuximab: EGFR (epidermal growth factor receptor)을 표적으로 하는 chimeric IgG1 monoclonal antibody. 세포독성항암제와의 병용 또는 단독으로 투여 가능. 부작용: 주입과민반응, 여드름양 발진, 설사, 저마그네슘혈증. 아나필락틱 쇼크가 발생한 경우 탈감작을 고려한다.

- Regorafenib: VEGF를 비롯한 여러 신호전달물질을 차단하는 multi-target tyrosine kinase inhibitor. 수족증후군, 고혈압, 간독성 등의 부작용이 있다.

Ⅵ 췌장암

1. 임상적 특징

① 조기진단이 어렵고, 5년 생존률이 10%를 넘기지 못하는 예후가 매우 나쁜 종양
② 조직학적으로 ductal adenocarcinoma가 95% 이상으로 대부분을 차지하며, 일부 neuroendocrine carcinoma가 있다. 대부분의 치료 가이드 라인은 ductal adenocarcinoma에 준한다.

2. 증상

복통, 체중감소, 황달, 조절되지 않는 당뇨 등이 있으나, 조기 진단은 어렵다.

3. 진단

1) 조직학적 진단

췌장 원발 부위에 대한 EUS-guided biopsy 혹은 ERCP-guided endobiliary biopsy를 통하여 시행할 수 있으며, 원격 전이가 있는 경우 이 병변에 대한 조직검사를 시행할 수 있다.

2) 임상 병기 설정

수술 절제 가능여부 및 원격전이 여부 확인을 위하여 CT (dynamic CT), MRI 및 PET-CT를 시행한다.

3) 초기 치료 결정에는 TNM 병기보다 다음 표와 같은 임상 병기가 더 중요하다.

췌장암의 혈관 침범 단계는 그림 8-7과 같이 구분하는데 종양이 혈관의 180도 이상 침범을 하거나, 혈관 변형이 관찰될 때 종양의 혈관 침범의 가능성이 매우 높다고 판단한다.

표 8-11. 췌장암의 임상 병기

Stage	Incidence		5-year survival
Resectable	20%	-No distant metastases -No evidence of SMV and portal vein abutment, distortion, tumor thrombus or venous encasement -Clear fat planes around the celiac axis, hepatic artery, and SMA	20%
Borderline resectable	10%	-No distant metastases -SMA encasement <180 degrees -SMV/portal impingement -Short segment SMV occlusion -Celiac encasement <180 degrees (tail) -Abutment/encasement of hepatic artery	0-5%
Locally advanced unresectable	30%	-No distant metastases -SMA encasement >180 degrees -SMV/portal vein occlusion -Any celiac abutment (head) or celiac encasement >180 degrees (body/tail) -Aortic invasion or encasement, lymph node metastases beyond field of resection	0%
Metastatic	40%	Any distant metastasis	0%

그림 8-7. 췌장암의 혈관 침범 단계

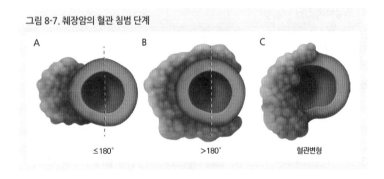

A	B	C
≤180°	>180°	혈관변형

4. 치료

1) Resectable pancreatic cancer

수술적 절제가 표준치료이다. 수술 후 환자의 전신 상태에 따라 gemcitabine, gem-
citabine-capecitabine, 혹은 modified (m) FOLFIRINOX (5-FU, leucovorin, irino-
tecan 및 oxaliplatin) 등의 adjuvant chemotherapy를 시행한다(생존기간: mFOL-

FIRINOX > gemcitabine-capecitabine > gemcitabine; 독성: mFOLFIRINOX > gemcitabine-capecitabine > gemcitabine).

2) Borderline resectable pancreatic cancer

수술적 절제를 먼저 시행하는 경우 resection margin positivity의 가능성이 높아 좋지 않은 예후를 보인다. 따라서 최근 neoadjuvant mFOLFIRINOX를 시행 후 수술을 시행하는 비율이 높아지고 있다. mFOLFIRINOX 시행 후 수술 절제율은 60-70%에 이르며, 대략 중앙값 2년의 생존 기간을 보이는 것으로 보고 되어 있다.

3) Locally advanced unresectable pancreatic cancer

Palliative setting에 준하여 치료하나, 최근 mFOLFIRINOX 치료 후에 10-20%의 환자가 수술 절제가 가능해졌다. 일정기간의 mFOLFIRINOX 치료 이후에도 수술이 불가능하다고 판단되는 경우에는 항암치료를 유지하거나, concurrent chemoradiotherapy를 시행할 수 있다. 최근 systemic chemotherapy에의 노출을 극대화하며, local tumor control을 효과적으로 하기 위하여 stereotactic body radiotherapy (SBRT)의 사용 역시 증가되고 있다. 대략 중앙값 1년 4개월-2년 정도의 생존 기간을 보이는 것으로 보고되어 있다.

4) Metastatic pancreatic cancer

Performance status가 좋은 환자들에게 mFOLFIRINOX 혹은 gemcitabine/nab-paclitaxel(Abraxane®)을 1차 혹은 2차 요법으로 사용할 수 있다. 이전 gemcitabine 기반 항암제에 치료 실패한 경우 S-1 혹은 liposomal irinotecan (onivyde®) plus 5-FU/leucovorin 요법 등을 고려할 수 있다. 최근의 약제 개발로 중앙값 11개월 가량의 생존기간을 기대할 수 있으며, 대략 20%의 환자에서 2년 이상의 생존기간을 보인다.

5) 항암제 주요 부작용

mFOLFIRINOX에서는 구역, 구토, 설사, 백혈구 감소증 및 말초신경병증이 주요 부작용이며, gemcitabine/nab-paclitaxel의 경우 두드러기, 열, 탈모 및 말초신경병증이 주요 부작용이다.

Ⅶ 고환암

1. Initial workup

① Serum AFP, beta-hCG, LDH: 젊은 성인, 특히 남성 환자가 다발성 폐전이를 시사하는 CXR 소견을 보일 때 scrotal palpitation과 함께 시행
② Chest, AP CT
③ Testicular US
④ Brain MR enhance: 두통이 있거나 다발성 폐전이 또는 beta-hCG가 높아 choriocarcinoma가 의심될 때 시행
⑤ 산부인과 협진: sperm banking
⑥ 비뇨의학과 협진: 고환절제술(orchiectomy) 의뢰, 단, extensive metastasis로 인해 바로 수술하는 것이 힘든 상황에서는 항암치료를 먼저 시행할 수 있음.

2. 병기와 예후: 정확한 병기설정과 Risk stratification이 필수적

표 8-12. 고환암의 병기

pT	Primary tumour[1]
pTX	Primary tumour cannot be assessed (see note 1)
pT0	No evidence of primary tumour (e.g. histological scar in testis)
pTis	Intratubular germ cell neoplasia (testicular intraepithelial neoplasia)
pT1	Tumour limited to testis and epididymis without vascular/lymphatic invasion; tumour may invade tunica albuginea but not tunica vaginalis
pT2	Tumour limited to testis and epididymis with vascular/lymphatic invasion, or tumour extending through tunica albuginea with involvement of tunica vaginalis
pT3	Tumour invades spermatic cord with or without vascular/lymphatic invasion
pT4	Tumour invades scrotum with or without vascular/lymphatic invasion
N	Regional lymph nodes clinical
NX	Regional lymph nodes cannot be assessed
N0	No regional lymph node metastasis
N1	Metastasis with a lymph node mass 2 cm or less in greatest dimension or multiple lymph nodes, none more than 2 cm in greatest dimension
N2	Metastasis with a lymph node mass more than 2 cm but not more than 5 cm in greatest dimension, or multiple lymph nodes, any one mass more than 2 cm but not more than 5 cm in greatest dimensio
N3	Metastasis with a lymph node mass more than 5 cm in greatest dimension

표 8-12. 고환암의 병기(계속)

pN	Pathological
pNX	Regional lymph nodes cannot be assessed
pN0	No regional lymph node metastasis
pN1	Metastasis with a lymph node mass 2 cm or less in greatest dimension and 5 or fewer positive nodes, none more than 2 cm in greatest dimension
pN2	Metastasis with a lymph node mass more than 2 cm but not more than 5 cm in greatest dimension; or more than 5 nodes positive, none more than 5 cm; or evidence or extra-nodal extension of tumour
pN3	Metastasis with a lymph node mass more than 5 cm in greatest dimension
M	**Distant metastasis**
MX	Distant metastasis cannot be assessed
M0	No distant metastasis
M1	Distant metastasis
M1a	Non-regional lymph node(s) or lung
M1b	Other sites
S	**Serum tumour markers**
Sx	Serum marker studies not available or not performed
S0	Serum marker study levels within normal limits

	LDH (U/1)	hCG (mIU/ml)	AFP (ng/ml)
S1	$<1.5 \times N$ and	$<5,000$ and	$<1,000$
S2	$1.5–10 \times N$ or	5,000–50,000 or	1,000–10,000
S3	$>10 \times N$ or	$>50,000$ or	$>10,000$

Stage 0	pTis	N0	M0	s0, sx
Stage I	pT1–T4	N0	M0	sx
Stage IA	pT1	N0	M0	s0
Stage IB	pT2 – pT4	N0	M0	s0
Stage IS	Any patient/TX	N0	M0	sx
Stage II	Any patient/TX	N1–N3	M0	s0
Stage IIA	Any patient/TX	N1	M0	s0
	Any patient/TX	N1	M0	s1
Stage IIB	Any patient/TX	N2	M0	s0
	Any patient/TX	N2	M0	s1
Stage IIC	Any patient/TX	N3	M0	s0
	Any patient/TX	N3	M0	s1
Stage III	Any patient/TX	AnyN	M1a	sx
Stage IIIA	Any patient/TX	AnyN	M1a	s1
	Any patient/TX	AnyN	M1a	s2
Stage IIIB	Any patient/TX	N1–N3	M0	s2
	Any patient/TX	AnyN	M1a	s3
Stage IIIC	Any patient/TX	N1–N3	M0	s3
	Any patient/TX	AnyN	M1a	s3
	Any patient/TX	AnyN	M1b	AnyS

표 8-13. 고환암의 prognostic group

Good-prognosis group	
Non-seminoma (56% of cases) 5-year PFS 89% 5-year survival 92%	All of the following criteria: • Testis/retroperitoneal primary • No non-pulmonary visceral metastases • AFP <1,000 ng/ml • hCG <5,000 IU/L (1,000 ng/ml) • LDH <1.5×ULN
Seminoma (90% of cases) 5-year PFS 82% 5-year survival 86%	All of the following criteria: • Any primary site • No non-pulmonary visceral metastases • Normal AFP • AnyhCG • Any LDH
Intermediate prognosis group	
Non-seminoma (28% of cases) 5 years PFS 75% 5-year survival 80%	• Testis/retroperitoneal primary • No non-pulmonary visceral metastases • AFP 1,000-10,000 ng/ml or • hCG 5,000-50,000 IU/L or • LDH 1.5-10×U LN
Seminoma (10% ofcases) 5-year PFS 67% 5-year survival 72%	Any of the following criteria: • Any primary site • Non-pulmonary visceral metastases • Normal AFP • AnyhCG • Any LDH
Poor prognosis group	
Non-seminoma (16% of cases) 5-year PFS 41 % 5-year survival 48%	Any of the following criteria: • Mediastinal primary • Non-pulmonary visceral metastases • AFP >10,000 ng/ml or • hCG >50,000 IU/L (10,000 ng/ml) or • LDH >10<ULN

Seminoma
No patients classified as poor prognosis

3. 병기별 항암치료

표 8-14. 고환암의 병기별 항암 치료

	Seminoma	Non-seminoma
Stage IIA/B	• RTx. (inverted hockey stick field) 또는 • BEP×3 cycles 또는 • EP×4 cycles	• Serum tumor marker+BEP×3 cycles • Serum tumor marker−Nerve-sparing retroperitoneal LN dissection (NS-RPLND) 또는 BEP×3 cycles 또는 EP×4 cycles

Stage IIC/III	• Good risk group
	  BEP×3 cycles 또는 EP X4 cycles
	• Intermediate risk group
	  BEP×4 cycles
		• Good risk group
		  BEP×3 cycles 또는 EP×4 cycles
		• Intermediate and poor risk group
		  BEP×4 cycles

Residual disease	Serum AFP, beta-hCG, LDH, chest, AP CT f/u 필요	
	• 3 cm 초과하는 solitary lesion이 있는 경우 FDG-PET: 항암치료 2개월 후 (high negative predictive value) • 3 cm 초과하는 병변이 PET에서 uptake를 보이면 수술 고려	• 1 cm 미만: close observation • 1 cm 이상: 수술적 절제
Salvage treatment	1차 항암치료에 대한 반응이 충분하지 않아 수술을 할 수 없을 정도로 residual disease가 많거나 1차 항암치료에도 불구하고 질병 진행을 보이는 경우에는 구제 항암치료를 시행하면서 자가조혈모세포 이식을 고려하여 자가조혈모세포 채집을 할 수 있음.	

Ⅷ 방광암/요관암

1. 방광암/요관암의 병리

1) Urothelial carcinoma (90%)

Squamous, glandular, micropapillary, plasmacytoid, sarcomatoid feature가 일부에서 보일 수 있음

2) Non-urothelial variant

Squasmous cell carcinoma; adenocarcinoma; small-cell carcinoma; carcinosarcoma

2. 방광암/요관암의 진단

① CT urography Chest CT

② PET-CT는 FDG urine activity 때문에 upper urinary tract anatomy delineation에는 적합하지 않음

③ Urine cytology: high-grade tumor의 sensitivity 84%; low-grade tumor sensitivity 16%

④ Cystoscopy and biopsy: cannot be replaced by cytology or by any other non-invasive test.

⑤ Transurethral resection of bladder tumor (TURBT)

⑥ 기타

- MR, urotraphy (HF0166): 30<GFR<60이거나 radiocontrast를 사용할 수 없는 경우 시행할 수 있음
- Ureteroscopy: upper tract lesion이 의심되는 경우 시행할 수 있음
- Bone scan: bone metastasis를 시사하는 증상이 있을 때 시행할 수 있음
- Brain MR: brain metastasis를 시사하는 증상이 있거나 small cell carcinoma인 경우 시행할 수 있음

3. 방광암의 병기

표 8-15. 방광암의 병기

	Depth of Invasion	T	N	M	AJCC stage	Proportion	5-Y OS
Non-muscle -invasive	Non-invasive papillary carcinoma	Ta	0	0	0a	~50%	~90%
	Carcinoma in situ	Tis	0	0	0is	~15%	
	Subepithelial connective tissue	T1	0	0	I	~5%	
Muscle invasive	Muscularis propria	T2	0	0	II	~20%	~60%
	Perivesical tissue	T3	0	0	III		
	Local structures	T4	0	0	III		
	Prostate/uterus or vagina	T4a	0	0	III		
	Node positive N1 Single regional LN in true pelvis N2 Multiple regiona, N in true pelvis N3 LN metastasis to the common iliac LNs	Any	N1-3	0	III A III B III B		~30%
Advanced stage	Pelvic or abdominawa	T4b	0	0	IVA	~10%	5-30%
	Any dep M1 a Distant metastasis imited to LNs beyond the common iliacs M1 b Non-lymph node distant metastasis	Any	1-3	1	IVA IVB		

4. 요관암의 병기

표 8-16. 요관암의 병기

T	Primary tumour
TX	Primary tumor cannot be assessed
T0	No evidence of primary tumor
Ta	Papillary noninvasive carcinoma
Tis	Carcinoma in situ
T1	Tumor invades subepithelial connective tissue
T2	Tumor invades the muscularis
T3	For renal pelvis only: Tumor invades beyond muscularis into the peripelvic fat or the renal parenchyma For ureter only: Tumor invades beyond muscularis into periureteric fat
T4	Tumor invades adjacent organs, or through the kidney into the perinephric fat.
N	Regional Lymph Nodes
NX	Regional lymph nodes cannot be assessed
N0	No regional lymph node metastasis
N1	Metastasis ≤ 2 cm in greatest dimension, in a single lymph node
N2	Metastasis >2 cm in a single lymph node; or multiple lymph nodes
M	Distant Metastasis
M0	No distant metastasis
M1	Distant metastasis

5. 방광암의 치료

1) Non-muscle invasive bladder cancer (NMIBC)

TURB and intravesical BCG instillation

2) Muscle invasive bladder cancer

- Neoadjuvant chemotherapy → radical cystectomy (partial cystectomy for highly selected patients)
- Concurrent chemoradiotherapy

6. 보조항암요법

표 8-17. 방광암의 보조항암요법

	방광암	요관암/신우암
치료 원칙	수술 전 보조항암치료	수술 후 보조항암치료
연구	SWOG8710/INT0080 N Engl J Med 2003;349:859	POUT J Clin Oncol 2018;36, 6 suppl
설계	**Patients** • cT2–T4N0M0 bladder cancer • Candidate for radical cystectomy • ECOG 0–1 R 1:1 Neoadjuvant MVAC 3 cycles → Radical cystectomy (N:153)　　Neoadjuvant MVAC 3 cycles → Radical cystectomy (N:153)	**Patients** • UTUC pT2–4 of pTany N1–3 • WHO performance 0–1 • Fit to receive chemotherapy within 90 days following surgery R 1:1 Platinum based chemotherapy typed byGFR　　Surveillance
Regimen	GP or dose dense MVAC	GP or GC
Primary endpoint	Overall survival	Disease-free survival
Hazard ratio	0.75 (0.57–1.00, p=0.06)	0.47 (0.29–0.74; p=0.0009)
Results	Median OS 77 months vs. 46 months Pathologic CR rate 38% vs. 15% (p<0.001)	2-year DFS 51% vs. 70%

7. 전이성 요로상피세포암의 고식적 항암치료

표 8-18. 전이성 요로상피세포암의 고식적 항암치료

Cisplatin eligibility
• ECOG PS ≥2
• Cr clearance <60 ml/min
• Grade ≥2 hearing loss
• Peripheral neuropathy
• Heart failure

	Cisplatin eligible			Cisplatin ineligible		
	Regimen	ORR(%)	PFS (months)	Regimen	ORR(%)	PFS (months)
1st line	GP[1]	49	7.4	GC[3]	41	5.8
	Dose dense MVAC[2]	62	9.1	Atezolizumab[4]	23	2.7
2nd line	Atezolizumab[5]	13	2.1			

GC, gemcitabine, carboplatin; GP, gemcitabine, cisplatin; MVAC, methotrexate, vinblastine, doxorubicin, cisplatin; ORR, overall response rate; PFS, progression-free survival.

[1] J Clin Oncol. 2000 Sep;18(17):3068-77.
[2] J Clin Oncol. 2001 May 15;19(10):2638-46.
[3] J Clin Oncol. 2012 Jan 10;30(2):191-9.
[4] Lancet. 2017 Jan 7;389(10064):67-76.
[5] Lancet. 2018 Feb 24;391(10122):748-757.

8. 전이성 요로상피세포암의 분자유전학적 검사

1) PD-L1 SP142

PD-L1에 따라 면역항암제의 반응을 명확하지 예측하기는 어려움.

Platinum에 실패한 환자를 대상으로 PD-L1 발현율에 무관하게 atezolizumab이 급여적 용이 가능함.

2) HER2 IHC

현재까지 알려진 바로는 UCC 중 17%의 환자에서 HER2 amplification 또는 mutation이 보고되어 있음.

HER2 amplification은 HER2 targeting agent 등의 신약임상시험기회가 있어 HER2 amplification을 screening하기 위한 목적으로 HER2 IHC를 시행할 수 있음.

3) NGS (OncoPanel)

FGFR fusion, mutation, amplification을 비롯하여 비교적 드문 유전자 변이에 따라 환자에게 신약치료기회를 줄 수 있음.

IX 신세포암

신장에서 발생하는 악성 종양의 90-95%를 차지한다.

1. 역학

발생 연령은 주로 50세에서 75세, 45세 이하에서는 발생율이 낮으므로 유전성 신세포암을 고려해야 한다(hereditary tumor panel).

표 8-19. Familial forms

Syndrome	Chromosome(s)	Gene	Protein
von Hippel–Lindau syndrome	3p25	VHL	VHL
Hereditary papillary RCC	7p31	MET	MET
Hereditary leiomyomatosis and RCC	1q42	FH	Fumarate hydratase
Birt–Hogg–Dubé syndrome	17p11	FLCN	Folliculin
Tuberous sclerosis	9q34 16p13	TSC1 TSC2	Hamartin Tuberin

Syndrome	Kidney Tumor Type	Additional Findings
von Hippel–Lindau syndrome	Clear cell	Hemangioblastoma of the retina and central nervous system; pheochromocytoma; pancreatic and renal cysts; neuroendocrine tumors
Hereditary papillary RCC	Papillary (type I)	
Hereditary leiomyomatosis and RCC	Papillary (non-type I)	Leiomyoma; uterine leiomyoma/leiomyosarcoma
Birt–Hogg–Dubé syndrome	Chromophobe, oncocytoma	Facial fibrofolliculoma; pulmonary cysts
Tuberous sclerosis	Angiomyolipomas; lymphangioleiomyomatosis; rare RCC with variety of histologic appearances	Angiofibroma, subungual fibroma; cardiac rhabdomyoma; adenomatous small intestine polyps; pulmonary and renal cysts; cortical tuber; subependymal giant cell astrocytomas

2. 병리

표 8-20. 신세포암의 병리

Carcinoma Type	Cell of Origin	Cytogenetics
Clear cell	Proximal tubule	3p-, 5q+, 14q-
Papillary	Proximal tubule	+7, +17, -Y
Chromophobe	Distal tubules/ cortical collecting duct	Whole arm losses (1, 2, 6, 10, 13, 17, and 21)
Oncocytic	Cortical collecting duct	-1, -14, -Y; rearrangement involving 11q13; or normal karyotype
Collecting duct	Medullary collecting duct	Variable or undetermined
MiTF Translocationa	Undetermined	Gene fusions involving Xp11 (TFE3) or t(6;11) (MALAT1-TFEB)

3. 임상 양상

① Hematuria, flank or abdominal pain and mass

② Fever weight loss, anemia, and varicocele(*특히 좌측).

③ 부종양 증후군: erythrocytosis, hypercalcemia, non-metastatic hepatic dysfunction (Stauffer's syndrome) and acquired dysfirbrinogenemia.

④ 다른 고형 종양에 비해 매우 다양한 임상 양상과 진행 양상을 보임.

4. 진단 방법

① Kidney CT (3 phase) or MRI

② Renal biopsy

③ 필요에 따라 chest CT, brain MRI, bone scan 실시

5. 병기 및 예후

1) TNM Staging

표 8-21. TNM Staging

T	Primary Tumour
TX	Primary tumour cannot be assessed
T0	No evidence of primary tumour
T1 T1a T1b	Tumour 7 cm or less in greatest dimension, limited to the kidney Tumour 4 cm or less Tumour >4 cm but ≤7 cm
T2 T2a T2b	Tumour >7 cm in greatest dimension, limited to the kidney Tumour >7 cm but ≤10 cm Tumours >10 cm, limited to the kidney
T3 T3a T3b T3c	Tumour extends into major veins or perinephric tissues but not into the ipsilateral adrenal gland and not beyond Gerota fascia Tumour grossly extends into the renal vein or its segmental (muscle-containing) branches, or tumour invades perirenal and/or renal sinus fat (peripelvic fat), but not beyond Gerota fascia Tumour grossly extends into the vena cava below diaphragm Tumour grossly extends into vena cava above the diaphragm or invades the wall of the vena cava
T4	Tumour invades beyond Gerota fascia (including contiguous extension into the ipsilateral adrenal gland)
N	Regional Lymph Nodes
NX	Regional lymph nodes cannot be assessed
N0	No regional lymph node metastasis
N1	Metastasis in regional lymph node(s)
M	Distant Metastasis
M0	No distant metastasis
M1	Distant metastasis

pTNM stage grouping			
Stage I	T1	N0	M0
Stage II	T2	N0	M0
Stage III	T3	N0	M0
	T1, T2, T3	N1	M0
Stage IV	T4	Any N	M0
	Any T	Any N	M1

2) 예후

① UISS (UCLA Integrated Staging System)

https://www.mdcalc.com/ucla-integrated-staging-system-uiss-renal-cell-carcinoma-rcc

② MSKCC nomogram

https://www.mskcc.org/nomograms/renal/post_op

③ SSiGN (Stage Size Grade and Necrosis)

https://www.mdcalc.com/ssign-score-renal-cell-carcinoma-rcc

6. 치료

1) Localized Tumors

① Active surveillance

② Radical or partial nephrectomy

비록 신정맥이나 대정맥을 침범하더라도 필요시 cardiopulmonary bypass 등을 고려하여 수술을 통해 완치를 달성할 수 있다. 수술 후 고위험군의 경우 sunitinib 보조 항암치료를 고려할 수 있다. Disease-free survival을 증가시킨 연구 결과는(STRAC study) 있으나 이를 통해 overall survival을 증가시킨다는 증거는 없다. 또한 일부 연구에서는 disease-free survival 증가 마저 보여주지 못했다(ASSURE study).

③ SRM (small renal mass)를 위한 기타 국소치료

Cryoablation, RFA, SBRT

2) Metastatic Disease

① 전이성 신장암의 예후 모델

표 8-22. 전이성 신장암의 예후 모델

Risk factors**	Cut-off point used
Karnofsky performance status	<80%
Time from diagnosis to treatment	<12 months
Haemoglobin	<Lower limit of laboratory reference range
Corrected serum calcium	>10.0 mg/dL (2.4 mmol/L)
Absolute neutrophil count (neutrophilia)	>upper limit of normal
Platelets (thrombocytosis)	>upper limit of normal

*The MSKCC (Motzer) criteria are also widely used in this setting
**Favourable (low) risk, no risk factors; intermediate risk, one or two risk factors; poor (high) risk, three to six risk factors.

International Metastatic RCC Database Consortium (IMDC) risk model (Heng et al. J Clin Oncol 2009;27:5794)

② VEGF 표적 치료 시행 시 예후에 따른 생존율

표 8-23. VEGF 표적 치료 시 예후에 따른 생존율

MDC Model	Patients**		Median OS* (months)	2-y OS (95% CI)**
	n	%		
Favourable	157	18	43.2	75% (65–82%)
Intermediate	440	52	22.5	53% (46–59%)
Poor	252	30	7.8	7% (2–16%)

③ 전이성 신장암에서 신절제술

표 8-24. 불량한 예후 인자 수에 따른 차이

No. of IMDC criteria met	OS in CN(−)	OS in CN(+)	Delta OS	P value
0	Insufficient no. of patients in CN (−)			
1	22.5 (n=72)	30.4 (n=178)	7.9	0.002
2	10.2 (n=143)	20.2 (n=253)	10	<0.001
3	10.0 (n=113)	15.9 (n=106)	5.9	<0.001
4	5.4 (n=103)	6.0 (n=67)	0.6	0.166
5	3.6 (n=36)	2.8 (n=14)	−0.6	0.504
6	Insufficient no. of patients in CN(+)			

No benefit of CN if ≥4 IMDC risk factors
(Heng et al. Eur Urol 2014)

표 8-25. 전이성 신장암에서 신절제술에 따른 위험 예측, MDACC criteria

Laboratory	1) Serum albumin <3 g/dL 2) Serum LDH >1.5 X ULN
Symptoms	3) Symptom due to metastasis (usually brain and bone)
Sites of metastases	1) Liver metastases 2) Retroperitoneal LN metastases 3) Supradiaphragmatic LN metastases
T stage	7) cT3–T4

If ≥4 risk factors → no benefit of CN
(Culp et al. Cnacer 2010)

- CARMENA study

  IMCD intermediate 또는 poor risk 군에서 수니티닙 단독이 신장 절제술 후 수니티닙 치료에 비해 열등하지 않음을 보여준 연구. 많은 문제점을 가진 연구 방법으로 인해 일반적으로 적용하기 어렵다(Mejean et al. N Engl J Med 2018;379).

- SURTIME trial

  신장 절제술을 시행할 경우 신장 절제술 후 수니티닙을 치료하는 군과 수니티닙 치료 후 신장 절제술을 하는 경우 무진행 생존 기간에 있어 차이가 없다. 수니티닙 치료 후 수술한 군에서 통계적으로 유의한 생존 기간의 증가가 있었다. 하지만 조기 종료 등의 문제로 일반적으로 적용하기 어렵다(Bex et al. JAMA Oncol 2019;5:164).

④ Systemic therapy

표 8-26. 신장암의 systemic therapy

Class	Drug	FDA Approval	Doses and Study Summary
Cytokines	HD interleukin-2	1992	Select patients
Antiangiogenic: tyrosine kinase inhibitors	Sorafenib	2005	400 mg bid PO Sorafenib was better than placebo after cytokine failure in ccRCC (Esdudier et al. N Engl J Med 2007)
	Sunitinib	2006	50 mg qd PO 4W-on 2W-off or 2W-on 1W-off Sunitinib was better than Interferon-α as first-line therapy in ccRCC (Motzer et al. N Engl J Med 2007)
	Pazopanib	2009	800 mg qd PO Pazopanib was better than placebo in treatment-naïve and cytokine-treated patients (Sternberg et al. J Clin Oncol 2010) Pazpapnib was similar to sunitinib in treatment-naïve ccRCC (COMPARZ, Motzer et al. N Engl J Med 2013)
	Axitinib	2012	5 mg bid PO with individual titration Axitinib was better than sorafenib in patients who had previously failed cytokine or target agents (AXIS, Rini et al. Lancet 2011)
	Cabozantinib	2016	60 mg qd PO Cabozantinib was better than everolimus in patients with ccRCC failing one or more VEGF-targeted therapy (METEOR, Choueiri, N Engl J Med 2015)
	Lenvatinib	2016	18 (14) mg daily in combination with everolimus 5 mg qd PO Lenvatinib plus everolimus was better than everolimus alone after failure to VEGF targeted therapy (Motzer et al. Lancet Oncol 2015)

표 8-26. 신장암의 systemic therapy(계속)

Class	Drug	FDA Approval	Doses and Study Summary
mTOR inhibitors	Temsirolimus	2007	25 mg IV weekly, high risk patients Temsirolimus was better than interferon-a in patients with modified high-risk features (Hudes, et al. N Engl J Med 2007)
	Everolimus	2009	10 mg qd PO Everolimus was better than placebo in patients who failed VEGF-targeted therapy (RECORD-1, Motzer et al. Lancet 2008;372:449)
Check Point Inhibitors	Nivolumab	2015	3 mg/kg or 240 mg IV every 2 weeks or 480 mg IV every 4 weeks Nivolumab was better than everolimus in patients with ccRCC after failure to VEGF targeted therapy (CheckMate 025, Motzer et al. N Engl J Med 2015)
	Ipilimumab plus Nivolumab	2018	Ipilimumab 1 mg/kg and Nivolumab 3 mg/kg every 3 weeks then nivolumab 3 mg/kg every 2 weeks Ipilimumab plus Nivolumab was better than sunitinib in patients with treatment-naïve ccRCC with intermediate and high risk group (CheckMate 214, Motzer et al. N Engl J Med 2018)
	Pembrolizumab	2019	Pembrolizumab 200 mg IV with axitinib 5 mg bid PO (individual titration) Pembrolizumab plus Axitinib was better than sunitinib in patients with treatment-naïve ccRCC (Keynote 426, Rini et al. N Engl J Med 2019)
	Avelumab	2019	Avelumab 800 mg IV (10 mg/kg, every 2 weeks) with axitinib 5 mg bid PO (individual titration) Avelumab plus Axitinib was better than sunitinib in patients with treatment-naïve ccRCC in terms of PFS (JAVELIN Renal 101, Motzer et al. N Engl J Med 2019)

X 전립선암

1. 임상 단계

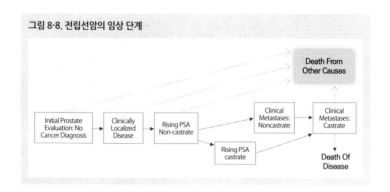

그림 8-8. 전립선암의 임상 단계

2. 진단

1) PSA (prostate-specific antigen)

Complex with alpha1-antichymotrypsin and free PSA

- T1/2 for free PSA, 12-18 hr
- T1/2 for PSA bound form, 1-2 weeks
- PSA should not be detectable about 6 weeks after radical prostatectomy

(1) PSA-based screening

*PSA를 이용한 screening 효과를 극대화 하기 위한 지침

- 검사를 통해 얻을 이익이 없을 환자에게는 검사를 시행하지 말 것.

  예) 75세 이상의 환자를 대상으로 한 PSA 선별 검사 또는 PSA 수치가 1 ng/mL이하인
  환자에서 매년 PSA 추적 검사

- 검사를 통해 진단이 되더라도 치료를 필요로 하지 않는 환자는 치료하지 말 것.
- 치료가 필요하다면 치료 경험이 많은 기관으로 전원할 것.

표 8-27. PSA-based screening

Population	Recommendation	Grade
Men aged 55 to 69 years	For men aged 55 to 69 years, the decision to undergo periodic prostate-specific antigen (PSA)-based screening for prostate cancer should be an individual one. Before deciding whether to be screened, men should have an opportunity to discuss the potential benefits and harms of screening with their clinician and to incorporate their values and preferences in the decision. Screening offers a small potential benefit of reducing the chance of death from prostate cancer in some men. However, many men will experience potential harms of screening, including false-positive results that require additional testing and possible prostate biopsy; overdiagnosis and overtreatment; and treatment complications, such as incontinence and erectile dysfunction. In determining whether this service is appropriate in individual cases, patients and clinicians should consider the balance of benefits and harms on the basis of family history, race/ethnicity, comorbid medical conditions, patient values about the benefits and harms of screening and treatment-specific outcomes, and other health needs. Clinicians should not screen men who do not express a preference for screening.	C
Men 70 years and older	The USPSTF recommends against PSA-based screening for prostate cancer in men 70 years and older.	D

C: The USPSTF recommends selectively offering or providing this service to individual patients based on professional judgment and patient preferences. There is at least moderate certainty that the net benefit is small.
D: The USPSTF recommends against the service. There is moderate or high certainty that the service has no net benefit or that the harms outweigh the benefits.

(2) Risk-Adapted PSA screening: PROBASE approach

Stop PSA screening at age of 60

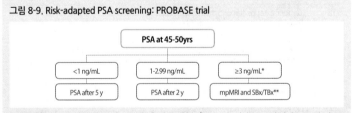

그림 8-9. Risk-adapted PSA screening: PROBASE trial

*repeat PSA in several weeks under standardized conditions(i.e. no ejaculation, manipulations, and urinary tract infections) and confirm; **Systemic biopsy and target biopsy

2) Total PSA/free PSA

Total PSA 수치가 4.0-10.0 ng/mL인 경우

조직 검사에서 암이 발견될 가능성은 %free PSA 수치가 낮을수록 높아진다.

3) 전립선 조직 검사

조직 검사를 위한 일반적 PSA 기준, PSA ≥3 ng/mL

① 이러한 기준을 만족하는 환자 중 대부분은 조직 검사상 암이 발견되지 않는다.

② PSA 수치가 이러한 기준보다 낮은 환자의 상당 수에서 조직 검사상 암세포가 발견될 수 있다.

4) 병리

Histologic Aggressiveness, Gleason Grade 1–5

5) Prostate cancer staging

표 8-28. 전립선암의 병기

T – Primary Tumour (stage based on digital rectal examination [DRE] only)	
TX	Primary tumour cannot be assessed
T0	No evidence of primary tumour
T1	Clinically inapparent tumour that is not palpable
T1a T1b T1c	Tumour incidental histological finding in 5% or less of tissue resected Tumour incidental histological finding in more than 5% of tissue resected Tumour identified by needle biopsy (e.g. because of elevated prostate–specific antigen [PSA])
T2	Tumour that is palpable and confined within the prostate
T2a T2b T2c	Tumour involves one half of one lobe or less Tumour involves more than half of one lobe, but not both lobes Tumour involves both lobes
T3	Tumour extends through the prostatic capsule Extracapsular extension (unilateral or bilateral) Tumour invades seminal vesicle(s)
T4	Tumour is fixed or invades adjacent structures other than seminal vesicles: external sphincter, rectum, levator muscles, and/or pelvic wall
N – Regional (pelvic) Lymph Nodes1	
NX	Regional lymph nodes cannot be assessed
N0	No regional lymph node metastasis
N1	Regional lymph node metastasis
M – Distant Metastasis2	
M0	No distant metastasis
M1	Distant metastasis
M1a M1b M1c	Non–regional lymph node(s) Bone(s) Other site(s)

3. 국소질환의 치료

Active surveillance, radical prostatectomy (RP), radiotherapy (RT) 등 다양한 치료 방법, 치료 방법을 선택하기 전 기대 여명*, 증상, 치료하지 않을 경우 삶의 질과 삶의 양에 미칠 영향, 완치 가능성 등을 고려할 것. PROTECT 연구 결과 active surveillance, RP, RT의 치료 방법에 따라 생존율의 차이가 없었음(Hamdy et al. N Engl J Med 2016;375:1415).

1) 전립선 절제술(Radical prostatectomy)

수술 후 결과는 수술 방법보다는 개개인의 수술자의 역량에 달려있다.

수술 방법에는 Open radical prostatectomy (ORP)와 Robot-assisted radical pros-tatectomy (RARP)이 있다. RARP는 ORP에 비해 출혈량이 적고 입원 기간을 줄일 수 있으나 완치율, 배뇨기능 및 성기능에 있어 유의미한 차이는 없다(Yaxley et al. Lancet 2016;388:1057; Coughlin et al. Lancet 2018;19:1051).

부작용: Incontinence rate, 2-47%, Impotence rates, 25-89%

2) 방사선 치료(Radiotherapy)

External Beam Radiotherapy (EBRT) or Brachytherapy or both.

Combined with concurrent ADT (6 months for intermediate-risk and 18-36 months for high-risk) with or without neoadjuvant ADT

3) 능동적 관찰(Active Surveillance)

Indications: Very Low Risk localized prostate cancer

4. 생화학적 재발(BCR, Non-Castrate Rising PSA), 예후 및 치료

1) 정의

① PSA >0.1-0.2 ng/mL after RP

② Rise in PSA by ≥2 ng/mL than the lowest PSA achieved (Phoenix criteria) after RT

③ Invisible local recurrence or micrometastatic disease or both

2) 예후

Median time to grossly metastatic disease: 8 years (65%, metastasis-free at 5 years)

3) 예후 인자

① Gleason score (of the RP specimen)

② Time to BCR

③ PSA doubling time.

4) 치료

① Salvage radiotherapy

② Androgen Deprivation Therapy

5. 전이성 질환, 호르몬 감수성(non-castrate)

1) 치료

① Androgen Deprivation therapy (ADT): GnRH agonist (leuprolide acetate and goserelin acetate), GnRH antagonist (Degarelix), Surgical castration

② Anti-androgen (bicalutamide)

③ ADT plus docetaxel without prednisone (CHAARTED, STAMPEDE)

④ ADT plus abiraterone with prednisone

⑤ ADT plus enzalutamide

⑥ ADT plus apalutamid

2) Prognostic factors

① Disease extent

② Nadir level of PSA (after 7 months of castration)

표 8-29. Nadir level of PSA and median survival

PSA after 7 months of castration	Median survival
<0.2 ng/mL	75 months
0.2<4 ng/mL	44 month
>4 ng/mL	13 months

6. 전이성 질환, 거세 저항성

① Docetaxel prednisolone

② Cabazitaxel prednisolone

③ Mitoxantrone (12 mg/m^2) prednisone

④ Abiraterone (CYP-17 inhibitor) 1,000 mg with prednisolone 5 mg bid PO

⑤ Enzalutamide 160 mg daily PO

⑥ Ra-223 (α emitter)

⑦ PARP inhibitors (olaparib)

⑧ Bone targeting agents to reduce skeletal-related events (SRE)

Dental consultation before the use of BTA to prevent DRONJ (Drug Related Osteonecrosis of Jaws)

XI 비호지킨 림프종(Non-Hodgkin's Lymphoma)

1. 정의 및 역학

림프종은 림프계를 구성하는 림프구 기원의 악성종양이며 그중 비호지킨 림프종은 림프종 중 가장 흔한 암종으로서, 2016년 기준 국내 암 발생률 11위(2.1%)로 약 5,000명의 신환이 발생하였고 연간 2.3%의 증가율을 보이고 있다.

2. 증상

2/3 이상은 무증상의 림프절 종대를 주소로 내원한다. 그러나 간비장 종대 또는 B 증상(발열, 발한, 체중 감소) 및 기타 다양한 증상 및 이상 소견으로 내원할 수 있다.

3. NHL 분류의 흐름

2016 World Health Organization (WHO) 분류를 따른다.

① B cell vs. T cell

표 8-30. Common NHL in Korea

Subtype	%
Diffuse large B-cell lymphoma (B)	42.7
Extranodal marginal zone B-cell lymphoma (B)	19.0
Peripheral T-cell lymphoma, unspecified (T)	6.3
Extranodal NK/T-cell lymphoma, nasal (T)	6.3
Anaplastic large cell lymphoma (T)	3.1
Follicular lymphoma (B)	2.9
T-cell lymphoblastic lymphoma (T)	2.4
Mantle cell lymphoma (B)	2.4
Burkitt lymphoma (B)	2.0
Angioimmunoblastic T-cell lymphoma (T)	1.7
B-cell lymphoblastic lymphoma (B)	1.6
Small lymphocytic lymphoma/chronic lymphocytic leukemia (B)	1.3
Nodal marginal zone B-cell lymphoma (B)	1.2

	B-cell	T-cell
Aggressive	Burkitt lymphoma Diffuse large B-cell lymphoma Mantle cell lymphoma	Peripheral T-cell lymphoma, unspecified Anaplastic large cell lymphoma T-cell lymphoblastic lymphoma Extranodal NK/T-cell lymphoma
Indolent	Follicular lymphoma Small lymphocytic lymphoma/chronic lymphocytic leukemia Waldenstrom macroglobulinemia/ Lymphoplasmacytic lymphoma Marginal zone B-cell lymphoma	Mycosis Fungoides

(Kim JM et al., The Korean Journal of Pathology 2011; 45: 254-260)

② Indolent vs. Aggressive

표 8-31. International Prognostic Index (IPI)

	항목	기준	점수	
			0	1
1	Age	60세	≤60	>60
2	LDH	정상	정상	증가
3	Performance	ECOG	0-1	>1
4	Stage	I, II vs. III, IV	I, II	III, IV
5	Extranodal disease	유무	0, 1	>1

표 8-32. International Prognostic Index (IPI)에 따른 NHL의 예후

Risk category	Number of risk factors	5-year overall survival rate
Low (L)	0-1	73%
Low-intermediate (L-I)	2	51%
High-intermediate (H-I)	3	43%
High (H)	4-5	26%

(Shipp et al., New England Journal of Medicine 1993; 329:987-9)
cf) Age-adjusted IPI (AAIPI) : LDH/ECOG PS/Stage로 평가 L/L-I/H-I/H 0/1/2/3

4. NHL의 work-up & staging

① NHL 진단을 위해 excisional biopsy를 권장(FNA 또는 core needle biopsy 생검만으로는 일반적으로 림프종의 초기 진단에 적합하지 않음)

② 종양을 대표하는 파라핀 블록이 하나 이상 있는 모든 슬라이드에 대한 혈액병리학 검토

③ 적절한 진단을 위하여는 immunophenotyping이 필요함

④ Non-diagnostic한 경우 rebiopsy

표 8-33. NHL의 work-up

Diagnostic work up	
• Neck CT, Chest CT, Abdomen & pelvis CT • Torso PET • Bone marrow asp & Bx (unilateral)	• Physical examination: Pay attention to node-bearing areas (especially Waldeyer's ring) and to size of liver and spleen. • Performance Status • B Symptoms

Baseline work up	
• Routine CBC + ESR + Reticulocyte (perform CBC + Reticulocyte on the same day of bone marrow asp & Bx) • Chemical battery • Coagulation battery • D-dimer • Na, K, Cl • LDH • Ferritin • β2-microglobulin • 25-OH-Vitamin D2+3	• Chest PA & Lat • EKG • PreOP-Echo (or MUGA) • PFT & DLCo • HBsAg & HBsAb • HBcAb IgG: if (+), HBV-DNA (Follow-up every cycle) • HIV Ag & Ab • Anti-HCV • UA with micro • EBV quantitative PCR (blood) • Serum free light chain ratio

Additional work up and management in selected cases

• Lumbar puncture
  → Burkitt lymphoma, lymphoblastic lymphoma, HIV-associated lymphoma, intravascular DLBCL, primary CNS lymphoma
  → DLBCL with one of the following features
    1) Double hit (chromosomal translocations involving MYC and BCL2 and/or BCL6 genes)
    2) Double expressor (IHC: MYC ≥40% & BCL2 ≥50%) with IPI score of ≥2
    3) Location: paranasal sinus, breast, testicular, epidural
    4) CNS IPI score of 4-6
• Primary CNS lymphoma → Slit lamp exam (OPH), whole brain PET/CT
• Gastric MALToma → EUS
• Intravascular DLBCL → Brain MRI and CSF study
• Mantle cell lymphoma → EGD/Colonoscopy
• CNS IPI 4-6 → Brain MRI and CSF study
• Waldenstrom macroglobulinemia/Lymphoplasmacytic lymphoma → 혈액점도검사
• Anti-HBc(+)로서 Rituximab포함요법을 투여하는 환자는 치료 종료 후 12개월까지 entecavir 0.5 mg qd
• OBY consult: Chemotherapy 예정으로 미혼이거나 자녀계획이 있는 남성(sperm banking), 여성(ovary protection)

Restaging
• After 2-3 cycles of initial chemotherapy, repeat all positive studies. • At completion of treatment, repeat all positive studies → If residual disease (+), rebiopsy

5. Stage

표 8-34. NHL의 병기

Stage	Involvement	Extranodal Status
Limited		
Stage I	One node or group of adjacent nodes	Single extranodal lesion without nodal involvement
Stage II	Two or more nodal groups on the same side of the diaphragm	Stage I or II by nodal extent with limited, contiguous extranodal involvement
Bulky stage II	II as above with "bulky" disease	Not applicable
Advanced		
Stage III	Nodes on both sides of the diaphragm; Nodes above the diaphragm with spleen involvement	Not applicable
Stage IV	Additional non-contiguous extranodal involvement	

(Cheson et al., Journal of Clinical Oncology 2014;32:3059)

6. Treatment

1) First-line treatment

① DLBCL

- DLBCL, NOS: R-CHOP

- Double-hit lymphoma: DA-EPOCH-R

② Primary mediastinal B-cell lymphoma: DA-EPOCH-R or R-CHOP+RT

③ Burkitt lymphoma: DA-EPOCH-R, R-Hyper-CVAD

④ Mantle cell lymphoma: B-R, R-CHOP/HD-ARAC, VR-CAP

⑤ Primary CNS lymphoma: (R)-MPV

⑥ Follicular lymphoma

- Stage I, II: Radiotherapy or watchful wait

- Stage III, IV → Grade 1-3A: B-R or R-CHOP followed by rituximab maintenance
     → Grade 3B: R-CHOP followed by rituximab maintenance

⑦ Extranodal NK/T cell lymphoma: CCRT and VIDL for localized disease and SMILE, VIDL for advanced stage disease

⑧ Gastric MALToma: H. pylori eradication

2) Salvage treatment

(R)-ICE, (R)-DHAP, ESHAP, GDP, B-R, lenalidomide 등을 상황에 맞게 시행한다.

XII 호지킨 림프종(Hodgkin's Lymphoma)

1. 정의 및 역학

Reed-Sternberg cells을 가지는 림프종(CD15+, CD30+)으로 2016년 기준 약 300명의 신환이 발생하였고 연간 4.3%의 증가율을 보이고 있다.

2. 증상

주로는 림프절 종대를 주소로 내원한다.

3. 진단

NHL의 진단 참조

4. HL의 치료

1) First-line treatment
① Stage I, II: ABVD 2 or 4 cycles ± RT
② Stage III, IV: ABVD 6 cycles
③ Bulky(≥10 cm) site: ABVD 종료 후 RT를 추가할 수 있다.

2) Salvage treatment
아직까지 first-line treatment에 refractory하거나 relapse하였을 때 정립된 표준 regimen은 없으나, NHL과 유사한 치료전략을 수행할 수 있다. CD30을 표적으로 하는 Ab-drug conjugate인 brentuximab vedotin 또는 anti-PD 치료제인 nivolumab, pembrolizumab 등을 사용할 수 있다.

3) ASCT
1st relapse 후 salvage chemotherapy에 PR이상반응 보일 경우(젊고 전신상태가 양호한 경우) 시행

XIII 다발성 골수종(Multiple myeloma)

1. 정의 및 역학

Plasma cell의 악성종양으로 2016년 기준 국내에서 약 1,500명의 신환이 발생하였고 연간 3.0%의 증가율을 보이고 있다.

2. 증상

다양한 증상이 있다. 빈혈(73%), 골 통증(58%), 신기능 감소(48%), 피로감(32%), 고칼슘혈증(28%), 체중감소(24%)

3. 진단기준 아래 두 가지를 모두 만족해야 한다

1) Clonal bone marrow plasma cells ≥10% or biopsy-proven bony or extra-medullary plasmacytoma

2) 다음 중 하나 이상의 myeloma defining events → SLiM CRAB (Sixty, Light chain, MRI, CRAB)
 (1) Evidence of end organ damage
 ① Hypercalcemia: serum calcium이 정상 상한치보다 1 mg/dL 넘게 상승한 경우 또는 serum calcium이 11 mg/dL를 초과한 경우
 ② Renal insufficiency: CrCl <40 ml/min 또는 serum Cr >2 mg/dL
 ③ Anemia: Hemoglobin이 정상하한치보다 2 g/dL 넘게 감소한 경우 또는 Hemoglobin <10 g/dL
 ④ Bone lesions: one or more osteolytic lesions on skeletal radiography, CT or PET-CT
 (2) 하나 이상의 악성 표지자가 있는 경우
 ① Clonal bone marrow plasma cell percentage ≥60%
 ② Involved: uninvolved serum free light chain (FLC) ratio ≥100(involved free light chain level must be ≥100 mg/L)
 ③ >1 focal lesions on magnetic resonance imaging (MRI) studies (at least 5 mm in size)

4. Essential Labs for Diagnostic Approach

표 8-35. Essential labs for diagnostic approach

Diagnostic work up	

• Bone marrow asp & Bx (unilateral)
  – Cytogenetics
  – FISH, MM panel
• Serum protein EP/IEP
• Urine protein EP/IEP (comment: 24hr urine검
  체에서 검사)
• Serum free light chain ratio
• 24hr urine protein
• 24hr urine creatinine
• 24hr urine Ccr
• Serum β2-microglobulin
• CRP
• IgG/A/M/D/E quantitation
	• MR, Whole body with enhance
	• Whole body PET/CT (F-18 FDG)
	• Bone densitometry (Spine/Femur)
	• Whole body skeletal survey (PET/CT 시행한
	  경우는 안해도 됨)
	  – C-spine open mouth view
	  – Skull routine
	  – C-spine AP, lateral
	  – T-spine AP, lateral
	  – L-S spine AP, lateral
	  – Pelvis AP
	  – Humerus AP, lateral (both)
	  – Femur AP, lateral (both)
	  ※ Plasmacytoma인 경우 Neck/Chest/Abd&Pelvis
	    CT 추가 시행

Baseline work up	

• Routine CBC + Reticulocyte
  (perform CBC + Reticulocyte on the same day
  of bone marrow asp & Bx)
• Chemical battery
• Na, K, Cl
• LDH, phosphorous
• UA with micro
• Ferritin
• 25-OH-Vitamin D2+3
	• EKG
	• PreOP-Echo (or MUGA)
	• PFT & DLCo
	• Dental consult: baseline evaluation
	• HBsAg & HBsAb
	• HBcAb IgG
	• Blood viscosity test

Additional work up in Amyloidosis	
• Factor X • NT-proBNP • Troponin-I • TSH • free T4 • Cortisol	• US, liver (or US, abdomen) • Bone SPECT/CT (comment: 시행부위 heart) • EGD with random biopsy • CFS with random biopsy • DER consult: Abdominal fat pad aspiration & biopsy
Additional work up in POEMS	
• VEGF • NCV (상하지, 양측) • Neck/Chest/Abd & Pelvis CT • Fasting glucose, HbA1c • TSH, free T4	• PTH • Rapid ACTH stimulation test with cortisol/ aldosterone (0, 30, 60 mins) • Male: testosterone • Female: estradiol, prolactin, LH, FSH

5. Staging

표 8-36. International Staging System (ISS)

Stage	Criteria	Median overall survival (months)
I	$\beta2M$ <3.5 mg/L albumin ≥3.5 g/dL	62
II	Not stage I or III	44
III	$\beta2M$ ≥5.5 mg/L	29

(Greipp et al., Journal of Clinical Oncology 2005; 23(15):3412-20)

Revised-ISS

Stage	Criteria	Median overall survival (months)
I	ISS stage I and standard-risk CA by iFISH* and normal LDH	Not reached
II	Not R-ISS stage I or III	83
III	ISS stage III and either high-risk CA by iFISH* or high LDH	43

(Palumbo et al., Journal of Clinical Oncology 2015;33(26):2863-9)
*Chromosomal abnormality (CA) by interphase fluorescent in situ hybridization (iFISH)
 – High risk: Presence of del(17p) and/or translocation t(4;14) and/or translocation t(14;16)
 – Low risk: No high-risk CA

6. Treatment approach in AMC

1) Chemotherapy

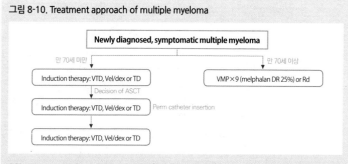

그림 8-10. Treatment approach of multiple myeloma

Newly diagnosed, symptomatic multiple myeloma

만 70세 미만 → Induction therapy: VTD, Vel/dex or TD
↓ Decision of ASCT
Induction therapy: VTD, Vel/dex or TD   Perm catheter insertion
↓
Induction therapy: VTD, Vel/dex or TD

만 70세 이상 → VMP×9 (melphalan DR 25%) or Rd

⊙ Vascular access → Perm. Catheter insertion (투여 약물에 따라 변경)
⊙ Bone (+) case: Pamidronate at 1st cycle and then zolendronic acid from 2nd cycle, CALDUP 1T qd po
　　　　　Appropriate pain control

XIV 암성 통증 관리

의료인은 통증을 제 5의 활력징후로 인식하여 정기적으로 평가하고 의무기록에 기록해야 하며, 심한 통증은 응급상황에 준하여 적절하게 관리해야 한다. 조절되지 않는 통증은 환자의 활동감소, 식욕저하, 수면방해 등을 일으키며 환자의 삶의 질을 저하시킨다. 따라서 환자나 그 가족에게도 통증은 효과적으로 조절할 수 있음을 인지시키고 적절한 조절 방법을 교육하는 것이 중요하다.

1. 암성 통증 개요

① 암환자의 통증은 직접적인 암에 의한 경우 70-80%(뼈 전이, 복막전이 등), 암 치료에 의해 생기는 경우 15-25%(항암제 관련 말초신경병증, 방사선 치료 관련 점막염 등), 암과 무관하게 생기는 경우 5%(관절염, 추간판탈출 관련 통증 등) 보고되고 있다.

② 암환자는 신체적 통증 이외에서 심리적, 사회적, 영적 문제로 인한 고통을 함께 느낄 수 있어 전인적인 관점에서 돌봄을 제공해야 하며, 조절되지 않는 통증에 대해서는 다학제적 접근을 추천한다(마취통증의학과, 정신과, 재활의학과, 사회복지사, 영적지도자 등).

③ 암성 통증은 의료용 마약성 진통제의 사용으로 90% 이상이 조절될 수 있다. 마약성 진통제 내성에 의해 요구량이 증가할 수 있지만, 이는 생리적인 현상일 수 있으며, 암환자에서 중독의 발생은 매우 드물다. 진통제 증량의 주요 원인은 대부분 질병의 악화인 경우가 많다.

④ 마약성 진통제를 사용하더라도 암 치료에는 나쁜 영향을 주지 않으며, 암환자의 생존기간이 증가한 보고도 있다.

2. 암성 통증 종류

표 8-37. 암성 통증의 종류

기간	병태생리		특징
급성 (Acute)	• 암 진단관련 시술, 치료와 관련하여 발생		
만성, 지속성 (Background pain)	• 암 또는 암 치료와 관련하여 만성적으로 지속되는 통증으로 일반적으로 하루동안 12시간 이상 지속 • 지속적 통증 조절 목적으로 서방형 진통제를 일정한 시간간격으로 사용하여 약물이 24시간 내내 일정 혈중농도를 유지하도록 해야 한다.		
	침해수용성 (Nociceptive)		관련 조직의 손상으로부터 발생하는 통증
		Somatic (체성)	통증의 위치가 국한적, 쑤심, 쓰림, 욱신거림, 마약성 진통제 또는 신경 차단에 효과가 좋다 Bone, soft tissue, muscle, pleural pain
		Visceral (내장성)	통증의 위치가 애매 모호함, 침범 구조에 따라서 다양한 증상을 동반한다 Hepatic distension, midline retroperitoneal syndrome, chronic intestinal obstruction, peritoneal carcinomatosis, ureteric obstruction
	Neuropathic (신경병증성)		• 말초 또는 중추성 신경계를 침범할 때 나타나는 증상 • 칼로 베는 듯, 타는 듯, 톡톡 쏘는 양상, 저림, 시림, 무딘 느낌, 자율신경계 증상을 동반하기도 한다 • 침해수용성 통증에 비해 치료가 힘들고 마약성 진통제 효과가 적어 비마약성 진통제, 보조진통제, 신경차단술 등을 함께 사용한다.
		Central (중추성)	Brain metastasis, leptomeningeal metastasis
		Peripheral (말초성)	Painful radiculopathy, brachial plexopathy, chemotherapy induced peripheral neuropathy
돌발성 (Breakthrough pain)	• 지속성 통증이 잘 조절되는 중 갑작스럽게 발생하여 악화되는 양상 • 3분 이내 발생, 30분 미만 지속, 하루 4-6회 발생 특징을 보인다. • 활동감소/식욕저하/수면방해 → 일상생활 지장 → 삶의 질 저하 유발 • 필요할 때마다 속효성 진통제를 사용하도록 처방/교육해야 한다.		

3. 암성 통증 평가(PQRST)

① 위치(Position): 연관통, 방사통 여부
② 성격(Quality): 가급적 환자가 본인의 말로 표현하도록 한다. 침해수용성 통증과 신경병
   증성 통증을 구분하는 것이 중요하다
③ 관련 요인(Relieving or aggravating factor)
④ 강도(Severity): 주로 숫자통증등급(Numeric rating scale. 0-10점) 사용
⑤ 시간(Timing): 급성, 만성, 돌발성 통증 구분

그림 8-11. 암성 통증의 강도 평가

| 0 | 1 | 2 | 3 | 4 | 5 | 6 | 7 | 8 | 9 | 10 |

통증없음

상상할 수 없을 정도로
심한 통증

4. 약물요법의 원칙

① 환자의 동반질환, 통증의 정도에 따라서 진통제 종류, 용량 및 투여 방법을 선택한다.
  • 경한 통증(1-3점)에는 비마약성 진통제를 우선 처방한다.
  • 중등도(4-6점) 이상의 통증에는 마약성 진통제를 처방한다.
  • 통증의 종류에 따라 통증의 정도와 상관없이 보조진통제를 병용하기도 한다(예, 신경병
    증성 통증: anticonvulsant or antidepressant)
② 진통제를 일정한 시간 간격으로 투여하여 혈중농도를 항상 일정하게 유지하면 암성 통증
  의 재발을 예방할 수 있다. 돌발성 통증에 대비하여 속효성 진통제를 미리 처방하여 돌발
  성 통증 발생 시 환자가 사용할 수 있도록 한다.
③ 진통제 투여 후 통증 조절이 잘 되고 있는지 자주 관찰하여 효과를 평가하고, 조절이 부
  족할 경우 처방을 변경해야 한다.
④ 환자와 가족에서 통증 발생시 대처에 대한 교육과 복약 지도를 시행한다.

그림 8-12. 암성 통증 조절 원칙

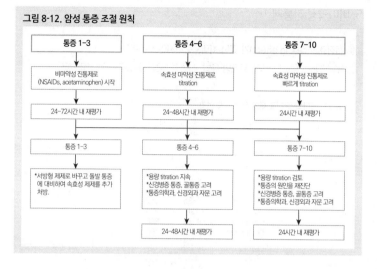

그림 8-13. 중등도 이상의 통증 조절

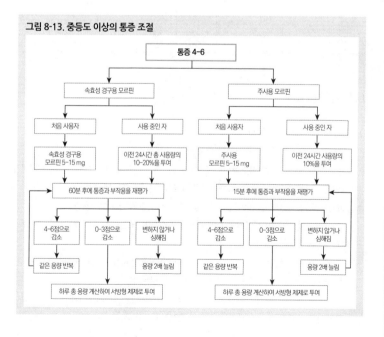

5. 비마약성 진통제

① 천장효과(ceiling effect)가 있어 최대용량까지만 사용한다.

② NSAIDs는 혈소판 억제, 위궤양 유발, 신독성 부작용을 고려하여 선택한다.

표 8-38. 비마약성 진통제의 종류와 투여량

계열	성분명	투여 간격	시작용량 (mg/일)	최대용량 (mg/일)	비고
p-aminophenol derivative	Acetaminophen	4-6h	2,600	4,000	소염작용이 없고, 혈소판 억제 기능 없음
Salicylates	Aspirin	4-6h	2,600	6,000	진통 목적으로 거의 사용 하지 않음
Propionic acids	Ibuprofen Naproxen Fenoprofen Ketoprofen	4-8h 12h 4-6h 6-12h	1,600 500 800 100	3,200 1,500 3,000 300	비교적 적은 부작용
Acetic acids	Indomethacin Sulindac Diclofenac Ketorolac	8-12h 12h 8-12h 4-6h	75 200 75 40	200 400 200 40	소화기 및 중추 신경계 부작용이 많은 편. Sulindac은 신장 장애가 적음.
Selective COX$_2$ inhibitors	Celecoxib	12-24h	200	400	소화기 부작용이 현저히 적고, 혈소판 억제 작용이 없음

6. 마약성 진통제

1) 마약성 진통제 투약 원칙

① 비용효과성 고려하여 경구 → 정맥주사 → 피부 패취 순서로 적용을 고려한다.

② 통증과 부작용 모두를 최소화하는 것을 목표로 하며 진통제 부작용을 면밀히 살피고 필요한 경우 적극적으로 약물을 사용하여 부작용을 조절한다(예, 변비약).

③ 고용량 마약성 진통제 사용이 필요할 경우 한가지 성분의 약제를 사용한다.

④ 간 기능, 신장 기능이 저하된 환자에서는 용량 감량이 필요하며 의식저하, 호흡저하 등의 부작용 발생에 주의 필요하다.

⑤ Meperidine(상품명 Demerol, pethidine)의 반복적인 사용은 대사산물에 의한 중추신경계 부작용을 초래한다. 암성 통증에는 사용하지 않는다.

⑥ Fentanyl 제제는 마약성 진통제를 처음 사용하는 환자에서 적합하지 않다.

⑦ 마약성 진통제를 처음 사용하는 경우 속효성 oxycodone 5 mg 또는 속효성 hydro-morphone 2 mg을 경구 투여하거나 morphine 2-5 mg을 주사 투여를 시도한다.

2) 마약성 진통제 종류

표 8-39. 마약성 진통제의 종류

성분명	제형	비고	상품명
Codeine Dihydrocodeine	경구 속효성 경구 서방형	신기능 저하 시 주의 진해제 목적으로 더 자주 쓰임	Codeine 20 mg Dicode SR 60 mg
Codeine/ ibuprofen/ acetaminophen 복합	경구 속효성	신기능 저하 시 주의 Acetaminophen, ibuprofen 복합제로 하루 최대 12 cap 투여 가능(일반적으로 6 cap 사용)	Mypol cap
Tramadol	주사제 경구 속효성 경구 서방형	Tramadol 성분 최대 400 mg/day μ-opioid receptor agonist & serotonin-norepinephrine reuptake inhibitor TCA/SSRI 병합 투여 시 주의	Tridol inj 50 mg, 100 mg Tridol 50 mg Tridol retard 100 mg, Tramaconti CR 200 mg
Tramadol/ acetaminophen 복합	경구 서방형		Ultracet semi/ultracet ER X-pain 362.5 mg
Tapentadol	경구 속효성 경구 서방형	최대 500 mg/day μ-opioid receptor agonist & norepinephrine reuptake inhibitor	Nucynta IR 50 mg Nucynta ER 50/100/200 mg
Morphine	주사제 경구 서방형	신기능 저하 시 주의 서방형 진통제는 복용 1시간 이후 효과가 나타나고 약제에 따라 8-24시간 지속되며 자르거나	IV morphine sulfate, morphine HCL MSR SR 10 mg, 30 mg
Oxycodone	주사제 경구 속효성 경구 서방형	씹지 않고 삼켜야 함 갑자기 진통제 투약을 중단하면 오한, 열감, 땀분비 증가 등의 증상이 발생할 수 있음	IV oxynorm 10 mg IR codon 5 mg, 10 mg Oxycontin CR 40 mg, 80 mg
Hydromorphone	주사제 경구 속효성 경구 서방형		Dilid inj 2 mg Jurnista IR 2 mg Jurnista SR 4/8/16/32/64 mg
Oxycodone/ naloxone 복합	경구 서방형	신기능 저하 시 주의 Naloxone 복합으로 변비 부작용 감소	Targin 5/2.5, 10/5, 20/10, 40/20, 80/40 mg
Buprenorphine Fentanyl	경피 패취	신기능 저하 시 비교적 안전 경피 패취는 피부를 통해서 서서히 흡수되는 진통제로 최초로 부착한 경우 24-48시간 이상 지나서 효과가 나타나므로 이 기간에는 경구용 진통제 복용이 필요하며, 떼어낸 후에도 약효가 지속됨 통증 부위에 붙일 필요는 없으며 털이 없는 가슴, 등, 위팔에 부착하 고 땀이 많이 나면 효과가 떨어질 수 있음	Norspan patch 5/10/20 mcg/hr Transtec patch 35/52.5/ 70 mcg/hr Durogesic, Matrifen patch 12, 25, 50, 100 mcg/hr
Fentanyl	경점막 속효성 경피 패취		Aciq oral transmucosal tap Abstral sublingual tap Fentora buccal tap Instanyl spary 50/100/200/400/800 mcg

3) 마약성 진통제 종류 변경(Opioid rotation)

① 진통제 종류를 변경하기 전 최근 24시간 동안 사용한 진통제 용량을 계산한다.

② 동등진통용량표(equianalgesic dose table)를 이용하여 morphine equivalent daily dose (MEDD)를 환산한다.

③ 마약성 진통제 사이의 불완전 교차내성(incomplete cross-tolerance)을 고려하여 최근 통증이 잘 조절되던 경우에는 MEDD 25-50%가량 감량하여 변경한다.

④ 최근 통증이 잘 조절되지 않던 경우에는 MEDD 100-125% 정도로 동일하거나 약간 증량하여 변경한다.

⑤ 패취 제형으로 변경하는 경우 흡수 속도를 고려하여 충분한 PRN opioid를 함께 처방한다.

표 8-40. 동등진통용량

Drug	Dose(mg) equianalgesic to 10 mg IV/SC morphine		PO: IV/SC potency ratio	Duration of action
	IV/SC	PO		
Morphine	10	30	3:1	3-4
Hydromorphone	1.5	7.5	5:1	2-3
Oxycodone	10	20	2:1	3-5
Fentanyl*	0.1	–	–	1-3
Tramadol	100	120	1.2:1	4-6
Codeine	–	200	–	3-4

*In single dose: 100 mcg IV fentanyl = 10 mg IV morphine
In chronic administration: 250 mcg IV fentanyl = 10 mg IV morphine

표 8-41. 경피용 패취 동등진통용량

Dose(mg) equianalgesic to 10 mg IV/SC morphine		Oxycodone	Transdermal fentanyl	Transdermal buprenorphine
IV/SC	PO			
20	60	40 mg	25 μg/h	35 μg/h
30	90	60 mg		52.5 μg/h
40	120	80 mg	50 μg/h	70 μg/h
60	180	120 mg	75 μg/h	70+35 μg/h
80	240	160 mg	100 μg/h	140 μg/h

4) 마약성 진통제 부작용 관리

(1) 변비

① 수분, 섬유질 섭취, 운동

② 예방적 변 완화제 사용: MGO, lactulose syrup

③ 위장관 운동 촉진제: metoclopramide, mosapride, prucalopride

④ 좌약, 관장: bisacodyl suppositories

(2) 구역, 구토

① 일반적으로 1-2주 이후 내성이 생겨서 증상이 좋아지며, 1-2주 이상 지속될 경우 다른 원인에 대한 평가를 시행(변비, CNS 병변, 화학요법, 방사선요법, 고칼슘혈증 등)

② Metoclopramide, domperidone, haloperidol 등 사용

③ 증상이 심한 경우 5-HT3 antagonist, neurokinin antagonist, olanzapine 투약을 고려할 수 있음

(3) 진정, 졸림

① 일반적으로 3-5일 지나면 내성이 생기며 1주이상 지속될 경우 제제 변경 고려

② 고령자, 신기능 저하, 간기능 저하 환자일수록 저용량으로 시작하여 증상이 소실되면 소량씩 증량

③ 증상이 심할 경우 CNS stimulant 사용 고려: caffeine, methylphenidate

5) 환각, 섬망

① 투약 초기에 발생하며 과량 투여나 고령자, 뇌 병변이 있는 경우 흔하다.

② 용량 증량 없이 계속 투약하면 수일 이내 소실되는 경향이 있으나 증상이 심하거나 지속되는 경우 다른 원인에 대한 평가(고칼슘혈증, CNS 전이, 수면제 병용) 및 용량 감량, 제제 변경, 보조 진통제 추가 등을 고려

③ 심한 섬망 증상은 Haloperidol, quetiapine 사용하여 조절

6) 호흡억제: 드물지만 심각한 부작용

① 진통제 투여 중단, 기도 확보, 산소 흡입

② 분당 8회 이하 호흡억제 발생, 산소포화도 저하 시 – antidote (naloxone) 투약 고려: naloxone 1 ampule(0.4 mg)을 생리식염수 10 cc에 희석하여 1 cc(0.04 mg)씩 증상이 호전될 때까지 30-60초 간격으로 반복 투여

③ Naloxone 투여 후 심한 금단 현상을 경험할 수 있으므로 주의

7) 배뇨장애

① 증상 조절 목적으로 α-adrenergic antagonist (alfuzosin, doxazosin, tamsulosin, terazosin 등) 추가 고려

② 조절되지 않는 경우 catheter 사용 또는 제제 변경

8) 소양감

① 피부 보습, antihistamine 제제 추가

② 증상이 심한 경우 마약성 진통제 제제 변경

9) 입마름

① 물, 얼음 수시로 섭취, 신맛이 나는 무설탕 캔디 사용

7. 보조 진통제

1) 주진통제의 종류와 관계없이 병용 가능하며 특정한 종류의 통증을 완화하고 마약성 진통제 사용 용량을 줄여 마약성 진통제 부작용 치료를 위해 사용한다.

2) Antidepressant: 신경병증성 통증 조절 목적

① Tricyclic antidepressants (TCA): Amitriptyline 10-25 mg/day, nortriptyline 10-25 mg/day, 수면 전 투약 권고

② Serotonin-norepinephrine reuptake inhibitor (SNRI): duloxetine 30-60 mg/day

3) Anticonvulsant: 신경병증성 통증 조절 목적

① Gabapentin 100 mg q8hours 시작, max 3,600 mg/day

② Pregabalin 75 mg q24hours-12 hours 시작, max 600 mg/day

4) Corticosteroid: 뇌압 상승, 척수신경 압박, 전이성 뼈 통증, 신경 침범에 의한 증상에 효과적

① Dexamethasone: 16-24 mg/day

② Prednisolone: 40-100 mg/day

5) Benzodiazepine: 진통 효과는 없으나 불안증과 통증과 관련된 근육경련 증상에 효과적

① Lorazepam (Ativan): 1-4 mg/day, max 20 mg/day

② Diazepam (Valium): 4-40 mg/day

6) Bisphosphonate: 뼈 전이로 인한 통증 조절, 골절 예방, 고칼슘혈증 조절

① Pamidronate 60-90 mg IV

② Zoledronate 4 mg SQ

7) Receptor activator of NF-kB ligand (RANKL) inhibitor
① Denosumab 120 mg SQ(4주 간격)

8. 기타 치료 방법

1) 완화적 방사선 치료
① 종양으로 인한 통증, 폐쇄, 출혈, 압박 등을 완화시키기 위한 목적으로 방사선 치료를 고려한다.
② 통증 조절은 우선적으로는 진통제로 조절하며, 진통제 반응이 좋지 않거나, 신경압박 또는 골절의 예방, 치료가 필요할 때 방사선 치료를 권장한다.

2) 중재적 통증 조절
① 마약성 진통제 효과가 없거나 부작용이 심한 경우, 시술 부작용 위험이 적으며 시술이 통증에 효과적일 것으로 기대되는 경우 조기 시술을 고려한다.
② 시술 부위 감염, 패혈증, 교정되지 않는 혈액 응고 장애, 기대여명이 아주 짧거나 긴 경우, 암침윤 등에 의한 시술 부위 해부학적 이상 등이 있을 때에는 시술이 적합하지 않다.
③ 신경차단술(neurolytic nerve block)
• 교감신경차단술: 복강신경총 차단술(celiac plexus block). 상하복신경총 차단술(superior hypogastric plexus block), 외톨이 신경절 차단술(ganglion impar block) 등이 있으며 주로 내장성 침해성 통증(visceral nociceptive pain)을 조절한다.
• 체성신경차단술: 시술로 인한 감각, 운동 기능 저하의 위험성이 있어 기대여명이 길지 않은 환자에서 일부 신경 분절에 국한된 심한 통증을 호소할 때 고려한다.
④ 척추 약물 주입술(spinal infusion technique): 진통제 정맥 주입에 비하여 부작용의 발생이 적으면서 효과적으로 마약성 진통제를 척수강(intrathecal) 또는 경막외강(epidural)에 주입하여 통증을 조절할 수 있다. 전신 투약에 비하여 매우 소량의 마약성 진통제를 투여하기 때문에 마약성 진통제 부작용이 비교적 적다. 약물치료에 반응하지 않으면서 마약성 진통제 부작용이 심해 진통제를 증량할 수 없는 경우 사용한다.
⑤ 척수강내 모르핀 펌프(intrathecal morphine pump): 체내 이식형 펌프를 사용하여 척수강내 모르핀을 주입하는 방법으로 감염의 위험을 감소시키며 효과적으로 척수강내 마약성 진통제 주입이 가능하다. 비교적 장시간 사용이 가능한 장점이 있지만 고비용이다.

XV 오심과 구토 관리

암 환자에서 오심과 구토관리에서 가장 중요한 것은 오심과 구토가 발생하기 전 미리 예방하는 것이다. 암환자에서는 항암제치료 이외에도 오심, 구토가 발생할 수 있는 다양한 원인이 있으므로 항상 감별해야 한다.

1. 오심 구토의 원인

1) Chemical cause
- Drugs: opiates, digoxin, anticonvulsant, antibiotics, SSRIs, iron
- Toxic materials: ischemic bowel, infection, tumor products
- Metabolic factors: 신부전, 간부전, 고칼슘혈증, 저나트륨혈증

2) Delayed gastric emptying
종양침착, 당뇨, 약물(마약성 진통제, 항우울제, 항암제 등), 복수, 간비장 비대, 자율신경 기능 저하

3) Visceral problems
복막 암종증, 장관 폐쇄, 위염, 장염, 대변 막힘

4) Cerebral factors
뇌압상승, 뇌막전이, 심한 불안

5) Vestibular factors
멀미, 미로 병변(labyrinthine disorder)

2. 항구토제 종류

표 8-42. 항구토제의 종류

	Drug name	Mechanism	Side effect
Neurokinin (NK) 1 receptor antagonist	Aprepitant Fosaprepitant Rolapitant Netupitant	Antagonism of NK1 receptors in the GI tract and VC, the binding sites of tachykinin substance P	Fatigue, hiccups, constipation, anorexia, headache
5-HT3 receptor antagonist	Ondansetron Granisetron Ramosetron Palonosetron	Antagonism of 5-HT3 receptors located in vagal afferents, solitary tract nucleus of the vagus nerve, and CTZ of area postrema	Headache, constipation, liver enzyme ↑
Corticosteroid	Dexamethasone	Reduction of peritumoral inflammation and prostaglandin production	Numerous, but especially: hyperglycemia, epigastric burning, sleep disturbance
Benzamine analogs	Metoclopramide	Antagonizes central and peripheral D2 receptor At high dose acts as 5-HT3 receptor antagonist	Sedation, extrapyramidal reaction
Antihistamine	Diphenhydramine	Antagonize H1 and Achm	Sedation, dry mouth, urinary retension
Antipsychotics	Haloperidol	Antagonizes D2 receptor (CTZ)	Sedation, EPS, QT prolongation
	Olanzapine	Blocks D2, 5-HT3, Achm, H1 receptor	Sedation, akathisia, dizziness, tremor, hyperglycemia
Benzodiazepines	Lorazepam	Adjuvant therapy for antianxiety effects Useful for anticipatory emesis	Sedation, dizziness, asthenia, falls
Anticholinergics	Scopolamine Hyoscyamine	Antagonizes Achm	Dizziness, blurred vision, sedation, somnolence, malaise, appetite ↑, dry mouth, constipation,
Antidepressant	Mirtazapine	Antagonizes 5-HT3 receptor of GI tract, CTZ and VC	Appetite ↑, weight ↑, glucose ↑, sedation, seizure threshold ↓, serum lipid ↑

Abbreviation: VC, vomiting center; CTZ, chemoreceptor trigger zone; D2, dopamine 2; H1, Histamine 1; Achm, acetylcholine; H1, histamine 1

3. 항암제 유발 오심, 구토(Chemotherapy induced nausea and vomiting, CINV)의 조절

1) 항암제의 오심, 구토 유발 위험도

① 항암제 투여 후 오심, 구토가 발생하는 빈도에 따라서 개별 항암제의 오심 유발 위험도를 구분할 수 있다.

② 각각 고위험/중위험/저위험/최소 위험 구토 유발 항암요법(high/moderate/low/minimal emetogenic chemotherapy)으로 구분하며 항암제를 투여 했을 때 구토 발생의 위험도는 >90%, 30-90%, 10-30%, <10% 이다.

2) 발생 시기에 따른 CINV 종류

① Acute: 항암제 투약 24시간 이내 발생

② Delayed: 항암제 투약 24시간 이후 발생, 수일간 지속 가능

③ Anticipatory: 항암제와 관련된 다른 요인(냄새, 맛, 불안 등)에 의해서 유발

3) 항암제의 구토 유발 위험도에 따른 예방적 항구토제 투여

표 8-43. 항암제의 구토 유발 위험도에 따른 예방적 항구토제 투여

Risk	Medications	
	Day 1 (for acute emesis)	**Day 2-4 (for delayed emesis)**
HEC (>90%)	Aprepitant 125 mg PO or 130 mg IV + 5-HT3 antagonist + dexamethasone 10-12 mg PO/IV	Aprepitant 80 mg PO daily on days 2,3 (only for patients who used aprepitant 125 mg PO given days 1)) + Dexamethasone 8mg daily on days 2,3,4
	Netupiant 300 mg/palonosetron 0.5 mg PO + dexamethasone 10-12mg	Dexamethasone 8 mg daily on days 2,3
	Olanzapine 5-10 mg PO + palonosetron 0.25 mg IV + dexamethasone 10-12 mg IV	Olanzapine 5-10 mg PO daily on days 2,3,4
	Olanzapine 5-10 mg PO + NK1 receptor antagonist + 5-HT3 antagonist + dexamethasone 10-12 mg IV	Olanzapine 5-10 mg PO daily on days 2,3,4 Aprepitant 80mg PO daily on days 2,3 (only for patients who used aprepitant 125 mg PO given days 1)) + Dexamethasone 8mg daily on days 2,3,4
MEC (30-90%)	• 5-HT3 antagonist + steroid (category 1) ± NK1 antagonist • Netupiant 300mg/palonosetron0.5mg PO + dexamethasone 10-12mg • Olanzipine 10mg + palonosetron 0.25mg IV + dexamethasone 10-12mg IV	• If no NK1 antagonist given on day 1 - 5-HT3 antagonist or steroid monothera-py on days 2,3 • If NK2 antagonist given on day 1 - Aprepitant 80 mg PO ± Dexamethasone 8 mg on days 2,3 • ± dexamethasone 8 mg on days 2,3 • Olanzapine 10 mg PO daily on days 2,3,4

Abbreviation: HEC, high emetogenic chemotherapy; MEC, moderate emetogenic chemotherapy

4) 항암제 투약 환자에서 돌발성(Breakthrough) 오심, 구토 조절

돌발성 CINV 조절 원칙은 현재 사용하는 약제와 계열이 다른 약제를 추가하여 조절하는 것이다.

표 8-44. 항암제 투약 환자에서의 돌발성 오심 및 구토 조절

Drugs	Response		Subsequent cycles
Atypical antipsychotics • Olanzapine 5-10 mg PO daily **Benzodiazepine** • Lorazepam 0.5-2 mg PO/SL/IV q 6hrs **5-HT3 antagonists** • Granisetron 1-2 mg PO daily or 1mg PO bid or 0.01 mg/kg IV daily or 3.1 mg/24h transdermal patch every 7 days • Ondansetron 16 mg PO/IV daily **Steroid** • Dexamethasone 10-12 mg PO/IV daily **Others** • Haloperdol 0.5-2 mg PO/IV q4-6 hrs • Metoclopramide 10-20 mg PO/IV q 4-6hrs • Scopolamine transdermal patch q72 hrs	Controlled	효과가 있었던 약제를 PRN이 아니라 정규로 투약	다음 항암제 시행 시에는 예방적 항구토제를 더 높은 단계로 사용 고려(예, MEC 예방 regimen → HEC 예방 regimen)
	Uncontrolled	약물 용량을 증량해보거나 다른 계열의 항구토제를 추가	

4. 방사선 치료 유발 오심, 구토 조절

① Total body irradiation (TBI)의 경우 emesis가 가장 심하며 그 외의 부위 중에는 upper abdominal radiation의 경우 오심, 구토가 심할 수 있다.

② TBI나 upper abdomen/localized sites radiation 하는 경우 방사선 치료 당일, 치료 전 5-HT3 antagonist (Granisetron 2mg PO q24hr or Ondansetron 8mg PO q12hr) ± dexamethasone 4mg PO q124r로 예방할 수 있다.

③ 항암방사선 동시요법의 경우 CINV 예방적 항구토제 투여 원칙에 따른다.

XV 종양학에서의 응급질환

종양학적 응급질환은 암의 진단 당시부터 말기까지 어떤 순간에도 발생할 수 있다. 일부 질환은 암의 치료와 연관되어 있기도 하지만, 암에 대한 적극적인 치료를 하고 있지 않는 순간에도 발생할 수도 있다. 그래서 환자의 암병력을 잘 파악하고 그와 연관되어서 발생할 수 있는 합병증을 항상 고려하는 것이 가장 중요하다. 종양학적 응급질환을 신속하게 파악하고, 적절한 대처를 함으로써 환자의 삶의 질을 향상시킬 뿐만 아니라 생존을 연장시킬 수도 있다.

1. Metabolic Emergencies

1) Hypercalcemia

암환자의 약 1/3에서 평생 동안 한번은 경험하게 되는 아주 흔한 상황

유방암, 폐암, 신장암, 다발성 골수종, 림프종에서 흔하게 관찰된다.

(1) 원인

① Parathyroid hormone-related peptide (PTHrP)가 종양세포에서 분비되어서 발생하는 것으로 약 80% 정도를 차지한다(골전이가 없는 상황에서도 발생할 수 있다.).

② 골전이가 있는 종양에서 osteoclast에 의한 골흡수 증가로 발생

(2) 증상 및 진단

① 암환자에서 다뇨, 식욕저하, 구토, 의식변화등의 증상과 함께 혈중 칼슘 농도가 높으면 진단 가능하다.

② 절대적인 수치 보다는 칼슘의 증가 속도가 증상을 좌우한다.

③ Ionized calcium 수치가 hypercalcemia를 진단하는데 중요하다.

④ 만약, 이에 대한 처방이 없는 상태라면 corrected serum Ca을 확인하는 것이 필요

- Corrected serum Ca^+ = measured Ca^+ 0.8 (4.0-measured albumin)
- PTH, PTH-rP는 필수로 확인한다.

(3) 치료

표 8-45. 고칼슘혈증의 치료

약제	용량	주의점
생리식염수 (가장 중요, 가장 먼저 시행한다)	300-500 cc/hr	심부전 환자에서 주의하여 사용
Furosemide (Lasix)	20-40 mg IV, every 12-24 hr	충분한 수액 투여 후에만 사용
Pamidronate	60-90 mg IV	신기능에 따라 용량 조절
Zoledronate	4 mg IV	신기능에 따라 용량 조절
Calcitonin	4-8 IU/kg SQ or IV every 12 hr	

약제에 반응이 없는 경우 응급 혈액투석을 고려할 수도 있다.

2) Hypoglycemia

(1) 원인

Insulin-like substance 생성의 종양이나 glycogen 저장의 이상 혹은 gluconeogenesis 의 이상이 있는 종양에서 생길 수 있다.

(2) 증상 및 진단

의식변화, 경련, 빈맥, 발한 등의 증상 발생

Serum glucose <40-50 mg/dL

(3) 치료

① 50% dextrose solution - 50 cc rapid IV

Continuous infusion: 20% glucose sol. continuous IV (50-150 cc/h) q 3-4h

S-glucose f/u 해서 60 이상이 유지되도록

② Glucagon: 1 mg IM

3) Tumor lysis syndrome

항암치료의 효과로 종양세포가 파괴되어 hyperkalemia, hyperuricemia, hyperphos-phatemia가 발생하고, 이로 인해서 심장이나 신장, CNS에 영향을 주는 매우 위험한 상황이다. 주로는 항암치료 시작한 후 수 시간에서 수 일 내에 발생한다. 항상 Hematologic malignancy의 항암치료 시작 첫 날이 매우 중요하다.

(1) 증상

① Leukemia 혹은 Burkitt lymphoma에서 흔하게 발생한다.

② 신부전, 부정맥, 경련 중 하나라도 발생하는 경우에는 초응급 상황이다.

(2) 예방(발생하지 않도록 예방하는 것이 필수적)

① Aggressive fluid hydration(normal saline, 2-3 L/m² daily), urine alkalinization은 더 이상 추천되지 않음.

② Allopurinol 300 mg qd, 항암 치료 1-2일 전 시작하여 K, P, uric acid, LDH 등의 수치 가 안정화된 뒤 3-7일 후 중단

(3) 치료: 적극적으로 투석을 고려한다.

① Massive hydration: normal saline hydration: 120-160 cc/hr + iv lasix

② Allopurinol 400 mg bid

③ Phosphorus and potassium binder PO

④ Rasburicase: tumor lysis syndrome 발생시 0.2 mg/kg IV 투여 고려

2. Cardiovascular Emergencies

1) Pericardial Effusion and Cardiac Tamponade

(1) 원인

악성 종양(환자의 50%), 방사선 조사, 약물, 갑상선 기능 저하증, 감염, 자가면역질환, 원인 불명

(2) 진단

대부분 무증상인 경우가 많으나 악성종양 환자가 흉통, 기침, 호흡곤란과 심부전 증상을 보이면 일단 의심해 본다 → Chest X-ray, EKG, TTE(가장 유용)

(3) 치료

① 급성 pericardial tamponade이면 pericardiocentesis 시행

② 응급이 아니라면 조직검사를 위해서 window op 고려

③ 반복 발생할 경우 repeated pericardiocentesis 또는 window op 고려

④ 수일간의 prolonged pericardial catheter 유치로 약 70-80%에서 재발 방지 효과가 있으며, 20-30 ml/24h 이하로 배액 될 때까지 유치 후 제거 고려

2) Superior Vena Cava Syndrome

(1) 정의 및 임상 양상

① 두부, 경부, 상지의 정맥혈 순환의 심한 감소로 SVC obstruction이 생길 때 나타나는 임상적 현상

② 90% 이상이 악성종양이 원인이 되며(most common: lung cancer) 그외 양성종양, aortic aneurysm 등이 원인이 될 수 있다.

(2) 진단

① CXR: mediastinal widening 소견을 확인하며 정상소견일 수도 있다.

② 병변은 주로 오른쪽에 생기는 경우가 많고 25% 정도에서 흉수를 동반한다.

③ CT: MRI보다 유용하며 mediastinum 구조를 보는데 가장 좋다.

④ Invasive procedure: BFS, PCNB, mediastinoscopy, thoracotomy

⑤ SVC syndrome 환자에게 있어서 이전에 암으로 진단된 환자가 아니라면 응급상황이 아닌 경우에 steroid나 방사선치료 전에 조직검사와 같은 진단을 위한 노력을 해야 한다.

(3) 치료

SVC syndrome의 치료는 기도폐쇄 등의 응급상황이라면 steroid 사용하고 방사선 치료를 시행할 수 있으며, 그 외 진단이 확실하지 않은 경우에는 진단적 검사에 주의를 기울여야 한다.

① 대증적 치료: 산소 공급, head elevation, 이뇨제 사용

② Steroid (dexamethasone 10 mg IV loading → 5 mg q6h)

③ 방사선 치료(NSCLC, solid tumor): 3,000-5,000 cGy → 3-7일내 호전

④ 항암 치료: SCLCa, lymphoma

⑤ Intravascular self-expanding stent insertion으로 증상을 완화시킬 수 있다.

3. Infectious Emergencies

1) Febrile neutropenia

(1) 정의: 다음의 두 가지 경우를 만족하는 경우

① Fever: 구강 체온 38.3°C 이상 혹은 38°C 이상의 체온이 1시간 이상 유지

② Neutropenia

• ANC <500/mm^3

• ANC <1,000/mm^{3}이지만 48시간 이내에 500/mm^3 이하로 감소할 것으로 예상되는 경우

(2) 진단

꼼꼼한 physical examination이 필수적이다. 특히, 통증을 호소하거나 혹은 점막의 손상이 흔한 부위를 잘 관찰해야 한다(digital rectal examination은 금지).

(3) 치료

① 저위험군: 임상적으로 안정적이고 7일 이내에 neutropenia가 호전될 것으로 예상되는 경우 → 경구 항생제(ciprofloxacin+amoxicillin-clavulante)

② 고위험군: 임상적으로 불안정하고, neutropenia가 7일 이상으로 예상되는 경우

- IV piperacillin/tazobactam
- Ceftazidime
- Cefepime
- Carbapenem
- Vancomycin - hypotension, catheter 가지고 있는 환자, severe mucositis, MRSA colonization이 있는 경우에만 제한적으로 사용하고, 혈액배양 검사 음성인 경우에는 중단 고려.

4. Neurologic Emergencies

1) Malignant Spinal Cord Compression

암환자의 약 5-10%에서 발생하며, 폐암, 유방암, 전립선암, 다발성 골수종에서 흔하다. 흉추에서 가장 흔하게 발생한다(약 70%).

(1) 증상

조기 발견이 가장 중요하다.

예후를 결정하는 가장 중요한 인자는 치료 전의 신경학적 상태다.

① Back pain - 90% 이상에서 동반

② Weakness

③ Autonomic dysfunction(배뇨장애, anal tone 저하)

(2) 진단

① 임상 의사의 의심이 가장 중요하다.

암환자에게서 이전에 없던 back pain이 발생하는 경우 항상 spinal cord compression을 고려하자.

② 진단의 gold standard는 Spine MRI (sensitivity = 93%, specificity = 97%, overall accuracy = 95%)

(3) 치료

① 즉시 스테로이드 사용을 고려한다(edema, PGE2, VEGF 감소).

　　IV Dexamethasone 10 mg loading – 5 mg IV every 6 hr

② 단일 병변이거나 척추의 불안정성이 동반된 경우, 그리고 신경학적 증상 발생 48시간 이내라면, 신경외과/정형외과와 적극적으로 수술적 치료에 대해서 상의가 필요하다.

③ 수술이 불가능한 경우라면 응급 방사선 치료 고려

2) Brain metastasis

치료하지 않는 경우 진단 후 평균 1개월로 보고 있으며, 치료에 반응이 있는 경우 3–8개월로 추정한다.

(1) 원인

Lung cancer(가장 흔함), breast cancer, renal cell cancer, colon cancer, melanoma

lung cancer, melanoma는 병변이 여러 개인 경우가 흔함.

Breast cancer, renal cancer, colon cancer는 병변이 하나인 경우가 흔함

(2) 증상

뇌경색과 유사하게 국소적 신경이상을 보이거나 여러 개의 병변인 경우 의식변화, 두통 등을 호소할 수도 있다.

(3) 진단

Contrast-enhance Brain MRI가 선호된다.

뇌출혈이나 뇌수두증이 의심되는 상황에서는 non-enhance brain CT가 좋은 진단 방법

(4) 치료

① Dexamethasone: 10 mg IV bolus → 5 mg q 6h IV

② 수술: 하나의 병변인 경우로서 수술이 가능한 환자가 적응증이 되며 환자의 수명을 증가시킨다(평균 10–12개월).

③ 방사선 치료: whole brain RTx로 2,000–4,000 cGy 가능

④ 항경련제: 경련이 발생한 경우와 수술 예정인 환자의 예방적 사용이 적응증이 되며 수술 계획이 없으며 경련을 하지 않은 사람에게는 예방적으로 사용하지 않는다.

3) Leptomeningeal seeding

(1) 원인

어떤 종양이라도 뇌연수막 전이는 가능

특히 lymphoma. Leukemia (acute>), lung cancer (SCLC>), breast cancer, melanoma 등에서 흔함

(2) 증상: 검사 소견에 비해서 과도한 신경학적 증상을 보임

① Spine: 요통, 사지의 근력 저하, 방광의 기능 소실 등

② Brain: 두통, 경련, 의식 변화 등

③ Cranial nerve: 시력, 청력 저하, 얼굴 감각 이상 등

④ Hydrocephalus 증상

(3) 진단

① Brain MRI, brain CT with myelography

② CSF study – CSF analysis, protein, glucose, cytology, bacterial & fungal culture

③ Cytology의 경우 false negative가 흔하며, 의심되는 경우 반복적 천자가 진단율을 높임

(4) 치료

① Intrathecal chemotherapy: 주 2회 CSF에서 종양세포가 안 보일 때까지 시도

② 항암약제: IT-MTX (max 15 mg), Ara-C (30 mg/m^2), thiotepa (7 mg/m^2)

XVI 말기암 환자의 관리

의학의 발전에 따라서 암환자의 생존률이 향상되었으나 여전히 일부 환자는 치료되지 않는 암으로 말기, 임종기 상황을 맞이하게 된다. 특정 시점을 '말기'로 진단하기는 매우 어렵지만, 그럼에도 불구하고 담당의사는 '말기'로 진단되는 환자가 본인의 건강 상태를 인지하여 향후 치료와 돌봄에 대한 계획을 세울 수 있도록 도와야 한다. 우리나라에서는 2018년 2월 4일부터 호스피스·완화의료 및 임종과정에 있는 환자의 연명의료결정에 관한 법률(이하 연명의료결정법)이 시행되고 있어 내용에 대한 숙지도 중요하다(연명의료결정법 관련 내용은 chapter 13 참조).

그림 8-14. 암환자의 질병 진행 양상

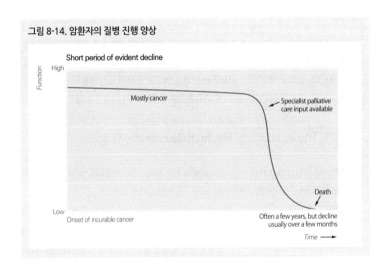

1. 완화의료(Palliative care)와 사전돌봄계획(Advance care planning)

① 완화의료란 삶이 제한된 질환을 가진 환자에서 통증을 포함한 신체적 문제, 정신적 문제, 영적 문제를 조절하여 환자와 가족의 삶의 질을 높이는데 목적을 두고 있는 의학의 한 분야이다.

② 적극적인 치료 중 완화의료 개입을 받은 환자에서 생존률이 증가가 보고됨에 따라서 말기 환자뿐 아니라 암으로 치료 중인 모든 환자에서 완화의료 시행이 권고되고 있으며, 특히 말기로 진행할수록 완화의료의 필요성이 커지게 된다. 암 치료 성적이 향상됨에 따라서

암 유병기간도 길어지고 있어 유병기간 중 환자와 가족의 고통을 줄여 주기 위하여 그 중요성이 더 강조되고 있다.

③ 사전돌봄계획이란, 환자 스스로 의료행위에 대한 결정을 내릴 수 없는 상황을 대비하여 미래의 의료행위를 계획하는 과정이다. 환자가 추후 치료와 돌봄의 목표(goal)와 본인이 선호하는 것(preference)을 정의하여 이를 의료진, 가족과 함께 논의하고 기록한다. 우리나라에서는 연명의료결정법 시행 이후 말기 또는 임종기 환자는 법에 따라서 [연명의료계획서]를 작성하고 있으며 이 과정이 여기에 포함된다.

2. 말기(End of life, end stage of disease)의 정의

① 연명의료 결정법에 따르면 말기는 적극적인 치료에도 불구하고 근원적인 회복의 가능성이 없고 점차 증상이 악화되어 수개월 이내에 사망할 것으로 예상되는 상태를 의미한다.

② 대한의학회에서는 말기암이란, 적극적인 암 치료에도 불구하고 암으로 인하여 수 개월 이내에 사망할 것으로 예상되는 상태 또는 암의 진행으로 인하여 일상생활의 수행 능력이 심각히 저하되고 신체 장기의 기능이 악화되어 회복을 기대하기 어려운 상태로 정의하였다.

3. 임종기(The last days of life, final days of life)의 정의

① 연명의료 결정법에 따르면 임종기는 회생의 가능성이 없고, 치료에도 불구하고 회복되지 아니하며, 급속도로 증상이 악화되어 사망이 임박한 상태를 말한다.

② 대한의학회에서는 임종기를 담당의사의 판단으로 수 일 내지 수 주 내에 환자의 상태가 악화되고 사망이 예상되어 환자와 환자 가족과 임종 돌봄에 관한 논의가 구체적으로 시행되는 시점 또는 담당의사의 판단으로 더 이상 환자가 생존하기 어려워 환자와 환자가족과 연명의료중단 등 결정에 대하여 구체적인 논의하는 시점으로 정의하였다.

4. 말기 환자의 돌봄

① 암환자에서 기능저하는 말기에 가까워지면서 짧은 기간 급격하게 발생하며 일반적으로 이 단계에서 전문 호스피스완화의료 이용을 권유한다.

② 이 단계에서는 갑작스러운 신체 변화에 대해서 충분한 증상 조절이 필요한데 투약 및 시술(완화적 방사선치료, 스텐트 삽입, 신경차단술 등) 등의 시행은 환자의 증상 완화를 목적으로 한다. 말기 환자가 주로 경험하는 신체/정신 증상은 통증, 오심 및 구토, 설사, 변비, 장폐쇄, 복수, 호흡곤란, 불안, 우울, 섬망, 피로, 식욕부진, 림프부종, 욕창 등이 있다.

③ 적극적인 투약, 수혈, 시술 등으로 증상이 완화되지 않을 경우에는 모든 이상 소견에 대해서 교정하지는 않으며 과도한 수혈, 수액 공급, 영양 공급은 부종 유발 또는 복수 증가 등을 유발 가능성도 있어 환자의 증상을 중심으로 치료를 결정하는 것이 중요하다.

④ 충분한 심리적 지지 및 설명을 통하여 환자와 가족이 급작스러운 변화에 적응할 수 있도록 도와주고 환자 돌봄의 연속성이 유지되도록 호스피스 전문기관 또는 가정 간호, 가정 호스피스 등으로 문제없이 연계되는 것이 중요하다.

⑤ 가능한 경우 자문형 호스피스팀의 도움을 요청하는 것을 추천한다.

5. 임종기 환자 돌봄

1) 임종기(Last days): 담당의사는 아래의 항목을 확인한다.
① 소생술시행 계획 확정
② 장기적 합병증 예방을 목적으로 하는 만성질환 조절 약물 중단
③ 증상관리를 목적으로 하는 약물 유지 또는 추가

표 8-46. 임종기 환자 checklist

소생술 계획 수립	유/무
심폐소생술 계획	
인공호흡기 계획	
혈액, 복막 투석 계획	
체외생명유지술 계획	
수혈 시행 계획	
혈압 상승제 투여 계획	
호흡 support 계획- Nasal prong, Simple mask, Reservoir mask, NIPPV, HFNC	항목 선택
만성질환(장기적 합병증을 예방하기 위한) 약물 중단	중단/유지
혈압약	
고지혈증약	
통풍약	
혈액 순환 개선제	
당뇨약(임상 상황에 따라)	
증상관리 약물 유지 또는 추가: 경구 섭취 어려울 경우 정주 전환	확인
진통제	
진해 거담제	
섬망 조절 약물	
스테로이드	
신경안정제	

2) 임종 과정(active dying): 수 일 이내 임종 예측

① Palliative performance scale 20 이하일 때: total bedridden state에서 경구 섭취는 거의 불가능하며 의식은 drowsy or coma±confusion 상태

② 아래는 권고 처방항목으로 환자의 상태에 따라서 modification이 필요하다.

표 8-47. 임종기 권고 처방항목

Recommended the last days of life order	확인
Absolute bed rest	
NPO or SOW, depends on patient Stop per oral medication	
Stop IV TPN (especially impaired liver function, renal function case) IV dextrose 10% 20-40 cc/hr	
Insert foley catheter	
H2 blocker (server organ dysfunction 동반한 경우 사용 안함)	
Continuous morphine IV infusion (1 mg/hr 시작, 반응에 따라서 증량)	
Death rattle(목에서 그렁거리는 소리) - Glycopyrrolate IVS 3 amp continuous infusion or SC 0.2 mg q2-4hrs	
Anxiety or irritability - Lorazepam 0.5-2.0 mg SC, IVS q2-8hrs - Midazolam 5 mg SC, IVS q2-8hrs or 10-30 mg IV per 24hrs - Haloperidol 1-5 mg IM, IVS q4-8hrs(1회 최대 5 mg, 하루 최대 15 mg)	

09

호흡기내과

I 문제지향식 접근

1. 증상

1) 기침(Cough)

(1) 정의

기침은 지속기간에 따라 급성, 아급성 및 만성기침으로 분류한다. 급성기침은 3주 미만, 아급성기침은 3-8주, 만성기침은 8주 이상 지속되는 기침으로 정의한다. 지속기간에 따른 기침의 분류는 원인을 감별하는데 유용하다.

표 9-1. 흉부X선 소견이 정상인 환자에게 고려해야 할 감별 질환

	주요 원인
급성기침(3주 미만)	급성 호흡기 감염 – 바이러스: respiratory syncytial virus, rhinovirus, influenza, parainfluenza, adenovirus, respiratory corona virus, metapneumovirus – 세균 독성 가스 흡인 이물질 흡인
아급성기침(3-8주)	감염후기침 혹은 호흡기 감염
만성기침(8주 이상)	천식, 기침형천식 호산구성기관지염 위식도역류질환, 인후두역류 상기도기침증후군 약물: 안지오텐신전환효소 억제제 기타: 폐종양, 심부전

(2) 급성기침 진단적 접근

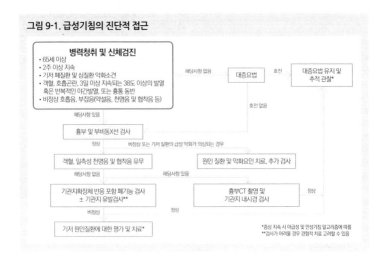

그림 9-1. 급성기침의 진단적 접근

(3) 만성기침 진단적 접근

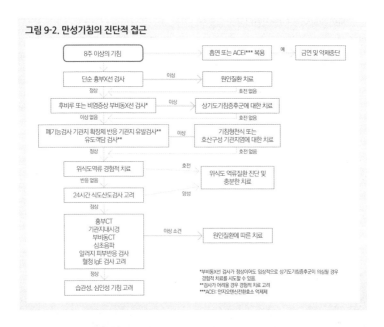

그림 9-2. 만성기침의 진단적 접근

2) 객혈(Hemoptysis)

(1) 분류

객혈은 하기도에서 기원한 출혈이다. 일반적으로 객혈의 양에 따라 소량, 대량 객혈로 분류할 수 있지만 어느 정도의 양을 대량 객혈로 정의하는지는 문헌마다 차이가 있다. 일반적으로 하루에 100-1,000 mL 이상의 출혈을 대량 객혈로 분류하지만 정확한 양보다는 객혈로 인해 환자의 생명이 위험할 수 있는 상황(기도 확보나 혈압, 산소포화도 유지가 되지 않는 상황)의 심각성을 빨리 인지하는 것이 더욱 중요하다.

(2) 주요 원인질환

객혈의 주요 원인에는 폐암, 기관지 확장증, 폐렴, 결핵, 폐농양, 폐국균종 등이 있다. 그 외 폐색전증, 폐동정맥기형, 폐동맥 고혈압, 미만성폐포출혈증후군 등도 감별해야 할 질환이다.

(3) 진단적 검사

① 출혈부위 확인: 상기도 출혈, 위장관 출혈과 객혈을 감별(필요시 위내시경, 비경, 후두경 등의 검사를 진행)

② 출혈의 전신적 소인 여부 확인(약물 복용, 혈액 응고 검사 이상 등)

③ 흉부 CT 촬영

④ 기관지내시경

(4) 치료

① 전반적 처치

기침이 심한 환자의 경우 codeine 등으로 기침을 억제하고 출혈 부위 측 폐를 밑으로 가도록 자세를 취하게 한다. 금기가 없다면 tranexamic acid를 함께 투여하여 지혈을 유도한다. 대량 객혈로 인해 기도 확보가 필요한 경우, 추후 진단적, 치료적 내시경의 가능성까지 고려하여 내경 8 mm 이상의 튜브로 기관 삽관을 시행한다. 특히 출혈이 한쪽 폐에서만 있고 반대쪽 폐로 출혈이 흘러 들어갈 위험이 있는 경우에는 출혈이 없는 쪽의 기관지로 튜브를 넣어 일측폐환기(one lung ventilation)를 시행할 수도 있다.

② 기관지 동맥 조영술 및 색전술

84-100%에서 객혈을 중지하고 환자를 안정시킬 수 있다는 장점이 있으나 색전술 후 조기 재출혈은 5-10%, 6-12개월 내 재발율은 10-30%이다. 기관지 동맥 조영술 시행 이전에 시술에 따른 합병증 발생 위험에 대해서 미리 설명하고 동의를 구해야 한다. 심각한 합병증 중 하나로 척수 경색(spinal cord infarction)이 발생할 수 있는데, spinal artery가 intercostal artery나 bronchial artery에서 분지하는 경우가 드물게 있기 때문이다.

③ 외과적 수술

내과적 치료에 반응이 없는 경우 근본적인 치료 방법이지만, 병변이 국소적으로 존재하는 경우와 폐기능이 양호한 환자에서만 선택적으로 시행할 수 있다.

3) 호흡곤란(Dyspnea)

(1) 호흡곤란의 중등도

표 9-2. 호흡곤란의 중증도 척도

mMRC 호흡곤란점수	호흡곤란 내용
0	힘든 운동을 할 때만 숨이 차다.
1	평지를 빨리 걷거나, 약간 오르막 길을 걸을 때 숨이 차다.
2	평지를 걸을 때 숨이 차서 동년배보다 천천히 걷거나, 자신의 속도로 걸어도 숨이 차서 멈추어 쉬어야 한다.
3	평지를 약 100 m 정도 걷거나, 몇 분동안 걸으면 숨이 차서 멈추어 쉬어야 한다.
4	숨이 너무 차서 집을 나설 수 없거나, 옷을 입거나 벗을 때도 숨이 차다.

(2) 호흡곤란의 진단적 접근

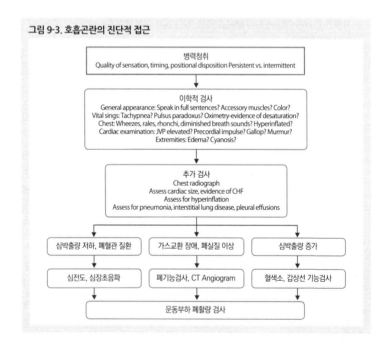

그림 9-3. 호흡곤란의 진단적 접근

병력청취
Quality of sensation, timing, positional disposition Persistent vs. intermittent

이학적 검사
General appearance: Speak in full sentences? Accessory muscles? Color?
Vital sings: Tachypnea? Pulsus paradoxus? Oximetry-evidence of desaturation?
Chest: Wheezes, rales, rhonchi, diminished breath sounds? Hyperinflated?
Cardiac examination: JVP elevated? Precordial impulse? Gallop? Murmur?
Extremities: Edema? Cyanosis?

추가 검사
Chest radiograph
Assess cardiac size, evidence of CHF
Assess for hyperinflation
Assess for pneumonia, interstitial lung disease, pleural effusions

심박출량 저하, 폐혈관 질환	가스교환 장애, 폐실질 이상	심박출량 증가
심전도, 심장초음파	폐기능검사, CT Angiogram	혈색소, 갑상선 기능검사

운동부하 폐활량 검사

(3) 호흡곤란의 검사

① 동맥혈가스분석검사(Arterial blood gas analysis)

② D-dimer

③ 기타 혈액검사: CBC, reticulocyte, eosinophils, free T4, TSH

④ 심장기능 평가: ECG, echocardiography, thallium SPECT, treadmill test, BNP

⑤ 폐기능검사(Pulmonary function test)

⑥ 6분보행검사(6-minute walk test)

⑦ 운동부하폐기능검사(Cardiopulmonary exercise test)

2. 진찰

1) 호흡기 진찰의 순서: 시진 → 촉진 → 타진 → 청진

(1) 시진: 호흡수와 호흡 부속근의 사용 여부, 흉곽의 대칭성 팽창 등을 확인한다.

(2) 촉진: 진동촉감(tactile fremitus)

(3) 타진: resonant/dull/hyperresonant

(4) 청진(표 9-3)

① 폐포 호흡음(vesicular) vs. 기관지호흡음(bronchial)

② Voice transmission (egophony, bronchophony, whispered pectoriloquy)

③ 부잡음(crackles, rhonchi, wheeze)

표 9-3. 질환별 청진 특성

	Percussion	Fremitus	Breath sound	Voice transmission	Adventitious sounds
Normal	resonant	normal	vesicular at lung base	normal	absent
Consolidation or atelectasis with patent airway	dull	increased	bronchial	bronchophony, whispered pectoriloquy, egophony	crackles
Consolidation or atelectasis with blocked airway	dull	decreased	decreased	decreased	absent
Asthma	resonant	normal	vesicular	normal	wheezing
Interstitial lung disease	resonant	normal	vesicular	normal	crackles
Emphysema	hyperresonant	decreased	decreased	decreased	absent or wheezing
Pneumothorax	hyperresonant	decreased	decreased	decreased	absent
Pleural effusion	dull	decreased	decreased	decreased	absent or pleural friction rub

3. 검사

1) 폐기능검사(Pulmonary function test, PFT)
(1) 적응증
① 질환의 진단(천식, 만성폐쇄성폐질환, 간질성 폐렴 등)
② 직업성 요인에 의한 호흡기장애 규명과 장애 판정
③ 질환의 경과관찰과 치료반응 평가
④ 수술 전 평가
(2) 절대 금기증
① 최근 3달 이내에 안과수술, 개심술, 개복술, 뇌졸중, 심장마비, 심근경색증, 기흉, 망막박리, 대동맥류가 있었던 경우
② 과호흡 혹은 최대 노력호흡이 문제가 될 수 있는 질환(모야모야병, 반복 자발기흉)
③ 현재 결핵 등 호흡기감염을 갖고 있는 경우
④ 지난 한달 내 대량 객혈이 있었던 경우
⑤ 수축기 혈압 200 mmHg 초과 혹은 이완기 혈압 140 mmHg 초과
(3) 환기장애의 종류
① 폐쇄 환기장애: 기도 폐쇄로 인해 노력호기 시 최대용적인 FVC 대비 최대 유속이 감소한 것을 의미한다. FEV1/FVC가 0.7 미만인 경우 폐쇄 환기장애가 있다고 해석한다. 대표적인 질환으로는 천식이나 만성폐쇄성폐질환이 있다.
② 제한 환기장애: TLC가 감소하고 FEV_1/FVC가 정상인 것이 특징이다. 폐활량검사에서는 FVC가 감소되는 것으로 나타나며, FEV_1은 FVC 감소로 인해 이차적으로 감소될 수는 있다. 제한 환기장애를 보일 수 있는 질환으로는 폐섬유증, 흉벽 질환 또는 신경-근 질환 등이 있으며 폐실질 질환과 흉벽 질환 및 신경-근 질환을 감별하기 위해서는 폐확산능 검사가 필요하다.
③ 혼합 환기장애: 폐쇄 및 제한 환기장애가 함께 있는 경우로 FEV_1/FVC와 TLC가 모두 감소한다. 혼합 환기장애는 만성폐쇄성폐질환과 폐섬유증이 혼합된 경우, 또는 결핵 후유증으로 인해 섬유흉(fibrothorax)이 있는 경우 등에서 관찰된다.

(4) 폐기능검사 해석

그림 9-4. 폐기능검사의 해석

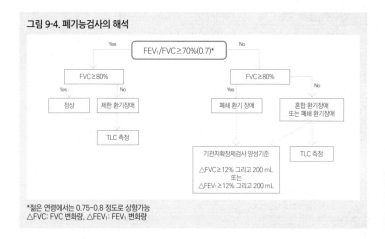

*젊은 연령에서는 0.75-0.8 정도로 상향가능
△FVC: FVC 변화량, △FEV₁: FEV₁ 변화량

(5) 폐확산능 값의 해석

표 9-4. 폐확산능 값의 해석

폐확산능 값	감별 진단
폐확산능 높음	천식, 오른왼쪽단락, 적혈구증가증, 폐출혈
폐확산능 정상, 제한장애	척추후만증, 고도 기만, 신경근육 질환, 흉수
폐확산능 정상, 폐쇄장애	천식, 기관지확장증, 만성기관지염
폐확산능 낮음, 제한장애	석면증, 베릴륨증, 과민폐렴, 특별폐섬유화증, 랑게르한스세포조직구증 (Langerhans cell histiocytosis), 속립결핵, 사르코이드증, 규폐증(후기)
폐확산능 낮음, 폐쇄장애	낭성섬유증, 폐기종, 규폐증(초기)
폐확산능 낮음, 정상폐기능	만성폐색전증, 자가면역질환의 폐침범, 초기 간질성폐질환, 원발 폐고혈압

(6) 기관지유발검사

기도과민성을 진단하기 위한 검사로, 특히 천식을 진단하고 중증도를 평가하는 데 중요하다. 히스타민이나 메타콜린을 이용한 직접 기관지유발검사는 매우 민감하지만 특이도가 낮은 단점이 있다. 반대로 운동, 만니톨, 고장식염수를 사용한 간접 기관지유발검사는 민감도가 낮지만 특이도가 높다.

① 절대적 금기: 중증 기류 제한(FEV$_1$<50%pred. or 1.0 L), 3개월 이내에 심장마비 또는 뇌졸중의 병력, 동맥류가 진단된 경우

② 상대적 금기: 중등도의 기류 제한(FEV$_1$<60%pred.), 천식 급성 악화, 조절되지 않는 고혈압, 임신이나 수유 중인 경우, 약물 치료가 필요한 간질

③ 기도반응성을 감소시키는 인자들

표 9-5. 기도반응성을 감소시키는 인자들

	인자	마지막 투약에서 검사까지 최소 시간 간격
약물	속효 흡입 베타2 항진제(isoproterenol, metaproterenol, albuterol, terbutaline)	8시간
	속효 흡입 항콜린제(ipratropium)	24시간
	지속 흡입 기관지확장제(salmeterol, formeterol, tiotropium)	48시간(tiotropium인 경우는 1주 이상)
	경구 기관지확장제 　중간 지속 테오필린 　지속 테오필린 　경구 베타2 항진제 　지속 경구 베타2 항진제	 24시간 48시간 12시간 24시간
	Cromolyn sodium	8시간
	Nedocromil	48시간
	Hydroxyzine, cetirizine	3일
	Leukotriene modifiers	24시간
	스테로이드(경구 또는 흡입)	작용기간은 알 수 없음. 항염증 효과가 없어 지기 위해서는 수 주간 중단해야 함.
음식물	커피, 차, 콜라, 초콜릿	검사 당일

(7) 6분보행검사

6분 동안 최대한 걸을 수 있는 거리를 측정함으로써 피검자의 운동능력을 평가하는 검사이다. Oxy meter를 착용하고 6분 동안 걸으면서 산소포화도, 맥박을 30초마다 체크하고 총 걸은 거리와 최저 산소 포화도를 측정한다.

① 절대적 금기: 지난 한 달간 불안정 협심증이나 심근경색의 병력이 있는 경우

② 상대적 금기: 안정 시 맥박 120/회 이상이거나 수축기/확장기 혈압이 180/100 이상인 경우

2) 흉부 전산화 단층 촬영(Computed tomography)

(1) 다양한 CT 기법의 선택

① High-resolution CT: 슬라이스 두께를 3 mm 미만으로 촬영하여 high frequency algo-rithm을 사용하여 재구성한 영상화면이다. Partial volume effect가 적고 높은 공간분해기능을 가지기 때문에 해상도가 좋아 미만성 폐질환의 양상과 분포를 파악하는데 유용하다.

② Enhanced CT: mediastinal structure의 관찰이 용이하다.

③ Low-dose CT: 방사선 피폭량이 적다는 장점이 있고, lung cancer screening의 목적으로 사용할 수 있다.

④ Embolism CT: pulmonary embolism의 진단에 높은 sensitivity와 specificity를 가지는 검사로 폐혈관 구조의 관찰에 도움이 된다.

Ⅱ 질환별 접근

1. 만성폐쇄성폐질환(Chronic Obstructive Pulmonary Disease, COPD)

1) 정의와 진단

(1) 정의

완전히 회복되지 않는 기류제한을 특징으로 하는 폐질환으로서 흡연, 직업적 노출, 실내 오염, 감염 등에 의한 기도와 폐 실질의 이상에 의해 발생하며 예방과 치료가 가능하다.

(2) 기전

폐염증으로 폐실질 파괴(폐기종)과 소기도질환이 발생하며 이로 인해 기류제한이 진행됨으로써 호흡곤란과 COPD의 특징적인 증상이 나타난다.

(3) 진단

40세 이상의 성인에서 흡연 등 위험인자에 노출된 적이 있으면서 호흡곤란, 기침, 가래를 만성적으로 동반하는 경우 의심한다. 진단을 위해서는 폐활량 측정이 필요하다.

* 만성폐쇄성폐질환에서의 기류제한은 GOLD guideline에 따라 기관지 확장제 흡입 후 폐 기능 검사에서 FEV_1/FVC ratio가 0.7 이하인 것으로 정의된다.

(4) 분류

폐 기능, 호흡곤란 정도 및 악화력을 평가하여 환자를 분류한다.

① 악화 위험 낮음, 증상 경함. FEV_1 60% 이상이고 지난해 악화가 없었거나 한 번이며, mMRC 0-1(또는 CAT 점수가 10 미만)인 경우이다.

② 악화 위험 낮음, 증상 심함. FEV_1 60% 이상이고 지난해 악화가 없었거나 한 번이며, mMRC 2 이상(또는 CAT 점수가 10 이상)인 경우이다.

③ 악화 위험 높음. mMRC 혹은 CAT 점수와 상관없이 FEV_1 60% 미만에 해당하거나 또는 지난해에 2회 이상 급성악화가 있었거나 입원할 정도로 심한 악화가 1회 이상 있었던 경우이다.

* 악화(=급성악화)는 약제를 추가해야 할 정도로 호흡기증상이 나빠진 급성상태를 의미한다.

* 천식 및 COPD 중복증후군(ACOS, asthma-COPD overlap syndrome): 천식과 COPD의 특성을 모두 갖고 있는 증후군을 말한다. 즉, 천식의 특징인 알레르기 감작, 기도과민성, 가역성 기류제한과 COPD의 특징인 흡연력, 폐기종, 지속적인 기류제한을 함께 갖는 증후군이다. 두 질환은 기도염증이라는 공통된 병태생리를 가지고 있다. 40세 이상, 특히 노인에서는 연령에 따른 폐기능 감소와 기류제한으로 기도질환 환자를 천식과 COPD로 구분하기가 쉽지 않다.

그림 9-5. COPD 종합평가(증상, FEV₁, 악화)

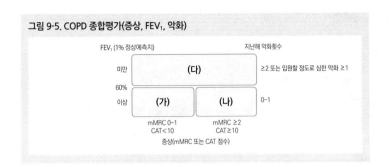

(5) 만성폐쇄성폐질환의 감별진단

표 9-6. 만성폐쇄성폐질환과 감별해야 할 질환

COPD	• 중년기에 시작 • 증상이 느리게 진행 • 장기간의 흡연력 또는 연기에 노출
천식	• 어린 시절에 발병 • 증상이 날마다 변함 • 야간/새벽에 증상 악화 • 알레르기, 비염, 습진 등이 있음 • 천식의 가족력
울혈성 심부전	• 흉부X선 검사로 심장비대, 폐부종 확인 • 폐기능검사에 제한성장애로 나타나며 기류제한이 없음
기관지확장증	• 다량의 화농성 가래 • 일반적으로 세균감염과 연관 • 흉부X선 사진으로 기관지확장, 기관지 벽의 비후 확인하며 CT로 확진
결핵	• 흉부X선 검사를 통한 폐 침윤 혹은 결절성 병변 • 결핵균 도말 및 배양으로 확인
폐쇄성기관지염 (bronchiolitis obliterans)	• 어린 시절에 발병, 비흡연자 • 류마티스성 관절염 혹은 증기(fume) 노출력 • 폐 또는 골수 이식 후 발생 • CT 촬영을 통해서 호기 시 음영 감소 부위 확인
미만성 세기관지염	• 대부분 남성이고 비흡연자 • 거의 만성 부비동염 동반 • 흉부X선 사진과 고해상 CT 촬영을 통해서 미만성 소엽 중심성 결절과 과다팽창 확인

(6) 증상 평가

① 호흡곤란의 평가: Modified Medical Research Council (MMRC)

② 삶의 질 평가: COPD Assessment Test (CAT)

　삶의 질이 가장 좋은 상태는 0점이며 점수가 높아질수록 삶의 질이 나쁜 것을 의미하는데 40점이 가장 나쁜 상태이다. CAT은 mMRC와 달리 호흡곤란 이외의 호흡기 증상과 일상

생활에서 활동 정도(activity), 수면, 자신감을 포함하고 있어 삶의 질을 평가하는 데 유용
하다.

그림 9-6. CAT 문항

2) 안정 시 만성폐쇄성폐질환의 치료

(1) 약물요법

① 기관지 확장제(Bronchodilator)

- 속효성 또는 지속성(short acting or long acting)으로 나눌 수 있으며, 흡입 베타 2 작용
제(SABA, LABA), 흡입 항콜린제(LAMA), 흡입항콜린제 베타2작용제 복합제(LAMA/
LABA)가 해당된다.

- 기도 평활근의 긴장도를 변화시켜 FEV_1을 포함한 폐기능을 개선시킨다.

- 증상완화, 삶의 질 증가, 운동능력개선 등에 효과가 있으나 만성폐쇄성폐질환의 자연경
과 및 사망률에 미치는 영향은 없다(흡입제 파트 참고).

- 흡입 약물을 사용하는 경우 약물이 효과적으로 전달되도록 사용방법에 대한 교육이 필요
하며(inhaler education) MDI 사용이 어려운 경우에는 흡입보조기(spacer) 사용이 도움
이 된다.

② 메틸잔틴(Methylxanthines): theophylline

- Non-selective phosphodiesterase 억제제, 기관지 확장 작용 외에 횡격막 근육 강화,
기관지 섬모운동 개선과 심박출량 증가효과가 있다.

- 심혈관계 부작용 및 다른 약제와의 상호 작용이 있고 기관지확장 효과가 약해 흡입기를 사용할 수 없는 상황에서만 제한적으로 사용한다.
- 치료 농도 범위가 좁으며 혈중 농도가 높을 경우 부작용으로 위자극, 구역질, 속쓰림, 설사, 두통, 손떨림, 수면장애, 경련, 부정맥 등이 있을 수 있다.

③ 스테로이드

- 흡입 스테로이드(inhaled corticosteroid, ICS), 흡입 스테로이드와 지속기관제확장제의 병합요법, 경구 스테로이드가 해당된다.
- ICS 단독 투여는 천식을 동반한 중복 증후군(overlap syndrome) 등 특수한 임상 상황에 한정되어야 한다.
- ICS와 ICS/LABA는 천식이 중복되거나 혈중 호산구가 높은 군에서 고려한다.
- ICS와 지속기관지확장제 병합요법은 FEV_1이 60% 미만인 환자들에게 투여하였을 때, 증상완화, 폐기능과 삶의 질을 개선하며, 급성 악화의 빈도를 감소시킬 수 있다.
- 경구용 스테로이드는 안정 시 COPD에는 도움이 되지 않고, 장기간 투여할 경우 스테로이드 근병증, 기회감염, 쿠싱증후군, 당뇨병, 부신기능 부전, 골다공증과 연관된다.

④ Phosphodiesterase-4 (PDE4) 억제제

- Roflumilast (Daxas)는 선택적인 PDE4 억제제로 가래 호중구와 호산구를 감소시키는 항염증 작용이 있다.
- 하루 한 번 복용하는 경구용 약제로 FEV_1과 삶의 질 향상효과가 있다.
- 급성악화 병력이 있고 만성기관지염을 수반한 COPD면서 기관지 확장제의 사용에도 급성악화가 연 2회 이상인 경우 고려 가능하다.
- 부작용: 체중 감소, 설사, 구역

(2) 기타 치료법

① 예방 접종

- 인플루엔자 백신은 만성폐쇄성폐질환 환자의 사망률을 약 50% 감소시키기 때문에 반드시 접종되어야 한다.
- 65세 이상의 모든 환자에서 폐렴구균 백신 접종을 권장한다(PPSV23, PCV13).

② 항생제

- 1년 동안 azithromycin(250 mg/일 혹은 500 mg 주 3회) 투여가 잦은 급성악화를 보이는 환자에서 급성악화 위험을 줄였으나 항생제 내성과 청력 이상의 빈도가 증가할 수 있다. 안정 시 COPD 환자에게 예방적 항생제 처방을 권장하지 않는다.

③ 점액용해제

- 점액의 양이 많고, 끈적끈적하기 때문에 이것이 감염과 폐 손상을 촉진시킬 수 있어서 객담을 제거하려고 점액단백질의 분해를 촉진하는 점액 용해제와 점액조절제를 이용하는

경우도 있다. 그러나 이들 약제는 물 1-2잔 마시는 것에 추가하여 투여할 때 득이 별로 없다.

- Acetylcysteine 분무흡입(mucomyst nebulizer)은 분비물을 묽게 하지만 기류 개선이나 객담 생성량 등은 효과가 없고 단독으로 사용 시 기관지수축을 일으킬 가능성이 있다.
- 안정적 만성폐쇄성폐질환에서 진해제를 규칙적으로 투여하는 것은 금기이다.

(3) 산소 요법과 비침습적 양압환기

① 산소 요법의 적응증

- PaO_2 <55 mmHg 이하이거나 SpO_2 88% 이하 또는
- PaO_2 55-60 mmHg이거나 SpO_2 89%이면서 폐고혈압, 심부전 징후, Polycythemia (Hct >55%)를 보이는 경우
- 안정상태에서 중증 저산소혈증을 동반한 만성호흡부전 환자에서 생존률을 높일 수 있다.

② 비침습적 양압환기

- 급성 악화에서는 사망률을 낮추는 표준치료이나 만성 호흡부전 환자의 장기간 사용 효과는 아직 명확하지 않다.

(4) 호흡재활(Pulmonary rehabilitation)

운동 능력 향상, 삶의 질 향상, 일상생활에서 신체적, 정서적인 참여를 확대시킬 수 있다.

(5) 수술 요법

폐용적수술(Lung volume reduction surgery, LVRS), 기관지내시경 폐용적축소술 (Bronchoscopic lung volume reduction, BLVR), 폐이식

3) 각 군별 안정 시 COPD의 치료

① '가'군 환자(악화 위험 낮음, 증상 경함. FEV_1 60% 이상이고 지난해 악화가 없었거나 한 번이며, mMRC 0-1(또는 CAT 점수가 10 미만) 경우): 흡입속효성기관지확장제(SABA) 의 경우 폐기능을 호전 시키고 호흡곤란을 감소시키는 효과가 있어서 일차 치료로 권장된다. 가군 환자만을 대상으로 진행된 연구는 거의 없어 치료 근거가 미약하다.

② '나'군 환자(악화 위험 낮음, 증상 심함. FEV_1 60% 이상이고 지난해 악화가 없었거나 한 번이며, mMRC 2 이상(또는 CAT 점수가 10 이상)인 경우): 흡입지속성기관지확장제 (LAMA, LABA) 사용을 권고한다. 진단 당시 증상이 심한 경우 처음부터 복합제(LAMA/LABA)를 사용할 수 있다. LAMA 또는 LABA 단독에도 환자의 증상의 호전이 없거나 악화가 발생하는 경우 LAMA/LABA 복합제를 사용할 수 있다.

③ '다'군 환자(악화 위험 높음. mMRC 혹은 CAT 점수와 상관없이 FEV_1 60% LAMA/LABA 복합제 사용을 일차 치료로 권장하며, ICS/LABA에 비해 폐기능 향상과 악화 감소에 우월한 효과가 있다. ICS/LABA 복합제 사용군에서 폐렴의 빈도가 증가할 수 있어서

천식과 중복되어 있거나 혈중 호산구가 높은 환자에서 ICS/LABA 복합제를 일차로 고려해 볼 수 있다. LAMA/LABA 또는 ICS/LABA 복합제에도 mMRC 2 이상 증상 지속되거나 급성 악화가 있는 경우 세가지 성분을 모두 병합하여 사용한다(ICS/LABA/LAMA).

그림 9-3. 안정 시 COPD의 약물 단계 치료(그림 9-1. COPD 종합평가 참고)

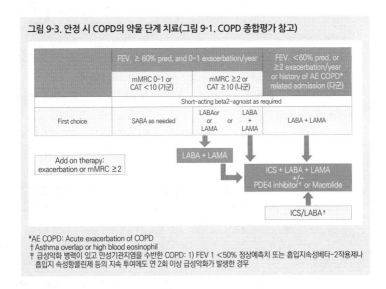

*AE COPD: Acute exacerbation of COPD
† Asthma overlap or high blood eosinophil
‡ 급성악화 병력이 있고 만성기관지염을 수반한 COPD: 1) FEV 1 <50% 정상예측치 또는 흡입지속성베타-2작용제나 흡입지 속성항콜린제 등의 지속 투여에도 연 2회 이상 급성악화가 발생한 경우

4) 만성폐쇄성 폐질환 급성악화(COPD Acute exacerbation)

(1) 정의
- COPD 환자의 기본적인 호흡기 증상이 매일-매일의 변동범위를 넘어서 치료약제의 추가가 필요할 정도로 급격히 악화된 상태로 정의된다.
- 호흡곤란의 증가, 객담양의 증가, 객담색이 짙어지는 것을 특징으로 한다.
- 환자 삶의 질 악화, 증상과 폐기능 악화, 폐기능 감소의 가속화, 사망률의 유의한 증가, 사회-경제적 비용의 증가를 초래한다.

(2) 원인과 위험인자
- 기도감염(바이러스, 세균)이 주된 원인으로 대기오염도 가능한 원인이다.
- 급성악화를 경험하였던 COPD 환자가 다음에 급성악화가 발생하기 쉽고 향후 악화를 예측하는 가장 중요한 인자이다.
- 폐렴, 울혈성 심부전, 기흉, 흉수 저류, 폐혈전색전증, 부정맥 감별해야 한다.

(3) 약물 치료: 기관지확장제, 스테로이드제 및 항생제

① 기관지 확장제

- 속효성베타작용제(SABA, salbutamol, ventolin evohaler) 단독 또는 속효성항콜린제 (SAMA, ipratropium, atrovent) 동시에 사용 가능하다.
- 기관지 확장제를 전달하는 방법으로서 MDI (metered dose inhaler)와 nebulizer는 효과면에서 동등하다.

② 스테로이드

- 입원이 필요할 정도로 중증 악화에서는 경구 스테로이드를 사용한다.
- 회복 기간과 재원 기간을 줄이고, 폐기능과 동맥혈 산소 분압을 개선시키고 이후 악화를 줄이는 효과가 있다.
- 치료용량: Prednisolone 30 mg(-40 mg)을 5(-14)일 사용, 경구 스테로이드제 투여도 주사만큼 효과적이다.

③ 항생제

- 바이러스 감염이 흔한 급성악화의 원인이나 현실적으로 감염을 구별하기 쉽지 않다.
- 적응증: 호흡곤란 악화, 가래양, 가래 화농성 증가 주요 증상 모두 만족 또는 가래 화농성 증가를 포함한 2가지 주요 증상을 만족하는 경우 또는 기계호흡이 필요한 경우
- 5-7일간의 항생제 투여가 권고되며, 항생제의 선택은 각 지역 세균의 항생제 내성 패턴에 근거해야 한다.
- 초기 경험적 치료: aminopenicillin-clavulanic acid, 2, 3세대 cephalosporin, macrolide, fluoroquinolone (levofloxacin, moxifloxacin, zabofloxacin 등), Pseudomonas 감염의 위험인자가 있는 경우에는 anti-pseudomonal antibiotics (ciprofloxacin, anti-pseudomonal cephalosporin 등)

(4) 호흡 보조 요법

① 산소 요법: PaO_2 >60 mmHg or SpO_2 88-92% 목표로 한다.

산소 요법 시작 후 30-60분 후 ABGA를 확인해 이산화탄소의 축적 없이 적절한 산소 농도에 도달했는지 점검한다.

② 환기 보조: 초기 처치에 반응이 나쁜 심한 호흡곤란, 의식 상태 저하, 저산소혈증이나 호흡산증이 지속되는 경우, 혈역학적 장애가 있는 경우 등은 즉각적인 중환자실 치료를 고려, 비침습적 또는 침습적 환기법을 활용한다.

③ 비침습적 기계환기: COPD 환자 중 급성 호흡부전이 동반되었을 때 비침습적 기계환기법의 성공률은 80-85%로 호흡산증을 개선, 호흡수 및 호흡곤란 감소, 인공호흡기연관 폐렴 발생 감소, 입원기간 단축, 기도 삽관율 및 사망률 감소와 연관된다.

④ 침습적 기계환기: 환자의 회복 가능성, 치료에 대한 의지, 그리고 중환자실 가용성 등을

고려하여야 한다. 가능하다면 환자가 나빠지기 전에 미리 치료에 대한 의지가 있는지 확인해 두는 것이 필요하다.

표 9-7. 침습적 기계환기의 적응증

비침습적 기계환기법을 환자가 견디지 못하거나 치료에 실패한 경우
호흡정지 또는 심정지
의식상태의 저하 또는 진정제로 조절되지 않는 정신운동초조(psychomotor agitation)
다량의 흡인, 지속적 구토
가래를 배출할 능력이 없는 경우
수액치료나 승압제에도 불구하고 심한 혈류역학장애가 호전되지 않는 경우
중증 심실성 부정맥
비침습적 기계환기법을 견디지 못하는 환자 중 치명적인 저산소증이 있는 경우

2. 폐렴(Pneumonia)

1) 원인균

표 9-8. 지역사회획득 폐렴에서 역학적인 특성과 위험인자에 따른 흔한 원인균

위험 인자와 역학적 특성	흔한 원인균
알코올 중독	Streptococcus pneumoniae, oral anaerobes, Klebsiella pneumoniae, Acinetobacter species, Moraxella tuberculosis
만성폐쇄성폐질환, 흡연	Haemophilus influenzae, Pseudomonas aeruginosa, Legionella species, Streptococcus pneumonia, Moraxella catarrhalis, Chlamydophila pneumoniae
흡인	Gram-negative enteric pathogens, oral anaerobes
폐농양	Oral anaerobes, Mycobacterium tuberculosis, atypical mycobacteria
조류에 노출	Chlamydophila psittaci (if poultry: avian influenza)
농장 동물에 노출	Coxiella burnetii (Q fever)
인플루엔자 유행	Influenza, Streptococcus pneumoniae, Staphylococcus aureus, Haemophilus influenzae
장기간의 기침 또는 기침 후 구토	Bordetella pertussis
구조적인 폐 이상 (예. 기관지확장증)	Pseudomonas aeruginosa, Burkholderia cepacia, Staphylococcus aureus
주사약물 사용	Staphylococcus aureus, anaerobes, Mycobacterium tuberculosis, Streptococcus pneumoniae
기관지 폐색	Anaerobes, Streptococcus pneumoniae, Haemophilus influenzae, Staphylococcus aureus

표 9-9. 지역사회획득 폐렴의 특정 원인과 관련된 임상적 특성

정형적 세균성 폐렴이나 legionella 폐렴을 시사하는 소견

- 초급성(hyperacute)
- 패혈증성 쇼크와 동반된 경우
- 상기도 증상이 없는 경우
- 초기 상기도 증상 이후의 급성 악화(바이러스와 세균의 중복감염 의심)
- WBC count >15,000이나 ≤6,000 mm³ 이면서 간상혈구(band form)의 증가
- 치밀한 분절성 or 엽성 경화(dense segmental or lobar consolidation)
- Procalcitonin level, ≥0.25 ng/mL

비정형 세균성 폐렴(mycoplasma or chlamydophila)을 시사하는 소견

- 정형적 폐렴을 시사하는 소견이 없는 경우
- 가족 구성원의 감염
- 급성악화 없는 5일 이상의 기침
- 객담이 없는 경우
- 정상 혹은 약간 상승된 WBC count
- Procalcitonin level, ≤0.1 ng/mL

바이러스성 폐렴을 시사하는 소견

- 세균성 폐렴을 시사하는 소견이 없는 경우
- 환자와의 접촉력이 있는 경우
- 상기도 증상이 있는 경우
- 반점성 폐 침윤(patchy pulmonary infiltrates)
- 정상 혹은 약간 상승된 WBC count
- Procalcitonin level, ≤0.1 ng/mL

인플루엔자 폐렴을 시사하는 소견

- 정형적 세균성 폐렴을 시사하는 소견이 없는 경우
- 지역사회의 인플루엔자 유행시기인 경우
- 갑작스러운 독감증상(flulike syndrome)
- 인플루엔자 바이러스 검사 양성

2) 입원환자에서 원인균 진단

① 항생제 투여 전에 혈액배양검사와 객담 그람 염색 및 배양검사, S. pneumoniae에 대한 소변 항원 검사를 시행한다.

② 입원이 필요한 중등도 혹은 중증 지역사회획득 폐렴 환자에서 소변 Legionella항원 검사를 시행한다.

③ 기도 삽관 된 환자에서는 경기관 흡입 검체를 이용한 검사를 시행한다.

④ 면역저하환자나 통상적인 치료에 실패한 경우 기관지 내시경 검사, 경피적 폐흡인 등의 침습적 평가가 도움이 된다.

⑤ 흉부 측와위 사진에서 10 mm 이상 두께의 흉수가 관찰되거나 소방형성을 하였을 경우 진단적 흉수천자를 시행하며 채취된 흉수에서 백혈구, 단백질, 당, LDH, pH와 ADA (adenosine deaminase)를 측정하고 그람염색과 항산균 염색을 시행하고 세균 및 항산

균에 대한 배양검사를 시행한다. 결핵을 배제할 수 없는 경우 결핵균 PCR 시행한다.

⑥ 인플루엔자가 유행하는 계절에 호흡기 분비물에서 인플루엔자 항원을 신속 진단하는 검사는 약제 사용 여부 결정에 도움이 되며, 인플루엔자 A와 B형의 구별이 가능한 검사가 일반적으로 선호된다.

3) 폐렴의 입원기준

지역사회획득 폐렴 환자의 입원 여부 결정은 객관적 기준을 참고하여 하여 의료진이 임상적으로 판단한다. 객관적 기준으로는 CURB-65의 사용을 권장한다.

※ CURB-65 score

① New mental confusion

② BUN >19.6 mg/dℓ

③ Respiratory rate ≥30/min

④ Systolic BP<90 mmHg or diastolic BP≤60 mmHg

⑤ Age≥65

표 9-10. CURB-65와 CRB-65를 이용한 사망률 위험도 충화

사망 위험도	CURB-65 점수	관찰된 사망률*	권고사항	CRB-65	관찰된 사망률*	권고사항
낮음	0 혹은 1	1.5%	집에서 치료	0	1.2%	집에서 치료 가능
중등도	2	9.2%	입원 치료	1 혹은 2	8.15%	압원 가능한 병원으로 의뢰 및 평가 필요
높음	3-5	22%	중증 폐렴으로 치료	3 혹은 4	31%	빠른 입원 치료 필요

4) 치료

(1) 외래환자의 폐렴 치료

① 경험적 항생제로 β-lactam or respiratory fluoroquinolone 사용을 권장한다.

② 결핵을 배제할 수 없는 경우에는 respiratory fluoroquinolone의 경험적 사용을 피한다.

③ 비정형 폐렴이 의심될 경우에 β-lactam + macrolide 사용을 권고한다.

※ 외래환자의 폐렴 치료로 추천되는 항생제(알파벳순)

• β-lactam: amoxicillin, amoxicillin-clavulanate, cefditoren, cefpodoxime

• Macrolide: azithromycin, clarithromycin, roxithromycin

• Respiratory fluoroquinolone: Gemifloxacin, levofloxacin, moxifloxacin

※ 결핵의 가능성을 고려해야 되는 경우
- 항생제 치료에 대한 반응이 느린 경우
- 당뇨병, 만성폐쇄성폐질환, 만성 신질환, 스테로이드 장기 복용과 같은 기저질환 동반시
- 결핵에 의한 폐렴은 전형적 또는 비정형 폐렴 형태로의 발생이 모두 가능하다.
- 국내 결핵의 유병률은 높은편으로 결핵을 배제할 수 없는 경우라면 경험적 치료에서 1차 치료제로 fluoroquinolone의 선택은 피하는 것이 권고된다.

(2) 일반병동 입원환자의 폐렴 치료

① 경증(CURB-65: 0-1점), 중등증(CURB-65: 2점), 중증(CURB-65 ≥3)에 따라 경험적 항생제를 선택한다.
- 경증 or 중등증 폐렴: β-lactam or respiratory fluoroquinolone
- 비정형세균 감염 의심 or 중증 폐렴: β-lactam + macrolide
- 중증 폐렴: 중환자실 입원환자의 폐렴치료 참고

② 결핵을 배제할 수 없는 경우에는 respiratory fluoroquinolone의 경험적 사용을 피한다.

③ 입원환자의 특성을 고려하여 초기 항생제 치료는 경구 투여보다 정맥투여를 추천한다.

④ 적절한 항생제 치료 기간
- 통상적으로 7-10일 치료한다.
- 원인 미생물, 환자상태, 항생제의 종류, 치료에 대한 반응, 동반 질환 및 폐렴 합병증에 따라 적정 투여기간이 달라질 수 있다.

⑤ 경구 항생제 전환 시점: 임상적으로 안정이 되고, 경구 치료가 가능할 때 전환이 가능하다.

⑥ 퇴원 시점: 경구 치료가 가능하고, 기저질환에 대한 치료와 진단적 검사가 필요 없고, 환자를 돌볼 수 있는 사회적 환경이 된다면 퇴원을 고려할 수 있다.

※ 일반병동 입원환자의 폐렴 치료로 추천되는 항생제 (알파벳순)
- β-lactam: amoxicillin-clavulanate acid, ampicillin/sulbactam, cefotaxime, ceftriaxone
- Respiratory fluoroquinolone: Gemifloxacin, levofloxacin, moxifloxacin

(3) 중환자실 입원환자의 폐렴 치료

중환자실 입원을 필요로 하는 중증 지역사회획득 폐렴 환자의 치료는 단독요법 보다는 병용 요법을 권장한다.

① Pseudomonas 감염이 의심되지 않는 경우:
- β-lactam + azithromycin/fluoroquinolone을 사용한다.
- β-lactam: ampicillin/sulbactam, cefotaxime, ceftriaxone
- Respiratory fluoroquinolone: Gemifloxacin, levofloxacin, moxifloxacin
  (페니실린 과민 반응 시 respiratory fluoroquinolone + aztreonam의 사용이 권장)

② Pseudomonas 감염이 의심되는 경우

음주, 기관지 확장증 등 폐의 구조적 질환, 반복되는 만성폐쇄성폐질환의 급성 악화로 인해 스테로이드를 자주 투여해 온 병력, 최근 3개월 이내의 항생제 사용력

- Antipneumococcal, antipseudomonal β-lactam + ciprofloxacin or levofloxacin
- Antipneumococcal, antipseudomonal β-lactam + aminoglycoside + azithromycin
- Antipneumococcal, antipseudomonal β-lactam + aminoglycoside + Respiratory fluoroquinolone
  - Antipneumococcal, antipseudomonal β-lactam: cefepime, piperacillin/tazobactam, imipenem, meropenem

③ MRSA 지역사회획득 폐렴이 의심되는 경우

Vancomycin, teicoplanin, linezolid를 사용할 수 있고 clindamycin, rifampin 추가를 고려한다.

④ 중증의 지역사회획득 폐렴 환자 중에서 vasopressor가 필요한 쇼크를 동반한 경우 스테로이드 사용을 고려해 볼 수 있다.

표 9-11. 임상적 안정의 기준

- 발열 호전 >24시간
- 심박수 <100회/분
- 과호흡 호전
- 혈압 저하 안정
- 저산소증 호전
- 백혈구 수치 호전

표 9-12. 경구 항생제로의 전환 기준

- 〈표 9-11〉의 임상적 안정의 기준 모두 만족
- 세균성 패혈증(-)
- Legionella, Staphylococcus 혹은 그람음성 장내세균 감염(-)
- 정상적인 위장 흡수

5) 폐렴 치료의 효과 평가

① 증상의 호전이 뚜렷하지 않거나, 폐암 발생의 위험군에서는 치료 반응 확인을 위한 흉부 X-ray 추적검사 시행이 권고된다.

② 임상적으로 호전이 뚜렷하지 않은 환자에서 치료 실패 또는 합병증 발생 위험을 평가하기위해 치료 3일 또는 4일째 CRP (C-reactive protein)를 반복 측정할 수 있다.

3. 결핵 및 비결핵항산균 폐질환

1) 결핵의 진단

(1) 결핵의 증상

① 뚜렷한 원인 없이 2-3주 이상 기침 등의 호흡기 증상이 있으면 결핵을 의심하고 이에 대한 검사를 시행해야 한다.

② 임상 소견상 결핵이 의심되면 결핵의 과거력, 결핵 환자와의 접촉 여부에 대해 물어보아야 한다.

(2) 흉부 X선 검사

① 흉부 X선 검사는 결핵의 유용한 진단방법이지만, 흉부 X선 검사 단독으로 결핵을 진단하지 않는다.

② 흉부 X선 소견상 결핵이 의심되는 병변이 있으면 가능한 과거에 시행한 흉부 X선 사진과 비교해 보아야 한다.

③ 흉부 X선 검사에서 결핵이 의심되면 객담 결핵균 검사를 실시하여 결핵을 확진하도록 노력해야한다.

(3) 검사실 진단

① 항산균 도말 및 배양 검사(Sputum AFB smear and culture)

• 폐결핵이 의심되는 환자는 객담을 최소한 2회, 가능한 3회 채취하여 항산균 도말 및 배양검사를 시행해야 한다.

② 결핵균 분자 진단 검사(Xpert MTB/RIF; TB-PCR)

• 결핵이 의심될 때 도말 및 배양 검사와 함께 결핵균 핵산증폭검사를 시행해야 한다.

• 다제내성결핵이 의심되는 경우, 신속하게 내성 여부를 확인해야 하는 경우 Xpert MTB/RIF 검사를 시행해야 한다.

• 신속한 결핵 진단이 필요한 경우는 Xpert MTB/RIF 검사를 시행한다.

③ 약제 감수성 검사

• 모든 결핵 환자의 첫 배양 균주에 대해 이소니아지드와 리팜핀에 대한 신속감수성검사(MTBDRplus)와 통상감수성검사(drug sensitivity test)를 함께 시행한다.

• 항산균 도말이 양성인 경우 검체를 이용하여 이소니아지드와 리팜핀에 대한 신속감수성검사를 시행할 수 있다.

• 이소니아지드 또는 리팜핀에 내성이 검출된 경우 퀴놀론을 포함한 2차 약제에 대한 신속감수성검사와 통상감수성검사를 함께 시행한다.

• 감수성 결핵 환자에서 3개월 이상 치료 후에도 배양 양성인 경우 이소니아지드와 리팜핀에 대한 신속감수성검사와 통상감수성검사를 다시 실시한다.

(4) 조직학적 진단

　결핵 진단을 위하여 조직 검사를 시행한 경우 조직 검체에 대해 항산균 염색, 배양 검사와 결핵균 핵산증폭검사를 시행해야 한다.

(5) 기타 검사

① 흉부 전산화 단층촬영

- 도말 음성 폐결핵의 경우 흉부 X선 검사로 활동성 여부를 판단하기 어려울 때 흉부 전산화 단층 촬영을 고려한다.
- 결핵과 다른 원인 질환의 감별이 어려울 경우 흉부 전산화 단층촬영을 고려한다.

② 면역학적 진단(결핵균 감염 검사)

- 결핵감염검사인 투베르쿨린 검사와 인터페론감마 분비검사는 활동성 결핵과 잠복결핵 감염을 구별할 수 없으므로 활동성 결핵의 진단을 위해 사용하는 것은 권고하지 않는다.
- 폐외 결핵과 같이 임상적으로 결핵이 의심되지만 결핵균 검사가 음성이고 진단이 어려운 경우 결핵감염검사가 활동성 결핵의 진단을 위해 보조적으로 사용될 수 있다.

(6) 폐결핵의 진단 과정

　호흡기 증상으로 내원한 환자의 임상 소견상 폐결핵이 의심되면 먼저 흉부 X선 검사와 객담 항산균 도말 및 배양검사 그리고 결핵균 핵산증폭검사를 시행하고 그 결과에 따라 다음과 같이 폐결핵을 진단한다.

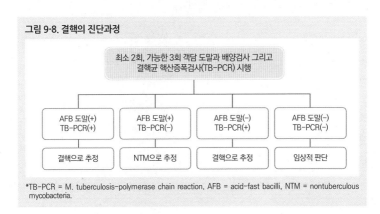

그림 9-8. 결핵의 진단과정

최소 2회, 가능한 3회 객담 도말과 배양검사 그리고
결핵균 핵산증폭검사(TB-PCR) 시행

AFB 도말(+) TB-PCR(+)	AFB 도말(+) TB-PCR(−)	AFB 도말(−) TB-PCR(+)	AFB 도말(−) TB-PCR(−)
결핵으로 추정	NTM으로 추정	결핵으로 추정	임상적 판단

*TB-PCR = M. tuberculosis-polymerase chain reaction, AFB = acid-fast bacilli, NTM = nontuberculous mycobacteria.

① 도말 양성이면서 결핵균 핵산증폭검사 양성인 경우

- 폐결핵으로 진단하고 결핵 치료와 경과를 관찰한다. 도말 양성 검체를 대상으로 리팜핀과 이소니아지드에 대한 신속감수성검사를 시행한다.

- 추후 배양 검사결과를 확인하여 결핵균이 확인되면 통상감수성검사를 시행한다.

② 도말 양성이면서 결핵균 핵산증폭검사 음성인 경우

- 비결핵 항산균 폐질환으로 잠정 진단하고 추후 비결핵항산균 배양을 확인하고 균동정 검사를 시행한다.

③ 도말 음성이면서 결핵균 핵산증폭검사 양성인 경우

- 폐결핵으로 진단하고 결핵 치료 후 경과를 관찰한다.
- 추후 배양 검사결과를 확인하여 결핵균이 확인되면 이소니아지드와 리팜핀에 대한 신속 감수성검사와 통상 감수성검사를 시행한다.

④ 도말 음성이면서 결핵균 핵산증폭검사 음성인 경우

진료의사의 임상적 판단으로 결핵 진단이 가능하며, 추후 결핵균 배양으로 진단할 수도 있다. 치료 시작 시기는 임상적 판단에 의한다.

- 퀴놀론과 아미노글리코시드 등의 항결핵 효과를 보이는 항생제를 제외한 광범위 항생제 (broad-spectrum antibiotics)에 대한 치료반응을 살펴본다. 광범위 항생제에 반응이 있을 때에는 결핵치료를 하지 않고 배양 결과를 기다린다.
- 흉부 CT, 유도객담 검사, 기관지내시경 검사, 조직검사 등을 시행할 수 있으며 이러한 검사에서 활동성 결핵을 시사하는 소견이 있을 때 도말 음성 폐결핵으로 진단할 수 있다.
- 추후 배양 검사결과를 확인하여 결핵균이 배양되면 배양된 결핵 균주를 대상으로 신속 감수성 검사와 통상 감수성 검사를 시행한다.

2) 결핵의 치료

(1) 항결핵제의 용량과 투약 방법

표 9-13. 항결핵제 용량과 용법

약제의 종류	용량(최대 용량)	투여방법	주요 부작용
Isoniazid	5 mg/kg (300 mg)	하루 한 번, 공복 시	간독성, 말초신경병증, 피부과민반응
Rifampin	10 mg/kg (600 mg) 450 mg (<50 kg) 600 mg (≥50 kg)	하루 한 번, 공복 시	간독성, 독감양 증후군, 피부과민반응, 혈소판 감소증, 위장장애, 체액색조변화
Ethambutol	15-25 mg/kg (1,600 mg)	하루 한 번, 공복 시 또는 식후	시신경병증(시력저하 및 색각의 변화)
Pyrazinamide	20-30 mg/kg (2,000 mg) 1,000 mg (<50 kg) 1,500 mg (50-70 kg) 2,000 mg (≥70 kg)	하루 한 번, 공복 시 또는 식후	간독성, 고요산혈증, 관절통, 위장장애
주사제 Kanamycin Amikacin Streptomycin Capreomycin	50세 미만; 15 mg/kg (1,000 mg) 50세 이상; 10 mg/kg (750mg)	근육주사 또는 정맥주사	이독성, 신독성, 입주위 저린 증상
퀴놀론 Levofloxacin Moxifloxacin	750-1,000 mg 400 mg	하루 한 번, 공복 시 또는 식후	위장장애, 두통, 어지러움, 관절통
Linezolid	600 mg	하루 한 번, 경구 혹은 정맥주사	골수억제, 말초신경염, 시신경염, 위장장애
Clofazimine	100-200 mg	2개월간 하루 200 mg 복용 후, 하루 100mg 유지	피부 색조 변화, 체액 색조 변화, 피부 광과민증, 위장장애
Cycloserine	15 mg/kg (1,000mg) 500 mg (<50 kg) 750 mg (50-70 kg) 750-1,000 mg (≥70 kg)	하루 2회, 공복 시	우울증, 정신장애
Prothionamide	15 mg/kg (1,000 mg) 500 mg (<50 kg) 750 mg (50-70 kg) 750-1,000 mg (≥70 kg)	하루 2회, 공복 시 또는 식후	간독성, 위장장애
Bedaquiline		첫 2주간 하루 400 mg, 이후 22주 동안 200 mg을 주 3회 복용	심전도 이상(QT간격 연장), 간독성, 위장장애, 두통, 관절통
Delamaid	200 mg	100 mg 하루 2회, 음식과 함께 복용	위장장애, 심전도 이상(QT간격 연장), 어지러움
PAS (p-amino-salicyclic acid)	150 mg/kg (12g)	하루 3회, 식후 3.3 g (pack), 3회	오심, 구토, 복부불쾌감, 식욕부진, 간독성
Imipenem-cilastatin		1,000 mg, 하루 2회, 정맥주사	설사, 울렁거림, 경련발작
Meropenem		1,000 mg, 하루 2회, 정맥주사, 하루 3-4회 125 mg의 clavulanate를 동시에 사용한다.	설사, 울렁거림, 구토

(2) 결핵 초치료

① 초치료 처방

- 결핵 초치료의 표준 처방은 2HREZ/4HR(E)이다. 약제감수성 결과 이소니아지드 및 리팜핀에 감수성 결핵으로 확인된 경우에는 치료 2개월 후부터 에탐부톨의 중단을 고려한다.
- 초치료 시 피라진아미드를 사용하지 못하는 경우 이소니아지드, 리팜핀, 에탐부톨을 9개월 동안 지속적으로 사용할 수 있다(9HRE).
- 결핵 초치료 환자에서 치료 시작 시 흉부 X선에서 공동이 있고, 치료 2개월 후 시행한 객담 배양이 양성인 경우에는 유지 치료 기간의 연장을 고려할 수 있다.

② 치료 중 경과 관찰

- 치료 전 검사

  결핵 치료 전 병력 청취를 통해 항결핵제에 의한 부작용 발생 위험을 평가하고 시력 검사 등의 기저 검사를 시행하여야 한다.

  치료 전에 일반혈액검사, 간기능검사, 신장기능검사 등을 확인하고 가임 여성의 경우 임신 여부를 확인하여야 한다.

  - 추구 검사: 객담 검사 및 약제 감수성 검사: 결핵균 양성(도말 혹은 배양 양성) 폐결핵 환자의 경우, 치료 시작 후 도말과 배양 검사가 2회 연속 음성이 나올 때까지 매달 객담 도말 및 배양 검사를 시행하고, 치료 종결 시점에 마지막 객담 검사를 시행하여야 한다.
  - 흉부 X선 검사 : 흉부 X선 검사 단독으로 치료 반응을 평가하지는 않는다.
  - 검사실 검사: 치료 전 검사에서 이상이 있거나 임상적으로 약제 부작용 가능성이 있는 경우 반복적인 혈액검사를 시행한다.

- 치료 판정 및 보고

  결핵 치료에서 치료 성공 혹은 실패의 가장 중요한 지표는 균음전 여부이다.

표 9-14. 초치료 결과의 분류

완치	치료 종결 후(마지막 달) 시행한 객담 배양이 음성이며 그 전에 한 번 이상 배양이 음성이었던 경우
완료	치료를 종결하였지만 치료 실패의 증거가 없고, 치료 종결 후(마지막 달)의 객담 도말 및 배양 음성 결과가 없지만 이전의 도말 및 배양 검사가 적어도 1회 이상 음성인 경우
실패	치료 4개월 후 또는 그 이후 시행한 배양이 양성인 경우
사망	어떤 이유로든 치료 시작 전 혹은 도중에 사망한 경우
추적 방문중단	치료를 시작하지 않았거나 연속하여 2달 이상 치료가 중단된 경우
평가미정	다른 기관으로 전출되었거나, 치료 결과를 알 수 없는 경우
치료성공	완치 혹은 완료된 경우

(3) 결핵 치료 중 부작용의 발생 시 대처 방법
① 위장장애

오심, 구토, 식욕저하 등의 증상이 심하거나 지속될 경우 간기능 검사를 시행해야 한다. 간독성과 관계없이 위장장애가 발생한 경우에는 항결핵제들을 식후 30분 후에 복용하는 방법, 취침 전에 복용하는 방법, 약제들을 아침 저녁으로 나누어 복용하는 방법(같은 성분의 약은 동시에 복용하여야 함.) 등과 위장관계 약제를 같이 복용하는 방법 등을 고려할 수 있다.

② 간독성

증상의 유무와 관계없이 혈청 알라닌아미노전달효소(alanine aminotransferase, ALT) 수치가 정상 상한치의 5배 이상 증가했거나 간염의 증상이 동반되면서 정상 상한치의 3배 이상 증가한 경우에는 즉시 간독성이 의심되는 항결핵제들을 중단해야 한다.

③ 피부 부작용

피부 발진이 국소 부위에 발생하고 가려움증이 동반된다면 항결핵제를 지속적으로 투여하면서 항히스타민제를 사용하여 증상 완화를 시도할 수 있다. 그러나 호전되지 않고 견디기 어려울 경우 원인 약제를 찾아서 다른 약으로 대체하여야 한다.

리팜핀을 복용하고 있는 환자에서 자반이나 점상출혈을 동반한 발진이 발생하면 혈소판감소증을 시사하는 소견이므로 혈소판 수치를 확인하여야 한다. 혈소판이 감소된 경우에는 리팜핀의 과민반응이 가장 가능성 있는 원인이므로 리팜핀을 중단하고 주기적으로 혈소판 수치를 검사해야 하며 정상으로 회복되더라도 리팜핀을 재투여하지 말아야 한다.

④ 관절통

피라진아미드에 의한 관절통은 투약을 계속하면서 비스테로이드 소염제를 투여할 수 있으나 통풍이 발생하면 피라진아미드를 중단하여야 한다.

3) 결핵의 재치료 및 약제내성 결핵의 치료

(1) 결핵의 재치료
① 재발 결핵의 치료
- 과거에 원칙대로 결핵 초치료를 시행하고 치료를 종결한 후에 결핵이 재발한 경우 과거에 치료했던 약제로 재치료를 시행한다.
- 초치료 종결 후 2년 이내에 재발한 경우 재치료 기간을 3개월 연장하는 것을 권고한다.
- 결핵균이 동정되면 신속감수성검사를 시행하여 약제내성 결핵 여부를 빨리 확인하고, 이 결과에 따라 처방을 재조정하는 것을 권고한다.
② 초치료 실패 결핵의 재치료
- 일차 항결핵제로 초치료를 시작한 환자의 경우 3개월 치료 후에도 배양 양성이면 치료

실패를 의심해야 하고(배양 결과는 4-5개월에 확인), 4개월 치료 후에도 배양 양성인 경우에(배양 결과는 5-6개월에 확인) 치료 실패라고 진단한다.

- 치료 실패의 원인을 찾기 위한 자세한 병력을 청취하여야 한다.
- 치료 실패가 발생하면 일차 항결핵제와 이차 항결핵제에 대한 약제 감수성 검사를 시행하고, 이소니아지드와 리팜핀에 대한 신속감수성검사를 하여야 한다.
- 치료 실패 후 재치료 처방에 새로운 항결핵제를 한 가지씩 추가하면 안된다.
- 환자의 질병 상태가 심하지 않은 경우 신속감수성검사 등 감수성검사 결과를 확인할 때까지 기존의 약제를 계속 사용할 수 있지만 질병 정도가 심각한 경우, 지속적으로 도말 양성인 경우에는 다제내성 결핵의 치료에서와 같이 이전에 사용하지 않았던 새로운 약제를 최소한 4제 이상 사용하여 재치료를 시작한다. 이러한 경험적 치료에는 퀴놀론제, 주사제(카나마이신, 아미카신, 카프레오마이신, 스트렙토마이신), 나머지 경구용 이차 항결핵제(시클로세린, 파스, 프로치온아미드)를 포함하여 구성하도록 한다. 나중에 약제 감수성검사 결과가 확인되면 이를 고려하여 처방을 조정한다.
- 치료 실패 결핵의 재치료는 전문가에게 의뢰하는 것을 권고한다.

(2) 약제내성 결핵의 치료

① 이소니아지드 단독 내성 결핵의 치료

- 이소니아지드 내성을 진단한 시점으로부터 리팜핀, 에탐부톨, 피라진아미드, 레보플록사신으로 6개월간 치료한다.

② 다제내성결핵의 치료

결핵 치료의 근간이 되는 가장 중요한 두 가지 약제인 이소니아지드와 리팜핀에 동시에 내성인 결핵균에 의해 발생한 결핵을 다제내성결핵(multidrug-resistant tuberculosis, MDR-TB)이라고 한다.

- 치료 대상의 정의: 다제내성결핵으로 치료해야 하는 대상은 약제감수성검사를 통해 확진된 리팜핀내성/다제내성결핵 환자이며, 폐결핵과 폐외결핵을 모두 포함한다.
- 결핵 약제 분류: 다제내성결핵 치료에 권고되는 항결핵제는 아래 3군으로 분류한다.
  - A군: 매우 효과적인 약제들로 금기가 없다면 치료 처방에 반드시 포함해야 하는 핵심 약제.
    퀴놀론계(레보플록사신 혹은 목시플록사신), 베다퀼린, 리네졸리드
  - B군: 치료 처방을 구성할 때 A군 다음으로 선택하는 약제.
    시클로세린, 클로파지민
  - C군: A군과 B군만으로 처방이 구성되지 않을 때 다음 단계로 선택할 수 있는 약제.
    개별 약제의 효과와 부작용을 고려하여 선택한다.

표 9-15. 다제내성결핵 치료 처방에 사용되는 항결핵제 분류

Group		Medicine
Group A		Levofloxacin or Moxifloxacin
		Bedaquiline[1]
		Linezolid
Group B		Cycloserine
		Clofazimine
Group C	C1[2]	Amikacin (or streptomycin)[3]
		Ethambutol
		Imipenem or meropenem[4]
		p-aminosalicylic acid
		Prothionamide
		Pyrazinamide
	C2	Delamanid[5]

1. Bedaquiline을 6개월 초과 사용하는 것과 6세 미만 소아에게 사용하는 것은 아직 효과와 안전에 대한 근거가 충분하지 않다.
2. C1군 배열은 약제를 선택하는 순위를 의미하지 않는다. 내성 패턴과 과거력, 개별 약제들의 효과와 부작용을 고려하여 개별화하여 선택한다.
3. Amikacin을 우선 사용한다. Streptomycin은 amikacin을 사용하지 못하고 약제감수성검사에서 감수성을 보이는 조건에서 amikacin을 대체하여 사용할 수 있다. Kanamycin은 amikacin을 대체하여 사용할 수 있다.
4. Imipenem, meropenem은 반드시 clavulanic acid와 병용 투여해야 한다. 이때 병용 투여된 Amoxicillin-clavulanic acid는 별도의 효과적인 약제로 간주하지 않고, 단독으로는 결핵 치료에 사용하지 않는다.
5. Delamanid는 bedaquiline을 대체하여 사용할 수 있다. 델라마니드를 6개월 이상 사용하는 것과 3세 미만 소아에게 사용하는 것은 아직 효과와 안전에 대한 근거가 충분하지 않다.

(3) 치료의 일반 원칙

① 신속 감수성 검사에서 리팜핀 내성 유전자 변이가 확인되면 통상 감수성 검사 결과가 나오기 전까지 다제내성결핵 권고 처방으로 치료한다.

② 효과적인 약제를 선정하기 위해 과거 결핵치료력과 약제감수성검사 결과를 동시에 고려해야 한다.

③ 항결핵효과가 강력한 군에 포함된 약제부터 순차적으로 선정하여 처방을 구성한다.

④ 적극적인 부작용 관리, 치료 과정에 대한 모니터링, 적절한 환자 관리가 병행되어야 한다.

⑤ 다제내성결핵 치료는 치료 경험이 많은 전문가에게 의뢰할 것을 권고한다.

(4) 치료 기간

① 집중치료기는 6개월을 권고한다.

② 총 치료기간은 18-20개월을 권고하며, 배양 음전시기와 치료 반응, 치료 약제의 종류를 고려하여 변경할 수 있다.

4) 특수한 상황에서의 결핵 치료

(1) 임신 및 모유 수유 시 결핵 치료

① 결핵 치료 전 가임 여성에 대해 임신 여부 및 임신 계획을 확인하여야 한다.

② 임신한 결핵환자의 초치료 시 이소니아지드, 리팜핀, 에탐부톨 및 피라진아미드의 표준 치료(2HREZ/4HRE) 또는 이소니아지드, 리팜핀, 에탐부톨 9개월 치료(9HRE)를 권고 한다.

③ 일차 항결핵제로 치료하는 산모는 모유 수유를 중단할 필요가 없으며 산모와 수유부에게 이소니아지드를 사용할 시에는 피리독신을 같이 복용하여야 한다.

(2) 간질환 환자의 결핵 치료

① 간질환 환자에서 결핵 치료 시 간질환 및 결핵의 중증도에 따라 항결핵제를 선택한다.

② 간손상이 심하지 않은 만성 간질환이 있는 결핵 환자는 간기능을 정기적으로 주의 깊게 관찰하면서 9개월간 이소니아지드, 리팜핀, 에탐부톨로(9HRE) 치료할 수 있다.

③ 중증 간질환 및 불안정한 간기능의 변화를 보이는 만성 간질환이 있는 결핵 환자는 전문 가에게 의뢰할 것을 권고한다.

(3) 신부전 환자의 결핵 치료

① 신기능 저하가 있는 경우 이소니아지드, 리팜핀 및 목시플록사신은 용량 조절 및 투여 간 격의 변화 없이 사용 가능하며 기타 약제의 경우 신장 기능에 따라 투약 간격을 늘리거나 일일 투여량을 변경한다.

② 투석 중인 환자는 모든 항결핵제를 투석 직후 투여한다.

표 9-16. 신기능저하와 혈액투석을 받는 환자에서의 항결핵약제 투여 방법

약물명	투여 간격의 변화	크레아티닌 청소율이 30 mL/분 이하인 경우와 혈액 투석을 받는 환자에서 항결핵약제의 투여
Isoniazid	필요 없음	하루 한 번 300 mg
Rifampin	필요 없음	하루 한 번 600 mg
Pyrazinamide	필요함	25–35 mg/kg 주 3회 투여
Ethambutol	필요함	15–25 mg/kg 주 3회 투여
Levofloxacin	필요함	750–1,000 mg 주 3회 투여
Moxifloxacin	필요 없음	하루 한 번 400 mg
Cycloserine	필요함	하루 한 번 250 mg으로 감량 혹은 주 3회 500 mg
Prothionamide	필요 없음	하루 한 번 250–500 mg으로 감량
p-Aminosalycylic acid	필요 없음	3.3 g씩 하루 두 번
Streptomycin Capreomycin Kanamycin Amikacin	필요함	12–15 mg/kg 주 2회 혹은 3회 투여

5) 비결핵 항산균 폐질환

(1) 정의 및 역학

비결핵 항산균(nontuberculous mycobacteria, NTM)은 결핵균과 나병균을 제외한 항산균을 말한다. NTM으로 인한 질환은 ① 폐질환, ② 림프절염, ③ 피부, 연조직, 골감염증, ④ 파종성 질환 등 4가지 특징적인 임상 증후군으로 분류되며, 이 중 폐질환은 NTM으로 인한 질환의 90% 이상을 차지하는 가장 흔한 형태이다. 대부분의 NTM은 자연수와 토양 등 자연 환경에 널리 분포하고 있으며 병원성이 낮은 균이다. 사람과 사람 사이에서의 전염은 일반적으로 없으며 NTM에 감염된 환자를 격리할 필요는 없다.

우리나라에서 NTM 폐질환의 원인균으로 가장 흔한 균은 *M. avium* complex이며 두 번째로 흔한 균은 *M. abscessus* complex이다. *M. kansasii* 폐질환은 국내에서 환자 수가 조금씩 증가하고 있지만 아직까지는 상대적으로 드물게 발생하고 있다.

(2) 진단 기준

객담 등 호흡기 검체에서 NTM이 분리되었을 때 오염균 또는 집락균과 폐질환의 원인균과의 구별을 위해서는 정확한 균 동정과 함께 적절한 임상적, 방사선학적, 미생물학적 기준에 따른 진단이 필요하다. 진단 기준은 임상적으로 호흡기 증상을 가지고 있으면서, 방사선학적으로 흉부 X선 검사에서 결절성 또는 공동성 병변이 있거나 고해상도 전산화단층촬영에서 다병소의 기관지확장증 혹은 이에 동반된 다발성 소결절을 가진 환자에 적용된다. 미생물학적으로 도말 결과와는 상관없이 첫째, 최소한 2회 객담 검사에서 배양 양성을 보이거나 둘째, 최소한 기관지 세척액 1회에서 배양 양성인 경우 그리고 셋째, 경기관지 폐생검 등 조직배양이 양성이거나 또는 조직검사에서 육아종 등 항산균 감염의 병리학적 증거가 있으면서 1회 이상 객담 또는 기관지 세척액에서 배양이 양성이어야 한다.

표 9-17. 비결핵항산균 폐질환의 진단기준

임상적 (둘다 만족)
1. 호흡기 증상, 흉부 엑스레이나 CT상에서 다발 결절 혹은 공동성 병변 및 기관지 확장증
2. 다른 진단을 배제

미생물학적
1. 최소 2회 이상의 객담 배양 양성. 진단적이지 않을 경우 객담 AFB 배양 검사를 반복함
2. 기관지 내시경 세척 및 폐포세척술 검체에서 1회 이상 배양 양성
3. TBLB 또는 폐조직검사에서 Mycobacterial infection에 합당한 조직학적 소견(육아종성 염증 또는 AFB 양성)을 보이고 NTM 배양검사 양성일때, 또 조직검사가 Mycobacterial infection에 합당하고 객담 또는 기관지 세척 검사에서 NTM 배양 1회 이상 양성일 때
4. NTM에 드물게 노출되거나 반복적인 오염에 의한 가능성이 있을 경우 전문가에게 의뢰함.
5. NTM 폐질환의 가능성이 있으나 진단 기준을 만족하지 못할 경우 진단이 확인되거나 배제 될때까지 추적 관찰함.
6. NTM 폐질환의 진단이 치료의 시작을 반드시 요하는 것은 아니며, 개별 환자에서 치료에 따른 이득과 잠재적 위해를 고려하여 결정해야함.

*AFB, acid-fast bacilli; NTM, nontuberculous mycobacteria

(3) 도말, 배양과 동정, 약제감수성 검사

객담 항산균 도말검사가 양성인 경우 결핵균 핵산증폭검사를 시행하여 이 검사에서 양성이면 폐결핵으로 진단하고, 음성이면 NTM에 감염된 것으로 잠정 진단 후 최종 진단은 배양 결과로 판정한다.

NTM으로 확인된 경우에 임상적으로 의미있다고 판단되는 경우 동정 검사를 시행해야 하며, 이에 대비하여 배양된 균주를 검사실에서 6개월간 보관한다. 균 동정 검사는 2회 이상 시행하여 같은 균종인지 확인이 필요하다. 약제감수성검사를 시행하는 약제는 원인균에 따라 다르다.

(4) 원인균 및 방사선학적 소견

M. avium complex는 전세계적으로 NTM 폐질환의 가장 흔한 원인균으로, *M. avium*, *M. intracellulare*, *M. chimaera* 등이 이에 속한다. 국내에서 두 번째로 흔한 원인균은 *M. abscessus* 이다.

방사선학적으로 "섬유공동형(fibrocavitary form)"과 "결절 기관지확장증형(nodular bronchiectatic form)"이라는 서로 다른 두 가지 임상상을 갖는다. 섬유공동형은 폐결핵과 유사하여 구분이 불가능하나, 공동의 벽이 더 얇은 특징적인 소견을 보인다.

표 9-18. 비결핵 폐질환의 방사선학적 분류

	섬유공동형(Fibrocavitary form)	결절 기관지확장증형(Nodular bronchiectatic form)
호발	오랜 기간의 흡연력과 음주력이 있는 중년 이상의 남성에서 주로 발생	중년 이상의 비흡연자 여성에서 주로 호발
기저 질환	만성폐쇄성폐질환, 기존의 폐결핵 등 기저질환을 대부분 갖고 있음	특징적으로 기저질환이 발견되지 않음
영상 소견	흉부X선 검사에서 상엽의 공동이 관찰	흉부X선 검사에서 상엽의 공동은 관찰되지 않고 주로 우중엽과 좌상엽의 설상엽을 침범하며 폐 양측 하부에 결절과 침윤을 보임. 고해상도 전산화단층촬영에서 기관지 확장증에 동반된 다발성 중심소엽성 결절(centrilobular nodules) 소견이 특징적으로 관찰됨
예후	치료하지 않으면 1–2년 이내 광범위한 폐실질의 파괴와 사망으로 진행	섬유공동형에 비해 진행 속도가 매우 느린 편

(5) 치료

비결핵 항산균 폐질환이 진단되어도 반드시 치료가 필요한 것은 아니다. NTM이 분리되면 이를 동정하여 어떤종류의 NTM인지를 확인하는 것이 치료의 출발이다. 일부 균주의 경우 진행이 상당히 느리고 치료 기간이 장기간이며 약제의 부작용이 많으므로 증상의 정도, 방사선학적 소견의 악화 여부 등을 고려하여 치료 시작 여부를 결정하여야 한다.

표 9-19. 비결핵 항산균 폐질환의 치료

원인균		약제	투여 기간
M. avium complex	Fibrocavitary or advanced (severe)	Clarithromycin 1,000 mg/d (or 500 mg BID) or azithromycin 250 mg/d Ethambutol 15 mg/kg/d Rifampin 10 mg/kg/d (최대 600 mg/d) (보다 심하고 광범위한 병변을 가진 환자의 경우 초기 2-3개월간 amikacin 혹은 streptomycin 투여를 고려해야 한다.)	객담 배양 음전이 되고 이것이 최소한 12개월 지속될 때까지 치료
	Nodular bronchiectatic	Clarithromycin 1,000 mg TIW or azithromycin 500-600 mg TIW Ethambutol 25 mg/kg TIW Rifampin 600 mg TIW	
M. absces-sus		Clarithromycin 500 mg BID or azithromycin 250 mg/d Amikacin 15 mg/kg/d Cefoxitin 200 mg/kg/d (upto 12 g/d) or imipenem 750 mg TID	정립되지 않음
M. kansasii		Isoniazid 300 mg/d (with pyridoxine 10 mg) or Azithromycin 250 mg/d or clarithromycin 500 mg BID Ethambutol 15 mg/kg/d Rifampin 450-600 mg/d (체중 50 kg 미만일 때 450 mg)	객담 배양 음전이 되고 이것이 최소한 12개월 지속될 때까지 치료

4. 기관지 확장증(Bronchiectasis, BE)

1) 정의 및 진단

(1) 정의: 기침, 가래, 기관지 감염을 특징으로 하는 만성 기도 질환으로, 방사선학적으로는 비정상적인 영구적 기관지 확장으로 정의된다.

(2) 기관지확장증의 진단

표 9-20. 기관지확장증 환자의 검사

기본 진단 검사
• 흉부 CT • 객담 미생물 그람 염색 및 배양 • 객담 AFB 도말 및 배양 • ABPA 검사(Serum specific IgE for aspergillus 및 Serum total IgE, Blood eosinophil count) • 혈중 CRP • 폐기능검사(spirometry, bronchodilator response 등)

심층 진단 검사(individualized)
• IgG, IgA, IgM: Immunoglobulin deficiency • 소아기 발생한 미만성 기관지확장증이면 심층 검사: test for primary ciliary dyskinesia, cystic fibrosis 검사(CFTR), alpha-1 antitrypsin level • 결체조직질환이 의심되면 자가항체 검사

*ABPA: allergic bronchopulmonary aspergillosis
*병력: 기침, 호흡곤란, 객담(객담의 양, 화농성 여부, 객혈 여부를 꼭 확인)
*진찰: 특이적 진찰 소견은 없으나 객담이 기관지에 다량 있는 경우가 많고 악설음과 천명음이 들릴 수 있다.

2) 기관지 확장증의 치료

Airway clearance 및 mucolytics가 치료의 근간

(1) Physiotherapy

① 호흡재활

진단명에 bronchiectasis를 꼭 입력, forced expectoration 격려

② Aerobica 처방

③ Mucolytics

④ 체위 배농(postural drainage)

(2) 세균 배양

① Pseudomonas eradication

- Pseudomonas colonizer는 예후가 나쁘다. 입원한 경우에는 항생제 사용
- 항생제 치료 후에도 호흡곤란이 남아 있거나, 처음부터 호흡곤란이 심한 경우 기관지확장제를 사용해 볼 수 있다.

(3) Macrolide 장기 치료

① Long term macrolide

- 잦은 악화(exacerbation)가 있거나 치료에 잘 듣지 않는 환자의 경우 전문가의 의견에 따라 macrolide 장기치료를 고려해 볼 수 있다(예. 아지스로마이신 250-500 mg po 주 3회).

3) 예후

대표적인 두 가지 중등도 계산에 사용되는 variable을 소개한다.

표 9-21. Variables for bronchiectasis severity index

Bronchiectasis severity index	FACED score
Age	FEV$_1$ % predicted
BMI	Age
FEV$_1$ %predicted	Colonisation by P. aeruginosa
Hospital admission within last 2 years	Radiological extension of bronchiectasis
지난 1년간 악화 횟수	Modified MRC dyspnea scale
MRC dyspnea score	
P. aeruginosa colonization	
Colonisation with other organisms	
Radiological severity	

*BMI: body mass index; FEV$_1$: forced expiratory volume in 1 second; MRC: medical research council

4) 추적관찰

(1) 안정상태의 기관지확장증(Stable bronchiectasis)

① 기본검사

- 1년마다 1회 정도 chest X ray, 객담 검사, 폐기능검사를 추적 관찰한다.

② 다음 criteria를 만족하는 경우 주기적인 경과 관찰이 필요하다.

- *P. aeruginosa*, NTM, or MRSA colonization 환자
- 폐기능이 점점 감소하는 환자
- 1년에 3회 이상 악화가 발생
- 장기간 항생제 치료를 받는 환자
  - Rheumatoid arthritis, immune deficiency, inflammatory bowel disease or primary ciliary dyskinesia 동반한 bronchiectasis 환자
  - ABPA 환자
  - 폐이식을 고려하는 경우

표 9-22. 기관지확장증의 초기 진단 시 검사

흉부 CT
객담 미생물 그람 염색 및 배양
객담 AFB 도말 및 배양
ABPA 검사(Serum specific IgE for aspergillus 및 Serum total IgE, Blood eosinophil count)
혈중 CRP
폐기능검사(spirometry, bronchodilator response 등)

5. 폐암(Lung Cancer)

1) 병력 청취

① 증상: 전신 증상, 국소 증상, 흉곽외 전이에 의한 증상, 부신생물증후군(Paraneoplastic syndromes)

② 위험인자: 흡연(갑년으로 표기), 석면(asbestos), 라돈가스(radioactive gas), 크롬, 니켈, 유기비소화물 등

③ 활동능력상태: ECOG 활동능력 척도를 반드시 확인하고 기록한다.

2) 진찰

① 신체 계측: 키/체중, 활력징후

② 경부, 빗장위(supraclavicular), 액와(axillary) 림프절 촉지

③ 청진: 천명음(wheezing)

④ 흉벽 촉진 및 타진: 늑골침범 부위의 압통점

⑤ 흉수: 타진시 둔탁음, 호흡음 감소

⑥ Horner 증후군

⑦ 상대정맥증후군: 경부 및 안면부의 부종, 상지의 확장된 정맥

3) 검사

① 객담세포검사

② 흉부방사선 촬영: 과거의 사진과 연속적으로 비교

③ CT(조영제 사용): 쇄골 상부를 포함한 흉부와 상복부 특히 부신이 포함되도록 촬영한다.

④ 양전자단층촬영(PET, PET/CT): 환자의 전이여부 및 림프절에 대한 병기결정에 유용하다.

⑤ 뇌자기공명영상(brain MRI)

⑥ 골 주사 검사(bone scan): 선택적으로 시행

4) 병리학적 진단과 진단검사 방법

(1) 중심성 병변(Central Tumor)

① 객담세포검사: 적어도 3회

② 기관지내시경: bronchial brushing, bronchial washing, endobronchial biopsy

③ 종격동림프절: 경기관지세침흡인술(TBNA), 내시경초음파세침흡인술(Endoscopic ultrasound-guided fine needle aspiration, EUS-FNA/Endobronchial ultrasound-guided transbronchial needle aspiration, EBUS-TBNA)

④ 종격내시경술(standard cervical mediastinoscopy)

(2) 말초성 병변(Peripheral Tumor)

① 경흉부침흡인(Percutaneous needle biopsy, PCNB)

② 세침흡인술(Fine needle aspiration, FNA): 전이부위나 림프절

③ 비디오흉강경수술(Video-assisted thoracoscopy, VATS)

④ 개흉술(thoracotomy)

※ PCNB, EBUS로 조직 획득이 어려운 일부 환자에서 경우에 따라 전자기유도기관지내시경술 (Electromagnetic Navigation Bronchoscopy, ENB)를 시행할 수 있다.

(3) 흉수

① 흉강천자(thoracentesis) 또는 초음파 유도 천자: 흉수 세포검사

② 비디오흉강경수술을 이용한 흉막생검: 적어도 2회 이상의 thoracentesis를 통한 fluid cytology에서 음성 소견을 보인 경우 thoracoscopy를 다음 단계로 시행한다.

※ 기관지내시경이나 경흉부침흡인(PCNB)을 통해서 조직검사를 시행해야 하는 환자의 경우 혈소판 수와 PT & aPTT 등을 확인하고 교정이 가능하면 시술 전에 교정한다.

※ 심혈관계 질환으로 아스피린이나 antiplatelet drug을 복용하는 환자의 경우 PCNB 1주일 전에 중단하여 출혈위험을 최소화한 후 검사를 시행한다.

※ 세기관지폐포암종(bronchioloalveolar carcinoma, BAC)가 의심되는 환자에서 미만성 경화 형태로 보이고, 경흉부침흡인을 시행했는데도 진단이 불명확한 경우 비디오흉강경수술로 조직을 얻는다. 이때 먼저 영상의학과와 상의하여 유도철선을 병소에 삽입한 후 수술을 시행한다.

5) 병리학적 분류

표 9-23. 폐암의 조직학적 분류

조직학적 분류	빈도, %
선암(Adenocarcinoma)	32
세기관지폐포암종(Bronchioloalveolar carcinoma)	3
편평세포암종(Squamous cell carcinoma)	29
소세포폐암(Small cell carcinoma)	18
대세포암종(Large cell carcinoma)	9
카르시노이드(Carcinoid)	1.0
점막표피암(Mucoepidermoid carcinoma)	0.1
샘낭암종(Adenoid cystic carcinoma)	<0.1
육종(Sarcoma)과 기타 연부조직종양	0.1
기타 모든 악성 종양	11.0

6) 비소세포 폐암의 병기결정 및 치료

표 9-24. Definitions for T, N, and M Descriptors (AJCC 8th edition)

병기	Characteristics
	종양병기(T)
Tx	가래나 기관지세척액에서 종양세포가 확인되었으나 영상학적 검사에서는 보이지 않음
T0	종양의 증거 없음
Tis	Carcinoma in situ
T1	종양크기≤3 cm, 폐나 폐쪽가슴막에 둘러싸여 있어야 함. 주기관지 침범 없음 (T1a≤1 cm, 1<T1b≤2 cm, 2<T1c≤3 cm)
T2	3 cm<종양크기≤5 cm 또는 주기관지 침범(용골침범 없음, 거리 상관 없음) 또는 폐쪽가슴막 침범 또는 폐쇄성 폐렴(3 cm<T2a≤4 cm, 4 cm<T2b≤5 cm)
T3	5 cm<종양크기≤7 cm 또는 흉벽, 벽측심장막, 횡격막신경 침범 또는 동측의 같은 엽에 다른 결절 존재
T4	종양크기>7 cm 또는 종격동, 횡격막, 심장, 대혈관, recurrent laryngeal nerve, 용골, 기관, 식도, 척추 침범 또는 동측의 다른 엽에 다른 결절이 존재
	림프절병기(N)
N1	동측 기관지옆 또는 폐문부림프절
N2	동측 종격동 또는 용골하림프절
N3	반대편 종격동 또는 폐문부림프절, 사각근림프절 또는 쇄골상부림프절
	전이병기(M)
M1a	반대편 엽에 결절이 존재 또는 흉막 파종(악성 흉막삼출, 심장막삼출, 심장막결절)
M1b	단독(single) 흉곽외전이(single non-regional lymph node 포함)
M1c	다발성(multiple) 흉곽외전이

표 9-25. TNM staging for lung cancer (AJCC 8th edition)

	N0	N1	N2	N3
T1	IA	IIB	IIIA	IIIB
T2a	IB	IIB	IIIA	IIIB
T2b	IIA	IIB	IIIA	IIIB
T3	IIB	IIIA	IIIB	IIIC
T4	IIIA	IIIA	IIIB	IIIC
M1a	IVA	IVA	IVA	IVA
M1b	IVA	IVA	IVA	IVA
M1c	IVB	IVB	IVB	IVB

그림 9-9. 비소세포성 폐암의 병기결정 및 치료

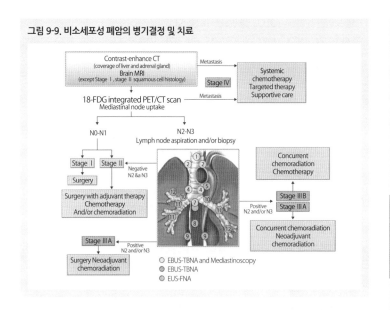

7) 수술 전 폐기능 평가

비소세포폐암의 병기 평가에서 절제가 가능한 경우 수술이 치료의 첫 번째 선택이나 많은 환자들에서 흡연으로 인한 폐기능의 이상을 동반한다. 또한 고령의 환자군이 증가함에 따라 70세 이상의 고령환자에서 폐엽절제술과 폐절제술로 인한 사망률이 각 4–7%, 14%로 보고되고 있으며 흡연으로 인한 심혈관계 질환도 증가되어 수술 전 심폐기능의 위험인자 평가가 반드 시 필요하다.

① 고령이라고 하여 수술치료를 제외하거나 거부해서는 안된다.

② 수술 전 심장기능 평가를 시행: 심전도를 시행하고 심혈관 질환이나 부정맥, 판막질환 등이 있는 경우 심장내과에 의뢰하여 수술 전 위험도 평가 및 치료방침에 대해 상의한다.

③ 폐활량측정법(Spirometry)과 폐확산능(DLCO): 환자가 임상적으로 안정되어 있고 기관지 확장제 치료를 충분히 받은 상태에서 시행하여 판정하고 1초간 노력성호기량(FEV_1)은 절대 치와 정상예측치에 대한 백분율의 정도로 표시한다.

④ FEV_1이 80% 이상이거나 절대치가 2 L 이상인 경우에는 추가적인 검사없이 폐절제술을 시행할 수 있고 폐엽절제술인 경우에는 FEV_1이 1.5 L 이상인 경우에 시행할 수 있다.

⑤ 방사선 소견상 간질성폐질환의 증거가 있거나 FEV_1에 비하여 과도한 운동 시 호흡곤란

을 보이면 폐확산능(DLCO)을 반드시 측정한다.

⑥ FEV₁ 또는 DLCO가 60% 이하인 경우에는 추가 검사를 통해서 수술 후 폐기능을 예측하여야 한다.

⑦ 폐절제술 후 폐기능(Predicted postoperative lung function, ppo)을 방사선동위원소를 이용한 폐관류스캔을 이용하여 측정한다.

* 폐절제술 후 FEV₁의 예측치 = 수술전 FEV₁ × (남겨진 폐에 분포하는 방사선동위원소의 백분율)

⑧ 수술적 폐절제를 고려하는 환자에서 %ppo FEV₁ 또는 %ppo DLCO가 40% 이하인 경우 수술 중 사망이나 수술 후 합병증의 위험이 높아지기 때문에 수술 전 운동부하검사(exercise testing)를 시행한다.

⑨ %ppo FEV₁이 30% 미만이거나 운동부하검사에서 최대산소섭취량(VO₂max)이 15 mL/kg/min 미만은 수술 중 사망이나 수술 후 합병증의 고위험군으로 수술 외 다른 치료 방법을 고려하여야 한다.

⑩ 동맥혈산소검사에서 이산화탄소분압(PaCO₂)이 45 mmHg 이상이거나 동맥혈산소포화도(SaO₂)가 90% 이하인 경우는 추가적인 검사 필요하다.

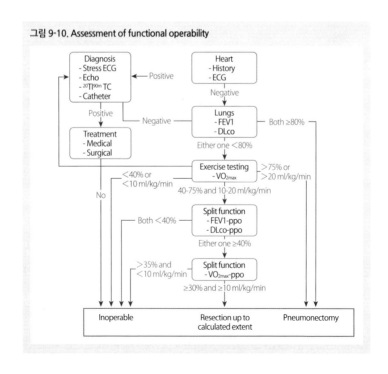

그림 9-10. Assessment of functional operability

8) 예후

표 9-26. 임상적 및 병리학적 병기에 따른 5년 생존률

병기	중간생존시간 (개월)	5년 생존률, %	
		임상적 병기	병리학적 병기
IA1	NR	92	90
IA2	NR	83	85
IA3	NR	77	80
IB	NR	68	73
IIA	NR	60	65
IIB	66.0	53	56
IIIA	29.3	36	41
IIIB	19.0	26	24
IIIC	12.6	13	12
IVA	11.5	10	6
IVB	6.0	0	<1

9) 소세포폐암

(1) 진단적 검사절차

① 병력청취와 이학적 검사(physical examination)

② 병리학적 진단

③ 흉부단층촬영(조영제를 사용하여): 흉부와 상복부 특히 부신이 포함되도록 촬영한다.

④ 방사선핵뼈스캔(bone scan)

⑤ 뇌자기공명영상

⑥ 혈액검사: CBC, BUN, Cr, electrolyte, liver function test, lactate dehydrogenase (LDH) levels, Ca

⑦ 양전자단층촬영술(PET)

⑧ 제한기(Limited stage)와 확장기(Extensive stage)로 구분한다.

(2) 제한기와 확장기의 정의

① 제한기(Limited-stage disease): 종양의 범위가 일측 흉곽내, 종격동 및 쇄골상부 림프절까지로 국한되어 근치적 방사선 치료가 가능한 경우

② 확장기(Extensive-stage disease): 종양이 제한기보다 더 퍼져 있는 경우로 악성 흉수와 심낭액, 혈행성 전이가 있는 경우

6. 폐색전증(Pulmonary embolism, PE)

1) 폐색전증 위험인자

표 9-27. 폐색전증의 위험인자

Strong risk factors (OR>10)	
Fracture of lower limb	Hospitalization for heart failure or atrial fibrillation/flutter (within previous 3 months)
Hip or knee replacement	Major trauma
Myocardial infarction (within previous 3 months)	Previous VTE
Spinal cord injury	
Moderate risk factors (OR 2-9)	
Arthroscopic knee surgery	Autoimmune diseases
Blood transfusion	Central venous lines
Intravenous catheters and leads	Chemotherapy
Congestive heart failure or respiratory failure	Erythropoiesis-stimulating agents
Hormone replacement therapy (depends on formulation)	In vitro fertilization
Oral contraceptive therapy	Post-partum period
Infection (specifically pneumonia, urinary tract infection, and HIV)	Inflammatory bowel disease
Cancer (highest risk in metastatic disease)	Paralytic stroke
Superficial vein thrombosis	Thrombophilia
Weak risk factors (OR <2)	
Bed rest >3 days	Diabetes mellitus
Arterial hypertension	Immobility due to sitting (e.g. prolonged car or air travel)
Increasing age	Laparoscopic surgery (e.g. cholecystectomy)
Obesity	Pregnancy
Varicose veins	

HIV = human immunodeficiency virus; OR = odds ratio; VTE = venous thromboembolism.

2) 폐색전증 의심 환자의 접근

먼저 Hemodynamic instability 여부로 high risk of early mortality 환자를 구분한다.

(1) Suspected PE with hemodynamic instability

그림 9-11. Algorithm for suspected pulmonary embolism with hemodynamic instability

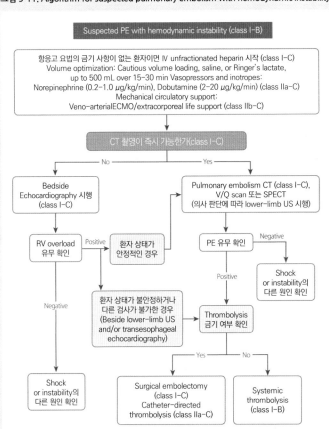

Suspected PE with hemodynamic instability (class I-B)

항응고 요법의 금기 사항이 없는 환자이면 IV unfractionated heparin 시작 (class I-C)
Volume optimization: Cautious volume loading, saline, or Ringer's lactate,
up to 500 mL over 15-30 min Vasopressors and inotropes:
Norepinephrine (0.2-1.0 μg/kg/min), Dobutamine (2-20 μg/kg/min) (class IIa-C)
Mechanical circulatory support:
Veno-arterial ECMO/extracorporeal life support (class IIb-C)

CT 촬영이 즉시 가능한가(class I-C)

No — Yes

Bedside Echocardiography 시행 (class I-C)

Pulmonary embolism CT (class I-C), V/Q scan 또는 SPECT (의사 판단에 따라 lower-limb US 시행)

RV overload 유무 확인 — Positive — 환자 상태가 안정적인 경우

PE 유무 확인 — Negative — Shock or instability의 다른 원인 확인

Positive

환자 상태가 불안정하거나 다른 검사가 불가한 경우 (Beside lower-limb US and/or transesophageal echocardiography)

Thrombolysis 금기 여부 확인

Negative

Shock or instability의 다른 원인 확인

Surgical embolectomy (class I-C) Catheter-directed thrombolysis (class IIa-C)

Yes — No

Systemic thrombolysis (class I-B)

*IVC filter (class IIa-C)/ECMO (class IIb-C): 의사 판단에 따라 시행
*PE = pulmonary embolism; IV = intravenous; CT = computed tomography; RV = right ventricle; V/Q = ventilation/perfusion; SPECT = single-photon emission computed tomography; US = ultrasonography; IVC = inferior vena cava; ECMO = extracorporeal membrane oxygenation.

① Hemodynamic instability

표 9-28. Definition of hemodynamic instability (one of the following clinical manifestations at presentation

Cardiac arrest	Obstructive shock	Persistent hypotension
Need for cardiopulmonary resuscitation	Systolic BP <90 mmHg or vasopressors required to achieve a BP ≥90 mmHg despite adequate filling status And End-organ hypoperfusion (altered mental status; cold, clammy skin; oliguria/anuria; increased serum lactate)	Systolic BP <90 mmHg or systolic BP drop ≥40 mmHg, lasting longer than 15 min and not caused by new-onset arrhythmia, hypovolemia, or sepsis

*BP = blood pressure

② Right ventricular (RV) failure treatment

표 9-29. Treatment of right ventricular failure in acute high-risk pulmonary embolism

Strategy	Properties and use	Caveats
Volume optimization Cautious volume loading, saline, or Ringer's lactate, ≤500 mL over 15–30 min	Consider in patients with normal-low central venous pressure (due, for example, to concomitant hypovolemia)	Volume loading can over-distend the RV, worsen ventricular interdependence, and reduce CO
Vasopressors and inotropes Norepinephrine, 0.2–1.0 μg/kg/mina	Increases RV inotropy and systemic BP, promotes positive ventricular interactions, and restores coronary perfusion gradient	Excessive vasoconstriction may worsen tissue perfusion
Dobutamine, 2–20 μg/kg/min	Increases RV inotropy, lowers filling pressures	May aggravate arterial hypotension if used alone, without a vasopressor; may trigger or aggravate arrhythmias
Mechanical circulatory support Veno-arterial ECMO/extracorporeal life support	Rapid short-term support combined with oxygenator	Complications with use over longer periods (>5–10 days), including bleeding and infections; no clinical benefit unless combined with surgical embolectomy; requires an experienced team

*CO = cardiac output; BP = blood pressure; ECMO = extrcoporeal membrane oxygenation; RV = right ventricle/ventricular.

③ RV pressure overload

그림 9-12. Echocardiographic parameters of right ventricular pressure overload parameters

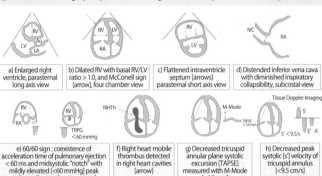

a) Enlarged right ventricle, parasternal long axis view	b) Dilated RV with basal RV/LV ratio > 1.0, and McConell sign [arrow], four chamber view	c) Flattened intraventricle septum [arrows] parasternal short axis view	d) Distended inferior vena cava with diminished inspiratory collapsibility, subcostal view

e) 60/60 sign : coexistence of acceleration time of pulmonary ejection < 60 ms and midsystolic "notch" with mildly elevated [<60 mmHg] peak systolic gradient at the tricuspid valve	f) Right heart mobile thrombus detected in right heart cavities [arrow]	g) Decreased tricuspid annular plane systolic excursion [TAPSE] measured with M-Mode [<16 mm]	h) Decreased peak systolic [s'] velocity of tricuspid annulus [<9.5 cm/s]

*A' = peak late diastolic (during atrial contraction) velocity of tricuspid annulus by tissue Doppler imaging; Act = ventricular outflow Doppler acceleration time; Ao = aorta; E' = peak early diastolic velocity of tricuspid annulus by tissue Doppler imaging; IVC = inferior vena cava; LA = left atrium, LV = left ventricle; RA = right atrium = RiHTh = right heart thrombus (or thrombi); RV = right ventricle/ventricular; S' = peak systolic velocity of tricuspid annulus by tissue Doppler imaging; TAPSE = tricuspid annular plane systolic excursion; TRPG = tricuspid valve peak systolic gradient.

④ Systemic thrombolysis

표 9-30. Thrombolytic regimens, doses, and contraindications

Molecule	Regimen	Contraindications
rtPA	100 mg over 2 h 0.6 mg/kg over 15 min (maximum dose 50 mg)[a]	**Absolute** History of hemorrhagic stroke or stroke of unknown origin Ischemic stroke in previous 6 months Central nervous system neoplasm Major trauma, surgery, or head injury in previous 3 weeks Bleeding diathesis Active bleeding
Streptokinase	250,000 IU as a loading dose over 30 min, followed by 100,000 IU/h over 12–24 h Accelerated regimen: 1.5 million IU over 2 h	
Urokinase	4,400 IU/kg as a loading dose over 10 min, followed by 4,400 IU/kg/h over 12–24 h Accelerated regimen: 3 million IU over 2 h	**Relative** Transient ischemic attack in previous 6 months Oral anticoagulation Pregnancy or first post-partum week Non-compressible puncture sites Traumatic resuscitation Refractory hypertension (systolic BP >180 mmHg) Advanced liver disease Infective endocarditis Active peptic ulcer

*BP = blood pressure; IU = international units; rtPA = recombinant tissue-type plasminogen activator
*[a] This is the accelerated regimen for rtPA in pulmonary embolism; it is not officially approved, but it is sometimes used in extreme hemodynamic instability such as cardiac arrest.

(2) Suspected pulmonary embolism without hemodynamic instability

그림 9-13. Algorithm for suspected pulmonary embolism without hemodynamic instability

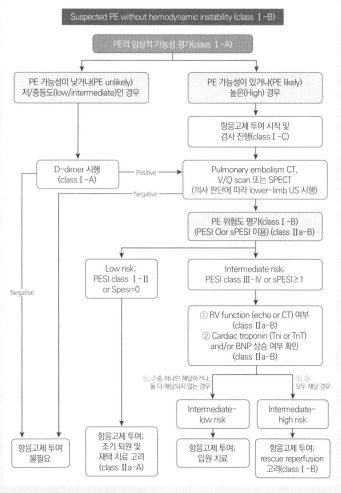

*IVC filiter (class IIa-C): 의사 판단에 따라 시행
*PE = pulmonary embolism; CT = computed tomography; V/Q = ventilation/perfusion; SPECT = single-photon emission computed tomography; US = ultrasonography; PESI = pulmonary embolism severity index; sPESI = simplified PESI; RV = right ventricle; TnI = troponin-I; TnT = troponin T; BNP = brain natriuretic peptide; IVC = inferior vena cava.

① PE 가능성 평가

표 9-31. The Wells Clinical prediction rule for pulmonary embolism

Items	Clinical decision rule points	
	Original version	Simplified version
Previous PE or DVT	1.5	1
Heart rate >100 b.p.m	1.5	1
Surgery or immobilization within the past 4 weeks	1.5	1
Hemoptysis	1	1
Active cancer	1	1
Clinical signs of DVT	3	1
Alternative diagnosis less likely than PE	3	1
Clinical probability		
Three-level score Low(~10%) Intermediate(30%) High(65%)	0–1 2–6 ≥7	N/A N/A N/A
Two-level score PE unlikely(~12%) PE likely(30%)	0–4 ≥5	0–1 ≥2

*b.p.m. = beats per minute; DVT = deep vein thrombosis; N/A = not applicable; PE = pulmonary embolism.

② PE severity 평가

표 9-32. Original and simplified Pulmonary Embolism Severity Index

Parameter	Original version	Simplified version
Age	Age in years	1 point (if age >80 years)
Male sex	+10 points	–
Cancer	+30 points	1 point
Chronic heart failure	+10 points	1 point
Chronic pulmonary disease	+10 points	–
Pulse rate ≥110 b.p.m	+20 points	1 point
Systolic BP <100 mmHg	+30 points	1 point
Respiratory rate >30 breaths per min	+20 points	–
Temperature <36℃	+20 points	–
Altered mental status	+60 points	–
Arterial oxyhemoglobin saturation <90%	+20 points	1 point

*BP = blood pressure; b.p.m. = beats per minute; CI = confidence interval.

표 9-33. Original and simplified Pulmonary Embolism Severity Index

Parameter	Original version	Simplified version
Risk strata	Class I: ≤65 points very low 30 day mortality risk (0-1.6%)	0 points 30 day mortality risk 1.0% (95% CI 0.0-2.1%)
	Class II: 66-85 points low mortality risk (1.7-3.5%)	
	Class III: 86-105 points moderate mortality risk (3.2-7.1%)	≥1 point(s) 30 day mortality risk 10.9% (95% CI 8.5-13.2%)
	Class IV: 106-125 points high mortality risk (4.0-11.4%)	
	Class V: >125 points very high mortality risk (10.0-24.5%)	

*BP = blood pressure; b.p.m. = beats per minute; CI = confidence interval.

③ PE의 위험도 평가

표 9-34. Classification of pulmonary embolism severity and the risk of early (in-hospital or 30 day) death

Early mortality risk		Indicators of risk			
		Hemodynamic instability	Clinical parameters of PE severity/comorbidity: PESI III–IV or sPESI ≥1	RV dysfunction on TTE or CTPA	Elevated cardiac troponin levels
High		+	(+)	+	(+)
Intermediate	Intermediate–high	–	+	+	+
	Intermediate–low	–	+	One (or none) positive	
Low		–	–	–	Assessment optional; if assessed, negative

*BP = blood pressure; CTPA = computed tomography pulmonary angiography; PE = pulmonary embolism; PESI = Pulmonary Embolism Severity Index; RV = right ventricular; sPESI = simplified Pulmonary Embolism Severity Index; TTE = transthoracic echocardiography.

④ 항응고치료(Anticoagulation)

표 9-35. Anticoagulation regimen

	Initial Tx.	Long-term and extended Tx.	Evidence
Conventional	IV or SC UFH or SC LMWH (1 week) or SC fondaparinux	VKA with PT monitoring	
Mono-therapy	Rivaroxaban 15mg bid (3 weeks)	Rivaroxaban 20mg qd	EINSTEIN-DVT EINSTEIN-PE EINSTEIN-EXT
	Apixaban 10mg bid (1 week)	Apixaban 5mg bid or 2.5mg bid	AMPLIFY AMPLIFY-EXT
Switch Therapy	IV UFH or SC LMWH (1 week)	Dabigatran 150mg bid	RE-COVER Ⅰ, Ⅱ RE-MEDY RE-SONATE
		Edoxaban 60mg qd (30 mg qd if Ccr 30-50 mL/ min or body weight <60 kg)	Hokusai-VTE

*Tx = treatment; IV = intravenous; SC = subcutaneous; UFH = unfractionated heparin; LMWH = low-molecular weight heparin; VKA = vitamin K antagonist; PT = prothrombin time.

표 9-36. Low-molecular weight heparins and fondaparinux

	Dosage	Interval
Enoxaparin	1.0 mg/kg	Every 12 h
	1.5 mg/kg	Once daily
Tinzaparin	175 U/kg	Once daily
Dalteparin	100 IU/kg	Every 12 h
	200 IU/kg	Once daily
Nadroparin	86 IU/kg	Every 12 h
	171 IU/kg	Once daily
Fondaparinux	5 mg (body weight <50 kg)	Once daily
	7.5 mg (body weight 50-100 kg)	
	10 mg (body weight >100 kg)	

*IU = international units; PE = pulmonary embolism; U = units.

표 9-37. Choice of anticoagulant for venous thromboembolism treatment

Factor	Preferred Anticoagulant	Qualifying Remarks
Cancer	LMWH	More so if: just diagnosed, extensive VTE, metastatic cancer, very symptomatic; vomiting; on cancer chemotherapy.
Parenteral therapy to be avoided	Rivaroxaban; apixaban	VKA, dabigatran, and edoxaban require initial parenteral therapy.
Once daily oral therapy preferred	Rivaroxaban; edoxaban; VKA	
Liver disease and coagulopathy	LMWH	NOACs contraindicated if INR raised because of liver disease; VKA difficult to control and INR may not reflect antithrombotic effect.
Renal disease and creatinine clearance <30 mL/min	VKA	NOACs and LMWH contraindicated with severe renal impairment. Dosing of NOACs with levels of renal impairment differ with the NOAC and among jurisdictions.
Coronary artery disease	VKA, rivaroxaban, apixaban, edoxaban	Coronary artery events appear to occur more often with dabigatran than with VKA. This has not been seen with the other NOACs, and they have demonstrated efficacy for coronary artery disease. Antiplatelet therapy should be avoided if possible in patients on anticoagulants because of increased bleeding.
Dyspepsia or history of gastrointestinal bleeding	VKA, apixaban	Dabigatran increased dyspepsia. Dabigatran, rivaroxaban, and edoxaban may be associated with more GI bleeding than VKA.
Poor compliance	VKA	INR monitoring can help to detect problems. However, some patients may be more compliant with a NOAC because it is less complex.
Thrombolytic therapy use	UFH infusion	Greater experience with its use in patients treated with thrombolytic therapy
Reversal agent needed	VKA, UFH	
Pregnancy or pregnancy risk	LMWH	Potential for other agents to cross the placenta
Cost, coverage, licensing	Varies among regions and with individual circumstances	

*LMWH = low-molecular weight heparin; VTE = venous thromboembolism; VKA = vitamin K antagonist; INR = International Normalized Ratio; NOAC = non-vitamin K antagonist oral anticoagulant.
※ Cancer가 없는 VTE 환자의 치료는, 금기만 없다면 non-vitamin K antagonist oral anticoagulant (NOAC)이 VKA보다 더 추천된다. Cancer가 동반된 VTE 환자의 치료는 LMWH가 다른 약제 (VKA, NOACs)보다 더 추천된다.

3) 장기 혈전색전증 재발 위험 인자

표 9-38. Classification of risk factors for venous thromboembolism based on the risk of long-term recurrence

Estimated risk for long-term recurrence[a]	Risk factor category for index PE[b]	Examples[b]
Low (<3% per year)	Major transient or reversible factors associated with >10-fold increased risk for the index VTE event (compared to patients without the risk factor)	Surgery with general anesthesia for >30 min
		Confined to bed in hospital (only "bathroom privileges") for ≥3 days due to an acute illness, or acute exacerbation of a chronic illness
		Trauma with fractures
Intermediate (3-8% per year)	Transient or reversible factors associated with ≤10-fold increased risk for first (index) VTE	Minor surgery (general anesthesia for <30 min)
		Admission to hospital for <3 days with an acute illness
		Estrogen therapy/contraception
		Pregnancy or puerperium
		Confined to bed out of hospital for ≥3 days with an acute illness
		Leg injury (without fracture) associated with reduced mobility ≥3 days
		Long-haul flight
	Non-malignant persistent risk factors	Inflammatory bowel disease
		Active autoimmune disease
	No identifiable risk factor	
High (>8% per year)		Active cancer
		One or more previous episodes of VTE in the absence of a major transient or reversible factor
		Antiphospholipid antibody syndrome

*PE = pulmonary embolism; VTE = venous thromboembolism.
[a]If anticoagulation is discontinued after the first 3 months.
[b]The categorization of risk factors for the index VTE event is in line with that proposed by the International Society on Thrombosis and Haemostasis. The present Guidelines avoid terms such as "provoked", "unprovoked", or "idiopathic" VTE.

7. 폐고혈압(Pulmonary hypertension)

1) 혈역학적 정의

표 9-39. 혈역학적 정의

정의	특징	임상적 분류
모세혈관전 폐고혈압(Pre-capillary PH)	mPAP>20 mmHg PAWP≤15 mmHg PVR≥3 WU	1, 3, 4, 5
모세혈관후 폐고혈압 Isolated post capillary PH (IpcPH)	mPAP>20 mmHg PAWP>15 mmHg PVR<3 WU	2, 5
혼합성 모세혈관 전후 폐고혈압 Combined pre- and post capillary PH (CpcPH)	mPAP>20 mmHg PAWP>15 mmHg PVR≥3 WU	2, 5

mPAP (Mean pulmonary artery pressure, 평균폐동맥압), PAWP (Pulmonary artery wedge pressure, 폐동맥쐐기압), PVR (Pulmonary vascular resistance, 폐혈관저항)

2) 분류

표 9-40 폐고혈압의 분류

Group 1. 폐동맥고혈압	Group 3. 폐질환에 의한 폐고혈압

Group 1. 폐동맥고혈압

1. 특발성
2. 유전성: BMPR2 돌연변이 등
3. 약물과 독소 유도
4. 관련질환
   - 결합조직질환
   - HIV 감염
   - 문맥 고혈압
   - 선청성 심장질환
   - 주혈흡충증(Schistosomiasis)
5. 칼슘통로 차단제 반응성의 폐동맥 고혈압
6. 정맥/모세혈관(PVOD/PCH)에 의한 폐동맥 고혈압
7. 신생아의 폐동맥고혈압 지속증

Group 2. 좌심질환(left heart disease)에 의한 폐고혈압

1. 심박출률 보존성 심부전(EFprHF)에 의한 폐고혈압
2. 심박출률 감소성 심부전(EFrHF)에 의한 폐고혈압
3. 판막 질환
4. 선천성/후천성 심장 질환에 의한 폐고혈압

Group 3. 폐질환에 의한 폐고혈압

1. 만성 폐쇄성 폐질환(COPD)
2. 간질성 폐질환(Interstitial lung disease)
3. 혼합성 폐질환(Lung disease of mixed restrictive/obstructive pattern)
4. 폐질환 없는 지속적인 저산소증
5. 발달 장애성 폐질환(Developmental lung disease)

Group 4. 폐동맥 폐쇄 의한 폐고혈압

1. 만성 혈전색전증(Chronic thromboembolic PH)
2. 기타 폐동맥 폐쇄 질환

Group 5. 불분명하거나 다요인성 기전에 의한 폐고혈압

1. 혈액질환
2. 전신질환
3. 기타
4. 선천성 심장 질환

*PVOD: Pulmonary veno-occlusive disease, PCH; pulmonary capillary haemangiomatosis, PH: pulmonary hypertension, EFprHF: Ejection preserved heart failure, EFrHF: Ejection fraction reduced heart failure

3) 진단

폐동맥고혈압은 폐고혈압을 일으키는 다른 원인 배제 후 진단 가능하다.

그림 9-14. 폐고혈압 진단 알고리즘

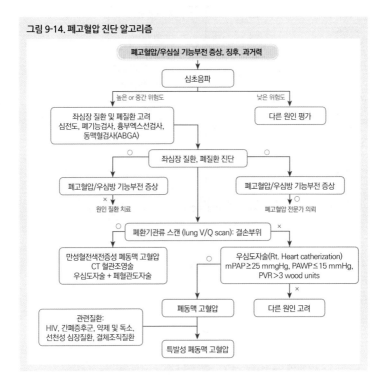

표 9-41. 심초음파 평가

최대 삼첨판 역류 속도(m/s) (PTRV)	ECHO에서 다른 폐고혈압 징후	ECHO에서 폐고혈압 가능성 정도
≤2.8 or 측정불가	없음	낮음
≤2.8 or 측정불가	있음	중등도
2.9–3.4	없음	
2.9–3.4	있음	높음
>3.4	불필요	

PTRV (Peak tricuspid regurgitation velocity)

표 9-42. 폐동맥 고혈압에서 위험도 평가

예후 인자	저위험군 <5%	중등도 5–10%	고위험군 >10%
우심부전 증상	없음	없음	있음
증상 진행	없음	서서히 진행	빠른 진행
WHO 기능분류	I, II	III	IV
6분보행검사	>440 m	165–440 m	<165 m
심폐기능 운동 평가	Peak VO_2>15 mL/min/kg (>65% pred.) VE/VCO_2 slope<36	Peak VO_2>11–15 mL/min/kg (35–65% pred.) VE/VCO_2 slope 36–44.9	Peak VO_2<11 mL/min/kg (<35% pred.) VE/VCO_2 slope≥45
NT-proBNP	BNP<50 ng/l NT-proBNP<300 ng/l	BNP 50–300 NT-proBNP 300–1400	BNP>300 NT-proBNP>1400
영상 (심초음파)	RA area<18 cm^2 심낭삼출액 없음	RA 18–26 cm^2 심낭삼출액 소량	RA>26 cm^2 심낭삼출액
혈역학 상태	RAP<8 mmHg CI≥2.5 l/min/m^2 SvO_2>65%	RAP 8–14 mmHg CI 2.0–2.4 l/min/m^2 SvO_2 60–65%	RAP>14 mmHg CI<2.0 l/min/m^2 SvO_2<60%

*VO_2: Ventilaion and oxygen consumption(환기, 산소 소비량), VE/VCO_2 (CO_2 ventilatory equivalent), RA (Rt. Atrium; 우심방), CI (Cardiac index; 심장 지수), SvO_2 (venous oxygen saturation; 정맥산소포화도)

4) 치료

그림 9-15. 치료 원칙

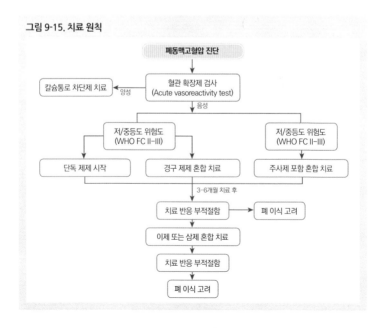

그림 9-16. 치료 약제 분류

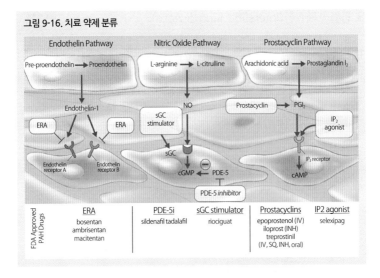

표 9-43. 폐동맥고혈압 전문 치료제(PAH specific drugs)(2016년 11월 기준)

작용기전	제품 성분명	투여 경로	국내 식약처 허가 여부	보험 급여 인정 여부	보험급여 인정 범위		
					FC II	FC III	FC IV
ERA	Ambrisentan	경구	○	○	×	○	×
	Bosentan	경구	○	○	×	○	○
	Macitentan	경구	○	○	×	○	×
PDE−5 inhibitor	Silderafil	경구	○	○	○	○	×
	Taclalalil	경구	×	×	×	×	×
	Vardenafil	경구	×	×	×	×	×
sGC stimulators	Riociguat	경구	○	×	보험급여 협상 중		
Prostacyclin analogues	Epoprostenol	정맥내	×	×	×	×	×
	Ibprost	흡입	○	○	×	○	○
		정맥내	×	×	×	×	×
	Treprostinil	피하	○	○	×	○	○
		흡입	×	×	×	×	×
		정맥내	○	○	×	○	○
		경구	×	×	×	×	×
	Beraprost	경구	○	○	인정범위 불분명		
IP receptor agonists	Selexipag	경구	○	×	보험급여 협상 중		

*ERA: Endothelin Receptor Antagonist
*PDE−5: PhosphodiesteraseType 5
*sGC: Soluble Guanylate Cyclase

8. 간질성 폐질환(Interstitial lung disease)

1) 정의

간질성 폐질환(interstitial lung disease, ILD)은 폐포 사이 공간인 간질(interstitium)에 세포의 증식과 분화, 만성적인 염증 및 섬유화 등 다양한 병리 기전이 따로 혹은 동시에 나타나는 질환을 통칭한다. 분류로는 직업성/환경성물질, 약물, 방사선 등 의인성, 결체조직질환등의 원인이 있는 간질성 폐질환과 원인이 불명인 특발성간질성폐렴이 있고, 특발성간질성폐렴의 주된 질환으로 특발성폐섬유증, 특발성비특이간질성폐렴, 호흡세기관지염-간질성폐질환, 박리간질성폐렴, 급성간질성폐렴 등이 있다. 2011년 국제지침에 의한 특발성 간질성폐렴의 분류는 다음과 같다.

표 9-44. 특발성간질성폐렴의 분류

Major idiopathic interstitial pneumonias
Idiopathic pulmonary fibrosis
Idiopathic nonspecific interstitial pneumonia
Respiratory bronchiolitis-interstitial lung disease
Desquamative interstitial pneumonia
Cryptogenic organizing pneumonia
Acute interstitial pneumonia
Rare idiopathic interstitial pneumonias
Idiopathic lymphoid interstitial pneumonia
Idiopathic pleuroparenchymal fibroelastosis
Unclassifiable idiopathic interstitial pneumonia

2) 병력 청취 및 기본검사

이들 질환들은 예후와 치료법이 다르며, 정확한 진단을 위해 자세한 병력 청취 및 임상소견, 결체조직질환의 감별을 위한 자가항체검사, 흉부 고해상도전산화단층촬영, 조직학적 검사 등을 종합한 다학제적 접근(multidisciplinary discussion, MDD)이 필요하다. 흡연력을 확인하는 것이 중요하고 직업성 폐질환의 배제를 위하여 직업력에 대한 자세한 문진을 시행, 과민성폐장염 등의 가능성을 고려하여 환경에 대한 정보(거주하거나 근무하는 곳에서 곰팡이나 새와 장기간 접촉하였는지 등)에 대한 병력 청취를 시행한다. 이와 더불어, 복용하는 약물이나 방사선 치료 여부 등에 대해서도 확인하여야 한다. 특발성 간질성 폐렴 중 영상의학적, 병리학적으로 통상형 간질성 폐렴(usual interstitial pneumonia)의 형태를 가지는 특발성 폐섬유증(idiopathic pulmonary fibrosis, IPF)이 예후가 가장 불량하기 때문에 이들과 다른 질환군을 구분하는 것이 임상적으로 중요하다.

간질성 폐질환이 의심되는 경우 결체조직질환(connective tissue disease)의 동반 가능성을 고려하여 관절통, 피부발진, 구강 궤양, 레이노 현상 및 입마름, 눈건조감 등에 대한 병력 청취가 필요하고 항핵항체, 류마티스인자, 항 CCP (cyclic citrullinated peptide) 항체검사 및 항호중구세포질항체(anti-neutrophil cytoplasmic antibodies, ANCA) 검사를 시행하여 결체조직질환을 감별하도록 한다.

폐기능검사 상 특징적으로 제한성환기장애 소견을 보이며, 대부분의 환자들에서 폐확산능이 감소하게 된다. 또한 6분 보행거리 검사 상 거리 및 산소포화도의 감소를 보일 수 있다. 기저검사에 비해 폐기능의 감소, 6분 보행거리의 감소는 사망을 예측할 수 있는 지표로도 사용된다.

고령의 환자에서 진행되는 호흡곤란이나 마른기침을 호소하고, 신체 진찰 상 곤봉지 또는 흡기시 수포음이 들리거나 흉부 X-ray에서 양폐하부의 증가된 음영을 보이는 경우 간질성 폐질환을 의심한다.

(1) 실제 진료 시 환자에게 확인해야 할 사항들

① 호흡기 관련 및 전신증상

cough/sputum/rhinorrhea, dyspnea, orthopnea/postnasal drip, nasal stuffiness, fever/chills

② 교원성혈관질환 관련 증상

raynaud phenomenon, rash, alopecia, oral ulcer, sicca symptom (eye, mouth), photosensitivity, arthralgia, neurologic disorder, morning stiffness (–)

③ 소화기증상: GERD Sx,

④ 사회력: 흡연력, 직업력, 거주지, drug history, 애완동물 여부. 비둘기나 새와 장기간 접촉 여부, 곰팡이, 화초, 가습기, 오리털 이불 및 베개 노출 여부

3) 고해상도 흉부 전산화단층촬영(High resolution computed tomography, HRCT)

1 mm 정도의 얇은 두께를 갖는 영상을 연속하여 촬영하여 폐실질의 변화를 민감하게 확인할 수 있게 한다. 간질성 폐질환이 의심되는 경우, 가능하면 복와위 자세(prone position)에서 추가로 촬영하여 의존적 위치의 폐허탈 등에 의한 소견을 구별할 수 있도록 하고 환자가 호기시에 추가로 촬영하여 공기걸림 등을 잘 확인할 수 있도록 한다.

원인이 불명인 특발성간질성폐렴인 경우 2018년 개정된 특발성폐섬유증 진료지침에서는 HRCT 소견에 따라 usual interstitial pneumonia (UIP), probable UIP, indeterminate UIP, alternative diagnosis의 네가지 유형으로 분류하였고, 각각의 기준 및 전형적인 소견은 다음과 같다.

표 9-45. 특발성폐섬유증의 영상학진단적 기준

UIP

- Subpleural and basal predominant; distribution is often heterogeneous*
- Honeycombing with or without peripheral traction bronchiectasis or bronchiolectasis[†]

Probable UIP

- Subpleural and basal predominant; distribution is often heterogeneous
- Reticular pattern with peripheral traction bronchiectasis or bronchiolectasis
- May have mild GGO

Indeterminate for UIP

- Subpleural and basal predominant
- Subtle reticulation; may have mild GGO or distortion ("early UIP pattern")
- CT features and/or distribution of lung fibrosis that do not suggest any specific etiology ("truly indeterminate for UIP")

Alternative Diagnosis

- Findings suggestive of another diagnosis, including:
  - CT features:
    · Cysts
    · Marked mosaic attenuation
    · Predominant GGO
    · Profuse micronodules
    · Centrilobular nodules
    · Nodules
    · Consolidation
  - Predominant distribution:
    · Peribronchovascular
    · Perilymphatic
    · Upper or mid-lung
  - Other:
    · Pleural plaques (consider asbestosis)
    · Dilated esophagus (consider CTD)
    · Distal clavicular erosions (consider RA)
    · Extensive lymph node enlargement (consider other etiologies)
    · Pleural effusions, pleural thickening (consider CTD/drugs)

그림 9-17. 특발성폐섬유증의 진단 기준별 CT양상

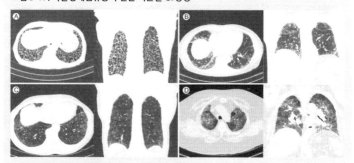

A) UIP, B) Probable UIP, C) indeterminate for UIP, D) Alternative diagnosis

HRCT상 UIP 형태를 가지는 경우 병리소견 상 UIP 형태과 높은 일치도를 보이기 때문에, 간질성 폐질환을 일으킬 만한 명확한 원인이 없고 영상의학적 소견 상 UIP 형태를 보이는 경우 조직검사 없이 특발성폐섬유증으로 진단이 가능하다. 또한 최근 보고에 의하면 60세 이상의 고령 남성에서 probable UIP 소견을 가지는 경우도 병리소견 상 UIP와 높은 일치도를 보이는 것이 확인되었다.

4) 조직학적 진단

원인이 불명인 특발성간질성폐렴인 경우 2018년 개정된 특발성폐섬유증 진료지침에 의하면 조직검사 소견도 UIP, probable UIP, indeterminate for UIP, alternative diagnosis 의 4가지로 분류되었고, 다음과 같다.

표 9-46. 특발성폐섬유증의 조학진단 기준

UIP
• Dense fibrosis with architectural distortion (i.e., destructive scarring and/or honeycombing) • Predominant subpleural and/or paraseptal distribution of fibrosis • Patchy involvement of lung parenchyma by fibrosis • Fibroblast foci • Absence of features to suggest an alternate diagnosis
Probable UIP
• Some histologic features from column 1 are present but to an extent that precludes a definite diagnosis of UIP/IPF and • Absence of features to suggest an alternative diagnosis or • Honeycombing only
Indeterminate for UIP
• Fibrosis with or without architectural distortion, with features favoring either a pattern other than UIP or features favoring UIP secondary to another cause* • Some histologic features from column 1 , but with other features suggesting an alternative diagnosis
Alternative Diagnosis
• Features of other histologic patterns of IIPs (e.g., absence of fibroblast foci or loose fibrosis) in all biopsies • Histologic findings indicative of other diseases (e.g., hypersensitivity pneumonitis, Langerhans cell histiocytosis, sarcoidosis, LAM)

간질성 폐질환의 진단을 위해 조직검사의 방법 중, 수술적 폐생검이 표준화된 방법이다. 같은 환자의 서로 다른 두 엽에서 다른 조직형이 관찰될 수 있기 때문에 수술적 폐 생검 시 최소 2곳 이상의 폐엽에서 조직을 얻어야 한다.

수술적 폐 생검의 합병증으로는 출혈, 감염, 지속적인 공기누출분 아니라 간질성 폐질환의 급성악화로 인해 사망에 이르는 경우도 있기 때문에 수술 후 주의깊은 모니터링이 필요하다. 기질성 폐렴(organizing pneumonia), 림프관평활근종증(lymphangioleiomyomatosis, LAM) 등의 일부 질환에서는 기관지내시경을 이용한 경기관지폐생검을 통해 비교적 높은 민감도로 진단이 가능할 수 있다.

5) 기관지폐포세척 검사(Bronchoalveolar lavage, BAL)

2018년 개정된 특발성폐섬유증 진료지침에 의하면 HRCT 상 UIP pattern이 아닌 경우 다른 질환을 감별할 목적으로 세포 분획과 CD4/CD8의 비율을 확인하는 것이 권고사항으로 새롭게 추가되었다. 정상인에서 기관지폐포세척 검사의 참고치와 특징적인 소견들은 다음과 같다.

표 9-47. 기관지폐포세척검사 정상 소견 및 특이 소견

I. Normal Adults (Nonsmokers)	BAL Differential Cell Counts
Alveolar macrophages	>85%
Lymphocytes (CD4+/CD8+ = 0.9-2.5)	10-15%
Neutrophils	≤3%
Eosinophils	≤1%
Squamous epithelial*/ciliated columnar epithelial cells†	≤5%

II. Interstitial lung diseases

a. Disorders associated with increased percentage of specific BAL cell types

Lymphocytic cellular pattern	Eosinophilic cellular pattern	Neutrophilic cellular pattern
>15% lymphocytes Sarcoidosis Nonspecific interstitial pneumonia (NSIP) Hypersensitivity pneumonitis Drug-induced pneumonitis Collagen vascular diseases Radiation pneumonitis Cryptogenic organizing pneumonia (COP) Lymphoproliferative disorders	>1% eosinophils Eosinophilic pneumonias Drug-induced pneumonitis Bone marrow transplant Asthma, bronchitis Churg-Strauss syndrome Allergic bronchopulmonary aspergillosis Bacterial, fungal, helminthic, *Pneumocystis* infection Hodgkin's disease	>3% neutrophils Collagen vascular diseases Idiopathic pulmonary fibrosis Aspiration pneumonia Infection: bacterial, fungal Bronchitis Asbestosis Acute respiratory distress syndrome (ARDS) Diffuse alveolar damage (DAD)

6) 특발성폐섬유화증의 진단과 치료

2018년 개정된 특발성폐섬유유증 진료지침에 의하면 병력 청취 및 기본검사들을 통해 간질성 폐질환의 원인을 찾을 수 없는 경우 HRCT를 시행한 후 다학제진료를 통해 기관지폐포세척 검사 또는 수술적 폐생검 등 추가적인 검사 시행 여부를 결정하도록 하였고, 검사 결과들을 종합하여 다시 다학제진료를 통해 진단을 할 것이 권고되고 있다. 진단의 알고리즘은 다음과 같다.

특발성폐섬유증 환자에서 폐기능의 감소로 정의되는 질환의 진행을 늦추기 위하여 pirfenidone 및 nintedanib의 사용이 권장되고 있다. 또한 최근 보고에 의하면 이들 약제가 급성악화의 감소, 사망률의 감소와도 연관이 있다는 보고들이 있다.

Pirfenidone과 관련된 부작용은 식욕감소, 오심, 구역, 간기능이상, 체중감소, 광과민성 (photosensitivity)을 포함한 피부발진, 전신 위약감, 어지러움 등이 있으며, 복용 시작 초기에(대개 3-6개월 내) 나타나고, 약제의 감량이나 일시 중단, 위장관 운동항진제나 위산억제제 등을 병용함으로써 조절할 수 있다. Nintedanib 복용 시 부작용은 설사, 오심, 식욕감소. 간기능이상, 구역, 체중감소 등이 있으며, 이 역시 용량 감량 및 일시 중단을 통해 대개 조절할 수 있다.

그림 9-18. 특발성폐섬유증의 치료

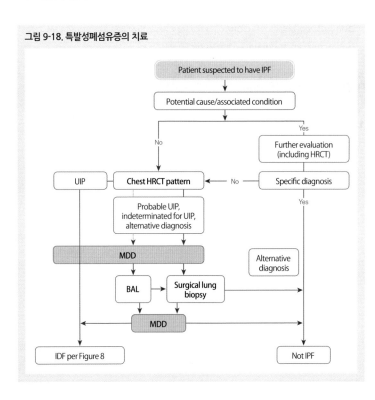

7) 특발성폐섬유화증의 급성악화

특발성폐섬유증 환자 중 일부는 급성으로 상태악화를 경험하게 되는데, 새로운 양측성 폐 침윤을 동반한 급성, 중증의 호흡 악화를 급성악화로 정의한다.

2016년 개정된 특발성폐섬유증의 급성악화 진단기준은 새로운 양측성 폐침윤을 동반한 급성, 중증의 호흡 악화로 ① 특발성폐섬유증이 이미 진단되었거나 현재 진단된 경우로, ② 전형적으로는 최근 한달 내 호흡곤란이 새로 발생하거나 악화되고, ③ 흉부 CT 상 통상 형 간질성 폐렴양상(usual interstitial pneumonia, UIP pattern)을 보이면서 간유리 음영 이나 경화가 양폐에 새롭게 관찰되며, ④ 이러한 이상소견이 심부전이나 수액과다로 충분 히 설명되지 않는 경우 진단된다.

현재까지 효과가 명확하게 입증된 치료는 없으나 주로 진행된 환자에게서 산소치료 등 보 존적 치료와 고용량의 스테로이드 치료가 시행된다. 특발성폐섬유증 이외의 다른 간질성폐 질환 환자에서도 급성악화가 보고된 바 있다.

9. 흉수(Pleural effusion)

1) 정상 흉수의 성분

표 9-48. 정상 흉수 검사 결과

Volume	0.1–0.2 mL/kg
Cells (/mm³)	1000–5000
Percent mesothelial cells	3–70%
Percent macrophage	30–75%
Percent lymphocyte	2–30%
Percent granulocyte	10%
Protein (g/dl)	1–2
Percent albumin	50–70%
Glucose	= plasma level
Lactic dehydrogenase	<50% plasma level
pH	≥plasma pHP

2) 진단

(1) 단순 가슴 X선(Simple Chest X-ray)

① PA view: lateral costophrenic angle obliteration, 200 mL 정도면 Detection

② Lateral view: posterior costophrenic angle obliteration (first manifest, 50 cc에서

도 가능)

③ Decubitus에서 30 mm 두께인 경우 약 1,000 mL의 흉수

④ Chest x-ray에서 확실치 않은 경우 → 초음파, CT 시행하여 확인

(2) Chest ultrasound

Pleural effusion이 의심되는 경우 decubitus를 대체 가능한 진단방법. 또한 흉수천자 시행 시 유도(guide) 목적으로 사용하기도 함.

3) 진단적 흉수천자술(Diagnostic Thoracentesis)

(1) 적응증

① 이유가 불분명한 모든 늑막 삼출

② Decubitus or 초음파에서 10 mm 이상인 경우

③ 심부전

④ 편측성 또는 양측성의 크기 차이가 있는 삼출

⑤ 발열

⑥ 흉통

⑦ 3일 이상의 이뇨제 치료에도 지속적인 늑막 삼출(양측 흉수가 비슷한 양이고 발열이나 흉통이 없는 경우라면 이뇨제 치료를 시험해보고 3일 내에 양이 감소하면 경과 관찰해 볼 수 있음)

(2) 금기

① 출혈소인(항응고치료를 하는 환자는 주의, 특히 혈전용해제(thrombolytic agent))

② 국소 피부 상태: 고름피부증(pyoderma), 포진(herpes zoster) 등

4) 흉수의 감별진단 검사기준

Light criteria(다음 중 1가지를 만족하면 삼출물(Exudate), 모두 해당되지 않으면 누출액 (Transudate))

① Pleural fluid protein/serum protein >0.5

② Pleural fluid LDH/serum LDH >0.6

③ Pleural fluid LDH more than two-thirds the normal upper limit for serum

* 이뇨제를 사용하는 경우 누출액(Transudate)의 경우라도 삼출물(Exudate)의 소견을 보일 수 있다.

* Light's criteria로는 25% 정도의 누출액(Transudate)가 삼출물(Exudate)로 판별될 수 있어 serum protein - pleural protein gradient(>3.1 g/dL인 경우, light's criteria로 삼출물 (Exudate)라고 해도 누출액(Transudate)로 판정) 등으로 보완해야 한다.

5) 흉수의 감별진단

(1) 원인에 따른 감별진단

표 9-49. 흉수의 성상에 따른 감별 진단

Transudate	Exudate
Congestive heart failure Cirrhosis (hepatic hydrothorax) Nephrotic syndrome Peritoneal dialysis Superior vena cava obstruction Myxedema Urinothorax CSF leaks to pleura	Neoplastic diseases (Metastatic disease, Mesothelioma) Infectious diseases (Bacterial, Tuberculosis, Fungal, Viral, Parasitic) Pulmonary embolization Gastrointestinal disease (Esophageal perforation, Pancreatic disease, Intraabdominal abscesses, Diaphragmatic hernia, After abdominal surgery, Endoscopic variceal sclerotherapy, After liver transplant) Collagen vascular diseases (Rheumatoid pleuritis, Systemic lupus erythematosus, Drug-induced lupus, Sjögren syndrome, Granulomatosis with polyangiitis, Churg-Strauss syndrome) Post-coronary artery bypass surgery Asbestos exposure Sarcoidosis Uremia Meigs' syndrome Yellow nail syndrome Drug-induced pleural disease (Nitrofurantoin, Dantrolene, Methysergide, Bromocriptine, Procarbazine, Amiodarone, Dasatinib, beta blocker) Trapped lung Radiation therapy Post-cardiac injury syndrome Hemothorax Iatrogenic injury Ovarian hyperstimulation syndrome Pericardial disease Chylothorax

(2) 형태에 따른 감별진단(Appearance of pleural fluid)

① 색(color)

- 혈성(Bloody)

  - 체액 적혈구 용적률(body fluid hematocrit)를 확인한다(대부분 5% 미만)

  - Uniformly blood stained fluid (hematocrit이 1% 이상) → malignancy, pulmonary embolism, trauma, pneumonia 등을 감별

  - 체액(body fluid)의 적혈구 용적률(hematocrit)이 serum의 50% 이상인 경우 hemothorax로 진단 가능하며 이 경우 chest tube insertion이 필요함

    cf. traumatic tapping과의 감별

    ⓐ color change 유무: 원래 bloody한 경우에는 uniform

    ⓑ microscopic exam: macrophage내 hemoglobin(+), PLT(−)

- 혼탁 혹은 유백색(Turbid or milky): 세포성분 혹은 지방(cellular content or lipid) 가슴
고름집(Empyema), 암죽가슴증(chylothorax), 거짓암죽가슴증(pseudo chylothorax)
등이 가능
- Centrifugation
ⓐ 투명한 상층부(supernatant clear) → 가슴고름집(empyema)
ⓑ 혼탁한 상층부(supernatant turbid) → 암죽가슴증 혹은 거짓암죽가슴증(chylothorax
or pseudo chylothorax)를 의심

표 9-50. 암죽가슴증과 거짓암죽가슴증의 감별

특징	Pseudochylothorax(거짓암죽가슴증)	Chylothorax(암죽가슴증)
Triglycerides		>1.24 mmol/l (110 mg/dl)
Cholesterol	>5.18 mmol/l (200 mg/dl)	Usually low
Cholesterol crystals	Often present	Absent
Chylomicrons	Absent	Usually present

② 흉수 형태에 따른 가능한 원인

표 9-51. 흉수 육안적 형태에 따른 감별 진단

Finding	Potential etiology
Anchovy brown fluid	Ruptured amoebic abscess
Bile staining	Cholothorax (i.e., biliary fistula)
Black fluid	Aspergillus infection
Food particles	Esophageal perforation
Milky fluid	Chylothorax or pseudochylothorax
Putrid odor	Anaerobic empyema
Urine	Urinothorax

③ 점도(viscosity): viscous fluid → malignant mesothelioma 가능성
④ 냄새(odor): feculent → anaerobic, urine → urinothorax

6) 흉수 분석(Pleural fluid analysis)

(1) 검사항목

표 9-52. 흉수의 생화학적 검사 결과에 따른 감별 진단

Test	Result	Most Common Suggested Conditions
Erythrocytes	PF/S HCT >0.5	Hemothorax
Neutrophils	>10,000/μL	Parapneumonic effusion, lupus pleuritis, acute pancreatitis
	>50,000/μL	Empyema
Lymphocytes	>85–95%	TB pleurisy, sarcoid, chronic rheumatoid pleurisy, yellow nail syndrome, chylothorax
	>50%	Malignancy (including metastatic adenocarcinoma and mesothelioma), tuberculosis, lymphoma, cardiac failure post-coronary artery bypass graft, rheumatoid effusion chylothorax, uremic pleuritis, sarcoidosis, yellow nail syndrome
Eosinophils	>10%	Hemothorax, pneumothorax, benign asbestos pleurisy, pulmonary infarction, coccidioi-domycosis, paragonimiasis and other parasites, drug-induced pleurisy, duropleural fistula, Churg-Strauss syndrome, sarcoidosis, TB pleurisy
Protein	<1 g/dL	Peritoneal dialysis, CVC erosion, duropleural fistula
	>4 g/dL	TB pleurisy
LDH	>1,000 IU/L	Bacterial empyema, paragonimiasis, amebic empyema, septic emboli, rheumatoid pleurisy
Glucose	PF/S <0.5	Complicated parapneumonic effusion, chronic rheumatoid pleurisy, paragonimiasis, amebic empyema, esophageal rupture, TB pleurisy, lupus pleuritis, urinothorax
	PF/S >1	Peritoneal dialysis, CVC erosion
pH	<7.30	Esophageal rupture, chronic rheumatoid pleurisy, complicated parapneumonic effusion, paragonimiasis, amebic empyema, TB pleurisy, lupus pleuritis, urinothorax, pancreatico-pleural fistula
Amylase	Elevated	Esophageal rupture, acute pancreatitis, pancreaticopleural fistula
Cholesterol	>200 mg/dL	Cholesterol effusion
Creatinine	PF/S >1	Urinothorax
Beta 2 transferrin	Elevated	Duropleural fistula, ventriculoperitoneal shunt migration
Triglycerides	>110 mg/dL	Chylothorax, CVC erosion if lipids infused
Chylomicrons	Present	Chylothorax
Bilirubin	PF/S >1	Biliopleural fistula
Glycine	PF/S >1	Glycinothorax
ADA with lymphocytosis	>40 IU/dL	TB pleurisy

① Serum: LDH, protein, albumin, glucose

② Pleural fluid: cell count and differential, pH, glucose, protein, LDH, albumin, glucose, microbiologic staining and culture, fungus culture, AFB, M.Tuberculosis PCR, ADA, cytospin, cytology, cell block

③ 추가시행

- Body fluid CBC: Bloody한 경우에 확인
- Amylase: pancreatitis, esophageal rupture 의심될 때
- Triglyceride, cholesterol: chylothorax 등이 의심될 때

④ Correlation of pleural fluid exudates finding and causative diseases

7) 질환별 분류

(1) 부폐렴성 흉수(Pneumonic effusion)

세균성 폐렴, 폐농양, 기관지 확장증 등과 동반된 흉막 삼출

① 병태 생리 및 병기

표 9-53. 부폐렴성 흉수의 단계별 특징

Stage	Exudative	Fibropurulent	Organization
특징	늑막염증에 의한 무균성 늑막삼출	흉수에 감염발생 백혈구, 세균, 포찌꺼기	섬유아세포가 들어와 Pleural peel 형성
loculation	−	+	+
Wbc count	적다	많다	많다
LDH	정상	점차적으로 높아진다	높다
pH & glucose	정상	점차적으로 낮아진다	낮다
bacteria	없다	있다	+/−
Tube thoracostomy	필요없다	필요하다	경우에 따라

② 치료

- 경험적 항생제 사용
- 흉관 삽입(chest tube or pigtail catheter) 및 배액
- 흉관삽관(Tube thoracostomy)의 적응증
  - Gross pus in the pleural fluid
  - Organisms visible on Gram stain of the pleural fluid or positive culture
  - Glucose <40 mg/dL (Harrison's internal medicine <60 mg/dL)
  - pH<7.0 (Harrison's internal medicine <7.20) and 0.15 lower than arterial pH

– Loculated effusion(대부분 complicated이므로)

표 9-54. 부폐렴성 흉수의 단계에 따른 치료 전략

Class	Findings	Treatment
Class I Nonsignificant pleural effusion	Small (<10 mm thick on Decubitus view)	No thoracentesis indicated
Class II Typical parapneumonic effusion	>10 mm thick on Decubitus view Glucose>40 mg/dl, pH>7.2 Gram stain and culture (−)	Antibiotics only
Class III Borderline complicated effusion	7.0<pH<7.2 and/or LDH>1000 IU/L and glucose>40 mg/dl Gram stain and culture (−)	Antibiotics + serial thoracentesis
Class IV Simple complicated effusion	pH<7.0 or glucose<40 mg/dl or Gram stain or culture (+) not loculated, not frank pus	Tube thoracostomy + antibiotics
Class V Complex, complicated effusion	pH<7.0 and/or glucose<40 mg/dl Gram stain or culture (+) Multiloculated	Tube thoracostomy + thrombolytics (rarely require thoracoscopy or decortication)
Class VI Simple empyema	Frank pus present Single locule or free-flowing	tube thoracostomy + decortication
Class VII Complex empyema	Frank pus present Multipe locules	Tube thoracostomy + thrombolytics often require thoracoscopy

(2) 결핵성 흉막염(Tb pleurisy, tuberculosis pleural effusion)

① 병태생리(pathogenesis)

- 결핵 단백질에 대한 지연성 과민반응(delayed hypersensitivity reaction to tuberculous protein)으로 설명
- 흉막미세혈관(pleural capillary)의 투과도(permeability) 증가 → 염증(inflammation)
  → 림프배액(lymphatic drain)의 저하 → 단백제거(protein clearance)의 저하
- 진단
  – 균 배양으로 진단되는 비율이 낮음(발생하는 기전이 주로 hypersensitivity reaction 의한 것으로 보기 때문)
  – 객담, 흉수, 흉막조직검사에서 결핵균 확인
  – pleura의 caseous granuloma(+)
  – 흉막조직검사(pleural biopsy) 시행 시 진단 양성률: 다음 3가지 중 하나 이상인 경우 91%
    ⓐ Granuloma (+): 80%
    ⓑ AFB(+): 25%
    ⓒ Culture(+): 56% (pleural fluid cx(+)는 35%)

- 흉수분석(pleural fluid analysis)
  ⓐ Lympho-dominant exudate (>60% lymphocyte)
  ⓑ ADA (adenosine deaminase) >40 IU/L 혹은 Interferon-r >140 pg/mL (Harrison's)
  ⓒ 2주내에는 neutrophil-dominant 가능성도 있음, serial thoracentesis 시 lympho -dominant로 변화
  ⓓ Eosinophilia(>10%): 결핵(TB) 가능성 떨어짐
  ⓔ Mesothelial cell이 5% 이상인 경우는 드묾
- ADA level
  ⓐ >70 & lympho to neutrophil >0.75 → 대부분 결핵
  ⓑ 40-70 & lympho to neutrophil >0.75인 경우 → 결핵 가능성 높음(임상적으로 결핵 가능성 낮으면 thoracoscopy 혹은 흉막조직검사로 확인)
  ⓒ <40 → 결핵 가능성 거의 없음(lymphodominant & 임상적으로 결핵 의심 시에는 thoracoscopy or pleural Bx)
- 치료하지 않은 결핵성 흉막염의 자연경과(natural course of untreated Tb pleuritis)
  - 대부분 저절로 호전
  - 약 65%에서 5년내에 활동성 결핵(active tuberculosis)으로 발현, 임상적으로 의심되면 적극적으로 치료
- 치료
  - 목표: 활동 결핵 발생 방지, 증상 완화, fibrothorax 방지
  - 표준 4제 치료(HERZ, 6개월)

(3) 악성 흉수(Malignant pleural effusion)

① 원인
- 삼출물(exudate)의 두 번째 흔한 원인, 다량인 경우가 많음, 흉수의 양에 비해 심한 호흡곤란
- 폐암(lung), 유방암(breast), 림프종(lymphoma) 3종류의 악성종양이 악성 흉수 원인의 ~75% 정도를 차지함.

② 진단
- 흉수 소견
  - 장액성(serous), 장액혈액성(serous sanguineous) 혹은 혈성(grossly bloody)
  - 50% 정도는 lymphocyte predominate (50-70% of nucleated cell), eosinophilia 가 있는 경우도 8-12% 정도 있음
  - 대부분 삼출물(exudate), 5% 정도에서는 누출액(transudate)도 가능

– 낮은 pH(<7.28), 낮은 glucose(<60 mg/dL), 높은 LDH: large tumor burden pleura의 fibrosis를 시사(수개월 이상의 기간을 시사함)하며 불량한 예후를 가짐

– 진단

ⓐ 세포검사(cytology): 초기 음성이면 2회 반복, 악성이 강력히 의심되는 경우 tho-racoscopy 시행, 시행이 어려운 경우 CT 혹은 USG 유도 세침조직검사 시행

ⓑ Cytology 시행위해 최소 60 cc는 필요

ⓒ Cytology 3회 시행 시: 약 80% 진단율(Pleural biopsy보다 yield 높음)

ⓓ Adenoca 검출율 ≫squamous cell carcinoma (d/t bronchial obs. or lym-phatic block)

ⓔ 종양표지자(tumor marker): 추천되지 않는다

ⓕ 원발 부위(primary origin)에 대한 평가 및 검사 필요

③ 치료

그림 9-19. 악성흉수의 치료 개요(2018 ATS/STS/STR Clinical Practice Gudeline)

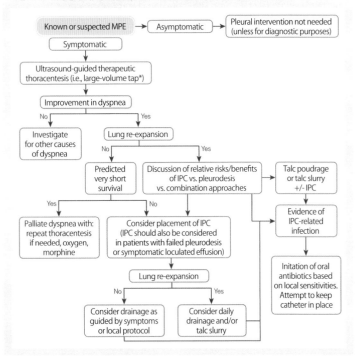

- 기본원칙
  - 원발암에 대한 치료가 우선
  - 환자의 증상에 따라 치료(무증상이면 치료하지 않음)
  - 대량의 흉수(effusion)가 있는 경우 large volume thoracentesis로 배액하여 폐가 팽창 가능한지 여부 등을 확인하여, 호흡곤란의 원인이 effusion인지 trapped lung인지를 감별

표 9-55. 악성 흉수의 치료

Option	Comment
Observation	Small asymptomatic effusion; most will progress and require therapy
Therapeutic thoracentesis	Prompt relief of dyspnea; recurrence rate variable
Chemotherapy	May be effective in lymphoma, small-cell lung cancer, breast cancer
Radiotherapy	Mediastinal radiation may be effective in lymphoma and lymphomatous chylothorax
Indwelling catheter	Patient-controlled symptom relief; spontaneous pleurodesis in 50% by 2 mo. Effective for symptomatic relief with lung entrapment.
Chest tube drainage with talc slurry	Control of effusion in >90% of cases if lung entrapment not present
Thoracoscopy with talc poudrage	Control of effusion in >90% of cases if lung entrapment not present
Pleuroperitoneal shunt	When other options have failed or not indicated; may be useful for chylothorax
Pleural abrasion and partial pleurectomy	Virtually 100% effective; requires VATS or thoracotomy

10. 기흉(Pneumothorax)

1) 개요

- 흉강에 공기가 있는 것을 의미한다.
- Spontaneous pneumothorax: 뚜렷한 외상이나 원인 없이 발생한 기흉. Primary pneumothorax와 secondary pneumothorax로 다시 분류한다.
- Traumatic pneumothorax: chest에 가해진 trauma로 인해 발생한 pneumothorax로 진단 및 치료 목적으로 시술 이후 발생한 iatrogenic pneumothorax가 제일 흔한 형태이다.

2) 원발성 기흉(Primary pneumothorax)

(1) 특징 및 원인

기저 폐 질환이 없고, trauma 없이 발생한다. 젊은 마르고 키 큰 남자에서 호발하며 40세 이후는 드물다. 흡연과 밀접한 연관이 있다. Subclinical lung disease를 시사하며, apex에 위치한 subpleural emphysematous bleb의 rupture에 의해 생기는 것으로 생각된다. 한 번 기흉이 발생했던 환자의 재발률은 약 40%이고, 대부분 첫 1년내에 재발함. 15% 환자는 반대쪽에 기흉이 재발함.

(2) 임상증상 및 이학적 소견

① 갑자기 발생하는 흉통과 호흡 곤란, 기침이 특징적이다.

② 이학적 소견: 대개 빈맥 외에는 활력 증후에는 변화가 없으나 저혈압, 청색증이 동반하면 긴장성 기흉을 의심해야 한다. 기흉이 발생한 쪽 호흡음 감소, 촉각 진탕(tactile fremitus)의 감소, 타진상 과공명, 흉곽 팽창, 심한 경우는 tracheal deviation이 동반되기도 한다.

(3) 진단

① 임상 소견과 이학적 검사로 의심한다.

② 단순 흉부 x-ray 검사로 확진하며, 흉부 X-ray 상 흉벽과 장측(visceral) 흉막의 선을 관찰한다.

③ 소량의 기흉일 경우는 흡기 사진(inspiratory view)으로 확인할 수 없을 때는 호기 사진(expiratory view)이나 lateral decubitus, 초음파, CT의 도움을 받을 수 있다.

④ 기흉의 양

$$기흉(\%) = 100 \times (1 - \frac{L_2^3}{H_1^3})$$

* 기흉(%) Collins equation = 4.2+4.7 × (A+B+C)

  A: 허탈된 폐첨부와 흉곽의 첨부의 거리(cm)

  B: 허탈된 폐의 상부중간부와 흉벽과의 거리

  C: 허탈된 폐의 하부중간부와 흉벽과의 거리

그림 9-20. 기흉 양의 측정법

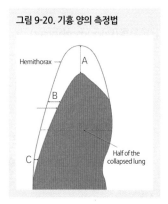

(4) 치료: Collapsed lung을 재확장 시키고 재발을 방지한다.

① 처음 발생 시

- 기흉 양 <15%: 환자의 증상이 가볍고 상태가 안정적이면 고농도 산소흡입과 관찰로 충분하다(하루에 한쪽 흉곽의 1.25%가 흡수). 적절한 산소를 공급해주며 산소를 올려 줌으로써 상대적으로 흡입되는 질소의 분압을 줄여 흉강내의 공기의 흡수를 촉진하고 폐확장을 촉진한다.
- >15%: 16G 주사바늘로 제 2늑간, midclavicular line에서 단순 흡입을 시행한다.
- >50%인 경우, 증상이 심한 환자, 긴장성 기흉: 처음부터 흉관을 삽입하고, water seal drainage (natural drainage)를 우선 시행, wall suction은 pneumothorax 양이 많거나 subcutaneous emphysema가 발생한 경우, effusion 양이 많은 경우에 고려한다.
  - * 일반적으로 lateral wall로부터 떨어진 거리 2 cm 기준(apex는 3 cm)으로 Primary pneumothorax이면서 2 cm 이상인 경우 aspiration 우선 고려, Secondary pneumothorax인 경우 chest tube insertion 우선 고려한다(그림 9-21).

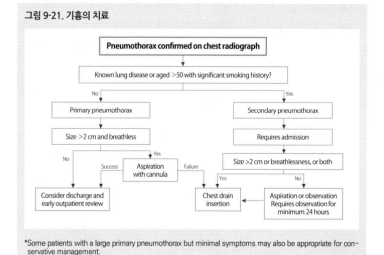

그림 9-21. 기흉의 치료

*Some patients with a large primary pneumothorax but minimal symptoms may also be appropriate for conservative management.

작은 tube (8-16Fr) 이용한 흉관 삽입 또는 pigtail catheter도 큰 Fr의 흉관 만큼 효과적이나 fibrin clot으로 막힐 위험이 있음을 염두해 두어야 한다.

* Clx: bleeding tendency, pleural adhesion이 예상되는 경우(이전 pleurodesis 병력 등)

- 흉관 제거: 공기 누출(air-leak)이 없어지고, 폐가 완전히 확장되고, drain 양상이 sero-sangineous하면서 100-200 cc/day 미만이면 remove 고려한다.

  24시간을 관찰하고 괜찮으면 tube을 clamping하여 24시간 더 관찰하고 폐가 다시 허탈되지 않는 것을 확인하고 제거한다.

  Air-leak: continuous(+++), intermittent(++), cough(+)로 정도 분류한다.

  Air-leak 없음 확인하면 clamp 후 6시간 뒤(심한 경우 2시간뒤) CXR f/u

  → 애매하면 12시간 뒤 f/u, 괜찮으면 overnight f/u하고 remove 한다.

- 72시간 째 지속되는 경우 autologous blood patch, thoracoscopy를 고려한다.

② 재발한 경우

- 흉막유착술(pleurodesis)을 고려할 수 있는데, 폐가 펴짐을 확인한 후 시행하며 mino-cycline을 사용한다(진료과 set order PLM>GW 입원처방>pleurodesis 활용).

3) 이차성 기흉(Secondary pneumothorax)

(1) 특징 및 원인

기저 폐질환이 있는 환자에서 발생한 기흉으로 기흉 발생으로 인해 폐기능이 저하되기 때문에 더 심각한 형태로 나타나며 진단이 어려운 경우가 있다. COPD가 제일 흔한 기저 질환이며 종양, sarcoidosis, 결핵 등도 기저 질환에 해당된다. 증상은 더 심하게 나타나고 재발률 또한 primary pneumothorax 보다 높다.

(2) 치료

Tube thoracostomy and pleurodesis

Primary pneumothorax에 비해 폐 확장에 오랜 시간이 걸리거나 expansion 되지 않는 경우, air-leak이 지속되는 경우가 많다. 흉부외과와 상의하여 thoracoscopy나 하임리히 백 적용을 고려해 볼 수 있다.

4) 의인성 기흉(Iatrogenic pneumothorax)

(1) 증가 추세

흉막 천자, 생검, transthoracic needle aspiration(-20%) , thoracentesis, C- line. 기관지경 경기관지 생검, 기계환기술, 기관절개술 등

(2) Treatment

양이 적고 증상이 없는 경우는 산소를 주고 경과 관찰하면 대부분 호전되나 양이 많은 경우 needle aspiration, 흉관 삽입을 고려한다.

5) 외상성 기흉(Traumatic pneumothorax)

① Penetrating or non-penetrating (blunt) trauma에 의해 발생

② 치료: 아주 작은 경우를 제외하고는, 대부분 tube thoracostomy가 필요

6) 긴장성 기흉(Tension pneumothorax)

(1) 호기 시(때로는 흡기 시에도) intrapleural pressure가 대기압보다 높아 pleural space에 공기가 accumulation 되는 경우이다.

호흡 전 cycle 동안 pleural space의 Pr.가 positive (one check valve system) pleural pr.증가 → compromised ventilation → hypoxemia

mediastinal pr.증가 → venous return 감소 → cardiac output 감소

주로 기계 환기를 통한 양압 환기 시 또는 resuscitation 시에 발생한다.

(2) 진단

① 증상: 급작스러운 호흡곤란, 청색증, 심한 빈맥, 발한, 저산소증, 호흡산증. 기계 환기 환자가 갑자기 나빠지면 반드시 의심한다.

② P/E: enlarged hemithorax with no breath sound, widened interspace, sternum 직상방에서 trachea를 만졌을 때 위치의 전위

③ X-ray: mediastinum의 반대쪽 전위, tracheal deviation, ipsilateral diaphragmatic depression

(3) 치료

① Medical emergency: 의심되면 즉시치료, radiologic dx 위해 delay하면 안됨 imme-diate, large bore needle at 2nd ant. Intercostal space(다량의 air가 빠지면 진단 겸 치료) → tube thoracoscopy

② 흉부외과를 즉시 연락하고 CXR을 촬영한다.

③ HR 저하 혹은 respiratory & cardiac arrest → needle thoracotomy HR 저하와 arrest 상황 아니면 → 방사선 소견 확인 후 처치(기계환기 시 air trapping lung으로 인하여 유사한 P/Ex 소견이 나올 수 있으므로)

Ⅲ 호흡기 주요 시술법

1. 흉강내 섬유용해술(Intrapleural fibrinolytic therapy)

1) 적응증

① Pleural infection (parapneumonic effusion 또는 empyema) 환자에서 intrapleural fibrinolytics의 routine 사용에 대한 적응증은 없다.

② Pleural infection with multiloculated pleural fluid collection이 있는 환자에서 chest tube(또는 indwelling pleural catheter, IPC) drainage에 resistant한 경우에 수술적 치료가 힘든 상황에서 고려할 수 있다.

③ Multiloculated malignant effusion 환자에서 simple drainage로 호전이 없을 때 고려할 수 있다.

2) 사용 약물

① Urokinase(현재 생산 중단)

② Alteplase

※ Multicenter Intrapleural Sepsis Trials 2(2011) 연구에 따르면 intrapleural tissue plas-minogen activator + DNase 약물 조합은 drainage improvement, hospital stay 그리고 need for surgical intervention at 3 months의 75% 감소 효과를 보였다. DNase는 국내에서는 희귀의 약품센터를 통해서만 사용이 가능한 실정이다.

3) 방법

① Chest tube clamping 후 lidocaine 20 cc를 chest tube를 통해 주입

② Chest tube를 통해 fibrinolytic agent 주입

• Urokinase 100,000 IU + NS 50 cc mix 또는

• Alteplase 10 mg + NS 50 cc mix bid (bleeding 등 합병증 발생 시 alteplase 5 mg + NS 50 cc mix bid 고려할 수 있음)

③ NS 30 cc additional push

④ Fibrinolytic agent 주입 2-4시간 후 de-clamping 후 drainage, 의사 판단에 따라 negative suction.

⑤ De-clamping 후 2시간 뒤 CXR check

⑥ Instillation time: 평균적으로 consecutive 3 days

4) 합병증

① Acute reaction: fever, leukocytosis, malaise

② Cardiac arrhythmia

③ Local pleural hemorrhage, systemic bleeding, epistaxis

④ Adult respiratory distress syndrome (streptokinase + urokinase 병용 사용한 군에서 보고)

2. 악성 흉수에 대한 화학적 흉막유착술

1) 적응증

① Malignant pleural effusion에 의한 호흡 곤란이 있는 환자에서 thoracentesis(또는 chest tube, IPC insertion) 후 증상 호전이 있고, life expectancy 1개월 이상인 경우 시행할 수 있다.

② 상기 조건을 만족한 non-trapped lung에서 재발을 방지하기 위해 chest tube(또는 IPC) insertion 후 pleurodesis를 시행할 수 있다.

③ Pleurodesis 성공 여부는 radiographic confirmation of fluid evacuation & lung re-expansion 또는 sclerosing agent 투여 전 drainage 150 cc /day 이하로 감소로 예측할 수 있다.

※ Pleurodesis 성공률은 trapped lung, pleural loculations, proximal large airway obstruction 또는 persistent air leak 있을 경우 낮을 수 있다.

2) 사용 약물

① Talc

② Minocycline

3) 방법

① Pain control: pethidine 25 mg 1 ample 정맥 주사

② Chest tube clamping 후 lidocaine 20 cc를 chest tube를 통해 주입

③ 무균적으로 희석한 sclerosing agent를 chest tube를 통해 주입

- Talc 2 g + NS 50 cc mix 또는

- Minocycline 300 mg + NS 50 cc mix

④ NS 30 cc additional push

⑤ 15-30분 간격으로 positional change(시행하지 않을 수도 있음)

⑥ Sclerosing agent 주입 2-4시간 후 de-clamping. 이후 의사 판단에 따라 negative suction (high-volume, low pressure system, 10-20 cmH$_2$O)을 시행할 수 있음.

⑦ De-clamping 2시간 후 CXR f/u

⑧ 필요한 경우 반복 시행

4) 합병증

① Chest tube obstruction

② Pneumothorax

③ Pleuritic chest pain

④ Fever

⑤ Acute respiratory failure (Talc에서 발생, 투여 용량과 관계)

⑥ Loculated fluid

⑦ Empyema

3. 지속적 공기누출증에서의 화학적 흉막유착술

1) 적응증

Air-leak에 대한 수술적 치료가 힘든 상황에서, chest tube(또는 IPC) insertion 이후 air- leak이 7-10일 이상 지속되고 lung이 full expansion 되었을 경우 고려할 수 있다.

2) 사용 약물

① Talc

② Minocycline

※ Malignancy effusion 외 다른 원인으로 pleurodesis를 시행할 경우, 추후 흉부 수술(ex: diagnostic VATs biopsy, lung transplantation)을 계획 중이라면, autologous blood (50 cc), dextrose 50% (200 cc) agent를 고려할 수 있다(상대적으로 pleurodesis 효과 및 부작용이 적음).

3) 방법

① Sclerosing agent는 역류하지 않고 흉강 내 남아있을 수 있도록 setting

- 소독된 PVC line을 chest tube와 chest bottle 사이에 연결한 후 IV pole대에 걸어 60 cm 이상의 inverted U shape으로 만들어 주어 기존 적용 중이던 negative suction 을 유지.

- Chest bottle을 통째로 올린 후, 기존 적용 중이던 negative suction을 유지.
  ※ 간혹 air leakage가 없는 경우에는, 의사의 처방에 따라 clamping 유지한 상태로 시술을 시행하기도 함.

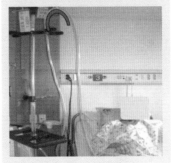

그림 9-22 . Inverted U shape PVC 적용

② Pain control: pethidine 25 mg 1 ample 정맥 주사
③ Lidocaine 20 cc를 chest tube를 통해 주입
④ 무균적으로 희석한 sclerosing agent를 chest tube를 통해 주입(앞 내용 참조)
⑤ NS 30 cc additional push
⑥ Chest tube는 negative suction하면서 de-clamping 상태로 유지(air는 나올 수 있도록 유지하고, sclerosing agent는 pleural cavity 내에 유지시킴)
  ※ Clamping 상태로 sclerosing agent를 주입한 경우에는, 이 단계에서 clamping 유지.
⑦ 15-30분 간격으로 positional change(시행하지 않을 수도 있음)
⑧ Sclerosing agent 주입 4시간 후 chest tube 및 bottle 높이를 예전처럼 낮추고, negative suction 시행
  ※ Clamping 상태로 sclerosing agent를 주입한 경우에는, 이 단계에서 de-clamping 시행.
  ※ Negative suction은 시술을 받은 모든 환자에서 sclerosing agent 주입 4시간 후에 drain 목적으로 권고됨.
⑨ Chest tube 및 bottle 높이 낮추고 2시간 후 CXR f/u
⑩ 위 방법으로도 air-leak 계속 있다면 반복

4) 합병증
앞 내용 참조

IV 흡입제

1. 흡입제의 종류

표 9-56. 흡입제의 종류

성분명	상품명	기구 종류
흡입용 속효성 베타2 작용제(short-acting beta2 agonist, SABA)		
Salbutamol	벤토린(Ventolin)	MDI
흡입용 지속성 베타2 작용제(long-acting beta2 agonist, LABA)		
Indacaterol	온브리즈(Onbrez)	DPI
흡입용 지속성 항콜린제(long-acting muscarinic antagonist, LAMA)		
Tiotropium	스피리바(Spiriva)	DPI (handihaler) SMI (respimat)
Umeclidinium	인크루즈(Incruse)	DPI
흡입용 지속성 베타2 작용제/지속성 항콜린제(LABA/LAMA)		
Glycopyrronium/indacaterol	조터나(Xoterna)	DPI
Umeclidinium/vilanterol	아노로(Anoro)	DPI
Tiotropium/olodaterol	바헬바(Vahelva)	SMI
흡입용 스테로이드(inhaled corticosteroid, ICS)		
Budesonide	풀미코트(Pulmicort)	DPI
Ciclesonide	알베스코(Alvesco)	MDI
흡입용 스테로이드/지속성 베타2 작용제(ICS/LABA)		
Fluticasone/salmeterol	세레타이드(Seretide)	DPI (diskus) MDI (evohaler)
Budesonide/formoterol	심비코트(Symbicort)	DPI (turbuhaler) MDI (rapihaler)
Fluticasone/vilanterol	렐바(Relvar)	DPI
Beclomethasone/formoterol	포스터(Foster)	DPI

2. 흡입제 기구의 종류

1) MDI (metered-dose inhaler)

- 흡입제형: 정량 분무식 흡입제
  약통 속에 용액 또는 고형 미세입자들이 부유한 형태로 들어있고, 작동기의 분출가압에 의해 미세한 약제 입자가 발생함.
- 장점: spacer 사용 시 어린이나 노인도 사용 가능.
- 단점: 흡입기의 작동과 흡입을 일치시키기 어려움.

2) DPI (dry powder inhaler)

- 흡입제형: 건조 분말 흡입제(Turbuhaler, Diskus, Ellipta, Genuair, Handihaler, Breezhaler)
- 장점: 분사와 동시에 흡입을 해야하는 MDI의 단점을 극복. MDI에 비해 폐 침착률이 좋음.
- 단점: 환자가 흡입하는 힘에 의해 약물이 분사되므로 세고, 빠르게 들이마셔야 함.

Turbuhaler　　Accuhaler　　Handihaler　　Ellipta　　Breezhaler

3) SMI (soft mist inhaler, respimat)

- 흡입제형: 연무 흡입기
  카트리지에 들어있는 무색 투명한 액체 약물을 흡입함.
- 장점: 환자의 흡입능력과 관계없이 사용 가능. 미세 입자가 천천히 오랫동안 분사되므로 흡입력이 떨어지는 환자에서도 자연스러운 흡입이 가능.
- 단점: 카트리지 장착이 어렵고, 처음에 공기 빼는 일이 필요하다는 점 등 초기 기구 사용에 어려움을 겪을 수 있음.

10

혈액내과

혈액내과
Hematology

I 적혈구 질환(Red blood cell disorders)

1. 빈혈(Anemia) 환자의 임상적 접근

1) 빈혈의 정의(표 10-1)

표 10-1. 빈혈의 WHO 진단기준

	남자	여자
6개월-6세	혈색소 <11 g/dℓ	혈색소 <11 g/dℓ
6-14세	혈색소 <12 g/dℓ	혈색소 <12 g/dℓ
성인	혈색소 <13 g/dℓ 적혈구용적율 <39%	혈색소 <12 g/dℓ 적혈구용적율 <36%
임산부		혈색소 <11 g/dℓ

*혈색소, hemoglobin; 적혈구용적율, hematocrit

2) 빈혈환자의 기본 검사항목

① 일반혈액검사(CBC): 혈색소, 적혈구용적율, 백혈구, 혈소판
② 적혈구 지수: 평균적혈구용적(mean corpuscular volume, MCV), 평균적혈구혈색
소(mean corpuscular hemoglobin, MCH), 평균적혈구혈색소농도(mean corpuscular
hemoglobin concentration, MCHC), 적혈구분포폭(red cell distribution width,
RDW)
③ 망상적혈구(reticulocyte count)
④ 말초혈액도말검사(peripheral blood smear, PBS)

3) 빈혈환자의 추가 검사항목

① Serum iron, total iron binding capacity (TIBC), ferritin (IDA 혹은 ACD 감별)

② Vitamin B12, folate, RBC folate (Megaloblastic anemia 감별)

③ ANA (자가면역질환 존재 여부 감별)

④ Haptoglobin, plasma hemoglobin, LDH (용혈빈혈 감별)

⑤ Coombs test (면역용혈빈혈 감별)

4) 빈혈의 분류

(1) Hypoproliferative anemia

① Nutritional deficiency (iron, vitamin B12, folate..)

② Anemia of chronic disease, hypoplastic/dysplastic anemia

(2) Hemolytic anemia

5) 빈혈의 감별 진단(표 10-2)

표 10-2. RDW와 MCV를 이용한 빈혈의 감별진단

RDW	MCV	
N	D	Thalassemia minor, anemia of chronic disease
I	D	Iron deficiency, RBC fragmentation, Hb H disease, S/β Thalassemia
N	N	Normal, anemia of chronic disease, hereditary spherocytosis, hemoglobinopathy trait
I	N	Early vitamin B12 or folate deficiency, sickle cell anemia, Hb SC disease
N	I	Aplastic anemia, myelodysplatic syndrome
I	I	Vitamin B12 or folate deficiency, immune hemolytic anemia, cold agglutinin

*RDW, red cell distribution width; MCV, mean corpuscular volume; N, normal; I, increased; D, decreased

6) 망상구 생성지수(Reticulocyte production index, RPI)

① Corrected reticulocyte count = % reticulocytes x patient hematocrit/45%

② RPI = Corrected reticulocyte count/"Shift" correction factor(표 10-3)

표 10-3. Hematocrit에 따른 "Shift" correction factor의 값

Hematocirt (%)	"Shift" correction factor
45	1.0
35	1.5
25	2.0
15	2.5

7) 빈혈의 진단 단계(그림 10-1)

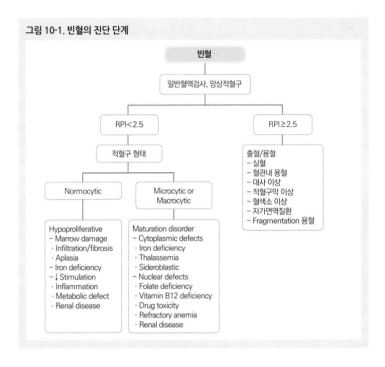

그림 10-1. 빈혈의 진단 단계

빈혈

일반혈액검사, 망상적혈구

RPI<2.5

RPI≥2.5

적혈구 형태

출혈/용혈
- 실혈
- 혈관내 용혈
- 대사 이상
- 적혈구막 이상
- 혈색소 이상
- 자가면역질환
- Fragmentation 용혈

Normocytic

Microcytic or Macrocytic

Hypoproliferative
- Marrow damage
  · Infiltration/fibrosis
  · Aplasia
  · Iron deficiency
- ↓ Stimulation
  · Inflammation
  · Metabolic defect
  · Renal disease

Maturation disorder
- Cytoplasmic defects
  · Iron deficiency
  · Thalassemia
  · Sideroblastic
- Nuclear defects
  · Folate deficiency
  · Vitamin B12 deficiency
  · Drug toxicity
  · Refractory anemia
  · Renal disease

8) 빈혈환자에서 골수검사의 적응증

① 원인 미상의 범혈구감소증

② 복합적인 원인 또는 두 가지 형태를 가지는 빈혈이 의심될 때

③ 골수 질환이 의심될 때

④ 설명할 수 없는 중증 빈혈

⑤ 골수 내 철 저장 상태를 확인해야 할 경우

2. 철결핍빈혈 (Iron deficiency anemia)

1) 철결핍빈혈 진단을 위한 검사
① Serum iron (감소)
② TIBC (증가)
③ Ferritin (감소, 저장철을 간접적으로 반영, 가장 중요한 검사)

2) 철결핍빈혈(IDA)과 만성질환에 따른 빈혈(ACD)의 비교(표 10-4)

표 10-4. 철결핍빈혈과 만성질환에 따른 빈혈의 감별진단

검사	철결핍빈혈	염증	지중해빈혈	철적모구빈혈
말초혈액도말	소구성/저염색성	정구성/저염색성	소구성/저염색성 및 target cells	다양함
혈청 철	<30	<50	정상 또는 증가	정상 또는 증가
총철결합능(TIBC)	>360	<300	정상	정상
포화도(%)	<10	10-20	30-80	30-80
페리틴(ug/L)	<15	30-200	50-300	50-300
전기영동 시 헤모글로빈 유형	정상	정상	β는 비정상/ α는 정상일 수 있음	정상

3) 철결핍빈혈의 치료
① 저장철이 회복될 때까지 경구철분제를 투여한다.
② 하루에 철로서 200 mg까지 투여가 필요하며, 일반적으로는 Feroba (80 mg) 하루 두 번, 총 6개월 정도 투여하며, 철 손실에 따라 투여 기간은 더 길어질 수 있다.
③ 5-10% 정도에서는 심한 부작용으로 장기간 투여가 어려운 경우가 있으며, 환자의 순응도가 중요하므로 이러한 경우 저용량의 철분제로 변경한다.

4) 철결핍빈혈의 비경구적 치료
① 적응증: 경구제에 반응 실패, 철분 흡수 장애
② 총 철분 요구량: Total iron requirement (mg) = 체중(kg)×[15−환자의 혈색소(g/dℓ)] ×2.3+1000(여자: 500)
③ 약제: Iron dextran, iron sucrose

3. 만성질환에 따른 빈혈(Anemia of chronic disease, ACD)

1) 만성질환에 따른 빈혈 감별 진단을 위한 검사

① Serum iron(감소 혹은 정상)

② TIBC(감소 혹은 정상)

③ Ferritin(정상 혹은 증가): 만성질환에 따른 빈혈이 있는 상태에서 철결핍이 동반되는 경우도 있으며, 이러한 경우 ferritin은 감소하게 된다.

2) 고페리틴혈증의 의미

① 합성의 증가: 악성종양, 조직구증식증

② 손상된 세포에서 유리(가장 흔한 상태): 간질환, 자가면역질환, 감염, 패혈증, 경색, 신손상 등

③ 철 과잉 상태(반복되는 수혈 혹은 장기간의 용혈)

3) 만성질환에 따른 빈혈의 원인 감별

① 만성질환에 따른 빈혈이 의심될 때, 빈혈의 원인을 정확하게 감별할 수 있는 검사법은 없다.

② 빈혈의 원인이 될 수 있는 만성질환이 있을 경우 이를 빈혈의 원인으로 생각하고 경과를 볼 수 있지만, 일반적이지 않은 경과를 보일 때(1-(8) 빈혈환자에서 골수검사의 적응증)는 골수검사를 고려해야 한다.

4. 거대적혈모구빈혈(Megaloblastic anemia)

1) 비타민 B12 및 엽산 결핍에 대한 검사(표 10-5)

표 10-5. 비타민 B12 및 엽산 결핍증의 검사 결과 비교

검사	비타민 B12 결핍	엽산 결핍
혈청 비타민 B12(정상: >200 pg/mℓ)	감소	정상
혈청 엽산(정상: >4 ng/mℓ)	정상 또는 증가	감소
적혈구 엽산(정상: >200 ng/mℓ)	정상 또는 감소	감소
혈청 methylmalonic acid(정상: <270 nM/ℓ)	증가	정상
혈청 homocysteine(정상: <16 nM/ℓ)	증가	증가

2) 거대적혈모구빈혈(Megaloblastic anemia) 이외에 비타민 B12(코발라민) 또는
엽산 결핍에 의해 나타날 수 있는 증상

① 위장관계: 설염(glossitis), 구내염, 식욕부진, 체중감소, 만성복통 및 설사 또는 변비

② 피부: 과다멜라닌색소침착, 백반증(vitiligo), 조기백발(early graying)

③ 신경계: 다양한 중추 및 말초신경계 관련 이상증상(비타민 B12 결핍에서만 발생하지만
엽산 결핍이 있는 알코올중독자에서는 티아민결핍으로 베르니케 언어상실증과 말초신경
병이 생길 수 있다.)

3) 비타민 B12 및 엽산 결핍증의 치료(표 10-6)

표 10-6. 비타민 B12 및 엽산 결핍증의 치료

	비타민 B12 결핍	엽산 결핍
치료 제제	Hydroxycobalamin	Folic acid
치료 경로	근육주사	경구
용량	1,000 μg	5-15 mg
초기투여	3-7일 간격으로 1,000 μg씩 6회 투여	4개월 동안 매일 투여
유지요법	매 3개월마다 1,000 μg	기저질환에 따라 다름
예방적 투여	Total gastrectomy, Ileal resection	Pregnancy, severe hemolytic anemia, dialysis, prematurity

5. 용혈빈혈(Hemolytic anemia)

1) 용혈(hemolysis)의 검사소견

① Reticulocyte 증가(조혈기능이 정상인 상태에서 용혈 혹은 급성 출혈 반영)

② 혈청 haptoglobin 감소

③ 혈청 plasma hemoglobin 증가

④ 혈청 unconjugated bilirubin 증가

⑤ 혈청 LDH 증가

⑥ 소변 hemosiderin 존재

⑦ 소변 hemoglobin 존재

2) 용혈빈혈의 분류(표 10-7)

표 10-7. 용혈빈혈의 분류

Intravascular hemolysis	Extravascular hemolysis
Complement activation 　AIHA (cold) 　PNH 　Transfusion reaction 　Toxin Mechanical destruction 　Mechanical destruction (MAHA)	AIHA (warm) Hereditary spherocytosis Thalassemia Splenomegaly
Hereditary 　Hemoglobinopathies 　Enzymopathies 　Membrane-cytoskeletal defects Acquired 　Paroxysmal nocturnal hemoglobinuria	Hereditary 　Familial hemolytic uremic syndrome Acquired 　Mechanical destruction (MAHA) 　Toxic agents 　Drugs 　Infection 　Autoimmune

3) 혈액검사에서 용혈빈혈이 의심될 경우 추가 검사 항목

① 항글로불린 검사(Coombs antiglobulin test): 면역용혈빈혈의 감별

② 말초혈액도말검사(peripheral blood smear, PBS): 비정형백혈구, fragmented RBC
　등을 확인

4) 항글로불린 검사(Coombs' antiglobulin test)(표 10-8)

① 직접 항글로불린 검사(direct antiglobulin test, DAT 또는 direct Coombs test): 환자의
　적혈구에 자가항체가 부착되어 있는지 확인

② 간접 항글로불린 검사(indirect antiglobulin test, IAT 또는 indirect Coombs test):
　환자의 혈청 속에 적혈구와 반응하는 항체가 있는지 확인

표 10-8. Direct Coombs test의 결과 해석

Reaction with		원인
anti-IgG	anti-C3	
양성	음성	Antibodies to Rh proteins, hemolysis caused by methyldopa or penicillin; not seen in SLE
양성	양성	Antibodies to glycoprotein antigens, SLE
음성	양성	Cold-reacting antibodies (agglutinins or Donath-Landsteiner antibody), most drug-related antibodies, IgM antibodies, IgG antibodies of low affinity, activation of complement by immune complexes

5) 용혈빈혈검사 결과 해석의 주의점

① 용혈이 존재하는 것 자체가 용혈빈혈을 의미하지는 않는다. 골수에서 보상이 충분할 경우 용혈이 있더라도 빈혈이 발생하지는 않고, 용혈의 정도가 심하지 않아도 빈혈이 생기지 않는다.

② Reticulocyte: 골수억제가 있을 경우 상승하지 않는다.

③ Plasma Hemoglobin: hyperbilirubinemia에서 false positive를 보일 수 있음

④ Haptoglobin: inflammation의 acute phase reactant

⑤ Coombs test: 다양한 상황에 따라 false positive, false negative가 많음

⑥ LDH: 적혈구가 아닌 다른 조직의 파괴에서도 증가할 수 있음

6) 면역용혈빈혈(Autoimmune hemolytic anemia)

① 유병률 1:100,000 정도로 흔하지는 않은 질환

② 대부분(50–70%) 특발성으로 발생하나, 기저에 유발 원인이 있는 경우도 있어 면역용혈빈혈이 확인될 경우 이에 대한 확인이 필요하다(표 10–9).

표 10-9. 면역용혈빈혈의 원인

Warm autoimmune disease
• Autoimmune disease: SLE, RA, UC, APS..
• Lymphoproliferative disease: Lymphoma, leukemia, myeloma..
• Neoplastic disease: Thymoma, teratoma, carcinoma..
• Viral infection: EBV, HIV, HCV..
• Others: Pregnancy, post BMT..

Cold agglutinin disease
• Neoplastic disease: Lymphoma, leukemia, myeloma, solid tumor..
• Infection: Mycoplasma, mononucleosis, CMV, influenza, rubella, varicella, HIV, legionella, listeria, syphilis, malaria..
• Autoimmune disease

7) 미세혈관용혈빈혈(Microangiopathic hemolytic anemia, MAHA)

① 정의: PBS에서 fragmented RBC가 관찰되는 상황으로, 미세혈관손상 혹은 혈전 생성에 따른 적혈구의 물리적인 파괴가 특징

② 연관 질환

- DIC
- TTP/HUS
- HELLP syndrome
- Vasculitis

- Catastrophic antiphospholipid syndrome
- Valve, intravascular prosthesis, TIPS
- Malignancy
- Drug

8) 기타용혈빈혈(Coombs test, MAHA 음성)

① Hypersplenism

② Infection

③ Intrinsic/congenital hemolysis (hereditary spherocytosis, G6PD deficiency)

④ Wilson disease

⑤ Paroxysmal nocturnal hemoglobinuria

⑥ Durg

6. 재생불량빈혈(Aplastic anemia)

1) 발병원인

① 골수 내의 세포증식저하(hypoplasia/aplasia)에 의하여 말초혈액에 범혈구감소가 나타 나는 질환

② 가장 큰 원인은 조혈세포에 대한 면역반응과 그에 따른 조혈세포감소이나 대부분의 환자 에서 재생불량빈혈의 원인을 파악하기는 어려움

③ 원인을 추측할 수 있는 경우

- 항암치료 또는 방사선 치료
- 약물부작용(항경련제, 항생제 등)
- 화학약품(benzene, solvents 등)
- 바이러스 감염(EBV, hepatitis virus, HIV 등)
- 면역질환(SLE, eosinophilic fasciitis 등)
- 이외 선천적으로 골수부전을 일으킬 수 있는 질환(Fanconi anemia, dyskerotosis congenita 등)

2) 발병 양상

① 혈구감소증에 따른 증상

- 빈혈: 피로, 어지럼증
- 백혈구감소: 발열, 감염
- 혈소판감소: 출혈

3) 진단

① 말초혈액: 범혈구감소

② 골수검사: 세포충실도의 감소(단 섬유화나 악성종양세포 침윤이 없어야 함)

4) 중증도 분류

① 중증재생불량빈혈(severe aplastic anemia, SAA)의 진단기준: 골수세포충실도가 25% 미만이면서 아래 세 개의 기준 중 두 가지 이상을 만족할 때

- 호중구 <500/㎕
- 혈소판 <20,000/㎕
- 망상적혈구 <20,000/㎕

② 초중증재생불량빈혈(very severe aplastic anemia, VSAA)의 진단기준: SAA의 진단기준을 만족하면서 호중구 <200/㎕

* 이외 PNH 여부를 감별진단하기 위한 CD59검사(원내 검사명: PNH study)와 유전자 검사의 시행을 고려할 수 있음. 유전자검사는 보험 cover의 여부에 따라 시행할 수 있으므로 교수 또는 전임의와 상의필요

5) 감별진단

드물게 아래 질환이 재생불량빈혈과 유사하게 발병하는 경우가 있으므로 고려해야 한다.

① Megaloblastic anemia

② Infiltrative disorder (myelofibrosis, malignancies, tuberculosis)

③ Reversible bone marrow suppression

④ Hypersplenism (liver cirrhosis, portal vein thrombosis)

⑤ Hypoplastic MDS

⑥ Large granular lymphocytic leukemia

6) 중증재생불량빈혈의 치료

① Danazol
- 주로 백혈구 감소가 경미한 환자에서 혈색소/혈소판 상승을 위해 투여 가능
- 부작용: 식욕증가, 체중증가, 간기능검사 이상, 여드름, 모발증가, 목소리 변성 등

② 동종조혈세포이식
- 50세 이하 비교적 젊은 환자에서 HLA가 일치하는 형제공여자가 있을 경우
- VSAA환자 중 발병초기에 septicemia를 경험한 경우 면역억제치료 없이 바로 동종조혈세포이식 시행 가능
- 동종조혈세포이식 후 약 85%의 환자에서 성공적인 착상과 장기생존 가능
- 약 10%의 환자는 착상부전에 의한 재생불량빈혈의 재발 경험
- 약 5%의 환자는 이식과 관련된 심각한 부작용으로 사망 가능

③ 면역억제치료
- 50세 이상이거나 HLA가 일치하는 형제공여자가 없을 경우
- Antithymocyte globulin (Thymoglobulin) ± cyclosporine
- 약 30-40%에서 혈액수치 호전
- 치료 후 약 6-12개월 이후 효과가 나타날 수 있으므로 치료 6-12개월 후에도 혈액수치 호전이 없으면 타인공여자 또는 반일치 가족공여자로부터 동종조혈세포이식 시행

④ 기타 치료
- G-CSF: 호중구 증가에 일시적 효과가 있거나 효과가 없으며 표준치료가 아님
- Erythropoietin: 효과 없음
- Thrombopoietin receptor agonist (eltrombopag, romiplostim): 일부 환자에서 혈소판 상승과 백혈구 및 혈색소 증가가 관찰되어 그 사용이 증가하는 추세

Ⅱ 출혈 질환(bleeding disorders)

1. 출혈 질환의 임상적 접근

1) 지혈기능 평가를 위한 병력 청취

① 실제로 특별한 이유 없이 크게 멍이 들거나 발치 후 출혈이 멈추지 않은 적이 있는가?

② 최근 수 주 이내에 복용한 약물이 있는가?

③ 간, 신장 기능 저하나 다른 내과 질환이 있는가?

④ 과다출혈을 경험한 혈연, 친척 등 가족력이 있는가?

2) 출혈 질환의 진단의학적 검사

① 선별 검사: CBC (PBS), PT, aPTT

② 특이적 검사: collagen/epinephrine, collagen/ADP, platelet aggregation test, coagulation factor assay, mixing test, vWF:Ag, vWF:RCo, lupus anticoagulant, FDP, D-dimer

③ 기타 검사: 간기능, 신장기능, 갑상선기능

3) 검사 결과에 따른 감별 진단(표 10-10)

표 10-10. 검사 결과에 따른 출혈 질환의 감별 진단

PT	aPTT	Platelet	연관질환	진단검사
정상	정상	정상	혈관장애 혈소판기능장애 경증의 혈우병(VIII, IX) von Willebrand disease	Aspirin/NSAID 복용력 가족력 vWF:RCo 응고인자 검사
↑	정상	정상	간질환 Early oral anticoagulation VII인자 결핍증 이상섬유원증 경증의 vitamin K 결핍증	PT mixing test* 간기능 검사 항응고제 복용력 VII인자 검사
정상	↑	정상	혈우병(VIII, IX) XI인자 결핍증 Heparin VIII인자 항체 Lupus anticoagulant von Willebrand disease	aPTT mixing test VIII, IX, XI인자 검사 Lupus anticoagulant vWF:RCo
↑	↑	정상	간질환 Vitamin K 결핍증 DIC Oral anticoagulation II, V, X인자 결핍증 V인자 항체 Lupus anticoagulant	간기능 검사 PT, aPTT mixing test II, V, VII, X인자 검사 FDP/D-dimer Lupus anticoagulant
↑	↑	↓	대량수혈 간질환 DIC	간기능 검사 FDP/D-dimer
정상	정상	↓	ITP Drug-induced thrombocytopenia Hypersplenism Bone marrow failure syndrome	투약, 감염병력 조사 비장 크기 평가 CBC, PBS 필요시 골수검사

*Mixing test: PT 또는 aPTT가 연장된 환자의 혈청과 정상인의 혈장을 동량(1:1)으로 혼합하여 PT 또는 aPTT를 측정하였을 때, 응고시간이 정상으로 교정되면 응고인자의 결핍에 의해 응고시간이 연장되었음을 의미. 응고인자 결핍의 경우 환자의 응고인자가 5% 미만이라 하더라도 정상 혈장에 있는 응고인자와 1:1로 혼합하면 최소 50% 이상의 응고인자가 존재하여 응고 검사는 정상으로 회복됨

2. 혈소판감소증(Thrombocytopenia)

1) 개요

(1) 정의

혈소판 <150,000/μL (임상적으로는 <100,000/μL일 때 pathologic하다고 판단)

(2) 기전

- 생성 저하: 골수질환, 항암/방사선 치료, 간질환, 감염, 영양결핍(vitamin B12, folate)
- 혈액 내 혈소판 제거/사용 증가: ITP, 약, 임신, autoimmune disease, sepsis, DIC, TMA
- 분포 변화: 비장비대/비장항진증(LC, portal hypertension 등), 대량수혈

(3) 접근(그림 10-2)

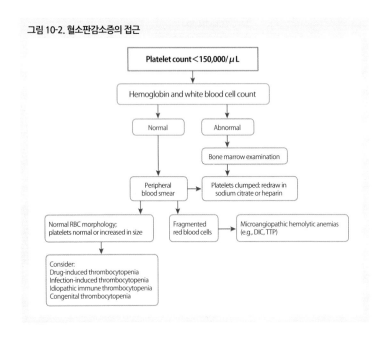

그림 10-2. 혈소판감소증의 접근

(4) 혈소판감소증의 수혈 기준

① 중심정맥관 삽입, 골수검사: 20,000/μL

② 요추천자: 40,000/μL

③ 대수술, 경피간생검: 50,000/μL

④ 경막외 카테터 삽입/제거: 80,000/μL

⑤ Neurosurgery 혹은 ophthalmic surgery involving the posterior segment of the eye: 100,000/μL

2) 약제 연관 혈소판감소증

① 대부분 1주 이상(intermittent use인 경우 더 긴 기간)의 노출 후 발생(표 10-11)

② 원인 약제를 중단하면 대개 증상은 1-2일 이내에 호전, 혈소판 수치는 1주일 이내에 회복

표 10-11. 혈소판감소증을 유발하는 약제

비면역학적 기전	면역학적 기전
Antineoplastics	Quinine
Interferon-α	Sulfonamide antibiotics
Linezolid	NSAIDs
Bortezomib	Penicillin
Thiazide diuretics	Some cephalosporin antibiotics
Ethanol	Tirofiban
Tolbutamide	Eptifibatide
Ganciclovir	Abciximab
Tamoxifen	Gold salts
Navitoclax	Procainamide
Methotrexate	Heparin
Lovastatin	Protamine
Arsenic trioxide	
Aspirin	
Vancomycin	

3) 면역혈소판감소증(Immune thrombocytopenia, ITP)

(1) 진단: 배제 진단

① 2차성 ITP 검사: HIV, HCV, H. pylori, ANA, anti-phospholipid syndrome 검사

② 골수검사: 임상 양상이 ITP에 전형적일 경우 진단에 필수적이지 않음

③ Anti-platelet antibody(원내검사명: platelet associated Ab): 질환의 중증도에 따라 양성률이 다양하며, 결과가 음성이라고 해도 ITP 진단을 배제할 수 없음

④ ITP는 대개 비장비대를 동반하지 않기 때문에 비장비대가 있으면 다른 진단을 먼저 고려

(2) 치료

① 치료 적응증: 혈소판 수치 <20,000/uL이거나 출혈증상 동반시

② 1차 치료

- Prednisolone 1 mg/kg/day: 2-3주 치료 후 서서히 감량하여 중단. 60-70%에서 효과 있으나 재발이 흔함
- High-dose dexamethasone (40 mg/day for 4 days): 3주기까지 반복 투여. Prednisolone에 비해 반응이 빠르고 독성이 적은 경향
- IVIG 1 g/kg/day for 2 days or 0.4 g/kg/day for 5 days: 수 일 내 효과가 있으나, 지속기간이 3-4주로 일시적임
- Anti-D 50-75 ug/kg: Rh 음성이거나 비장절제술 시행받은 환자에서는 효과 없음

③ 2차 치료

- 비장절제술: 장기반응률이 60-70%에 달함. 감염, 혈전, 수술 후 합병증 때문에 감소 추세
- TPO receptor agonist: eltrombopag (Revolade®), romiplostim (Romiplate®). 비장절제술 후에 재발했거나, 비장절제술의 금기인 환자에서 혈소판 <20,000 /uL인 경우 보험으로 사용 가능
- 기타: Rituximab, cyclosporine, azathioprine, danazol, cyclophosphamide 등

4) 헤파린유도 혈소판감소증(Heparin-induced thrombocytopenia, HIT)

(1) 기전

① Nonimmune HIT: Heparin이 혈소판에 직접 결합하여 활성화. 대개 heparin 투여 5일 이내에 80,000-100,000/μL 정도로 떨어졌다가 약을 끊지 않아도 저절로 회복

② Immune HIT: Platelet factor 4 (PF4)에 heparin이 붙어 immune complex 형성하여 혈소판 파괴

(2) 임상양상

① 대개 heparin 투여 5-10일 사이에 혈소판 감소

② 50% 이상 감소하나 <20,000/μL로는 잘 감소하지 않음

③ 혈전증 발생 위험 증가

(3) 진단

PF4/heparin(원내검사명: Anti-heparin PF4 IgG)

(4) 치료

Heparin 즉시 중단(LMWH도 사용하면 안됨)

(5) 사용 가능한 약제

① Direct thrombin inhibitor: Dabigatran, Argatroban, Bivalirudin

② Factor Xa inhibitor: Rivaroxaban, Apixaban, Edoxaban, Fondaparinux, Danaparoid

3. 선천성 출혈 질환

그림 10-3. 응고기전

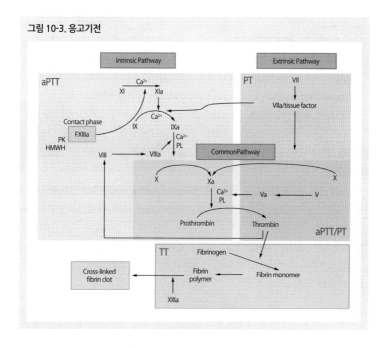

1) 혈우병(Hemophilia)

(1) 종류

　혈우병 A (VIII인자 결핍증), 혈우병 B (IX인자 결핍증). X-연관 열성 유전질환

(2) 진단

　가족력과 증상, aPTT만 연장(aPTT mixing test에서 교정), VIII 혹은 IX인자 감소, 유전자 변이 검사

(3) 치료

① VIII인자(IU) = (목표 VIII인자 levels − baseline VIII인자 levels)×BW (kg)×0.5 unit/kg

② IX인자(IU) = (목표 IX인자 levels − baseline IX 인자 levels)×BW (kg)×1.4 unit/kg

③ Mild to moderate bleeding: VIII 혹은 IX인자 활성도 목표 35-50%

④ Severe bleeding 혹은 대수술: VIII 혹은 IX인자 활성도 목표 100%

⑤ DDAVP: 경증 혈우병 A에서만 효과 있음

2) 폰빌레브란트병(von Willebrand disease)

(1) 정의

① 가장 흔한 유전출혈질환로, 혈관내피세포(endothelial cell)와 혈소판 사이의 부착에 관여하는 당단백인 폰빌레브란트인자(von Willebrand factor)의 결핍 또는 기능저하에 의해 발생

② 상염색체 유전질환, 다양한 출혈 정도의 임상 양상

③ 2016년까지 한국혈우재단에 126례가 등록되어 있음

(2) 분류와 특징(표 10-12)

표 10-12. 폰빌레브란트병의 분류와 특징

분류	특징	빈도	vWF:RCo (IU/dL)	vWF:Ag (IU/dL)	FVIII:C
1	vWF의 부분적 양적 손실	70-80	<30	<30	↓/정상
2A	고분자/중간분자 vWF 다량체 결핍	10-12	<30	<30-200	↓/정상
2B	고분자 vWF 다량체 결핍	3-5	<30	<30-200	↓/정상
2M	정상 vWF 다량체	1-2	<30	<30-200	↓/정상
2N	vWF의 VIII인자와의 친화력 심한 감소	1-2	30-200	30-200	↓↓
3	vWF의 전체 손실	1-3	<3	<3	↓↓↓

(3) 진단

① 검사의 적응증: 반복되는 출혈증상(코피 등 점막피부출혈), vWD의 가족력 등

② 선별지혈검사: CBC, PT/aPTT, fibrinogen; 대개 CBC는 정상, aPTT가 정상 혹은 경도로 연장

③ vWD 선별검사: vWF:Ag, vWF:RCo, factor VIII; 한 가지 이상 검사에서 비정상 소견 시 진단

④ vWD 선택특수검사(아형 결정): RIPA(리스토세틴유도 혈소판응집), vWF:FVIIIB, vWF:CB, vWF 다량체측정

(4) 치료

① Desmopressin: 0.3 ug/kg를 생리식염수 25-50 mL에 희석하여 20-30분간 정맥주입

② 농축 VIII인자/vWF (Immunate®): 증가시키고자 하는 vWF:RCo×BW (kg)×0.75

③ 목표 vWF:RCo 소수술 50%, 대수술 100%

④ 제1형: vWF:RCo의 농도가 20-40 U/dL인 경증 결핍의 경우 desmopressin 투여 vWF:RCo가 15-20 IU/dL로 낮고 대수술 할 때는 농축VIII인자/vWF 제제 투여

⑤ 제2A/2B형: 경미한 출혈의 경우 desmopressin, 출혈량 많을 경우 농축 VIII인자/vWF 투여

⑥ 제2M형: 농축 VIII인자/vWF 투여

⑦ 제3형: 농축 VIII인자/vWF 투여. Desmopressin은 효과가 없음

4. 후천성 출혈 질환

1) 비타민 K 결핍증

(1) 원인

담도 폐쇄(담석, 협착, 누공), 비타민 K 흡수장애, 영양결핍, 약제(warfarin, cholestyr-amine, broad-spectrum antibotics 등)

(2) 치료

① 비타민 K1: 10-20 mg SC, IM, or IV(anaphylaxis 가능성 때문에 가능한 IV는 피함. IV로 투여 시 희석해야 하며, 1 mg/min의 속도를 초과해서는 안됨)

② FFP: 10-20 mL/kg. 심한 출혈이나 응급수술 시 사용

2) 파종혈관내응고(Disseminated Intravascular Coagulation, DIC)

(1) 원인

패혈증, 외상/조직손상, 산과 합병증, 악성 종양, 혈관질환, 면역질환, 약, 급성 간손상 등

(2) 진단기준(표 10-13)

표 10-13 . DIC의 진단기준

지표	점수	KSTH	ISTH
혈소판 수, ×10⁹/L	0 1 2	>100 ≤100	>100 ≤100 ≤50
PT 연장, 초	0 1 2	<3 ≥3	<3 3≤ and <6 ≥6
aPTT 연장, 초	0 1 2	<5 ≥5	
D-dimer, mg/mL	0 1 2 3	<1 ≥1 >1.5 ≤1.5	<1 1≤ and <5 ≥5
Fibrinogen, g/L	0 1	>1.5 ≤1.5	>1.0 ≤1.0
총합		≥3	≥5

(3) 치료

① 기저 질환의 치료가 가장 중요

② 혈액성분 보충 및 출혈경향 억제

- 출혈이 없는 경우 혈소판 <10,000-20,000/uL에서 혈소판 수혈
- 출혈이 있는 경우 혈소판 <50,000/uL에서 혈소판; aPTT ≥정상치의 1.5배에서 FFP 10-15 mL/kg; Fibrinogen <50-150 mg/dL에서 cryoprecipitate 1 U/10 kg 수혈

③ 혈액응고 억제: Heparin, AT-III, 항 Xa 길항체, recombinant APC, gabexate mesilate, nafamostat 등 시도해 볼 수 있으나 증거가 미약함

Ⅲ 혈전증

1. 응고/항응고 기전

1) 혈전증의 발병 원인
혈관 손상, 혈액응고의 활성화, 혈류 지연

2) 동맥혈전 vs. 정맥혈전

표 10-14. 동맥혈전과 정맥혈전의 비교

	동맥혈전	정맥혈전
혈관	비정상: 죽상경화증, 혈관염, 외상	정상
병리소견	주로 혈소판으로 구성(Mural thrombosis) 폐쇄성 혹은 비폐쇄성	주로 섬유소, 적혈구로 구성 폐쇄성
병태생리	Shear stress 혈전유발성 혈관 표면	혈액 저류 과응고 상태

2. 선천 및 후천 과응고상태

1) 선천 과응고상태를 의심해야 하는 경우
① 젊은 연령(<50세)에서 유발인자 없이 VTE 발생
② 가족력
③ 반복적인 VTE
④ 통상적으로 잘 발생하지 않는 위치의 VTE(뇌혈관, 내장혈관 등)
  * 동맥혈전증은 통상적으로 선천 과응고상태에 의해서 발생하지 않으므로, 선천 과응고상태에 대한
    검사는 추천되지 않음

2) 과응고상태 의심 시 시행하는 검사
① 선천성: Protein C, Protein S (free and total), Antithrombin III, activated protein C
   resistance
② 후천성: lupus anticoagulant, anti-cardiolipin antibody, β2-GPI, homocysteine,
   악성종양 스크리닝
  * 과응고상태와 연관된 혈액질환: PNH, MPN, TTP

3. 항응고제(Anticoagulant)

1) 헤파린(Unfractionated heparin, UFH)

① 헤파린 초기 부하용량: 3,000 iu IV bolus

② 헤파린 초기 유지용량: 800 iu/hr (UFH 20,000 iu + 생리식염수 500 mL: 20 mL/hr)

③ 헤파린 유지용량 변경(주입속도 조절 후 6시간 뒤 aPTT f/u)

- aPTT <40 sec: 5,000 iu IV bolus 후 120 iu/hr로 증량

- 40≤ aPTT <50 sec: 80 iu/hr 증량

- 50≤ aPTT <75 sec: 속도 유지

- 75≤ aPTT <85 sec: 40 iu/hr 감량

- 85≤ aPTT <110 sec: 30분간 주입 중지 후 80 iu/hr 감량

- aPTT ≥110: 60분간 주입 중지 후 120 iu/hr 감량

2) 저분자량헤파린(Low molecular weight heparin, LMWH)

표 10-15. 저분자량헤파린

약제	치료용량	예방용량
Enoxaparin	1 mg/kg sc q 12 hr	40 mg sc once daily
Dalteparin	200 IU/kg sc once daily (1개월) → 150 IU/kg sc once daily (5개월)	5,000 IU sc once daily

3) 직접경구용 항응고제

표 10-16. 직접경구용 항응고제

	Dabigatran	Rivaroxaban	Apixaban	Edoxaban
작용	Direct thrombin inhibitor	Direct FXa inhibitor	Direct FXa inhibitor	Direct FXa inhibitor
적응증	Non-valvular A. fib VTE/PTE	Non-valvular A. fib VTE/PTE TKR/THR 후 예방적	Non-valvular A. fib VTE/PTE TKR/THR 후 예방적	Non-valvular A. fib VTE/PTE
치료	5일 이상 LMWH/UFH 사용 후 150 mg bid	15 mg bid (3주) → 20 mg qd	10 mg bid (1주) → 5 mg bid	5일 이상 LMWH/ UFH 사용 후 60 mg qd (>60 kg) 30 mg qd (≤60 kg)
예방	150 mg bid (출혈 위험성 높을 경우 110 mg bid)	10 mg qd	2.5 mg bid	60 mg qd
반감기	12-17시간	7-11시간	9-14시간	9-11시간
신장배설	80%	66%	25%	35%

Ⅳ 혈액종양

1. 급성골수성백혈병(Acute myeloid leukemia, AML)

1) 급성백혈병이 의심되는 환자에서 필요한 검사

① CBC with PBS, DIC lab

② Bone marrow aspiration and biopsy, chromosome, leukemia/lymphoma marker (flow), acute leukemia RT-PCR (Hemavision), Hempanel (NGS)

③ Heart evaluation: TTE or MUGA heart scan

④ 두통, 복시 등 중추신경계 증상 호소시 brain hemorrhage를 배제한 후 CSF tapping (단 hyperleukocytosis가 있을 경우 출혈 위험성이 상승하므로 주의)

2) 급성백혈병이 의심되는 환자에서 필요한 처치

① 0.45% half normal saline + sodium bicarbonate 8.4% 20 ml 3 amp → 120 cc/hr (신기능, 심기능, 나이 등에 따라 조절), I/O 조절

② Allopurinol 300 mg qd

③ 가임기 환자: 산부인과 의뢰(sperm banking or ovary protection)

④ DIC, Auer rod 등 acute promyelocytic leukemia (APL, AML M3)가 의심될 경우

• Start ATRA 45 mg/m^2 divided by 2 doses immediately

• 혈소판 50,000/uL, fibrinogen 150 mg/dL, PT INR 1.2를 target으로 수혈

3) AML의 분류(2016 WHO classification)

표 10-17. AML의 분류(2016 WHO classification)

AML with recurrent genetic abnormalities
AML with t(8;21)(q22;q22.1);RUNX1–RUNX1T1
AML with inv(16)(p13.1q22) or t(16;16)(p13.1;q22);CBFB–MYH11
APL with PML–RARA
AML with t(9;11)(p21.3;q23.3);MLLT3–KMT2A
AML with t(6;9)(p23;q34.1);DEK–NUP214
AML with inv(3)(q21.3q26.2) or t(3;3)(q21.3;q26.2); GATA2, MECOM
AML (megakaryoblastic) with t(1;22)(p13.3;q13.3);RBM15–MKL1
Provisional entity: AML with BCR–ABL1
AML with mutated NPM1
AML with biallelic mutations of CEBPA
Provisional entity: AML with mutated RUNX1

AML with myelodysplasia–related changes

Therapy–related myeloid neoplasms

AML, NOS

Myeloid sarcoma

Myeloid proliferations related to Down syndrome

4) AML의 염색체와 유전자 검사 결과에 따른 예후(2017 ELN guideline)

표 10-18. AML의 분자유전학적 위험도 분류(2017 ELN guideline)

Risk	Genetic abnormality
Favorable	t(8;21)(q22;q22.1); *RUNX1–RUNX1T1* inv(16)(p13.1q22) or t(16;16)(p13.1;q22); *CBFB–MYH11* Mutated *NPM1* without *FLT3*-ITD or with *FLT3*-ITD[low] Biallelic mutated *CEBPA*
Intermediate	Mutated *NPM1* and *FLT3*-ITD[high] Wild-type *NPM1* without *FLT3*-ITD or with *FLT3*-ITD[low†] (without adverse-risk genetic lesions) t(9;11)(p21.3;q23.3); *MLLT3–KMT2A* Cytogenetic abnormalities not classified as favorable or adverse
Adverse	t(6;9)(p23;q34.1); *DEK–NUP214* t(v;11q23.3); *KMT2A* rearranged t(9;22)(q34.1;q11.2); *BCR–ABL1* inv(3)(q21.3q26.2) or t(3;3)(q21.3;q26.2); *GATA2, MECOM (EVI1)* −5 or del(5q); −7; −17/abn(17p) Complex karyotype[§], monosomal karyotype Wild-type *NPM1* and *FLT3*-ITD[high] Mutated *RUNX1* Mutated *ASXL1* Mutated *TP53*

5) AML의 치료

(1) 관해유도요법(Induction chemotherapy)

① 65세 이하 혹은 신체적으로 건강한 65세 이상: Cytarabine, anthracycline-based regimen

  * 65세 이상: Decitabine, azacitidine, venetoclax+azacitidine or decitabine, low-dose cyatarbine, clinical trials 등

② 14-21일 사이 중간 골수검사: empty marrow인지 확인 후 필요시 재관해유도요법

③ 4주 이후 관해 확인 골수검사: 완전관해의 criteria (ANC >1,000/uL, platelet >100,000/uL)를 만족할 경우, chromosome과 진단시 발견된 돌연변이 검사(있을 경우)를 함께 시행

(2) 공고요법(Consolidation chemotherapy)

  진단시 염색체 및 유전자 검사에 따라 관해 후 치료가 상이: favorable risk의 경우 공고요법 후 치료 종료, intermediate/adverse risk의 경우 동종조혈모세포이식 진행

6) Acute promyelocytic leukemia (APL, AML M3)의 치료

① 초기 DIC와 연관된 출혈로 인한 사망률이 20%까지 보고되어 있어, 수혈 포함한 보존적 치료가 매우 중요함(위 2)-(4) 참고)

② 관해유도요법: All-trans-retinoic acid (ATRA) + idarubicin (입원하여 시행)

③ 공고요법: ATRA + idarubicin ± cytarabine (외래에서 3회 시행)

④ 유지요법: ATRA + mercaptopurine + methotrexate (외래에서 2년간 시행)

  * APL differentiation syndrome (ATRA syndrome)

  • 관해유도요법 치료 초기에 ATRA (혹은 arsenic trioxide)에 의해 maturation arrest 되어있던 백혈병 세포가 빠르게 분화하면서 cytokine이 분비되어 발생하는 일련의 증상

  • 증상: 호흡곤란, 체중증가, 발열, 흉막/심낭 삼출액, 폐부종, 저산소증

  • 치료: 즉시 dexamethasone 10 mg q 12 hr 시작, 심한 경우에 ATRA 중단

2. 골수형성이상증후군(Myelodysplastic syndrome, MDS)

1) 개요

① 다양한 스펙트럼의 클론성 골수계 조혈질환

② 혈구감소증으로 인한 합병증과 급성골수성백혈병으로의 진행이 임상적으로 주요 문제임

③ 발생빈도는 인구 10만 명당 년 4.9명 정도이고, 소아나 젊은 연령층에서는 드물게 발생

2) 진단(International Consensus Working Group)

(1) 최소 진단 기준

① 적어도 6개월 이상 지속되는 혈구감소증(특정 핵형 혹은 2계열 이상의 형성이상[dys-plasia]을 동반한 경우에는 2개월 이상의 혈구감소증)이 있고,

② 형성이상 또는 혈구감소증의 주 원인이 되는 다른 질환이 배제되어야 함.

(2) 결정적 기준(세 가지 기준 중 적어도 한 가지 이상)

① 형성이상(골수 내 세 계열 중 적어도 한 계열 이상에서 10% 이상)

② 골수 내 모세포 5-19%

③ 특정 MDS 연관 핵형 [예, del(5q), -7/del(7q), -13/del(13q) 등]

(3) 공동 기준

① 흐름세포측정법(flow cytometry)에 의한 이상(aberrant) 면역표현형

② 골수 조직과 면역조직화학 검사 이상

③ 분자표지자의 존재(예, CD34 항원의 비정상적인 표현, 골수 섬유증, 거대핵세포[megakaryocyte] 형성이상, atypical localization of immature progenitors [ALIP], myeloid clonality)

3) MDS의 분류(2016 WHO classification)

표 10-19. MDS의 분류

아형	혈액	골수
MDS with single lineage dysplasia (MDS-SLD)	Single or bicytopenia	Dysplasia in ≥10% of one cell line, <5% blasts
MDS with ring sideroblasts (MDS-RS)	Anemia, no blasts	≥15% of erythroid precursors w/ring sideroblasts, or ≥5% ring sideroblasts if SF3B1 mutation present
MDS with multilineage dysplasia (MDS-MLD)	Cytopenia(s), <1×10³/μL monocytes	Dysplasia in ≥10% of cells in ≥2 hematopoietic lineages, <15% ring sideroblasts (or <5% ring sideroblasts if SF3B1 mutation present), <5% blasts
MDS with excess blasts-1 (MDS-EB-1)	Cytopenia(s), ≤2-4% blasts, <1×10³/μL monocytes	Unilineage or multilineage dysplasia, 5-9% blasts, no Auer rods
MDS with excess blasts-2 (MDS-EB-2)	Cytopenia(s), 5-19% blasts, <1×10³/μL monocytes	Unilineage or multilineage dysplasia, 10-19% blasts ± Auer rods
MDS, unclassifiable (MDS-U)	Cytopenias, ±1% blasts on at least 2 occasions	Unilineage dysplasia or no dysplasia but characteristic MDS cytogenetics, <5% blasts
MDS with isolated del (5q)	Anemia, platelets normal or increased	Unilineage erythroid dysplasia, isolated del(5q), <5% blasts ± one other abnormality except -7/del(7q)
Refractory cytopenia of childhood (Provisional WHO category)	Cytopenias, <2% blasts	Dysplasia in 1-3 lineages, <5% blasts

4) 관련 질환

표 10-20. 골수형성이상/골수증식종양(Myelodysplastic/myeloproliferative neoplasm)

아형	혈액	골수
Chronic myelomonocytic leukemia (CMML)-0	>1×10³/μL monocytes, <2% blasts ≥10% monocytes	Dysplasia in ≥1 hematopoietic line, <5% blasts
CMML-1	>1×10³/μL monocytes, 2%-4% blasts≥10% monocytes	Dysplasia in ≥1 hematopoietic line, 5-9% blasts
CMML-2	>1×10³/μL monocytes, 5%-19% blasts or Auer rods≥10% monocytes	Dysplasia in ≥1 hematopoietic line, 10-19% blasts or Auer rods
Atypical chronic myeloid leukemia (aCML), BCR-ABL negative	WBC >13×10³/μL, neutrophil pre-cursors≥10%, <20% blasts, dysgranulopoiesis	Hypercellular, <20% blasts
Juvenile myelomonocytic leukemia (JMML)	>1×10³/μL monocytes, <20% blasts≥10% monocytes, increased HbF	>1×10³/μL monocytes, <20% blasts Ph negative GM-CSF hypersensitive
MDS/MPN, unclassifiable ("Overlap syndrome")	Dysplasia+myeloproliferative features, No prior MDS or MPN	Dysplasia+myeloproliferative features
MDS/MPN with ring sideroblasts and thrombocytosis (MDS/MPN-RS-T)	Dysplasia+myeloproliferative features, platelets ≥450×10³/μL, ≥15% ring sideroblasts	Dysplasia+myeloproliferative features

표 10-21. Indolent myeloid hematologic disorders

특성	ICUS	IDUS	CHIP	CCUS	MDS
체세포돌연변이	-	-	+/-	+/-	+/-
클론염색체이상	-	-	+/-	+/-	+/-
골수형성이상	-	+	-	-	+
혈구감소증	+	-	-	+	+

ICUS: Idiopathic cytopenia of unknown significance
IDUS: Idiopathic dysplasia of unknown significance
CHIP: Clonal hematopoiesis of indeterminate potential
CCUS: Clonal cytopenia of unknown significance
MDS: Myelodysplastic syndrome

5) 예후 점수 체계

표 10-22. MDS의 예후 점수 체계인 IPSS와 IPSS-R

예후변수	점수					위험군	총 점수
	0	0.5	1.0	1.5	2.0		
골수모세포(%)	<5	5-10	–	11-20	21-30	저	0
						중등도-1	0.5-1.0
핵형*	양호	중간	불량			중등도-2	1.5-2.0
혈구감소증**	0-1	2-3				고	≥2.5

* 양호 = 정상, -Y, del(5q), del(20q); 불량 = 복합핵형(3가지 이상 변이) 또는 7번 염색체 이상; 중간 = 기타 다른 염색체 이상
** 호중구 <1,800/μL, 혈색소 <10 g/dL, 혈소판 <100,000/μL

표 10-23. IPSS 위험군에 따라 예측되는 생존기간 및 백혈병의 발생률

	IPSS 위험군			
	저	중등도-1	중등도-2	고
백혈병의 발생률*	19%	30%	33%	45%
백혈병 발생까지 기간의 중앙값*	9.4	3.3	1.1	0.2
생존기간의 중앙값(년)*	5.7	3.5	1.2	0.4

*치료하지 않을 경우

표 10-24. Revised International Prognostic Scoring System (IPSS-R)

예후변수	점수						
	0	0.5	1	1.5	2	3	4
핵형*	매우 양호	–	양호	–	중등도	불량	매우 불량
골수모세포(%)	≤2	–	>2-<5	–	5-10	>10	–
혈색소(g/dL)	≥10	–	8-<10	<8	–	–	–
혈소판(×10³/μL)	≥100	50 -<100	<50	–	–	–	–
호중구(×10³/μL)	≥0.8	<0.8	–	–	–	–	–

*매우 양호 = -Y, del(11q); 양호 = 정상, del(5q), del(12p), del(20q), del(5q)를 포함하는 두 개의 염색체 이상; 중등도 = del(7q), +8, +19, i(17q), 다른 한 개 혹은 두 개의 염색체 이상; 불량 = -7, inv(3)/t(3q)/del(3q), -7(del(7q)를 포함하는 두 개의 염색체 이상, 복합(3개의 염색체 이상); 매우 불량 = 복합(4개 이상의 염색체 이상)

표 10-25. R-IPSS 점수에 따라 예측되는 생존기간 및 백혈병의 발생률

위험군	총 점수	생존기간의 중앙값 (년)*	25% AML 진행 기간 (년)*
최저	≤1.5	8.8	Not reached
저	>1.5–3.0	5.3	10.8
중등도	>3–4.5	3	3.2
고	>4.5–6.0	1.6	1.4
최고	>6.0	0.8	0.7

*치료하지 않을 경우

6) 세포유전학 검사

표 10-26. MDS에서 반복적으로 관찰되는 염색체 변이

Recurring cytogenetic abnormalities	MDS	t-MDS
Unbalanced		
+8*	10%	50%
−7 or del(7q)	10%	40%
−5 or del(5q)	10%	
del(20q)*	5–8%	
−Y*	5%	
i(17q) or t(17p)	3–5%	
−13 or del(13q)	3%	
del(11q)	3%	
del(12p) or t(12p)	3%	
del(9q)	1–2%	
idic(X)(q13)	1–2%	
Balanced		
t(11;16)(q23;p13.3)		3%
t(3;21)(q26.2;q22.1)		2%
t(1;3)(p36.3;q21.2)	1%	
t(2;11)(p21;q23)	1%	
inv(3)(q21q26.2)	1%	
t(6;9)(p23;q34)	1%	

* 이 세 가지 변이는 형태학적 기준이 충족되지 않으면 MDS의 진단의 결정적 기준이 되지 못함. 그러나 다른 변이들은 원인 미상의 혈구감소증이 지속되는 경우에 분명한 형태학적 특성이 없더라도 MDS의 진단을 뒷받침할 수 있다.

표 10-27. MDS에서 반복적으로 관찰되는 유전자 변이

유전자	염색체 위치	빈도	예후
종양유전자와 종양억제유전자			
RUNX1	21q22	15%	불량
TP53	17p13	5–10%	불량
NRAS	1p13.2	10%	불량
KRAS	12p12.1	2–5%	불량
ETV6	12p13.2	2–5%	불량
EVI1	3q26	1–2%	불량
CpG 섬의 메틸화(Methylation of CpG islands)			
TET2	4q24	20%	불분명
IDH1과 IDH2	2q33.3과 15q26.1	5–10%	모름
DNMT3A	2p23.3	5–10%	불량
히스톤 변형(histone modification)			
20q11.2	10–15%	불량	불량
7q36.1	5%	불량	불량
Spliceosome			
SF3B1	2q33.1	20%(MDS), 65%(MDS-RS)	양호(저위험군)
SRSF2	17q25.1	알려져 있지 않음	불량
U2AF1	21q22.3	알려져 있지 않음	관계없음
ZRSR2	Xp22.1	알려져 있지 않음	관계없음
기타			
JAK2	9p24.1	50%(MDS-RS-T)	모름
CBL	11q23.3	2–5%	모름
RPS14	5q33.1	5q 결손 증후군	모름

7) 치료

(1) 치료의 개요

① 동종조혈모세포이식: 유일한 완치 방법. 일반적으로 나이가 젊고 전신상태가 양호한 고
위험 환자들에서 시행

② 저위험군(IPSS 체계의 저위험군, 중등도-1 위험군, 또는 IPSS-R 분류 체계의 최저위험
군, 저위험군, 중등도위험군[3.5점 이하]): 비교적 긴 생존기간이 예상되므로 혈구감소증
의 호전에 치료 목표를 둠

③ 고위험군(IPSS 체계의 중등도-2위험군, 고위험군, 또는 IPSS-R 분류 체계의 중등도위
험군[>3.5점], 고위험군, 최고위험군): 세포유전학적 관해를 유도하고 질병의 진행 과정

을 변경시킴으로써 생존기간을 증가시키는 데 치료의 목표를 둠

④ 치료연관 골수형성이상증후군: 예후가 매우 불량하므로, 일반적으로 고위험군에 준하여 치료방침을 수립

⑤ 치료에 대한 평가를 시행하는 임상시험의 경우 표준화된 International Working Group (IWG) 반응 평가 기준을 사용하도록 권장

(2) 지지요법

① 수혈: 적혈구 및 혈소판수혈이 적절히 이루어져야 하는데, 많은 환자에서 질병 경과 중 조혈모세포이식을 고려하게 되므로 혈액 제제의 백혈구필터의 사용과 방사선조사를 시행 하여야 함

② 항섬유소용해제: 출혈증상이 잘 조절되지 않는 경우 tranexamic acid와 같은 항섬유소 용해제 사용 가능

③ 호중구수를 증가시키기 위한 조혈성장인자(G-CSF, GM-CSF)의 사용은 재발성 혹은 불응성 세균감염증이 있으면서 호중구감소증을 보이는 환자에서만 고려되어야 함

(3) 빈혈의 치료

① 빈혈을 유발할 수 있는 다른 원인에 대한 검사(ferritin, iron, TIBC, vitamin B12, folate, RBC folate, ANA, PNH study 등)를 시행

② 레날리도마이드: 염색체검사상 5q 결손(단독 또는 다른 염색체변이의 동반)이 있는 환자 의 빈혈 치료에 있어서 레날리도마이드(10 mg 경구로 하루 한 번 3주 투여 후 1주 휴약) 는 좋은 효과를 보임. 부작용(혈구감소증, 설사, 피부발진 등)이 발생할 경우 그 정도에 따 라 적절히 감량

③ 적혈구생성자극인자: 혈청 erythropoietin <500 mU/mL에서 투여 시 40-60%의 반응율을 나타냄. Epoetin alfa (40,000-60,000 단위를 주 1-3회 피하주사) 혹은 darbepoetin alfa (150-300 mg을 주 1회 피하주사) 투여

(4) 철분과부화(iron overload)

간, 심장, 내분비기관 등의 철분 축적으로 인한 기능손상뿐 아니라 사망률 및 유병률 증가 의 요인이 되므로 혈청페리틴의 추적검사가 필요. 철킬레이트제제로 deferasirox 경구 투 여할 수 있으며 혈청페리틴 <1,000 mg/L가 목표임

(5) 저메틸화요법(hypomethylating therapy)

① DNA 메틸화억제제(DNA methylation inhibitors): 5-아자시티딘(azacitidine), 5-aza-29-deoxycytidine (decitabine)

② Azacitidine: 하루 75 mg/m^{2}을 피하 또는 정맥으로 매일 7일간 투여, 4주 간격

③ Decitabine: 하루 20 mg/m^{2}을 정맥으로 매일 5일간 투여, 4주 간격

④ 고위험군 혹은 동종조혈모세포이식이 예정되어 있는 경우 가교요법(bridging therapy)

으로 사용

(6) 면역억제요법

항흉선글로불린(anti-thymocyte globulin, ATG) 또는 사이클로스포린: 약 1/3의 환자에서 혈구감소증 개선 효과

(7) 복합항암화학요법

MDS는 일반적으로 항암제에 잘 반응하지 않으며 심각한 독성이 발생할 가능성이 있으나, 나이가 젊고 전신상태가 양호한 고위험군 환자에서 AML에 준한 관해유도요법 시도 가능

(8) 동종조혈모세포이식

① 완치를 가져올 수 있는 유일한 치료법

② 고위험군 환자들 중 이식이 가능한 경우 우선적으로 고려

③ 저위험군 환자 중 질병 진행이 예상되는 경우 적절한 시기에 이식을 시행하는 것이 중요

④ 고령 환자의 경우 최근 75세까지 이식이 이루어지고 있으며 경감된 강도의 전처치요법이 점차 증가

3. 골수증식종양(Myeloproliferative neoplasm, MPN)

1) MPN의 분류(2016 WHO classification)

표 10-28. MPN의 분류(2016 WHO classification)

Myeloproliferative neoplasms (MPN)
Myeloproliferative neoplasms (MPN)
Chronic myeloid leukemia (CML), *BCR-ABL11*
Chronic neutrophilic leukemia (CNL)
Polycythemia vera (PV)
Primary myelofibrosis (PMF)
PMF, prefibrotic/early stage
PMF, overt fibrotic stage
Essential thrombocythemia (ET)
Chronic eosinophilic leukemia, not otherwise specified (NOS)
MPN, unclassifiable

2) 만성골수성백혈병(Chronic myeloid leukemia, CML)

(1) 병인

9번(abl), 22번(bcr) 염색체 장완 간의 reciprocal translocation t(9;22)에 의해 *BCR-ABL1* oncogene 생성

(2) 증상

① 대부분 서서히 발생, 일부 무증상 상태에서 건강검진을 위해 시행한 혈액검사 이상으로 진단

② 비장비대로 인한 좌상복부 통증이나 불편감, 피로감, 체중감소 등

(3) 진단

Bone marrow aspiration and biopsy, chromosome, *BCR-ABL1* gene translocation

(4) 치료(표 10-29)

표 10-29. CML의 치료

병기	치료
만성기(Chronic phase)	Tyrosine kinase inhibitor (TKI) - Imatinib 400 mg qd - Dasatinib 100 mg qd - Nilotinib 300 mg bid - Radotinib 300 mg bid
가속기(Accelerated phase)	TKI → 동종조혈모세포이식 고려
급성기(Blastic crisis)	Induction chemotherapy + TKI → 동종조혈모세포이식

(5) 각 TKI별 대표적인 부작용

표 10-30. CML에서 사용되는 각 TKI별 대표적인 부작용

Imatinib	부종, 피부발진, 구역감, 설사, 혈구감소증, QTc 연장
Nilotinib	혈구감소증, 간수치상승, 혈당상승, 설사, QTc 연장
Dasatinib	혈구감소증, 부종, 흉막삼출, 폐고혈압, 구역감, 설사, QTc 연장
Radotinib	고빌리루빈혈증, 간수치상승, 콜레스테롤상승

3) 특발혈소판증가증(Essential thrombocythemia, ET)

(1) 혈소판증가증의 2차적인 원인

철분결핍, 염증, 감염, 악성종양, 비장제거술 후 등

(2) 진단기준(네 가지를 모두 만족해야 함)

• 혈소판 ≥450×10^9/L

• 골수검사: Megakaryocyte proliferation, many with enlarged and mature morphology and no significant increase in granulopoiesis or erythropoeisis

• PV, PMF, CML, MDS 혹은 다른 골수종양의 기준을 만족하지 않아야 함

• *JAK2* V617F 혹은 다른 marker (*CALR*, *MPL*) 양성이거나, 음성 시 reactive thrombocytosis 배제

(3) 치료: 합병증 예방
- 고위험군(60세 이상이거나 혈전의 과거력이 있을 경우): low-dose aspirin, cytoreduc-tion (hydroxyurea or anagrelide)
- 저위험군: 증상 있거나 *JAK2* V617F 변이 양성시 low-dose aspirin

4) 진성적혈구증가증(Polycythemia vera, PV)

(1) 적혈구증가증의 감별(그림 10-4)

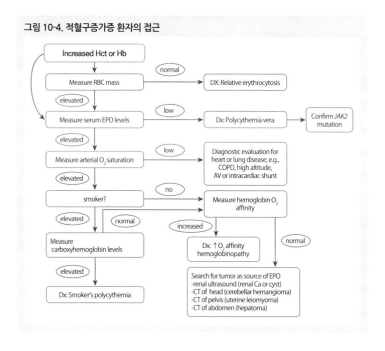

그림 10-4. 적혈구증가증 환자의 접근

(2) 진단기준: 2 major+1 minor 혹은 1 major+2 minor

① Major criteria
- Hb >18.5 g/dL for men or >16.5 g/dL for women or other evidence of increased red blood cell volume
- *JAK2* V617F 혹은 *JAK2* exon12 변이 양성

② Minor criteria

- 골수검사: hypercellularity for age with trilineage proliferation
- Serum EPO <normal
- Endogenous erythroid colony formation in vitro

(3) 치료

　Phlebotomy, low-dose aspirin, hydroxyurea

5) 일차골수섬유증(Primary myelofibrosis, PMF)

(1) 골수섬유화를 유발하는 질환

① Malignant: 급성백혈병, 만성백혈병, 림프종, 다발골수종, 전이성 고형장기종양, systemic mastocytosis 등

② Non-malignant: HIV, hyperparathyroidism, renal osteodystrophy, SLE, Tb, vitamin D 결핍 등

(2) 진단기준: 3 major+2 minor

① Major criteria

- 골수검사: Megakaryocyte proliferation and atypia accompanied by either reticulin and/or collagen fibrosis; or in absence of reticulin fibrosis
- PV, CML, MDS 혹은 다른 골수종양의 기준을 만족하지 않아야 함
- *JAK2* V617F 혹은 다른 marker (*CALR, MPL*) 양성이거나, 음성 시 이차성 골수섬유증 배제

② Minor criteria

- Leukoerythroblastosis
- Increased serum lactate dehydrogenase
- Anemia
- Palpable splenomegaly

(3) 치료

① 비장비대, constitutional symptom: Ruxolitinib (Jakavi®), hydroxyurea

② 동종조혈모세포이식: 고위험군의 젊은 환자

③ 빈혈: androgen, 수혈

④ Interferon-alpha

4. 급성림프모구백혈병 (Acute lymphoblastic leukemia, ALL)

1) 급성림프모구백혈병의 면역학적 분류

표 10-31. ALL의 면역학적 분류

아형	발현되는 중요 표지자들	발생빈도 (%)
B-lineage ALL	HLA-DR+, TdT+, CD19+, and/or CD79a+ and/or CD22+	76
Pro B- ALL	CD10-, no additional differentiation markers	12
Common ALL	CD10+	49
Pre-B- ALL	CD10±, cylg+	11
Mature B- ALL	CD10±, slg+	4
T-lineage ALL	cyCD3 or sCD3	24
Early Pro/Pre T-ALL	no additional differentiation, mostly CD2-	6
Cortical (Thymic) T	CD1a+, sCD3±	12
Mature T-ALL	sCD3+, CD1a-	6

2) 성인 ALL의 면역학적 아형에 따른 임상적 특징

표 10-32. ALL의 면역학적 아형에 따른 임상적 특징

아형	검사실 특성	임상 특징
	B- lineage ALL	
Pro B- ALL	Myeloid co-expression (CD13, 33)(>50%) t(4;11)/*ALL1-AF4* (70%) *FLT3* in *MLL* + (20%)	High WBC (>100,000/μℓ)(26%) Mainly BM relapse (>90%)
Common ALL	t(9;22)/BCR-ABL (33%) M-BCR (30%), m-BCR (70%)	Higher age >50 years (24%) Mainly BM relapse (>90%) Prolonged relapses up to 5-7 yrs
Pre-B-ALL	t(9;22)/*BCR-ABL* t(1;19)/*PBX-E2A*	
Mature B-ALL	t(8;14)(q24;q32) t(2;8)(p12;q24) t(8;22)(q24;q11)	Higher age >55 yrs (27%) Frequent organ involvement (32%) Frequent CNS involvement (13%) Frequent CNS relapse (10%) Short relapse (up to 1-1.5 yrs)
	T-lineage ALL	
Early Pro/Pre T	t(10;14)(q24;q11) t(11;14)(p13;q11)	Younger age (90% <50 years) Frequent mediastinal tumors (60%)
Cortical (Thymic) T		CNS involvement (8%) High WBC (>50/ml)(46%)
Mature T-ALL		Frequent CNS relapse (10%) extramedullary relapse (6%) Intermediate relapse up to 3-4 yrs

3) 성인 ALL의 예후 인자

표 10-33. ALL의 예후인자

	저위험군	고위험군
Age	Younger age (<25, <35 yrs)	Higher age (>35 yrs)
Cytogenetics/ molecular genetics	Hyperdiploidy (51-65 chromosomes) t(12;21)/ ETV6-RUNX1	Hypodiploidy (<44 chromosomes) KMT2A rearranged (t[4;11] or others) t(v;14q32)/IgH, t(9;22)/BCR-ABL complex karyotype Ph-like ALL: iAMP21
WBC	<30,000/$\mu\ell$	>30,000/μL (B-lineage) >100,000/μL (T-lineage)
Immunophenotype	Thymic (cortical) T-ALL	Pro B-ALL Early T-ALL Mature T-ALL
MRD After induction	<10-4 or negative	>10-4 or increasing

4) ALL 치료

(1) 관해유도요법(Induction chemotherapy)

① Combination chemotherapy: glucocorticoid, cyclophosphamide, anthracyclines, vincristine, L-asparaginase, methotrexate

② Ph+ ALL: cytotoxic chemotherapy plus tyrosine kinase inhibitor

③ Prognosis depends on MRD after Induction.

④ MRD-negativity: blast cell <0.01% (<10-4)

(2) 공고요법(Consolidation therapy)

① Early and late intensification

② High dose methotrexate, high dose cytarabine

(3) 유지요법(Maintenance therapy)

① 6-mercaptopurine, methotrexate

② Ph+ ALL: 6-mercaptopurine, methotrexate, tyrosine kinase inhibitor after consolidation and allogeneic hematopoietic transplantation.

③ Duration: 2-2.5 years

(4) 조혈세포이식(Hematopoietic cell transplantation)

① Allogeneic vs. autologous

(5) CNS prophylaxis

① Intrathecal chemotherapy

② CNS irradiation

(6) Targeted therapy

① Tyrosine kinase inhibitor for Ph+ ALL

- Immatinib, nilotinib, dasatinib, ponatinib

② Immunotherapy

- Rituximab (antibody to CD20)
- Blinatumomab (bi-specific antibody to CD19 and CD3)
- Inotuzumab ozogamicin (antibody to CD22 linked to calicheamicin)
- Chimeric antigen receptor (CAR) T cells

5. 혈구탐식성림프조직구증(Hemophagocytic Lymphohistiocytosis, HLH)

1) 정의

선천적, 혹은 후천적 원인에 의해 비정상적으로 활성화된 면역 반응이 일어나고, cytokine overproduction에 따른 전신질환

2) 원인

① Primary: Cytotoxic T cell 혹은 NK cell function의 mutation (*PRF1*, *UNC13D*, *STX11*, *STXBP2*), immune deficiency syndrome

② Secondary: Malignancy (50%), infection (30-40%), autoimmune disease (10%), drug, idiopathic

* Primary HLH는 주로 영유아(0-4세)에서 발병하는 질환으로, 그동안 secondary HLH는 유전적 이상이 없다고 생각했으나 어느 정도 유전적 소인이 있다는 개념이 도입되었음

그림 10-5. HLH의 진행단계

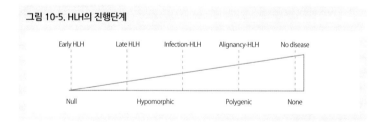

③ Secondary HLH는 대부분 이상 면역을 유발할 수 있는 상태가 선행하는 경우가 많고, 이 원인을 교정해야 추가적인 이상면역반응을 억제할 수 있기 때문에, HLH의 진단 자체

가 중요한 것이 아니라 HLH를 유발할 정도의 cytokine overproduction을 일으킨 원인을 찾는 것이 더 중요함

3) HLH의 진단기준(HLH-2004 protocol)
① Familial HLH에 합당한 gene mutation
② 혹은 8가지 중 5가지 이상 진단 기준 충족시
- Fever ≥38.5℃ for ≥7 days
- Splenomegaly ≥3 FB below lt subcostal margin
- Cytopenias (affecting ≥2 of 3 lineages in the peripheral blood): Hb (<9 g/dℓ), platelets (<100,000/㎕), neutrophils (<1,000/㎕)
- Hypertriglyceridemia and/or hypofibrionogenemia (fasting TG >265 mg/dℓ, fibrinogen ≤1.5 g/ℓ)
- Hemophagocytosis in bone marrow, spleen, or lymph nodes.
- Low or absent NK-cell activity (according to local laboratory reference)
- Ferritin >500 ㎍/ℓ
- Soluble CD25 (soluble IL-2 receptor) >2,400 U/㎖

4) 진단시 주의점
① HLH 진단기준은 환자의 임상 증상 및 혈액검사의 중앙값으로 만들어졌는데, 영유아 환자를 바탕으로 만들어진 진단기준이므로 성인에게 그대로 적용하기는 어려움
② 따라서 진단기준에는 모두 합당하나 HLH가 아닐 수도 있으며, 반대로 진단기준에는 모두 맞지는 않으나 HLH로 판단할 수도 있음
③ 골수에서 확인되는 혈구탐식증 역시 severe inflammation에서 나타나는 결과일 뿐이며, 이 현상이 HLH를 의미하는 것은 아님

5) 치료
성인에서는 표준 치료가 정립되어 있지 않으나, 유발 요인의 교정 가능 여부에 따라 판단하게 됨
① 교정 가능한 유발요인이 있는 경우: 기저질환을 먼저 치료(감염, 악성종양, 자가면역질환 등)
② 특발성이거나, 교정 불가능한 유발요인 일 때: HLH-94/2004 protocol
③ Mild/moderate disease에서는 HLH-94/2004 protocol 적용에 앞서 steroid 혹은 IVIG를 시도할 수 있음(Etoposide가 HLH를 치료하는 것은 아니기 때문)

V 조혈모세포이식(Hematopoietic cell transplantation, HCT)

1. 이식의 분류

1) 공여자 세포의 면역학적 특성에 따른 분류
① 자가(Autologous): 고용량의 항암치료가 목적. 환자 본인의 세포를 냉동보관했다가 이식
② 동계(Syngeneic): 일란성 쌍생아
③ 동종(Allogeneic): 항암치료 및 이식편대백혈병(GVL) 효과를 위해 가족이나 타인간 시행

2) 조혈세포원(Hematopoietic stem cell source)
① 골수(Bone marrow)
② 말초혈액(Peripheral blood): 최근 가장 많이 이용되는 방법
③ 제대혈(Cord blood)

2. 이식전처치(Conditioning regimen)

(1) 목적
① 항암효과: 악성질환 종양세포 혹은 원질환 제거
② 면역억제: 공여자세포를 거부하는 숙주세포를 억제
③ 공간확보: 공여자 기원의 조혈모세포가 성장할 수 있는 공간을 확보
(2) 강도에 따른 분류
① 고강도: 전신방사선조사 혹은 고용량 항암제를 기반으로 환자의 골수 내 조혈모세포를 가능한 많이 제거하여 재발률을 낮추기 위한 목적
② 저강도: 방사선 혹은 항암제의 용량을 낮추어 투여함으로써 독성을 낮추고 이식편대백혈병 효과를 이용하여 질환을 조절하기 위한 목적

3. 이식 후 합병증

(1) 감염(그림 10-6)

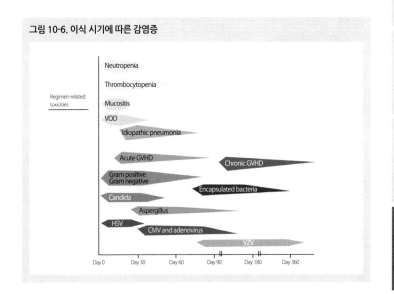

그림 10-6. 이식 시기에 따른 감염증

(2) 이식편대숙주질환(Graft-versus-host disease, GVHD)
① 개념: 환자의 항원전달세포와 공여자의 T세포 사이의 상호작용에 의해 발생
② Acute vs. Chronic GVHD

표 10-34. Acute vs. chronic GVHD

	Acute GVHD	Chronic GVHD
발생시기	대개 이식 후 100일 이내에 발생하나 100일 이후에 발생하기도 함	대개 이식 후 100일 이후에 발생하나 시기에 관계없이 특징적 임상증상이 있으면 진단
침범장기	피부, 위장관, 간	피부, 손발톱, 머리카락, 입, 눈, 생식기, 간, 폐, 위장관, 근골격 등 전신 침범 가능
치료	Methylprednisolone 2 mg/kg Cyclosporine, tacrolimus Ruxolitinib	Methylprednisolone 1 mg/kg Cyclosporine, MMF, tacrolimus Imatinib, Ruxolitinib

(3) 간정맥폐쇄질환(Hepatic veno-occlusive disease; sinusoidal obstruction syndrome)

① 기전: 간 내 sinusoidal endothelial cell이 toxin에 의해 손상을 받아 발생

② 증상: 대개 이식 후 3주 이내에 황달, 통증을 동반한 간비대, 복수, 체중증가

③ 진단: bilirubin ≥2 mg/dL이면서 다음의 세 기준 중 두 가지 이상을 만족할 때 진단

- 통증을 동반한 간비대
- 체중증가 >5%
- 복수

④ 치료: defibrotide, 대증요법(이뇨제, i/o 유지) 외 t-PA, steroid, heparin 등

Ⅵ 수혈(Transfusion)

1. 혈액제제

1) 전혈(Whole Blood, WB)
① 용량: 400 ㎖ 또는 320 ㎖
② 유효보존기간: 21일

2) 농축적혈구(Red Blood Cells, RBC)
① 전혈에서 혈장을 제거하여 제조
② 용량: 250 ㎖ 또는 190 ㎖
③ 유효보존기간: 35일
④ 1 unit 수혈마다 hemoglobin 1 g/㎗ 또는 Hematocrit 3% 증가

3) 농축혈소판(Platelet Concentrate, PC)
① 용량: 50 ㎖ (전혈 400 ㎖인 경우)
② 5×1,010개의 혈소판 함유
③ 유효보존기간: 5일
④ 1 unit 수혈마다 혈소판수가 5,000-10,000/㎕ 증가

4) 성분채집혈소판(Apheresis Platelets, AP)
① 1명의 헌혈자로부터 PC 6-8 units에 해당하는 혈소판을 얻을 수 있음
② 수혈에 따른 감염의 위험성을 낮출 수 있으며, 제한된 헌혈자원으로부터 많은 양의 혈소판 채혈이 가능

5) 농축백혈구(Granulocyte Concentrates)
① 백혈구 헌혈자에게 12시간 전에 G-CSF를 투여하고 혈액성분채집기를 이용하여 채집
② 채집 후 가능한 한 빨리 수혈해야 함

6) 신선동결혈장(Fresh Frozen Plasma, FFP)

① 전혈 채혈 후 4시간 이내에 분리한 혈장을 냉동한 제제

② 용량: 평균 180 ㎖

③ 섬유소원(fibrinogen) 230-240 ㎎/㎗, 제 V인자 119 U/㎗, 제 VII인자 89-94 U/㎗, 제 VIII인자 49-94 U/㎗, 제 IX인자 84-125 U/㎗ 정도를 함유

7) 동결침전제제(Cryoprecipitates, Cryo)

① FFP를 1-6℃에서 녹일 때 생기는 흰색 침전물을 소량의 혈장에 부유하여 냉동시킨 혈액제제

② 제 VIII인자, von Willebrand factor, 섬유소원, 제 XIII인자 및 fibronectin이 농축되어 있음

8) 백혈구제거 혈액제제(Leukocyte-reduced blood components)

① 혈액제제 내에 함유되어 있는 백혈구로 인한 비용혈성 발열반응, HLA 동종면역으로 인한 혈소판수혈 불응증 등의 수혈부작용을 예방할 수 있으며, 거대세포바이러스와 같이 백혈구 내에서 발견되는 바이러스 감염도 예방

9) 방사선조사 혈액제제(Irradiation)

① 이식편대숙주질환(graft-versus-host disease, GVHD)이 드물게 수혈에 의해서도 유발될 수 있으며, 수혈에 의한 GVHD는 혈액제제에 함유된 살아 있는 T림프구가 수혈 후 생착되어 발생

② 주로 면역이 억제된 환자에서 발생하지만 가족수혈의 경우에는 위험율이 증가

③ 치사율이 90% 이상으로 예방이 중요

2. 수혈부작용

1) 종류

(1) 용혈수혈부작용

① 면역용혈수혈부작용

- 급성용혈수혈부작용: ABO부적합(인적사항 확인 오류 등)
- 지연용혈수혈부작용: 수혈 후 3-13일 경

② 비면역용혈수혈부작용: 기계적/화학적/물리적 요인 - 저장액 또는 약제와 함께 주입

(2) 비용혈수혈부작용

① 면역수혈부작용

- 발열반응: 백혈구항체를 가진 경우, 혈액제제 내의 백혈구에서 분비된 시토카인 등
- 알레르기반응: 아나필락시반응 등(IgA, C4결핍 환자에게 IgA포함혈액수혈 시)
- 수혈관련급성폐손상(transfusion-related acute lung injury, TRALI): 수혈 후 6시간 이내
- 수혈에 의한 동종면역: 혈소판수혈불응증 유발 → HLA적합혈소판 수혈 또는 예방을 위해 백혈구제거혈액제제의 수혈
- 수혈에 의한 이식편대숙주병: 면역이 억제된 환자, 가족수혈의 경우. 치사율 90%로 예방을 위해 감마선조사(gamma irradiation)을 통해 T림프구 제거 필요

② 비면역수혈부작용

- 혈액량과부하
- 세균감염
- 혈철소증(hemosiderosis)
- 구연산독성(citrate toxicity)
- 저체온증
- 전해질불균형

2) 급성용혈수혈부작용 시 조치사항

(1) 의심 시

① 수혈을 잠시 중단 후 0.9% 생리식염수로 정맥로 유지

② 혈액백과 환자의 인적사항 재확인

③ 15분 간격으로 활력징후 측정

④ 소변량이 >1 mL/kg/hr 유지되도록 0.9% 생리식염수 주입

(2) 확진 시

① 소변량이 >1 mL/kg/hr 유지되도록 수액제와 이뇨제 사용

② 혈액응고와 생화학검사(용혈 관련 검사)를 2-4시간마다 점검

③ 급성신세뇨관 괴사에 빠지지 않도록 혈액투석 또는 투석 시행 고려

④ DIC발생 시 수혈 실시

3. 대량수혈(Massive transfusion)

1) 대량수혈에 따른 문제
① 저체온증(hypothermia)

② 저혈소판증(thrombocytopenia)

③ 희석 응고병증(dilutional coagulopathy): 특히 제 V 인자 및 VIII 인자

④ 범발성혈관내응고증과 섬유소용해

⑤ 구연산 중독(citrate intoxication): 저칼슘혈증, 대사성 알칼리증

⑥ 고칼륨혈증과 산혈증

⑦ 호흡곤란 증후군: 미세응집괴의 색전형성(embolization of microaggregates)

4. 수혈의 기본 수칙

1) 혈액의 가온
(1) 장치: 수조/전기가열 판

(2) 적응증

① 성인 환자에게 시간당 50 mL/kg 이상의 빠른 속도로 대량수혈을 하는 경우

② 소아에게 시간당 15 mL/kg 이상의 수혈을 하는 경우

③ 영아의 교환수혈

④ 한랭응집소를 가진 환자에게 수혈하는 경우

⑤ 중심정맥도관(central catheter)를 통한 빠른 수혈의 경우

(3) 주의사항

① 혈액의 온도가 42도 이상 상승해선 안 됨

② 한 단위의 혈액을 4시간 이상 가열해선 안 됨

2) 혈액 주입 시간
① 적혈구 한 단위: 4시간 이내 마칠 것

② 혈액필터: 6-8시간마다 교체

③ 출고된 후 실온에 30분 이상 방치된 혈액은 다른 환자에게 사용할 수 없음

3) 정맥주입용액의 동시 사용

① 생리식염수만이 혈액성분제제와 함께 투여할 수 있음

② 함께 투여할 수 없는 용액

- 5% 포도당: 저장성으로 용혈을 일으킴
- 전해질용액: 칼슘을 함유, 구연산이 첨가된 혈액을 체외에서 응고시킴

③ 약제와 동시 투여: 불가

- 용혈 부작용 발생 우려
- 혈액이 수혈부작용에 의해 중단되면 약제가 투여될 수 없음
- 수혈 중 부작용 발생 시 약제와 혈액 중 어느 것에 의한 것인지 구분할 수 없음

④ 혈액필터의 사용

5. 출혈장애의 수혈

1) 파종혈관내응고(DIC)

(1) 적응증

출혈이 있거나 침습적 시술이 예정된 환자(안정된 상태에서는 필요 없다)

(2) 혈액제제

① 신선동결혈장(FFP) 또는 동결침전제제: 각종 응고인자/응고억제인자의 교정 용량: 10-20 mL/kg를 3-4시간마다 반복 수혈

② 혈소판제제: 혈소판감소증의 교정

(3) 목표

① 혈소판수 : 50-75×10^6/L

② 섬유소원(fibrinogen): 100 mg/dL

③ PT/aPTT: 정상의 1.5배 이내

(4) 주의

용량과부하에 주의

2) 간질환

(1) 적응증

① 혈소판: <50×10^6/L인 경우

② 섬유소원: <100 mg/dL인 경우

③ PT/aPTT 연장: vitamin K 10 mg 3일간 피하주사 후에도 호전이 없으면 FFP 수혈

6. 출혈장애의 치료약제

1) Hemophilia A: Factor VIII replacement
① Adynovate
② GreenMono
③ GreenGeneF
④ GreenEight
⑤ Advate

2) Hemophilia B: factor IX replacement
① Facnyne
② Rixubis
③ BeneFIX

3) Hypofibrinogenemia
① Fibrinogen

4) Von Wiilebrand disease
① Immunate

5) Factor VIII, IX inhibitor
① FEIBA
② NovoSeven RT

6) Glanzmann's thrombasthenia
① NovoSeven RT

11

노년내과

노년내과
Geriatric Medicine

I 고령 입원환자 케어의 일반적 원칙

1. 노쇠와 근감소증

1) 의료체계의 발전과 노인의학(Geriatrics)의 필요성

① 같은 나이, 비슷한 질환 노인에서 발생한 동일한 질환(ex. common cold)도, 왜 어떤 환자는 금방 폐렴과 중환자실치료까지 필요하며, 또 어떤 환자는 치료 없이 쉽게 호전되는가?

② 병원에서 수행 중인 통상적인 risk 평가가 왜 노인에서 잘 맞지 않는가?(ex. preoperative risk assessment에서 low risk 노인도 흔히 악화된다)

③ 제약 기술이 비약적으로 발전하였고 적극적 의료 서비스로 약물 개수가 증가함에도 불구하고 노인에서 위험성은 왜 증가하는가?

④ 의료기술의 발전에도 불구하고 노인 사망률은 오히려 증가한 이유는 무엇인가?(그림 11-1)

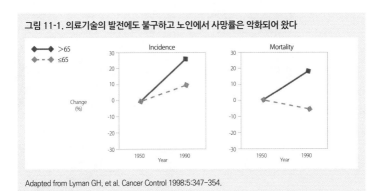

그림 11-1. 의료기술의 발전에도 불구하고 노인에서 사망률은 악화되어 왔다

Adapted from Lyman GH, et al. Cancer Control 1998:5:347-354.

⑤ 병원들의 각고의 노력에도 불구하고 노인 환자에서는 재원일수 감소가 쉽지 않고 낙상, 욕창, 섬망은 여전히 흔히 발생하는가?

⑥ 선진국/후진국과 관계없이, 노인 환자 케어의 수준과 의료비 부담이 의료시설 및 자원 투입 수준과 비례하지 않는 이유는 무엇인가?(의료시스템)

2) 노인 환자가 젊은 성인 환자와 다른점

① 신체기능 및 인지기능의 저하(→ 노인포괄평가)

② 질병의 비특이적 증상 발현 또는 무증상(→ 노인포괄평가)

③ 노인 특유의 증상 및 질환 발병(→ geriatric syndrome의 이해, 노인포괄평가)

④ 질병에서 기존 위험 평가 시스템이 잘 맞지 않음(→ 노쇠, 근감소증, 노인포괄평가)

⑤ 다약제복용 및 약물 부작용 증가(→ polypharmacy, delirium, fall의 예방 및 치료)

3) 노인 환자에서 잔존 신체기능의 중요성

노인이 되면 만성질환 증가에 의한 리스크보다 신체기능 저하에 의한 리스크가 훨씬 더 증가함(그림 11-2).

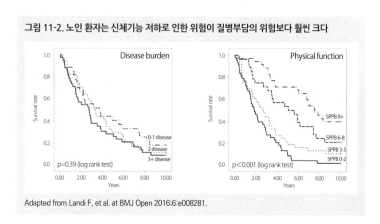

그림 11-2. 노인 환자는 신체기능 저하로 인한 위험이 질병부담의 위험보다 훨씬 크다

Adapted from Landi F, et al. at BMJ Open 2016;6:e008281.

4) 노화와 노쇠

(1) 노화(Aging)

① Normal aging process: 나이가 들어가면서 발생하는 정상적인 기능저하 및 퇴화의 과정

② 모든 사람에게 발생하며 일반적으로 알려진 일정한 속도가 있음(대개 서서히 진행).

(2) 노쇠(Frailty) (그림 11-3, 4)

① Pathologic aging process: 신체 내외부로부터 발생하는 스트레스에 대항하는 생리적 예비능력(physiologic reservoir)의 감소로 신체 여러기관의 항상성(homeostasis) 유지 능력이 줄어든 상황.

② 정상 노화보다 속도가 매우 빨라 기능장애가 빠르게 진행하며, 작은 질병이나 스트레스에도 급격한 건강 변화가 생기게 됨.

③ 입원, 사망, 장애, 합병증 등 대부분의 예후인자가 악화됨.

그림 11-3. 노인 환자의 특성과 노쇠, 근감소증

1		1) 노인에서 흔한 증상: 원인에 대한 진단이 어려움. • 기력없음, 보행장애, 식욕저하, 체중감소, 인지기능 저하 등을 대개 지속적으로 호소. • 단순 노화가 아닐 경우가 많음. • 기존 만성질환 또는 약물 문제인지, 새로운 질병 시작되었는지 판단이 어려움
2	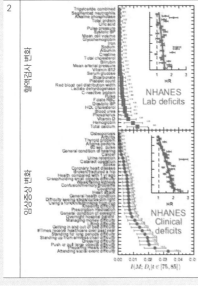	2) 검사 결과보다 선행하는 증상 변화 증상을 호소하는 노인에서는 혈액 또는 영상의학적 검사만으로는 진단을 놓치기 쉬움. (출처: Farrell, et al. Phys. Rev. E 98, 032302)

3
3) 노인증후군과 Vicious cycle
- Geriatric syndrome (노인증후군): 노인에서 흔히 발생하면서 리스크를 증가시키는 증상 및 질환들을 총칭
- 13종 이상: 부적절한 처방/실금/우울/섬망/낙상/골다공증/시청각감각변화/보행장애/욕창/근감소증/수면장애/의인성 문제 등
- 노쇠와 악순환의 고리(그림) → 합병증 및 사망률 증가로 연결

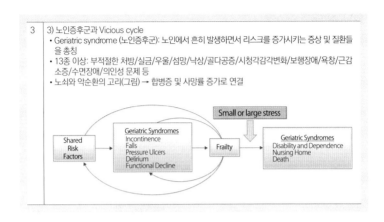

그림 11-4. 노쇠 및 장애의 진행단계

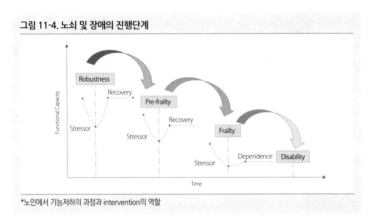

*노인에서 기능저하의 과정과 intervention의 역할

(3) 병원에서 노쇠 파악의 임상적 의의

① 예후를 예측하여 실질적 고위험군을 확인하여 미리 대비할 수 있음.

② 잔존 기능 및 기대여명을 확인하여 치료 목표를 결정할 수 있음.

③ 환자 상태에 적합한 치료방법 또는 강도 등을 결정하는데 과학적 근거를 제공함.

④ 가능성 높은(reversible)한 intervention 대상자와 방법을 확인함.

(4) 노쇠의 평가

① 두 가지 접근 방법: 노화를 설명하는 기전과 관점에 두 가지 assessment method가 있음(그림 11-5)

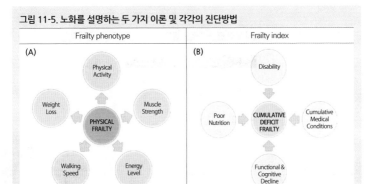

그림 11-5. 노화를 설명하는 두 가지 이론 및 각각의 진단방법

Frailty phenotype	Frailty index
(A) Physical Activity / Muscle Strength / Energy Level / Walking Speed / Weight Loss — PHYSICAL FRAILTY	(B) Disability / Cumulative Medical Conditions / Functional & Cognitive Decline / Poor Nutrition — CUMULATIVE DEFICIT FRAILTY

임상적 의의 및 적용
(두 평가 방법 모두 mortality 예측에는 유용하나 임상적용에 있어 장단점과 차이가 있음)

① Frailty phenotype = 의미상 Physical frailty ② Biologic syndrome of 42 decreased physiologic reserve → decrease of resiliency and adaptive capacity → vulnerability to stressors → frailty ③ 5문항에 대한 평가로 5~10분 이내로 가능하나 frailty의 원인은 알기 어렵다는 단점. ④ 질병 치료 시 high risk patients를 detect 하는 데 screening으로 유용함.	① Frailty index = Cumulative deficit model ② Concept: accumulation of health and functional problems = indicator of an individual's age-related health state → high levels of accumulated comorbidity = a higher risk for mortality than expected given one's chronological age ③ Phenotype보다 더 정밀하며 frailty 원인과 대응 방안을 알기 용이하나, 평가가 많고 시간이 더 소요된다는 단점. ④ 정밀한 평가가 필요하거나, 질병 치료 전후 경과를 비교하기에 용이함.

대표적인 평가 방법

CHS (Cardiovascular Health Study) criteria	Deficit-accumulated frailty index
① Weight loss ② Slowness (Slow gait speed) ③ Exhaustion ④ Low physical activity ⑤ Unintentional weight loss	① 구성: symptoms, signs, lab findings, medical comorbidities, nutrition, cognition, functional status, disabilities, etc. ② 주의: domain별 치우침이 없도록 가능한 다양한 항목(적어도 30가지 이상)으로 평가항목을 구성해야 함.
5점 만점	**0~1점 구간으로 표현**
① 0 point: Robust ② 1~2 points: Prefrail ③ 3~5 point: Frail	① 0~0.14 : Robust ② 0.15~0.24: Prefrail ③ 0.25 or more: Frail

② Frailty screening tools(그림 11-6)

- 위의 2가지 frailty assessment가 곤란할 경우: 직접 신체평가가 어렵거나, 검사 대상자가 너무 많을 때, 검사가 불가능할 때 등.
- 1-2문항, 또는 자가 설문으로만 구성된 간단한 frailty screening 평가도구들이 있음.

그림 11-6. 다양한 환경에서 노쇠 평가의 적용 방법

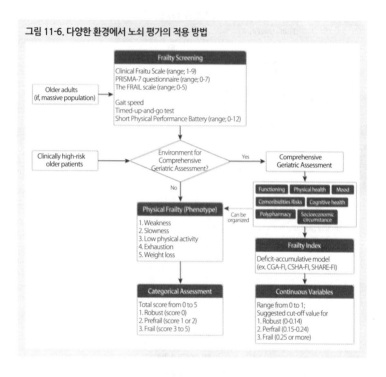

③ 노쇠평가와 노인포괄평가와의 관계

- 노쇠만을 평가하면, 노쇠의 정도와 함께 일반적 위험성을 알 수 있으나, 어떤 영역에서 어떤 대비가 필요한지까지는 알기 어려움.
- 노인포괄평가(Comprehensive Geriatric Assessement, CGA)를 통해 frailty index 및 phenotype을 모두 파악할 수 있음.

그림 11-7. 노화(aging), 노쇠(frailty) 및 노인증후군(geriatric syndrome)의 관계

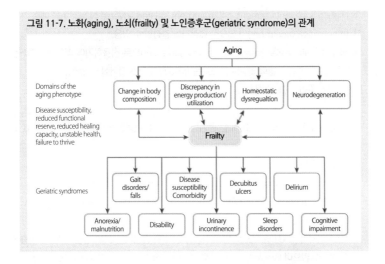

5) 근감소증

(1) 근감소증(sarcopenia) : age-related loss of skeletal muscle mass and function

(2) Sarcopenia의 임상적 유용성

① Frailty 처럼 various geriatric syndrome을 설명할 수 있음(그림 11-8).

그림 11-8. 근감소증과 노쇠의 관계

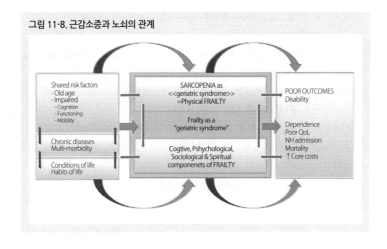

② High-risk patients screening 및 treatment-related adverse outcome을 예측 가능

③ Intervention (treatment)이 필요한 대상자를 결정할 수 있음.

④ 복잡한 frailty assessment 대신 frailty screening으로 적용하기에 매우 용이함(단, 예후 예측에 관한 구별력 및 effect size는 frailty보다 다소 떨어질 수 있음).

(3) 근감소증의 진단 및 해석

① 진단

- 근육량(A)의 감소와 근력(B) 또는 근기능(C)의 저하가 함께 있어야 진단됨(A and (B or C)).

② 근육량의 측정(muscle mass)

- 사지의 근육량의 합을 키의 제곱 또는 BMI로 나누어 muscle mass index를 구함.
- DXA (Dual energy X-ray Absorptiometry), BIA (bioimpedance analysis), CT, MRI로 측정 가능
- DXA 검사가 gold standard지만 골다공증 검사 시 촬영하는 DXA 방법으로는 근육량을 평가할 수 없으며 Whole body DXA를 하여야 근육량을 알 수 있음(처방코드 다름).
- DXA가 어렵거나 반복적으로 측정해야 할 경우에는 BIA가 용이

③ 근력의 측정(muscle strength)

- 근육량이 많다고 근력이 강하지 않을 수 있어 반드시 측정이 필요
- Low muscle quantity/quality(무릎 구부리기 펴기)를 측정하는 것이 가장 정확하나, 장비 구비, 숙련된 검사자 등의 한계가 있음.
- 악력(Grip strength) 측정: 검사가 간단하고 다른 전신근력과 상관성이 높아 흔히 사용됨.
- 휴지기를 가지고 2회 이상을 측정하여 maximal grip strength를 채택함(단위: kg).

④ 근기능의 측정(muscle function)

- Usual gait speed, Timed get-up and go test, short physical performance battery (SPPB) test를 활용 가능(진단뿐만 아니라 중증도 지표로도 해석 가능).
- Usual gait speed: 단일검사로는 신뢰성이 매우 높으며, sarcopenia의 중증도뿐만 아니라 frailty를 대표하는 potent single marker.
- Usual gait speed의 측정: 평소에 걷는 속도를 측정(거리가 길수록 정확도가 증가. 최소 총 6미터의 직선거리가 필요 - 가속구간 1미터, 보행구간 4미터, 감속구간 1미터).
- SPPB test: 노쇠 및 근감소증을 대표하는 신체기능검사. 스크리닝으로도 유용함. 12점 만점. 5 repeated chairstand test(4점) + balance test(4점) + usual gait speed(4점).

(4) 진단 기준값 및 진단 알고리즘

① 진단기준의 변화

- 아직 수년마다 계속 업데이트되며 변화 중
- 국가-인종별 차이가 있어 골다공증처럼 국가별 기준을 적용 가능
- 대표적으로 미국, 유럽, 아시아 근감소증 진단기준이 있음.
- 우리나라는 아직 아시아 진단기준을 준용하는 편.
- 2014년 아시아 근감소증 진단기준 발표 후, 2019년 말 개정된 아시아 진단기준이 발표 되었음(그림 11-9).

그림 11-9. 2019 Asian Working Group for Sarcopenia Guideline

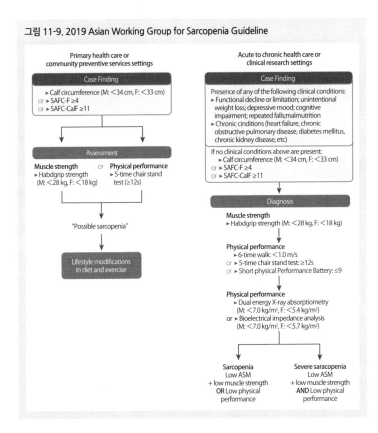

② 중증도 평가
- 근력을 screening 지표로, 근기능을 severity 지표로 활용하는 경향이 있음.
- 진단기준과 관계없이 근감소증 진단의 3요소(muscle mass, strength, function) 중 이상 항목의 개수가 증가할수록 overall risk는 증가함(sarcopenia phenotype score; 0–3).
- 이는 위의 노쇠 진단의 개념과 동일함.

2. 노인포괄평가

1) 노인포괄평가(Comprehensive Geriatric Assessment, CGA)의 개요

① 노인 환자의 medical condition뿐만 아니라 physical, nutritional, mood, cognitive function 및 socio-economic status 등을 전반적으로 평가하여 치료방향 설정과 치료 위험 대비, 퇴원 계획 등에 활용함.
② 노인 환자 평가에 숙련된 의사 또는 전문 평가자가 필요할 수 있으나, 일정한 교육을 받은 사람도 할 수 있음.
③ 검사로서 끝나면 효과가 거의 없음. 결과를 토대로 intervention을 할 수 있는 다학제 진료팀이 필요함.

2) 노인포괄평가의 활용

① 위험성 파악(overall risk): 치료 후 전반적 위험성을 미리 알 수 있어 치료방침 설정에 활용할 수 있음.
② 위험의 정량화: 노쇠 및 근감소증 평가의 근간이 되며, 필요시 frailty index 값을 산출할 수 있음.
③ 치료 전 잠재적 위험 영역(risk domain) 확인: 합병증 예방 또는 영역별 선제적 치료(예방)에 관한 구체적 계획을 수립할 수 있음.
④ 진단 및 치료에 활용: 질병 진단의 정확도를 높이고 퇴원 및 장기적 계획을 수립할 수 있음.

3) 노인포괄평가의 항목 및 방법

(1) 평가 항목 및 주요 검사 도구(표 11-1)

- (참고) 서울아산병원 youtube에서 [종합기능평가실]로 검색하면 해당 동영상을 볼 수 있음.

표11-1. 노인포괄평가의 항목 및 주요 평가도구 예시

평가항목	내용	주요 선별검사 도구
Medical condition	동반질환 및 질환 조절 정도, 다약제 복용 및 부적절 약제의 사용 등	문진, 의무기록 등
Medication	Polypharmacy Potentially inappropriate medications	약제복용력 확인 중복약제, 상호작용 약제, 부적절약제 확인
Functional status	독립생활 유지 사회적 독립유지	일상생활활동능력(Activity of Daily Living, ADL) 도구적 일상생활능력(Instrumental Activity of Daily Living, IADL)
Vision	시력	한천석 시력표
Hearing	청력	속삭임 검사, 오디오스코프
Mobility and Fall	보행속도 균형상태 근력상태 낙상위험	SPPB test – Gait speed test – Balance test (side-by-side, semi-tandem, full tandem) – Chairstand test Timed up-and-go (TUG) test 낙상력 확인
Cognition	Dementia, risk of delirium	Mini-Cog test MMSE MoCA test
Mood	Depression Insomnia	GDS-SF (Geriatric Depression Scale-Short form) Patient Health Questionnaire-2 (PHQ-2) CES-D (Center for Epidemiologic Studies – Depression)
Nutritional status	Malnutrition Dehydration Obesity	최근 체중감소 여부, BMI 혈중 알부민, 프리알부민, 콜레스테롤 측정 Mini Nutritional Assessment Short Form
Geriatric syndrome	기타 노인증후군	통증, 배뇨장애, 야간뇨, 변비 등
Social support	Caregiver, 의사결정자 퇴원계획수립	직접 질문
Economic status	재정과 자원정도 퇴원계획수립	직접 질문, 의료보험 상태 확인

(2) 평가의 해석과 주의점

① 임상에서 검사 대상자의 범위 및 평가 수준

- 검사는 반드시 모든 대상자에게 모든 항목을 평가할 필요는 없음.
- 해당 의료기관의 여건에서 가능한 범위까지 평가 항목이나 도구를 적절히 선정, 배치하면 가능함.
- 노인포괄평가 자체가 어렵다면 노쇠 스크리닝만으로도 위험예측에 많은 도움을 줌.

② 노인포괄평가로 이득이 명확한 대상자 = Patients with low physiologic reserve

- 80세 이상 고령
- 고위험 치료를 받을 예정인 노인 환자(ex. 전신마취 수술, 방사선 및 항암치료)
- 어떤 이유에서든 신체기능이 감소되어 있는 환자(나이 무관) → 이 환자군은 treatment-related adverse event의 위험이 높아서 포괄평가가 도움이 됨.

③ 결과의 해석 및 인터벤션의 구성

- 노인포괄평가 결과는 그림 11-10과 같은 정보를 주며, risk의 size 및 domain을 알 수 있음.
- 치료에 들어가게 되면, 해당 risk domain은 치료 전부터 risk 예방 전략을 적극적으로 준비해야 함.
- 환자가 치료 후 악화시를 대비하고, 조기에 intervention 함. 이 모든 과정이 노인포괄평가를 기반으로 한 intervention임.

그림 11-10. 노인포괄평가의 결과

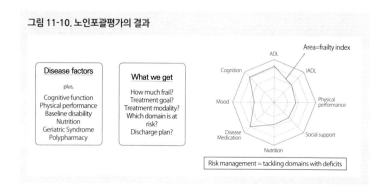

그림 11-11. 노인포괄평가 결과의 예시

CGA (Comprehensive Geriatric Assessment)
1. Clinical frailty scale (1-9) ☐
2. Frality index (0-1) ☐
3. Assessed items ☐ / ☐

4. Health domain	Normal	Low risk	Moderate risk	High	Insufficient
1) Comorbidities burden	○	○	○	○	○
2. Mobility	○	○	○	○	○
3) Muscle strength	○	○	○	○	○
4) ADL disablility	○	○	○	○	○
5) IADL disablility	○	○	○	○	○
6) Cognition	○	○	○	○	○
7) Nutrition	○	○	○	○	○

(3) 병원에서 시행한 노인포괄평가 해석에서 중요한 점
① 나이가 증가할수록 노인포괄평가 결과가 치료방침 결정에 더 도움이 됨.
② Disease burden과 frailty의 수준을 비교하면 도움이 됨.
  • Disease burden에 비해 frailty가 mild하게 나올 때에는 disease burden 자체가 환자 예후를 결정하게 될 가능성이 높음.
  • 새로운 병에 대한 risk vs. benefit 판단: 병전 frailty 및 disability가 이미 있었고 인지 기능 또는 영양 상태 등이 decompensated state라면 invasive treatment의 risk가 benefit 보다 더 클 확률이 높음.
③ Frail 하더라도 치료가 도움이 되는 경우: 기능저하 대부분이 해당 질환 자체로 인한 결과이고 기간이 수 주~수 개월 이내로 짧으며 treatable disease라면 적극적인 치료를 고려할 근거가 됨.

4) 노인 환자의 병력청취에서 주의점

① 시력, 청력 및 인지기능의 저하가 흔히 동반되므로, 상태에 맞는 병력청취가 필요.
② 환자 자신의 무관심, 두려움 또는 부정적인 시각으로 표현하지 않는 경우가 많음.
  • 의료진은 환자에게 직접 대면 질문을 하고 신체기능에 대해 객관적 평가를 해야 함.
  • 노인 환자가 사용하는 용어의 의미를 잘 파악해야 함.
③ 일상생활 장애가 있는 노인은 우울증을 동반하고 있는 경우가 많음.
  • 임상의사는 한 번에 모든 정보를 얻기는 어려울 수 있음.

- 시간이 제한되어 있다면, 라포(rapport)가 형성될 때까지 여러 차례 기회를 가지고 정보를 얻도록 노력함.

④ 노인이 호소하는 증상과 기능저하는 흔히 단순 노화로 오인할 수 있음.
- 노인에게 흔히 발생할 수 있는 문제들을 숙지해야 함.
- 노화에 의한 증상과 급만성 질환에 증상을 구분하여야 함.
- 기능저하가 발생했다면, 발생한 시점과 전후 사건 또는 인과관계에 집중함.

3. 다중이환과 약제처방 원칙

1) 다중이환(Multimorbidities)

일반적으로 의사로부터 진단받은 질환이 2가지 이상인 경우를 일컫는다.

표 11-2. Pharmacokinetics and pharmacodynamics in older adults

(1) Age-associated Changes in Pharmacokinetics

	Aging factor	Disease factor	Clinical implications
Absorption	Usually unaffected	Dry mouth concurrent medications	Drug–drug interaction Drug–food interaction
Distribution	Fat ↑ Water ratio ↑ Plasma protein ↓	Body water ↑ (heart failure, ascites)	Fat–soluble drug: volume of distribution ↑ Protein–bound drug: active free form concentration ↑
Metabolism	Liver mass/flow ↓	Smoking, genotype, other medications, alcohol, and caffeine have more effect than aging on metabolism	Lower dosages may be therapeutic
Elimination	Age–related decrease in renal function (GFR)	Acute/chronic kidney impairment, decreased muscle mass	Serum Cr not a reliable measure of kidney function

(2) Age-associated Changes in Pharmacodynamics

	Aging factor	Disease factor	Clinical implications
Pharmaco–dynamics	Often altered drug response at usual or lower concentrations	Drug–drug and drug–disease interactions may alter responses	Prolonged pain relief with opioids at lower dosages; more sedation and postural instability from benzodiaz–epines; altered sensitivity to β–blockers

2) 다중이환의 임상적 중요성

(1) 중요성

　노인에서 흔히 관찰되는 현상으로, 노인 환자 케어시 반드시 고려되어야 함.

(2) 임상적 의미

① 다중이환은 단순히 질환에 의한 위험성만 증가하는 것이 아님.

② 질병-질병 간 상호작용 및 질병-약제 간 상호작용이 증가함.

③ Frailty 및 functional decline의 위험성을 증가시켜 사망 위험을 높임.

④ 예시: 치매 환자 → 우울증 발병 → 영양불량 → 신체기능저하 → 노쇠 → 장애 → 사망

(3) 종류

① 3가지 패턴: simple multimorbidity, associated multimorbidity, causal multimor-
　bidity

② 증상 발현이 비전형적인 노인 환자에게 정확한 진단 정보 제공

③ 증상이 모호한 노인 환자에게 숨겨진 질병 발견에 도움이 되는 정보를 제공

(4) 목표 변경: 치료(cure) → 관리(care)

① 고령의 다중이환 환자는 모든 증상과 병을 치료할 수 없을 가능성이 높음.

② 특히 복용 약제가 많고 약제 순응도가 낮으며 부작용 확률은 매우 높음.

③ 따라서, 모든 증상에 대해 약물이나 시술로 대응하려 해서는 안됨(부작용 확률 크게 증가).

(5) 다중이환 기능저하 환자에서 치료 우선순위의 결정

① 여러 질병이 혼재되고 있을 때에는 치료의 우선순위를 정하는 것이 중요함.

② 환자의 여러 문제 중, 현재 기능저하 또는 삶의 질 저하를 유발하는 요인들부터 순서대로
　나열

③ 노인 환자의 삶의 질과 기능적 측면에서 이득이 가장 큰 요소에 비중으로 두어 치료의 우선
　순위를 결정함.

④ 예시: 기대여명이 2년 이내로 예상되는 환자에게 높은 근육통 위험을 감수하고 10년 사망
　률 감소를 목표로 스타틴 사용하는 것에 대한 환자 중심 고찰 필요함. 이 경우 환자의 여러
　질환 중, 현재 기능저하를 유발하는(또는 삶의 질을 저해시키는) 질병 요인들부터 순서대로
　나열하여 치료의 우선순위를 결정하는 것을 권장함.

(6) 다중이환 노인에서 노인포괄평가

① 노인포괄평가는 이런 다중이환 노인 환자에서 치료방침을 결정하는 데에 중요한 정보를
　제공

② 특히 환자 및 보호자(caregiver)의 가치관과 선호도도 알 수 있음 → 치료의 우선순위 결정

3) 노인에서 다약제 사용 → 약물 부작용의 증가

(1) 환자에게 약물 투여의 이유는 약물의 효과(이득)이 위험성(부작용)을 상회하기 때문임.

(2) 노인: 약물의 약력학적 및 약동학적 변화로 약물 관련 부작용 발생 위험이 높음.

(3) 다중이환과 다약제복용

① 다중이환과 다약제복용은 필연적인 연결고리가 있음

② 노인에서는 약물대사의 변화 및 약물상호작용 등의 이유로 약물부작용 확률이 훨씬 높아짐

4) 노인 환자에서 발생하는 다양한 약제 문제(표 11-3)

표 11-3. Common medication-related problem in older adults

(1) Over-prescribing (polypharmacy)

(2) Use of inappropriate medications

(3) Drug-interaction

(4) Prescribing cascade

(5) Under-treatment

(6) Missed-treatment

(7) Drug-unrelated symptom (New diagnosis)

(1) 다약제복용(Polypharmacy)

① 다수의 약 투여 또는 적응증이 되지 않는 불필요한 약의 투여

② 통상 5개 이상 약물 복용을 다약제복용으로 정의(유의미한 위험성 증가)

③ 복용 약물 개수에 따른 부작용 빈도 상승: 노인에서는 통상 약물 1종 당 10-35% 부작용 발생, 9개 이후부터는 100% 발생이라는 보고도 있음(그림 11-12).

④ 특히 다약제복용 환자는, cardiovascular medication을 거의 다 복용하고 있으며(그림 11-13), 이로 인한 약물상호작용 위험성이 매우 높음(ex. fall).

⑤ 95% 이상의 약물부작용은 대부분 예측이 가능함(표 11-4).

(2) 잠재적 노인 부적절 약제 처방

① Potentially Inappropriate Medications (PIMs): 노인 환자에서 명확한 적응증이 없거나 부작용의 위험이 현저히 높아 투여로 인한 이익보다 위험부담이 더 크고 대체 약제가 존재하는 약제들을 의미

② 개별 약제에 대한 기준으로 BEERS criteria, START/STOP criteria 널리 알려져 있으며 수 년에 한 번씩 업데이트 되고 있음

그림 11-12. 노인에서 복용 약제 증가에 따른 부작용 확률 증가

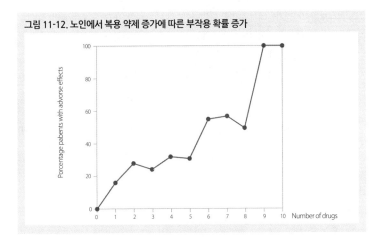

그림 11-13. 다약제 복용 환자에서 심혈관계 약물이 차지하는 비중

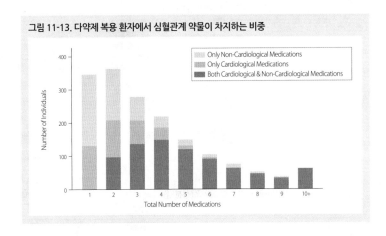

표 11-4. Risk factor for adverse drug event in older adults (Geriatric Review Syllabus 9th edition)

Age >85 years
Low body weight or BMI
Six or more concurrent chronic diagnoses
An estimated CrCl <50 mL/min
9 or more medications
12 or more doses of medications per day
A prior adverse drug event

③ 건강보험심사평가원에서도 미국 노인병학회에서 개정한 BEERS criteria의 '질병에 관계없이 노인에서 피해야하는 노인주의의약품 목록' 중 일부를 선정하여 우선적으로 일부를 DUR에 적용 중(표 11-5).

④ 많은 약제와 부작용을 모두 설명하는 것은 메뉴얼 취지에 어긋나 국내에서 빈도가 흔한 기초적인 약만 제시함(표 11-5, 6).

표 11-5. 다빈도 노인주의 처방 의약품(자료출처: 건강보험심사평가원 2018년 DUR 점검현황)

약물계열	성분명		노인 주의사항
삼환계 항우울제	아미트리프틸린 아목사핀 클로미프라민 이미프라민 노르트립틸린	Amitriptyline* Amoxapine Clomipramine Imipramine* Nortriotyline*	노인에서 기립성 저혈압, 비틀거림, 항콜린작용에 의한 구갈, 배뇨곤란, 변비, 안내압항진 등이 나타나기 쉬우므로 소량으로 신중 투여
장기 지속형 벤조다이아제핀	클로르디아제폭시드 클로바잠 클로나제팜 디아제팜 에틸로플라제페이트 플루니트라제팜 플루라제팜 쿠아제팜	Chlordiazepoxide* Clobazam Clonazepam* Diazepam* Ethyl loflazepate* Flunitrazepam* Flurazepam Quazepam	노인에서 운동실조, 과진정 등이 나타나기 쉬우므로 소량부터 신중 투여
정형 항정신병제	클로르프로마진 할로페리돌 레보메프로마진 몰린돈 페르페나진 피모지드	Chlorpromazine Haloperidol Levomepromazine Molindone Perphenazine* Pimozide	노인에서 추체외로증상, 항콜린성 부작용 등이 나타나기 쉬우므로 신중 투여

※ 2019.6.21 식품의약품안전처 공고 기준
※ 현재 유통되고 있지 않는 성분(Dothiepin, Quinupramine, Chlorazepate, Mexazolam, Pinazepam, Molindone, Thiothixene) 제외

표 11-6. 주의 근거가 명확한 노인 주의 의약품(성분별)

구분	계열	성분명
항콜린제	1세대 항히스타민제 (1'st AH)	Hydroxyzine Promethazine
심혈관계 약물	항부정맥약물 (Antiarrhythmic drug)	Amiodarone Dronedarone Flecainide Procainamide Propafenone Quinidine Sotalol
	기타	Nifedipine, short-acting

표 11-6. 주의 근거가 명확한 노인 주의 의약품(성분별)(계속)

구분	계열	성분명
중추신경계 작용 약물	3급아민 삼환계 항우울제 (Tertiary TCA)	Amitriptyline Chlordiazepoxide-amitriptyline Clomipramine Doxepin Imipramine Perphenazine(-amitriptyline)
	바르비탈염제제 (Barbiturates)	Barbiturates-amytal(Amobarbital) Barbiturates-phenobarbital Barbiturates-secobarbital Pentobarbital
중추신경계 작용 약물	벤조다이아제핀 (장시간 작용)	Chlordiazepoxide Chlordiazepoxide-amitriptyline Clidinium-chlordiazepoxide Diazepam Quazepam Flurazepam Clorazepate Clonazepam
	벤조다이아제핀 (단시간 작용)	Triazolam Alprazolam Lorazepam Oxazepam Temazepam Estazolam
	기타	Ergoloid mesylates Isoxsuprine
내분비계 작용 약물	술포닐요소제제 (Sulfonylurea)	Chlorpropamide Glyburide (Glibenclamide) Ethynylestradiol
	에스트로겐제제	Estradiol Estriol(외용제제) Estropipate Promestriene Estradiol, lactobacillus acidophilus (lyophilized) Estrogen (conjugated) Chlorquinaldol, promestriene Tibolone Estradiol, norethistrone acetate Estradiol valerate, norgestrel each Estradiol valerate, medroxyprogesterone acetate Dydrogesterone, estrodiol hemihydrate Drospirenone, estrodiol hemihydrate Estradiol hemihydrate, norethisterone acetate Estradiol valerate, medroxyprogesterone acetate Dydrogesterone, estrodiol hemihydrate Estradiol valerate, levonorgestrel
	기타	Growth hormone (somatropin)
통증 관련 약물	기타	Ketorolac Meperidine (pethidine)

(심사평가원; BEERS criteria 기준으로 선정)

⑤ 잠재적 노인부적절 약물의 처방 현황 분석(건강보험심사평가원)
- 입원: 디클로페낙(diclofenac), 메토클로프라미드(metoclopramide), 메페리딘(meperidine) 순
- 외래: 클로르페니라민(chlorpheniramine), 디아제팜(diazepam), 멜록시캄(meloxicam) 순
- 클로르페니라민이 포함된 1세대 항히스타민제: 진정효과가 있어서 낙상의 위험이 큼
- 디아제팜: 벤조디아제핀 계열의 약물로 고용량 복용 시 심한 졸림이 올 수 있음
- 멜록시캄: 장관 출혈 및 위궤양 위험이 있어 노인에서 장기 사용을 권장하지 않음
- 디클로페낙: 비선택적 COX-2 NSAID. 심장발작, 뇌졸중 위험을 상승
- 메토클로프라미드: 위장관 촉진제로써 본인의 의지와 달리 손발이 떨리는 등 추체외로 증상
- 메페리딘: 장기 복용 시 신경독성의 위험과 현기증을 유발. 대체약제도 있음

(3) 약물 상호작용
① Drug-drug interaction뿐만 아니라, drug-disease, drug-food interaction이 있을 수 있으므로 주의
② 노쇠한 환자일수록 약물상호작용에 의한 약물부작용의 위험성은 더욱 증가(표 11-7)

표11-7. 노쇠상태에 따른 다약제 복용의 adverse outcome 증가

		Mortality or incidence of disability(Odds ratio)
Non-frail	Polypharmacy (−)	Reference
	Polypharmacy (+)	1.3
Pre-frail	Polypharmacy (−)	1.7
	Polypharmacy (+)	3.2
Frail	Polypharmacy (−)	1.9
	Polypharmacy (+)	5.3

(4) Prescribing cascade(그림 11-14)
① 개념: 약물에 의한 증상 또는 부작용을 새로운 질환의 발현으로 오인하여 이를 치료하기 위한 새로운 약제를 투여하는 것
② 결과: 약물의 개수는 계속해서 늘어나지만 증상은 호전됨이 없이 약물부작용에 의한 증상이 더 많이 발생함
③ 해결: 가능한 모든 약제를 중단하고 원점에서 새로 평가 및 시작

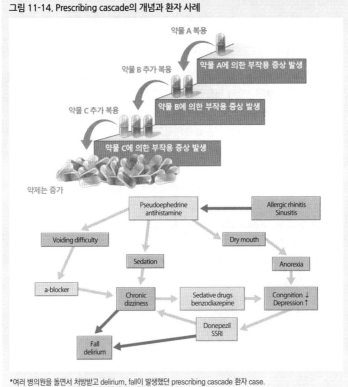

그림 11-14. Prescribing cascade의 개념과 환자 사례

*여러 병의원을 돌면서 처방받고 delirium, fall이 발생했던 prescribing cascade 환자 case.
이 경우 관련된 모든 약을 중단하면 호전될 수 있다.

(5) Under-treatment

① 노인에서 지나친 polypharmacy 경계는, 오히려 under-treatment 가능
② 항생제, 심혈관계 약물 등은 용량에 주의하여야 함
③ 특히 새로운 증상이 발생했을 때에, 환자나 임상의사들은 기존 오랫동안 문제없이 복용
   중이던 만성질환 약제가 부적절할 가능성을 고려하지 않는 경우가 흔히 있음
④ 잘 맞던 약도 노화, 노쇠 및 근감소증 등으로 약물대사 및 혈중 농도가 변하게 되면 부작
   용 발생 가능
⑤ 노인 환자들은 복용 약제에 대해 주기적인 재평가가 필요함
⑥ 한편, 노인 환자들은 복약 순응도가 낮음을 숙지하고 꼭 필요한 약은 복용토록 교육함

(6) Missed prescription

① 사례1: 복용 약물이 많고 환자 상태가 자주 바뀌면 실수에 의해 약물처방이 누락됨

② 사례2: 환자 상태변화로(ex. 입원) 필요에 의해 약제를 일시적으로 중단했다가 재시작을 누락하는 경우

③ 사전에 (노인포괄평가로) 병력과 증상이 파악되어 있으면 optimization이 매우 용이함

④ 재시작 시 복용 약물 전반에 대한 재검토를 하면서 처방함

(7) Drug-unrelated symptom and New diagnosis

① 노인 환자의 새로운 증상을, 기존 질환 악화 또는 약물에 의한 부작용으로만 간주하고 새로운 질병이 발현된 것을 놓치는 것

5) 노인 환자에서 약제처방의 원칙과 주의사항(표 11-8, 9)

표 11-8. Overview of deprescribing and optimization of medication

1. 현재 복용 약제 검토
2. 면담: 환자가 중요하다고 생각하는 증상 또는 약제 파악
3. 문진: 최근 약제 변경력 및 증상 변화 시점 확인
4. 불필요 약제 삭제
5. 노인 부적절 약물 및 부작용 다빈도 약제와 증상 매치
6. 해결되지 않는 증상 및 문제 확인, 처방
7. 다시 약물 재검토, 용량 조절 및 감량
8. 복용법 단순화
9. 환자 설명 및 교육

표 11-9. Drug-aging paradox

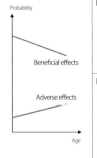

	Reduced efficacy (increased number needed to treat)
Probability / Beneficial effects	• Frailty-impaired function of the physiological systems that are the target of medications • Competing causes of death • Death before therapeutic benefit occurs (e.g. statins) • Co-morbidity (e.g. cerebrovascular and neurodegenerative pathologies) • Reduced adherence
Adverse effects / Age	Increased adverse effects (reduced number needed to harm) • Drug-drug interactions (polypharmacy) • Drug-disease interactions (multimorbidity) • Drug-frailty interactions (pharmacokinetic and pharmacodynamics changes) • Atypical presentations of adverse drug reactions (misrecognition may lead to prescription cascades) • Therapeutic burden (including care fragmentation)

*노인 환자에서 약물 처방시 drug-aging paradox를 고려해야 함

(1) 중요 원칙

① Start with a low dosage

② Titrate the dosage upward slowly, as tolerated by the patient

③ Try not to start two medications at the same time

(2) 약물의 리뷰: 가능한 한 현재 복용약 또는 처방전을 모두 가져오게 하여 리뷰

(3) 자가약(Self medication)의 처방

① 자가약을 모두 처방할 필요는 전혀 없음(특히 입원 시)

② 오히려 효과가 명확하지 않은 약이나 현재 치료에 도움이 되지 않는 약들은 과감히 중단

③ 입원은 다약제복용 및 약물부작용을 확인, 조절할 수 있는 매우 좋은 기회

(4) 노인 부적절 약제를 처방해야할 경우

① 잠재적 부적절 약제로 지정된 약을 처방하지 못하는 것은 아님(사용 가능)

② 다만, risk vs. benefit을 반드시 고려해야 하며, 가능한 저용량으로 시작

③ 대체약이 있다면 변경하는 것이 필요

(5) 다중이환 및 다발성 증상 환자의 처방

① 모든 증상과 질병에 대해 약을 처방하면 benefit 보다 risk가 더 커질 수 있음

② 특히 각 질병마다 진료과별로 약을 한가지씩만 처방해도 복용 약은 매우 증가

③ 증상이 너무 많다면 가장 중요한 증상부터 단계적 약제를 추가하는 것이 필요

④ 꼭 필요한 약인지, 계속적으로 필요한 약인지, 중복될 가능성은 없는지 검토 후 처방

(6) 처방용량의 결정

① Default dose의 함정

- 대부분의 약제들은 건강한 성인 남녀를 대상으로 한 임상연구 결과로 용량과 용법이 결정됨

- 이런 연구에서 결정된 default dose는 노인에서는 흔히 고농도 부작용을 초래함

② Dose reduction에 대한 용법이 명확하지 않다면, 복용횟수를 줄이거나 용량을 줄임

③ 한 번에 하나씩, 소량씩 천천히 증량하는 것을 추천(1T TID → 0.5T TID 또는 1T BID 등…)

(7) 처방용법의 결정

① 용법에서도 default 처방은 위험함

- 각 약제별로 아침/점심/저녁/자기 전으로 복용법으로 처방

- 동시에 식전/식후, 시간지정 등 복용법으로도 처방

- 용법대로 복용시 하루에 6-10번 이상 약을 복용해야할 수 있음(흔함)

② 처방 후에는 반드시 용법을 검토하여 가능한 1-2회로 복용할 수 있도록 조정해야 함

③ 시간과 혼합복용이 큰 문제가 될 수 있는 일부 약제가 아니면 복용법은 대부분 큰 문제없음

- 인지기능이 떨어진 노인은 매우 흔함

- 복용하지 않거나 두 번 복용하는 것 보다는 훨씬 이득이 큼

(8) 예상부작용의 설명

① Prescribing cascade의 위험성 증가

- 노인 환자는 이전 해결되지 않던 문제에 대해 새 약물을 처방받은 상황임

- 따라서, 약제에 의한 부작용이 발생하여도 이를 부작용으로 인식하지 못함

- 오히려 노화에 의한 증상 또는 새로운 질환의 발생으로 여겨 다른 의원에 가는 경향이 있음

② 노인에게 약물 부작용 위험이 큰 약제를 처방할 때는 환자 및 보호자에게 예상되는 약물 부작용을 꼭 미리 설명해야 함

(9) 노인에서 약물 부작용의 평가

① 노인 환자들은 약물 부작용이 생겨도 참고 표현하지 않거나 노화로 흔히 오인

② 부작용이 없는지 꼭 직접 물어봐야 함

③ 의사는 처방한 약에 대해 흔히 발생하는 부작용을 숙지해야 함

(10) 노인병 의사의 활용

① 환자가 복용 중인 약물 전반에 대한 조절 또는 자문이 필요하면 노년내과로 의뢰

② 서울아산병원

- 입원환자: 노년내과 스텝 협진 의뢰

- 외래환자: 약물조화클리닉 예약(의사, 약사와 대면 협진)

Ⅱ 고령 입원환자의 수술 전후 관리

1. 수술 전 평가

1) 노인 환자의 perioperative care가 일반적 내과적 케어와 다른 점
 (1) 노인 특이적 요소의 중요성 증가
  ① 앞장에서 노인 환자의 physiology 및 metabolism이 달라짐을 설명함
  ② 리스크가 있는 치료를 받는 노인 환자에서 특히 중요한 3요소
   • 노쇠(frailty)
   • 근감소증(sarcopenia)
   • 다약제복용(polypharmacy)
   • 인지기능(cognitive function)
   • 영양불량(malnutrition)
 (2) 특히 노쇠(frailty)는 아래 항목 모두를 아우르는 개념이자 평가지표임
   • 정의: organ 및 system 수준에서부터 physiologic reservoir가 떨어진 상태
   • 내-외부 stressor에 항상성을 유지하기 어렵게 됨(합병증 및 부작용 위험 증가)
   • Trauma, cancer 등 significant disease burden이 있거나 heart, fracture 등 stress size가 매우 큰 major surgery가 예정된 환자는 frailty가 매우 중요한 예후인자가 됨
   • 이런 환자들은 조금만 노쇠하여도 약물에 대한 반응과 treatment-related adverse outcome의 risk가 크게 증가
   • 즉, stressor size가 큰 질병 또는 치료를 받는 환자에서 frail status는 매우 중요한 예후 인자

2) 대표적 협진모델: Ortho-geriatric co-management

(1) 전문 협진 시스템의 발전

① 이런 학문적 배경에 기반, 선진국에서는 정형외과 hip fracture 환자에 대해 정형외과와 노년내과 전문의간 협진 모델이 수 십년 전부터 형성됨.

② 운영모델에 따른 대표적인 협진 시스템

- Routine geriatric consultation (Geriatric advice) model
- Geriatric Ward (orthogeriatric ward) model
- Orthogeriatric co-management

③ 여러 메타 연구에서 length of stay, in-hospital mortality, long-term mortality 등에서 유의한 개선이 있음이 밝혀짐(표 11-10).

(2) 협진모델에서 geriatric intervention

① 노인포괄평가로부터 시작하며 frailty-targeted multicomponent intervention을 제공함.

② 특히 polypharmacy, malnutrition, delirium, physical inactivity는 일반적 내과 입원 환자의 케어와는 관점이 다른, geriatric intervention에서 핵심적 요소

(3) 서울아산병원의 사례

① 2009년부터 frail한 노인 hip fracture 환자에 대해 orthogeriatric comanagement 시행

② 프로세스

- 대부분 응급실에서부터 시작(또는 외래 수술 결정 전)
- 정형외과의 판단하에 기능상 frail하거나 수술 전후 내과적 위험이 큰 환자
- Geriatric intervention이 필요하다고 생각되면 노년내과로 바로 입원하거나 정형외과 입원 후 노년내과로 전과
- 두 경우 모두 노년내과 입원, 정형외과 consult surgery를 시행
- Perioperative management뿐만 아니라 퇴원 및 외래 관리도 노년내과에서 함께 함

③ 본 매뉴얼은 가장 대표적인 hip fracture 환자의 케어에 준해 기술하였음.

표 11-10. 고관절 골절 환자에서 care model 에 따른 효과 비교

Meta-analysis result	In-Hospital Mortality	Long term Mortality	Length of Stay	Time to Surgery
	RR [95% CI]	RR [95% CI]	SMD [95% CI]	SMD [95% CI]
Routine Geriatric Consultation	0.51 [0.38, 0.69]	0.78 [0.65, 0.95]	−0.03 [−0.20, 0.14]	−0.13 [−0.22, 0.02]
Geriatric Ward	N/A	N/A	−0.33 [−1.06, 0.41]	N/A
Shared Care	0.61 [0.16, 2.28]	N/A	−0.61 [−0.95, −0.28]	−0.15 [−0.44, 0.15]
All Three Models Combined	0.60 [0.43, 0.84]	0.83 [0.74, 0.94]	−0.25 [−0.44, −0.05]	−0.10 [−0.22, 0.02]

RR, relative risk; SMD, standardized mean difference, CI Confidence Interval

표 11-11. Pooled odds ratios (OR) and subgroup sensitivity Analysis for mortality

Study characteristic	Number	Mortality post hip fracture OR (95% CI)
No. of studies	18	
No. of subjects 7285	7285	
Evaluation criteria:		
Long-term mortality	10	0.79 [0.68–0.93]
Short-term mortality	13	0.94 [0.75–1.18]
Type of care model:		
Orthogeriatric ward	7	0.62 [0.48–0.80]
Geriatric advice in orthopaedic ward	6	0.87 [0.67–1.12]
Shared care by orthopedics and geriatricians	5	1.00 [0.81–1.23]

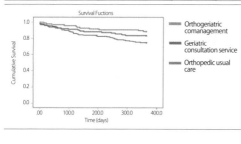

Cumulated survival as calculated by Kaplan-Meier curves over 1 year following hipfracture treatment

3) 서울아산병원 노년내과 hip fracture orthogeriatric co-care 주요 프로토콜 (표 11-12)

표 11-12. 노쇠한 고관절 골절 노인 환자에서 수술 전후 케어 체크리스트(서울아산병원 노년내과)

	입원	D-1까지	수술(D)	POD #1	POD #2	POD #3	POD #4	POD #5
Mentality 평가	Functional assessment Polypharmacy intervention		인지기능 섬망 평가	섬망 평가 (원인찾기)	New Delirium 발생 시 매우 위험한 구간 (반드시 원인을 찾아야)			약제 정리
Diet 처방	연하 보조식 +IV Nutrition	연하 보조식 +IV Nutrition	연하 보조식 +IV Nutrition	연하보조 1→2 +IV Nutrition	연하보조 2 or SD ± IV Nutrition	연하보조 2 or SD/ RD	△	△
Weight check	O	X	X	X	O	△	△	△
Work-Up	PreOp w/u	PreOp w/u	X	X	PCA 제거	BMD	X	X
I/O check	△	△	PostOp q8hr (300cc/ duty)	q8hr (300cc/ duty)	q8hr (300cc/ duty)	Foley 제거 (Retention 주의)	(Retention 주의)	(Retention 주의)
Routine Lab	O	△	O	O (prn 수혈)	O (prn 수혈)	△	△	△
CXR	O	△	△	O	O	△	△	△
KUB	O	△	X	X	O	△	△	X
Anticoa-gulation	수술 2일 전까지	Stop	Stop	Drain 없으면 시작 Arthroplasty: NOAC or Warfarin CHS or DHS (Pinning 포함): Aspirin				
Consult	OS 협진 (필수) 주치의 판단 IV route (PICC) IVC filter 마취과 및 필요과	X	재활 의학과 재활의뢰	항응고 치료가 기존 질병/ 약제와 conflict가 예상되면 해당과 협진	Nutrition 협진 또는 교육	△	△	△
RC/전원	Care plan 결정	IC 동의서	X	△	ARC 의뢰	진행상황 확인	진행상황 확인	퇴원

- O: 필수시행, △: 주치의 재량 조절 가능, X: 특별한 사유가 없으면 하지 않음.
- 위를 준용하되 환자 상황에 맞게 변경이 가능함.

4) Hip fracture 노인 환자의 수술 전 검사

(1) 대부분 응급실을 통해 입원하여 routine lab이 되어 있음. 그러나 하기의 검사들이 빠져있다면 입원하자마자 시행해두도록 함.

(2) 빈혈 및 영양상태 문제: vitamin B12, folate, iron, TIBC, ferritin, KUB or simple x-ray

① 노인에서 vitamin B12, folate
- 조혈작용에 관여할 뿐만 아니라, 영양상태의 반영 지표이기도 함
- 노화에 의해 정상적으로도 흡수가 감소될 수 있음
- 신경학적 증상 및 geriatric syndrome과 관련이 높아 문제가 발견 시 바로 교정을 시작함

② Preoperative abdomen x-ray의 중요성
- Hip fracture는 pain 그 자체 및 수술 전후 많은 진통제(IV, PCA 등) 투여
- High risk of constipation, ileus or ischemic colitis
- Psoas muscle line을 따라 muscle amount 를 간접적 평가 가능

(3) 내분비 문제: TSH, fT4, HbA1c

(4) 심혈관 문제의 평가: Echocardiography

① 고관절 골절 수술은 urgent 수술로 원칙적으로는 심초음파 검사가 반드시 필요한 검사는 아닐 수 있음

② 그러나 고관절 골절처럼 spinal anesthesia라는 옵션이 있는 경우 마취과에서 마취 방법의 결정을 위해 (특히 aortic valve) 심초음파 검사가 필요하다고 함

③ Pulmonary embolism으로 인한 heart effect 발견도 있어 심초음파는 가급적 시행 중

(5) 호흡기 및 Thromboembolism 위험 확인: ABGA, d-dimer test (A-a DO_2 계산)

① PFT(폐기능검사)
- 고관절 골절환자는 통증과 누워있는 자세로 인해 폐기능 검사 결과를 신뢰하기 어려움
- Urgent surgery이기 때문에 필수적인 검사가 아님

② DVT risk
- 고관절 골절 환자는 골절 직후부터 ambulation이 불가하고 bed-ridden state
- DVT 및 pulmonary thromboembolism risk가 높다.
- 특히 타병원을 거쳐서 온 경우는 수술 및 예방이 지연되어 risk는 더욱 증가
- Work-up: 명확한 가이드라인은 없으나 아산병원에서는 타병원 경유, d-dimer가 상승, A-a DO_2에서 embolism risk가 있다고 판단되면 금기가 없는한 Pulmonary embolism CT, Lower Extremity Venography를 미리 고려(대개 응급실에서 촬영)
- 만약 embolism risk는 높으나 당장 CT 시행이 어려우면(urine Na 등으로 volume status check 하면서) 하루 정도 IV hydration하고 Cr 확인 후 다시 고려할 수 있음.

- 만약 CKD거나 acute kidney injury가 호전되지 않으면 lung perfusion scan/SPECT 와 lower leg Doppler US로 대체할 수 있음.

(6) IV filter insertion

① DVT나 pulmonary embolism이 명확하지 않을 때 prophylatic IVC filter insertion은 근거가 없음

② 그러나 상기 work-up을 시행하지 못한 상황에서 임상적으로 강력히 의심될 경우, 선택적 prophylactic IVC filter insertion를 고려해볼 수 있음

③ 이 경우 수술 후 가능한 빠른 시일에 DVT/PTE work-up을 하여 anticoagulation 기간을 결정

④ 환자가 안정화되는 대로 가급적 조기에 IVC filter revomal 시행(보통 POD 3-4일째에 가능)

(7) 신기능 평가

① 노인에서는 Cr-based GFR 계산이 대개 신뢰하기 어려움

- 이눌린(inulin) 여과율로 계산한 사구체 여과율과 비교했을 때, 65세 이상에서는 CDK-EPI, LMR, BIS 1, FAS 계산법의 신뢰도가 현저하게 낮았다.
- 노인이 되면 muscle mass 및 fat distribution이 성인과 달라지기 때문

② 따라서, 노인에서 Cr 비정상이면 Cystatin-C, GFR을 시행하여 GFR을 평가함

(8) Urgent surgery

① 고관절 골절은 하루라도 늦게 수술할수록 postoperative risk가 빠르게 상승

② 따라서 수술 전 검사가 지연된다고 하여 수술을 의도적으로 지연하는 것은 오히려 risk를 상승

③ 수술 스케줄은 가능한 빠르게 협의하되, 수술 전 검사는 risk-benefit을 고려하여 수준 결정

5) Hip fracture 노인 환자의 수술 전 기능평가

(1) 노인 포괄평가의 일환으로서 functional status 평가

① Hip fracture에 맞는 노인포괄평가: 더욱 정밀하고 구체적인 prognosis 정보를 알 수 있음(예시: 표 11-13, 그림 11-15)

② 그러나 수가 및 병원 여건상 현실적으로 노인포괄평가가 어려울 수 있음

③ 간단하더라도 가능한 범위에서 functional assessment를 하기 위해 노력

표11-13. 노인포괄평가로 고관절 골절환자의 risk scoring system 구성 예시

Item	Score		
	0	1	2
Sex	Female	Male	NA
Charlson Comorbidity Index	0	1-2	>2
Albumin, g/dL	>3.9	3.5-3.9	<3.5
Koval grade	1	2-6	7
Dementia (MMSE-KC)	Normal	Mild cognitive impairment	Dementia
Risk of falling	Yes	No	NA
MNA	Normal	Risk of Malnutrition	Malnutrition
Midarm circumference, cm	>27	24.6-27.0	<24.6

Total score: 14, Cut-offvalues identifying high risk: >8

그림 11-15. 위 결과로 도출된 risk 및 실제 outcome 예시

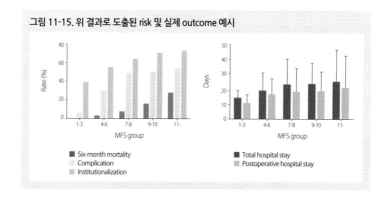

■ Six-month mortality
□ Complication
▥ Institutionalization

■ Total hospital stay
■ Postoperative hospital stay

(2) 병전 보행상태 평가

① 노인에서 병전 보행상태는 frailty를 예측하는 중요한 지표

② Mean survival 및 risk 를 예측하는 좋은 지표이기도 함(그림 11-16)

③ 그러나 hip fracture 환자는 usual gait speed를 측정하기가 불가능

④ Hip fracture 환자에서 간단하게 평가할 수 있는 koval score을 활용(Fracture 직전 mobility를 평가)(표 11-14)

그림 11-16. 노인에서는 usual gait speed로 mean survival을 예측할 수 있음

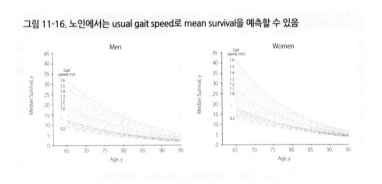

표 11-14. Koval score(0-7)

Waking Ability	Score
Independent Community Ambulatory	1
Community Ambulatory with Cane	2
Community Ambulatory with Walker	3
Independent Household Ambulatory	4
Household Ambulatory with Cane	5
Household Ambulatory with Walker	6
Nonfunctional Ambulator	7

*Koval score (0-7); 4점 이상에서는 risk가 크게 증가

(3) 인지기능 평가

① Baseline cognitive function이 나빴던 환자들은 acute stressor에 노출 시 섬망의 확률이 매우 높음

② 아산병원 노년내과로 입원한 환자에서는 수술 전 ADL, IADL, MMSE, GDS를 처방, 전공의(인턴) 선생님이 직접 시행하고 의무기록에 남겨둠

③ 두부외상을 흔히 동반하고 환자가 기억을 잘 못하는 경우도 많음

④ 병전 인지기능 대비 차이가 많이 나거나 설명이 되지 않는 인지기능을 보이면 brain CT 를 반드시 고려

(4) 약제 평가(다약제 복용, 섬망 부분 참조)

① Self medication의 조절

- Hip fracture 환자가 입원을 하면 기존 복용 중인 수술을 위해 반드시 필요한 약만 남김

- 일반적으로는 꼭 필요한 심혈관계 약, 당뇨, 파킨슨약 등(나머지는 거의 모두 중단 가능)

② 특히 bowel motility를 감소시키거나 인지기능에 영향이 갈 수 있는 약제(ex. 콜린계통 의 약제)는 최대한 피함

(5) 치료, 재활 및 퇴원 계획의 수립

① 상기 검사들을 종합하여 treatment 전략, 재활 목표 및 퇴원계획을 수립

② 노쇠한 hip fracture 노인에게 내과적으로 본 수술의 가장 큰 목적은 pain relief, 두 번째 목적은 기능 회복

- 수술 후 3개월 시점에서 active rehabilitation을 했을 경우 병전 functional status의 70%, rehabilitation을 잘 못한 경우는 50% 정도로 보고됨

- 수술 후 100% 기능의 회복은 대개 어렵고 되더라도 수개월 이상이 더 필요

- Hip fracture의 1-year mortality는 기관별로 8-20%에 육박(높음)

- Frail한 노인 환자는 50%까지 상승한다는 보고도 있음

③ 이렇게 risk가 너무 높거나 잔존 기대여명이 너무 짧은 환자는 환자측과 협의하여 수술하 지 않는 경우도 있음

6) Hip fracture 노인 환자의 수술 전 환자 케어

(1) Peripheral IV route 확인(수혈이 가능한 정도의 혈관이 확보되지 않으면 PICC 고려)

(2) Foley insertion(대개 응급실에서 시행함)

(3) Constipation 예방(단, 수술이 임박하면 변비약을 투약하지는 않음)

(4) DVT prophylaxis: Antiembolism stocking 및 IPC (below knee) 시행(정형 외과 협의)

(5) Prophylactic anticoagulation: 수술이 48시간 이상 지연될 경우 수술 전까지 미 리 시행

① Heparin 5,000 IU SQ BID 또는 enoxaparin 40 mg SQ QD 투여

(6) Discharge plan 설정

① Hip fracture 환자는 퇴원 후 회복까지 수 개월이 걸리므로 입원하면서부터 퇴원 및 향후

care plan 계획을 수립해야 함

② 반드시 재활병원이나 요양병원으로 가야하는 것은 아님. 집에서 돌볼 사람이 있다면 통원 재활도 가능

③ 보통 특별한 문제가 없다면, POD 4-5일 정도에 퇴원이 가능

④ 병전 거주지, 거주형태, caregiver, 사회경제적 요인을 미리 알아두고 보호자와 사전에 협의함

2. 수술 후 관리

1) 수술 당일 및 POD #1

(1) Hb 감소

① 고관절 골절 수술 시 적어도 300 cc 이상의 출혈 발생

② 마취제의 혈관확장 효과(-till 48hrs)

③ POD #1째까지 BP가 marginal 해지면서 소변량이 줄고

④ 노인에서 저장철의 흔히 부족하고 조혈기능이 떨어져 Hb의 감소도 늦게 확인됨

(2) BP, HR, Lab 확인: POD #2까지는 daily lab

① Hip fracture는 POD #2까지에서 합병증 확률이 가장 높음

② 즉 POD #2까지는 내과적으로 예민하게 대응(환자의 미묘한 변화를 쉽게 평가하지 말 것)

③ Marginal BP 또는 수술 전 baseline 보다 HR 상승은 반드시 경계하고 모니터링

(3) Volume 조절

① 수술 후 소변량이 감소할 경우 가장 흔한 원인은 hypovolemia, bleeding, vasodilation

② 내과 입원 후 postOp AKI의 흔한 원인: hypovolemia, fever or infection

③ 수술 직후 소변량 감소 시 이뇨제 투입 전에 volume을 try를 우선적으로 고려

(4) Pain control

① 수술 후 IV PCA를 유지한 상태로 나오는 경우가 많음

② 한국 노인은 서양인들보다 morphine 계열에 매우 민감하고 부작용율이 높다고 알려짐

③ 수술 후 anorexia, nausea, ileus, hypoactive delirium 등이 발생하면 즉각적으로 PCA를 중단

(5) DVT prophylaxis

① 고관절 골절은 수술 후에도 embolism risk가 존재

② 고관절 수술에 대한 정맥혈전색전증 예방 권고안(2011년도 대한고관절학회 진료지침)

- 심부정맥혈전증 예방 가이드라인(J Korean Orthop Assoc 2011;46:95-98 참고)

  (표 11-15, 16)

- 상기 지침에서 혈전의 위험도와 출혈의 위험도는 표 11-17과 같이 판단한다.
- 요약하면, 노년내과로 입원하는 노쇠한 노인 고관절 골절 환자는 모두 혈전증 고위험군
- 출혈 위험인자가 없으면 수술 후 항혈전제 또는 항응고제 투여의 적응증이 됨.
- 국내 보험요건 상, 인공관절치환술을 받은 경우는 항응고제 투여, 그렇지 않은 골절 수술은 항혈소판제제(aspirin) 투여

표 11-15. 수술 후 심부정맥혈전증을 예방하는 가이드라인: 고관절 골절 수술

위험도	권장 사항	사용기간
표준 정맥혈전색전증 위험도 / 약물요법 단독 또는 물리적 방법 단독 또는 두 가지 방법의 병행		
표준 출혈 위험도 환자군	약물– 아스피린, 와파린, 저분자량헤파린, 폰다파리눅스	최소 7일–최대 35일
	물리적 방법– 항혈전 스타킹, 족부펌프 장치, 간헐적 공기 압박장치	환자의 거동이 가능해질 때까지
고 정맥혈전색전증 위험도 / 약물요법 단독 또는 약물요법과 물리적 방법의 병행		
표준 출혈 위험도 환자군	약물– 아스피린, 와파린, 저분자량헤파린, 폰다파리눅스	최소 7일–최대 35일
	물리적 방법– 항혈전 스타킹, 족부펌프 장치, 간헐적 공기 압박장치	환자의 거동이 가능해질 때까지
표준 정맥혈전색전증 위험도 / 물리적 방법 단독 사용		
고출혈 위험도 환자군	물리적 방법– 항혈전 스타킹, 족부펌프 장치, 간헐적 공기 압박장치	환자의 거동이 가능해질 때까지
고정맥혈전색전증 위험도 / 물리적 방법 단독 사용		
고출혈 위험도 환자군	물리적 방법– 항혈전 스타킹, 족부펌프 장치, 간헐적 공기 압박장치	환자의 거동이 가능해질 때까지
	출혈 위험성이 감소하면 약물요법을 병행	
수술이 지연되는 경우	수술 전부터 약물요법 단독 또는 물리적 방법 단독 또는 두 가지 방법의 병행	

표 11-16. 수술 후 심부정맥혈전증을 예방하는 가이드라인: 고관절 인공관절 수술

위험도	권장 사항	사용기간
표준 정맥혈전색전증 위험도 / 약물요법 단독 또는 물리적 방법 단독 또는 두 가지 방법의 병행		
표준 출혈 위험도 환자군	약물– 아스피린, 와파린, 저분자량헤파린, 폰다파리눅스, 리바록사반	최소 7일–최대 35일
	물리적 방법– 항혈전 스타킹, 족부펌프 장치, 간헐적 공기 압박장치	환자의 거동이 가능해질 때까지
고 정맥혈전색전증 위험도 / 약물요법 단독 또는 약물요법과 물리적 방법의 병행		
표준 출혈 위험도 환자군	약물– 아스피린, 와파린, 저분자량헤파린, 폰다파리눅스, 리바록사반	최소 7일–최대 35일
	물리적 방법– 항혈전 스타킹, 족부펌프 장치, 간헐적 공기 압박장치	환자의 거동이 가능해질 때까지
표준 정맥혈전색전증 위험도 / 물리적 방법 단독 사용		
고 출혈 위험도 환자군	물리적 방법– 항혈전 스타킹, 족부펌프 장치, 간헐적 공기 압박장치	환자의 거동이 가능해질 때까지
고 정맥혈전색전증 위험도 / 물리적 방법 단독 사용		
고 출혈 위험도 환자군	물리적 방법– 항혈전 스타킹, 족부펌프 장치, 간헐적 공기 압박장치	환자의 거동이 가능해질 때까지
	출혈 위험성이 감소하면 약물요법을 병행	

표 11-17. 고관절 골절환자에서 혈전 및 출혈 위험성의 평가기준(2011년도 대한고관절학회 진료지침)

정맥혈전색전증 위험인자(1가지 이상이면 고위험군)
① 60세 이상
② 비만(body mass index >30 kg/m²)
③ 탈수
④ 하나 이상의 동반 내과 질환(심장질환, 대사성, 내분비 또는 호흡기 질환, 급성 감염성 질환, 염증성 질환)
⑤ 호르몬 치료 또는 여성호르몬이 포함된 피임약 복용
⑥ 현재 암을 앓고 있거나 치료 중인 환자
⑦ 중증 치료를 위해서 입원 중인 환자(critical care admission)
⑧ 정맥염이 동반된 하지 정맥류
⑨ 혈전 호발 소인(known thrombophilias)
⑩ 정맥혈전색전증 과거력
출혈 위험인자(1가지 이상이면 고위험군)
① 활동성 출혈(active bleeding); 수술자의 판단에 의한 수술 중 비정상적인 출혈, 수술 부위 혈종 형성 또는 지속적인 삼출성 출혈(oozing), 수술 후 혈색소 수치의 비정상적인 감소
② 후천적 출혈 질환(예: 급성 간부전, 간경화)
③ 항응고제 복용 중
④ 12시간내 척추/경막외 마취 예정
⑤ 최근 4시간내 척추/경막외 마취 시행
⑥ 급성 뇌출혈 혹은 최근 뇌출혈 과거력(acute or recent history of hemorrhagic stroke)
⑦ 최근 위장관 출혈 과거력
⑧ 혈소판감소증(<75,000/mm³)
⑨ 조절되지 않는 고혈압(>230/120 mmHg)
⑩ 유전성 출혈 질환(예: 혈우병, von Willebrand's disease)

③ Hemovac이나 drain이 없으면 POD #1부터 시작, 있는 경우는 제거 후에 시작

(6) Cognitive function 및 delirium: 다음 절 [섬망의 예방 및 관리] 참고

(7) Nutrition 및 aspiration: 다음 절 [영양처방 및 삼킴장애] 참고

(8) Position, ambulation and rehabilitation

① Surgeon style에 따라 다를 수 있으나 서울아산병원에서는,

② 수술 후 postion: 환측 다리의 탈구의 가능성이 있어 교육 및 주의가 필요함

- 수술한 환측 다리가 절대 midline을 넘어가면 안됨
- Sitting 시 hip joint가 90도 이상 꺾이면 안됨

③ 대개 수술 1일째부터 sitting position이 대개 가능(surgeon이 결정)

④ 대개 수술 1-2일부터 weight bearing active rehabilitation이 가능(surgeon이 결정)

⑤ Ambulation 시작 시 dizziness 호소 – 특히 fall에 주의

2) POD #2 이후

(1) 수술 후 nutrition, constipation 및 ileus 주의

① 환자는 대개 수상 후부터 bowel movement가 떨어지고 진통제 투여가 필연적

② 예방적 변비약 투여가 도움이 됨(수술 후부터는 거의 항상 필요)

③ Simple abdomen 또는 KUB를 적극적으로 활용하고 필요시 좌약이나 관장

(2) Foley removal: 반드시 IV PCA를 제거한 후에(가능한 제거 다음날) 제거

(3) 대부분 골다공증성 골절

① POD #3-퇴원 하루 전. 환자 상태가 될 때에 골밀도 검사 시행

② 골다공증 치료에 대한 전략을 수립. 실제 하고 가기도(ex. denosumab은 부작용이 덜한 편)

(4) Discharge plan: 전원 또는 퇴원 준비

① 대개 POD 48hr까지 특별한 문제가 없고 영양상태가 가능하면 퇴원계획 시행

② 내과에서는 POD 4-5일 퇴원이 목표

3) 특수상황에서의 대처

(1) Fever

① 수술 전후 physiologic (cytokine effect 등) fever 또는 complication-related fever가 흔함

② 감염이 아닌 경우도 많으나 노쇠한 노인에서는 합병증 확률이 현저히 높고 특히 발열 자체로 인한 2차적 합병증 위험이 높아 39도 이상의 발열은 적극적으로 fever control

③ 노쇠한 노인에서는 infection 이 매우 흔히 동반

④ 흔한 합병증: lung (aspiration pneumonia), biliary (acalculous cholecystitis), urinary (urinary retention with UTI), GI (ischemic colitis), Catheter-related bloodstream infection

⑤ 수술 전후 투여하는 예방적 항생제: 대개 gram negative bacteria에 대한 항균력이 떨어져 치료제로서 부족한 경우가 다수(항생제 추가 또는 변경이 필요)

(2) Delirium: 다음 절 [섬망의 예방 및 관리] 참고

(3) C-difficile associated diarrhea (CDAD)

① 기관에 따라 다르나 노쇠한 입원환자에서 매우 흔함.

② 검체 적절성이나 균주에 따라 stool PCR 검사에서도 false negative가 흔히 나올 수 있음

③ 임상적으로 의심되면 검사 결과와 상관없이 바로 po vancomycin 125 mg QID를 시작

(4) IVC filter

① 일단 넣었으면 퇴원 전 빼는 것을 원칙으로 함

② 그러나 노인에서 tortuous vessel이면 뺄 수 없기도 함

③ 기대여명이 매우 짧은 hopeless or DNR case에서는 빼지 않기도 함

④ 퇴원까지 부득이하게 IVC filter removal을 하지 못한 경우: 퇴원 후(약 1~2달) 시점에서 단기 입원장 발부

(5) 수술 후 항혈소판제제 및 항응고제의 투여

① 정확히 정해진 투여기간은 없음

② Bleeding risk가 없다면 적어도 5주는 유지(가이드라인 참조).

③ 보통 외래에서는 ambulation이 충분히 가능해지는 시점에서 중단

3. 영양처방 및 삼킴장애

1) 노인에서 영양불량의 위험성

(1) 우리나라 노인 6명 중 1명은 영양불량상태(그림 11-17)

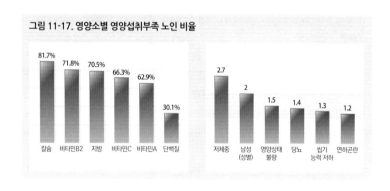

그림 11-17. 영양소별 영양섭취부족 노인 비율

(2) 특히 노쇠한 노인에서는 50% 이상에서 영양불량이 동반

(3) 영양불량은 수술 후 합병증 및 사망위험을 높이는 중요한 원인

2) 고관절 골절환자에서 수술 환자의 영양관리

(1) 고관절 골절은 수상 즉시 sitting position도 어렵게 되며 심한 통증이 수반되어 정상적인 식사가 어려움(누워서 식사)

 (2) 수술이 지연될수록 malnutrition risk 증가, 동반하여 합병증의 위험도 증가

 (3) 수술 전부터 적극적인 nutritional intervention이 필수적

 (4) 흔히 처방하는 수액의 kcal은 하루 2L를 투여한다고 해도 하루 필요한 kcal에 비해 절대적으로 부족

　① 5% 포도당 수액 1 L: 170 Kcal(Cal)

　② 10% 포도당 수액 1 L: 340 Kcal(Cal)

3) 식이 및 영양 처방의 요령

 (1) 최초 문진 시부터 드시던 aspiration 여부를 확인, 기록

 (2) 당장 판단이 어려운 경우

　① 노쇠하거나, aspiration 여부가 명확하지 않거나 의사소통 등의 문제

　② 연하보조식을 먼저 처방하여 경과를 봄

　③ 이후 환자가 의사소통과 목 가눔이 충분하고 연하보조에 잘 적응하면 LD, SD, RD로 변경(이 과정은 수술 직후에도 같음)

 (3) 수술 예정 노인 환자에게 당뇨식도 굳이 필요하지 않음

 (4) 상용화된 liquid supplement 가 영양학적으로 매우 도움이 됨

 (5) 입원 초기에는 가능한 IV nutrition 병행

4) 삼킴장애(dysphagia)

 (1) 이전 뇌졸중 병력이 있었거나, 노쇠, 근감소증 노인에서는 30-60%에서 dysphagia를 동반

　① 음식섭취 시 삼킴장애에 관한 history가 가장 중요(ex. 음식을 입에 오래 물고 있다)

　② 구강 혀의 움직임 및 자발적 기침 기능 등을 평가하여 확인 가능

　③ 특히 골절 및 수술 전후에는 근기능 및 인지기능 저하로 더욱 aspiration risk가 증가

 (2) 대응방법

　① 약물 재평가: 처방된 약제 중 dysphagia 및 aspiration risk를 증가시키거나 cognitive function을 악화시킬 수 있는 약제 중단 또는 변경

　② 환자 교육: 턱당기기(목을 세우고 턱을 아래로 당겨서 식사하게 함), 머리 돌리기/기울이기, 음료 섭취 시 빨대 사용하기, 점도제 사용 등

　③ 연하보조식 처방 및 적극적인 IV nutrition (malnutrition 자체가 dysphagia를 악화시킴)

　④ 비디오투시연하검사(Videofluoroscopic swallowing study; VFSS, 재활의학과 의뢰) 후 연하재활 가능

4. 섬망의 예방 및 관리

1) 섬망의 발생 기전과 고위험군

(1) 수술 후 기능저하(그림 11-18)

① 노인에서 수술을 받으면 거의 대부분의 경우에서 인지기능 및 신체기능 감소

② POD #2에서 인지기능 저하가 가장 심하다는 보고가 있음

그림 11-18. 입원 및 수술 전후 잔존기능변화

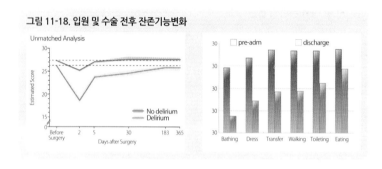

(2) 알려진 섬망의 위험인자(표 11-17)

표 11-17 . 섬망의 위험인자

Baseline factors	Acute factors
Advanced age	Medications
Preexisting dementia	Surgery
Preexisiting functional impairment in ADLS	Uncontrolled Pain
High comorbidity	Low Hematocrit
Male gender	Bed rest
Sensory impairment	Use of indwelling cath
Depression	Restraints
Lab abnormalities	

(3) 섬망의 기전

① 전통적으로 dopamine-choline system의 장애 및 melatonin 관여 등의 이론

② 최근 섬망의 기전에 관한 새로운 연구들이 발표되고 있음.

③ 특히 acute medical condition에서 발생되는 delirium은 inflammatory mediator가 bloodbrain barrier를 통과하게 되어 neuroinflammation에 의한 neuronal dysfunction 이 발생할 수 있다는 model이 발표(JAMA. 2012 Jul 4;308(1):73-81)(그림 11-19).

그림 11-19. Inflammatory Model of Delirium

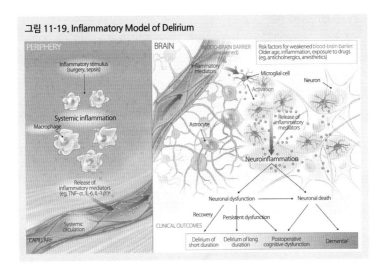

④ 이런 기전에 의하면 inflammatory mediator의 release 및 fluctuation이 적을수록 섬망 예방에 유리

⑤ 반대로 stress size가 크거나 blood-brain barrier가 약한 노인은 섬망 위험이 높음

⑥ 즉, 환자의 protective factors와 predisposing factor의 합으로 취약성이 어느정도 결정되고, 이후 acute stress (precipitating factor)이 더해져 취약성의 범위를 넘어서면 섬망이 발생하는 것으로 봄(그림 11-20).

그림 11-20. Multifactorial Model of Delirium

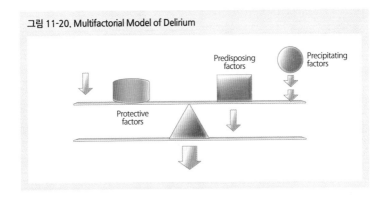

(4) 노쇠와 섬망의 관계(그림 11-21)

① 노쇠한 노인은 섬망 감수성이 높음: 취약성이 매우 커 작은 스트레스에도 섬망이 발생

② 건강한 노인이나 젊은 성인은 감수성이 낮음: 더 강한 스트레스가 더해져야 섬망 발생이 가능(ex. 간이식)

③ 인지기능 저하는 섬망의 가장 강력한 위험인자이나 인지기능이 정상이더라도 노쇠한 노인은 섬망의 위험이 매우 높음

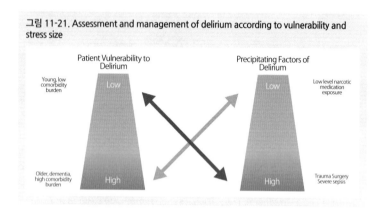

그림 11-21. Assessment and management of delirium according to vulnerability and stress size

2) 섬망의 임상적 의의

(1) 노인 환자의 delirium prevalence: 8-50%, incidence: 11-82%

(2) 그러나 섬망 환자의 2/3는 의료진에 의해 섬망으로 진단받지 못하고 있음

① 특히 hypoactive delirium이 단순 노화 관련 증상 또는 내과적 문제로 간주되는 경향

② 섬망 진단이 늦어져 문제점 파악이 늦어짐 → 예후가 더욱 불량해짐

③ 섬망 자체가 입원기간 및 사망률 증가

(4) 2차적 합병증 증가: malnutrition, aspiration pneumonia, urinary tract infection, pressure sore 등

(5) 다른 내과적 질환 발생의 early signal: hidden infection, CVA, heart failure aggravation, dehydration, malnutrition 등의 early sign으로도 작용

(6) 위험인자들과 약제를 조절하면 상당부분 예방이 가능

3) 섬망의 진단

(1) 갑작스럽게 변한 의식 수준과 인지기능 저하가 기복이 있는 것이 특징

(2) 주의력과 집중력 장애가 흔히 동반

(3) 진단도구

DSM-V, CAM (Confusion Assessment Method), DSR-R-98 (Delirium Rating Scale revised-98) 등이 널리 사용 중이나, CAM을 좀 더 많이 사용 중임(그림 11-22).

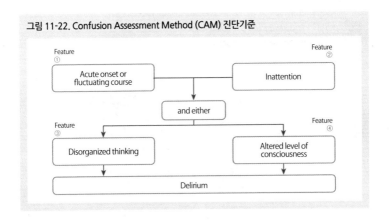

그림 11-22. Confusion Assessment Method (CAM) 진단기준

(4) 분류

① Hyperactive delirium: 주로 야간에 악화

② Hypoactive delirium: 보다 고령의 노쇠한 노인에서 흔하며 진단이 어렵고 예후가 더 불량

③ Mixed delirium

4) 섬망의 예방 전략

(1) 예방가능한 위험인자의 확인: 시각, 청력, immobilization (IV line, foley catheter, restraint), 약제, 통증, 수면, 감염, 전해질이상, 탈수 등

(2) 환경 유지: 조명 및 수면 주기 유지, 익숙한 실생활 제품 및 가족사진, 회상적 대화, 가족 방문 적극 권장, orientation을 계속적으로 알려주기

(3) Physical inactivity 예방: 거동이 어려우면 휠체어 산책이라도 권유

(4) Volume status 및 nutrition의 면밀한 monitoring

(5) 약제 확인 및 조절

① Dopamine-acetylcholine system에 영향을 줄 수 있는 약제 최대한 중단

② 인지기능 저하를 유발할 수 있는 약제도 가급적 중단

③ 대표적인 섬망 유발 약제 ★

• Anticholinergics(m/i): non-selective antihistamine (특히 URI medication), TCA

• Antispasmodics: domperidone, levosulpiride, bladder urgency medication

• Pain medication: opioid, tramadol

• Sedative drug: benzodiazepine 계열, 수면제

• Steroid제제, dopamine agonist 등

그림 11-23. Pathophysiology of delirium

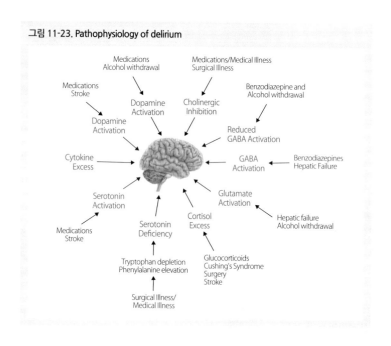

5) 섬망이 발생한 환자의 관리 전략

(1) 우선 위 예방가능한 위험인자부터 조절함

(2) 현 증상이 섬망인지 확인함 (뇌경색 및 출혈 등 다른 신경학적 문제 배제)

(3) 악화 요인을 찾으려고 노력해야 함

① 예방불가능한 위험인자 중 감염 발생이 매우 흔한 원인

• 인지기능 저하로 인한 aspiration pneumonia

- Bowel motility 감소로 인한 severe constipation, ileus
- Acalculous cholecystitis
- Urinary retention 및 UTI

② 고관절 골절 환자에서 POD #2 후에 발생하는 delirium은 반드시 평가와 검사로 원인을 규명해야

(4) 억제대

① 섬망을 악화시킨다고 알려져 있으나,

② Hyperactive delirium에서 환자나 의료진에게 위해, 손상의 위험이 있을 경우에 한해 억제대 처방

(5) 영양처방

① 급성기에는 aspiration risk가 매우 높아짐

② 의식이 명료하지 않으면 약을 제외한 경구섭취를 잠시 중단하고 IV nutrition이 필요할 수 있음

(6) 약물치료

① 비약물적 치료에도 반응이 없고 위해의 위험이 매우 높은 경우 단기간 투여 가능

② 투여할 수 있는 약물

- Low-dose haloperidol(0.5 mg IM injection): 1차적으로 쓸 수 있는 약제.
  - Extrapyramidal symptom 및 QT prolongation에 주의
- Atypical antipsychotics: olanzapine 또는 quetiapine을 이차적으로 투여 가능
  - Extrapyramidal symptom 등 typical antipsychotics의 위험이 낮다는 장점
  - 치매환자에서는 사망률이 증가할 수 있음.

③ Low-dose quetiapine (Seroquel)

- 부작용이 적은편으로 여건만 되면 1차약으로 좋음
- 그러나 정신건강의학과 협진이 있어야 보험이 가능하므로 투여하게 되면 해당과 협진처방을 함께 냄

12

내과계중환자실
MICU

I 중환자실 입원환자의 필수 처방

아래의 처방들은 특별한 금기 사항이 없는 한 처방에서 누락하면 안 된다.

1. 스트레스성 궤양 예방(Stress ulcer prophylaxis)

1) 위험인자
① 가장 중요한 독립적 위험 인자: 장기간의 기계 환기(48시간 이상)
② 그 외 혈액응고 장애, 위궤양 또는 위장관 출혈병력(1년 이내), 패혈증, 장기간의 중환자실 입원, 고용량 글루코코르티코이드 치료, 다발성 외상(injury severity score >16), 급성 간부전, 화상(체표면적의 35% 이상), 장기이식 환자, 심각한 머리 또는 척추 손상(Glasgow Coma Scale <10) 등

2) 적응증
중환자실 환자는 금기증이 없는 경우 일상적으로 적용

3) 약물 종류 및 용량

표 12-1. 스트레스성 궤양 예방 약물 및 용법

약물	용법
H2-receptor antagonist	
Cimetidine	400 mg PO 4 times daily
	200 mg IV 4 times daily
Famotidine	20 mg PO twice daily
	20 mg IV twice daily
Proton-pump inhibitor	
Pantoprazole	20 or 40 mg PO once daily
	40 mg IV once daily
Esomeprazole	20 or 40 mg PO once daily
	40 mg IV once daily
Omeprazole	20 or 40 mg PO once daily

2. 심부정맥혈전증 예방(Deep vein thrombosis prophylaxis)

1) 적응증

중환자실에 입실한 모든 환자로 혈전증 예방요법의 금기증이 없는 환자

2) 약물을 이용한 예방

(1) 특별한 금기 사항이 없으면 저분자량헤파린(low molecular weight heparin; LMWH)을 투여하고, 신부전 시 저용량의 비분할성 헤파린(unfractionated heparin) 투여

(2) 약물 종류 및 용량

표 12-2. 심부정맥혈전증 예방 약물 및 용법

약물	용량
LMWH[1]	
Enoxaparin	40 mg SQ once daily
Dalteparin	2,500 – 5,000 U SQ once daily
Unfractionated heparin	5,000 U SQ twice daily
Fondaparinux	2.5 mg SQ once daily (<50 kg는 금기)

[1] 신부전 시에는 GFR에 따른 감량이나 다른 약제의 사용을 고려.
*Aspirin 또는 clopidogrel은 심부정맥 혈전증 예방을 위해서는 사용하지 않음.
*기존에 warfarin을 치료 농도로 복용하던 환자는 심부정맥 혈전증 예방약제를 바로 시작할 필요 없음. 단, warfarin은 약물 상호작용이 많으므로 임상경과를 바탕으로 다른 항응고제로의 변경 여부를 판단.

(3) 심부정맥 혈전증 예방 약제의 금기증

　명백한 출혈이 있는 환자

(4) 아래의 위험인자가 있는 경우에는 약물요법 보다는 다른 방법을 이용한 예방요법을 적극적으로 고려

① 입원 기간 동안의 출혈 또는 3개월 이내의 출혈

② 활동성 위궤양

③ 혈소판 감소증(<50,000/μL)

④ 두부나 척추의 손상 또는 수술

3) 비약물 요법

(1) 탄력 스타킹(graded compression stockings)

- 가능하면 단독 사용은 피하기
- 하지 혈류장애, 감염, 피부 질환 등 점검

(2) 간헐적 공기압박 요법(intermittent pneumatic compression)

- 약물요법이 가능해지면 약물요법으로 전환을 고려
- 복부나 흉부, 신경계 수술 이후에는 약물요법과 병행 고려
- 하지 혈류장애, 감염, 피부 질환 등 점검

3. 인공호흡기 관련 폐렴 예방

1) 정의

　기관내 삽관 또는 기관절개를 한 환자에서 인공호흡기 적용 48시간 이후에 발생한 폐렴

2) 진단

　48시간 이상 인공호흡기를 적용한 환자에서 (1), (2)를 동시에 만족하는 경우(KONIS 2018 ICU Manual 기준)

(1) 영상의학 검사

- 두 번 이상의 연속적인 흉부 X선 검사에서 최소한 하나 이상의 아래 소견이 관찰됨.
- 새로 발생하여 지속되거나 또는 지속적으로 악화되는 침윤, 경화, 공동

(2) 증상/징후: ①+②를 만족

① 아래 증상/징후 중 최소 하나 이상

- 다른 원인이 없는 발열(>38℃)

- 혈액 내 백혈구 증가(≥12,000/μl) 또는 감소(<4,000/μl)
- 70세 이상의 노인에서, 다른 원인이 없는 의식 변화

② 아래 증상/징후 중 최소 두 개 이상

- 새로운 화농성 가래 또는 가래 양상의 변화, 기도 분비물의 증가 또는 기도 흡인 횟수 증가
- 기침, 호흡곤란, 빈호흡의 발생 또는 악화
- 청진에서 수포음 또는 기관지 호흡음이 들릴 때
- 가스 교환의 악화(산소포화도 저하[예. $PaO_2/FiO_2 \leq 240$], 산소 요구량의 증가, 인공호흡기 요구량의 증가)

3) 예방전략

① 의학적 금기가 없는 환자에서 흡인 위험성이 있는 환자는 상체를 30-45도 올림. 상체를 올리는 것이 가능하지 않으면 침대의 머리부분을 가능한 범위 내에서 올림.

② 기관내 커프 압력을 20-25 cmH_2O로 유지

③ 진통제, 진정제를 줄여서 적용 가능한 범위에서 자발호흡 유도

④ 0.12% 클로르 핵시딘을 이용하여 매 6-8시간마다 구강 위생 관리를 시행하고 습도 유지를 위해서 입술용 크림을 적용

Ⅱ 중환자 영양관리

중환자의 영양관리 목표는 단식(starvation)을 최소화하고 영양소 결핍 예방 및 교정, 수분 및 전해질 균형 유지, 과다한 영양공급(overfeeding)을 방지하는 것이다.

1. 영양요구량

1) 열량 요구량 및 단백질 요구량

중환자의 열량 요구량 산정 시 간접 열량 측정법을 통한 방법이 추천되고 있으나, 체중에 의한 계산식이 쉽고 간편하여 실제 임상에서 가장 많이 사용되고 있다. 중환자에게 권장되는 열량 요구량은 25 kcal/kg, 단백질 요구량은 1.2-1.3 g/kg이다.

BMI 30 이상의 비만 환자의 경우 열량은 11-14 kcal/kg(현재체중) 또는 22-25 kcal/kg (이상체중), 단백질은 2.0-2.5 g/kg(이상체중)으로 산정한다.

표 12-3. 열량 산정 시 BMI에 따른 기준 체중

BMI (kg/m²)		기준 체중	비고
저체중	18.5 이하	현재체중	심한 탈수, 부종 등으로 현재 체중이 부정확 할 경우 평소 체중 또는 이상체중 이용
적정체중	18.5-22.9		
과체중	23-24.9	이상체중	
비만	25-29.9	조정체중	
중등도 비만 이상	30 이상	현재체중 또는 이상체중	

표 12-4. 이상체중 및 조정체중 계산법

• 이상체중(Ideal body weight, IBW):
  → 남(kg): 키 제곱(m²) × 22
  → 여(kg): 키 제곱(m²) × 21
	• 조정체중(Adjusted body weight, ABW):
	  → 이상체중 + 0.25 × (현재체중 − 이상체중)

(1) 열량 및 단백질 요구량 산정

표 12-5. 열량 및 단백질 요구량 산정법

	중환자	수술환자
열량	• 초기-이화상태: 20 kcal/kg 이하 • 안정기: 20-30 kcal/kg • 재활기: 30 kcal/kg 이상	20-25 kcal/kg
단백질	• 중증외상, 패혈증, 장기부전환자: 1.5-2.0 g/kg • CRRT 적용 시: 2.5 g/kg 이상	1.25-1.5 g/kg
	간부전에 의한 간성혼수, 신부전에 의한 요독증을 동반한 경우: 0.6-1.0 g/kg	

(2) 질소균형에 의한 단백질 요구량 산정

단백질 섭취량과 배설량을 측정하여 양성질소균형(+2~+4)을 유지하는데 필요한 단백질량을 계산한다.

표 12-6. 질소균형 계산법

질소균형 = 질소섭취량 – 질소배설량
　　　　 = (24시간 단백질 섭취량[g]/6.25[1]) – (24 시간 UUN[g][2] + 4[g][3])

1) 6.25 g의 단백질 당 질소 1 g 포함
2) Urine urea nitrogen (UUN) (g/day) = UUN [(mg/100 mL) × urine volume (L/day)]/100
3) Obligatory nitrogen loss = 대변, 피부, 체액, 기타 non-urea nitrogen loss로 약 4 g/day

2. 경장영양(Enteral nutrition)

1) 경장영양 이행과정

그림 12-1. 경장영양 이행과정

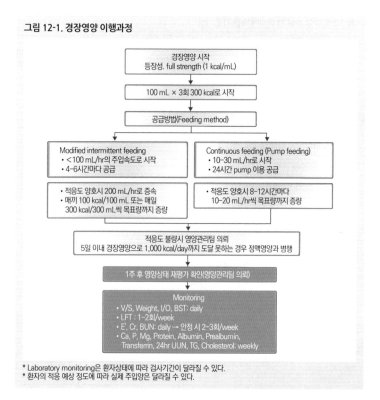

* Laboratory monitoring은 환자상태에 따라 검사기간이 달라질 수 있다.
* 환자의 적응 예상 정도에 따라 실제 주입양은 달라질 수 있다.

2) 경장영양과 관련된 위장관 합병증

(1) 위배출 지연

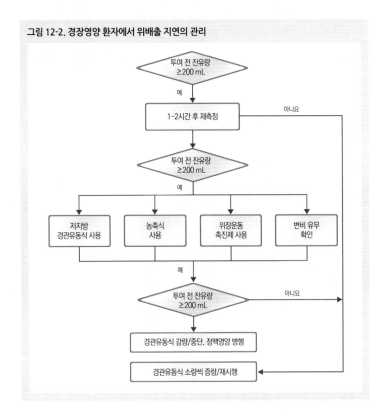

그림 12-2. 경장영양 환자에서 위배출 지연의 관리

(2) 설사

그림 12-3. 경장영양환자에서 설사의 관리

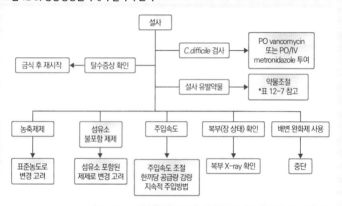

표 12-7. 부작용으로 설사를 유발할 수 있는 약물

약표 분류	예
심혈관계	Digoxin, ACE inhibitors, angiotensin receptor blockers, beta blockers, gemfibrozil, statins, acetazolamide, furosemide
중추신경계	Alprazolam, levodopa, anticholinergic agents, fluoxetine, lithium
내분비계	Metformin, levothyroxine
소화기계	H_2-antagonists, magnesium containing antacids, proton pump inhibitors, ursodeoxycholic acid, lactulose, bisacodyl, 5-aminosalicylate, mosapride, prucalopride
근골격계	NSAIDs, colchicine
항생제	Amoxicillin, ampicillin, cephalosporins, clindamycin
항암제	5-FU, capecitabine, irinotecan, sunitinib, 그 외 다수의 target agent
기타	Alcohol, sorbitol, vitamin C (enteral)

3. 정맥영양(Parenteral nutrition)

1) 정맥영양지원의 적응증

① 소장 절제술 및 이로 인한 흡수장애, 소화 장애

② 심각한 염증성 소화기 질환(크론씨병, 궤양성 대장염), 심각한 췌장염, 복막염

③ 근위장 누공, 소장 천공

④ 장폐색증, 심각한 설사 및 구토

⑤ 심각한 위장관 출혈

⑥ 혈역학적으로 불안정한 환자

2) 일반적 중심정맥용 TPN 제제의 구성

표 12-8. 일반적 중심정맥용 TPN 제제의 구성

구성	상품화 정맥영양(1 L 기준)
총용량	1-2 L
포도당	12.5-25%
아미노산	50 g (5%)
지방	지방 포함 정맥영양: 약 40 g (4%) 지방 불포함 정맥영양: 0 g
전해질	
Na	35-40 mmol/L
K	30-35 mmol/L
P	10-15 mmol/L
Ca	4.5-7 mEq/L
Mg	5-10 mmol/L
비타민	멀티비타민 주사 별도 처방
미량원소	미량원소 주사 별도 처방

3) 중심정맥용 TPN 제제

포도당, 아미노산 및 지방을 모두 포함한 TNA (Total Nutrient Admixture, 3 in 1) 제형과
지방이 포함되지 않은 2 in 1 제형을 구별하여 선택. 주입 시작 후 경과 시간(hang time)은
24시간을 넘지 않아야 함.

표 12-9. 사용 가능한 중심정맥용 TPN 제제

상품명	PN-mix No.2	Olimel N9E	Smof Kabiven		Omapone	Winuf	
Lipid 포함 여부	Lipid free (2 in 1)	TNA (Dextrose + Protein + Lipid, 3 in 1)					
Dextrose (g)	250 (25%)	165 (11%)	125 (12.7%)	187 (12.7%)	250 (12.7%)	182 (12.7%)	231 (12.7%)
Protein (g)	50 (5%)	85.4 (5.7%)	50 (5%)	75 (5%)	100 (5%)	73 (5%)	92 (5%)
Lipid (g)	없음	60 (4%)	38 (3.8%)	56 (3.8%)	75 (3.8%)	55 (3.8%)	69 (3.8%)
Zn (mg)	없음	없음	2.5	3.75	5	3.8	4.8
Volume (mL)	1,000	1,500	986	1,477	1,970	1,435	1,820
Calorie (mL)	1,186	1,600	1,100	1,600	2,150	1,600	2,000
단위부피당 열량(kcal/mL)	1.2	1.1	1.1	1.1	1.1	1.1	1.1
비고	지방 불포함	Olive oil 80% + Soybean oil 20%	Soybean oil 30% + MCT 30% + Olive oil 25% + Fish oil 15% Taurine, Zinc 함유			Soybean oil 30% + MCT 25% + Olive oil 25% + fish oil 20% Zinc 함유	

4) 아미노산 제제

표 12-10. 사용 가능한 아미노산 제제

상품명	Proamine	Fravasol	Freamine	Hepasol	Hepatamine	Glamin	Dipeptiven
특성	종합단백 아미노산	종합단백 아미노산	종합단백 아미노산	BCAA (Branched Chain Amino Acid) 사용 가능한 아미노산 제제		Glutamine 고함유	Glutamine-alanine 제제 (다른 아미노산과 함께 투여)
함량	50 g (10%)	50 g (10%)	50 g (10%)	50 g (10%)	40 g (8%)	67.5 g (13.5%)	20 g (20%)
비고				간질환, 간성 혼수 환자에 적용 가능		간, 신부전, 복잡하고 불안정한 환자에게 금기	

5) 지방 제제

① 필수지방산 결핍

- 증상: 피부 벗겨짐, 탈모, 상처회복 지연
- Lipid-free PN (2 in 1 제제) 투여 3주 이내 발생함.
- 예방: lipid-free PN 투여 시 필수지방산 결핍 예방과 열량 보충을 위해 지질 투여 필요함. 단, TNA 제제와 중복 투여되지 않도록 함.

② 지방 단독 제제는 천천히 투여(보통 25-30 mL/hr 투여 권장, 최대 0.12 g/kg/hr)하고, 투여 시작 후 경과 시간(hang time)은 최대 12시간을 넘지 않아야 함.

③ Propofol (2%)은 lipid base-emulsion 상태이므로 열량 공급원이 됨(lipid 0.1 g/mL, 약 1 kcal/mL)

- Sedation 목적으로 propofol을 고용량 투여하는 경우 lipid free 정맥영양 제제 사용을 고려.

표 12-11. 사용 가능한 지방 제제

상품명	SMOFlipid		Lipidem	Clinoleic		Omegaven
용량 (g)	20 (20%)	50 (20%)	50 (20%)	20 (20%)	100 (20%)	5 (10%)
부피 (mL)	100	250	250	100	500	50
열량			2 kcal/mL			1.12 kcal/mL
성분	Soybean oil 30% + MCT 30% + Olive oil 25% + Fish oil 15%		Soybean oil 40% + MCT 50% + Omega-3 TG 10%	Soybean oil (LCT) 20% + Olive oil 80%		Fish oil 100%

6) Vitamin

① TPN 믹스하는 multivitamin 제제로 Vit.K 제외한 모든 vitamin 공급

② Vitamin K 추가 공급 필요: 150 mcg/day, 10 mg (+D5W or NS mix) IV/week

7) 미량원소

① 미량원소가 필요한 상태

- Zinc: High-output fistulas, diarrhea, burns or large open wounds
- Selenium: Chronic diarrhea, malabsorption and short-gut syndrome
- Copper, Manganese: 심각한 cholestasis에서는 축적 가능하므로 제한

② 중환자에서 장기적으로 TPN만으로 영양 공급시 결핍 가능한 미량 원소를 추가적으로 투여 할 것을 고려.

③ 미량원소 검사: Zn, Cu, Se

8) Individualized TPN

(1) 적응증 및 적용 사례 (주로 중심정맥용)

① Hyperkalemia 시 K free parenteral nutrition

② 조절되지 않는 hypernatremia 시 Na free PN

③ 조절되지 않는 hypercalcemia 시 Ca free PN

④ 간 질환자에서 BCAA 고함유 아미노산 제제로 단백질 조성 변경이 필요한 경우

⑤ 기타 탄수화물, 단백질, 전해질 용량 변경이 필요한 경우

9) 정맥영양지원 시 고려할 사항

(1) 정맥영양 투여경로

① 중심정맥: 고농도의 정맥영양 투여 가능함.

② 말초정맥: 고농도의 정맥영양은 삼투압이 높아서 정맥염의 위험이 높음(말초용 정맥영양은 삼투압 900 mOsm/L로 제한되므로 농도 제한해야 함.).

(2) 정맥영양지원에 의한 합병증

① 기계적 합병증: 카테터 관련 감염증 및 삽입 관련 합병증(기흉, 출혈, 삽입 위치 이상, 혈전 생성 등)

② 대사적 합병증: 과열량 공급 및 재급식 증후군으로 인한 다양한 합병증이 발생함.

  • 과도한 열량 공급으로 인한 hypercapnia, 간수치 상승, 지방간, 혈중 암모니아 수치 상승

  • 과도한 탄수화물 공급에 의한 고인슐린혈증, 고혈당증, 영양재개 증후군으로 인한 전해질 불균형(P, K, Mg)

  • 과도한 수액/전해질 공급, 영양재개 증후군으로 인한 전해질 불균형이 심각해지면 심장 장애 및 부정맥 유발 가능

  • 과도한 아미노산 공급으로 인한 azotemia, 과도한 수분 공급 등으로 인한 체액 저류

③ 기타 장기간의 TPN 투여로 인한 합병증

  • 담즙 울체(cholestasis) 또는 담즙 체류(bile congestion)

  • 소화관 점막의 위축과 전위

(3) 모니터링 항목

① 영양상태: prealbumin(주1회), 미량원소(Zn, Cu), nitrogen balance (24hr urine urea nitrogen), 25-OH vitamin D

② 혈당, 지질 상태(triglyceride 등)

10) 정맥영양지원에서 경장영양으로의 이행

① 경관유동식 시작 기준: 혈역학적으로 안정한 경우 최대한 빨리 시작

② TPN에서 경관유동식 변경 가이드

- 경장 영양 공급량이 요구량의 70% 도달 및 적응도 양호하면 정맥영양 공급 중단

4. 재급식 증후군(Refeeding syndrome)

1) 정의

영양 불량 환자에게 열량(특히 탄수화물과 나트륨)을 공급하는 경우 체액과 전해질이 이동함으로써 나타나는 현상

2) 특징적 징후

Hypophosphatemia, hypomagnesemia, hypocalcemia, hyperglycemia, thiamine defieciency, 당 대사 이상, 심각한 경우 심장 이상이나 신경학적 증상 등

3) 위험인자

심각한 영양 불량(기아 상태, 신경성 식욕부진, 암환자, 알코올 중독), 금식 기간이 긴 경우, 위장관 및 신장 이상으로 전해질 손실이 심한 경우, 전해질 이상을 일으키는 약물의 사용 등

4) 방지

위험인자 있는 환자 파악, 영양 지원 전에 혈중 전해질 검사 및 교정, 열량 공급 저열량부터 천천히 증량, 영양 불량 환자 및 알코올 중독 환자의 경우 티아민(thiamine)을 추가로 보충

5. 영양 프로토콜

그림 12-4. MICU 급성기 환자에서의 영양 지원

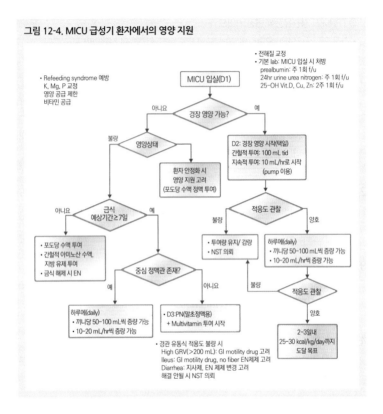

Ⅲ 동맥혈가스분석검사의 해석

동맥혈가스분석검사(arterial blood gas analysis, ABGA)는 폐의 가스교환 상태와 체내의 산염기 균형을 파악하는 데에 유용한 검사임.

1. 정상 동맥혈 및 정맥혈가스분석검사 결과

표 12-12. 정상 동맥혈 및 정맥혈가스분석검사 결과

	ABGA	VBGA
pH	7.35–7.45	7.30–7.40
PCO_2	35–45 mmHg	42–48 mmHg
PO_2	80–100 mmHg	35–45 mmHg
HCO_3^-	22–28 mEq/L	24–30 mEq/L
O_2 saturation	98%	75%
CO_2 content	4.8 vol.%	5.2 vol.%
O_2 content	20 vol.%	15 vol.%

ABGA = arterial blood gas analysis; VBGA = venous blood gas analysis.

2. 동맥혈가스분석검사의 해석

1) 해석의 원칙

환자의 현 상태와 함께 기저 질환과 최근의 검사 결과를 모두 고려해야 함.

★ 환자의 기저질환과 평소 검사 결과에 따라 동일한 동맥혈가스분석검사 결과의 해석이 달라지는 사례

동맥혈가스분석검사 결과: pH 7.25, $PaCO_2$ 70 mmHg, HCO_3^- 31 mEq/L

사례 1. 만성폐쇄성폐질환(COPD) 환자, 평소 $PaCO_2$ 70 mmHg
   예상 HCO_3^- (만성 보상) = 24+0.35×(70-40) = 34.5 mEq/L
   해석: 호흡성 산증 + 대사성 산증
사례 2. 기저질환 없는 건강인, 평소 $PaCO_2$ 40 mmHg
   예상 HCO_3^- (급성 보상) = 24+0.1×(70-40) = 27 mEq/L
   해석: 호흡성 산증 + 대사성 알칼리증
사례 3. 만성폐쇄성폐질환(COPD) 환자, 평소 $PaCO_2$ 55 mmHg
   예상 HCO_3^- (급성 보상 + 만성 보상) = 24+0.35×(55-40)+0.1×(70-55) = 30.75 mEq/L
   해석: 호흡성 산증 + 적절한 대사성 보상

---

2) 해석

(1) 저산소증 판단: PaO_2

산소치료 시작: $PaO_2 < 60$ mmHg 또는 $SaO_2 < 90\%$

저산소증의 원인 감별: 폐포산소분압(PAO_2)과 동맥혈산소분압(PaO_2)의 차이($A-aDO_2$)
계산

표 12-13. $A-aDO_2$ 계산식

$A-aDO_2 = PAO_2 - PaO_2$

$= (760-47) \times FiO_2 - (PaCO_2/0.8) - PaO_2$

$= 713 \times FiO_2 - 1.25 \times PaCO_2 - PaO_2$

(2) 환기 상태 판단: $PaCO_2$

(3) 산증(acidosis) 및 알칼리증(alkalosis) 판단: pH

(4) 산-염기 장애의 1차 원인 추정

pH와 $PaCO_2$ 또는 HCO_3^-의 변동 방향 확인(표 12-14, 그림 12-5)

표 12-14. 산-염기 장애의 1차 원인 추정

호흡성 산증: pH ↓, $PaCO_2$ ↑
호흡성 알칼리증: pH ↑, $PaCO_2$ ↓
대사성 산증: pH ↓, HCO_3^- ↓
대사성 알칼리증: pH ↑, HCO_3^- ↑

★ pH가 7.35-7.45 이내이지만, $PaCO_2$와 HCO_3^-가 모두 정상 범위 내에 있지 않다면 호흡성 및
대사성 산-염기 장애가 복합된 것을 의미함.

그림 12-5. 산-염기 장애 해석의 흐름도

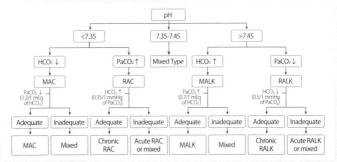

*MAC = metabolic acidosis; MALK = metabolic alkalosis; RAC = respiratory acidosis; RALK = respiratory
alkalosis.

(5) 산-염기 장애에 대한 2차 보상 추정

$PaCO_2$ 또는 HCO_3^-의 수치가 추정된 보상 범주를 벗어나는 경우에는 호흡성 또는 대사성
산-염기 장애가 복합된 것을 의미함.

표 12-15. 산-염기 장애에 대한 2차 보상치 추정식

① 대사성 산증: 호흡성 보상으로 $PaCO_2$ 감소($\downarrow$)
  추정 $\Delta PaCO_2 \downarrow = 1.2 \times \Delta HCO_3^- \downarrow$
② 대사성 알칼리증: 호흡성 보상으로 PaCO2 증가($\uparrow$)
  추정 $\Delta PaCO_2 \uparrow = 0.7 \times \Delta HCO_3^- \uparrow$
③ 호흡성 산증(급성): 대사성 보상으로 HCO_3^- 증가($\uparrow$)
  추정 $\Delta HCO_3^- \uparrow = 0.1 \times \Delta PaCO_2 \uparrow$
④ 호흡성 산증(만성): 대사성 보상으로 HCO_3^- 증가($\uparrow$)
  추정 $\Delta HCO_3^- \uparrow = 0.35 \times \Delta PaCO_2 \uparrow$
⑤ 호흡성 알칼리증(급성): 대사성 보상으로 HCO_3^- 감소($\downarrow$)
  추정 $\Delta HCO_3^- \downarrow = 0.2 \times \Delta PaCO_2 \downarrow$
⑥ 호흡성 알칼리증(만성): 대사성 보상으로 HCO_3^- 감소($\downarrow$)
  추정 $\Delta HCO_3^- \downarrow = 0.5 \times \Delta PaCO_2 \downarrow$
★ 급성과 만성 호흡성 산-염기 장애가 겹치면, 중탄산염(HCO_3^-)의 보상 정도는 급성과 만성
  산-염기 장애의 중간값 정도임.

(6) 대사성 산증의 원인 감별

① 혈중 음이온차(anion gap, AG): 정상 AG 10-12 mEq/L

표 12-16. 혈중 음이온차 계산식

Anion gap = [Unmeasured anion] − [Unmeasured cation] = $[Na^+] − ([Cl^-] + [HCO_3^-])$

• 정상음이온차(normal AG) 대사성 산증
  − 신장에서의 H^+ 배설 장애
    예) 제1형 신세뇨관성산증(type 1 renal tubular acidosis)
  − 신장 또는 소화관의 HCO_3^- 소실
    예) 제2형 신세뇨관성산증(type 2 renal tubular acidosis), 설사(diarrhea)
• 고음이온차(high AG) 대사성 산증
  예) 유산증(lactic acidosis): 쇼크(shock)
    케토산증(ketoacidosis): 당뇨, 알코올, 금식 등
    독성물질(toxins): 부동액(ethylene glycol), 메탄올(methanol), 살리실산(salicy-
                lates) 등
    신부전(renal failure)

- 혈중 음이온차의 변화와 중탄산염의 변화의 비(ΔRatio = ΔAG/ΔHCO$_3^-$)
  - 복합 장애 여부 판단

표 12-17. 혈중 음이온차의 변화와 중탄산염의 변화의 비에 따른 복합 장애 여부 판단

ΔRatio <0.4: 정상음이온차 대사성 산증
ΔRatio 0.4-0.8: 고음이온차 대사성 산증 + 정상 음이온차 대사성 산증
ΔRatio 0.8-2.0: 고음이온차 대사성 산증
ΔRatio >2.0: 고음이온차 대사성 산증 + 대사성 알칼리증

② 소변 음이온차(urine anion gap, AG): 정상음이온차 대사성 산증의 원인 감별

표 12-18. 소변 음이온차 계산식

Urine anion gap = Urine [unmeasured anion] – Urine [unmeasured cation]
  = (Urine [Na$^+$] + Urine [K$^+$]) – Urine [Cl$^-$]
  = 소변으로 배설되는 NH$_4^+$의 간접 지표

- 소변 음이온차>0: 신장의 소변 산성화 장애와 관련이 없는 정상음이온차 대사성 산증
  예) 설사
- 소변 음이온차<0: 신장의 소변 산성화 장애와 관련된 정상음이온차 대사성 산증
  예) 제1형 및 제4형 신세뇨관성 산증, 신부전

Ⅳ 중환자실에서의 발열

1. 발열의 정의

① 38.3℃ 이상의 체온(core temperature)
② 면역저하 환자에서는 기준을 좀 더 낮게 적용할 것을 권고
③ CRRT와 ECMO 적용한 경우 발열 반응을 방해받으므로 이를 감안할 것

2. 체온 측정

① 폐동맥카테터에 부착된 thermistor: 가장 정확한 방법이나 실제 사용이 어려움
② 액와 또는 구강 체온: 낮은 정확성
③ 직장, 방광, 고막 체온: 권고
④ 일관된 방법과 도구로 측정

3. 진단적 접근

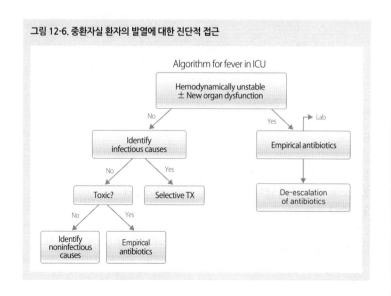

그림 12-6. 중환자실 환자의 발열에 대한 진단적 접근

4. 원인 및 감별 진단

표 12-19. 중환자실 환자의 발열의 흔한 원인

부위	감염성 원인	비감염성 원인
Head and neck	Meningitis Otitis media Sinusitis CVC-related blood stream infection	Cerebrovascular accident Seizure disorder Traumatic brain injury
Chest	Infective endocarditis Ventilator-associated tracheobronchitis Ventilator-associated pneumonia Empyema	Myocardial infarction Pericarditis Pulmonary embolism ARDS
Abdomen and pelvis	Intra-abdominal infections (e.g, SBP, abscess, cholangitis) *Clostridium difficile* infection Pyelonephritis Catheter-related UTI Perineal or perianal abscess	Pancreatitis Acalculous cholecystitis Ischemic colitis
Extremities	Femoral line/PICC-related blood stream infection Septic arthritis	Gout DVT Thrombophlebitis
Skin and back	Cellulitis Necrotizing fasciitis Infected pressure ulcer Surgical site infection	Drug eruptions
Miscellaneous		Drugs Transfusion reactions Endocrine disorder (e.g, thyrotoxicosis, adrenal insufficiency) Malignancy Malignant hyperthermia Neuroleptic malignant syndrome Inflammtory disorder (e.g, SLE)

5. 치료

1) 감염이 의심되면 경험적 항생제 치료
2) Focus가 분명하지 않으면 카테터(>72시간) 제거 고려
3) 발열의 조절

발열 자체만으로 해열제나 external cooling을 적용하는 것은 추천되지 않으나 일부 질환에서는 체온의 조절이 예후를 향상시키므로 이런 경우에 한하여 해열 고려

(1) 해열 적응증

① 급성 뇌손상

② 심기능 손상 시(coronary disease, ischemic cardiomyopathy)

③ 체온 >40℃ (cf. Hyperpyrexia: BT >41.5℃)

(2) 해열 방법

① Physical measure: ice packs, cooling blanket, endovascular cooling devices

　　　부작용: 말초혈관 수축, shivering (sedative나 paralytics가 필요할 수 있음)

② Antipyretic medication

　– NSAIDs: ibuprofen or naproxen

　　　부작용: 응고장애, 신독성, 위장관 출혈

　– Paracetamol: acetaminophen (PO), denogan (IV)

　　　부작용: glutathione reserve 감소(만성 알콜중독, 영양결핍 등)로 인한 급성 간염

6. 발열과 유사한 개념의 신체 반응

Hyperthermic syndromes: 발열(fever)은 시상하부의 체온 조절 중추의 설정 온도가 올라가서 발생함. 고열(hyperthermia)은 체온 조절 중추의 설정은 변화 없이 과도한 열의 생성 또는 열 방출 기전의 이상으로 인해 심부체온이 증가하여 발생함.

표 12-20. 발열과 감별이 필요한 신체반응

	Malignant hyperthermia	Neuroleptic malignant syndrome	Serotonin syndrome
Causative drug	흡입성 마취제, 탈분극신경근차단제	Neuroleptic drug (haloperidol, phenothiazines, clozapine)	Serotonin agonist (SSRI, TCA)
Onset	주입 후 30분 이내 (드물게 24시간 이내)	수 일에서 수 주	24시간 이내
Symptom	Tonic contraction, fever	Agitation, delirium, tachycardia, rigidity, bradyreflexia, tremor	Anxiety, agitation, tachycardia, hypertension, diarrhea, hyperreflexia, clonus
Treatment	약 중단 External cooling IV fluids Dantrolene	약 중단 bromocriptine dantrolene	약 중단 Benzodiazepines Cyproheptadine (in severe cases)

7. 혈소판 감소증을 동반한 발열

Epidemiologic exposure가 중요함

표 12-21. 혈소판 감소증을 동반한 발열의 감별 진단

임상소견	진단	치료
Severe fever with thrombocytopenia syndrome (SFTS) (by SFTS virus)		
Fever, thrombocytopenia, leukopenia, history of tick exposure	Detection of viral RNA in serum via RT-PCR	– No antiviral therapy – Supportive care – Early recognition of severe disease – Empiric doxycycline (endemic area) – Plasma exchange
Scrub typhus (by *Orientia tsutsugamushi*)		
Headache, malaise, anorexia, abrupt chills & fever, rash, eschar, thrombocytopenia	Serology (IFA assay)	– Doxycycline 100 mg twice daily – Azithromycin 500 mg once daily – Duration: short course (7 days)
Hemorrhagic fever with renal syndrome (HFRS) (by Hantavirus)		
Fever, hemorrhage, hypotension, renal failure, thrombocytopenia	Serology (IFA assay)	– No specific antiviral therapies – Supportive care with renal replacement therapy
Leptospirosis (by Leptospira)		
Fever, rigors, myalgias, headache, conjunctival redness severe case: 　Renal failure, uveitis, hemorrhage, ARDS with pulmonary hemorrhage, myocarditis, and rhabdomyolysis	Serology (IFA assay)	– Supportive care with renal replacement therapy, ventilatory support – Hospitalized adults with severe disease: penicillin(1.5 million units IV q 6 hr) or doxycycline (100 mg po bid) or cefotaxime (1 g IV q 6 hr) or ceftriaxone (1 to 2 g IV q 24 hr) for 7 days
Malaria		
Fever, headache, nausea, epidemiologic exposure, palpable spleen, anemia, thrombocytopenia, elevated transaminases	Detection of parasites by light microscopy	– Quinoline derivatives: quinine – Antifolates: sulfadoxine-pyrimethamine – Antimicrobial: doxycycline, clindamycin – Artemisinin derivatives: artesunate

V 쇼크(Shock)

1. 정의

조직으로의 산소 공급 감소 또는 조직의 산소 요구량 증가로 인해 세포 또는 조직이 적절한 산소를 공급받지 못하는 상태 및 이로 인해 발생하는 장기부전까지의 일련의 임상 증후군. 일반적으로 혈역학적 지표(수축기혈압 <90 mmHg, 평균동맥압 <60 mmHg), 임상적 소견(의식변화, 소변량감소), 검사수치 이상(높은 유산, 대사성산증) 등의 특징을 종합하여 진단.

2. 쇼크의 분류

＊실제 임상에서는 종종 두 종류 이상의 쇼크가 혼합된 형태로 발생

표 12-22. 쇼크의 원인 및 혈역학적 특징

쇼크의 형태	혈역학적 특징	원인
분포성	전부하↓, 전신혈관저항↑, 심박출량↓↑	패혈증, 신경성쇼크, 아나필락시스
심장성	전부하↑, 후부하↑, 전신혈관저항↑, 심박출량↓	심근경색, 부정맥, 심부전, 심장판막질환
저혈량성	전부하↓, 전신혈관저항↑, 심박출량↓	출혈, 비출혈성 혈류량소실, 화상
폐쇄성	전부하↓, 전신혈관저항↑, 심박출량↓	패색전증, 기흉, 심낭삼출

1) 분포성
패혈증성, 비패혈증성(아나필락시스, 부신기능부전, 신경성 등)

2) 심장성
① Cardiomyopathic: MI, DCMP, myocarditis 등
② Arrhythmogenic: tachyarrhythmia, bradyarrhythmia
③ Mechanical: valvulopathies

3) 저혈량성
출혈성, 비출혈성

4) 폐쇄성
패동맥색전증, 대동맥박리, 기흉, 심낭삼출 등

그림 12-7. 쇼크의 감별진단

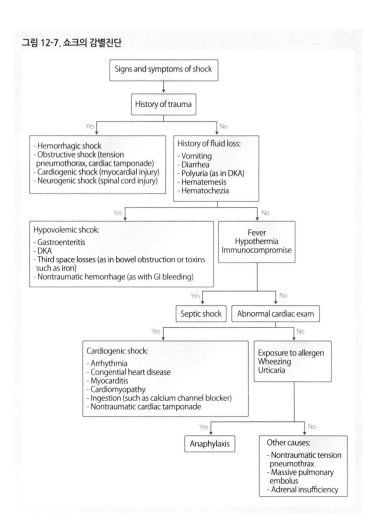

3. 쇼크의 기전

① Tissue perfusion ↓ / O₂ delivery ↓ / O₂ consumption ↑
② Cellular hypoxia → Damage → Acidosis and endothelial dysfunction
③ Inflammatory and anti-inflammatory cascades → Tissue perfusion ↓ ↓

4. 쇼크환자의 초기 평가

1) 처치목표

기본 처치목표는 조직으로의 산소 공급 산소공급량[(DO₂) = 심박출량(cardiac output)×
1.34×혈색소(hemoglobin)농도×동맥혈산소포화도(arterial oxygen saturation, SaO₂)]
을 늘려주고 조직에서의 산소 사용을 감소시키는 것이며 cardiac output은 심박수×심장
박출량에 의해 결정되므로 심장박출량 평가 및 유지가 중요함

2) Monitoring

① 동맥관: 혈압과 맥박 지속 확인
② 도뇨관: 시간당 소변량 확인
③ 중심정맥관: 약물 투약을 위해 선택적으로 삽입, CVP, ScvO₂ 확인 가능
④ 심박출량 평가: SVV (stroke volume variation), PLR (passive leg raising) 등
⑤ 심장초음파: 심인성/폐쇄성 쇼크의 원인진단 및 심박출량 평가

표 12-23. 쇼크의 증상 및 징후

증상 및 징후	설명
저혈압	수축기혈압<90 mmHg, 평균동맥압<60 mmHg, 상대적 저혈압(수축기혈압 40 mmHg 이상 감소)으로 정의. 급속진행 혹은 쇼크 초기에는 정상일 수 있기에 저혈압 유무가 쇼크의 진단 기준이 아님에 주의.
빈맥	초기 보상기전으로 발현, 저혈압, 빈호흡과 흔히 동반. 고령환자나 베타차단제 복용 중인 고혈압환자에서는 빈맥이 없을수 있기에 주의.
빈호흡	쇼크에서 초기 보상기전으로 발생(특히 대사성산증 있을 때). 호흡수 22회/분 이상일 때 임상적악화 위험성이 있는 환자일 가능성 높음.
소변량감소	신혈류량 감소, 신손상, 저혈량 상태 등으로 인해 발생.
의식저하	뇌혈류량 감소와 대사성 뇌증으로 나른함, 둔함 및 혼돈 등의 의식변화 발생.
차가운 피부	주요장기 혈류를 유지하기 위해 말초혈관 수축으로 차고 축축한 피부 발생. Nailbed에 압력을 주었다 떼었을 때 혈관색이 돌아오는 데까지 2초 이상 소요되는 경우 쇼크상태를 진단 가능. 청색증과 얼룩덜룩한 피부(mottled)가 관찰된다면 쇼크가 더욱 진행되었음 시사.
대사성산증	High anion gap metabolic acidosis가 lactate 상승과 동반되었을 때 쇼크를 의심해야 함.

5. 쇼크의 처치

ABCDE (Airway, Breathing, Circulation, Delivery, Endpoints)
- 기도 확보(establishing Airway)
- 호흡운동 조절(controlling of the work of Breathing)
- 순환 최적화(optimizing the Circulation)
- 적절한 산소공급(assuring adequate oxygen Delivery)
- 소생의 최종목표 달성(achieving Endpoints of resuscitation)

1) 기도의 확보
성공적인 소생을 위한 첫 번째 과정. 다만 기관내 삽관시 사용되는 진정제로 인해 저혈압이
악화될 수 있고 인공호흡기에 의한 양압환기로 전부하 감소가 유발될 수 있음. 이에 충분한
수액투여나 혈압상승제 투여가 필요할 수 있음에 주의

2) 호흡운동 조절
쇼크시 빈호흡으로 인해 호흡근육 산소소모량이 증가하여 lactate 증가 유발
→ 산소소모량감소를 위해 인공호흡기나 신경근차단제 사용

3) 순환의 최적화
(1) 수액처치
가장 중요, 14-18 gauge 말초 정맥로 확보

표 12-24. 혈장과 흔히 사용되는 수액제의 조성 비교

조성	혈장	0.9% 식염수	링거젖산용액	플라즈마라이트
나트륨(mmol/L)	136-145	154	130	140
칼륨(mmol/L)	3.5-5.0	0	4	5
마그네슘(mmol/L)	0.8-1.0	0	0	1.5
칼슘(mmol/L)	2.2-2.6	0	3	0
염소(mmol/L)	98-106	154	109	98
젖산(mmol/L)	0	0	28	0

- 500-1,000 mL 정질액 bolus IV over 5-20 min.
- 저혈압과 순환부전이 회복될 때까지 반복적으로 bolus 주입

- 패혈성 쇼크에서는 초기에 20-30 mL/kg 수액투여 필요
- 폐부종의 발생 및 vasopressor 투약 시기를 염두에 두고 있어야 함
- 대사성산증 예방 위해 Ringer's lactate solution 또는 plasmalyte 투여 고려
- Trendelenburg 자세 금지
- 중심정맥도관: 쇼크 상태가 지속되어 다량의 수액이나 혈액제제가 필요한 경우, 지속적인 vasopressor 주입이 필요한 경우 시행

(2) 혈압상승제
- 수액투여에도 반응이 충분하지 않거나 수액투여의 금기증이 있는 경우 사용
- 혈관내 공간이 수액으로 충만되어 있을 때 사용해야 효과적
- 패혈성 쇼크에서는 혈관수축제(vasopressor)로 norepinephrine을 가장 먼저 사용하며, 요구량이 높을 경우에는 vasopressin이나 epinephrine을 추가
- 심인성 쇼크에서는 환자 혈압에 따라 혈관수축제 이외에 심근수축제(inotropics: dobutamine, milrinone 등) 투약 고려
- 상황에 따라 혼합형작용이 있는 dopamine, epinephrine 사용 고려
- 혈압상승제는 장으로 가는 혈류를 감소시킬 수 있기에 주의
- 여러 개의 혈압상승제를 사용한다면 최적의 치료제가 확인되자마자 간소화해야 함

표 12-25. 흔히 사용되는 혈압상승제

작용형태	약물
심근수축제(inotropics)	도부타민(dobutamine) 밀리논(milrinone) 이소프로테레놀(isoproterenol)
혈관수축제(vasopressors)	노르에피네프린(norepinephrine) 바소프레신(vasopressin) 페닐에프린(phenylephrine)
혼합형(combined)	도파민(dopamine) 에피네프린(epinephrine)

표 12-26. 흔히 사용되는 혈압상승제의 기전 및 용량

치료	심기능 β1	혈관수축 α1	α2	심박출량	평균동맥압	심박동수	임상용량* (μg/kg/min)
도파민	0-3+	0-3+	0-2+	↑	↑	↑↑	2-20
도부타민	4+	1+	2+	↑↑		↑	2.5-10.0
에피네프린	4+	2-4+	1-3+	↑↑	↑↑	↑↑	0.005-0.200
노르에피네프린	2+	4+	1+	↔	↑↑	↑	0.04-1.00
바소프레신	V수용체	↓	↑	↔			0.01-0.04 U/min

(3) 혈량 상태의 평가(fluid responsiveness)

- 초기 수액처치 후 환자의 상태가 수액치료로 추가 개선이 있을지 fluid responsiveness 를 확인하는 것은 수액 과다를 예방하고 vasopressor 사용 시점을 알 수 있게 함.
- Stroke volume variation (SVV): 혈량 부족으로 수액처치가 필요시 호흡에 따른 일회심 박출량의 변화량(SVV)이 증가(정상은 10% 이내). SVV 10-15%에서는 fluid respon-siveness가 있음을 시사, 15% 이상인 경우는 fluid responsiveness에 대해 높은 민감도와 특이도를 보임.
  * 빈맥이 심하거나 부정맥, tidal volume<8 mL/kg, high PEEP, 인공호흡기를 하지 않는 환자에서 는 정확도가 떨어진다.
- Passive leg raising (PLR): 자발 호흡을 하고 있는 환자에서 fluid responsiveness를 비교적 정확하게 반영. 상체를 세운 상태에서 빠른 속도로 상체를 낮추고 하지를 올린 자 세로 전환하며, 두 position 간의 심박출량의 차이를 관찰. 심박출량이 10% 이상 증가하 는 경우에는 수액요법에 대한 반응이 있을 것으로 예측되며 15% 이상인 경우에는 특이도 가 더욱 증가.
  * PLR 시, 동맥압의 변화는 상대적으로 민감도가 낮음
  * 직접수액주입이 아님으로 안전하게 시행할 수 있으나, 실시간으로 심초음파 등으로 심박출량을 측 정해야 한다는 제한점이 있음

그림 12-8. Passive leg raising test

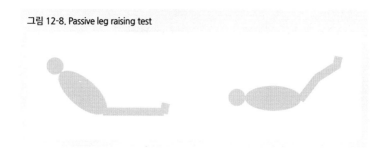

(4) 적절한 산소공급

- 동맥혈산소포화도를 91-100%로 유지
- 헤모글로빈은 저산소증이 없는 환자의 경우는 7 g/dL 이상으로 유지(출혈 지속, 심근경 색 위험도 높은 환자, 고령인 경우 9 g/dL 이상)
- 조직에서 산소소모를 감소키는것도 중요(떨림증상, 통증)

(5) 소생의 최종목표 달성

① 쇼크환자의 치료 목표는 혈액의 산소화, 심장박출량의 유지, 그리고 미세순환의 회복이
다. 산소치료를 통해 산소포화도를 높이고 수액처치와 혈관수축제 등을 사용하여 평균동
맥압을 유지하는 것 외에 젖산, 염기부족, 혼합 정맥 산소 포화도 등을 통하여 말초조직의
산소 이용 정도 파악하여 적절한 처치가 필요

② 치료에 반응하지 않는 경우 확인 사항

표 12-27. 치료에 반응하지 않는 저혈압시 점검 사항

장비 및 모니터링	환자의 감시가 적절하게 이루어지고 있는가? 동맥압 감시 장비의 이상은 없는가?(연결불량, 부적절한 영점조절) 혈압상승제가 투여되고 있는 수액튜브가 잘 연결되어 있는가? 혈압상승제 투여펌프가 잘 작동되고 있는가? 혈압상승제가 적절한 용량으로 희석되었는가?
환자평가	의식상태와 임상양상이 저혈압의 정도와 일치하는가? 환자에게 수액투여가 충분히 이루어졌는가? 중심정맥천자술 후 기흉이 발생하지 않았는가? 관통손상(총상, 찔린상처)의 평가가 적절하였는가? 비장파열, 동맥류 혹은 자궁외임신에 의해 숨겨진 출혈이 있는가? 부신부전은 없는가? 환자는 도착 전에 투약된 약에 대한 알레르기는 없는가? 투석 환자 혹은 암환자라면 심장눌림증이 있는가? 급성 심근 경색, 대동맥 박리 또는 폐색전증이 동반되었는가?

6. 쇼크의 종류별 처치

1) 저혈량성 쇼크의 치료

표 12-28. 출혈성 쇼크의 단계적 임상소견

쇼크 단계	실혈량 mL(%)	맥박수 beats/min	혈압	맥압	호흡수 breaths/min	의식
I	750 (15)	100	Normal	Normal	14-20	Slightly anxious
II	750-1500 (15-30)	100-120	Normal	Narrowed	20-30	Mildly anxious
III	1500-2000 (30-40)	120-140	Decreased	Narrowed	30-40	Anxious, confused
IV	2000 (40)	140	Decreased	Narrowed	35	Confused, lethargic

- 혈량 소실의 원인 파악과 함께 소실된 volume의 빠른 보충
- 출혈로 인한 저혈량성 쇼크시 저혈압이 동반되면 대부분 수혈이 필요(우선 투여할 수 있는 crystalloid 주입을 시작하고, 신속히 수혈)
- 저혈량성 쇼크가 확실하다면 vasopressor 사용은 가능하면 자제
- 급성 출혈로 인한 저혈량성 쇼크 초기에는 헤모글로빈이 감소하지 않을 수 있음에 주의

2) 쇼크 종류별 처치

표 12-29. 쇼크의 분류에 따른 처치

Hemorrhagic Shock

- Ensure adequate ventilation and oxygenation.
- Provide immediate control of hemorrhage, when possible (e.g., traction for long bone fractures, direct pressure).
- Initiate judicious infusion of isotonic crystalloid solution (10–20 mL/kg).
- With evidence of poor organ perfusion and 30 minute anticipated delay to hemorrhage control, begin packed red blood cell (PRBC) infusion (5–10 mL/kg)
- With suspected central nervous system trauma or Glasgow Coma Scale score <9, immediate PRBC transfusion may be preferable as initial resuscitation fluid.
- Treat coincident dysrhythmias (e.g., atrial fibrillation with synchronized cardioversion).

Cardiogenic Shock

- Ameliorate increased work of breathing; provide oxygen and positive end-expiratory pressure (PEEP) for pulmonary edema.
- Begin vasopressor or inotropic support; norepinephrine (0.5 μg/min) and dobutamine (5 μg/kg/min) are common empirical agents.
- Seek to reverse the insult (e.g., initiate thrombolysis, arrange percutaneous transluminal angioplasty).
- Consider ECMO for refractory shock patients with possible reversible cause.

Septic shock

- Ensure adequate oxygenation; remove work of breathing.
- Adiminister 30 mL/kg of crystalloid, and titrate infusion to adequate urine output.
- Begin antimicrobial therapy; attempt surgical drainage or debridement.
- If volume restoration fails to improve organ perfusion, begin vasopressor support; intial choice includes norepinephrine, infused at 0.04–0.5 mcg/kg/min

Anaphylatic shock

- Control airway and ventilation
- Administer 20 mL/kg of crystalloid.
- Epinephrine 0.3 mg IM in mid-outer of thigh
- Consider antihistamine and glucocorticoid for secondary treatment

Ⅵ 수혈요법(Transfusion Therapy)

1. 중환자실에서의 수혈 적응증

Transfusion Requirements in Critical Care (TRICC) 연구에서는 중환자실에서 restrictive transfusion strategy (7 g/dL)를 적용한 군과 liberal transfusion strategy (10 g/dL)를 적용한 군을 비교하였을 때 7 g/dL 이하로 유지한 군에서 병원사망률이 감소하였으며 이는 특히 55세 이하의 젊은 연령에서 더욱 뚜렷한 경향을 보였다. 이후 수혈에 대한 원칙에 많은 변화가 있었으며 현재 근거 중심의 수혈 적응증은 아래와 같다.

1) 적혈구
- 혈역학적으로 불안정한 활동성 출혈이 있는 경우
- 출혈은 없지만 hemoglobin 7 g/dL 이하인 경우
- 출혈은 없지만 hemoglobin 9 g/dL 이상 예외적으로 유지해야 하는 경우
  - 허혈성 뇌졸증, 외상성뇌손상, 급성관상동맥증후군, 급성기 패혈증

2) 혈소판

표 12-30. 혈소판 제제 수혈의 적응증

적응증	목표
출혈이 없는 경우 예방적 목적	
시술이 예정되어 있지 않은 경우	≥ 20,000/㎕
출혈위험이 낮은 시술/수술이 예정된 경우	≥ 50,000/㎕
출혈위험이 높은 시술/수술이 예정된 경우	≥ 100,000/㎕
출혈이 있는 경우 치료적 목적	
DIC	≥ 50,000/㎕
주요 활동성 출혈	≥ 100,000/㎕

3) 혈장
(1) 신선냉동혈장(Fresh Frozen Plasma, FFP)
- 적응증: 응고인자 부족을 동반한 출혈이 있는 경우
- 응고검사에서 이상소견은 있으나 출혈이 없는 경우 수혈하지 않는다.

(2) 동결침전제제(Cryoprecipitate)
- 출혈을 동반한 DIC로 fibrinogen이 150 이하인 경우
- 출혈을 동반한 중증간질환이 있는 경우
- 대량 수혈로 fibrinogen이 150 이하인 경우
- 수술 전 fibrinogen이 150 이하인 경우 예방적 목적

2. 대량 출혈

1) 정의

대량 출혈은 ≥10 U blood within 24h 혹은 ≥5 U blood within 3h 혹은 지속적인 출혈 150 mL/min로 정의하며, 대량 수혈을 필요로 하게 된다. 대량 출혈이 발생한 경우 다직종이 일사불란하게 프로토콜에 따라 지혈술과 수혈을 함께 할 때 효과적으로 환자를 치료할 수 있다. 또한 대량 수혈이 필요한 경우 수혈만큼 중요한 것이 빠르게 지혈술을 시행하는 것임을 기억해야 한다.

2) 적혈구 수혈

응급도에 따라 아래의 순으로 사용할 수 있다.
O형(즉시)>ABO/RhD 혈액형 일치(10분 이내)>ABO/RhD, 교차반응(3, 40분 이내)
활동성 출혈 환자에서 Hb<10 g/dL 시 Hct 30%를 목표로 수혈

3) 혈장 수혈(Fresh Frozen Plasma, Cryoprecipitate)

PT나 fibrinogen 검사 후 혈장제제 수혈을 시행한다. 현장에서 point of care (POC)로 thromboelastography (TEG) or rotational thromboelastometry (ROTEM)를 사용하면 더욱 도움이 된다(목표 PT<1.5 INR, fibrinogen>150).

4) 농축혈소판 수혈

출혈이 지속되는 경우 platelet count≥100,000/μℓ 이상 유지한다.
혈소판이 의료기관에 항상 준비되어 있는 것이 아니므로 대량 수혈이 필요한 경우 반드시 혈액은행에 미리 연락하여야 한다.

5) 약물요법

CRASH-2 연구 이후 tranexamic acid가 대량 출혈 시 사망률을 감소시키는 것으로 밝혀졌다.
용량: 10분에 걸쳐 1 g 투여 후 8시간에 걸쳐 1 g 지속 투여

Ⅶ 심폐소생술(CPR)

심폐소생술(Cardio-Pulmonary Cerebral Resusciation)은 정지된 심장과 폐의 역할을 대신하기 위해 흉부압박과 인공호흡을 시행하는 것을 의미하며, 성공적인 심폐소생술을 위해서는 1) 신속한 제세동과 2) 고품질의 흉부압박이 중요하다.

1. 심폐소생술

① 반응이 없는 환자 발견: 무호흡 또는 비정상호흡 확인
② 도움 요청: defibrillator 요청과 CPR 방송
③ 맥박과 호흡 동시에 확인: 경동맥 맥박 촉지 및 무호흡 확인(10초 이내)
④ 흉부압박 시작(맥박 없으면) → 가슴압박:인공호흡을 30:2로 시행

표 12-31. 흉부압박 방법

위치	가슴뼈의 아래쪽 1/2
방법	속도: 100~120회/분, 깊이: 성인 5 cm, 압박:이완 = 1:1
주의점	강하고 빠르게 압박 흉부압박 중단 최소화(제세동, 기관내삽관 제외), 흉부압박 후 완전히 이완 손은 깍지를 껴 손가락이 흉곽에 닿지 않도록, 체중을 이용하여 압박

⑤ 인공호흡시작(호흡 없으면)
  • Airway: 기도개방(head tilt-chin lift), oropharyngeal airway, 추후 advanced airway (기관내삽관, laryngeal mask airway)의 적용 고려
  • Breathing: 인공호흡시작(10회/분), 과환기 금지(500-600 mL 정도) (advanced airway 삽관 후부터는 흉부압박과 무관하게 분당 10회)
  * CPR 중 호기말이산화탄소분압은 심박출량, 관상동맥관류압, 뇌관류압과 상관관계가 있어 적절한 흉부압박의 지표(>10 mmHg)로 사용되고 자발순환여부(30-40 mmHg)를 확인할 수 있음
⑥ 2분간 흉부압박 후 경동맥 맥박 및 심전도 리듬 확인하며 압박자 교대
⑦ Defibrillation: 제세동기 도착 즉시 shockable rhythm (pulseless ventricular tachycardia, ventricular fibrillation) 확인 후 shock
⑧ 심정지의 가역적 원인 확인 및 치료: 저혈량증, 저산소증, 대사성산증, 저/고칼륨혈증, 폐색전증, 심근경색, 긴장성기흉, 심장눌림증, 약물중독

표 12-32. 수동제세동기 작동법

1	전원 켬
2	전극 부착(bedside monitor 심전도 혹은 paddle 유도로 관찰)
3	Shockable rhythm 확인
4	충전시키며 paddle에 전도물질 도포
5	Paddle 위치(우측 쇄골하 흉골연, 좌측 유두높이 정중액와선), 압력 10–12 kg
6	주위 의료진이 환자와 접촉하지 않도록 경고
7	제세동 1회(biphasic은 charge 버튼 혹은 150–200 J, monophasic은 360 J) 제세동 후 즉시 흉부압박 시작하고 2분간 CPR 후 맥박 평가

그림 12-9. Adult Cardiac Arrest Algorithm

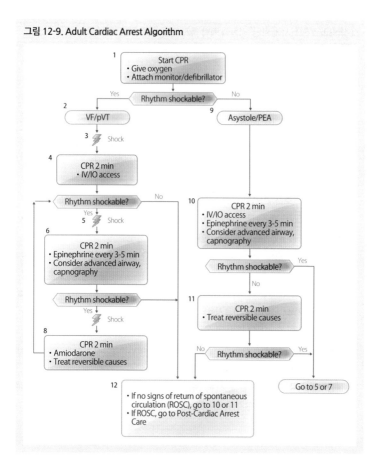

2. CPR 약제

① 에피네프린(Epinephrine) 1 mg IV: 모든 심정지 환자에서 3-5분마다 투약(말초정맥로를 통해 주입하는 경우, 주사 후 20 mL의 수액을 추가 주입하여 약물이 사지에서 중심혈류로 들어가도록), 기관내투여 시 2-2.5 mg

② 바소프레신(Vasopressin) 40 U IV: 첫 번째 혹은 두 번째 에피네프린의 대체 투여, 병원 내 심정지에서 고려

③ 아미오다론(Amiodarone) 300 mg IV: 세 번째 제세동 후에도 지속되는 심실세동에서 300 mg(첫 용량), 150 mg(두 번째 용량), 아미오다론이 없는 경우 리도카인(Lidocaine) 1-1.5 mg/kg IV

3. 체외심폐소생술(Extracorporeal CPR)

심정지 환자에게 심폐 우회장치를 사용하여 혈액순환을 유지하는 방법으로 회복 가능한 것으로 추정되는 가역적 심정지 원인이 의심될 때 고려

4. 자발박동이 회복된 환자의 처치(Post-Cardiac Arrest Care)

① CAG(관상동맥조영술): STEMI 혹은 ACS가 의심될 때 즉각적인 PCI 고려

② TTM (Targeted Temperature Management): 자발박동회복 후 구두지시에 적절하게 반응하지 않는 환자에서 목표체온조절치료 시작(자세한 protocol은 Neurology 부분의 "심정지 후 혼수상태" 참조)

③ Advanced critical care

그림 12-10. Post-Cardiac Arrest Care Algorithm

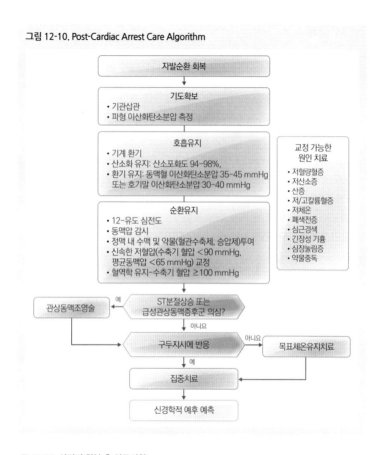

표 12-33. 심정지 회복 후 치료지침

치료	내용
산소화 유지	저산소혈증 피하기 동맥혈 산소포화도 94-98% 유지
폐 환기 유지	과환기 금지 동맥혈 이산화탄소분압(35-45 mmHg) 또는 호기말 이산화탄소분압(30-40 mmHg) 유지
순환 유지(혈역학)	신속한 저혈압(수축기 혈압<90 mmHg, 평균동맥압<65 mmHg) 교정 수축기 혈압≥100 mmHg 유지
순환 유지(약물)	노르에피네프린: 분당 0.1-0.5 mcg/kg/min 도파민: 분당 5-10 mcg/kg/min 에피네프린: 분당 0.1-0.5 mcg/kg/min
심정지 원인조사 및 치료	저혈량혈증, 저산소증, 산증, 저/고칼륨혈증, 저체온, 폐색전증, 심근경색, 긴장성 기흉, 심장눌림증, 약물중독

Ⅷ 중환자실 통합 혈당 조절 지침
(목표 혈당: 100-180 mg/dL)

1. 인슐린 주입 시작

① Insulin 희석 방법: NS 50 cc + RI 50 U
② RI infusion route는 가능한 단독 투여를 원칙으로 하며, 혼합 투여 시 hub에 연결한다.
③ 초기 인슐린 주입률

표 12-34. 혈당에 따른 초기 인슐린 주입률

혈당(mg/dL)	181-220	221-260	261-300	≥ 301
Infusion rate (u/hr)	1	2	3	4

2. 인슐린 주입 속도 변경

현재 infusion rate가 소수점인 경우 반올림 후 증감을 결정한다.

표 12-35. 혈당에 다른 인슐린 주입속도 조정

현재 infusion rate (u/hr)	infusion rate 증감(u/hr)
≤ 3	1
4-6	2
≥ 7	3

① 목표 혈당에 도달할 때까지 2hr 간격으로 혈당을 측정한다.
② 목표 혈당에 도달한 경우 4hr 간격으로 혈당을 측정한다.

3. 혈당 변화값에 따른 속도 변경

표 12-36. 혈당에 따른 인슐린 주입 조정법

혈당(mg/dL)	혈당 변화값(mg/dL)		인슐린 주입 변경 (참조: 2. 인슐린 주입 속도 변경)
	증가	감소	
80–89			인슐린 주입 중단
90–99	≥0		유지
		1–20	감소
		≥21	인슐린 주입 중단
100–180	≥31		증가
	0–30	0–30	유지
		31–50	감소
		≥51	1시간 중단 후 감소
181–220	≥ 1	0	증가
		1–40	유지
		41–80	감소
		≥81	1시간 중단 후 감소
≥221	≥1	0	현재 주입 용량에서 표 12-35의 infusion rate 증감의 2배 증가(인슐린 용량이 10 U/hr 이상인 경우 보고
		1–40	증가
		41–80	유지
		81–120	감소
		≥121	1시간 중단 후 현재 주입 용량에서 표 12-35의 infusion rate 증감의 2배 감소

4. 저혈당 발생시 지침

(1) 혈당 ≤80 mg/dL
① 인슐린 주입을 중지한다.
② 혈당 ≥100 mg/dL에 도달할 때까지 혈당을 1시간 간격으로 측정한다.
③ 첫 번째 측정한 혈당값에 따른 인슐린 주입은 표 12-34의 초기 인슐린 주입률의 ½로 시작한다.
④ 다음 측정값부터는 표 12-36의 혈당 변화값에 따른 인슐린 주입 조정법을 적용한다.
(2) 혈당 ≤60 mg/dL
① 인슐린 주입을 중지하고 50% dextrose 50 cc를 주입한다.
② 혈당 ≥100 mg/dl에 도달 할 때까지 혈당을 1시간 간격으로 측정한다.
③ 첫 번째 측정한 혈당값에 따른 인슐린 주입은 표 12-34의 초기 인슐린 주입률의 ½로 시작한다.
④ 다음 측정값부터는 표 12-36의 혈당 변화값에 따른 인슐린 주입 조정법을 적용한다.

5. 담당의에게 보고가 필요한 경우

① 혈당 80 mg/dL 이하와 동반된 의식 저하가 있는 경우
　→ 50% dextrose 50cc 투여 후 담당의에게 보고
② 50% dextrose 투여 1시간 후에도 혈당이 80 mg/dL 이하인 경우
③ 혈당이 220 mg/dL 이상으로 연속 5회 지속되는 경우
④ 혈당 변화값이 ±200 mg/dL 이상인 경우

6. 기타

① 지속적 경장영양 이외의 식이 시작 시 인슐린 주입을 중지하며 식전 혈당을 확인하고 담당의와 협의한다.
② 검사 및 수술 등을 위해 중환자실을 떠나는 경우 인슐린 주입을 중단한다.
　검사 후 중환자실 복귀 시 주입 중이던 용량으로 재시작하고 측정시간을 동일하게 유지한다.
③ 일반 병동으로 전동 시 인슐린 주입을 중단하고 남은 약은 폐기하며, 전동 후 각 병동 지침에 따라 조절한다.

IX 내과계 중환자실 체크리스트와 중증도 평가 체계

1. Acute Physiology And Chronic Health Evaluation (APACHE) IV score

입원한 날 24시간 동안 가장 낮은 점수의 자료를 입력한다.

그림 12-11. APACHE IV score

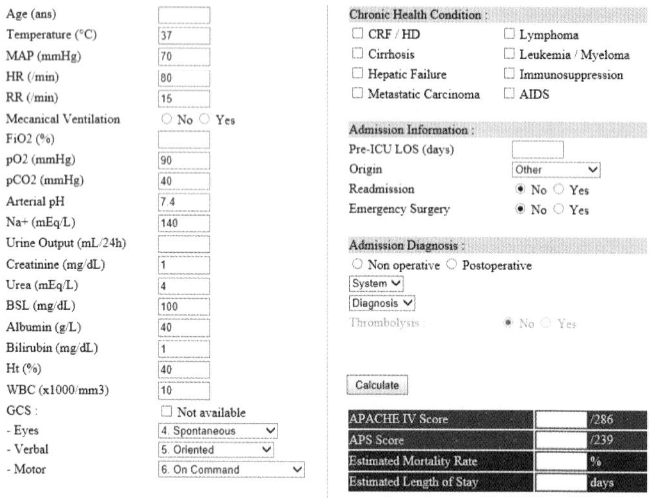

Age (ans)	
Temperature (°C)	37
MAP (mmHg)	70
HR (/min)	80
RR (/min)	15
Mecanical Ventilation	○ No ○ Yes
FiO2 (%)	
pO2 (mmHg)	90
pCO2 (mmHg)	40
Arterial pH	7.4
Na+ (mEq/L)	140
Urine Output (mL/24h)	
Creatinine (mg/dL)	1
Urea (mEq/L)	4
BSL (mg/dL)	100
Albumin (g/L)	40
Bilirubin (mg/dL)	1
Ht (%)	40
WBC (x1000/mm3)	10
GCS :	☐ Not available
- Eyes	4. Spontaneous ∨
- Verbal	5. Oriented ∨
- Motor	6. On Command ∨

Chronic Health Condition :
☐ CRF / HD   ☐ Lymphoma
☐ Cirrhosis   ☐ Leukemia / Myeloma
☐ Hepatic Failure   ☐ Immunosuppression
☐ Metastatic Carcinoma   ☐ AIDS

Admission Information :
Pre-ICU LOS (days)
Origin   Other ∨
Readmission   ● No ○ Yes
Emergency Surgery   ● No ○ Yes

Admission Diagnosis :
○ Non operative ○ Postoperative
System ∨
Diagnosis ∨
Thrombolysis :   ● No ○ Yes

[Calculate]

APACHE IV Score		/286
APS Score		/239
Estimated Mortality Rate		%
Estimated Length of Stay		days

http://intensivecarenetwork.com/Calculators/Files/Apache4.html

2. Sequential Organ Failure Assessment (SOFA) score

- 목적: 중환자실 환자의 장기부전 발생 평가.
- 구성: 여섯 가지 장기 부전을 0-4점으로 점수화 함.
- 의미: Morbidity & mortality와 correlation 있다. 중환자실 입원 기간 동안 최대 점수가 9점 이하는 사망률 10-20%, 10-12점은 40-50%, 15점 이상이면 80% 이상 사망률을 보인다. 치료 이후 경과 관찰 시 점수가 상승하면 사망 가능성이 높고, 호전되면 생존 가능성이 높다.

표 12-37. Sequential Organ Failure Assessment (SOFA) score

	SOFA Score				
	0	1	2	3	4
Respiration					
PaO_2/FIO_2 (mmHg)	>400	≤400	≤300	≤200 with respiratory support	≤100 with respiratory support
Coagulation					
Platelets ($\times 10^3/mm^3$)	>150	≤150	≤100	≤50	≤20
Liver					
Bilirubin (mg/dL)	<1.2	1.2-1.9	2.0-5.9	6.0-11.9	≥12.0
Cardiovascular					
Hypotension	No hypotension	MAP <70 mmHg	Dopamine ≤5 or dobutamine (any dose)[a]	Dopamine >5 or epi ≤0.1 or norepi ≤0.1[a]	Dopamine >15 or epi >0.1 or norepi >0.1[a]
Central Nervous System					
Glasgow Coma Scale	15	13-14	10-12	6-9	<6
Renal					
Creatinine (mg/dL) or urine output (mL/day)	<1.2	1.2-1.9	2.0-3.4	3.5-4.9 or <500	>5.0 or <200

*epi, epinephrine; norepi, norepinephrine.
[a]Catecholamine doses are given as mcg/kg/min for at least 1 hr

3. MICU checklist

중환자실 입원 환자를 대상으로 checklist를 사용할 경우, 환자들의 생존률 및 중환자실 치료의 질 향상에 도움이 되는 것으로 알려져 있다. 여기에서는 한 가지 예제를 소개하고자 한다.

Day (HD/POD/ICU day)	
I/O – Body Weight	
Nutrition	☐ Yes (EN kcal, PN kcal, total kcal) ☐ No (sepsis within 48hrs)
Vascular access	☐ Yes (Subclavian, IJV, Femoral) (days:) ☐ No
A-line insertion	☐ Yes (days:) ☐ No
Foley catheter	☐ Yes (days:) ☐ No
DVT prophylaxis	☐ Yes (UFH, LMWH, Stocking, IPC) ☐ No
Physical therapy	☐ Yes, passive ☐ Yes, active ☐ No
Ulcer prophylaxis	☐ Yes (PPI, H_2 blocker) ☐ No
Head elevation	☐ Yes ☐ No
Ventilator (days:) Airway (T/E, days:)	☐ Yes (FIO_2: %, Pins: cmH_2O, PEEP: cmH_2O, Vt: mL/kg of PBW, Pplat: cmH_2O)
Lactate (morning)	
Oxygen level	
EKG/Echo	
BNP	
Bowel movement	☐ Hypoactive ☐ Normoactive ☐ Hyperactive ☐ Diarrhea ☐ Constipation
RIFLE( ) / CRRT	☐ Yes ☐ No
Analgesics	☐ Yes (drug: , dose:) ☐ No
Sedative (RASS)	☐ Yes (drug: , dose:) ☐ No
NMB	☐ Yes (drug:) ☐ No
Delirium (CAM-ICU)	☐ Yes (drug:) ☐ No
Vasopressor	☐ Yes (drug:) ☐ No
Inotropics	☐ Yes (drug:) ☐ No
Infection	☐ Yes (Pn [CPIS:], CRI, Abd, UTI, SSI) ☐ No
Culture	
Antibiotics	
DIC score	
Steroid	☐ Yes (drug: , dose:) ☐ No
SOFA daily	

X 중환자실 진통, 진정, 섬망 치료 및 투여약물

중환자에서 적절한 진통, 진정제 사용은 재원기간과 기관절개술 필요를 감소시킴. 이러한 진통, 진정제 사용의 가장 큰 원칙은 다음과 같으며 진정제 사용은 가능한 최소화되어야 함.

① 가능한 진통제만으로 안정 상태를 유도
② 진정제를 쓰는 경우 지속적 투여보다 간헐적 투여를 선택
③ 진정제 투여 시 매일 중재(interruption)를 시도
④ 치료목표를 설정하여 약물 조정

1. 중환자실에서의 진통, 진정, 섬망 조절

① 중환자 치료과정에서 다양한 요인(중환자실 환경, 자신의 불안정한 신체 상태 등)으로 인하여 통증 및 불안이 발생하기 때문에 중환자실에 입실한 모든 환자에서 진통, 진정, 섬망 조절 필요
② 중환자실에서는 여러 시술로 인한 통증 유발이 가능하며 인공호흡 치료 중인 환자에서 심리적 불안감과 동반된 통증, 불편감은 인공호흡기와 비동조를 초래할 수 있음

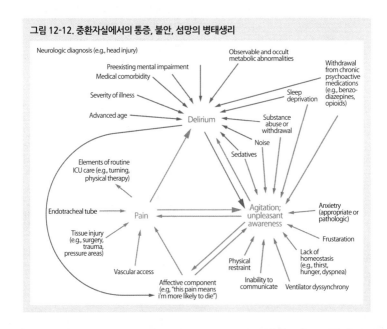

그림 12-12. 중환자실에서의 통증, 불안, 섬망의 병태생리

2. 통증

조절되지 않은 통증은 환자의 에너지 소모 증가와 면역기능장애를 유발할 수 있고 장기적으로 외상후 스트레스 장애의 위험을 증가시킴.

① 사정 도구: Numeric Rating Scale (NRS), Critical Care Nonverbal Pain Scale (CNPS)
② 통증관리 목표: NRS ≤3점 혹은 CNPS ≤2점으로 유지
- NRS: 의사소통이 가능하고 수 개념을 이해하는 환자 대상으로 통증이 없는 0에서 상상할 수 없을 정도의 극심한 통증인 10까지의 숫자로 통증 강도를 직접 말하게 하여 기록
- CNPS: 의사소통이 불가능하거나, NRS 이해 불가능한 19세 이상의 성인 환자를 대상으로 환자의 얼굴 표정, 신체반응, 기계호흡 순응도 또는 언어반응을 1분간 관찰한 후 가장 높은 점수로 평가하여 기록

표 12-38. CNPS를 활용한 통증 점수 사정 방법

지표		점수	설명
1	얼굴표정	0	표정변화 없음. 자연스러운 표정 유지
		1	미간을 찡그림. 눈살을 찌푸림. 눈물을 글썽임.
		2	눈을 꽉 감음. 눈을 번쩍 뜸. 눈물을 흘림. 입을 씰룩거리며 눈 주위를 찡그림
		3	이를 악 묾. 얼굴이 우거지상으로 일그러짐. 기관내관을 밀어내거나 깨묾.
2	신체반응	0	움직임이 없음. 편안한 자세 유지. 저항 없이 이완됨.
		1	느리고 조심스러운 움직임. 몸을 뒤척임. 일부 근육이 긴장됨.
		2	통증부위를 만지려고 하거나 문지름. 고개를 흔들거나 사지의 움직임이 증가함. 온몸에 힘을 줌.
		3	온몸을 흔들거나 비틀며 심하게 움직임. 공격적인 행동을 보임. 근육이 뻣뻣해지고 활처럼 휨. 침대난간(side rail)을 치며 발버둥을 침.
3	기계호흡 순응도 (기계호흡없이, 기관내 삽관만 시행한 경우 포함)	0	경보가 울리지 않고 인공호흡기에 잘 적응함. 기침 없음.
		1	경보가 울리지만 곧 멈춤. 간헐적으로 기침을 함.
		2	경보가 자주 울림. 기계호흡에 저항함. 기계호흡과 맞춰 쉬지 못하여 호흡수가 증가함. 기침을 주기적으로 함.
		3	기계호흡과 심한 부조화(fighting)를 보임. 지속적으로 기침을 하고 환기가 차단됨.
	발성 (발관 환자)	0	정상적인 말투. 신음 소리를 내지 않음.
		1	끙끙대며 신음소리를 냄. 앓는 소리를 냄(아-, 으-, 음-, 아야-). 한숨을 내쉼
		2	훌쩍거리거나 소리 내어 흐느껴 움. 불편함이나 통증을 짧은 단어로 표현함(아파, 왜이래, 치워⋯).
		3	큰 소리를 지름. 폭언을 함. 울부짖음.

3. 진정

시술 및 치료에 대한 고통 및 두려움으로 불안을 느낄 수 있기에 적절한 진정이 필요
- 사정 도구: Riker Sedation-Agitation Scale (SAS), Richmond Agitation-Sedation Scale (RASS)
- 진정 수준 목표: SAS 3-4, RASS 0~-2

표 12-39. Richmond Agitation-Sedation Scale (RASS)

점수	용어	정의
+4	폭력적임 (Combative)	과도하게 폭력적이거나 난폭함. 의료진에게 즉각적인 위협 (Combative, violent, immediate danger to staff)
+3	매우 흥분 (Veru agitated)	튜브나 카테터를 잡아 당기거나 의료진을 향해 흥분된 행동을 보임 (Pulls to remove tubes or catheters; aggressive)
+2	흥분 (Agitated)	자주 목적 없는 움직임이 보이거나 인공호흡기와 부조화를 보임 (Frequent non-purposeful movement, fights ventilator)
+1	안절부절 (Restless)	불안해하거나 염려함. 그러나 움직임이 활발하거나 격렬하지 않음 (Anxious but movements not aggressive vigorous)
0	명료하고 차분함 (Alert and calm)	보호자, 의료진에게 자연스럽게 집중함 (Spontaneously pays attention to caregiver)
-1	기면 (Drowsy)	완벽히 명료하지 않지만, 목소리에 눈맞춤을 하고, 지속적으로 (10초 이상) 깨어있음(Not fully alert, but has sustained awakening to voice (eye opening & contact ≥10 sec))
-2	경미한 진정 (Light sedation)	목소리에 눈맞춤을 하고 잠시 동안(10초 이내) 깨어 있음 (Briefly awakens to voice (eyes open & contact 10 sec)
-3	중등도의 진정 (Moderate sedation)	목소리에 움직임 있음(그러나 눈맞춤은 없음) (Movement or eye opening to voice but no eye contact to physical stimulation)
-4	깊은 진정 (Deep sedation)	목소리에 반응이 없지만, 신체적 자극에 움직임이 있음 (No response to voice, but movement or eye opening to physical stimulation)
-5	깨지 않음 (Unarousable)	목소리나 신체적 자극에 아무 반응이 없음(No response to voice or physical stimulation)

4. 섬망(Delirium)

① 섬망은 주의력 결핍을 동반한 인식 장애, 인지 변화 또는 지각 장애가 수 시간에서 수 일의 짧은 시간 동안 발생하며 하루에도 몇 번씩 변화를 보이는 신경정신병적 증후
② 중환자실 입실 중에 20-84%의 환자가 섬망을 경험하는 것으로 알려져 있으며, 섬망은 기관 튜브나 주사 등을 임의로 제거하기도 하고 중환자실 입실기간이나 사망률을 증가시키는 것으로 보고 됨

③ 위험 요인: 고령, 인지기능의 저하, 낮은 기능 수준, 영양부족 또는 낮은 알부민 수치, 감각 박탈, 골반 골절, 만성 통증, 질환의 중증도, 거동 제한, 신체 억제, 입원당시 골절, 감염, 다수의 동반 질환, 섬망의 과거력, 알코올 중독

④ 유발 요인: 수술, 수술 시간, 항콜린성 약물, 벤조디아제핀 투약, 진정의 정도와 기간, 기계 호흡, 메페리딘

⑤ 섬망 유형

- 과활동형(hyperactive): 급성, 공격적이고 자극에 과한 반응을 보이므로 가장 쉽게 인지되는 유형
- 저활동형(hypoactive): 대부분 수면 상태에 있거나 깨어 있더라도 집중력 저하와 무기력증을 보여 진단과 치료가 늦어질 수 있으므로 활동 과잉형에 비해 예후가 안 좋음.
- 혼합형(mixed): 과활동형과 저활동형이 혼합되어 나타나는 것이 특징임.

⑥ 섬망 평가

- 섬망의 예방 및 조기 발견, 적절한 중재를 위해 가장 중요한 것은 조기 진단을 위한 적극적인 감시와 중환자실 의료진의 섬망에 대한 인식과 정확한 사정임.
- 섬망 사정 도구로 민감도와 특이도가 높은 CAM-ICU (Confusion Assessment Method for the ICU)는 인공 기도관(Endotracheal tube, T-cannula)을 가진 의사소통이 어려운 환자뿐만 아니라 중환자실 모든 환자에게 적용 가능
- CAM-ICU 적용은 2단계 평가로 이루어지는데 [1단계] 환자의 진정 정도를 평가하여 Richmond Agitation-Sedation Scale (RASS) −3점 이상의 환자에게, [2단계] 섬망 유무를 4가지 특성으로 평가
- 섬망 평가는 매 근무 조마다, 필요시, 환자의 의학적 상태나 의식의 변화가 있는 경우 시행

* 주의력 결핍은 환자 상태에 따라 청각과 시각을 선택하여 평가할 수 있고, 시각적 검사를 수행할 때에는 안경 착용 여부를 확인한다.

그림 12-1. CAM-ICU 섬망 평가(2단계)

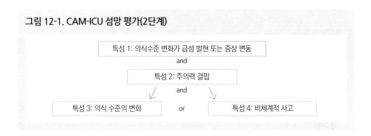

그림 12-14. CAM-ICU를 이용한 섬망 평가 방법

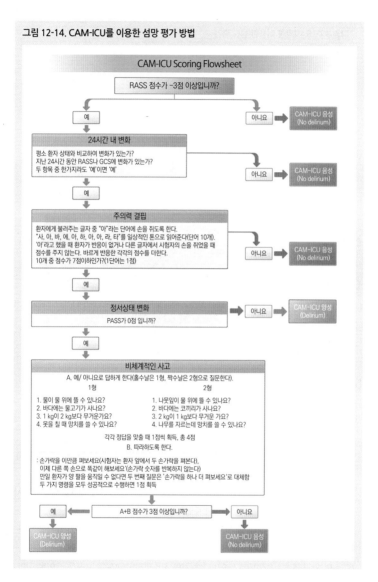

그림 12-15. 시각을 이용한 섬망 평가

Step 1

Step 2

*환자에게 step 1 그림을 한 장씩 3초간 보여준 후, step 2 그림을 보여주며 "이 중 일부는 이전에 보았던 그림이고 몇 개는 처음 보시는 겁니다. 먼저 보신 그림인지 아닌지 고개를 끄덕이거나 고개를 저어서 알려주세요"라고 질문함.

5. 섬망의 예방 및 중재

(1) 섬망의 예방

① 위험요인을 최소화

② 재인지: 돋보기 또는 안경, 보청기 등을 제공하여 환자의 감각 결손을 교정하고, 인지 기능을 도와줄 도구(시계, 달력, 스케줄 표)를 제공하고 설명

③ 지적, 환경적 자극: 가족 사진과 같은 물품들을 제공하거나 음악이나 TV 시청은 환자가 병원 환경을 친근하게 느낄 수 있도록 도와줌.

④ 조기 거동: 주간에는 가족과 친구들의 정기 방문으로 정서적 지원과 조기 재활을 시행

⑤ 불필요한 카테터와 억제대 제거

⑥ 수면 환경 조성: 야간에는 시술이나 처치를 최소화하고 과도한 자극을 줄이는(귀마개, 눈가리개, 소음감소) 등 비약물적 방법을 우선 적용하고 수면제 투약은 최소화

(2) 섬망의 중재

① 비약물적 중재: ABCDEF bundle

A (Assessment, prevention and management of pain)

- 주기적으로 통증을 사정하고 중재

B (Both spontaneous awakening trials and spontaneous breathing trials)

- Sedatives and analgesics를 감소하거나 중지

- T-piece weaning 또는 extubation을 시도

- 자가호흡을 허용하는 인공호흡기 mode로 변경

C (Choice of sedation and analgesia)

- pain과 agitation (RASS)을 사정하고 필요시 진정을 목적으로 약물을 사용

D (Delirium assessment, prevention, and management): CAM-ICU를 참고

E (Early mobility and exercise)

- PROM (passive range of motion)/AROM(active range of motion)

- Sitting or dangling: 전동침대의 chair mode 또는 HE 60도 이상의 자세를 의미

- Standing or chair ambulation: 침상 옆에 서거나 휠체어, 의자 등으로 옮기기

- Walking: 환자 스스로 발을 떼서 움직임(보조기를 사용할 수 있음)

F (Family engagement and empowerment)

- 보호자에게 섬망에 대한 정보(초기 증상, 원인, 관리방법, 가역성, 환자와의 의사소통 방법)에 대해 설명하고 섬망 예방 계획 및 중재 시 보호자가 참여하도록 함.

② 약물적 중재

표 12-40. 중환자실 환자의 통증, 불안, 섬망의 평가, 치료 및 예방

	PAIN	AGITATION	DELIRIUM
ASSESS	Assess pain ≥4x/shift & prn Preferred pain assessment tools: • Patient able to self-report → NRS (0-10) • Unable to self-report → BPS (3-12) or CPOT (0-8) Patient is in significant pain if NRS ≥4, BPS >5, or CPOT ≥3	Assess agitation, sedation ≥4x/shift & prn Preferred sedation assessment tools: • RASS (-5 to +4) or SAS (1 to 7) • NMB → suggest using brain function monitoring Depth of agitation, sedation defined as: • agitated if RASS = +1 to +4, or SAS = 5 to 7 • awake and calm if RASS = 0, or SAS = 4 • lightly sedated if RASS = -1 to -2, or SAS = 3 • deeply sedated if RASS = -3 to -5, or SAS = 1 to 2	Assess delirium Q shift & prn Preferred delirium assessment tools: • CAM-ICU (+ or -) • ICDSC (0 to 8) Delirium present if: • CAM-ICU is positive • ICDSC ≥4
TREAT	Treat pain within 30' then reassess: • Non-pharmacologic treatment-relaxation therapy • Pharmacologic treatment: – Non-neuropathic pain → IV opioids +/- non-opioid analgesics – Neuropathic pain → gabapentin or carbamazepine, + IV opioids – S/p AAA repair, rib fractures → thoracic epidural	Targeted sedation or DSI (Goal: patient purposely follows commands without agitation): RASS = -2-0, SAS = 3-4 • If under sedated (RASS>0, SAS >4) assess/treat pain → treat w/sedatives prn (non-benzodiazepines preferred, unless ETOH or benzodiazepine withdrawal is suspected) • If over sedated (RASS <-2, SAS <3) hold sedatives until at target, then restart at 50% of previous dose	• Treat pain as needed • Reorient patients; familiarize Surroundings; use patient's eyeglasses, hearing aids if needed • Pharmacologic treatment of delirium: – Avoid benzodiazepines unless ETOH or benzodiazepine withdrawal is suspected – Avoid rivastigmine – Avoid antipsychotics if ↑ risk of Torsades de pointes
PREVENT	• Administer pre-procedural analgeia and/or non-pharmacologic interventions (e.g., relaxation therapy) • Treat pain first, then sedate	• Consider daily SBT, early mobility and exercise when patients are at goal sedation level, unless contraindicated • EEG monitoring if: – at risk for seizures – burst suppression therapy is indicated for ↑ ICP	• Identify delirium risk factors: dementia, HTN, ETOH abuse, high severity of illness, coma, benzodiazepine administration • Avoid benzodiazepine use in those at ↑ risk for delirium • Mobilize and exercise patients early • Promote sleep (control light, noise; cluster patient care activities; decrease nocturnal stimuli) • Restart baseline psychiatric meds, if indicated

6. 약물의 선택 및 조절

① 환자의 통증, 불안, 섬망에 대해 객관적 도구를 사용하여 사정하고, 목표로 하는 통증조절 및 진정 수준에 따라 약물 치료를 시작하고 용량을 조절 함.

② 진통제, 진정제, 항정신병제 사용 시 각 약물의 특성을 이해하여 환자별 기저질환, 투여 적응증, 장기부전 여부, 예상 투여기간, 제형, 가격 등을 고려하여 약물을 선택할 것

1) 신경근차단제의 사용

① 진정제를 사용하는 환자에서 높은 산소요구량, 근육경련, 뇌압상승, 진정제로 조절되지 않는 인공호흡기와의 비동조 등이 있다면 신경근차단제를 추가 투여할 수 있음.

② 신부전/간부전이 있는 경우는 cisatracurium을, 심장질환/저혈압이 있는 경우는 vecuronium을 사용

③ 가능한 지속적 주입보다 필요할 때 간헐적 주입을 추천, 반드시 진정제와 같이 사용하고 되도록 72시간 이상 투여하지 않고 감량 과정 없이 중단

④ Steroid와 aminoglycoside와 병용시 CIP (critical illness polyneuropathy)의 위험이 증가하므로 주의

2) 원내 진통 및 진정제 사용 지침

① MICU Guideline

가) 혈압이 안정적인 경우: Morphine ± Benzodiazepine (or Propofol)

나) 혈압이 불안정한 경우: Fentanyl (or Remifentanil) ± Benzodiazepine (or Propofol)

다) 가), 나)에 불충분하거나 반응이 없을 때: Ketamine + Benzodiazepine (or Propofol)

라) Benzodiazepine (or Propofol) 사용

• Acute agitation: continuous Midazolam infusion

• Ongoing agitation (>48hr): intermittent Lorazepam

• ICP 낮춰야 하는 경우: continuous Propofol infusion

마) Propofol 투여 고려하는 경우

• 간, 신장 장애가 심한 경우

• ICP 조절해야 하는 경우

바) 지속적으로 agitation이 나타나는 경우 BDZ 대신에 antipsychotics으로 변경

• Haloperidol

• Atypical antipsychotics: Quetiapine, Risperidone, Olanzapine

② RASS를 이용한 진정 및 진통제 사용(그림 12-16)

그림 12-16. 중환자실 환자의 통증, 불안, 섬망의 조절

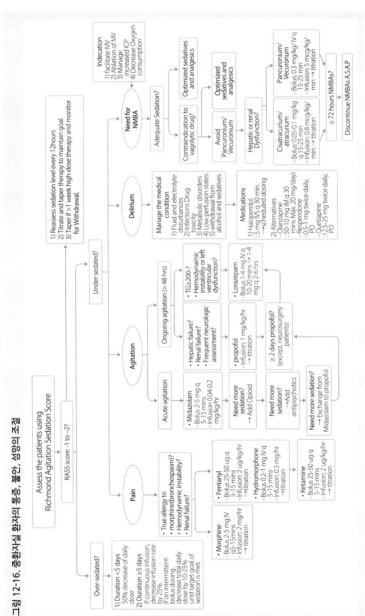

XI　산소 요법(Oxygen Therapy)

　산소 투여 시에는 동맥혈산소분압(PaO_2)이나 산소포화도(SaO_2) 등을 감시하면서 투여되는 산소의 양을 조절해야 하며(그림 12-17), 조직의 산소화와 무관하게 과도한 산소를 투여하는 것은 독성 산화 물질을 만들어 세포 손상을 야기할 수 있으므로 지양해야 함.

그림 12-17. 산소 투여의 흐름도

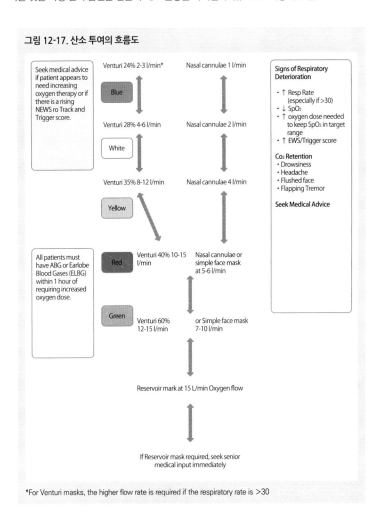

Seek medical advice if patient appears to need increasing oxygen therapy or if there is a rising NEWS ro Track and Trigger score.

All patients must have ABG or Earlobe Blood Gases (ELBG) within 1 hour of requiring increased oxygen dose.

Venturi 24% 2-3 l/min*　　Nasal cannulae 1 l/min

Blue

Venturi 28% 4-6 l/min　　Nasal cannulae 2 l/min

White

Venturi 35% 8-12 l/min　　Nasal cannulae 4 l/min

Yellow

Red　Venturi 40% 10-15 l/min　Nasal cannulae or simple face mask at 5-6 l/min

Green　Venturi 60% 12-15 l/min　or Simple face mask 7-10 l/min

Reservoir mark at 15 L/min Oxygen flow

If Reservoir mask required, seek senior medical input immediately

Signs of Respiratory Deterioration
- ↑ Resp Rate (especially if >30)
- ↓ SpO2
- ↑ oxygen dose needed to keep SpO2 in target range
- ↑ EWS/Trigger score

Co2 Retention
- Drowsiness
- Headache
- Flushed face
- Flapping Tremor

Seek Medical Advice

*For Venturi masks, the higher flow rate is required if the respiratory rate is >30

1. 정의

1) 조직 저산소증(Tissue hypoxia)

직접 측정할 수는 없지만, 조직에 산소 공급이 부족한 상태

표 12-41. 조직 산소 공급량 계산식

Tissue O_2 delivery = CO × CaO_2
CO = cardiac output (L/min)
CaO_2 = O_2 content of arterial blood (mL O_2/dL)
CaO_2 = 1.34 × SaO_2 × [Hb] + 0.0031 × PaO_2

2) 저산소혈증(Hypoxemia)

같은 연령대의 대상에서 PaO_2가 정상 범위 이하인 경우

표 12-42. 연령에 따른 PaO_2 추정식

정상 PaO_2 = 100.1 − 0.323 × age (years) ± 5 mmHg (age over 20 years)

2. 산소화의 지표

① 혈액가스(blood gases)
② 동맥혈산소포화도(arterial oxygen saturation)
③ 조직 산소화(tissue oxygenation)
  • 유산(lactate), 혼합정맥산소포화도(mixed venous oxygen saturation)

3. 산소 치료의 적응증

산소 치료는 약물 치료와 같이 명확한 적응증에 근거하여 정확한 용량을 투여해야 하며, 임상 소견과 검사실 소견에 근거하여 투여 기간 및 투여량을 결정해야 함.

1) 급성기 치료

① 저산소혈증(hypoxemia): PaO_2 ≤60 mmHg (SaO_2 ≤90%)
② Normoxemic hypoxia

다음의 경우, 저산소혈증(hypoxemia)이 없더라도 조직 조산소증(tissue hypoxia)이 발생할 수 있으므로 동맥혈산소분압(PaO$_2$)만으로 산소 치료의 필요성과 효과를 판단하는 것은 부적절할 수 있으며, 산소 치료를 통해 기저 질환에 대한 치료 효과가 나타날 때까지 환자의 상태를 유지시키는 것이 필요함.

- 부적절한 심박출량(예: 심부전, 혈관내 용적 감소)
- 일산화탄소 중독(CO poisoning): 산소 치료는 혈색소에 의한 산소 섭취를 증진시키고, 부가적으로 용해된 산소(dissolved O$_2$)를 조직으로 공급하는 역할을 함.

2) 만성기 치료

만성적인 산소 치료는 임상적인 평가 및 유산(lactate), 혼합정맥산소포화도(mixed venous oxygen saturation)의 확인 등을 통해 직접적인 조직 저산소증의 증거가 있는 경우 고려

① 최선의 약물 치료에도 불구하고 각성 및 안정된 상태로 실내 공기를 호흡하는 상황에서 PaO$_2$ <50-55 mmHg
② 폐고혈압, 폐심장증(cor pulmonale), 부정맥, 적혈구증가증(erythrocytosis)이 동반된 환자가 각성 및 안정된 상태로 실내 공기를 호흡하는 상황에서 PaO$_2$ 55-60 mmHg
③ 운동 중 또는 수면 시 장기간 PaO$_2$ <50-55 mmHg

4. 산소 투여

1) 목적

① 저산소혈증 및 조직 저산소증으로 인한 장기 부전의 영향 감소
② 산소 독성을 피하면서 가장 간편하고 낮은 흡입산소분율(FiO$_2$)로 동맥혈 산소량 증가

2) 산소 치료의 임상 지침(Clinical guidelines for oxygen therapy)

(1) Hypercapnic hypoxemia
① 목표: PaO$_2$ 55-65 mmHg
② PaO$_2$를 50 mmHg 중반으로 유지
③ FiO$_2$ 24-28%를 공급하면서 PaO$_2$를 10-20 mmHg씩 증가
④ PaO$_2$를 65 mmHg 이상으로 증가시키는 경우에는 저산소성 호흡 자극(hypoxic respiratory stimulus)이 사라질 수 있으므로 주의
⑤ 산소 치료 중 발생하는 PaCO$_2$의 상승은 환기-관류 불균형(ventilation-perfusion mismatch)의 악화 때문임

⑥ 고탄산혈증을 교정하기 위해 산소 투여를 중단하는 것은 치명적인 부정맥과 사망 등의 합병증이 발생할 수 있음. 갑작스럽게 산소 투여를 중단해서는 안 됨

⑦ 진행하는 고탄산혈증과 산혈증(pH <7.30)을 교정하기 위해 기도 확보 및 기계 환기 시행

(2) Normocapnic hypoxemia

① 목표: PaO$_2$ 60-80 mmHg

② 이산화탄소의 축적을 걱정할 필요가 없으므로 고농도의 산소(FiO$_2$ 40% 이상) 공급

③ 기계환기의 적응증: 충분한 산소 공급(FiO$_2$ 50% 이상)에도 산소화 실패

④ 호기말양압(positive end expiratory pressure, PEEP) 적용

- 폐포의 허탈과 기계환기유발폐손상(ventilator induced lung injury, VILI) 예방

3) 산소 공급 장치(Oxygen delivery systems)(표 12-43)

산소 요구량, 흡입산소분율(FiO$_2$)을 정확히 조절해야 하는지의 여부, 가습, 환자의 순응도 등에 따라 결정

표 12-43. 산소투여장치에 따른 특징

방법 혹은 장치	산소 유량	마스크 및 산소주머니 용적	흡입산소분율(FiO$_2$) 범위	가변성
비강 캐뉼라	1-6 L/min	없음	24-40 %	가변
안면 마스크	5-10 L/min	100-200 mL	35-50%	가변
리저버 마스크(부분재호흡)	>10 L/min	600-1000 mL	40-70%	가변
리저버 마스크(비재호흡)	>10 L/min	600-1000 mL	60-80%	가변
벤튜리 마스크	>40 L/min	100-200 mL	24-50%	고정
고유량 비강 캐뉼라	≤60 L/min	없음	21-100%	

(1) 저유량 장치(low-flow oxygen system)

① 흡입산소분율(FiO$_2$)이 환자의 호흡수, 일회 환기량(tidal volume), 산소 유량에 따라 가변적임

예: 비강 캐뉼라(nasal cannula), 안면 마스크(simple mask), 리저버 마스크(reservoir mask)

② 저유량 정치를 위한 환기 기준(ventilatory criteria)

- 일회 환기량: 300-700 mL

- 호흡수 <25회/분

- 규칙적이고 일관된 호흡 양상

(2) 고유량 장치(high-flow oxygen system)

유속을 증가시켜 환자의 호흡 요구를 완전히 충족시키므로 흡입산소분율(FiO₂)이 일정

예: 벤튜리 마스크(venturi mask)

(3) 고유량 비강 캐뉼라(high flow nasal cannula)

① 특수하게 고안된 비강 캐뉼라를 이용하여 따뜻하고 습윤한 산소를 흡입산소분율(FiO₂) 100%, 60 L/min까지 공급할 수 있어 저유량 장치와 고유량 장치의 장점을 함께 나타냄.

② 사강 청소, 기도 점막 기능 유지, 호흡일 감소, 약간의 양압 효과 등의 장점이 있으며, 경도 및 중등도의 저산소증, 발관 후 호흡부전(post-extubation respiratory failure) 등에 효과가 있음.

③ 고유량 비강 캐뉼라의 무분별한 적용은 기관삽관의 시기를 늦출 수 있으므로 객관적인 지표(ROX index)를 이용하여 지속 여부를 결정해야 함.

＊ROX index: the ratio of SpO₂ / FiO₂ to respiratory rate

④ 고유량 비강 캐뉼라 적용 후 2시간, 6시간, 12시간의 ROX index가 4.88 미만일 경우에는 고유량 비강 캐뉼라 실패로 간주하여 기관삽관 후 기계환기로 변경하는 것을 고려해야 함.

⑤ 따라서 고유량 비강 캐뉼라를 적용할 때에는 반드시 기관삽관이 가능한 숙련된 의료진이 환자를 모니터링해야 함.

5. 관찰

1) 동맥혈가스분석(Arterial blood gas analysis, ABGA)

- 산소 치료 시작 또는 산소 치료 설정 변경 20분 후에 시행: 산소 분압은 5-10분 안에, 이산화탄소분압은 20-30분 후에 평형 상태 도달

2) 맥박산소포화도(Pulse oximetry) 측정

- 산소포화도 90% 이상에서는 정확도가 높지만, 산소포화도 80% 이하에서는 정확도 감소
- 일산화탄소혈색소(carboxyhemoglobin)와 메트헤모글로빈(methemoglobin)이 있는 경우, 산소포화도를 과도하게 높게 측정(over-estimation)할 수 있음.

3) 호기말이산화탄소분압(Capnography) 측정

- 호기말이산화탄소분압(PETCO₂)은 호기 가스 이산화탄소 그래프의 고원부 값을 의미
- 건강인에서 호기말이산화탄소분압(PETCO₂)은 동맥혈이산화탄소분압(PaCO₂)보다 1-5 mmHg 정도 낮아 동맥혈이산화탄소분압을 지속적으로 모니터링 할 수 있음.

XII 기계환기법

1. 목적

기저 질환이 호전될 때까지 가스교환을 유지하며 호흡근을 휴식시키는 것을 목적으로 함.

2. 적응증

일률적으로 정하기는 어렵지만, 통상적으로 다음과 같은 경우에 기계환기 시행을 고려함.

1) 저산소성 호흡부전(Hypoxemic respiratory failure)
흡입산소분율(FiO_2)이 0.6 이상임에도 산소포화도가 90% 이하인 경우

2) 고탄산성 호흡부전(Hypercapnic respiratory failure)
동맥혈 이산화탄소분압($PaCO_2$)이 50 mmHg 이상이면서 pH가 7.30 이하인 경우

3) 심한 호흡성알칼리증(Respiratory alkalosis)
과다한 자발호흡으로 심한 호흡성알칼리증(pH >7.65)이 지속되는 경우

3. 기계환기 양식(Mode of ventilation)

1) 기계필수환기 및 환자유발/기계필수환기(Controlled and assist/controlled mandatory ventilation)
(1) 구동 양식
① 기계필수환기(controlled mandatory ventilation, CMV)(그림 12-18A)
환자의 흡기 노력에 관계없이 치료자가 설정한 일회환기량(용적통제환기[volume-controlled ventilation, VCV]의 경우) 또는 팽창기도압(압력통제환기[pressure-controlled ventilation, PCV]의 경우)과 호흡수만큼 기계환기가 이루어짐.
② 환자유발/기계필수환기(assist/controlled mandatory ventilation, ACMV)(그림 12-18B)
환자의 흡기 노력에 일치하여 치료자가 설정한 일회환기량 또는 팽창기도압이 제공되며, 환자의 흡기 노력이 없거나 충분하지 않은 경우에는 기계필수환기(CMV)와 같이 사전에 설정된 호흡수만큼 일회환기량 또는 팽창기도압이 제공됨.

그림 12-18. A: 기계필수환기(CMV), B: 환자유발/기계필수환기(ACMV)

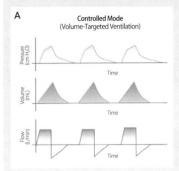

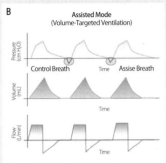

(2) 임상 적용

① 최초 기관삽관 후

② 환자에 대한 평가가 충분히 이루어지기 전

③ 분당환기요구량이 많은 환자

④ 호흡중추가 불안정한 환자

⑤ 호흡근의 피로가 관찰되는 경우

⑥ 호흡근의 산소 소모량을 줄이는 것이 필요한 경우

(3) 장단점

① 기계필수환기(controlled mandatory ventilation, CMV)

　• 장점: 간단하고 신뢰할 수 있는 환기 양식

　• 단점: 자발호흡 시 불쾌감, 호흡 요구량 변화에 적응 불가능, 호흡근 위축 등

② 환자유발/기계필수환기(assist/controlled mandatory ventilation, ACMV)

　• 장점: 기계필수환기(CMV)에 비해 환자의 불쾌감이 상대적으로 적음

　• 단점: 흉곽내압 증가에 따른 정맥환류 감소, 압력상해(barotrauma), 호흡성알카리증 등

2) 간헐필수환기 및 동조간헐필수환기(Intermittent mandatory ventilation [IMV] and synchronized IMV [SIMV])

(1) 구동 양식 (그림 12-19)

간헐필수환기(IMV)는 치료자가 설정한 기계필수환기 사이에 환자의 자발호흡이 허용되는 방식이며, 기계환기가 환자의 흡기 노력과 일치하여 시작되는 경우를 동조간헐필수환기(SIMV)라고 함. 이 구동법에서도 기계필수환기는 용적통제환기(VCV)나 압력통제환기(PCV)를 선택할 수 있음.

그림 12-19. 동조간헐필수환기(SIMV)

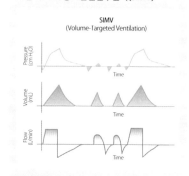

(2) 장점
- 과도한 호흡성 알칼리증 방지
- 낮은 평균기도압 유지
- 환기-관류 비 개선: 자발호흡 시 의존부위(dependent area)에 환기 및 관류 증가
- 근이완제, 진정제 사용 감소 및 호흡근 위축 예방 → 기계환기 이탈 시 효과적
- 흉곽내압 증가 완화, 정맥환류 유지, 심박출량 및 혈압 유지, 우심실 후부하 증가 감소

(3) 단점
- 호흡일 증가로 인한 호흡근 피로 → 기계환기 이탈 지연
- 분당환기량 감소, 호흡성산증
- 좌심실 기능 저하 시 폐부종 및 심부전 악화

3) 호기말양압 및 지속기도양압(Positive end-expiratory pressure [PEEP] and continuous positive airway pressure [CPAP])

(1) 생리적 효과

① 호흡기계에 대한 효과
- 폐포 자체의 용적의 증가 및 폐포재동원(alveolar recruitment) 효과
  → 기능적잔기용량(functional residual capacity) 증가
- 폐 혈관 외부의 수분 재분포 및 가스교환 개선

② 심혈관계에 대한 효과
- 적절한 양압: 전부하 및 후부하 감소 → 심기능 개선
- 과도한 양압: 정맥환류 감소, 우심실 후부하 증가, 좌심실 확장 제한 → 심박출량 감소

(2) 임상 적용
- 산소화 및 폐탄성 개선
- 인공호흡기유발폐손상(ventilator induced lung injury, VILI) 예방: 호기 시 폐포 허탈 방지
- 심기능 개선: 좌심실의 전부하와 후부하 감소
- 수술 후 호흡 역학 악화 개선

4) 압력통제환기(Pressure-controlled ventilation, PCV)(그림 12-20A)

기도압, 환기 횟수, 흡기 시간 설정(time-triggered, time-cycled, pressure-limited)
환자유발/기계필수환기(ACMV) 및 동조간헐필수환기(SIMV)로 작동

(1) 장점
- 설정한 압력 이상으로 최고기도압이 증가하는 것을 방지
- 초기 유량이 용적통제환기(volume-controlled ventilation, VCV)에 비해 많아 흡기 시 유량 부족이 발생할 가능성이 낮음

(2) 단점
- 일회환기량, 분당환기량 등이 환자의 폐탄성, 기도저항, 호흡방식 등에 따라 달라짐

5) 압력보조환기(Pressure support ventilation, PSV)(그림 12-20B)

(1) 구동 양식: patient-triggered, flow-cycled, pressure-limited
자발 호흡이 가능한 환자에서 치료자가 선택한 압력만큼 환자의 흡기 보조

(2) 장점
- 호흡일을 점진적으로 줄일 수 있음 → 기계환기 이탈 목적으로 적용
- 환자-인공호흡기 동조가 다른 구동 양식에 비해 우수

(3) 단점
- 호흡중추가 불안정하거나 진정 상태가 깊은 환자에서 무호흡 발생
  → 용적(VCV) 또는 압력통제환기방법(PCV)으로 뒷받침환기(back-up ventilation) 설정
- 과도한 용적 보조 시 평균흉곽내압 증가, 정맥환류감소, 우심실의 후부하 증가, 좌심실의 팽창 억제, 호흡성알칼리증 등

그림 12-20. A: 압력통제환기(PCV), B: 압력보조환기(PSV)

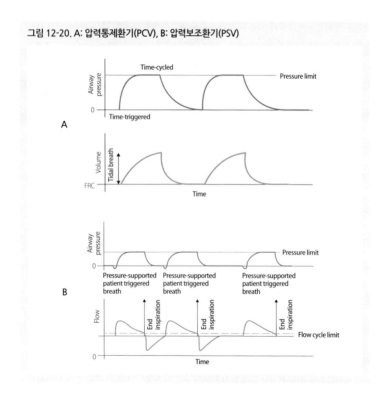

4. 기계환기 중 감시

1) 환기 및 호흡역학에 대한 감시
① 호흡양상: 양측 폐가 동시에 잘 팽창되는지, 호흡이 규칙적인지, 호흡이 너무 빠른 것은 아닌지, 호흡음은 정상인지 등

② 호흡양과 환기시간: 분당호흡수, 일회환기량, 분당환기량 등

③ 최고기도압(peak inspiratory airway pressure, PIP)

- 과도한 최고기도압은 압력에 의한 폐손상 초래
- 일반적으로 최고기도압(PIP)이 40 cmH_2O를 넘지 않도록 설정

④ 고원부기도압(plateau inspiratory airway pressure, Ppl)

- 흡기 종료 후 흡기 정지(inspiratory pause) 시 기도의 압력
- 기도저항에 의한 기도압 없이 호흡기계의 탄성 부하만을 반영
- 정적탄성값(static compliance)을 구할 때 이용

⑤ 평균기도압(mean airway pressure, MAP)

- 자발호흡이 없는 상태에서 기계환기에 의해 발생하는 흡기와 호기 시 기도내 압력의 평균
- 평균폐포압(mean alveolar pressure)을 반영

⑥ 최대기도압(maximal inspiratory airway pressure)

- 환자가 잔기량까지 숨을 내쉰 후 막힌 튜브를 통해 최대한 숨을 들이쉴 때의 압력
- 기계환기 이탈의 지표로 이용

  예: 30 cmH_2O 이상의 음압 – 기계환기 이탈 성공 가능성 증가

  20 cmH_2O 이하의 음압 – 기계환기 이탈 실패 가능성 증가

⑦ 탄성(compliance)

- 정적탄성(static compliance, 60–100 mL/cmH_2O)

  = 일회환기량/(고원부기도압[Ppl] – 호기말양압[PEEP])

- 동적탄성(dynamic compliance)

  = 일회환기량/(최고기도압[PIP] – 호기말양압[PEEP])

⑧ 기도저항(resistance)

- 기도확장제에 대한 반응 평가에 유용, 통상적으로 0.84 kPa/L 이하이면 정상으로 간주

⑨ 자가호기말양압(auto-PEEP)

- 호기 시 유량이 기저치에 도달하기 전에 흡기가 시작되는 양상으로 확인
- 호기 후 호기 튜브를 막았을 때(expiratory pause) 측정된 기도압

⑩ 기도압의 모양

- 흡기 시 기도압 파형의 과도한 scalloping은 흡기 기류 부족을 의미
- 흡기 초기에 기도압이 너무 급속히 상승하면 흡기 기류가 과도한 것을 의미

⑪ 유량–용적곡선: 곡선의 형태로 폐탄성이나 기도저항의 변화 등의 정보 확인

⑫ 호흡일: 별도의 장비가 필요하며, 기계환기 이탈의 지표 또는 연구 목적으로 측정

⑬ 흉부단순촬영: 매일 흉부단순촬영을 시행 권고

2) 산소화에 대한 감시

① 동맥혈가스분석(arterial blood gas analysis, ABGA)

- 산소 치료 시작 또는 산소 치료 설정 변경 20분 후에 시행
- 산소 분압은 5-10분 안에, 이산화탄소분압은 20-30분 후에 평형 상태 도달

② 맥박산소포화도(pulse oximetry) 측정

- 산소포화도 90% 이상에서는 정확도가 높지만, 산소포화도 80% 이하에서는 정확도 감소
- 일산화탄소혈색소(carboxyhemoglobin)와 메트헤모글로빈(methemoglobin)이 있는 경우, 산소포화도를 과도하게 높게 측정(over-estimation)할 수 있음.

③ 호기말이산화탄소분압(capnography) 측정

- 호기말이산화탄소분압($PETCO_2$)은 호기 가스 이산화탄소 그래프의 고원부 값을 의미
- 건강인에서 호기말이산화탄소분압($PETCO_2$)은 동맥혈이산화탄소분압($PaCO_2$)보다 1-5 mmHg 정도 낮아 동맥혈이산화탄소분압을 지속적으로 모니터링할 수 있음.

3) 순환에 대한 감시

심장박동수, 혈압, 소변량 등 감시

4) 기관내관(Endotracheal tube)에 대한 감시

① 위치: 관의 끝이 3번째 흉추 또는 기관분기부(carina)에서 3-5 cm 상방에 위치하도록 고정

② 기낭압: 25 mmHg 이하로 유지

5) 환자-기계환기기 동조

환자가 기계환기기와 다툼을 보이면, 즉시 그 원인을 파악하여 교정

환자와 기계환기기를 격리시켜 다툼의 원인이 환자 상태에 의한 것인지 기계환기기의 설정이나 기계적인 결함에 의한 것인지 구별

5. 기계환기 치료 중 발생할 수 있는 응급 상황

1) 최고기도압이 경고치보다 높이 올라간 경우

기관 폐쇄, 폐허탈, 기도내관 폐색, 우측기관지내로 기도내관이 밀려들어간 경우, 긴장성 기흉, 기도 경축, 흉곽의 탄성 감소 등

2) 최고기도압이 설정치보다 낮은 경우

기도내관 기낭 파열, 기도내관이 밀려나온 경우, 기계환기 연결이 끊어진 경우, 기계환기기 이상, 기흉, 자가호기말양압 증가, 쇼크, 폐색전증, 폐부종 등

3) 응급상황의 처치

산소포화도와 혈압을 관찰하면서 기계환기기를 떼어 수동환기 시행
기도내관이 막힌 경우에는 흡인을 통해 기도내관을 막고 있는 분비물 제거 시도, 분비물을 제거할 수 없다면 즉시 기관내관 교체
혼자서 해결하기 어려운 상황에서는 즉시 다른 의료진에게 도움 요청

6. 기계환기 설정

1) 환기 양식(Ventilator mode) 설정

- 구동양식을 용적조절환기(volume-controlled ventilation, VCV)로 할 것인지 압력조절 환기(pressure-controlled ventilation, PCV)로 할 것인지 결정
- 두 방식의 치료 효과에는 큰 차이가 없으므로 치료자가 익숙한 방식 선택

2) 흡입산소분율(FiO_2) 설정

- 흡입산소분율을 100%로 설정하고, 5-30분 후 동맥혈 산소분압에 따라 조절
- 흡입산소분율(FiO_2) 60% 이상이 요구되는 환자는 동맥혈산소포화(SaO_2)도 85-90%를 유지할 수 있는 가장 낮은 흡입산소분율(FiO_2)을 선택

3) 일회호흡량(Tidal volume) 또는 흡기압(Inspiratory pressure) 설정

환자의 예측체중(predicted body weight) 당 6-8 mL의 일회호흡량을 목표로 일회호흡량 또는 흡기압 설정

표 12-44. 예측체중 계산식

* 예측체중(predicted body weight)
　남자: 50 + 0.91 × (cm로 측정한 환자의 키 − 152.4)
　여자: 45.5 + 0.91 × (cm로 측정한 환자의 키 − 152.4)

4) 분당환기량(Minute ventilation) 설정

분당환기량은 일회환기량과 호흡수의 곱으로 결정

5) 흡기 및 호기 비율(I:E ratio) 설정

흡기와 호기의 비율은 호흡수, 일회호흡량, 최고흡기유량 등에 의하여 결정

① 기도폐쇄가 있는 환자
- 흡기 대 호기의 비율을 1:3 정도로 설정
- 자가호기말양압(auto-PEEP)이 있는 경우, 폐의 과팽창을 막기 위하여 자가호기말양압이 최소화되는 흡기 대 호기 비율 설정

② 급성호흡곤란증후군
- 통상적으로 흡기 대 호기의 비율을 1:2로 설정
- 폐포간 환기를 조장하기 위하여 그 비율을 1:1로 할 수 있음

6) 호기말양압(Positive end expiratory pressure, PEEP) 설정

- 산소화의 호전이 있고 혈역학적 악화를 유발하지 않는 범위 내에서 폐탄성이 가장 좋은 수준의 호기말양압을 적용, 필요시 표 12-45를 참고하여 조절
- 자가호기말양압이 높은 환자는 호흡일을 줄이기 위한 목적으로 호기말양압을 활용

표 12-45. 흡입산소분율(FiO_2)에 따른 호기말양압(PEEP)

							Allowable combinations of PEEP and FiO_2						
FiO_2	0.3	0.4	0.4	0.5	0.5	0.6	0.7	0.7	0.7	0.8	0.9	0.9	0.9	1.0
PEEP	5	5	8	8	10	10	10	12	14	14	14	16	18	18-24

7) 흡기 유발(Triggering) 방법 및 역치 설정

- 유량유발법을 우선 권장, 통상적으로 3-5 LPM으로 설정
- 압력유발법으로 설정할 때에는 -2 cmH_2O를 넘지 않도록 설정

8) 경고 수준 설정

최고기도압, 최고 및 최저분당환기량 등 설정

9) 뒷받침 환기(Back-up ventilation) 설정

압력보조환기(pressure support ventilation, PSV)와 같은 자발호흡양식 적용 시 반드시 설정

10) 유량 방식

- 용적조절환기 시 유량 방식 선택, 사각형 또는 감쇄형 중 한 가지를 선택
- 압력조절환기 시에는 설정된 흡기압과 환자의 호흡기계의 상호작용으로 유량의 형태 결정

11) 진정제, 진통제 및 근이완제 사용

- 효과: 환자-기계환기기 동조 향상 및 불필요한 산소 소모 감소
- 진정 목표: 가능한 얕은 진정(Richmond Agitation-Sedation Scale (RASS) 0~-1) 유지
  단, 환자-기계환기기 동조가 어려운 경우 보다 깊은 진정이 필요할 수 있음
- 진정제와 마약성 진통제(opioids) 병용 투여: 상승 효과로 인해 투약 용량 감소
- 신경근차단제: 48시간 이내에 사용 시 산소화 개선, 기계환기 시간 감소, 사망률 감소
  → 최근 연구에서는 사망률 감소 효과가 확인되지 않아 선택적 사용 권고(진정제 및 진통제 사용만으로 적절한 산소화, 환자-기계환기기 동조, 폐보호환기 유지가 어려운 경우)

12) 동조화(Synchronization) 여부 관찰

- 환자와 기계환기기 상호간의 동조 상태 관찰
- 환자가 기계환기기와 다툼을 보이면, 원인을 파악하여 교정

13) 초기 기계환기 설정의 완성

- 환자의 혈역학적 상태를 관찰하고, 동맥혈가스분석검사를 시행하여 기계환기의 설정값 조정
  예: 산소화 개선을 위해 흡입산소분율(FiO_2) 증가 및 호기말양압(PEEP) 추가

7. 비침습적환기법

1) 비침습적환기법(Noninvasive ventilation)의 정의

기관삽관이나 기관절개술을 하지 않고 시행하는 인공환기 혹은 보조환기법
예: 코나 안면 마스크를 통해 양압을 제공하는 비침습적양압환기법(noninvasive positive pressure ventilation, NPPV)

2) 비침습적양압환기법(NPPV)의 장단점(표 12-46)

비침습적양압환기를 유지하면서 기관삽관이 지연되는 경우에는 조기에 기관삽관을 시행하고 침습적기계환기를 시행한 경우보다 예후가 나쁠 수 있으므로, 비침습적양압환기의 성공 가능성이 낮은 환자는 조기에 기관삽관을 시행하는 것을 고려해야 함(표 12-47 참조).

표 12-46. 비침습적양압환기법의 장단점

NPPV의 장점

1. 기관삽관/기관절개술에 따른 다음의 합병증 예방
   – 침습적 시술에 따른 기도 손상
   – 흡인
   – 부정맥, 저혈압
   – 폐렴 및 부비동염
   – 성대마비, 부종 및 기관 협착
2. 환자가 먹고 말할 수 있음
3. 환자가 스스로 객담 배출 가능

NPPV의 단점

1. 마스크의 사용과 공기유출에 따른 합병증 및 환자적응 실패
2. 과도한 흡기압으로 인한 복부팽장, 흡인 위험
3. 산소 혼합기가 없는 portable ventilator로는 고농도 산소 제공 불가
4. 심한 저산소증, 급성중증질환 환자에서 실패 가능성이 높음

표 12-47. NPPV의 성공 예측 인자

1. 젊은 나이
2. 질환의 중증도(APACHE score)가 낮은 경우
3. 치료에 협조가 가능한 경우; 신경학적 상태가 좋은 경우
4. 인공호흡기의 작동에 잘 적응할 수 있는 경우
5. 공기 누출이 적은 경우, 치아 상태가 적절하여 공기 누출의 가능성이 적을 경우
6. 과도하지 않은 고이산화탄소혈증인 경우($PaCO_2$ 45-92 mmHg)
7. 과도하지 않은 산증(pH 7.10-7.35)
8. 환기시작 2시간 내에 동맥혈가스검사, 심박수, 호흡수가 호전되는 경우

3) 비침습적양압환기법(NPPV)의 적응증 및 금기증(표 12-48, 49)

표 12-48. 비침습적양압환기의 적응증

급성기 적용

1. 폐쇄성 폐질환의 급성 악화: 천식, 만성폐쇄성폐질환(acute exacerbation of obstructive disease: COPD, asthma)
2. 급성 폐부종(acute pulmonary edema)
3. 제한성 폐질환의 급성 악화(acute exacerbation of restrictive disease)
4. 흉곽 이상 및 신경근육질환(chest wall deformity and neuromuscular disease)
5. 폐실질의 질환: 폐렴, 급성호흡곤란증후군(parenchymal lung disease: pneumonia, acute respiratory distress syndrome (ARDS))
6. 발관 후 급성호흡곤란(post-extubation acute states)
7. 수술 후 급성호흡곤란(post-operative acute states)

만성적 적용

1. 흉곽 이상(chest wall deformity)
2. 진행하는 신경근육질환(progressive neuromuscular disorders)
3. 수면 저환기 및 무호흡증(sleep related hypoventilation/apnea)
4. 안정기의 만성폐쇄성폐질환(stable COPD)

표 12-49. 비침습적양압환기의 금기증

1. 안면부 손상/화상
2. 안면, 상기도, 상부위장관 수술 최근 시행
3. 상기도의 고정형 폐쇄
4. 기도보호가 불가능한 경우
5. 생명을 위협하는 심한 저산소증
6. 혈역학적 불안정 상태
7. 중증 동반질환 상태
8. 의식저하 상태
9. 의식착란/초조상태
10. 구토
11. 장관폐색
12. 다량의 호흡기 분비물이 있는 경우
13. 흉부방사선 검사 상 국소 경화 소견이 있는 경우
14. 치료되지 않은 기흉

4) 마스크의 종류

마스크는 비강비스크(nasal mask), 구비강마스크(oronasal mask, full-face mask), 콧속에 끼우는 형태의 비강필로우(nasal pillow), 입에 무는 형태의 마우스피스(mouth-piece), 헬멧(helmet)형 등이 있음. 각각의 장단점을 고려하여 환자의 순응도가 높은 마스크를 선택(표 12-50 참조).

표 12-50. 비강마스크와 구비강마스크의 비교

비강마스크(nasal mask)

1. 구비강마스크보다 환자의 순응도가 좋으며 만성적 사용에 적합
2. 식사나 가래 뱉기가 용이하고, 구토의 소인이 있는 경우에도 흡인의 위험도가 낮음
3. 사강(dead space)이 작아 CO_2 rebreathing이 적음
4. 폐소공포증(claustrophobia)이 적음

구비강마스크(oronasal mask)

1. 만성적 사용보다는 급성기에 많이 이용
2. 비강마스크 사용 시 공기 유출이 심하거나, 치아가 없는 경우에 선호
3. 급성호흡부전 시에는 구강 호흡을 하는 경우가 많아 구비강마스크 선호

12　내과계 중환자실

5) 비침습적양압환기법(NPPV) 개시 프로토콜

① 적절한 모니터가 가능한 장소에서 시작

② 침대나 의자에서 상체를 30도 이상 거상시킨 상태로 시작

③ 마스크를 선택(표 12-50 참조)하고 환자에게 잘 맞는지 확인

④ 적절한 비침습적 양압환기 장치를 선택하여 준비

⑤ 헤드기어를 환자에게 씌우고, 끈의 장력을 적절히 조절(손가락 1-2개 들어갈 수 있을 정도)

⑥ 마스크에 기계환기기를 연결하고 구동 시작

⑦ 처음에는 자가 유발 방식의 낮은 압력 또는 용적보조로 시작

- 압력보조: 흡기압력 8-12 cmH$_2$O 및 호기압력 3-5 cmH$_2$O로 시작
- 용적보조: 10 mL/kg으로 시작

⑧ 점진적으로 흡기압력(10-20 cmH$_2$O) 또는 용적보조(10-15 mL/kg)를 증가시켜 호흡곤란, 빠른 호흡수, 환자-인공호흡기 동조가 호전되는지 관찰

⑨ 산소포화도가 90% 이상 유지될 수 있도록 필요시 산소 투여

⑩ 공기누출여부 확인, 필요시 끈의 장력 조절

⑪ 필요시 가습장치 추가

⑫ 초조해하는 환자의 경우 약간의 진정 치료 고려

⑬ 환자를 격려하면서 상태를 점검하고 비침습적양압환기(NPPV) 설정 조절

⑭ 1-2시간 내에 동맥혈가스검사 시행, 이후 필요한 간격으로 검사를 시행하면서 관찰

6) 비침습적양압환기법(NPPV) 중지 기준

다음의 경우 비침습적양압환기 시행을 중단하고, 침습적기계환기 시행 고려

표 12-51. 비침습적양압환기법의 중지 기준

1. 기관삽관 필요시
2. 심폐정지
3. 혼미상태
4. 기도분비물 배출 불가능 시
5. 기도보호가 필요할 시
6. 치료에도 불구하고 가스교환 및 호흡곤란이 호전 없을 때
7. 혈역학적 불안정성, 심실허혈 또는 심실성 부정맥 발생 시
8. 마스크를 견디지 못할 때
9. 저산소증으로 초조상태에 있는 환자에서 치료 시작 후 30분 내에 의식 상태 호전이 없을 때

7) 비침습적양압환기법의 합병증 및 대처법

표 12-52. NPPV의 합병증과 이에 대한 대처법

합병증	발생 빈도(%)	대처법
마스크 적응 실패 (mask-related discomfort)	30~50	마스크가 잘 맞는지 확인, 끈의 장력 조절, 마스크 변경
폐소공포증(claustrophobia)	5~10	작은 마스크 적용, 진정제 투여
마스크 접촉 부위 궤양 (nasal bridge ulceration)	5~10	끈의 장력 조절, 인공 피부(artificial skin) 적용, 마스크 변경
압력 또는 유량 관련 비충혈 (nasal congestion)	20~50	비강 내 스테로이드, 비충혈제거제, 항히스타민제 투여
비강 및 구강 건조(nasal/oral dryness)	10~20	가습 장치(humidifier) 적용
안구 자극(nasal irritation)	10~20	마스크가 잘 맞는지 확인, 끈의 장력 조절
위강 내 공기 흡인(gastric insufflation)	5~10	기계환기 압력을 낮춤, 비위관(nasogastric tube) 삽입
공기 누출(air leaks)	80~100	입을 다물고 코로 호흡하도록 격려, 구비강마스크로 전환, 기계환기 압력을 낮춤
기타 합병증 　흡인성 폐렴(aspiration pneumonia) 　저혈압(hypotension) 　기흉(pneumothorax)	 <5 <5 <5	 흡기 압력을 줄임 가능하면 NPPV 적용 중단 흉관 삽입

XIII 인공호흡기 이탈 프로토콜

* 인공호흡기 이탈: 호흡일을 인공호흡기로부터 점차적으로 환자 자신에게로 이전시켜 가는 것.

1. 이탈준비상태 평가

1) 이탈가능성 평가

표 12-53. 인공호흡기 이탈가능성 평가지표

임상적 평가	적절한 기침
	과도한 기관지 분비물 없음
	질병의 급성기로부터 호전
객관적 지표	심혈관 상태 안정: 심박수≤140회/분, 수축기 혈압≥90-100 mmHg
	승압제 소량 사용 또는 미사용
	대사상태 안정
	FiO_2 0.4-0.5 이하에서 SaO_2>90% 또는 PaO_2/FiO_2≥150 mmHg PEEP≤5-8 cmH_2O
	호흡수≤35회/분 최대흡기압≤20-25 cmH_2O 일회환기량>5 ml/kg 폐활량>10 ml/kg 호흡수/일회환기량<105 breaths/min/L 유의한 호흡성 산증 없음
	적절한 의식 상태: 진정제 미사용 또는 진정제 사용 중 적절한 의식상태 유지 또는 안정적인 신경과적 환자

2) 진정제 사용과 이탈

진정제 투여를 매일 중단하고 환자를 재평가하거나 환자가 적절한 반응을 보일 때까지 지속적으로 진정제를 감량

3) 이탈지표

Rapid shallow breathing index (RSBI) = 호흡수(breaths/min)/일회환기량(L)

100-105 breaths/min/L 미만 시 자발호흡 시도 성공 예측에 대한 민감도와 특이도가 높음.

2. 자발호흡 시도

1) 급작 이탈

환자의 상태가 개선되어 일시에 이탈을 시도

2) 점진적 이탈: T-piece법, 낮은 압력보조환기(PSV) 등

① T-piece법: 사용 시 흡기 측 가스유량은 적어도 환자의 분당환기량의 2배는 되어야 환자의 최대흡기유량을 만족시킬 수 있고 호기측 튜브 길이는 12인치 정도는 되어야 방안 공기가 흡기에 섞이지 않음에 유의

② PSV법: 환자와의 동조성이 큰 것이 장점이나 이 방법에서도 부동조성이 보고

3) 자발호흡시도 성공 기준

호흡양상, 적절한 가스교환, 혈역학적 안정상태 및 환자의 편안함 등. 자발호흡시도가 실패했더라도 환자상태가 이탈준비 기준에 부합한다면 다음 자발호흡시도는 24시간 간격으로 시행하는 것을 권고

3. 자발호흡 시도에 성공한 환자에서 다음 과정

1) 기계 환기치료로부터의 이탈

양압 환기치료로부터의 이탈과 호기말 양압치료로부터의 이탈

2) 기관내관 발관(Extubation)

기도 보호 능력이 있는 환자에서만 발관을 시행

① Peak cough flow 160 L/min 이상을 유발할 수 있는 경우

② 목을 들어서 굽힐 수 있는 정도의 근력이 있는지 여부 확인

③ 발관 후 합병증 대처 : 상기도 부종 증상 발생 가능성이 있으며, 이때 dexamethasone (5 mg q 6hr) 투여, Heliox inhalation 등 사용 가능

상기도 부종이 예측되는 경우 dexamethasone의 예방적 투여(하루 전) 가능

4. 기계환기 이탈(Weaning)이 어려운 환자의 치료

1) 환자의 적극적인 협조를 유도
2) 호흡근육 훈련

3) 기관절개술

① 기관절개의 예상되는 장단점을 고려해서 시술 결정

② 기관절개는 기관내관보다는 기도저항이 적고 폐역학의 일부 측면을 개선시켜 호흡일을 감소시킬 가능성이 있으며 분비물 제거에 유리

③ 장기간(통상적으로 14-21일 이상) 기계환기를 받아야 할 필요가 확실해질 때 기관절개술을 고려

4) 가정용 인공호흡기(Home ventilator) 사용

5. AMC protocol weaning

그림 12-21. AMC protocol weaning

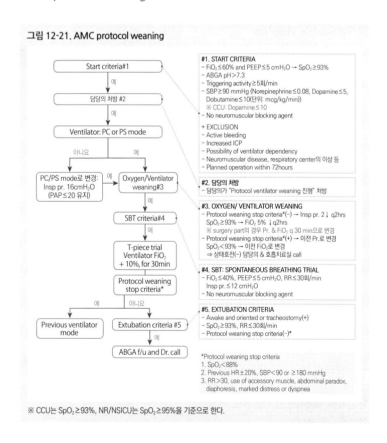

※ CCU는 SpO₂≥93%, NR/NSICU는 SpO₂≥95%를 기준으로 한다.

XIV 급성호흡곤란증후군의 치료

1. 급성호흡곤란증후군(ARDS)

1) 정의

폐질환이 없던 환자에서 신체의 심각한 손상으로 폐 모세혈관 및 폐포 상피세포의 투과성이 증가되어 발생한 투과성 폐부종을 의미하며, 표 12-54와 같이 정의함.

표 12-54. 급성호흡곤란증후군의 정의

시작	급성(손상을 받은 후 1주 이내 또는 새롭게 악화되는 호흡기 증상)
흉부사진	양측성 침윤(흉수, 폐허탈 또는 폐결절로 설명되지 않음)
폐부종 발생 원인	심부전이나 수액 과다에 의한 호흡부전이 아니어야 함 (위험인자가 없을 경우 압력성 폐부종을 배제하기 위해 심초음파 등의 검사가 필요함)
산소화 경증 중등증 중증	200 mmHg<PaO_2/FIO_2≤300 mmHg (호기말양압 또는 지속기도양압≥5 cmH_2O) 100 mmHg<PaO_2/FIO_2≤200 mmHg (호기말양압 또는 지속기도양압≥5 cmH_2O) PaO_2/FIO_2≤100 mmHg (호기말양압 또는 지속기도양압≥5 cmH_2O)

2) 급성호흡곤란증후군의 치료

급성호흡곤란증후군의 치료는 기계환기 치료법의 개선에 의한 사망률 감소 외에는 아직 효과적인 치료법이 보고되어 있지 않음. 현재까지 알려진 치료법을 요약하면 그림 12-22와 같음.

(1) 급성호흡곤란증후군을 유발한 원인질환 치료

(2) 환자 상태 개선을 위한 보조요법

– 목표: 주요 장기의 적정 산소화 유지 및 기계환기 유발 폐손상 최소화

– 방법

① 산소 요법과 기계환기 치료(mechanical ventilation)

• 일회호흡량(tidal volume): 예측 체중(predicted body weight) 1 kg 당 6 mL

• 호기말양압(positive end expiratory pressure, PEEP): 5 cmH_2O 이상, 흡입산소분율(FiO_2)에 따라 조정(표 12-45)

• 고평부압(plateau pressure): 30 cmH_2O 이하

그림 12-22. 급성호흡곤란증후군(ARDS) 치료법 요약

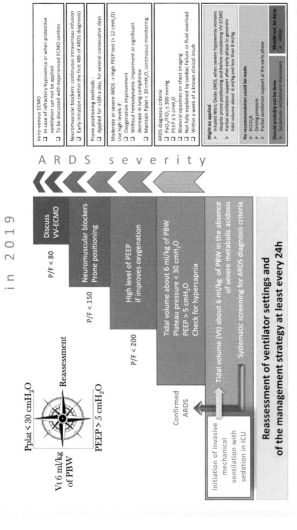

Early management of ARDS in 2019

② 복와위(prone position) 환기: 복와위 치료법 챕터 참조

　• 환기-관류 비(ventilation-perfusion ratio) 개선 효과

　　허탈된 폐포의 개방 향상 및 환기가 잘 되는 부위로의 혈류 재분배

　• 중증 환자에서 장시간(하루 16시간 이상) 복와위 환기의 생존율 개선 효과 입증

③ 체외막산소화치료(extracorporeal membrane oxygenation, ECMO)

　• 환자의 혈액을 체외로 빼내어 산소화시키는 방법

　• 중증 환자에서 정맥-정맥 체외막산소화치료(veno-venous ECMO) 시행 고려

④ 진정 요법

　• 효과: 환자-기계환기기 동조 향상 및 불필요한 산소 소모 감소

　• 진정 목표: 가능한 얕은 진정(Richmond Agitation-Sedation Scale (RASS) 0 ~ -1)

　　유지

　　단, 환자-기계환기기 동조가 어려운 경우 보다 깊은 진정이 필요할 수 있음

　• 진정제와 마약성 진통제(opioids) 병용 투여: 상승 효과로 인해 투약 용량 감소

　• 신경근차단제: 48시간 이내에 사용 시 산소화 개선, 기계환기 시간 감소, 사망률 감소

　　→ 최근 연구에서는 사망률 감소 효과가 확인되지 않아 선택적 사용 권고

　　　(진정제 및 진통제 사용만으로 적절한 산소화, 환자-기계환기기 동조, 폐보호환기 유

　　　지가 어려운 경우)

⑤ 감염이 동반된 경우 적절한 항생제 투여

⑥ 적절한 수액 요법

　• 혈역학적으로 안정된 환자는 수액 공급을 제한하고, 이뇨제를 사용하여 negative fluid

　　balance 유지

⑦ 저혈압 환자에서 혈압상승제 사용

　• 급성기에는 필요시 적절한 수액 공급 및 혈압상승제 사용

　　- 노르에피네프린(norepinephrine) (1st choice)

　　- 바소프레신(vasopressin), 에피네프린(epinephrine): 노르에피네프린 사용량 감소

　　- 도부타민(dobutamine): 심박출량 저하 시 사용 고려

⑧ 영양 공급 및 수혈

　• 가능한 조기에 경구 영양 시작

　• 혈색소(hemoglobin) 7 g/dL 미만 또는 조직 관류(tissue perfusion) 및 산소 전달 저하

　　의심 시 선별적으로 적혈구 수혈

3) 실험적 치료방법

(1) 산소화

① 과탄산혈증의 허용(permissive hypercapnia)

- 일회호흡량과 환기 횟수를 가능한 낮게 유지하여 기계환기기 유발 폐손상 감소시키고자 체내 과탄산혈증을 일정 범위(흔히 pH>7.15)까지 허용

② 산화질소 흡입(nitric oxide inhalation)

- 환기-관류 비 향상을 통한 산소화 개선 효과
- 생존율을 개선시키지는 못하므로 선택적 구조요법(salvage therapy)으로 시도

(2) 실험적 약물요법

① 스테로이드

- 감염이 원인이 아닌 경우, 후기 증식기에 폐 섬유화를 감소시킬 목적으로 스테로이드 사용 고려
- 사망률을 감소시키지 못하고, 오히려 감염의 가능성을 증가시킬 수 있으므로 주의
- 표 12-55, 56를 고려하여 제한적으로 스테로이드 사용 고려
- 스테로이드 사용 시에는 표 12-57의 Meduri 프로토콜에 따라 스테로이드 투여

표 12-55. 스테로이드 사용을 고려할 수 있는 경우

1. 18세 이상
2. 여러가지 치료(prone positioning, PEEP titration, alveolar recruitment, NO inhalation 등)에도 산소화 개선이 이루어지지 않는 중증 환자
3. Murray lung injury score가 2.5점 이상인 환자가 7일 이상의 인공호흡기 치료에도 불구하고 급성호흡곤란증후군(ARDS) 첫날에 비하여 1점 이상의 호전이 없는 경우
4. 감염의 증거가 없거나 항균제로 충분히 감염을 조절하고 있다고 판단되는 경우

표 12-56. 스테로이드 사용의 금기증

1. 급성호흡곤란(ARDS) 진단 후 2주 이상 경과한 환자
2. 심한 화상 환자
3. 잔여 생존 기간이 3개월 미만인 경우
4. 임신, 최근 3개월 이내의 장출혈, 1 mg/kg/day 이상의 methylprednisolone이 필요한 환자

표 12-57. 중증 호흡곤란증후군(ARDS)에서 스테로이드 투여 프로토콜: Meduri 프로토콜

1. Loading dose: 1 mg/kg/day of methylprednisolone
2. D1 – D14: 1 mg/kg/day of methylprednisolone
3. D15 – D21: 0.5 mg/kg/day of methylprednisolone
4. D22 – D25: 0.25 mg/kg/day of methylprednisolone
5. D26 – D28: 0.125 mg/kg/day of methylprednisolone

2. 폐보호환기법(Lung protective ventilation)

1) 정의

적은 일회호흡량(tidal volume: 6 mL/kg of predicted body weight)과 높은 호기말양압 (positive end expiratory pressure, PEEP)을 통해 인공호흡기유발폐손상(ventilator induced lung injury, VILI)을 줄임으로써 급성호흡곤란증후군(acute respiratory distress syndrome, ARDS) 환자의 생존률을 증가시키는 방법

2) 인공호흡기의 설정과 조절

① 예측 체중(predictive body weight, 이하 PBW) 계산
- 남자: 50+0.91×(키 cm−152.4)
- 여자: 45.5+0.91×(키 cm−152.4)

② 인공호흡기의 모드는 임상의의 판단이나 선호에 의해 결정

③ 일회호흡량(tidal volume)이 8 mL/kg of PBW이 되도록 조절

④ 일회호흡량(tidal volume)을 적어도 2시간마다 1 mL/kg씩 줄여서 6 mL/kg of PBW가 되도록 변경

⑤ 일회호흡량(tidal volume)과 호흡수를 조절하여 동맥혈 pH와 기도내압 조절

3) 목표

① 동맥혈산소분압(PaO_2) 55−80 mmHg 또는 산소포화도(SaO_2) 88−95%

② 고평부압력(plateau pressure) 30 cmH$_2$O 이하

③ 동맥혈 pH 7.30−7.45

4) 첫 설정 이후의 조절

① 호기말양압(positive end expiratory pressure, PEEP)의 조절

흡입산소분율(FiO$_2$)에 따라 호기말양압(PEEP)을 조절, 필요시 표 12−45를 참고하여 조절

② 고평부압력의 조절
- 고평부압력이 >30 cmH$_2$O: 일회호흡량을 1 mL/kg 줄임
- 고평부압력이 <30 cmH$_2$O이고, 일회호흡량이 <6 mL/kg: 고평부압력이 >30 cmH$_2$O 이 되거나, 일회호흡량이 6 mL/kg가 될 때까지 일회호흡량을 올림
- 고평부압력이 <30 cmH$_2$O이고, 호흡수가 증가하거나 호흡 양상이 불규칙할 때: 고평부압력이 <30 cmH$_2$O이라면 일회호흡량이 7−8 mL/kg가 될 때까지 1 mL/kg씩 올림

③ 동맥혈 pH의 조절
- 동맥혈 pH가 7.15-7.30: 동맥혈 pH가 7.30 이상이 될 때까지 분당 호흡수를 올림 (최대 35회/분).
- 동맥혈 pH가 7.15 미만: 분당 호흡수를 35회/분까지 올림, 그래도 동맥혈 pH가 7.15 미만이면, 7.15 이상이 될 때까지 일회호흡량을 1 mL/kg씩 올림.
- 동맥혈 pH가 7.45 이상: 가능하면 호흡수를 줄임.

3. 복와위 치료법(Prone positioning)

복와위법은 급성호흡부전증후군(acute respiratory distress syndrome, ARDS) 환자의 산소화를 개선하며, 중등증 또는 중증 급성호흡부전증후군(moderate to severe ARDS, $PaO_2/FiO_2 < 150$ mmHg) 환자의 생존율을 향상시키는 것으로 알려져 있다.

1) 복와위의 기전 및 효과
① 허탈된 폐포의 개방 향상
② 환기가 잘 되는 부위로의 혈류 재분배
③ 환기/관류 비 개선

2) 복와위 시행방법
① 복와위 치료법의 금기사항을 확인한다(아래 금기사항 참조).
② 환자의 가족들에게 복와위 치료법의 시행 이유와 발생 가능한 합병증에 대해 설명한다 (아래 합병증 참조).
③ 기관절개관은 유연하고 긴 인공기도관으로 교체하고(예: A-node tube) 필요한 물품 (electrode, air ring 베개, 욕창방지용 패드, 베개, line 고정용 multi-fix 등)을 준비한다.
④ 손위생을 시행한다.
⑤ 환의를 제거한다.
⑥ 욕창 호발 부위(앞가슴, 어깨, 장골능 등)에 욕창방지용 패드를 붙인다.
⑦ 인공호흡기 circuit, 동맥관(a-line), 중심정맥관, Swan-Ganz catheter, IV line, 흉관 (chest tube) 및 비위관(L-tube) 등 환자가 가지고 있는 모든 line을 빠지지 않도록 충분히 길게 정리한다.
⑧ 의사는 침상 머리에 위치하고, 간호사는 환자의 상체 쪽에 2명(I/II), 하체 쪽에 2명(III/IV)이 마주보며 선다.
⑨ 환자를 좌측 또는 우측 침상 가장자리로 옮긴다.

⑩ 동맥관(a-line)의 pressure monitoring kit를 분리하고, Foley catheter와 흉관(chest tube)은 복와위 자세를 예상하고 이동한다.

⑪ 전흉부의 electrode를 제거한다.

⑫ 구령에 맞춰 동시에 신속하게 환자를 복와위로 돌린다.

- 침상머리에 위치한 의사와 상체 쪽 간호사(I)는 기도유지와 인공호흡기를 담당하며, 한 손으로 인공기도를 지지하고 다른 한 손으로 목 뒷부분(경추)을 지지한다.
- 또 다른 상체 쪽 간호사(II)는 환자의 상체에 있는 침습적 line을 지지하고 양팔의 관절에 무리가 없도록 지지한다.
- 하체 쪽 간호사(III)는 환자의 복부와 하지 부분에 있는 침습적 line과 Foley catheter를 지지한다.
- 또 다른 하체 쪽 간호사(IV)는 양 다리의 관절을 지지한다.

⑬ 베개를 한쪽 가슴 아래에 넣어 20-30도의 측위를 유지하고, 베개에 의해 복부가 눌리지 않도록 한다. 베개를 넣은 방향으로 고개를 돌리고 같은 쪽의 팔과 다리를 굽힌 후 베개로 지지한다. 상완신경총(brachial plexus)의 손상이 발생할 수 있으므로 팔의 과도한 신전(extension)은 피하도록 한다.

⑭ Air ring 베개를 이용하여 머리를 받친다.

⑮ 인공기도의 위치를 확인하고 인공호흡기 모니터의 호흡 상태를 확인한다.

⑯ Electrode를 등쪽에 부착하고, 분리하였던 A-line과 pressure monitoring kit를 연결한 후 심전도, 혈압, 산소포화도를 확인한다.

⑰ 욕창이 잘 생기는 부위를 air ring이나 베개로 지지한다(귓불, 뺨, 앞가슴, 팔꿈치, 회음부, 장골능, 무릎 등).

⑱ 상체가 올라가도록 침대 전체의 각도를 10-15도로 조절하고, 환자를 편안한 자세로 유지한다.

⑲ 각종 침습적 line이 꺾이거나 눌리지 않도록 multi-fix로 고정하고, 그 밖의 line도 정리한다.

⑳ 환자의 상태를 관찰하고 기록한다(활력징후, 산소포화도, ABGA 결과 변화 등).

3) 복와위 중인 환자의 감시

복와위 중인 환자를 감시할 때에는 인공호흡기 적용 환자의 일반적인 감시 사항 이외에 다음의 사항을 주의하여야 한다.

① 인공기도의 삽입 위치, 고정 테이프의 안정성을 매시간 확인한다.

② 구강 흡인을 자주하여 기관삽관튜브(endotracheal tube) 고정 테이프가 젖지 않도록 한다.

③ 체위변경 후 ABGA 결과와 혈압의 변화를 평가한다.

④ 심전도 electrode를 등쪽 좌우 어깨 및 우측 허리에 붙이고 변화가 있는지 확인한다.

⑤ 2시간마다 체위 변경을 시행하고, 체위 변경 시 압력을 받는 부위에 마사지를 시행한다. 피부 손상 위험이 높은 부위의 피부 상태를 체위 변경 시마다 확인한다.

⑥ 욕창이 잘 생기는 부위는 욕창방지용 패드, air ring 베개, 일반 베개 등으로 지지한다 (귓볼, 뺨, 앞가슴, 팔꿈치, 회음부, 장골능, 무릎 등).

⑦ 팔과 어깨 관절이 무리하게 꺾이지 않는지 확인한다.

⑧ 눈이나 관절 부위에 부종이 있는지 관찰한다.

⑨ 모든 침습적 line의 삽입 위치가 변동되지 않도록 주의하고, 꺾이지 않는지 수시로 감시한다(IV line, C-line, A-line, Swan-Ganz catheter, chest tube, Foley catheter 등).

⑩ 구강 간호와 회음부 간호 시 피부 상태를 세밀하게 관찰한다.

4) 복와위 금기사항

① Shock

② Acute bleeding

③ Multiple trauma

④ Spinal instability

⑤ Pregnancy

⑥ Raised intracranial pressure

⑦ Recent abdominal surgery

5) 복와위의 합병증

① Nerve compression

② Crush injury

③ Venous stasis

④ Dislodging of endotracheal tube

⑤ Diaphragm limitation

⑥ Pressure sores

⑦ Dislodging of vascular catheters or drainage tubes

⑧ Retinal damage

4. 폐포모집술(Alveolar recruitment maneuver, ARM)

1) 정의
허탈된 폐포를 개방시켜 가스교환이 가능한 상태로 만드는 것

2) 적응증
급성호흡곤란증후군(acute respiratory distress syndrome, ARDS) 진단 24시간 후, 일반적인 인공호흡기 설정에도 PaO_2/FiO_2 ratio<200인 경우 고려

3) 금기
① 만성 폐질환(chronic lung disease)
② 흉관 삽입 상태(chest tube inserted state)
③ 혈역학적 불안정(hemodynamic instability)

4) 전제 조건
① 근이완제를 사용하여 완전한 진정 상태 유지(full sedation with neuromuscular blockade)
② 혈역학적 안정성(hemodynamic stability): 필요시 충분한 수액 투여
   • Pulse pressure variation (PPV) 또는 stroke volume variation (SVV)<10%
   • 중심정맥산소포화도($ScvO_2$)>70%
   • 중심정맥압(central venous pressure, CVP)>12 cmH_2O

5) 폐포모집술 시행 방법(그림 12-23)
(1) 초기 설정
   • 모드: pressure control ventilation (PCV)
   • 압력(inspiratory pressure): 15 cmH_2O
   • 호기말양압(PEEP): 25 cmH_2O
   • 호흡수(respiratory rate): 10회/분
   • 흡기시간(inspiratory time): 3초
   • 흡기 대 호기 비율(I:E ratio): 1:1
   • 흡입산소분율(FiO_2): 1.0

그림 12-23. 서울아산병원 폐포모집술 프로토콜 요약

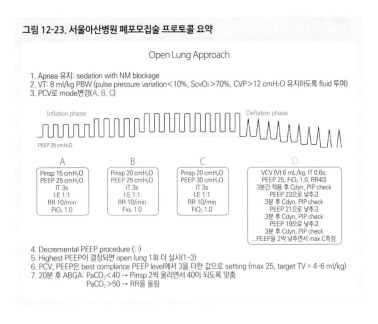

Open Lung Approach

1. Apnea 유지: sedation with NM blockage
2. VT: 8 ml/kg PBW (pulse pressure variation<10%, ScvO₂>70%, CVP>12 cmH₂O 유지하도록 fluid 투여)
3. PCV로 mode변경(A, B, C)

Inflation phase   Deflation phase

PEEP 25 cmH₂O

A	B	C	D
Pinsp 15 cmH₂O PEEP 25 cmH₂O IT 3s I:E 1:1 RR 10/min PiO₂ 1.0	Pinsp 20 cmH₂O PEEP 25 cmH₂O IT 3s I:E 1:1 RR 10/min Fio₂ 1.0	Pinsp 20 cmH₂O PEEP 30 cmH₂O IT 3s I:E 1:1 RR 10/min FiO₂ 1.0	VCV (Vt 6 mL/kg, IT 0.6s, PEEP 25, FiO₂ 1.0, RR40) 3분간 적용 후 Cdyn, PIP check PEEP 23으로 낮추고 3분 후 Cdyn, PIP check PEEP 21으로 낮추고 3분 후 Cdyn, PIP check PEEP 19으로 낮추고 3분 후 Cdyn, PIP check ...PEEP을 2씩 낮추면서 max C측정

4. Decremental PEEP procedure (D)
5. Highest PEEP이 결정되면 open lung 1회 더 실시(1~3)
6. PCV, PEEP은 best complance PEEP level에서 3을 더한 값으로 setting (max 25, target TV = 4~6 ml/kg)
7. 20분 후 ABGA: PaCO₂<40 → Pinsp 2씩 올리면서 40이 되도록 맞춤
　　　　　　　PaCO₂>50 → RR을 올림

(2) 폐포모집

- 표 12-58의 프로토콜에 따라 폐포모집 시행

표 12-58. 폐포모집 시행 방법

Setting	Mode	Pressure (cmH₂O)	PEEP (cmH₂O)	RR (/min)	Insp. time (seconds)	I:E ratio	FiO₂
5 breath	PCV	15	25	10	3	1:1	1.0
5 breath	PCV	20	25	10	3	1:1	1.0
20 breath	PCV	20	30	10	3	1:1	1.0

(3) 폐포모집 후 호기말양압 최적화(post-recruitment maneuver decremental PEEP titration)

- 폐포모집 후 최고흡기압에서 기도압을 점진적으로 낮추면서 산소포화도와 폐탄성(lung compliance)이 최적화되는 호기말양압(positive end expiratory pressure, PEEP) 결정
- 폐의 잠재적 용적이 다 개방된 후 불안정 폐단위의 대량 재허탈을 억제하는 수준의 압력 (압력-용적 곡선 상의 deflation limb의 deflection point)으로 호기말양압(PEEP)을 최적화

① 초기 설정
- 모드: volume A/C mode
- 호기말양압(PEEP): 25 cmH$_2$O
- 일회환기량(tidal volume): 6 mL/kg of predicted body weight
- 고원부압력(plateau pressure): <45 cmH$_2$O
  (고원부압력을 45 cmH$_2$O 이하로 유지하기 위해 필요한 경우 일회환기량을 4-5 mL/kg 로 줄일 수 있음)
- 호흡수(respiratory rate): <40회/분(auto-PEEP이 생기지 않는 가장 높은 호흡수)
- 흡기시간(inspiratory time): 0.6초
- 흡입산소분율(FiO$_2$): 1.0

② 호기말양압(PEEP) 최적화
- 설정된 변수 중 호기말양압만을 변경
- 첫 3분간 폐탄성(lung compliance)이 안정되면 동적탄성(dynamic compliance)과 최대기도압(peak inspiratory pressure)을 기록
- 이후 매 3분마다 호기말양압(PEEP)을 2 cmH$_2$O씩 줄이면서 안정된 상태에서의 동적탄성과 최대기도압 기록
- 호기말양압을 줄이면, 동적탄성이 증가하게 되며, 더 이상 동적탄성이 증가하지 않는 가장 높은 호기말양압을 best compliance PEEP level로 설정
- Best compliance PEEP level + 3 cmH$_2$O가 적정 호기말양압(optimal PEEP)
- 확인된 적정 호기말양압에서 폐포모집을 1회 더 시행

6) 폐포모집술을 중단해야 하는 경우

① 평균동맥혈압(mean arterial pressure) <60 mmHg 또는 기저치에서 20 mmHg 이상 감소
② 산소포화도 <88%
③ 심장박동수 >130회/분 또는 <60회/분
④ 부정맥 발생(new onset of cardiac arrhythmia)
⑤ 중심정맥산소포화도(ScvO$_2$) <65% 또는 기저치에서 20% 이상 감소

Procedure

I 기관내삽관 및 기도관리(Endotracheal Intubation and Airway Management)

1. 기관내삽관(Endotracheal intubation)

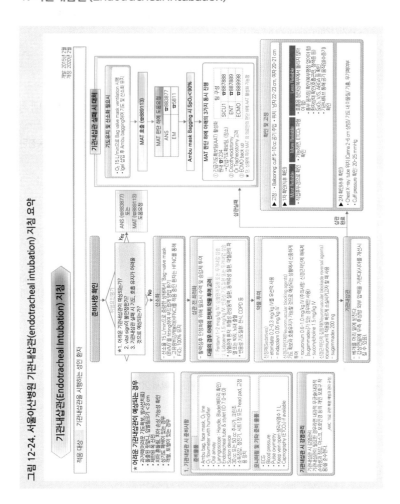

그림 12-24. 서울아산병원 기관내삽관(endotracheal intubation) 지침 요약

1) 준비사항 확인

2) 위험요인 평가: 적어도 2명 이상의 의사와 간호사가 함께 기도사정을 시행

(1) 의료비상팀 또는 마취과에 반드시 연락해야 하는 경우

① 어려운 기관삽관이 예상되는 환자

② 활력징후(vital sign)가 불안정한 환자

③ 기관내삽관 실패 시 기도 및 호흡 유지가 어려울 것으로 예상되는 환자

(2) 어려운 기도(difficult airway) 여부 사정(그림 12-25)

* 어려운 기도: 훈련된 의사가 마스크 환기나 기관내삽관에 문제를 경험하는 임상 상황

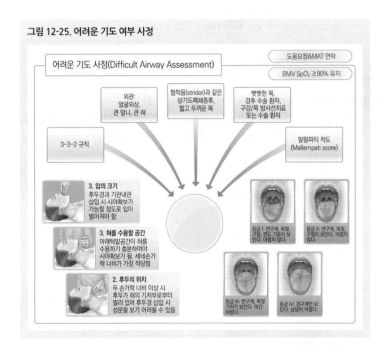

그림 12-25. 어려운 기도 여부 사정

① 어려운 후두경 검사: LEMON
- L (Look externally): 외형관찰, 비만, 짧은 목과 작은 입 등
- E (Evaluate 3-3-2): 손가락에 의한 평가
  입의 크기(3), 아래턱 밑 공간(3), 혀의 기저부와 성문 사이의 거리(2)
- M (Mallampati score): 말람파티점수
- O (Obstruction/Obesity): 폐쇄/비만
- N (Neck mobility): 목의 유연성

② 어려운 백마스크 환기: ROMAN
- R (Radiation/Restriction): 방사선 치료력/제한성 환기장애
- O (Obesity/Obstruction): 비만/폐쇄
- M (Mask seal/Male sex/Mallampati): 마스크 밀착/남성/말람파티점수
- A (Age): 고령, 나이 >55세
- N (No teeth): 치아 없음

3) 신속순서삽관(Rapid sequential intubation, RSI)

전산소화(preoxygenation) 후, 기관내삽관을 위한 무의식과 근이완 상태를 만들기 위해 효력이 뛰어난 진정제와 신경근차단제를 투여하는 것. 위험요인 평가 후 어려운 기도가 아닌 경우 시행.

표 12-59. 신속순서삽관(RSI)의 일곱 가지 순서

(1) Preparation: 준비
(2) Preoxygenation: 전산소화
(3) Pre-intubation optimization: 삽관 전 최적화
(4) Paralysis with induction: 유도와 마비
(5) Positioning: 자세
(6) Placement with proof: 거치 및 검토
(7) Postintubation management: 삽관 후 처치

(1) 준비(preparation)
- 어려운 기도(difficult airway) 여부 사정
- 필요한 기구, 약품, 인력 준비

(2) 전산소화(preoxygenation)
- 산소를 15 L/min으로 증량한 상태에서 bag-valve mask (BVM)로 부드럽게 양압 환기
- 고유량비강캐뉼라(HFNC) 적용 시 흡입산소분율(FiO_2) 100% 공급

(3) 삽관 전 최적화(pre-intubation optimization)

- 활력징후 안정화를 위해 필요시 수액 및 승압제 투여
- Fentanyl 1-2 mcg/kg IV 투여 고려
- 뇌압 상승을 피해야 하는 뇌손상 환자
- 혈압/맥박의 상승을 피해야 하는 심장/대동맥 질환 환자
- Lidocaine 1.5 mg/kg IV 투여 고려
- 뇌압 상승을 피해야 하는 뇌손상 환자 또는 천식 등 반응성 기도 질환 환자

(4) 유도와 마비(paralysis with induction)

① 진정제(sedatives)
- Etomidate 0.2-0.3 mg/kg IV 우선 사용

② 신경근차단제(neuromuscular blocker)
  * 기도 확보와 호흡 유지가 가능할 것으로 예상되는 상황에서 신중하게 투여
- Rocuronium 0.6-1.0 mg/kg IV 투여
  주의사항: 신경근차단제 해독제(sugammadex)가 있는 경우에만 사용
- Succinylcholine 1.5 mg/kg IV 투여

③ 신경근차단제 길항제(neuromuscular blocker reversal agent)
  * Rocuronium의 작용을 빠르게 소실시키고자 할 때 사용
- Sugammadex 200 mg IV 투여

④ 자세(positioning)
- 베개를 머리 밑에 받치고, 귀와 흉골절흔의 높이를 같게 유지(ear to sternal notch positioning)
- 갑상연골 우측 후상방으로 압력을 가함(Backward, Upward, Rightward Pressure, BURP): 시야 개선 효과

⑤ 거치 및 검토(placement with proof)
- 삽관 시 비디오후두경(video-laryngoscope) 사용 권고
- 고정 위치: (남자) 22-23 cm, (여자) 20-21 cm
- 삽관 성공 1차 확인(표 12-60)

표 12-60. 삽관 성공 1차 확인

Most reliable	More reliable	Less reliable
직접 후두경으로 확인	호기말이산화탄소분압(ETCO₂) 확인	1. 호흡음 청진 2. 흉부 움직임 확인 3. 환자 상태 확인 4. 산소포화도(SpO₂), 활력징후(vital sign), ABGA 확인 5. 기관내튜브 통해 공기 움직임(수증기) 확인

- 삽관 성공 2차 확인
  - 흉부 X선 검사: 기관내튜브 위치(기관분기부(carina) 상방 2–6 cm)
  - 기도 내 이물질, 기흉, 무기폐 여부 등
  - 커프 압력(cuff pressure): 20–25 mmHg
- ⑥ 삽관 후 처치(postintubation management)
  - 인공호흡기 적용 및 지속주입약물 투여

4) 기관내삽관 실패 시 대처: 실패한 기도(Failed airway) 관리

(1) 실패한 기도의 정의

다음의 조건 중 하나라도 해당되면 실패한 기도에 해당

① 1회 이상의 후두경을 사용한 시도 중 혹은 시도 후 적절한 산소포화도가 유지되지 못한 경우(삽관 불가/산소화 불가)

② 산소포화도가 유지되더라도 경험 많은 시술자가 3회 이상 기관삽관에 실패하였을 경우

(2) 실패한 기도의 관리

① 기도 유지 및 산소화 필요시

- 산소 15 L/min으로 bag–valve mask (BVM) ventilation 시행
- 아이젤(i–gel) 삽입 후 ambu bagging 시행

② 도움요청: 의료비상팀, 마취과, 응급의학과

③ Bag–valve mask ventilation 시행에도 산소포화도(SpO_2) 90% 미만인 경우

- 다음의 세 가지 조치 동시 진행
  - 긴급기도확보팀(airway alert team, AAT) 활성화
  - 기관절개술(tracheostomy) 또는 윤상갑상연골절개술(cricothyroidotomy) 고려
  - 체외막산소화치료(ECMO) 백업

2. 기관절개관(Tracheostomy tube) 교환 지침

1) 기관절개관 교환 지침

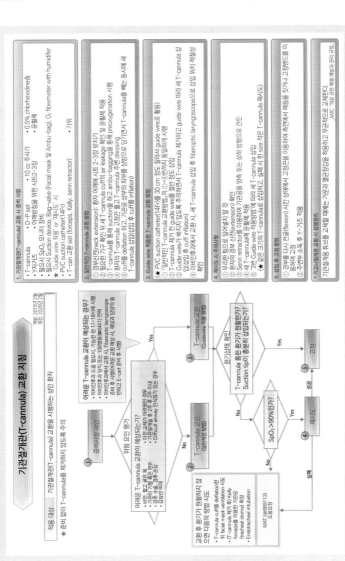

그림 12-26. 기관절개관(T-cannula) 교환 지침 요약

2) 기관절개관 폐쇄(Tracheostomy tube obstruction) 시 대처

그림 12-27. 기관절개관 폐쇄 시 대처 지침 요약

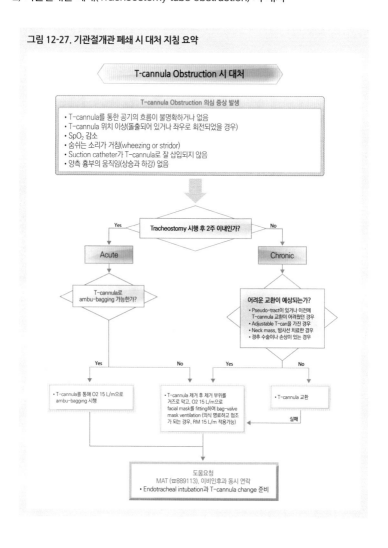

II 기관절개술(Tracheostomy)

1. 기관절개술의 적응증

① 장기간의 기관삽관(prolonged intubation)
② 상기도 폐쇄(upper airway obstruction)
③ 기관삽관이 불가능한 경우
④ 두경부 수술 및 외상
⑤ 기도 유지(airway protection): 신경학적 질환, 외상성 뇌병변 등

2. 기관절개술의 합병증

1) 초기
① 출혈(hemorrhage)
② 기관절개관 위치 이상(T-cannula malposition)
③ 기흉(pneumothorax) 및 기종격동(pneumomediastinum)
④ 피하기종(subcutaneous emphysema)

2) 후기
① 기관협착(tracheal stenosis)
② 기관연화증(tracheomalacia)
③ 기관-식도 누공(tracheoesophageal fistula)
④ 기관절개부 폐쇄 지연(delayed stoma closure)

3. 수술 전 점검사항: 다음의 경우 수술장에서 기관절개술을 하도록 권장

① 기관 삽관이 되어있지 않거나 기관 삽관을 할 수 없는 환자
② 부분 마취에 협조가 어려운 환자: 소아, 섬망, 정신지체 등
③ 경부 수술 또는 방사선 조사의 과거력
④ 충분한 경부 신전이 어려운 환자: 경추골관절염, 척추후만증 등
⑤ 비만하거나 목이 짧고 굵은 환자
⑥ 출혈성 요인을 가지고 있는 환자

⑦ 심한 갑상선 비대 혹은 종양이 있는 환자

4. 수술 전 자세 및 준비 사항

① 환자의 자세를 잡기 전 침대를 수평으로 유지하고, 환자는 앙와위 자세를 취한다. 에어매트리스의 경우 공기를 제거한다.

② 어깨 받침(침대보 2장 등)을 넣어 목이 신전(extension) 되도록 자세를 취한다.

③ 기관절개술세트(tracheostomy set)의 구성품과 기관절개관(tracheostomy cannula, T-can)의 크기와 커프(cuff)의 공기누출을 확인한다.

5. 술기

1) 경피적확장기관절개술(Percutaneous dilatational tracheostomy, PDT)
(1) 준비물

① 기관절개술 세트(tracheostomy set: mosquito, retractor 포함)

② 기관절개관: 크기 7.5 또는 8.0 mm

③ 국소마취: epinephrine, lidocaine

④ 주사기(10 cc)×2

⑤ 흡인 세트(suction set)

⑥ 전기소작기구(electrocautery): Bovie, bipolar 등

⑦ 경피적확장기관절개술 세트(PDT set)(그림 12-28)

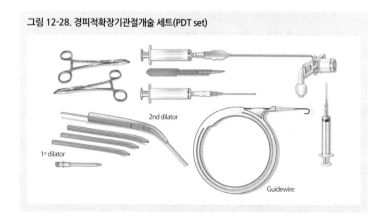

그림 12-28. 경피적확장기관절개술 세트(PDT set)

2nd dilator

1st dilator

Guidewire

(2) 술기(그림 12-29)

그림 12-29. 경피적확장기관절개술(PDT)

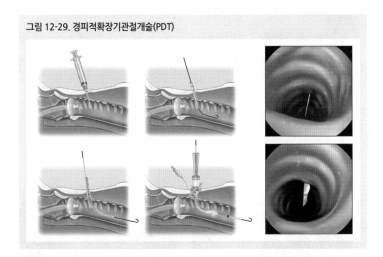

① 수술 전 초음파 또는 전산화단층촬영검사(CT)를 통해 기관절개부(tracheostomy incision site) 주변의 혈관 주행 여부를 확인한다.

② 전처치 약물(진정제, 진통제 등)을 투여한다.

③ 환자가 진정되면 경부를 신전하여 자세를 잡고, 시술 부위를 소독한다.

④ 절개부의 위치(incision level)를 표시한다. 통상적으로 기관절개술은 제 2-3 기관륜 (tracheal ring)에 시행하며, 이는 윤상연골(cricoid cartilage)과 흉골절흔(sternal notch) 의 중간 부위에 해당한다.

⑤ 국소마취 후 절개부를 2 cm 정도 수평절개(transverse incision) 한다.

⑥ 모스키토(Mosquito)를 이용하여, 피하지방과 활경근 근막(platysma fascia)을 박리한다.

⑦ 기관지내시경을 삽입한다. 이때, 시술 부위에서 기관지경의 불빛을 확인한다. 광봉(light wand)을 이용하여 기관 삽관 튜브(endotracheal tube, E-tube)의 위치를 확인하기도 한다.

⑧ 기관 삽관 튜브를 천자(puncture) 부위까지 뒤로 뺀다.

⑨ 주사침으로 기관을 천자한 후 가이드와이어를 삽입한다.

⑩ 첫 번째 확장기(1st dilator)로 천자 부위를 확장한 후, 두 번째 확장기(2nd dilator)로 천 자 부위를 더 넓힌다. 이때, 확장기의 검은 선까지 2-3 차례 확장기를 밀어 넣었다가 빼는 것을 반복한다.

⑪ 가이드와이어를 따라 기관절개관을 삽입한 후 커프를 부풀린다.

⑫ 흡인카테터(suction catheter)를 이용하여 기관절개관이 정확한 위치로 들어갔는지 확인한다.

⑬ 인공호흡기를 연결하여 일회환기량(tidal volume)을 확인한다. 지혈(bleeding control) 후, 기존의 기관 삽관 튜브를 제거한다. 기관절개관의 양측을 나일론 3-0(Nylon 3-0) 실이나 끈으로 고정한다.

2) 수술적 기관절개술(Open surgical tracheostomy)

(1) 술기(그림 12-30)

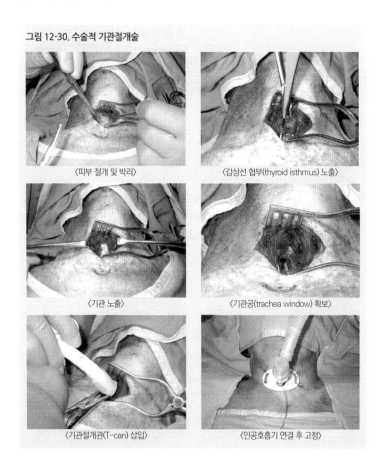

그림 12-30. 수술적 기관절개술

〈피부 절개 및 박리〉 〈감상선 협부(thyroid isthmus) 노출〉

〈기관 노출〉 〈기관공(trachea window) 확보〉

〈기관절개관(T-can) 삽입〉 〈인공호흡기 연결 후 고정〉

① 경피적확장기관절개술(PDT)을 시행할 때와 같이 경부를 신전하고, 전처치 약물 투여 및 수술 부위 소독을 시행한다.

② 절개부를 2-3 cm 정도 수평절개한다.

③ 정중선을 따라 피하조직 및 피대근(strap muscle)을 박리한다. 수술 부위가 정중선에서 벗어나지 않도록 수술 중 수시로 환자의 자세와 정중선의 위치를 확인한다.

④ 갑상선 협부(thyroid isthmus)를 노출시킨 후 주변 조직을 박리하여 기관을 노출시킨다. 갑상선 협부는 보조자(전공의 또는 간호사)의 도움으로 견인할 수 있다.

⑤ 제 2-3 기관륜을 전기소작기(Bovie 등)를 이용하여 절개한다. 기관공(tracheostomy window)를 개방하기 적전에 최대 흡입산소분율(FiO$_2$)을 50% 미만으로 낮춘다.

⑥ 모스키토를 이용하여 충분한 기관공을 확보하고, 지혈한다.

⑦ 기관절개관을 삽입한 후 커프를 부풀린다.

⑧ 흡인카테터를 이용하여 기관절개관이 정확한 위치에 들어갔는지 확인한다.

⑨ 인공호흡기를 연결하고 일회환기량을 확인한다. 지혈을 시행하고, 기존의 기관 삽관 튜브를 제거한다. 기관절개관의 양측을 나일론 3-0(Nylon 3-0) 실이나 끈으로 고정한다.

6. 수술 후 확인 및 관리

① 수술 후 청진 및 흉부 X선 검사(chest PA 또는 AP)를 통해 기관절개관 팁의 위치가 기관 분기부(carina) 상방에 위치하는지 확인하고, 동맥혈가스분석검사(ABGA)를 이용하여 환기가 적절한지 확인한다. 커프(cuff)의 압력은 20-25 mmHg를 유지하도록 한다.

② 처음 시행하는 기관절개관 교환은 수술 후 5-7일 뒤에 시행하며, 응급 상황에 대비하여 담당 의료진이 상주하는 평일 일과시간에 시행한다.

Ⅲ 윤상갑상연골절개술(Cricothyroidotomy)

1. 정의

기관내삽관에 실패하고 백-밸브-마스크 환기(bag-valve-mask ventilation) 또는 성문위 기도유지기구(supraglottic airway device, SAD) 등으로도 기도 유지가 되지 않을 때, 상대적으로 많은 시간이 요구되는 기관절개술(tracheostomy) 이전에 윤상갑상연골막(cricothyroid membrange)을 절개하고 튜브를 삽입하여 기도를 유지하는 술기

2. 적응증: 기관내삽관에 실패하고 기도 유지도 되지 않는 응급 상황

① 구강 또는 비강을 통한 기관내삽관에 실패한 경우
② 상기도가 폐쇄되어 삽관이 곤란한 경우
③ 안면부 외상 때문에 기관내삽관튜브를 고정할 수 없는 경우
④ 심한 상기도 출혈, 후두협착, 선천적 상기도 기형 등이 있는 경우

3. 금기

① 성인에서 절대적 금기는 없음
② 5-12세의 소아는 수술적 윤상갑상연절개술의 금기
③ 기관 절단, 후두 기관 손상, 후두 골절은 윤상갑상연골절개술의 상대적 금기이며, 기관절개술을 시행하는 것이 추천됨

4. 합병증

출혈, 갑상연골 열상, 윤상연골 열상, 기관 열상, 기관 후벽 천공, 의도하지 않은 기관 절개, 기관외 튜브 삽입, 감염 등

5. 시술 방법

원내에서는 Melker 또는 Portex 윤상갑상연골절개술 키트(circothyroidotomy kit) 이용

그림 12-31. Melker 윤상갑상연골절개술 키트

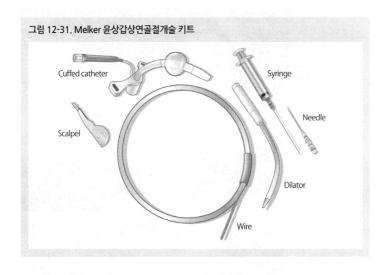

Cuffed catheter

Syringe

Needle

Scalpel

Dilator

Wire

그림 12-32. 윤상갑상연골막(Cricothyroid membrane)의 위치

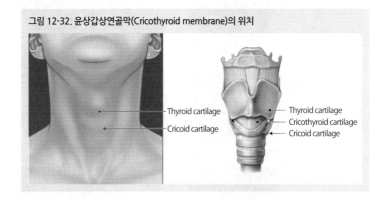

Thyroid cartilage

Cricoid cartilage

Thyroid cartilage
Cricothyroid cartilage
Cricoid cartilage

1) Melker 윤상갑상연골절개술 키트: 셀딩거법(Seldinger technique)(그림 12-33)

그림 12-33. Melker 윤상갑상연골절개술 키트를 이용한 시술

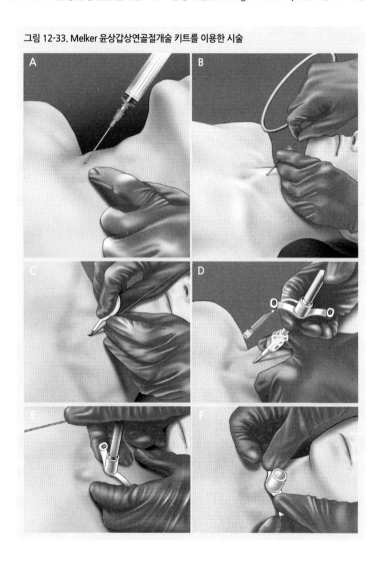

① 환자를 앙와위 자세(supine position)로 하고 어깨 밑에 시트 등을 대어 환자의 목을 신전 시킨다.

② 돌출된 갑상연골(thyroid cartilage)과 윤상연골(cricoid cartilage) 사이의 윤상갑상연골막을 촉지하여 시술 부위를 확인한다.

③ 윤상갑상연골막의 위치를 확인한 후 주사침을 환자의 발 방향으로 향하면서 삽입한다. 공기가 흡인되면 바늘이 기관 내강에 들어갔음을 의미한다(그림 12-33A).

④ 주사기를 제거한 후 주사침만 유지한 채 가이드와이어를 삽입하고 가이드와이어를 남겨둔 채 주사침을 제거한다(그림 12-33B).

⑤ 가이드와이어 주위에 작게 피부 절개를 시행한다(그림 12-33C).

다른 방법으로는 주사침이나 가이드와이어 삽입 전에 수직으로 막을 절개할 수도 있다.

⑥ 확장기(dilator)와 윤상갑상연골절개관(cricothyroid tube)을 삽입한다. 튜브가 기관 내로 삽입된 것을 확인한 후 가이드와이어와 확장기를 제거한다(그림 12-33D, E).

⑦ 커프(cuff)를 팽창시키고, 청진 등을 통해 윤상갑상연골절개관의 삽입이 적절한지 확인한 후 고정한다(그림 12-33F).

2) Portex 윤상갑상연골절개기구(Portex cricothyroidotomy device)(그림 12-34)

① 환자를 앙와위 자세로 하고 어깨 밑에 시트 등을 대어 환자의 목을 신전시킨다.

② 돌출된 갑상연골과 윤상연골 사이의 윤상갑상연골막을 촉지하여 시술 부위를 확인한다.

③ 블레이드로 윤상갑상연골막 상방의 피부를 2 cm 가량 수평절개(transverse incision)한다. 다만, 수직절개(vertical incision)하는 것이 해부학적 구조를 확인하는 데에는 더 유용할 수 있다.

④ 윤상갑상연골절개기구(cricothyroidotomy device)를 피부와 직각 방향으로 삽입한다. 빨간 표지자(indicator)가 사라지면 기구의 끝이 기관 안으로 들어갔음을 의미한다. 이후 표지자가 다시 올라올 때까지 피부와 직각방향으로 기구를 밀어넣는데, 표지자가 다시 올라오는 것은 기구의 끝이 기관 후벽에 닿았음을 의미한다.

⑤ 윤상갑상연골절개기구를 환자의 발 방향으로 기울인 후 1-2 cm 더 삽입한다.

⑥ 윤상갑상연골절개기구의 주사침을 제거하고, 확장기를 잡은 상태에서 윤상갑상연골절개관만 끝까지 밀어 넣는다.

⑦ 커프를 부풀리고, 청진 등을 통해 윤상갑상연골절개관의 삽입이 적절한지 확인한 후 고정한다.

그림 12-34. Portex 윤상갑상연골절개기구를 이용한 시술

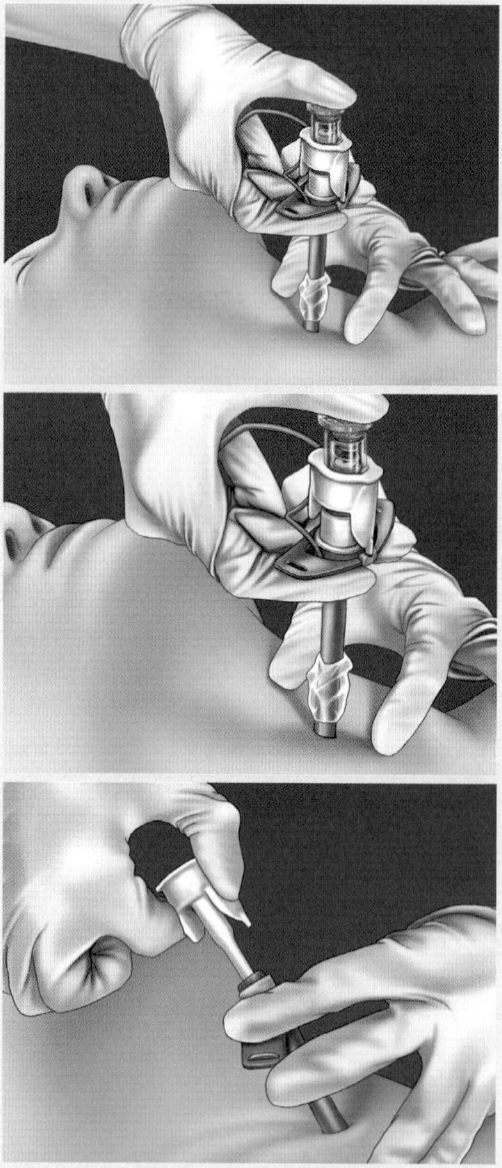

Ⅳ 초음파를 활용한 시술(Ultrasound-guided Procedures in ICU)

1. 중심정맥관 삽입(Central line insertion)

1) 내경정맥(Internal jugular vein)

우측 내경정맥은 주변 경계구조물과 해부학적인 정맥의 위치가 비교적 일관적이고, 상대정맥으로의 주행거리가 짧고 곧으며, 성공률이 높아 가장 선호되는 삽입 부위이다.

① 손위생을 시행하고, 환자를 확인한 후 시술 전 타임아웃(time-out)을 시행한다.
② 환자를 앙아위 자세 또는 트렌델렌버그 자세(Trendelenburg position)로 눕히고, 중심정맥관 삽입 부위의 반대편으로 환자의 고개를 돌린다.
③ 선형-고주파 초음파 탐촉자(linear/vascular high-frequency probe)를 이용하여 내경정맥과 경동맥(carotid artery)의 위치를 확인한다. 내경정맥과 경동맥을 찾을 수 있는 가장 좋은 위치는 경부의 전삼각부(anterior triangle of neck)이다(그림 12-35). 내경정맥은 경동맥에 비해 더 크고(larger), 초음파 탐촉자에 의해 잘 눌리며(compressible), 맥박이 없다(nonpulsatile)(그림 12-36).

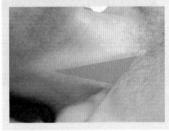

그림 12-35. 경부의 전삼각부

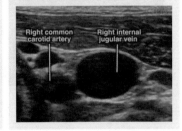

그림 12-36. 내경정맥과 경동맥

Right common carotid artery

Right internal jugular vein

④ 소독된 마스크, 모자, 장갑, 가운을 착용하고, 알코올이 함유된 2% 클로르헥시딘(2% 헥시-알액®)으로 환자의 피부를 소독한다. 단, 클로르헥시딘을 사용할 수 없는 경우에는 10% 포비돈 요오드(Povidone iodine, 베타딘®) 또는 70% 이상의 알코올을 사용한다.
⑤ 소독제를 완전히 건조시킨 후(2% 헥시-알액®: 30초 이상, 베타딘®: 2분 이상) 환자의 전신을 소독포로 덮고, 멸균 탐촉자 커버(sterile probe cover)로 초음파 탐촉자를 감싼다.

⑥ 초음파로 주사침 삽입 부위를 다시 한 번 확인하고, 의식이 있는 환자는 2% 리도케인 (lidocaine)으로 주사침 삽입 부위와 고정 부위(suture site)를 국소마취한다.

⑦ 중심정맥관 각각의 포트를 2-3 mL의 식염수로 플러싱(flushing)한 후 잠근다.

⑧ 초음파 탐촉자, 주사침, 주사기, 블레이드, 확장기, 가이드와이어, 거즈, 중심정맥관을 시술자의 손이 쉽게 닿는 곳에 놓아 둔다.

⑨ 초음파를 이용하여 내경정맥의 위치를 확인한 후, 주사침의 경사면(bevel)을 위로 한 상태에서 30-45도의 각도로 주사침을 진입시킨다. 주사침은 초음파에서 하얗게 보이며 (echogenic), 주사침이 진입함에 따라 주변 연조직이 눌리는 것(soft tissue tenting)이 관찰된다(그림 12-37). 부드럽게 주사기를 당겨 음압을 만들면서 천천히 주사침을 진입시킨다.

⑩ 주사침이 내경정맥 안으로 들어가면, 주사기 내로 정맥혈이 흡인된다. 정맥혈은 어두운 색을 띄며(dark blood) 맥박이 없다. 이때, 왼손(nondominant hand)으로 주사기가 움직이지 않도록 고정하고, 오른손(dominant hand)으로 가이드와이어를 진입시킨다.

⑪ 표시된 부위까지 가이드와이어를 삽입한 후 주사침 삽입 부위에 거즈를 대고 주사침을 제거한다. 이때 초음파를 통해 내경정맥 내에 가이드와이어가 위치하고 있는지 확인할 수 있다(그림 12-38).

그림 12-37. 주사침 진입 과정

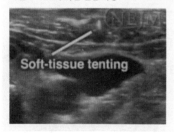

Soft-tissue tenting

그림 12-38. 내경정맥 내에 삽입된 가이드와이어

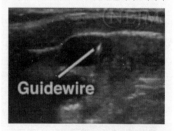

Guidewire

⑫ 11번 블레이드(blade)로 가이드와이어 삽입 부위의 피부를 절개한 후 가이드와이어를 따라 확장기를 진입시킨다. 이때, 반드시 확장기 밖으로 가이드와이어가 나오는 것을 확인한 후 가이드와이어의 끝을 잡고 확장기를 진입시킨다.

⑬ 가이드와이어 삽입 부위에 거즈를 대고 확장기를 제거한다.

⑭ 가이드와이어를 따라 중심정맥관을 삽입한다. 이때, 중심정맥관의 가장 먼 쪽 포트(distal port)로 가이드와이어가 나오는 것을 확인한 후 가이드와이어의 끝을 잡고 중심정맥관을 삽입한다. 원하는 깊이(우측: 약 15 cm, 좌측: 약 18 cm)만큼 중심정맥관이 삽입된 후에

는 가이드와이어를 제거한다.

⑮ 식염수 또는 1:100 단위 헤파린 희석액이 담긴 주사기를 이용하여 각각의 포트에서 혈액이 잘 흡인되는지 확인한 후 플러싱 한다.

⑯ 주사기를 제거하고, 포트 끝을 캡(needless injection cap)으로 닫는다.

⑰ 중심정맥관 삽입부위에 고정장치(fastener)를 붙이고, 2 point suture를 시행하여 중심정맥관을 고정한다.

⑱ 알코올이 함유된 2% 클로르헥시딘(2% 헥시-알액®)으로 시술 부위를 소독하고, 멸균 드레싱한다. 단, 클로르헥시딘을 사용할 수 없는 경우에는 10% 포비돈 요오드 또는 70% 이상의 알코올을 사용한다.

⑲ 흉부 X선 검사를 시행하여 중심정맥관의 위치와 합병증 발생 여부를 확인한다. 중심정맥관의 끝은 상대정맥(superior vena cava, SVC)과 우심방(right atrium)의 경계부 또는 기관분기부(carina) 높이에 위치하는 것이 이상적이다.

2) 쇄골하정맥(Subclavian vein)

쇄골하정맥은 감염 발생률이 낮고 환자의 편이성이 높아 장기간 중심정맥관을 사용해야 하는 경우에 유리하다. 그러나 쇄골에 의해 가려져 있어 적절한 초음파 영상을 얻기 어려우며 시술 중 기흉 및 혈흉의 발생 가능성이 상대적으로 높은 단점이 있다.

① 손위생을 시행하고, 환자 확인 후 시술 전 타임아웃을 시행한다.

② 환자를 앙와위 자세 또는 트렌델렌버그 자세로 눕히고, 중심정맥관 삽입 부위의 반대편으로 환자의 고개를 돌린다. 베개나 소독포를 양측 견갑골 아래에 넣어 쇄골과 첫 번째 늑골 사이의 공간을 넓히는 것이 도움이 될 수 있다.

③ 소독된 마스크, 모자, 장갑, 가운을 착용하고, 알코올이 함유된 2% 클로르헥시딘으로 환자의 피부를 소독한다. 단, 클로르헥시딘을 사용할 수 없는 경우에는 10% 포비돈 요오드 또는 70% 이상의 알코올을 사용한다.

④ 소독제를 완전히 건조시킨 후(2% 헥시-알액®: 30초 이상, 베타딘®: 2분 이상) 환자의 전신을 소독포로 덮는다.

⑤ 의식이 있는 환자는 2% 리도케인으로 주사침 삽입 부위와 고정 부위를 국소마취한다.

⑥ 중심정맥관 각각의 포트를 2-3 mL의 식염수로 플러싱한 후 잠근다.

⑦ 주사침, 주사기, 블레이드, 확장기, 가이드와이어, 거즈, 중심정맥관을 시술자의 손이 쉽게 닿을 수 있는 곳에 놓아 둔다.

⑧ 시술자의 검지로 흉골절연(suprasternal notch)을 짚고, 엄지는 늑골쇄골인대(costo-clavicular ligament) 부위를 짚는다. 피부를 당기면서 시술자의 엄지 내측(오구쇄골인대

내측), 쇄골 3 cm 아래 부분에 주사침을 삽입한다(그림 12-39). 주사침의 경사면이 하늘을 향한 상태에서 부드럽게 주사기를 당겨 음압을 만들면서 흉골절연을 향하여 20-30도 각도로 주사침을 진입시킨다.

그림 12-39. 쇄골하정맥의 주행과 주사침 삽입 부위

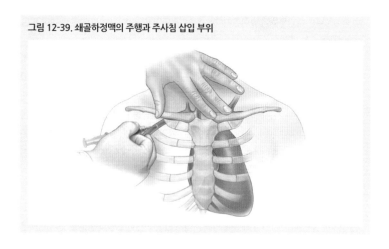

⑨ 주사침이 쇄골하정맥 안으로 들어가면, 주사기 내로 정맥혈이 흡입된다. 정맥혈은 어두운 색을 띠며 맥박이 없다. 이때, 왼손으로 주사기가 움직이지 않도록 고정하고, 오른손으로 가이드와이어를 진입시킨다.

⑩ 이따금 가이드와이어가 상대정맥이 아닌 동측 내경정맥으로 들어가는 경우가 있다. 초음파를 이용하여 동측 내경정맥에서 가이드와이어의 음영이 관찰되는지 확인하고, 가이드와이어의 음영이 관찰된다면 이를 제거한 후 다시 삽입한다.

⑪ 표시된 부위까지 가이드와이어를 삽입한 후 주사침 삽입 부위에 거즈를 대고 주사침을 제거한다.

⑫ 11번 블레이드로 가이드와이어 삽입 부위의 피부를 절개한 후 가이드와이어를 따라 확장기를 진입시킨다. 이때, 반드시 확장기 밖으로 가이드와이어가 나오는 것을 확인한 후 가이드와이어의 끝을 잡고 확장기를 진입시킨다.

⑬ 가이드와이어 삽입 부위에 거즈를 대고 확장기를 제거한다.

⑭ 가이드와이어를 따라 중심정맥관을 삽입한다. 이때, 중심정맥관의 가장 먼 쪽 포트로 가이드와이어가 나오는 것을 확인한 후 가이드와이어의 끝을 잡고 중심정맥관을 삽입한다. 원하는 깊이(우측: 약 14 cm, 좌측: 약 17 cm)만큼 중심정맥관이 삽입된 후에는 가이드와이어를 제거한다.

⑮ 식염수 또는 1:100 단위 헤파린 희석액이 담긴 주사기를 이용하여 각각의 포트에서 혈액이 잘 흡인되는지 확인한 후 플러싱 한다.

⑯ 주사기를 제거하고, 포트 끝을 캡으로 닫는다.

⑰ 중심정맥관 삽입부위에 고정장치(fastener)를 붙이고, 2 point suture를 시행하여 중심정맥관을 고정한다.

⑱ 알코올이 함유된 2% 클로르헥시딘으로 시술 부위를 소독하고, 멸균 드레싱한다. 단, 클로르헥시딘을 사용할 수 없는 경우에는 10% 포비돈 요오드 또는 70% 이상의 알코올을 사용한다.

⑲ 흉부 X선 검사를 시행하여 중심정맥관의 위치와 합병증 발생 여부를 확인한다. 중심정맥관의 끝은 상대정맥(superior vena cava, SVC)과 우심방(right atrium)의 경계부 또는 기관분기부(carina) 높이에 위치하는 것이 이상적이다.

3) 대퇴정맥(Femoral vein)

대퇴정맥은 다른 경로의 삽입이 용이하지 않은 경우 높은 성공률로 쉽게 중심정맥관을 삽입할 수 있고, 시술 중 흉곽 내 구조물 손상에 의한 합병증의 위험이 없다는 장점이 있지만, 감염 및 하지의 심부정맥 혈전 위험 등으로 인해 선호되는 시술 부위는 아니다.

① 손위생을 시행하고, 환자 확인 후 시술 전 타임아웃을 시행한다.

② 환자를 앙와위 자세로 눕힌다. 환자의 다리는 정중선으로부터 외전(abduction) 시키고, 고관절은 외전(external rotation) 시킨다(그림 12-40).

③ 선형-고주파 탐촉자(linear/vascular high-frequency probe)를 이용하여 대퇴정맥(femoral vein)과 대퇴동맥(femoral artery)의 위치를 확인한다. 대퇴정맥은 대퇴동맥에 비해 내측(medial side)에 위치하고 있고, 혈관벽이 얇으며(thin wall) 초음파 탐촉자에 의해 잘 눌리고(compressible), 맥박이 없다(그림 12-41).

그림 12-40. 대퇴정맥 중심정맥관 삽입 시 환자 자세

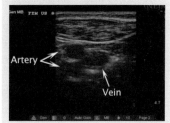

그림 12-41. 대퇴정맥과 대퇴동맥

Artery

Vein

④ 소독된 마스크, 모자, 장갑, 가운을 착용하고, 알코올이 함유된 2% 클로르헥시딘으로 환자의 피부를 소독한다. 단, 클로르헥시딘을 사용할 수 없는 경우에는 10% 포비돈 요오드 또는 70% 이상의 알코올을 사용한다.

⑤ 소독제를 완전히 건조시킨 후(2% 헥시-알액®: 30초 이상, 베타딘®: 2분 이상) 환자의 전신을 소독포로 덮고, 소독된 탐촉자 커버(sterile probe cover)로 초음파를 감싼다.

⑥ 초음파로 주사침 삽입 부위를 다시 한 번 확인하고, 의식이 있는 환자는 2% 리도케인으로 주사침 삽입 부위와 고정 부위를 국소마취한다.

⑦ 중심정맥관 각각의 포트를 2-3 mL의 식염수로 플러싱한 후 잠근다.

⑧ 초음파 탐촉자, 주사침, 주사기, 블레이드, 확장기, 가이드와이어, 거즈, 중심정맥관을 시술자의 손이 쉽게 닿을 수 있는 곳에 놓아 둔다.

⑨ 초음파를 이용하여 내경정맥의 위치를 확인한 후, 주사침의 경사면을 위로 한 상태에서 30-45도의 각도로 주사침을 진입시킨다. 주사침은 초음파에서 하얗게 보이며, 주사침이 진입함에 따라 주변 연조직이 눌리는 것이 관찰된다. 부드럽게 주사기를 당겨 음압을 만들면서 천천히 주사침을 진입시킨다.

⑩ 주사침이 대퇴정맥 안으로 들어가면, 주사기 내로 정맥혈이 흡인된다. 정맥혈은 어두운 색을 띠며 맥박이 없다. 이때, 왼손으로 주사기가 움직이지 않도록 고정하고, 오른손으로 가이드와이어를 진입시킨다.

⑪ 표시된 부위까지 가이드와이어를 삽입한 후 주사침 삽입 부위에 거즈를 대고 주사침을 제거한다.

⑫ 11번 블레이드로 가이드와이어 삽입 부위의 피부를 절개한 후 가이드와이어를 따라 확장기를 진입시킨다. 이때, 반드시 확장기 밖으로 가이드와이어가 나오는 것을 확인한 후 가이드와이어의 끝을 잡고 확장기를 진입시킨다.

⑬ 가이드와이어 삽입 부위에 거즈를 대고 확장기를 제거한다.

⑭ 가이드와이어를 따라 중심정맥관을 삽입한다. 이때, 중심정맥관의 가장 먼 쪽 포트로 가이드와이어가 나오는 것을 확인한 후 가이드와이어의 끝을 잡고 중심정맥관을 삽입한다. 원하는 깊이(약 20 cm)만큼 중심정맥관이 삽입된 후에는 가이드와이어를 제거한다.

⑮ 식염수 또는 1:100 단위 헤파린 희석액이 담긴 주사기를 이용하여 각각의 포트에서 혈액이 잘 흡인되는지 확인한 후 플러싱 한다.

⑯ 주사기를 제거하고, 포트 끝을 캡으로 닫는다.

⑰ 중심정맥관 삽입부위에 고정장치(fastener)를 붙이고, 2 point suture를 시행하여 중심정맥관을 고정한다.

⑱ 알코올이 함유된 2% 클로르헥시딘으로 시술 부위를 소독하고, 멸균 드레싱한다. 단, 클로르헥시딘을 사용할 수 없는 경우에는 10% 포비돈 요오드 또는 70% 이상의 알코올을

사용한다.

⑲ 복부 X선 검사를 시행하여 중심정맥관의 위치와 체내에 가이드와이어가 남아 있는 것은 아닌지 확인한다.

2. 피부경유배액관삽입(Percutaneous drainage catheter insertion)

1) 흉수천자(Thoracentesis) 및 피부경유배액관 삽입

① 손위생을 시행하고, 환자 확인 후 시술 전 타임아웃을 시행한다.

② 흉수천자는 환자가 앉은 자세에서 시행하는 것이 가장 좋지만(그림 12-42A), 앉은 자세가 여의치 않은 환자는 측와위(lateral position)(그림 12-42B) 또는 앙와위 자세에서 상체를 45도 올린 자세(그림 12-42C)에서 흉수천자를 시행한다. 이때에는 후액와선(posterior axillary line)을 따라 주사침을 삽입한다.

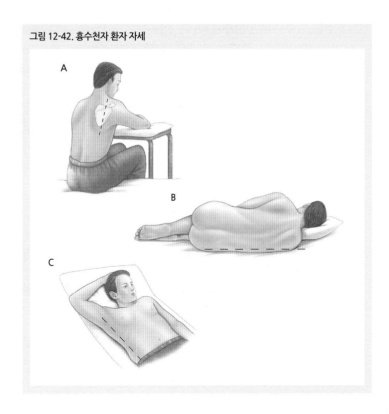

그림 12-42. 흉수천자 환자 자세

③ 저주파 초음파 탐촉자(low-frequency probe, curvilinear probe)를 이용하여 충분한 양의 흉수(1.5cm 이상)가 있는 위치를 확인한다. 초음파에서 흉수는 상대적으로 균질한 저음영의 영역으로 나타난다(그림 12-43).

④ 소독된 마스크, 모자, 장갑, 가운을 착용하고, 알코올이 함유된 2% 클로르헥시딘으로 주사침 삽입 부위의 피부를 소독한다. 단, 클로르헥시딘을 사용할 수 없는 경우에는 10% 포비돈 요오드 또는 70% 이상의 알코올을 사용한다.

⑤ 소독제를 완전히 건조시킨 후(2% 헥시-알액®: 30초 이상, 베타딘®: 2분 이상) 환자의 전신을 소독포로 덮고, 소독된 탐촉자 커버로 초음파를 감싼다.

⑥ 초음파로 주사침 삽입 부위를 다시 한 번 확인하고, 의식이 있는 환자는 2% 리도케인으로 주사침 삽입 부위와 고정 부위를 국소마취한다.

⑦ 초음파 탐촉자, 주사침, 주사기, 블레이드, 확장기, 가이드와이어, 거즈, 배액관을 시술자의 손이 쉽게 닿을 수 있는 곳에 놓아 둔다.

⑧ 초음파 탐촉자를 따라 주사침을 삽입한다. 초음파 영상 속에 주사침이 보이는 것을 확인한 후, 부드럽게 주사기를 흡인하면서 주사침을 진입시킨다(그림 12-44). 이때, 갈비뼈의 윗면을 따라 주사침을 삽입하여 갈비뼈의 아랫면을 따라 주행하는 intercostal vessel과 nerve가 손상 받지 않도록 주의한다.

⑨ 주사침이 흉강 안으로 들어가면, 주사기 내로 흉수가 흡인된다. 이때, 왼손으로 주사기가 움직이지 않도록 고정하고, 오른손으로 가이드와이어를 진입시킨다.

⑩ 표시된 부위까지 가이드와이어를 삽입한 후 주사침 삽입 부위에 거즈를 대고 주사침을 제거한다.

⑪ 11번 블레이드로 가이드와이어 삽입 부위의 피부를 절개한 후 가이드와이어를 따라 확장기를 진입시킨다. 이때, 반드시 확장기 밖으로 가이드와이어가 나오는 것을 확인한 후 가이드와이어의 끝을 잡고 확장기를 진입시킨다.

⑫ 가이드와이어 삽입 부위에 거즈를 대고 확장기를 제거한다.

⑬ 가이드와이어를 따라 배액관을 삽입한다. 이때, 배액관 끝으로 가이드와이어가 나오는 것을 확인한 후 가이드와이어의 끝을 잡고 배액관을 삽입한다. 원하는 깊이만큼 배액관을 삽입한 후, 가이드와이어를 제거한다.

⑭ 배액관 끝에 3-way를 연결하고, 실로 배액관을 고정한 후 고정장치(statlock)를 적용한다. 3-way에 배액주머니를 연결하여 흉수가 지속적으로 배액될 수 있도록 한다.

⑮ 알코올이 함유된 2% 클로르헥시딘으로 시술 부위를 소독하고, 멸균 드레싱한다. 단, 클로르헥시딘을 사용할 수 없는 경우에는 10% 포비돈 요오드 또는 70% 이상의 알코올을 사용한다.

⑯ 흉부 X선 검사를 시행하여 배액관의 위치와 합병증 발생 여부를 확인한다.

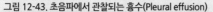

그림 12-43. 초음파에서 관찰되는 흉수(Pleural effusion)

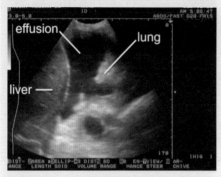

그림 12-44. 흉강(Pleural space) 내에 삽입된 주사침

2) 심낭천자(Pericardiocentesis) 및 피부경유배액관 삽입

① 손위생을 시행하고, 환자 확인 후 시술 전 타임아웃을 시행한다.

② 환자를 앙와위 자세로 눕히고, 활력징후(vital signs)와 심전도, 산소포화도를 모니터링한다. 환자의 활력징후가 안정적인 경우에는 상체를 30도 정도 올리는 것이 시술에 도움이 될 수 있다. 필요시 산소, 수액, 진통제 등을 투여한다.

③ 위상배열 초음파 탐촉자(phased-array probe, cardiac probe)를 이용하여 parasternal, apical, subxiphoid view에서의 심장 영상을 확인하고, 어느 곳에서 가장 접근이 용이한지 판단한다(그림 12-45). 일반적으로 심낭천자를 시행하는 위치는 다음과 같다(그림 12-46).

그림 12 -45. 심낭삼출액

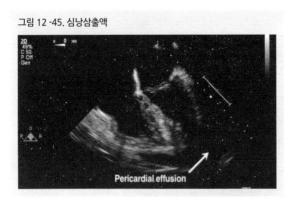

Pericardial effusion

그림 12-46. 삼낭천자 시행 위치

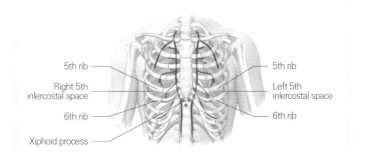

5th rib

Right 5th
inlercostal space

6th rib

Xiphoid process

5th rib

Left 5th
inlercostal space

6th rib

④ 소독된 마스크, 모자, 장갑, 가운을 착용하고, 알코올이 함유된 2% 클로르헥시딘으로 주사침 삽입 부위의 피부를 소독한다. 단, 클로르헥시딘을 사용할 수 없는 경우에는 10% 포비돈 요오드 또는 70% 이상의 알코올을 사용한다.

⑤ 소독제를 완전히 건조시킨 후(2% 헥시-알액®: 30초 이상, 베타딘®: 2분 이상) 환자의 전신을 소독포로 덮고, 소독된 탐촉자 커버로 초음파를 감싼다.

⑥ 초음파로 주사침 삽입 부위를 다시 한 번 확인하고, 의식이 있는 환자는 2% 리도케인으로 주사침 삽입 부위와 고정 부위를 국소마취한다.

⑦ 초음파 탐촉자, 주사침, 주사기, 블레이드, 확장기, 가이드와이어, 거즈, 배액관을 시술자의 손이 쉽게 닿을 수 있는 곳에 놓아 둔다.

⑧ 초음파 탐촉자를 따라 주사침을 삽입한다. 초음파 영상 속에 주사침이 보이는 것을 확인한 후, 부드럽게 주사기를 흡인하면서 주사침을 진입시킨다(그림 12-47).

그림 12-47. 심장막 내에 삽입된 주사침

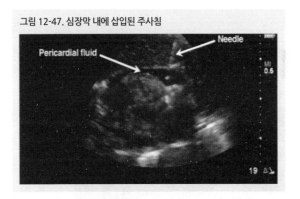

⑨ 주사침이 심장막 안으로 들어가면, 주사기 내로 심낭삼출액이 흡인된다. 이때, 왼손으로 주사기가 움직이지 않도록 고정하고, 오른손으로 표시된 부위까지 가이드와이어를 삽입한 후 주사침 삽입 부위에 거즈를 대고 주사침을 제거한다.

⑩ 11번 블레이드로 가이드와이어 삽입 부위의 피부를 절개한 후 가이드와이어를 따라 확장기를 진입시킨다. 이때, 반드시 확장기 밖으로 가이드와이어가 나오는 것을 확인한 후 가이드와이어의 끝을 잡고 확장기를 진입시킨다.

⑪ 가이드와이어 삽입 부위에 거즈를 대고 확장기를 제거한다.

⑫ 가이드와이어를 따라 배액관을 삽입한다. 이때, 배액관 끝으로 가이드와이어가 나오는 것을 확인한 후 가이드와이어의 끝을 잡고 배액관을 삽입한다. 원하는 깊이만큼 배액관을 삽입한 후, 가이드와이어를 제거한다.

⑬ 배액관 끝에 3-way를 연결하고, 50 cc 주사기를 이용하여 심낭삼출액을 배액한다.

⑭ 환자의 활력징후가 호전되는 것을 확인한 후 실로 배액관을 고정하고, 고정장치를 적용한다. 3-way에 배액주머니를 연결하여 심낭삼출액이 지속적으로 배액될 수 있도록 한다.

⑮ 알코올이 함유된 2% 클로르헥시딘으로 시술 부위를 소독하고, 멸균 드레싱한다. 단, 클로르헥시딘을 사용할 수 없는 경우에는 10% 포비돈 요오드 또는 70% 이상의 알코올을 사용한다.

⑯ 흉부 X선 검사를 시행하여 배액관의 위치와 합병증 발생 여부를 확인한다.

3) 복수천자(Paracentesis) 및 피부경유배액관 삽입

① 손위생을 시행하고, 환자 확인 후 시술 전 타임아웃을 시행한다.

② 환자를 앙와위 자세로 눕히고, 상체를 45도 세운다. 좌측 또는 우측으로 환자의 몸을 30도 정도 기울이는 것이 도움이 될 수 있다.

③ 저주파 초음파 탐촉자를 이용하여 좌측 또는 하복부(anterior lower abdomen)를 탐지하고, 충분한 양(4-5 cm 이상)의 복수가 있는 위치를 찾는다(그림 12-48).

그림 12-48. 복수(Ascites)

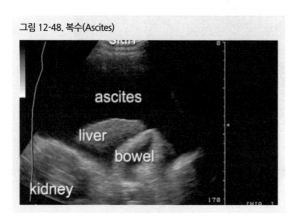

그림 12-49. 복수천자 시 권고되는 주사침 삽입 부위

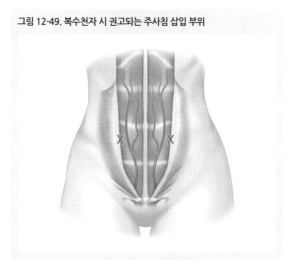

④ 소독된 마스크, 모자, 장갑, 가운을 착용하고, 알코올이 함유된 2% 클로르헥시딘으로 주사침 삽입 부위의 피부를 소독한다. 단, 클로르헥시딘을 사용할 수 없는 경우에는 10% 포비돈 요오드 또는 70% 이상의 알코올을 사용한다.

⑤ 소독제를 완전히 건조시킨 후(2% 헥시-알액®: 30초 이상, 베타딘®: 2분 이상) 환자의 전신을 소독포로 덮고, 소독된 탐촉자 커버로 초음파를 감싼다.

⑥ 초음파로 주사침 삽입 부위를 다시 한 번 확인하고, 의식이 있는 환자는 2% 리도케인으로 주사침 삽입 부위와 고정 부위를 국소마취한다.

⑦ 초음파 탐촉자, 주사침, 주사기, 블레이드, 확장기, 가이드와이어, 거즈, 배액관을 시술자의 손이 쉽게 닿을 수 있는 곳에 놓아 둔다.

⑧ 초음파 탐촉자를 따라 주사침을 삽입한다. 초음파 영상 속에 주사침이 보이는 것을 확인한 후, 부드럽게 주사기를 흡인하면서 주사침을 진입시킨다.

⑨ 주사침이 복강 안으로 들어가면, 주사기 내로 복수가 흡인된다. 이때, 왼손으로 주사기가 움직이지 않도록 고정하고, 오른손으로 가이드와이어를 진입시킨다.

⑩ 표시된 부위까지 가이드와이어를 삽입한 후 주사침 삽입 부위에 거즈를 대고 주사침을 제거한다.

⑪ 11번 블레이드로 가이드와이어 삽입 부위의 피부를 절개한 후 가이드와이어를 따라 확장기를 진입시킨다. 이때, 반드시 확장기 밖으로 가이드와이어가 나오는 것을 확인한 후 가이드와이어의 끝을 잡고 확장기를 진입시킨다.

⑫ 가이드와이어 삽입 부위에 거즈를 대고 확장기를 제거한다.

⑬ 가이드와이어를 따라 배액관을 삽입한다. 이때, 배액관 끝으로 가이드와이어가 나오는 것을 확인한 후 가이드와이어의 끝을 잡고 배액관을 삽입한다. 원하는 깊이만큼 배액관을 삽입한 후, 가이드와이어를 제거한다.

⑭ 배액관 끝에 3-way를 연결하고, 실로 배액관을 고정한 후 고정장치(statlock)를 적용한다. 3-way에 배액주머니를 연결하여 복수가 지속적으로 배액될 수 있도록 한다.

⑮ 알코올이 함유된 2% 클로르헥시딘으로 시술 부위를 소독하고, 멸균 드레싱한다. 단, 클로르헥시딘을 사용할 수 없는 경우에는 10% 포비돈 요오드 또는 70% 이상의 알코올을 사용한다.

⑯ 복부 X선 검사를 시행하여 배액관의 위치와 가이드와이어 제거 여부를 확인한다.

13

연명의료결정

연명의료결정

I 연명의료중단(유보)에 관한 절차

1. 호스피스·완화의료 및 임종과정에 있는 환자의 연명의료결정에 관한 법률(이하 연명의료결정법) 개요

① 2009 김할머니 사건: 김모 할머니는 폐암에 대한 검사 시행 중 식물인간 상태에 빠진 상태로 인공호흡기를 유지하던 중 가족들은 무의미한 연명치료 중단을 요청했으나 병원에서 이를 받아들이지 않았다. 결국 소송을 시행하였고 대법원은 환자가 회복 불가능한 사망단계에 진입하였고, 연명치료 중단에 대한 환자의 의사를 추정할 수 있는 경우로 연명 치료를 중단할 수 있다고 판결하였다.

② 이후, 무의미한 연명의료에 관한 사회적 공감대와 함께 2013년 대통령 소속 국가 생명윤리심의위원회가 특별위원회를 구성하였고 2016년 2월 연명의료결정법 제정, 2018년 2월 4일부터 시행되었다.

③ 이 법은 연명의료를 받지 않을 수 있는 기준과 절차를 정립함으로써 환자가 존엄하게 삶을 마무리할 수 있도록 하는 것을 목표로 하고 있다.

④ 2016년 한 해, 국내 총 사망자 28만 명 중 75%인 21만 명이 병원에서 사망하였고 이는 점차 증가하는 추세로 의료진은 환자의 치료뿐 아니라 임종과정의 돌봄, 연명의료 시행 유보 또는 중단에 대한 의사소통, 절차에 대해서도 숙지할 필요가 있다.

2. 연명의료 유보 또는 중단 과정 절차도

임종과정 판단 이전에도 말기진단(담당의사와 해당분야 전문의 1인) 이후 연명의료계획서 작성이 가능하다.

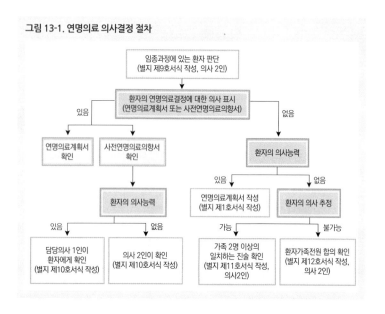

그림 13-1. 연명의료 의사결정 절차

3. 서식 설명

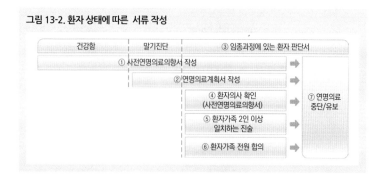

그림 13-2. 환자 상태에 따른 서류 작성

1) 사전연명의료의향서(Advanced directives, AD)

① 본인이 작성하는 서식으로 19세 이상 성인 누구나 작성 가능(비의료진 상담 가능)

② 보건복지부가 지정한 사전연명의료의향서 등록기관을 본인 확인을 위한 신분증 지참 후 방문 시 작성이 가능하며 전국 395개 기관(2019년 12월 현재)이 등록된 상태로 국립연명 의료관리기관 홈페이지에서 검색 가능

2) 연명의료계획서

① 말기진단 또는 임종과정에 있는 환자 판단을 받은 환자에서 작성 가능

② 담당의사가 환자의 의사를 확인하여 환자에 대한 연명의료 중단 등 결정 및 호스피스 이 용에 관한 계획을 문서로 작성한 것(의사 1인)

3) 임종과정에 있는 환자 판단서

① 담당의사, 해당분야 전문의 1인(총 2인)이 = 임종과정에 있다는 의학적 판단을 기록한 법 정 서식

② 단, 말기환자가 호스피스전문기관에서 호스피스를 이용하고 있는 경우, 임종과정에 있는 지 여부에 대한 판단은 담당의사 1인의 판단으로 갈음할 수 있음

③ 임종과정에 있는 환자 판단서 작성 이후 4), 5), 6) 서식을 작성할 수 있으며 연명의료 중 단 또는 유보를 이행할 수 있음

4) 연명의료중단등결정에 대한 환자의사 확인서(사전연명의료의향서)

① 기존에 사전연명의료의향서를 작성했던 환자가 임종과정판단을 받은 이후 시점에서 의 사능력이 있다면 담당의사 1인이, 의사능력이 없다면 담당의사와 해당 분야 전문의 1인 (총 2인)이 사전연명의료의향서가 적법하게 작성되었음을 확인

5) 연명의료중단등결정에 대한 환자의사 확인서(환자가족 진술)

① 임종과정판단을 받은 이후 시점에 연명의료시행에 대한 환자의 명시적 의사를 확인할 수 없고, 의사표현을 할 수 없는 의학적 상태인 경우 환자가족 2인 이상의 일관된 진술을 통 해 확인할 수 있음(가족이 1명인 경우 1명의 진술로도 가능)

② 환자가족 2인의 진술과 대치되는 다른 가족의 진술 또는 기록물이 있으면 작성 불가

③ 담당의사와 해당 분야 전문의 1인 작성(총 2인)

6) 연명의료중단등결정에 대한 친권자 및 환자가족 의사 확인서

① 임종과정판단을 받은 이후 시점에 환자가 의사를 표현할 수 없는 의학적 상태이고, 연명

의료시행에 대한 환자의 의사를 확인하거나 추정할 수도 없는 경우 환자가족 전원(미성년자인 경우 친권자) 합의에 의한 결정으로 가능(1촌 이내 직계존비속 → 1촌 가족이 없는 경우 2촌 이내 직계존비속 → 2촌 이내 직계존비속이 없는 경우 형제자매)

② 환자가족 일부가 해외에 있거나 몸이 불편하여 한 공간에 모일 수 없는 경우, 녹음 또는 녹취 등에 의한 확인도 인정됨. 특정인을 제외하고자 하는 경우 제외 사유를 증명할 수 있는 서류를 제출하여야 함

③ 담당의사와 해당 분야 전문의 1인 작성(총 2인)

7) 연명의료중단등결정 이행서

① 임종과정판단을 받은 이후, 해당 환자에 대한 연명의료중단등결정이 확인된 경우, 담당의사는 그 결정을 이행할 수 있음(담당의사 1인)

② 연명의료중단등결정을 이행할 경우라도 통증 완화를 위한 의료행위와 영양분, 물, 산소의 단순 공급은 중단해서는 안됨

4. 주요 용어

1) 말기환자

암 등의 질병에 걸린 후 적극적 치료에도 회복 가능성이 없고, 점차 증상이 악화되어 수개월 이내에 사망할 것으로 예상되는 진단을 받은 환자(담당의사+전문의 1인 진단)

2) 임종과정에 있는 환자

회생의 가능성이 없고, 치료에도 불구하고 회복되지 않으며, 급속도로 증상이 악화되어 사망에 임박한 상태로 임종과정에 있다는 의학적 판단을 받은 사람(담당의사+전문의 1인 판단)

3) 연명의료

임종과정에 있는 환자에서 심폐소생술, 혈액투석, 항암제 투여, 인공호흡기 착용, 체외생명유지술, 수혈, 혈압상승제 투여 및 그 밖의 의학적 시술로서 치료효과 없이 임종과정의 기간만을 연장하는 것

5. 기타

국가법령정보센터(http://www.law.go.kr/main.html)
국립연명의료관리기관(https://www.lst.go.kr/main/main.do)

찾아보기

D

E